# Microeconomía

## Versión para Latinoamérica

L a portada representa el alba en la Isla del Milenio (recientemente rebautizada, antes Isla Carolina) en el Pacífico Sur, tal y como se ve a través del icono de Parkin. Éste es el lugar de nuestro planeta en el que se vio el primer amanecer del año 2000. Se puede contemplar esta portada de muchas formas distintas. He aquí lo que yo veo. ◆ Primero, este libro es el resultado de un extraordinario esfuerzo editorial para guiar a los estudiantes en el nuevo milenio y para que enfrenten los desafíos que encontrarán, armados con una clara y convincente explicación de los principios de la economía. ◆ La portada del libro también representa un símbolo de lo que trata la economía (y todo esfuerzo científico). El icono de Parkin es como un modelo económico. Usamos modelos para entender la realidad. El modelo es abstracto, al igual que el diamante y su agujero o abertura. El modelo distorsiona nuestra visión del mundo al omitir algunos detalles, pero, al mismo tiempo, permite concentrar nuestro interés en la forma más brillante y clara posible.

Quinta edición

# Microeconomía
## Versión para Latinoamérica

### MICHAEL PARKIN
University of Western Ontario

### GERARDO ESQUIVEL
El Colegio de México

**Traducción:**

Julio Silverio Coro Pando
*Traductor profesional*

**Revisión técnica:**

Carlos Alberto Ibarra Niño
Profesor Asociado
*Departamento de Economía*
*Universidad de las Américas-Puebla*

**Pearson**
**Educación**

MÉXICO • ARGENTINA • BRASIL • COLOMBIA • COSTA RICA • CHILE
ESPAÑA • GUATEMALA • PERÚ • PUERTO RICO • VENEZUELA

Datos de catalogación bibliográfica

**Parkin, Michael**

**Microeconomía**

PEARSON EDUCACIÓN, MÉXICO, 2001

ISBN: 968-444-442-7
Área: Universitarios

Formato: 20.0 × 25.5 cm          Páginas: 600

Versión en español de la obra titulada *Microeconomics, Fifth Edition,* de Michael Parkin, publicada originalmente en inglés por Addison-Wesley Publishing Company, Inc., Reading Massachusetts. U.S.A.

Esta edición en español es la única autorizada.

Original English Language Title by Addison-Wesley Publishing Company, Inc.
Copyright © 1999
*All rights reserved*
Published by arrangement with the original publisher, Addison-Wesley Publishing Company, Inc.,
a Pearson Education Company.
ISBN 0-201-47385-2

**Edición en español:**
Editora: Marisa de Anta
            e-mail: marisa.anta@pearsoned.com
Supervisora de traducción: Lorena Pontones Durand
Supervisor de producción: Alejandro A. Gómez Ruiz

**Edición en inglés:**

| | | | |
|---|---|---|---|
| Executive Editor: | Denise J. Clinton | Publishing Technology Manager | Sarah McCracken |
| Senior Editor: | Andrea Shaw | Electronic Production Administrator: | Sally Simpson |
| Executive Development Manager: | Sylvia Mallory | Copyeditor: | Barbara Willette |
| Supplements Editor: | Deborah Kiernan | Proofreaders: | Kathy Smith, Kris Smead |
| Development Assistant: | Judean Patten | Indexer: | Robin Bade |
| Managing Editor: | James Rigney | Senior Manufacturing Manager: | Ralph Mattivello |
| Senior Production Supervisors: | Mary Sanger, Lou Bruno | Manufacturing Supervisor: | Tim McDonald |
| Senior Design Supervisor | Gina Hagen | Marketing Manager: | Amy Cronin |
| Technical Illustrator: | Richard Parkin | Marketing Coordinator: | Jennifer Thalmann |
| Photo Researcher: | Beth Anderson | Printer: | World Color |

QUINTA EDICIÓN, 2001

D.R. © 2001 por Pearson Educación de México, S.A. de C.V.
          Calle 4 Núm. 25-2do. piso
          Fracc. Industrial Alce Blanco
          53370 Naucalpan de Juárez, Edo. de México.

Cámara Nacional de la Industria Editorial Mexicana. Reg. Núm. 1031.

ISBN 968-444-442-7

Impreso en México. *Printed in Mexico.*

1 2 3 4 5 6 7 8 9 0 - 04 03 02 01

**Para
Robin**

# Acerca de Michael Parkin

## Michael Parkin

recibió su formación académica como economista en las universidades de Leicester y Essex en Inglaterra. Actualmente forma parte del departamento de Economía de la Universidad de Western Ontario, en Canadá, y ha ocupado puestos docentes en las Universidades de Brown, Manchester, Essex y Bond. Fue presidente de la Asociación de Economistas Canadienses (Canadian Economics Association), ha sido miembro de los consejos editoriales de las revistas *American Economic Review* y *Journal of Monetary Economics*, y editor en jefe del *Canadian Journal of Economics*. Las investigaciones que el profesor Parkin ha llevado a cabo en los campos de la macroeconomía, la economía monetaria y la economía internacional se han plasmado en 160 publicaciones aparecidas en revistas y libros, que incluyen *American Economic Review, Journal of Political Economy, Review of Economic Studies, Journal of Monetary Economics* y *Journal of Money, Credit and Banking*. Dichas investigaciones se hicieron más conocidas con la aparición de sus trabajos sobre la inflación, los cuales desacreditaron la utilización de los controles de precios y salarios. Michael Parkin fue también un pilar del movimiento en favor de la unión monetaria europea. El profesor Parkin es un experimentado y dedicado maestro de cursos de introducción a la economía.

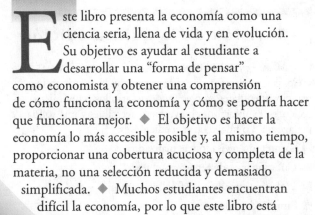

E ste libro presenta la economía como una ciencia seria, llena de vida y en evolución. Su objetivo es ayudar al estudiante a desarrollar una "forma de pensar" como economista y obtener una comprensión de cómo funciona la economía y cómo se podría hacer que funcionara mejor. ◆ El objetivo es hacer la economía lo más accesible posible y, al mismo tiempo, proporcionar una cobertura acuciosa y completa de la materia, no una selección reducida y demasiado simplificada. ◆ Muchos estudiantes encuentran difícil la economía, por lo que este libro está escrito pensando en los estudiantes y los coloca en el centro del escenario. El libro utiliza un estilo y un lenguaje que no intimidan y permiten al estudiante concentrarse en la sustancia. ◆ Cada capítulo se inicia con un enunciado claro de los objetivos de aprendizaje, una viñeta del mundo real que permite captar la atención de los estudiantes y una breve revisión de los temas que se estudiarán. Los principios básicos de cada capítulo se ilustran con ejemplos seleccionados de tal manera que mantengan el interés del estudiante y que hagan que la materia sea vívida. Además, se aplican los principios económicos para ilustrar problemas y temas del mundo contemporáneo. ◆ El libro presenta algunas ideas nuevas, como la ventaja comparativa dinámica, la teoría de juegos, la teoría moderna de la empresa y la teoría de la elección pública, pero todas ellas se explican con herramientas y conceptos básicos con los que el estudiante está familiarizado. ◆ El contenido de este libro surge de los temas actuales: la revolución de la información, la recesión del Sudeste de Asia y la expansión del comercio e inversión internacionales. Pero los principios que usamos para entender estos temas siguen siendo los principios medulares de nuestra ciencia. ◆ Los gobiernos y organismos internacionales dan un énfasis renovado a los fundamentos de largo plazo cuando buscan mantener el crecimiento económico. Este libro refleja ese énfasis. ◆ Para permitir a los estudiantes tener acceso a la información más reciente de la economía, tanto estadounidense como latinoamericana y global, se ha desarrollado un sitio adjunto en Internet.

## Prefacio

# Revisión de la quinta edición

*Microeconomía,* QUINTA EDICIÓN, CONSERVA TODAS LAS mejoras logradas por su predecesora, con el énfasis en los princios medulares, cobertura de desarrollos económicos recientes, explicaciones breves pero accesibles y una sólida pedagogía. Lo nuevo en esta edición es:

■ Contenido revisado y actualizado
■ Cuestionarios de repaso en el texto
■ Problemas paralelos al final del cápítulo
■ Síntesis de cada parte

## Contenido micro revisado y actualizado

Las cinco revisiones principales de los capítulos micro son:

1. Elasticidad (capítulo 5): un tratamiento revisado de la elasticidad más orientado hacia las prediciones y una cobertura más extensa de la elasticidad de la oferta.
2. Equidad y eficiencia (capítulo 6): una nueva discusión de los enfoques alternativos sobre la eficiencia y la justicia de los resultados que produce el mercado.
3. Organización de la producción (capítulo 10): completamente reescrito para proporcionar un panorama de todos los temas de la organización industrial y del mercado. La sección sobre costos y beneficios ha sido simplificada y revisada en profundidad.
4. Competencia monopolística (capítulo 14): una discusión más extensa del papel y de los efectos de los costos de venta y de publicidad.
5. Regulación y ley antimonopolios (capítulo 19): una revisión amplia del tratamiento de las leyes antimonopolio y de sus aplicaciones.

## Preguntas de repaso dentro del texto

Se han reemplazado las secciones de repaso de las ediciones anteriores con preguntas de repaso. Estos breves cuestionarios invitan a los estudiantes a revisar el material que acaban de aprender, teniendo en mente un conjunto de preguntas. Se espera que estos cuestionarios fomenten una nueva lectura más crítica y juiciosa de cualquier material que resulte difícil al estudiante.

## Problemas paralelos al final del capítulo

Se han vuelto a incluir los problemas del final del capítulo y se han creado pares de problemas paralelos. Las respuestas a los problemas con número impar se incluyen al final del libro. Este acomodo ayuda a los estudiantes y da flexibilidad a los profesores que quieran asignar problemas para otorgar créditos.

## Síntesis de cada parte

Esta es una nueva característica que se añadió al *final* de cada parte:

■ Explica cómo se relacionan los capítulos entre sí y cómo encajan dentro de un panorama más grande.
■ Proporciona un esbozo biográfico del economista que elaboró la idea central de cada parte y coloca la contribución original en su contexto histórico.
■ Presenta una entrevista con un economista contemporáneo destacado.

## Versión para América Latina

El nuevo material que se incluye en esta versión de *Microeconomía* contiene, entre otros,  los siguientes temas sobre América Latina:

■ El salario mínimo (capítulo 7)
■ Remuneraciones reales (capítulo 15)
■ Análisis de las brechas salariales entre hombres y mujeres (capítulo 16)
■ La desigualdad económica (capítulo 17)
■ Análisis de la estructura y las tasas impositivas (capítulo 18)
■ La desregulación económica (capítulo 19)
■ Análisis de las tendencias recientes del comercio internacional (capítulo 22)
■ Entrevista a Jaime Serra Puche (principal negociador mexicano del Tratado de Libre Comercio de América del Norte) (sección 7)

Dentro de la sección *Lectura entre líneas* se incluyen también diez artículos de publicaciones latinoamericanas acompañados con un análisis económico. Entre otros, están:

■ La tendencia reciente de los rendimientos a la educación en América Latina (capítulo 3)
■ Los efectos del huracán Mitch sobre el precio del café en Centroamérica y el mundo (capítulo 4)
■ La fijación de precios diferenciados en los servicios telefónicos en México (capítulo 5)
■ El papel de los subsidios en la eficiencia de la agricultura (capítulo 6)
■ Tendencias en la concentración industrial en Argentina (capítulo 10).

## Características para enriquecer la enseñanza y el aprendizaje

A CONTINUACIÓN SE DESCRIBEN LAS CARACTERÍSTICAS de los capítulos que fueron diseñadas para enriquecer el proceso de aprendizaje. Cada capítulo contiene las siguientes ayudas.

### Apertura de capítulo

Una viñeta de una página, sencilla, amistosa y que llama la atención, en la que se plantean preguntas que motivan y ayudan a identificar los temas de cada capítulo.

### Objetivos del capítulo

Una lista de objetivos de aprendizaje permite a los estudiantes ver exactamente hacia dónde se dirige el capítulo y les permite fijarse metas antes de empezar a estudiar el capítulo. Estas metas se vinculan directamente con los principales encabezados del capítulo.

### Después de estudiar este capítulo, usted será capaz de:

■ **Explicar el problema económico fundamental**

■ **Definir la frontera de posibilidades de producción**

■ **Definir y calcular el costo de oportunidad**

■ **Explicar las condiciones en las que los recursos se usan de manera eficiente**

■ **Explicar cómo el crecimiento económico expande las posibilidades de producción**

■ **Explicar cómo la especialización y el comercio expanden las posibilidades de producción**

---

Capítulo **3**

## El problema económico

Vivimos de una manera que sorprende a nuestros abuelos y que habría asombrado a nuestros bisabuelos. Mucha gente vive ahora en casas más espaciosas que las de sus antepasados. Actualmente, las personas comen más y mejor, alcanzan una mayor estatura, viven durante más tiempo, tienen una mejor salud, e incluso nacen de mayor tamaño que sus ancestros. Juegos de video, teléfonos celulares, división de genes y computadoras personales son algunos de los bienes que no existían apenas hace 20 años. El crecimiento económico nos ha hecho más ricos que nuestros abuelos. Y no son pocos los países que están experimentando una expansión de los bienes y servicios que consumen. Muchos países alrededor del mundo no sólo comparten esta experiencia, sino que están imponiendo el ritmo. Antes de la reciente crisis de Asia, Hong Kong, Singapur, Corea y China se expandían a tasas nunca vistas. Pero el crecimiento económico no nos libera de la escasez. ¿Por qué no? ¿Por qué, a pesar de que somos cada vez más ricos, tenemos aún que elegir y enfrentarnos a costos? ¿Por qué no hay "almuerzos gratuitos"? ◆ Vemos una cantidad increíble de especialización y comercio en el mundo. Cada uno de nosotros se especializa en un trabajo en particular: abogado, fabricante de autos, constructor de casas. Nos hemos vuelto tan especializados que un trabajador agrícola puede alimentar a decenas de personas. Menos de la tercera parte de la fuerza laboral de América Latina está empleada en la manufactura. Alrededor de la mitad de la fuerza laboral está empleada en el comercio mayorista y minorista, en la banca y las finanzas, en el gobierno y en otros servicios. ¿Por qué nos especializamos? ¿Cómo nos beneficiamos de la especialización y el comercio? ◆ Durante muchos siglos, las instituciones y los acuerdos sociales que hoy damos por sentados, han evolucionado. Uno de ellos son los derechos de propiedad y el sistema político y legal que los protege. Otro son los mercados. ¿Por qué han evolucionado estos acuerdos sociales? ¿Cómo aumentan la producción?

◇ Éstas son las cuestiones que estudiaremos en este capítulo. Empezaremos con el problema económico central: escasez y elección, y el concepto de la frontera de posibilidades de producción. Después aprenderemos sobre la idea central de la economía: la eficiencia. También descubriremos cómo podemos expandir la producción mediante la acumulación de capital y la especialización y el comercio. ◆ Lo que usted aprenderá en este capítulo es el fundamento sobre el que está construida la economía. Usted obtendrá grandes dividendos del estudio cuidadoso de este material.

**Obtener lo máximo posible**

### Después de estudiar este capítulo, usted será capaz de:

■ Explicar el problema económico fundamental

■ Definir la frontera de posibilidades de producción

■ Definir y calcular el costo de oportunidad

■ Explicar las condiciones en las que los recursos se usan de manera eficiente

■ Explicar cómo el crecimiento económico expande las posibilidades de producción

■ Explicar cómo la especialización y el comercio expanden las posibilidades de producción

## Preguntas de repaso dentro del texto

Las preguntas de repaso al final de la mayoría de las secciones principales permiten a los estudiantes determinar si un tema necesita más estudio antes de proseguir.

### PREGUNTAS DE REPASO

- ¿Qué es la escasez?
- ¿Cuál es el problema económico fundamental?
- ¿Puede usted dar una definición de economía?
- ¿Cuáles son los recursos que pueden utilizarse para producir bienes y servicios?
- ¿Cómo nos enfrentamos al hecho de que nuestras necesidades no se pueden satisfacer con los recursos disponibles?

## Términos clave

Los términos resaltados con negritas en el texto ayudan al estudiante a dominar el vocabulario de economía. Cada término resaltado aparece en una lista al final del capítulo con los números de página correspondiente y en un glosario al final del libro.

**Actividad de búsqueda** El tiempo dedicado a buscar a alguien con quien se pueda hacer negoc[...]

**Acuerdo de colusión** [...] entre dos (o más) pro[...] restringir la producció[...] aumentar precios y b[...]

**Acuerdo General so[...]**

### TÉRMINOS CLAVE

Beneficios económicos, 199
Beneficio normal, 199
Coeficiente de concentración de cuatro empresas, 208
Competencia monopolística, 207
[...] unidad, 198

**Actividad de búsqueda, 130**
en el mercado de vivienda regulado, 130
**Acuerdo de colusión, 297**
**Acuerdo General sobre Aranceles y Comercio (GATT), 481**, 496
**Acumulación de capital, 43**
Ajustes de precio
el mejor arreglo para compradores

## Figuras y tablas clave

Un icono ◆ identifica las figuras y tablas más importantes, y un resumen al final del capítulo las enumera.

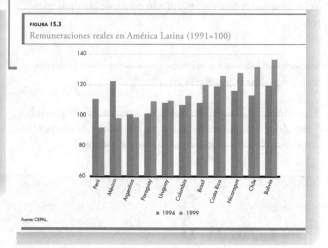

**FIGURA 15.3**
Remuneraciones reales en América Latina (1991=100)

■ 1994 ■ 1999

Fuente: CEPAL.

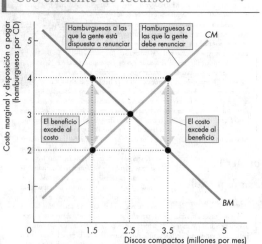

**FIGURA 3.4**
Uso eficiente de recursos ◆

Cuanto mayor es la cantidad de discos compactos producidos, menor es el beneficio marginal (*BM*) de cada CD; es decir, menor es la cantidad de hamburguesas a las que la gente está dispuesta a renunciar para obtener un CD adicional. Pero cuanto mayor es la cantidad de discos compactos producidos, mayor es su costo marginal (*CM*); es decir, la gente debe renunciar a un mayor número de hamburguesas para obtener un CD adicional. Cuando el beneficio marginal es igual al costo marginal, los recursos se están usando de manera eficiente.

## Diagramas que muestran la acción

Este libro ha establecido nuevos estándares de claridad en sus diagramas. La meta de estos diagramas es mostrar "en dónde está la acción económica". Los diagramas de este libro continúan provocando una respuesta enormemente positiva, que confirma la opinión de que el análisis gráfico es la herramienta disponible más importante para la enseñanza y el aprendizaje de la economía. Pero muchos estudiantes tienen dificultad para trabajar con gráficas. Para ayudar a los estudiantes en esta tarea, los diagramas incluyen:

- Desplazamiento de curvas, puntos de equilibrio y otras características importantes resaltadas en rojo
- Flechas de colores combinadas para sugerir movimiento
- Gráficas que corresponden a datos de tablas
- Diagramas rotulados con notas en recuadros
- Encabezados extensos que convierten a cada diagrama y a su encabezado en un objeto independiente para estudio y repaso.

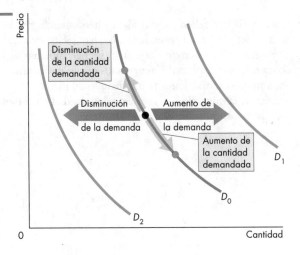

## Lectura entre líneas

Cada capítulo contiene el análisis económico de un artículo periodístico significativo, junto con un conjunto de preguntas de pensamiento crítico que tienen relación con los temas que plantea el artículo.

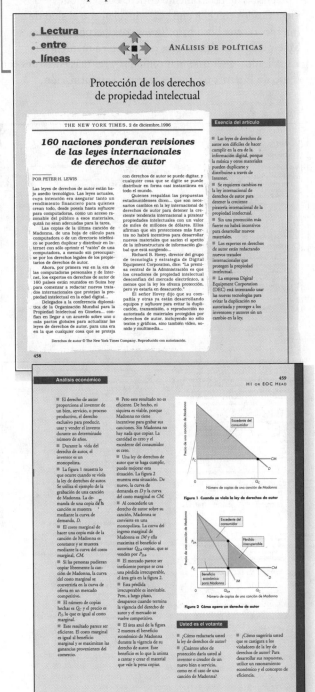

## Material de estudio al final del capítulo

Cada capítulo concluye con un resumen conciso organizado de acuerdo con temas principales: lista de términos, figuras y tablas clave (todos con la referencia de la página); problemas y preguntas de pensamiento crítico. Los renglones identificados con el icono (logo) vinculan con el sitio de Internet de este libro http://www.parkineconomia.com. Mi esperanza es alentar a los estudiantes a mantenerse actualizados, a sentirse más cómodos y ser más eficientes con el uso de Internet para tener acceso a la información.

---

### RESUMEN

**CONCEPTOS CLAVE**

**Recursos y deseos (pág. 30)**
- La actividad económica surge de la escasez: los recursos son insuficientes para satisfacer los deseos de la gente.
- Los recursos son trabajo, tierra, capital (incluye capital humano) y habilidades empresariales.
- Elegimos cómo usar nuestros recursos y tratamos de obtener el máximo de ellos.

**Recursos, producción, posibilidades y costo de oportunidad (págs. 31-33)**
- La frontera de posibilidades de producción, FPP, es el límite entre los niveles de producción que son alcanzables y aquellos que son inalcanzables cuando todos los recursos disponibles se utilizan plenamente.
- La producción eficiente ocurre en la FPP.
- A lo largo de la FPP, el costo de oportunidad de producir más de un bien es el monto que debe cederse del otro bien.

**Ganancias del comercio (pág. 39-41)**
- Una persona tiene una ventaja comparativa en la producción de un bien si esa persona puede producir el bien a un costo de oportunidad menor que el del resto de las personas.
- No es posible que *alguien* tenga ventaja comparativa en *todo*.
- La gente gana al especializarse en la actividad en la cual tiene ventaja comparativa y al comerciar con otros.

**Economía de mercado (págs. 42-43)**
- Los derechos de propiedad y los mercados permiten a la gente ganar con la especialización y el comercio.
- Los mercados coordinan decisiones y ayudan a asignar recursos a los usos de valor *más alto*.

### FIGURAS CLAVE

| | |
|---|---|
| Figura 3.1 | Frontera de posibilidades de producción, 31 |
| Figura 3.4 | Uso eficiente de recursos, 36 |
| Figura 3.8 | Ganancias del comercio, 40 |
| Figura 3.9 | Flujos circulares en la economía de mercado, 43 |

---

*9. En el problema 7, para obtener un litro de crema protectora, la gente de Ociolandia está dispuesta a ceder 5 kilogramos de alimentos, si tiene 25 litros de crema protectora solar; 2 kilogramos de alimentos, si tiene 75 litros de crema protectora solar, y 1 kilogramo de alimentos, si tienen 125 litros de crema protectora solar.
a. Dibuje una gráfica del beneficio marginal de la crema protectora solar en Ociolandia.
b. ¿Cuál es la cantidad eficiente de crema protectora solar que debería producirse?

10. En el problema 8, para obtener un metro de tela, la Isla de Juana está dispuesta a ceder 0.75 kilogramos de maíz, si tiene 2 metros de tela; 0.50 kilogramos de maíz, si tiene 4 metros de tela, y 0.25 kilogramos de maíz, si tiene 6 metros de tela.
a. Dibuje una gráfica del beneficio marginal de la tela para la Isla de Juana.
b. ¿Cuál es la cantidad eficiente de tela para la Isla de Juana?

*11. Las posibilidades de producción en el país Activolandia son:

| Comida (kilogramos por mes) | | Crema protectora solar (litros por mes) |
|---|---|---|
| 150 | y | 0 |
| 100 | y | 100 |
| 50 | y | 200 |
| 0 | y | 300 |

Calcule los costos de oportunidad en Activolandia de producir comida y crema protectora solar a cada nivel de producción de la tabla.

12. Las posibilidades de producción de la Isla de Pepe son:

| Maíz (kilogramos por mes) | | Tela (metros por mes) |
|---|---|---|
| 6 | y | 0.0 |
| 4 | y | 1.0 |
| 2 | y | 2.0 |
| 0 | y | 3.0 |

¿Cuáles son los costos de oportunidad de la Isla de Pepe de producir maíz y tela a cada nivel de producción de la tabla?

consume 1 kilogramo de maíz y 4 metros de tela. La Isla de Pepe produce y consume 4 kilogramos de maíz y 1 metro de tela. Ahora los países empiezan a comerciar.
a. ¿Qué bienes le compra y cuáles le vende la Isla de Juana a la Isla de Pepe?
b. Si la Isla de Juana y Pepe dividen por partes iguales la producción total de maíz y tela, ¿cuáles son las ganancias del comercio?

### PENSAMIENTO CRÍTICO

1. Después de haber estudiado *Lectura entre líneas* de las páginas 44-45, conteste a las siguientes preguntas:
a. ¿Por qué la *FPP* de bienes y servicios educativos y bienes y servicios de consumo es convexa?
b. En algunas universidades públicas, las colegiaturas están fuertemente subsidiadas. Incluso, en algunos casos, la educación es gratuita. ¿Elimina esto el costo de oportunidad de la educación?
c. Utilice una figura similar a la 3.4 para explicar por qué el aumento en los rendimientos de la educación podrían estimular una mayor demanda de bienes y servicios educativos.
2. Utilice los enlaces de la página de Internet de este libro para leer una nota sobre la conveniencia económica de invertir en la educación de los niños. ¿En qué forma se relaciona la figura 3 de la nota, con el análisis realizado en la *Lectura entre líneas* de las páginas 44-45?
3. Utilice los enlaces de la página de Internet de este libro para leer un artículo sobre la demanda de estudios de Doctorado en Economía en Gran Bretaña.
a. Utilice un diagrama similar al de la figura 3.4 para explicar por qué se ha reducido la demanda de estudios de doctorado en Economía en Gran Bretaña.
b. ¿Qué ha ocurrido con el costo de oportunidad de estudiar un Doctorado en Economía en Gran Bretaña?
c. Una buena parte de los estudiantes de Doctorado en Economía en Gran Bretaña provienen de países menos desarrollados. ¿Por qué cree que la demanda de estos estudiantes no se ha reducido tanto como la de los estudiantes locales?

---

## Para el profesor

ESTE LIBRO LE PERMITE ALCANZAR TRES OBJETIVOS en su curso de introducción:
- Concentrarse en las ideas medulares.
- Explicar los temas y problemas de nuestro tiempo.
- Elegir su propia estructura para el curso.

### Concentrarse en las ideas medulares

Usted sabe lo difícil que es motivar al estudiante a pensar como economista. Pero ésa es su meta. En congruencia con esta meta, el texto se concentra en las ideas centrales y las usa en repetidas ocasiones: elección, intercambio, costo de oportunidad, cambios en el margen, incentivos, ganancias del intercambio voluntario, fuerzas de demanda, oferta y equilibrio; la búsqueda de rentas económicas y los efectos de las acciones gubernamentales sobre la economía.

### Explicar los temas y problemas de nuestro tiempo

Los estudiantes deben *usar* las ideas y herramientas centrales para poder empezar a entenderlas. No hay mejor manera de motivar a los estudiantes que usar las herramientas de la economía para explicar los temas a los que se enfrentan en el mundo actual. Estos temas incluyen el medio ambiente, la migración, la creciente desigualdad en el ingreso, y la discusión sobre el proteccionismo.

## Elegir su propia estructura para el curso

Si usted quiere impartir su propio curso, el libro está organizado para permitírselo. La adaptabilidad del libro se demuestra en el cuadro sinóptico de flexibilidad y en la tabla de secuencias alternativas que aparecen en las páginas xxii-xxv. Usted puede usar este libro para impartir un curso tradicional que combine teoría y política, o un curso de temas actuales de política. Su curso de micro puede dar énfasis a la teoría o a la política. Usted elige.

### El sitio de Parkin en la Red

Con la quinta edición del libro de texto se inaugura una página WEB especial. Su dirección: www.parkineconomia.com. Este ambiente de aprendizaje basado en Internet contiene atractivas herramientas tanto para el profesor como para el alumno. En ella encontrarán la posibilidad de crear cuestionarios en línea para el repaso de temas, actualizaciones frecuentes de datos relacionados con las figuras del texto y noticias que se pueden comentar en el aula. También se puede consultar una versión electrónica de *Lectura entre líneas* y la sección *Point-Counterpoint*

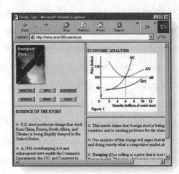

(Punto-contra-punto) que estimularán la discusión en clase. Con el fin de que el estudiante latinoamericano pueda aprovechar todas estas herramientas, para esta versión especial en español se ofrecen dos claves:
**Usuario: e00parkin, contraseña: micro042**

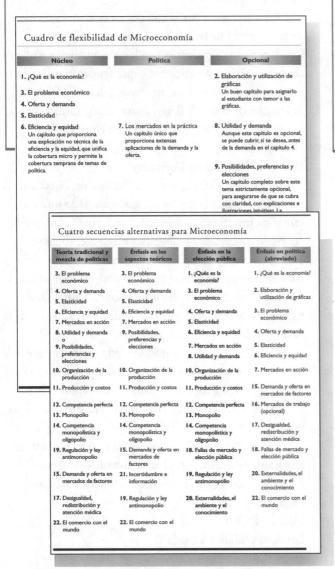

Cuadro de flexibilidad de Microeconomía

| Núcleo | Política | Opcional |
|---|---|---|
| 1. ¿Qué es la economía? | | 2. Elaboración y utilización de gráficas<br>Un buen capítulo para asignarlo al estudiante con temor a las gráficas. |
| 3. El problema económico | | |
| 4. Oferta y demanda | | |
| 5. Elasticidad | | |
| 6. Eficiencia y equidad<br>Un capítulo que proporciona una explicación no técnica de la eficiencia y la equidad, que unifica la cobertura micro y permite la cobertura temprana de temas de política. | 7. Los mercados en la práctica<br>Un capítulo único que proporciona extensas aplicaciones de la demanda y la oferta. | 8. Utilidad y demanda<br>Aunque este capítulo es opcional, se puede cubrir, si se desea, *antes* de la demanda en el capítulo 4. |
| | | 9. Posibilidades, preferencias y elecciones<br>Un capítulo completo sobre este tema estrictamente opcional, para asegurarse de que se cubra con claridad, con explicaciones e ilustraciones intuitivas. La |

Cuatro secuencias alternativas para Microeconomía

| Teoría tradicional y mezcla de políticas | Énfasis en los aspectos teóricos | Énfasis en la elección pública | Énfasis en política (abreviado) |
|---|---|---|---|
| 3. El problema económico | 3. El problema económico | 1. ¿Qués la economía? | 1. ¿Qué es la economía? |
| 4. Oferta y demanda | 4. Oferta y demanda | 3. El problema económico | 2. Elaboración y utilización de gráficas |
| 5. Elasticidad | 5. Elasticidad | 4. Oferta y demanda | 3. El problema económico |
| 6. Eficiencia y equidad | 6. Eficiencia y equidad | 5. Elasticidad | 4. Oferta y demanda |
| 7. Mercados en acción | 7. Mercados en acción | 6. Eficiencia y equidad | 5. Elasticidad |
| 8. Utilidad y demanda<br>o | 9. Posibilidades, preferencias y elecciones | 7. Mercados en acción | 6. Eficiencia y equidad |
| 9. Posibilidades, preferencias y elecciones | | 8. Utilidad y demanda | 7. Mercados en acción |
| 10. Organización de la producción | 10. Organización de la producción | 10. Organización de la producción | 15. Demanda y oferta en mercados de factores |
| 11. Producción y costos | 11. Producción y costos | 11. Producción y costos | 16. Mercados de trabajo (opcional) |
| 12. Competencia perfecta | 12. Competencia perfecta | 12. Competencia perfecta | 17. Desigualdad, redistribución y atención médica |
| 13. Monopolio | 13. Monopolio | 13. Monopolio | |
| 14. Competencia monopolística y oligopolio | 14. Competencia monopolística y oligopolio | 14. Competencia monopolística y oligopolio | 18. Fallas de mercado y elección pública |
| 19. Regulación y ley antimonopolio | 15. Demanda y oferta en mercados de factores | 18. Fallas de mercado y elección pública | 20. Externalidades, el ambiente y el conocimiento |
| 15. Demanda y oferta en mercados de factores | 21. Incertidumbre e información | 19. Regulación y ley antimonopolio | 22. El comercio con el mundo |
| 17. Desigualdad, redistribución y atención médica | 19. Regulación y ley antimonopolio | 20. Externalidades, el ambiente y el conocimiento | |
| 22. El comercio con el mundo | 22. El comercio con el mundo | | |

# Agradecimientos

AGRADEZCO A MI ACTUALES Y ANTIGUOS COLEGAS Y amigos de la Universidad de Western Ontario que me han enseñado tanto. Ellos son: Jim Davies, Jeremy Greenwood, Ig Horstmann, Peter Howitt, Greg Huffman, David Laidler, Phil Reny, Chris Robinson, John Whalley y Ron Wonnacott. También agradezco a Doug McTaggart y Cristopher Findlay, coautores de la edición australiana, y Melanie Powell y Kent Matthews, coautores de la edición europea. Sus sugerencias, que emergieron de las adaptaciones de ediciones anteriores, me han sido útiles para preparar esta edición.

Agradezco a varios miles de estudiantes a quienes he tenido el privilegio de enseñar. La respuesta inmediata que proviene de la mirada de perplejidad o esclarecimiento me ha educado para enseñar economía.

Es un placer especial agradecer a numerosos editores destacados y otros en Addison Wesley Longman que han contribuido al esfuerzo concertado de publicación, el cual ha llevado esta edición a su término. Denise Clinton, editora ejecutiva de economía y finanzas, ha sido una fuente constante de inspiración y aliento, y ha dado la dirección general. Andrea Shaw, editora *senior* de economía y mi editora patrocinadora, ha coordinado competentemente los arreglos para esta edición. Sylvia Mallory, gerente ejecutiva de desarrollo, ha aportado su dirección calmada, creativa y profesional al esfuerzo de desarrollo de esta edición. Deborah Kiernan, editora *senior* de suplementos, trabajando con el equipo más capaz de autores, ha manejado la creación de un paquete grande y complejo de suplementos. Conjuntamente con Mark Rush, Sylvia Mallory y Deb Kiernan han reunido un "equipo de ensueño" de autores de preguntas y han ayudado a crear el mejor banco de pruebas de principios de economía hasta ahora logrado. Judean Patten, asistente editorial, ha desempeñado animadamente muchas tareas útiles solicitadas al momento. Beth Anderson, investigadora fotográfica, ha persistido de manera diligente en sus esfuerzos hasta encontrar las imágenes requeridas. Melissa Honig, editora *senior* de proyecto, ha dirigido el desarrollo de *Economía en acción* y ha sido una fuente de orientación apreciada y admirada en torno a muchas cuestiones que se relacionan con los suplementos electrónicos. Amy Cronin, gerente de marketing, ha proporcionado una dirección inspirada de marketing. Regina Hagen, diseñadora *senior*, ha diseñado la portada, el texto y el paquete, y superado el desafío de asegurarse de que cumpliéramos los más altos estándares de diseño. El editor director James Rigney y los supervisores *senior* de producción Mary Sanger y Louis Bruno han hecho milagros con un programa apretado de producción y han enfrentado serenamente cambios de contenido de última hora. Agradezco a todas estas personas maravillosas. Ha sido inspirador trabajar con ellos y compartir la creación de lo que yo creo que es una herramienta educativa verdaderamente excepcional.

Y en especial a Art Woolf por su cuidadosa revisión de la exactitud de las páginas cercanas al final.

Estoy muy agradecido con las personas encargadas de conseguir artículos noticiosos y que ayudaron mucho a la tarea de escribir *Lectura entre líneas*. Ellos son: Richard Fristensky (Bentley College), Susan Glanz (St. John's University), Jim Lee (Fort Hays State University), Kathryn Nantz (Fairfield University) y Paul Storer (Western Washington University).

Agradezco a las personas que trabajaron directamente conmigo. Jeannie Gillmore ha proporcionado una asistencia de investigación sobresaliente. Jane McAndrew ha aportado una ayuda bibliográfica excelente. Richard Parkin ha creado los archivos de arte electrónicos tanto para el texto como para el CD, y ha brindado muchas ideas que han mejorado las ilustraciones. Laurel Davies ha contribuido al crear, editar y verificar la exactitud de la base de datos de *Economía en acción*.

Como en ediciones anteriores, ésta también tiene una inmensa deuda con Robin Bade. Dedico este libro a ella y nuevamente le agradezco su trabajo. Yo no podría haber escrito esta obra sin la ayuda desinteresada que ella me ha brindado. Mi agradecimiento hacia ella es inmenso.

La experiencia del aula pondrá a prueba el valor de este libro. Apreciaría escuchar de instructores y estudiantes cómo puedo continuar mejorándolo en ediciones futuras.

Michael Parkin

London, Ontario, Canadá

michael.parkin@uwo.ca

## Revisores

Tajudeen Adenekan, Bronx Community College

Milton Alderfer, Miami-Dade Community College

William Aldridge, Shelton State Community College

Donald L. Alexander, Western Michigan University

Terence Alexander, Iowa State University

Stuart Allen, University of North Carolina, Greensboro

Sam Allgood, University of Nebraska, Lincoln

Neil Alper, Northeastern University

Alan Anderson, Fordham University

Lisa R. Anderson, College of William and Mary

Jeff Ankrom, Wittenberg University

Fatma Antar, Manchester Community Technical College

Kofi Apraku, University of North Carolina, Asheville

Moshen Bahmani-Oskooee, University of Wisconsin, Milwaukee

Donald Balch, University of South Carolina

Mehmet Balcilar, Wayne State University

A. Paul Ballantyne, University of Colorado

Sue Bartlett, University of South Florida

Valerie R. Bencivenga, University of Texas, Austin

Ben Bernanke, Princeton University

Margot Biery, Tarrant County Community College South

John Bittorowitz, Ball State University

Giacomo Bonanno, University of California, Davis

Sunne Brandmeyer, University of South Florida

Audie Brewton, Northeastern Illinois University

Baird Brock, Central Missouri State University

Byron Brown, Michigan State University

Jeffrey Buser, Columbus State Community College

Alison Butler, Florida International University

Tania Carbiener, Southern Methodist University

Kevin Carey, American University

Kathleen A. Carroll, University of Maryland, Baltimore County

Michael Carter, University of Massachusetts, Lowell

Adhip Chaudhuri, Georgetown University

Gopal Chengalath, Texas Tech University

Daniel Christiansen, Albion College

John J. Clark, Community College of Allegheny County, Allegheny Campus

Meredith Clement, Dartmouth College

Michael B. Cohn, U.S. Merchant Marine Academy

Robert Collinge, University of Texas, San Antonio

Doug Conway, Mesa Community College

Larry Cook, University of Toledo

Bobby Corcoran, Middle Tennessee State University

Kevin Cotter, Wayne State University

James Peery Cover, University of Alabama, Tuscaloosa

Eleanor D. Craig, University of Delaware

Jim Craven, Clark College

Stephen Cullenberg, University of California, Riverside

David Culp, Slippery Rock University

Norman V. Cure, Macomb Community College

Dan Dabney, University of Texas, Austin

Andrew Dane, Angelo State University

Joseph Daniels, Marquette University

David Denslow, University of Florida

Mark Dickie, University of Georgia

James Dietz, California State University, Fullerton

Carol Dole, University of North Carolina, Charlotte

Ronald Dorf, Inver Hills Community College

John Dorsey, University of Maryland, College Park

Amrik Singh Dua, Mt. San Antonio College

Thomas Duchesneau, University of Maine, Orono

Lucia Dunn, Ohio State University

Donald Dutkowsky, Syracuse University

John Edgren, Eastern Michigan University

David J. Eger, Alpena Community College

Harry Ellis, Jr., University of North Texas

Ibrahim Elsaify, State University of New York, Albany

Kenneth G. Elzinga, University of Virginia

M. Fazeli, Hofstra University

Philip Fincher, Louisiana Tech University

F. Firoozi, University of Texas, San Antonio

David Franck, University of North Carolina, Charlotte

Roger Frantz, San Diego State University

Alwyn Fraser, Atlantic Union College

Richard Fristensky, Bentley College

Eugene Gentzel, Pensacola Junior College

Andrew Gill, California State University, Fullerton

Robert Giller, Virginia Polytechnic Institute and State University

Robert Gillette, University of Kentucky

James N. Giordano, Villanova University

Maria Giuili, Diablo College

Susan Glanz, St. John's University

Richard Gosselin, Houston Community College

John Graham, Rutgers University

John Griffen, Worcester Polytechnic Institute

Robert Guell, Indiana State University

Jamie Haag, University of Oregon

Gail Heyne Hafer, Lindenwood University

Rik W. Hafer, Southern Illinois University

Daniel Hagen, Western Washington University

David R. Hakes, University of Northern Iowa

Craig Hakkio, Federal Reserve Bank, Kansas City

Ann Hansen, Westminster College

Jonathan Haughton, Northeastern University

Randall Haydon, Wichita State University

Jolien A. Helsel, Kent State University

Jill H. Boylston Herndon, Hamline University

John Herrmann, Rutgers University

John M. Hill, Delgado Community College

Lewis Hill, Texas Tech University

Steve Hoagland, University of Akron

Tom Hoerger, Vanderbilt University

Calvin Hoerneman, Delta College

George Hoffer, Virginia Commonwealth University

Dennis L. Hoffman, Arizona State University

Paul Hohenberg, Rensselaer Polytechnic Institute

Jim H. Holcomb, University of Texas, El Paso

Harry Holzer, Michigan State University

Djehane Hosni, University of Central Florida

Harold Hotelling, Jr., Lawrence Technical University

Calvin Hoy, County College of Morris

Julie Hunsaker, Wayne State University

Beth Ingram, University of Iowa

Michael Jacobs, Lehman College

Dennis Jansen, Texas A & M University

Frederick Jungman, Northwestern Oklahoma State University

Paul Junk, University of Minnesota, Duluth

Leo Kahane, California State University, Hayward

Veronica Kalich, Baldwin-Wallace College

John Kane, State University of New York, Oswego

E. Kang, St. Cloud State University

Arthur Kartman, San Diego State University

Manfred W. Keil, Claremont McKenna College

Rose Kilburn, Modesto Junior College

Robert Kirk, Indiana University–Purdue University, Indianapolis

Norman Kleinberg, City University of New York, Baruch College

Robert Kleinhenz, California State University, Fullerton

Joseph Kreitzer, University of St. Thomas

David Lages, Southwest Missouri State University

W. J. Lane, University of New Orleans

Leonard Lardaro, University of Rhode Island

Kathryn Larson, Elon College

Luther D. Lawson, University of North Carolina, Wilmington

Elroy M. Leach, Chicago State University

Jim Lee, Fort Hays State University

Jay Levin, Wayne State University

Arik Levinson, University of Wisconsin, Madison

Tony Lima, California State University, Hayward

William Lord, University of Maryland, Baltimore County

Nancy Lutz, Virginia Polytechnic Institute and State University

K.T. Magnusson, Salt Lake City Community College

Mark Maier, Glendale Community College

Beth Maloan, University of Tennessee, Martin

Jean Mangan, California State University, Sacramento

Michael Marlow, California Polytechnic State University

Akbar Marvasti, University of Houston

Wolfgang Mayer, University of Cincinnati

John McArthur, Wofford College

Amy McCormick, College of William and Mary

Russel McCullough, Iowa State University

Gerald McDougall, Wichita State University

Stephen McGary, Ricks College

Richard D. McGrath, College of William and Mary

Richard McIntyre, University of Rhode Island

John McLeod, Georgia Institute of Technology

Charles Meyer, Iowa State University

Peter Mieszkowski, Rice University

John Mijares, University of North Carolina, Asheville

Richard A. Miller, Wesleyan University

Judith W. Mills, Southern Connecticut State University

Glen Mitchell, Nassau Community College

Jeannette C. Mitchell, Rochester Institute of Technology

Khan Mohabbat, Northern Illinois University

W. Douglas Morgan, University of California, Santa Barbara

William Morgan, University of Wyoming

Joanne Moss, San Francisco State University

Edward Murphy, Southwest Texas State University

Kevin J. Murphy, Oakland University

Kathryn Nantz, Fairfield University

William S. Neilson, Texas A & M University

Bart C. Nemmers, University of Nebraska, Lincoln

Melinda Nish, Salt Lake Community College

Anthony O'Brien, Lehigh University

Mary Olson, Washington University

Terry Olson, Truman State University

James B. O'Niell, University of Delaware

Farley Ordovensky, University of the Pacific

Z. Edward O'Relley, North Dakota State University

Jan Palmer, Ohio University

Michael Palumbo, University of Houston

G. Hossein Parandvash, Western Oregon State College

Randall Parker, East Carolina University

Robert Parks, Washington University

David Pate, St. John Fisher College

Donald Pearson, Eastern Michigan University

Mary Anne Pettit, Southern Illinois University, Edwardsville

Kathy Phares, University of Missouri, St. Louis

William A. Phillips, University of Southern Maine

Dennis Placone, Clemson University

Charles Plot, California Institute of Technology, Pasadena

Mannie Poen, Houston Community College

Kathleen Possai, Wayne State University

Ulrika Praski-Stahlgren, University College in Gavle-Sandviken, Sweden

K.A. Quartey, Talladega College

Herman Quirmbach, Iowa State University

Jeffrey R. Racine, University of South Florida

Peter Rangazas, Indiana University–Purdue University, Indianapolis

Vaman Rao, Western Illinois University

Laura Razzolini, University of Mississippi

J. David Reed, Bowling Green State University

Robert H. Renshaw, Northern Illinois University

W. Gregory Rhodus, Bentley College

John Robertson, Paducah Community College

Malcolm Robinson, University of North Carolina, Greensboro

Richard Roehl, University of Michigan, Dearborn

Thomas Romans, State University of New York, Buffalo

David R. Ross, Bryn Mawr College

Thomas Ross, St. Louis University

Robert J. Rossana, Wayne State University

Rochelle Ruffer, Youngstown State University

Mark Rush, University of Florida

Gary Santoni, Ball State University

John Saussy, Harrisburg Area Community College

David Schlow, Pennsylvania State University

Paul Schmitt, St. Clair County Community College

Martin Sefton, Indianapolis University

Rod Shadbegian, University of Massachusetts, Dartmouth

Gerald Shilling, Eastfield College

Dorothy R. Siden, Salem State College

Scott Simkins, North Carolina Agricultural and Technical State University

Chuck Skoro, Boise State University

Phil Smith, DeKalb College

William Doyle Smith, University of Texas, El Paso

Frank Steindl, Oklahoma State University

Jeffrey Stewart, New York University

Allan Stone, Southwest Missouri State University

Courtenay Stone, Ball State University

Paul Storer, Western Washington University

Mark Strazicich, Ohio State University, Newark

Robert Stuart, Rutgers University

Gilbert Suzawa, University of Rhode Island

David Swaine, Andrews University

Kay Unger, University of Montana

Anthony Uremovic, Joliet Junior College

David Vaughn, City University, Washington

Don Waldman, Colgate University

Francis Wambalaba, Portland State University

Rob Wassmer, Wayne State University

Paul A. Weinstein, University of Maryland, College Park

Lee Weissert, St. Vincent College

Robert Whaples, Wake Forest University

Charles H. Whiteman, University of Iowa

Larry Wimmer, Brigham Young University

Mark Witte, Northwestern University

Willard E. Witte, Indiana University

Mark Wohar, University of Nebraska, Omaha

Cheonsik Woo, Clemson University

Douglas Wooley, Radford University

Arthur G. Woolf, University of Vermont

Ann Al Yasiri, University of Wisconsin, Platteville

John T. Young, Riverside Community College

Michael Youngblood, Rock Valley College.

## Presentación de la versión para América Latina

EL LIBRO QUE USTED TIENE EN SUS MANOS ES UNA adaptación de la obra original de Michael Parkin que se utiliza ampliamente en Estados Unidos y en muchos otros países. El objetivo de esta adaptación es el de ofrecer al lector latinoamericano un libro de texto de microeconomía de nivel básico que le resulte más cercano a su realidad y a sus problemas cotidianos. La razón de hacerlo con este libro, y no con algún otro, se debe, entre otras cosas, a que el libro original de Michael Parkin ha demostrado ser una excelente herramienta pedagógica para introducir a los estudiantes universitarios, ya sea que posteriormente se especialicen en economía o no, a los temas fundamentales que estudia esta disciplina.

La labor de adaptación no ha sido, ni mucho menos, un trabajo sencillo. El principal problema consistió en la heterogeneidad del público al cual se dirige el libro. Si bien los países latinoamericanos tienen muchas cosas en común, también es cierto que cada uno de ellos tiene aspectos (de lenguaje o institucionales, por ejemplo) que son específicos a su realidad particular. Este aspecto de la adaptación se complicó aún más puesto que no se trataba únicamente de sustituir las partes relacionadas a Estados Unidos, con información para el caso de Latinoamérica. Había que tomar en consideración que algunos aspectos de la economía estadounidense son muy relevantes para entender el funcionamiento de varios mercados, situaciones e instituciones en América Latina y que, además, algunas de las características específicas de la economía estadounidense son fundamentales para una parte importante del público al que está dirigida esta edición (es el caso, por ejemplo, de los estudiantes de Puerto Rico).

Las adaptaciones que se incluyen en esta edición son de naturaleza muy diversa y se pueden encontrar a lo largo de todo el texto. Por una parte, se adaptaron los ejercicios, algunos de los ejemplos y una parte de la información estadística, de forma tal que el lector se encuentre con casos y ejemplos que le resulten más familiares por estar relacionados con su realidad concreta. Cuando la heterogeneidad de la información era muy grande, se optó por presentar la información para varios países de la región, de tal manera que el lector pudiera apreciar la variedad de experiencias y resultados que se observan en el mundo real. En otros casos, en los que las experiencias y características regionales son menos diversas, se optó por presentar la información ya sea en forma agregada o con un ejemplo en particular que se consideró representativo de lo que ocurre en la mayor parte de la región. Por otra parte, la adaptación también abarca la inclusión de secciones y temas específicos que se consideran importantes para los países de Latinoamérica. En este sentido, una buena parte de los artículos periodísticos de la sección "*Lectura entre líneas*" han sido modificados; en ellos se espera que se reflejen algunos de los problemas y aplicaciones de la microeconomía más relevantes para las economías latinoamericanas.

La adaptación de este libro ha sido un trabajo de equipo y ha incluido el esfuerzo de muchas personas. Algunas de ellas colaboraron directamente en secciones específicas de la adaptación. Se les agradece enormemente su colaboración y entusiasmo en esta empresa. Estas personas (y sus instituciones) se mencionan a continuación: Adriana Riveroll (ITESM-Estado de México), Magdalena Barba (ITAM), Javier Macedo (ITESM-CEM), Rodolfo de la Torre (Universidad Iberoamericana), María Eugenia Ibarrarán (Universidad de las Américas-Puebla), Luis Felipe López-Calva (El Colegio de México) y María Mercedes Muñoz (ITESM-Estado de México). Otras personas colaboraron en diferentes etapas de este trabajo ya sea con ideas, sugerencias o auxilio en la recopilación de información. Entre otras personas se agradece la colaboración de Alejandro Díaz-Bautista (Colegio de la Frontera Norte), José Antonio Rodríguez (El Colegio de México), Juan Carlos Rivas, Edelith Romero, Marco Antonio Nieto y Mónica Vargas. Finalmente, si a alguien se le debe agradecer que este esfuerzo colectivo se haya realizado es a Marisa de Anta, editora de Pearson Educación. Marisa no sólo fue quien me propuso la idea de la adaptación, sino que, además, fue quien, con su interés y compromiso en esta empresa, se aseguró de que la edición fuese publicada en un tiempo razonable.

Gerardo Esquivel
*El Colegio de México*

# Cuadro de flexibilidad de Microeconomía

| Núcleo | Política | Opcional |
|---|---|---|
| **1.** ¿Qué es la economía? | | **2.** Elaboración y utilización de gráficas<br>Un buen capítulo para asignarlo al estudiante con temor a las gráficas. |
| **3.** El problema económico | | |
| **4.** Oferta y demanda | | |
| **5.** Elasticidad | | |
| **6.** Eficiencia y equidad<br>Un capítulo que proporciona una explicación no técnica de la eficiencia y la equidad, que unifica la cobertura micro y permite la cobertura temprana de temas de política. | **7.** Los mercados en la práctica<br>Un capítulo único que proporciona extensas aplicaciones de la demanda y la oferta. | **8.** Utilidad y demanda<br>Aunque este capítulo esopcional, se puede cubrir, si se desea, *antes* de la demanda en el capítulo 4. |
| | | **9.** Posibilidades, preferencias y elecciones<br>Un capítulo completo sobre este tema estrictamente opcional, para asegurarse de que se cubra con claridad, con explicaciones e ilustraciones intuitivas. La presentación tradicional de este tema, como un apéndice corto, lo hace imposible de digerir. |
| | | **10.** Organización de la producción<br>Este capítulo se puede omitir o asignarse como lectura. |

| Núcleo | Política | Opcional |
|---|---|---|
| **11.** Producción y costos | | |
| **12.** Competencia perfecta | | |
| **13.** Monopolio | | |
| **14.** Competencia monopolística y oligopolio | | |
| **15.** Demanda y oferta en mercados de factores<br>Permite cubrir todos los temas del mercado de factores en un solo capítulo. Incluye una explicación del valor presente. | | **16.** Mercados de trabajo |
| | **17.** Desigualdad, redistribución y atención médica | |
| | **18.** Fallas de mercado y elección pública<br>Introduce el papel del gobierno en la economía y explica la teoría positiva del gobierno. | |
| | **19.** Regulación y ley antimonopolio | |
| | **20.** Las externalidades, el medio ambiente y el conocimiento | **21.** Incertidumbre e información |

# Cuatro secuencias alternativas para Microeconomía

| Teoría tradicional y mezcla de políticas | Énfasis en los aspectos teóricos | Énfasis en la elección pública | Énfasis en política (abreviado) |
|---|---|---|---|
| 3. El problema económico | 3. El problema económico | 1. ¿Qués es la economía? | 1. ¿Qué es la economía? |
| 4. Oferta y demanda | 4. Oferta y demanda | 3. El problema económico | 2. Elaboración y utilización de gráficas |
| 5. Elasticidad | 5. Elasticidad | 4. Oferta y demanda | 3. El problema económico |
| 6. Eficiencia y equidad | 6. Eficiencia y equidad | 5. Elasticidad | 4. Oferta y demanda |
| 7. Mercados en acción | 7. Mercados en acción | 6. Eficiencia y equidad | 5. Elasticidad |
| 8. Utilidad y demanda o | 9. Posibilidades, preferencias y elecciones | 7. Mercados en acción | 6. Eficiencia y equidad |
| 9. Posibilidades, preferencias y elecciones | | 8. Utilidad y demanda | 7. Mercados en acción |
| 10. Organización de la producción | 10. Organización de la producción | 10. Organización de la producción | 15. Demanda y oferta en mercados de factores |
| 11. Producción y costos | 11. Producción y costos | 11. Producción y costos | 16. Mercados de trabajo (opcional) |
| 12. Competencia perfecta | 12. Competencia perfecta | 12. Competencia perfecta | 17. Desigualdad, redistribución y atención médica |
| 13. Monopolio | 13. Monopolio | 13. Monopolio | |
| 14. Competencia monopolística y oligopolio | 14. Competencia monopolística y oligopolio | 14. Competencia monopolística y oligopolio | 18. Fallas de mercado y elección pública |
| 19. Regulación y ley antimonopolio | 15. Demanda y oferta en mercados de factores | 18. Fallas de mercado y elección pública | 20. Externalidades, el ambiente y el conocimiento |
| 15. Demanda y oferta en mercados de factores | 21. Incertidumbre e información | 19. Regulación y ley antimonopolio | 22. El comercio con el mundo |
| 17. Desigualdad, redistribución y atención médica | 19. Regulación y ley antimonopolio | 20. Externalidades, el ambiente y el conocimiento | |
| 22. El comercio con el mundo | 22. El comercio con el mundo | | |

# Créditos

(continuación de la p. VI)

**Parte 1:** Adam Smith (p. 50), Corbis-Bettmann. Fábrica de alfileres (p. 51), Culver Pictures. Oblea de silicio (p. 51), Bruce Ando/Tony Stone Images. Douglass North (p. 52) © Bill Stover.

**Parte 2:** Alfred Marshall (p. 146), Stock Montage. Puente de ferrocarril (p. 147), Archivos nacionales. Paul R. Milgrom (p. 148), Jenny Thomas.

**Parte 3:** Jeremy Bentham (p. 188), Corbis Bettmann. Mujeres trabajadoras en una fábrica (p. 189), Colección Keystone-Mast (V22542) UCR/Museo de fotografía de California, Universidad de California, Riverside. Gary S. Becker (p. 190), Loren Santow.

**Parte 4:** John von Neumann (p. 310), Stock Montage. Caricatura sobre el poder de monopolio (p. 311), Culver Pictures. Avinash K. Dixit (p. 312), Peter Murphy.

**Parte 5:** Calle Tremont, tránsito en Boston, 1870 (p. 395), cortesía de The Bostonian Society/Old State House. Máquina para estacionamiento (p. 395), Mark E. Gibson. Claudia Goldin (p. 396), Stuart Cohen.

**Parte 6:** Ronald Coase (p. 484), David Joel/David Joel Photography, Inc. Contaminación de los Grandes Lagos (p. 485), Jim Baron/The Image Finders. Botes de pesca en el Lago Erie (p. 485), Patrick Mullen. Walter E. Williams (p. 486), John Skowronski.

**Parte 7:** Embarcación Clipper (p. 515), North Wind Picture Archives. Barco contenedor (p. 515), © M. Timothy O'Keefe/Weststock. Jaime Serra Puche (p. 516), cortesía de la revista *Líderes de México*.

# Contenido breve

**Contenido**

# Microeconomía
## Versión para Latinoamérica

Capítulo 1

# ¿Qué es la economía?

Desde el momento en que se despierta cada mañana hasta el momento en que vuelve a dormirse cada noche, su vida está llena de *elecciones*. Su primera elección es cuándo levantarse. ¿Empezará a apresurarse desde el instante en que suena el despertador o demorará unos cuantos minutos y escuchará la radio? ¿Qué ropa usará hoy? Quizás revise el pronóstico del tiempo y entonces hará una elección. Y después, ¿qué desayunará? ¿Irá en automóvil a la escuela o tomará el autobús? ¿A qué clases asistirá? ¿Qué tareas terminará? ¿Qué hará para el almuerzo? ¿Jugará tenis, nadará, correrá o patinará hoy? ¿Qué hará por la tarde? ¿Estudiará, descansará en casa viendo una película o irá al cine? ◆ Usted se enfrenta a decisiones como éstas todos los días. Pero en algunos días, se enfrenta a elecciones que pueden cambiar el curso completo de su vida. ¿Qué estudiará? ¿Se especializará en economía, administración, derecho o cinematografía? ◆ En tanto usted toma sus decisiones, otras personas a su vez estarán tomando sus propias elecciones. Algunas de las decisiones que tomen otras personas afectarán sus propias decisiones futuras. Su escuela decide qué curso ofrecerá el año próximo. Stephen Spielberg

## Un día en su vida

decide cuál será su próxima película. Un equipo de oftalmólogos decide acerca de un experimento nuevo que podría llevarlos a curar la miopía. El Congreso decide reformar la seguridad social. El Banco Central decide reducir las tasas de interés. ◆ Todas estas decisiones que toman usted y el resto de las personas, son ejemplos del papel de la economía en su vida cotidiana.

◆ Este capítulo da un primer vistazo al tema que usted está a punto de estudiar. Define lo que es la economía y después amplía esa definición con las cinco grandes preguntas que los economistas tratan de responder y las ocho grandes ideas que definen la forma de pensar de la economía. Estas preguntas e ideas son el fundamento sobre el que está construido este curso. El capítulo concluye con una descripción de cómo realizan su trabajo los economistas, el método científico que utilizan y los errores analíticos que tratan de evitar. Cuando haya terminado el estudio de este capítulo, usted tendrá una buena idea de los temas que trata la economía y estará listo para empezar a aprender y usar la economía, a fin de obtener una nueva perspectiva del mundo.

**Después de estudiar este capítulo, usted será capaz de:**

- Definir la economía
- Explicar las cinco grandes preguntas que los economistas tratan de responder
- Explicar ocho ideas que definen la forma de pensar de la economía
- Describir cómo trabajan los economistas

## Una definición de economía

TODAS LAS CUESTIONES Y PROBLEMAS ECONÓMICOS tienen su origen en la **escasez**, y surgen porque los recursos disponibles son insuficientes para satisfacer nuestras preferencias.

Todos queremos tener buena salud, una vida prolongada, comodidad material, distracción física y mental, y conocimientos. Ninguno de estos deseos queda completamente satisfecho para todos, y todos tienen algunos deseos insatisfechos. En tanto que algunas personas tienen todas las comodidades materiales que desean, muchas otras no las tienen. Por otra parte, nadie se siente enteramente satisfecho con su estado de salud o su esperanza de vida. Nadie se siente completamente seguro con sus posesiones y nadie tiene tiempo suficiente para el deporte, los viajes, las vacaciones, las películas, el teatro, la lectura y otras actividades recreativas que desearía llevar a cabo.

El pobre y el rico se enfrentan a la escasez. Una niña pobre puede querer una bebida refrescante y un paquete de goma de mascar, pero no le alcanza el dinero que tiene en el bolsillo. Ella siente la escasez. Un estudiante quiere asistir a una fiesta el sábado por la noche, pero también quiere pasar esa misma noche poniéndose al día con sus tareas escolares. Él experimenta la escasez. Una millonaria quiere pasar el fin de semana jugando golf *y* asistir a una reunión de estrategias de negocios, pero no puede hacer ambas cosas. Incluso los loros se enfrentan a la escasez: ¡no hay suficientes galletas para todos!

Al enfrentarnos a la escasez, debemos *elegir* entre varias alternativas disponibles.

La **economía** es la *ciencia de la elección*; la ciencia que explica las elecciones que hacemos, y cómo esas elecciones cambian conforme nos enfrentamos a la escasez relativa de algún recurso.

## Grandes preguntas económicas

TODAS LAS ELECCIONES ECONÓMICAS SE PUEDEN RESU-mir en grandes preguntas acerca de los bienes y servicios que producimos. Estas preguntas son: ¿Qué? ¿Cómo? ¿Cuándo? ¿Dónde? ¿Quién?

### I: ¿Qué?

**¿Qué** bienes y servicios se producen y en qué cantidades? Los **bienes y servicios** son todas las cosas que valora-mos, porque las podemos utilizar en la producción o en el consumo, y por las que estamos dispuestos a pagar. Produci-mos una impresionante serie de bienes y servicios que van desde las cosas necesarias como casas-habitación hasta ar-tículos recreativos como vehículos y equipo para acampar. Cada año se construyen miles de casas nuevas, las cuales son cada vez más espaciosas y están mejor equipadas que hace veinte años. También, cada año se fabrican varios miles de vehículos, casas de campaña, hornos de microondas, refrige-radores, teléfonos, televisores y videocaseteras; todo lo cual hace más atractiva y cómoda la vida al aire libre y las vacaciones.

¿Qué determina si construimos más casas, o si hacemos más equipo para acampar y abrimos más campamentos? ¿Cómo cambian estas elecciones con el transcurso del tiempo? ¿Y cómo resultan afectadas por los cambios tecnológicos que ponen a nuestra disposición un conjunto aún más amplio de bienes y servicios?

### 2: ¿Cómo?

**¿Cómo** se producen los bienes y servicios? En un viñedo en Francia, trabajadores que acarrean canastos, realizan a mano la vendimia anual. En un viñedo en California, una inmensa máquina y unos cuantos trabajadores hacen el mismo traba-jo que realizan cien cosechadores franceses. Vea a su alrede-dor y verá muchos ejemplos de este fenómeno: el mismo trabajo realizado de distintas maneras. En algunos supermer-cados, los dependientes de la caja teclean los precios. En otros, utilizan un lector de códigos de barras. Un agricultor lleva el registro de los programas de alimentación de su ganado e inventarios mediante papel y lápices, en tanto que otro usa una computadora personal. General Motors contrata a trabajadores para soldar autos en algunas de sus plantas y utiliza robots para hacer el mismo trabajo en otras.

¿Por qué usamos máquinas en algunos casos y gente en otras? ¿La mecanización y el cambio tecnológico destruyen más trabajos de los que crean? ¿Mejoramos o empeoramos?

### 3: ¿Cuándo?

**¿Cuándo** se producen los bienes y servicios? En una obra en construcción, hay una oleada de actividad productiva y la gente debe trabajar horas extra para que la producción pue-da fluir con suficiente rapidez. Una fábrica de automóviles cierra durante el verano, despide temporalmente a sus traba-jadores y suspende su producción.

Algunas veces, la producción de toda la economía se detiene e incluso se contrae por varios períodos en lo que se denomina una *recesión*. En otras ocasiones, la producción de toda la economía se expande rápidamente. A este flujo y reflujo de la producción lo llamamos *ciclo económico*. Cuando la producción cae, se pierden empleos y el desempleo aumenta. Una vez, durante la Gran Depresión de la década de los 30, la producción de Estados Unidos descendió tanto que una cuarta parte de la fuerza laboral quedó desempleada.

Durante los años recientes, la producción en Rusia y en sus vecinos de Europa Central y Oriental ha disminuido conforme estos países han tratado de cambiar la forma en que organizan sus economías.

¿Qué provoca que la producción suba y baje? ¿Cuándo bajará nuevamente la producción en una economía? ¿Puede el gobierno evitar que la producción baje?

## 4: ¿Dónde?

**¿Dónde** se producen los bienes y servicios? La compañía Kellogg elabora cereales para el desayuno en veinte países y los vende en 160 países. El plan de negocios de Kellogg en Japón es tan inmenso que tiene una página en Internet en japonés para promover sus productos. Honda, el fabricante japonés de automóviles, fabrica autos y motocicletas en casi todos los continentes. "Globalización a través de la localización" es su lema, pero produce automóviles en un país y los embarca para su venta a otro país.

En la economía global de hoy en día, gente separada por miles de kilómetros coopera para producir muchos bienes y servicios. Los ingenieros de *software* en el Valle del Silicio en California trabajan a través de Internet con programadores en India. Los pagarés de la tarjeta *American Express* se procesan en Barbados. Pero también existe mucha concentración local de la producción. La mayoría de los alfombras estadounidenses se fabrican en Dalton, Georgia, y la mayoría de las películas se producen en Los Ángeles.

¿Qué determina en dónde se producen los bienes y servicios? ¿Cómo afectan los cambios en la ubicación de la producción a los trabajos que hacemos y a los salarios que ganamos?

## 5: ¿Quién?

**¿Quién** consume los bienes y servicios que se producen? La respuesta a esta pregunta depende de los ingresos que obtienen las personas. Los médicos obtienen ingresos mucho más altos que las enfermeras y los asistentes médicos, así que los médicos pueden obtener una mayor cantidad de bienes y servicios que las enfermeras y los asistentes.

Probablemente usted sepa de muchas otras diferencias persistentes de ingresos. En promedio, los hombres ganan más que las mujeres. Las personas de raza blanca en Estados Unidos, en promedio, ganan más que las minorías de otras razas. Las personas con un título universitario, en promedio, ganan más que los egresados de la secundaria o preuniver-

sidad. Los estadounidenses, en promedio, ganan más que los europeos, quienes a su vez ganan más que los asiáticos, los latinoamericanos y los africanos. Pero hay algunas excepciones significativas. La gente de Japón y Hong Kong ahora ganan un monto similar al de los estadounidenses. Además, hay una gran desigualdad de ingresos alrededor del mundo.

¿Qué determina los ingresos que ganamos? ¿Por qué los médicos obtienen ingresos mayores que las enfermeras? ¿Por qué las mujeres y las minorías ganan menos que los hombres de raza blanca?

## PREGUNTAS DE REPASO

- ¿Cómo definiría la economía?
- ¿Qué es la escasez? Dé algunos ejemplos de gente rica y pobre que enfrenta la escasez.
- Dé algunos ejemplos, diferentes a los del capítulo, de cada una de las grandes preguntas económicas.
- ¿Por qué le interesa *cuáles* bienes y servicios se producen? Dé algunos ejemplos de bienes que valora mucho y bienes que valora poco.
- ¿Por qué le interesa *cómo* se producen los bienes y servicios? [Sugerencia: Piense en su costo.]
- ¿Por qué le interesa *cuándo* o *dónde* se producen los bienes y servicios?
- ¿Por qué le interesa *quién* obtiene los bienes y servicios que se producen?

Estas grandes preguntas económicas le dan una idea de los aspectos que *trata* la economía. Le dicen acerca del *campo de acción de la economía*, pero no le dicen que *es* la economía. No le dicen cómo *piensan* los economistas en torno a estas preguntas y cómo buscan sus respuestas. Averigüemos cómo enfocan los economistas las preguntas económicas, mediante el estudio de ocho grandes ideas que definen la *forma de pensar de la economía*.

## Grandes ideas de la economía

PODEMOS RESUMIR LA FORMA ECONÓMICA DE PENSAR en ocho grandes ideas. Estudiémoslas.

### 1: Elección, intercambio y costo de oportunidad

Una elección es un intercambio: renunciamos a algo para obtener otra cosa. La alternativa de mayor valor a la que renunciamos, es el costo de oportunidad de la actividad que elegimos.

Cualquiera que sea nuestra elección, podríamos haber hecho algo en su lugar. Intercambiamos una cosa por otra. **Intercambio** significa renunciar a algo para obtener otra cosa. La alternativa de mayor valor a la que renunciamos es el **costo de oportunidad** de la actividad elegida. La expresión: "No existe tal cosa como un almuerzo gratis" no es simplemente una frase ingeniosa, sino que expresa la idea central de la economía: que toda elección implica un costo.

Usamos el término *costo de oportunidad* para subrayar que cuando hacemos una elección en una situación de escasez, estamos renunciando a una oportunidad de hacer algo distinto. El costo de oportunidad de cualquier acción es la alternativa desaprovechada de mayor valor. La acción que usted eligió no hacer, la alternativa desaprovechada de mayor valor, es el costo de la acción que usted eligió realizar.

Usted puede abandonar la escuela de inmediato o puede permanecer en ella. Por ejemplo, si renuncia a ella y acepta un empleo en McDonalds, usted gana lo suficiente para comprar algunos discos compactos (CD), ir al cine y pasar mucho tiempo libre con sus amigos. Si usted permanece en la escuela, no podrá permitirse estas cosas por un cierto tiempo. Más adelante, podrá comprar estas cosas; de hecho, ésa es una de las recompensas de estar en la escuela. Pero ahora, una vez que ha comprado sus libros, le queda poco dinero para ir al cine o para CD. Además, tener que hacer las tareas escolares significa que dispone de menos tiempo para pasarla con sus amigos. El costo de oportunidad de estar en la escuela son las cosas alternativas que podría haber hecho si hubiera dejado la escuela.

El costo de oportunidad es la alternativa desaprovechada de mayor valor. No es el conjunto de *todas* las posibles alternativas desaprovechadas. Por ejemplo, si la clase de economía es a las 8:30 de la mañana del lunes, usted puede considerar dos alternativas posibles: quedarse en cama o ir a correr. No puede quedarse en cama e ir a correr al mismo tiempo. El costo de oportunidad de asistir a clase es el tiempo no aprovechado en cama *o* el tiempo no aprovechado en correr. Si éstas son las únicas alternativas que considera, entonces tendrá que decidir cuál haría si no asiste a la clase. El costo de oportunidad de asistir a clase para un corredor es el tiempo de ejercicio desaprovechado; el costo de oportunidad para un dormilón es el tiempo en cama desaprovechado.

## 2: Márgenes e incentivos

Todas las personas hacen elecciones en el margen, y sus decisiones se ven influidas por incentivos. Todo lo que hacemos incluye una decisión de hacer un poco más o un poco menos de alguna actividad. Usted puede distribuir la próxima hora entre estudiar y enviar correos electrónicos a sus amigos. Sin embargo, esta elección no es del tipo de "todo o nada". Usted tiene que decidir cuántos minutos asignar a cada actividad. Para hacer esta elección, usted compara el beneficio de un poco más de estudio, con su costo: usted está haciendo una elección en el **margen**.

La madre de un niño debe decidir cómo asignar su tiempo entre pasarlo con su hijo o trabajar para obtener un ingreso.

El beneficio que surge de dedicar más tiempo a una actividad se llama **beneficio marginal**. Por ejemplo, suponga que una madre trabaja dos días a la semana y que está pensando en aumentar su carga de trabajo a tres días. Su beneficio marginal es el beneficio que obtendrá del día adicional de trabajo. *No* es el beneficio que obtiene de los tres días. La razón consiste en que ella ya obtiene el beneficio de dos días de trabajo, así que no considera este beneficio como resultado de la decisión que está tomando.

El costo de dedicar más tiempo a una actividad se llama **costo marginal**. Para la madre del niño, el costo marginal de aumentar su trabajo a tres días a la semana es el costo adicional (monetario y no monetario) de no pasar un día más con su hijo. El costo marginal no incluye el costo de los dos días que ya trabaja.

Para tomar su decisión, la madre compara el beneficio marginal de un día extra de trabajo con su costo marginal. Si el beneficio marginal excede al costo marginal, ella trabajará el día extra. Si el costo marginal excede al beneficio marginal, ella no trabajará el día extra.

Al evaluar los beneficios y costos marginales, y al elegir sólo aquellas acciones que acarrean un beneficio superior al costo, estamos utilizando nuestros recursos escasos en una forma que nos da el mayor bienestar posible.

Nuestras elecciones reaccionan a incentivos. Un **incentivo** es un aliciente para tomar una acción en particular. El aliciente puede ser un beneficio (una zanahoria) o un costo (un garrote). En la medida en que el aliciente altere el beneficio o el costo marginal, dicho incentivo podría conducir a una modificación de nuestras decisiones.

Por ejemplo, suponga que el salario diario sube y que ninguna otra cosa cambia. Con un mayor salario diario, aumenta el beneficio marginal de trabajar. Para la joven madre, el costo de oportunidad de pasar un día con su hijo ha aumentado. Tiene ahora un mayor incentivo para trabajar un día extra a la semana. Que lo haga, o no, depende de cómo evalúa el beneficio marginal del ingreso adicional y el costo marginal de pasar menos tiempo con su hijo.

De manera similar, suponga que el costo de la guardería aumenta y que ninguna otra cosa cambia. El mayor costo de la guardería aumenta el costo marginal de trabajar. La madre tiene ahora un menor incentivo para trabajar un día extra a la semana. De nuevo, que cambie, o no, sus acciones como respuesta al cambio de incentivos, depende de cómo evalúe el beneficio y el costo marginal.

La idea central de la economía es que al observar los cambios en el costo y en el beneficio marginal, podemos predecir la forma en la que cambiarán las elecciones en respuesta a cambios de los incentivos.

## 3: Intercambio voluntario y mercados eficientes

El intercambio voluntario mejora tanto a compradores como a vendedores, y los mercados son una forma eficiente de organizar el intercambio.

Cuando usted compra alimentos, renuncia a algún dinero a cambio de una canasta de verduras. Pero los alimentos valen el precio que usted paga. Usted está en una mejor situación al haber intercambiado algo de su dinero por las verduras. La tienda de alimentos recibe un pago que alegra a su dueño. Tanto usted como el dueño de la tienda ganan con su compra.

De manera parecida, cuando usted toma un empleo de verano, recibe un salario que considera suficiente para compensar el tiempo libre al que debe renunciar. Pero el valor de su trabajo para la empresa que lo contrata es al menos tan grande como el salario que le paga (de otra manera, no lo contratarían). Así que, de nuevo, tanto usted como su patrón ganan con el **intercambio voluntario**.

Usted mejora su situación cuando compra alimentos y cuando vende su trabajo durante las vacaciones de verano. Ya sea usted un comprador o un vendedor, usted gana con el intercambio voluntario con otros. Lo que es cierto para usted lo es para todo el mundo. Todos ganan con el intercambio voluntario.

En nuestra economía, los intercambios se realizan en **mercados** y, por lo general, se utiliza el dinero como medio de cambio. Vendemos nuestro trabajo en el mercado laboral a cambio de un ingreso monetario, y compramos los bienes y servicios que hemos elegido consumir en una amplia variedad de mercados: mercados de verduras, de café, de cine, de películas, de cortes de cabello, etc. Del otro lado de estas transacciones, las empresas compran nuestro trabajo y nos venden los cientos de bienes que deseamos consumir.

Los mercados son **eficientes** en el sentido de que envían recursos al lugar en el que se les valora más. Por ejemplo, el mal tiempo destruye la cosecha de café en Brasil y hace que el precio del café en este y en otros mercados se dispare. Este aumento de precio, con todos los otros precios constantes, aumenta el costo de oportunidad de tomar café. Las personas que dan el más alto valor al café son aquellas que continuarán bebiéndolo. Las personas que dan un valor más bajo al café, tienen ahora un incentivo para sustituirlo por otro tipo de bebida.

Los mercados no son la única forma de organizar la economía. Una alternativa es lo que se conoce como un sistema de mando. En un **sistema de mando**, algunas personas dan órdenes y otras las reciben y obedecen. Un sistema de mando se usa en el ejército y en algunas empresas. Este sistema se usó en la antigua Unión Soviética para organizar toda la economía. Sin embargo, el mercado es un método superior para organizar toda la economía.

## 4: Imperfección o falla del mercado

El mercado no siempre trabaja de manera eficiente. En ocasiones, la acción del gobierno es necesaria para que el uso de los recursos se vuelva eficiente.

La **imperfección o falla del mercado** es una situación en la que el mercado por sí solo no asigna los recursos de manera eficiente. Si presta atención a los medios informativos, usted puede quedarse con la impresión de que el mercado casi nunca realiza bien su trabajo: el mercado provoca que las tasas de interés de las tarjetas de crédito sean demasiado altas; que los salarios de algunos trabajadores sean muy bajos; que el precio del café se dispare cada vez que hay una severa helada en Brasil; qu aumente el precio del petróleo cuando la inestabilidad política amenaza al Medio Oriente, etcétera. Sin embargo, todos éstos son ejemplos en los que justamente el mercado está realizando su trabajo para ayudarnos a asignar nuestros recursos escasos y asegurar que sean usados en las actividades en las que se les da el máximo valor.

A los compradores no les agrada cuando los precios suben, pero a los vendedores sí. Asimismo, a los vendedores nunca les agrada cuando los precios descienden, pero los compradores están más contentos. Los precios al alza y a la baja son noticia porque afectan a varias personas. Algunas ganan y otras pierden. Como ustedes acaban de ver, todo el mundo se beneficia con el intercambio voluntario; sin embargo, si el resto de las cosas permanecen sin cambio, cuanto más alto sea el precio, más se beneficia el vendedor y menos gana el comprador.

Debido a que un precio alto conlleva una ganancia mayor para el vendedor, existe un incentivo para los vendedores para tratar de controlar el mercado. Cuando un solo productor controla todo un mercado e impide la entrada de otros, el productor puede restringir la cantidad disponible y subir el precio. Esta acción ocasiona una imperfección o falla del mercado. La cantidad disponible del bien es demasiado pequeña. Algunas personas piensan que *Intel* restringe la cantidad de procesadores de computadora (*chips*) cuando introduce un nuevo diseño, con el fin de obtener un precio más alto por este producto. Al final de cuentas, el precio del procesador baja, pero, al principio, Intel vendió su nuevo diseño por un precio más alto y obtuvo grandes beneficios.

La imperfección del mercado también surge cuando los productores no toman en cuenta los costos que imponen a otras personas. Por ejemplo, las compañías de energía eléctrica producen contaminación, como la lluvia ácida, que destruye plantas y bosques y disminuye la producción agrícola. Si estos costos se tomaran en cuenta, produciríamos menos electricidad.

La imperfección del mercado también aparece porque algunos bienes, como la defensa nacional, deben consumirse por igual por todos. Ninguno de nosotros tiene un incentivo para pagar voluntariamente nuestra parte del costo de un bien de este tipo. De hecho, cualquier persona trataría de eludir el pago y hacer que lo paguen todos los demás. Sin embargo, cuando todas las personas actúan de esta manera, lo más probable es que no haya dicho bien y que nadie pueda beneficiarse a costa de todos los demás. Para superar las imperfecciones del mercado, los gobiernos regulan los mercados con leyes anti-monopolio y leyes de protección al medio ambiente, desalientan la producción y consumo de algunos bienes y servicios con gravámenes especiales (tabaco y alcohol, p. ej.), alientan la producción de algunos bienes y servicios mediante subsidios (atención médica y educación, p. ej.) y proporcionan directamente algunos bienes y servicios (defensa nacional, p. ej.).

## 5: Gasto, ingreso y valor de la producción

Para la economía en su conjunto, el gasto total es *igual* al ingreso e *igual* al valor de la producción.

Cuando compra un café capuchino, usted gasta alrededor de $2. Pero, ¿qué le sucede a ese dinero? La persona que lo atiende recibe parte de ese dinero en forma de salario, el dueño del edificio obtiene parte de ese dinero en forma de alquiler, y el dueño del expendio obtiene una parte en forma de beneficios o ganancias. Los proveedores del expendio también reciben una parte de lo que usted paga. Pero estos proveedores gastan parte de lo que reciben en salarios y alquiler, y lo que les queda forma parte de sus beneficios. Sus $2 de **gasto** crean exactamente $2 de **ingreso** para todas las personas que han contribuido en la elaboración de su café capuchino, incluido el agricultor en Centro o Sudamérica que cultivó los granos de café.

El monto de su gasto genera ingresos por un monto igual. Lo mismo es cierto para el gasto de todos los demás. Así, para la economía en su conjunto, el gasto total en bienes y servicios es igual al ingreso total.

Una forma de valorar las cosas que usted compra es a través de los precios que paga por ellas. Así que el valor de los bienes y servicios comprados es igual al gasto total. Otra forma de valorar los artículos que usted compra es a través del costo de producción. Este costo es el monto total pagado a las personas que produjeron los artículos: el ingreso total generado por su gasto. Pero acabamos de ver que el gasto total y el ingreso total son iguales, así que ambos también son iguales al **valor de la producción**.

## 6: Niveles de vida y crecimiento de la productividad

Los niveles de vida tienden a mejorar cuando la producción per cápita aumenta.

Al automatizar una línea de producción de automóviles, un trabajador logra una producción mayor. Pero si un trabajador produce más autos, entonces más personas disfrutan el poseer un auto. Lo mismo es cierto para todos los bienes y servicios. Al aumentar la producción por persona o per cápita, es posible disfrutar de un nivel de vida más alto y comprar más bienes y servicios.

El valor monetario o nominal de la producción puede aumentar por tres razones: porque los precios suben, porque la producción por persona, o **productividad media**, aumenta, o porque incrementa el número de trabajadores. Sin embargo, sólo un aumento de la productividad media da lugar a una mejoria de los niveles de vida. Un aumento de precios ocasiona ingresos mayores, pero sólo medido en dinero. El ingreso extra es sólo lo justo para pagar los precios más altos e insuficiente para comprar más bienes o servicios. Un aumento del número de trabajadores conlleva un aumento de la producción *total*, pero no un aumento de la producción por persona.

## 7: Inflación: un problema monetario

Los precios suben en un proceso llamado **inflación**, cuando el aumento en la demanda —proveniente de una mayor cantidad de dinero— es superior al aumento en la producción. Este proceso conduce a una situación en la cual "demasiado dinero persigue muy pocos bienes". Conforme la gente lleva más dinero al mercado, los vendedores se percatan de que pueden subir sus precios. En forma parecida, cuando estos vendedores van a comprar sus suministros, encuentran que los precios a los que se enfrentan ahora son mayores. Con demasiado dinero alrededor, éste empieza a perder valor.

En algunos países, la inflación ha sido muy alta. Éste fue el caso de varios países latinoamericanos en la década de los ochenta. En la actualidad, en Estados Unidos y en varios países de Latinoamérica, la inflación ha sido relativamente baja, de menos de 4 por ciento al año.

Algunas personas dicen que al aumentar la cantidad de dinero, podemos crear empleos. La idea consiste en que si introducimos más dinero en la economía, cuando éste se gasta, los negocios venden más y así contratan más trabajo para producir más bienes y servicios.

Inicialmente, un aumento del dinero sí podría aumentar la producción y crear empleos. Pero, a final de cuentas, sólo aumentaría los precios y, en el mejor de los casos, dejaría sin cambio la producción y el empleo.

## 8: Desempleo: eficiente o desperdiciado

El **desempleo** puede resultar de imperfecciones del mercado y pueden estarse desperdiciando recursos productivos. Sin embargo, algún tipo de desempleo es eficiente.

El desempleo siempre está presente. Algunas veces su tasa es baja y algunas otras es alta. Asimismo, el desempleo fluctúa durante el ciclo económico.

Algún desempleo es normal y eficiente. Éste es el caso si elegimos tomarnos más tiempo para buscar un empleo apropiado, en lugar de apresurarnos a aceptar la primera oferta que se nos presenta. De manera parecida, las empresas se toman su tiempo para cubrir sus vacantes. El desempleo resultado de esta búsqueda cuidadosa de empleos y trabajadores, mejora la productividad porque ayuda a asignar a la gente a sus empleos más productivos.

Algún desempleo es resultado de fluctuaciones del gasto y puede ser un desperdicio.

## PREGUNTAS DE REPASO

- Dé algunos ejemplos de *intercambios* que usted haya hecho y de los *costos de oportunidad* en que haya incurrido hoy.
- Dé algunos ejemplos de costo *marginal* y de beneficio *marginal*.
- ¿Cómo permiten los mercados tanto a compradores como a vendedores ganar con el intercambio?, y ¿por qué algunas veces los mercados fallan?
- ¿Por qué, para la economía en su conjunto, el gasto es igual al ingreso y al valor de la producción?
- ¿Qué provoca que suban los niveles de vida?
- ¿Qué ocasiona que suban los precios?
- ¿Es siempre un problema el desempleo?

## Qué hacen los economistas

LOS ECONOMISTAS UTILIZAN LAS OCHO GRANDES IDEAS que usted acaba de estudiar para buscar las respuestas a las cinco grandes preguntas que usted repasó al principio de este capítulo. Pero, ¿cómo realizan su trabajo? ¿Qué problemas y escollos especiales encuentran? ¿Siempre concuerdan en sus respuestas?

## Microeconomía y macroeconomía

Los economistas enfocan su trabajo ya sea desde la perspectiva micro, o desde la macro. Estas dos perspectivas definen las dos principales ramas de este tema:

- Microeconomía
- Macroeconomía

**Microeconomía** es el estudio de las decisiones de individuos y empresas, y la interacción de esas decisiones en los mercados.

**Macroeconomía** es el estudio de la economía nacional y de la economía global. Busca explicar los precios *promedio* y el empleo, ingreso y producción *totales*.

Usted puede adoptar un enfoque micro o macro de casi cualquier cosa. Por ejemplo, en un desfile, con el enfoque micro, usted se ocupa de un solo participante y de sus acciones. El enfoque macro son los patrones formados por las acciones conjuntas de todos los individuos que participan en el desfile.

La microeconomía busca explicar los precios y las cantidades de bienes y servicios individuales. También estudia los efectos de la regulación gubernamental y de los impuestos sobre los precios, y las cantidades de los bienes y servicios individuales. Por ejemplo, la microeconomía estudia las fuerzas que determinan los precios de los autos y las cantidades de autos que son producidos y vendidos en el mercado de automóviles. También estudia los efectos de regulaciones e impuestos sobre los precios, y las cantidades de los autos.

La macroeconomía estudia los efectos de los impuestos, del gasto gubernamental y del superávit o déficit del presupuesto del gobierno sobre los empleos y el ingreso totales. También estudia los efectos del dinero y las tasas de interés.

## La ciencia económica

La economía es una ciencia social (al igual que la ciencia política, la psicología y la sociología). Una tarea primordial de los economistas es averiguar cómo funciona el mundo económico. En la búsqueda de este objetivo, los economistas (como todos los científicos) distinguen dos tipos de aseveraciones:

- Lo que *es*
- Lo que *debe* ser

Las aseveraciones o afirmaciones sobre lo que *es*, se llaman afirmaciones *positivas*. Dicen lo que comúnmente se cree acerca de la forma en que funciona el mundo. Una afirmación positiva puede ser correcta o incorrecta, y podemos someterla a prueba cotejándola con los hechos. Cuando una química realiza un experimento en su laboratorio, ella está intentando cotejar una afirmación positiva con los hechos.

Las afirmaciones acerca de lo que *debe* ser, se llaman afirmaciones *normativas*. Estas afirmaciones dependen de valores, y no pueden someterse a prueba. Cuando el Congreso discute una propuesta, está tratando, a final de cuentas, de decidir sobre lo que debería ser. Está haciendo una afirmación normativa.

Para ver la distinción entre afirmaciones positivas y normativas, considere la controversia sobre el calentamiento global del planeta. Algunos científicos piensan que los siglos de combustión de carbón y petróleo están aumentando el contenido de bióxido de carbono en la atmósfera terrestre y llevan a temperaturas más elevadas, lo cual finalmente tendrá consecuencias devastadoras sobre la vida en el planeta. "Nuestro planeta se está calentando por una creciente acumulación de bióxido de carbono en la atmósfera" es una afirmación positiva. En principio, si se cuenta con suficientes datos, esta afirmación puede probarse. "Debemos reducir nuestro uso de combustibles basados en el carbono, como el carbón y el petróleo" es una afirmación normativa. Usted puede estar de acuerdo o en desacuerdo con esta afirmación, pero no le es posible probarla. Se basa en valores.

La reforma del sector salud proporciona un ejemplo económico de esta distinción. "El acceso universal a servicios médicos reducirá la cantidad de tiempo laboral que se pierde debido a enfermedades" es una afirmación positiva. "Todas las personas deben tener igual acceso a los servicios médicos" es una afirmación normativa.

La tarea de la ciencia económica es averiguar y catalogar las afirmaciones positivas que son congruentes con lo que observamos en el mundo y que nos permiten comprender cómo funciona el mundo económico. Esta tarea es grande y puede dividirse en tres pasos:

- Observación y medición
- Elaboración de modelos
- Prueba de modelos

**Observación y medición**   Primero, los economistas llevan registro de montos y ubicaciones de recursos naturales y humanos, de salarios y horas trabajadas, de precios y cantidades de diferentes bienes y servicios producidos, de impuestos y gastos gubernamentales, y de cantidades de bienes y servicios comprados y vendidos a otros países. Esta lista da una idea del conjunto de cosas que los economistas observan y miden.

**Elaboración de modelos**   El segundo paso para la comprensión de cómo funciona el mundo económico es la elaboración de un modelo. Un **modelo económico** es una descripción de algún aspecto del mundo económico, que abarca sólo aquellas características que se necesitan para

el propósito en cuestión. Un modelo es más sencillo que la realidad que describe. Lo que un modelo incluye y lo que deja fuera, resulta de los *supuestos* acerca de lo que es esencial y de los detalles que no lo son.

Usted puede percatarse de que no tomar en cuenta los detalles es útil, incluso esencial, para nuestra comprensión, si piensa en un modelo que ve todos los días: el mapa del estado del tiempo en la TV. El mapa del estado del tiempo es un modelo que ayuda a predecir la temperatura, la velocidad y la dirección del viento, y la precipitación pluvial en un período futuro. El mapa del tiempo muestra líneas llamadas isobaras, es decir, líneas de igual presión barométrica. El mapa no muestra los detalles de las carreteras, ni de ciudades específicas. La razón es que nuestra teoría del tiempo nos dice que el patrón de presión atmosférica, no la ubicación de una carretera o de una ciudad, es lo que determina el tiempo o clima.

Un modelo económico es similar al mapa del estado del tiempo. Nos dice cómo algunas variables están determinadas por algunas otras variables. Por ejemplo, un modelo económico de los efectos del huracán Mitch que afectó a Centroamérica en 1998, podría decirnos los efectos del huracán en los precios y las cantidades producidas de algunos bienes, así como sus posibles efectos en el nivel del ingreso y de bienestar de la población de esa región.

**Prueba de modelos**   El tercer paso consiste en probar los modelos. Las predicciones de un modelo pueden corresponder, o no, con los hechos. Al comparar las predicciones del modelo con los hechos, podemos probar un modelo y desarrollar una teoría económica. Una **teoría económica** es una generalización que describe los principios económicos que caracterizan el comportamiento de los individuos y el de las instituciones, en un contexto caracterizado por la escasez relativa de algún tipo de recurso. Es un puente entre el modelo económico y la economía real.

Una teoría se crea con un proceso de elaboración y comprobación de modelos. Por ejemplo, los meteorólogos tienen una teoría de que si las isobaras forman un patrón en particular en un momento determinado de un año (un modelo), entonces nevará (realidad). Han desarrollado esta teoría mediante la observación repetida y mediante el registro cuidadoso del clima que se presenta después de patrones de presión específicos.

La economía es una ciencia joven. Nació con la publicación en 1776 de *La Riqueza de las Naciones* de Adam Smith (véase la parte 1, págs. 50-51). Durante los últimos 225 años, la economía ha descubierto muchas teorías útiles. Pero, en muchos campos, los economistas todavía están a la búsqueda de respuestas. La acumulación gradual de conocimiento económico da a la mayoría de los economistas cierta fe de que sus métodos, a fin de cuentas, proporcionarán respuestas útiles a las grandes preguntas económicas.

Pero el progreso en economía es lento. Veamos algunos de los obstáculos a este progreso.

## Obstáculos y errores analíticos en economía

No podemos realizar experimentos económicos fácilmente. Además, la mayor parte del comportamiento o conducta económica tiene muchas causas simultáneas. Por estas dos razones, es difícil en economía separar las causas de los efectos.

**Separar causa y efecto**    Al cambiar un factor, manteniendo todos los otros factores pertinentes constantes, podemos aislar el factor que nos interesa e investigar sus efectos de la manera más clara posible. Este recurso lógico, que todos los científicos usan para identificar causa y efecto, se llama *Ceteris paribus* es una expresión en latín que significa "todo lo demás constante" o "si todas las cosas pertinentes permanecen iguales". Asegurarse de que otras cosas sean iguales es crucial en muchas actividades, y todos los intentos exitosos para lograr el progreso científico usan este recurso.

Los modelos económicos (como los modelos en todas las demás ciencias) permiten aislar la influencia de un solo factor a la vez. Cuando usamos un modelo, somos capaces de imaginar qué ocurriría si sólo cambiara un factor. Sin embargo, *ceteris paribus* puede ser un problema cuando se trata de probar un modelo.

Los científicos de laboratorio, como los químicos y los físicos, realizan experimentos manteniendo realmente todos los factores pertinentes constantes, excepto aquel que se está investigando. En las ciencias no experimentales, como la economía (y la astronomía), generalmente observamos los resultados de la operación *simultánea* de muchos factores. En consecuencia, es difícil clasificar o distinguir los efectos de cada factor individual y comparar los efectos con lo que predice el modelo. Para hacer frente a este problema, los economistas adoptan tres enfoques complementarios.

Primero, buscan pares de sucesos en los que otras cosas fueron iguales (o similares). Un ejemplo podría ser el estudio de los efectos de una cierta política salarial sobre la tasa de desempleo, mediante la comparación de lo que ocurre en dos países similares, pero con políticas salariales distintas. Segundo, los economistas usan instrumentos estadísticos, que en conjunto también se conocen como *econometría.* Y tercero, cuando pueden, realizan experimentos. Este enfoque relativamente nuevo somete a sujetos reales (por lo general estudiantes) a situaciones de toma de decisiones, y varían los incentivos de alguna forma para averiguar cómo responden los sujetos a cambios en un factor a la vez.

Los economistas tratan de evitar las *falacias,* errores de razonamiento que conducen a conclusiones equivocadas. Hay dos falacias muy comunes, y usted debe estar prevenido para evitarlas. Son

- Falacia de composición
- Falacia *post hoc*

**Falacia de composición**    La falacia de composición es una afirmación (falsa) de que lo que es cierto para las partes es cierto para el todo, o que lo que es cierto para el todo es cierto para las partes. Piense usted en la afirmación verdadera "*La velocidad mata*", y su implicación, ir más despacio salva vidas. Si todo el tránsito de una autopista se desplaza a menor velocidad, todos en la carretera tienen un viaje más seguro.

Pero suponga que sólo un conductor disminuye la velocidad y que todos los demás tratan de mantener la velocidad original. En esta situación, probablemente habrá más accidentes porque más automóviles cambiarán de carril para rebasar al vehículo más lento. Así que, en este ejemplo, lo que es cierto para el todo no lo es para una parte.

La falacia de composición surge principalmente en macroeconomía y nace del hecho de que las partes entran en interacción unas con otras a fin de producir un resultado para el todo, que puede ser diferente de las intenciones de las partes. Por ejemplo, un bufete de abogados despide a algunos empleados para recortar costos y aumentar sus beneficios. Si todos los bufetes toman acciones parecidas, los ingresos y el gasto descienden. Los bufetes venden menos y sus beneficios no necesariamente mejoran.

**Falacia *post hoc***    Otra frase en latín, *post hoc ergo propter hoc*, significa "después de esto, por tanto debido a esto". La falacia *post hoc* es el error de razonar de que un suceso *causa* otro, simplemente porque uno ocurrió antes que el otro. Suponga que usted es un visitante de un mundo distante. Observa a muchas personas que van de compras a principios de diciembre y después los observa abriendo regalos y festejando la Navidad. Usted se pregunta, ¿las compras ocasionaron la Navidad? Después de un estudio más profundo, descubre que la Navidad causó las compras. Un suceso posterior ocasiona el evento anterior.

Desentrañar la causa del efecto es difícil en economía. En ese sentido, no ayuda fijarse únicamente en el momento en que ocurren los acontecimientos. Por ejemplo, hay un auge en el mercado bursátil y seis meses después la economía se expande y crecen los empleos y los ingresos. ¿Causó el auge de la bolsa de valores la expansión de la economía? Posiblemente haya sido un factor, pero también es posible que las empresas hayan empezado a planear la expansión de la producción porque estuvo disponible una tecnología nueva que redujo costos. Conforme se extendió la información de los planes, el mercado bursátil reaccionó para *anticipar* la expansión económica. En resumen, para desenmarañar causa y efecto, los economistas usan modelos económicos y datos, y, en la medida que pueden, llevan a cabo experimentos.

La economía es una ciencia desafiante. ¿Acaso la dificultad para obtener respuestas en economía significa que todo se vale y que los economistas están en desacuerdo sobre la mayoría de las preguntas? Quizás haya escuchado usted el comentario: "Si en un grupo hay dos economistas y se les pregunta su opinión sobre algún tema económico, seguramente escuchará tres opiniones diferentes." ¿Es válido este comentario?

## Acuerdo y desacuerdo

Los economistas están de acuerdo en torno a una amplia gama de preguntas. Además, de manera sorprendente, el punto de vista con el que concuerdan los economistas a menudo difiere del punto de vista popular y políticamente correcto. Cuando el presidente de la Reserva Federal de Estados Unidos rinde su testimonio ante el Comité de banca del Senado, sus palabras despiertan poca controversia entre los economistas, a pesar de que con frecuencia provocan un debate interminable en la prensa y en el Congreso.

He aquí doce proposiciones[1] con las cuales al menos siete de cada diez economistas estadounidenses están de acuerdo, en términos generales:

- Los aranceles y las restricciones a la importación empeoran la situación de las personas.
- Un déficit gubernamental grande tiene un efecto adverso sobre la economía.
- Los pagos en dinero a los beneficiarios de programas sociales mejoran su situación aún más que las transferencias en bienes y servicios de un valor equivalente.
- El salario mínimo aumenta el desempleo de los trabajadores jóvenes y de los poco calificados.
- Un recorte de impuestos puede ayudar a disminuir el desempleo cuando la tasa de desempleo es elevada.
- La distribución del ingreso en un país como Estados Unidos debe ser más equitativa.
- La inflación es causada principalmente por una tasa elevada de creación de dinero.
- El gobierno estadounidense debe reestructurar el programa de seguridad social de acuerdo con el concepto de un "impuesto negativo sobre el ingreso".

- Los controles de precio del alquiler de vivienda reducen la oferta de ésta.
- Los impuestos a la contaminación son más efectivos que el establecimiento de límites a la contaminación.
- La redistribución del ingreso es un papel legítimo del gobierno de Estados Unidos.
- El presupuesto federal debe estar en equilibrio en promedio durante el ciclo económico, pero no cada año.

¿Cuáles son positivas y cuáles son normativas? Advierta que los economistas están dispuestos a ofrecer sus opiniones sobre temas normativos, así como sus puntos de vista profesionales sobre preguntas positivas. Tenga cuidado con proposiciones normativas disfrazadas de proposiciones positivas.

## PREGUNTAS DE REPASO

- ¿Cuál es la diferencia entre microeconomía y macroeconomía? Proporcione un ejemplo (que no sea de este capítulo) de un tema micro y de un tema macro.
- ¿Cuál es la distinción entre una afirmación positiva y una afirmación normativa? Proporcione un ejemplo (diferente a los de este capítulo) de cada tipo de afirmación o aseveración.
- ¿Qué es un modelo? ¿Puede usted pensar en un modelo que podría estar usando (probablemente sin pensar en él como un modelo) en su vida cotidiana?
- ¿Qué es una teoría? ¿Por qué la afirmación "podrá funcionar en teoría, pero no funciona en la práctica" es una afirmación ridícula? [Sugerencia: Piense en lo que es una teoría y cómo se utiliza.]
- ¿Cuál es el supuesto de *ceteris paribus* y cómo se utiliza?
- Trate de pensar en algunos ejemplos cotidianos de falacias.

---

[1] Más de siete de diez economistas apoyan en lo general o con salvedades estas proposiciones, según una encuesta de Richard M. Alston, J. R. Kearl y Michael B. Vaughn: "Is There a Consensus Among Economists", *American Economic Review*, 82, mayo de 1992, págs. 203-209. En algunos casos se ha simplificado el lenguaje y usted debe verificar el original para las proposiciones y los porcentajes exactos.

Usted está ahora listo para empezar a *hacer* economía. Conforme se adentre en el tema, verá que nos apoyamos frecuentemente en gráficas. Usted debe sentirse a gusto con este método de razonamiento. Si necesita alguna ayuda al respecto, dedique tiempo a estudiar con cuidado el capítulo 2. Si usted ya maneja bien las gráficas, está listo para pasar directamente al capítulo 3 y empezar a estudiar el problema económico fundamental: la escasez.

# RESUMEN

## CONCEPTOS CLAVE

**Una definición de economía** (pág. 2)

- La economía es la *ciencia de la elección*: la ciencia que explica las elecciones que hacemos para hacer frente a la escasez.

**Grandes preguntas económicas** (págs. 2–3)

- Los economistas tratan de responder a cinco grandes preguntas acerca de los bienes y servicios:
  1. ¿Qué?
  2. ¿Cómo?
  3. ¿Cuándo?
  4. ¿Dónde?
  5. ¿Quién?

  *¿Qué* son los bienes y servicios producidos, *cómo, cuándo* y *dónde* son producidos, y *quién* los consume?
- Estas preguntas entran en interacción para determinar el nivel de vida y la distribución del bienestar en cualquier economía del mundo.

**Grandes ideas de la economía** (págs. 3-7)

- Una elección es un intercambio, y la alternativa desaprovechada de más alto valor es el costo de oportunidad de lo que se elige.
- Las elecciones se toman en el margen y se ven influidas por incentivos.
- Los mercados permiten tanto a compradores como a vendedores ganar con el intercambio voluntario.
- Algunas veces, las acciones del gobierno son necesarias para superar las imperfecciones del mercado.
- Para la economía en su conjunto, el gasto es igual al ingreso e igual al valor de la producción.
- Los niveles de vida pueden subir cuando aumenta la producción por persona.
- Los precios suben cuando la cantidad de dinero aumenta más rápido que la producción.
- El desempleo puede ser el resultado de las imperfecciones del mercado, pero también puede ser productivo.

**Qué hacen los economistas** (págs. 7-10)

- La microeconomía es el estudio de las decisiones individuales, y la macroeconomía es el estudio de la economía en su conjunto.
- Las afirmaciones positivas se refieren a lo que *es*, y las afirmaciones normativas se refieren a lo que *debe* ser.
- Para explicar el mundo económico, los economistas elaboran y prueban modelos económicos.
- Los economistas usan el supuesto de *ceteris paribus* para tratar de separar causa y efecto, y tratan de evitar la falacia de composición y la falacia *post hoc*.
- Los economistas están de acuerdo en torno a una amplia gama de preguntas sobre cómo funciona la economía.

## TÉRMINOS CLAVE

Beneficio marginal, 4
Bienes y servicios, 2
*Ceteris paribus*, 9
Costo de oportunidad, 4
Costo marginal, 4
Desempleo, 7
Economía, 2
Eficiente, 5
Escasez, 2
Gasto, 6
Imperfección o falla del mercado, 5
Incentivo, 4
Inflación, 6
Ingreso, 6
Intercambio, 4
Intercambio voluntario, 5
Macroeconomía, 7
Margen, 4
Mercado, 5
Microeconomía, 7
Modelo económico, 8
Productividad media, 6
Sistema de mando, 5
Teoría económica, 8
Valor de la producción, 6

# PROBLEMAS

*1. Usted planea tomar un curso este verano fuera de su lugar de residencia. Si lo hace, no podrá aceptar su empleo acostumbrado que paga $6,000 por todo el verano, y deberá pagar sus alimentos y alquiler. El costo de la colegiatura será $2,000; libros de texto, $200; y gastos de manutención, $1,400. ¿Cuál es el costo de oportunidad de asistir a los cursos de verano?

2. Usted planea una excursión de aventura para este verano. No podrá aceptar su acostumbrado empleo de verano que paga $6,000, y deberá pagar sus alimentos. El costo del traslado en su excursión será de $3,000, las películas y cintas de vídeo le costarán $200, y los alimentos, $1,400. ¿Cuál es el costo de oportunidad de esta excursión?

*3. El centro comercial tiene estacionamiento gratis, pero siempre está lleno y generalmente toma 30 minutos encontrar un lugar desocupado. Hoy, cuando usted encontró un lugar libre, otra persona también lo quería. ¿Es realmente gratis el estacionamiento en este centro comercial? De no serlo, ¿cuánto le costó estacionarse hoy? Cuando estacionó su auto hoy, ¿le impuso algún costo a la otra persona? Explique sus respuestas.

4. La universidad ha construido un nuevo edificio de estacionamiento. Siempre hay un lugar disponible para dejar el auto, pero cuesta $1 diario. Antes de construirse el nuevo estacionamiento, estaba generalmente 15 minutos dando vueltas para encontrar un lugar dónde dejar el auto. Compare el costo de oportunidad de estacionarse en el nuevo estacionamiento con el del antiguo estacionamiento. ¿Cuál es menos costoso y por cuánto?

---

* Las respuestas a las preguntas de número impar están al final del libro.

# PENSAMIENTO CRÍTICO

 1. Utilice el vínculo en el sitio en Internet de este libro para visitar *Resources For Economists on the Internet* (Recursos para economistas en Internet). Desplácese hacía bajo en la página y presione con el botón del ratón en General Interest (Interés General). Visite los sitios de "interés general" y familiarícese con los tipos de información que contienen.

 2. Utilice el vínculo en el sitio en Internet de este libro para visitar la base de datos del Banco Interamericano de Desarrollo (BID) ¡Uno de los mejores almuerzos gratuitos en Internet! Seleccione la opción "Datos Básicos Socioeconómicos" y después escoja algún país latinoamericano sobre el que quiera saber más.

    a. ¿Cuál ha sido la tasa media anual de crecimiento de la población en años recientes?

    b. ¿Cómo ha cambiado la composición de la fuerza laboral por sector en años recientes?

    c. ¿Cuál es el nivel del producto per cápita en el país seleccionado?

3. Piense en alguna de las muchas personas pobres y sin hogar que deambulan por las grandes ciudades de Latinoamérica. Use las cinco grandes preguntas y las ocho grandes ideas de la economía para preparar un ensayo corto acerca de la vida económica de una de estas personas. Piense en los siguientes temas: ¿Esa persona se enfrenta a la escasez? ¿Hace elecciones? ¿Considera usted que las elecciones que hace esa persona van de acuerdo con sus mejores intereses? ¿Usted cree que sus propias elecciones o las elecciones de otros podrían mejorar la situación de este hombre? De ser así, diga cómo podría ser esto posible.

 4. Utilice el vínculo en el sitio de Internet de este libro para visitar la sección de economía y finanzas de una cadena de noticias:

    a. ¿Cuál es la principal noticia económica del día?

    b. ¿A cuáles de las cinco grandes preguntas se refiere? (Sugerencia: Debe referirse por lo menos a una y puede referirse a más de una.)

    c. ¿Cuál de las ocho grandes ideas es aplicable para entender esta noticia?

    d. Redacte un breve resumen de la noticia en unos cuantos puntos sobresalientes, recurriendo tanto como sea posible al léxico económico que ha aprendido en este capítulo y que está en la lista de términos clave en la página 11.

# Capítulo 2

# Elaboración y utilización de gráficas

Al primer ministro británico Benjamín Disraeli se le atribuye la frase: "Hay tres clases de mentiras: mentiras, mentiras malditas y estadísticas." La gráfica es uno de los medios más poderosos para comunicar información estadística. Y al igual que las estadísticas, las gráficas pueden mentir. Pero la gráfica apropiada no miente. Muestra una relación que de otra manera sería poco clara. ◆ Las gráficas son una invención moderna. Aparecieron por primera vez a finales del siglo dieciocho, mucho después del descubrimiento de los logaritmos y el cálculo. Pero hoy en día, en la edad de la computación y de las exhibiciones de vídeos, las gráficas se han vuelto tan importantes como las palabras y los números. ¿Cómo utilizan los economistas las gráficas? ¿Qué tipo de gráficas usan? ¿Qué revelan las gráficas y qué pueden ocultar? ◆ Las grandes preguntas que la economía intenta responder, preguntas que usted estudió en el capítulo 1, son difíciles. Implican relaciones entre un gran número de variables. Prácticamente nada en economía tiene una sola causa. Más bien, un gran número de variables entran en interacción unas con otras. Se dice con frecuencia que en economía todo depende de todo lo demás. Los cambios en la cantidad consumida de helado son ocasionados por los cambios en el precio de este producto, la temperatura y muchos otros factores. ¿Cómo podemos elaborar e interpretar gráficas de relaciones entre varias variables?

## Tres clases de mentiras

◆ En este capítulo, usted verá la clase de gráficas que usan los economistas. Aprenderá cómo elaborarlas e interpretarlas. También aprenderá cómo determinar la magnitud de la influencia de una variable sobre otra, mediante el cálculo de la pendiente de una recta y de una curva. ◆ En este libro no se utilizan gráficas o técnicas más complicadas que las descritas y explicadas en este capítulo. Si usted ya está familiarizado con las gráficas, quizá desee pasar por alto(o examinar rápidamente) este capítulo. Ya sea que lo estudie a fondo o que le dé un vistazo rápido, este capítulo puede usarse como referencia útil, volviendo a él siempre que necesite una ayuda extra para entender las gráficas que usted encuentre a lo largo de su estudio de la economía.

## Después de estudiar este capítulo, usted será capaz de:

- Elaborar e interpretar una gráfica de series de tiempo, un diagrama de dispersión y una gráfica de corte transversal

- Distinguir entre relaciones lineales y no lineales, y entre relaciones que tienen un máximo y un mínimo

- Definir y calcular la pendiente de una línea

- Representar gráficamente relaciones entre más de dos variables

# Representación gráfica de datos

LAS GRÁFICAS REPRESENTAN UNA CANTIDAD EN LA forma de distancia en una línea. La figura 2.1 proporciona dos ejemplos. Una distancia en la línea horizontal representa temperatura, medida en grados Celsius o centígrados. Un movimiento de izquierda a derecha muestra un aumento de temperatura. Un movimiento de derecha a izquierda muestra un descenso de temperatura. El punto señalado con 0 representa 0 grados Celsius. A la derecha de 0, las temperaturas son positivas. A la izquierda de 0, las temperaturas son negativas (como lo indica el signo menos a la izquierda de los números).

Una distancia sobre la línea vertical representa altitud o elevación, medida en miles de metros sobre el nivel del mar. El punto señalado con 0 representa el nivel del mar. Los puntos arriba de 0 representan metros sobre el nivel del mar. Los puntos debajo de 0 (indicados por el signo menos) representan metros debajo del nivel del mar.

No existen reglas rígidas sobre la escala de una gráfica. La escala la determina el alcance o ámbito de las variables que se representan gráficamente.

El propósito fundamental de la gráfica es permitirnos visualizar la relación entre dos variables. Y, para lograrlo, establecemos dos escalas perpendiculares una de la otra, como las de la figura 2.1.

Las dos escalas se denominan *ejes*. La línea vertical se llama eje de las $y$ —o eje de las ordenadas— y la línea horizontal se llama eje de las $x$ —o eje de las abscisas. Las letras $x$ y $y$ aparecen en los ejes de la figura 2.1. Cada eje tiene un punto cero, el cual es compartido por ambos ejes, y se conoce como el *origen*.

Para presentar algo en una gráfica de dos variables, necesitamos dos piezas de información. Necesitamos el valor de la variable $x$ y el valor de la variable $y$. Por ejemplo, en un día de invierno en la costa del Golfo de México, la temperatura es de 5 grados centígrados, a lo que llamaremos el valor de $x$. Una barco pesquero en esa zona está a 0 metros sobre el nivel del mar, a lo que llamaremos el valor de $y$. Estas dos piezas de información aparecen como el punto $a$ en la figura 2.1. Un alpinista en la cima del monte Aconcagua en un día frío está a 6,959 metros sobre el nivel del mar a una temperatura de 0 grados centígrados. Estas dos piezas de información aparecen como el punto $b$ en la figura 2.1. La posición del alpinista en un día menos frío podría ser el punto indicado con $c$. Este punto representa la cima del monte Aconcagua cuando la temperatura es de 5 grados centígrados.

Se pueden trazar dos líneas, llamadas coordenadas, desde el punto $c$ en la gráfica. Una de estas líneas va de $c$ al

**FIGURA 2.1**

## Elaboración de una gráfica

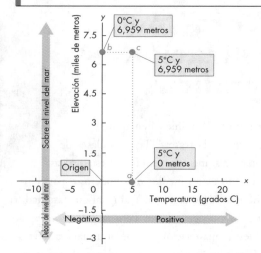

Todas las gráficas tienen ejes que miden cantidades en la forma de distancias. Aquí, el eje horizontal (eje de las $x$) mide la temperatura. Un movimiento hacia la derecha muestra un aumento de temperatura. El eje vertical (eje de las $y$) mide la elevación. Un movimiento hacia arriba muestra un aumento de la elevación. El punto $a$ representa un barco pesquero al nivel del mar (0 en el eje de las $y$); en una día cuando la temperatura es 5° (5° en el eje de las $x$). El punto $b$ representa a un alpinista en la cima del monte Aconcagua (6,959 metros sobre el nivel del mar en el eje de las $y$); en una día cuando la temperatura es 0° (0° en el eje de las $x$). El punto $c$ representa a un alpinista en la cima del monte Aconcagua, 6,959 metros sobre el nivel del mar (en el eje de las $y$), en un día cuando la temperatura en el monte Aconcagua es 5° (5° en el eje de las $x$).

eje horizontal. Esta línea se llama la coordenada $y$. Su longitud es la misma que el valor indicado en el eje de las $y$. La otra de estas líneas va de $c$ al eje vertical. Esta línea se llama la coordenada $x$. Su longitud es la misma que el valor indicado en el eje de las $x$. Para describir un punto en una gráfica, simplemente usamos los valores de sus coordenadas $x$ y $y$.

Gráficas como la de la figura 2.1 pueden emplearse para presentar cualquier clase de información cuantitativa acerca de dos variables. Los economistas usan representaciones similares a la figura 2.1 para mostrar y describir relaciones entre variables económicas. Para hacerlo, usan tres tipos principales de gráficas, que ahora estudiaremos. Estos tipos son los siguientes:

- Diagramas de dispersión
- Gráficas de series de tiempo
- Gráficas de corte transversal

## Diagramas de dispersión

Un **diagrama de dispersión** traza el valor de una variable económica en relación con el valor de otra variable. Una gráfica de este tipo se usa para revelar si existe una relación entre dos variables económicas. Se utiliza también para describir una relación.

**Consumo e ingreso**  La figura 2.2(a) muestra un diagrama de dispersión de la relación entre consumo e ingreso en Estados Unidos, en un periodo determinado. El eje de las *x* mide el ingreso promedio por persona y el eje de las *y* mide el consumo promedio por persona. Cada punto muestra el consumo por persona y el ingreso por persona (en promedio) en Estados Unidos, en un año dado de 1990 a 1997. Los puntos de los ocho años están "dispersos" dentro de la gráfica. Cada punto está rotulado con un número de dos dígitos que nos muestra el año. Por ejemplo, el punto señalado con 96 nos muestra que, en 1996, el ingreso per cápita era $19,200 y el consumo por persona era $17,750.

Los puntos de esta gráfica muestran un patrón que revela que conforme aumenta el ingreso, el consumo también aumenta.

**Llamadas telefónicas y precio**  La figura 2.2(b) muestra un diagrama de dispersión de la relación entre el número de llamadas telefónicas internacionales realizadas desde Estados Unidos y el precio promedio por minuto.

Los puntos en esta gráfica revelan que conforme baja el precio por minuto, aumenta el número de llamadas.

**Desempleo e inflación**  La figura 2.2(c) muestra un diagrama de dispersión entre inflación y desempleo en Estados Unidos. Los puntos en esta gráfica forman un patrón que indica que no hay una relación clara entre estas dos variables. Debido a la ausencia de un patrón distinguible, la gráfica nos muestra que no existe una relación simple entre la inflación y el desempleo en Estados Unidos.

**Correlación y causalidad**  Un diagrama de dispersión que muestra una clara relación entre dos variables, como en el caso de las figuras 2.2(a) y 2.2(b), nos dice que las variables están altamente correlacionadas. Cuando existe una correlación alta, podemos hacer predicciones sobre el valor de una variable a partir del valor de la otra variable. Pero la correlación no implica causalidad. Algunas veces una alta correlación es simplemente una coincidencia, pero en ocasiones surge de una relación de causalidad. Por ejemplo,

---

**FIGURA 2.2**

## Diagramas de dispersión

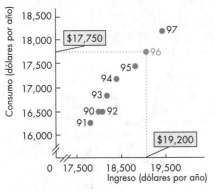

**(a) Consumo e ingreso**

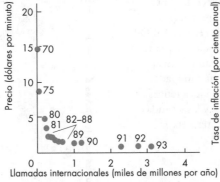

**(b) Llamadas telefónicas internacionales y precios**

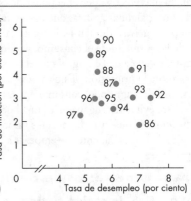

**(c) Desempleo e inflación**

Un diagrama de dispersión revela la relación entre dos variables. La parte (a) presenta la relación entre consumo e ingreso entre 1990 y 1997. Cada punto muestra el valor de las dos variables en un año específico. Por ejemplo, en 1996, el ingreso promedio fue $19,200 y el consumo promedio fue $17,750. El patrón formado por los puntos indica que conforme aumenta el ingreso, también lo hace el consumo. La parte (b) muestra la relación entre el precio de una llamada telefónica internacional y el número de llamadas realizadas por año entre 1970 y 1993. Esta gráfica muestra que conforme ha bajado el precio de una llamada telefónica, el número de llamadas ha aumentado. La parte (c) muestra la tasa de inflación y la tasa de desempleo en Estados Unidos entre 1986 y 1997. Esta gráfica indica que la inflación y el desempleo no parecen estar estrechamente relacionados.

es probable que el ingreso creciente cause un mayor consumo (figura 2.2a) y que los precios decrecientes de las llamadas telefónicas causen la realización de más llamadas (figura 2.2b).

**Discontinuidades en los ejes**  Dos de las gráficas que acaba usted de ver, figuras 2.2(a) y 2.2(c), tienen discontinuidades en sus ejes, mostradas como pequeñas brechas. Las discontinuidades indican que hay saltos del origen 0 a los primeros valores registrados.

En la figura 2.2(a), se usan las discontinuidades porque el valor más bajo de consumo excede $15,000 y el valor más bajo de ingreso excede $16,500. Sin discontinuidades en los ejes de esta gráfica, habría mucho espacio vacío, todos los puntos estarían apiñados en la esquina superior derecha y no podríamos ver si existe una relación entre estas dos variables. Al hacer un corte en los ejes, podemos visualizar la relación en forma clara.

Introducir una discontinuidad en los ejes es como usar un lente de zoom para colocar la relación en el centro de la gráfica y ampliarla para que llene la gráfica.

**Gráficas engañosas**  Las discontinuidades pueden usarse para resaltar una relación. Sin embargo, también es posible usarlas para engañar y crear una impresión equivocada; es decir, para crear una gráfica que miente. La forma más común de hacer que una gráfica mienta es usar las discontinuidades de los ejes y alargar o comprimir una escala. La manera más efectiva de ver el poder de esta clase de mentira es elaborar algunas gráficas que usan esta técnica. Por ejemplo, vuelva a dibujar la figura 2.2(a), pero haga que el eje de las *y*, que mide el consumo, vaya de cero a $45,000, y mantenga el eje de las *x* igual que el mostrado. La gráfica dará ahora la impresión de que a pesar de un inmenso aumento del ingreso, el consumo apenas ha cambiado.

Para evitar ser engañado, es una buena idea tener la costumbre de observar de cerca los valores y las leyendas en los ejes de la gráfica, antes de empezar a interpretarla.

## Gráficas de series de tiempo

Una **gráfica de series de tiempo** mide el tiempo (por ejemplo, meses o años) en el eje de las *x*, y la variable o las variables que nos interesan, en el eje de las *y*. La figura 2.3 muestra un ejemplo de una gráfica de series de tiempo. En esta gráfica, el tiempo (en el eje de las *x*) se mide en años, los cuales van de 1968 a 1998. La variable que nos interesa es el precio del café y se mide en el eje de las *y*.

Una gráfica de series de tiempo comunica una enorme cantidad de información rápida y fácilmente, como ilustra este ejemplo. La gráfica muestra lo siguiente:

1. El *nivel* de precio del café; es decir, la gráfica nos dice cuándo el precio es *alto* y cuándo es *bajo*. Cuando la

línea está muy alejada del eje de las *x*, el precio es alto. Cuando la línea está cerca del eje de las *x*, el precio es bajo.

2. Cómo *cambia* el precio: si *sube* o *baja*. Cuando la línea tiene pendiente positiva, como en 1976, el precio está subiendo. Cuando la línea tiene pendiente negativa, como en 1978, el precio está bajando.

3. La *velocidad* a la cual cambia el precio: si sube o baja *rápida* o *lentamente*. Si la línea tiene una pendiente pronunciada, entonces el precio sube o baja rápidamente. Si la línea no tiene una pendiente pronunciada, el precio sube o baja lentamente. Por ejemplo, el precio subió muy rápidamente en 1976 y 1977. El precio subió una vez más en 1993, pero lentamente. De manera similar, cuando el precio bajó en 1978, lo hizo rápidamente, pero a principios de la década de los ochenta, descendió más lentamente.

Una gráfica de series de tiempo también revela si hay una tendencia. Una **tendencia** es el comportamiento general

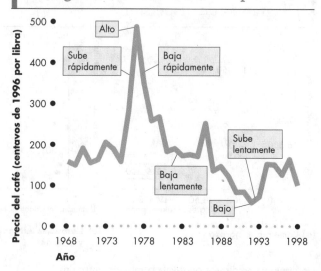

**FIGURA 2.3**

## Una gráfica de series de tiempo

Una gráfica de series de tiempo traza el nivel de una variable en el eje de las *y*, y el tiempo (día, semana, mes o año); en el eje de las *x*. Esta gráfica muestra el precio del café (en centavos de 1996 por libra) para cada año desde 1968 hasta 1998. Nos muestra cuándo el precio del café estaba *alto* y cuándo estaba *bajo*, cuándo *aumentó* y cuándo *disminuyó*, así como cuándo cambió *rápidamente* y cuándo cambió *lentamente*.

de una variable de subir o bajar. Usted puede ver que el precio del café tuvo una tendencia a bajar de fines de la década de los setenta a principios de la década de los noventa. Es decir, a pesar de que hubo alzas y bajas del precio del café, éste tuvo un comportamiento que tendió hacia la baja.

Una gráfica de series de tiempo también nos permite comparar, de manera rápida, períodos diferentes. La figura 2.3 muestra que la década de los ochenta fue diferente a la de los setenta. El precio del café fluctuó más vigorosamente en la década de los setenta que en la de los ochenta.

Como mencionamos con anterioridad, una gráfica de series de tiempo, como la de la figura 2.3, transmite una gran riqueza de información, y lo hace en un menor espacio del que hemos usado para describir sólo algunas de sus características.

**Comparación de dos series de tiempo**   En ocasiones queremos usar una gráfica de series de tiempo para comparar dos variables diferentes. Por ejemplo, suponga que quiere usted conocer si el saldo del presupuesto del gobierno fluctúa conforme a la tasa de desempleo. Puede examinar el saldo del presupuesto del gobierno y la tasa de desempleo trazando una gráfica de cada uno en la misma escala de tiempo. Sin embargo, note que podemos medir el saldo del presupuesto del gobierno en forma de superávit o de déficit. La figura 2.4(a) muestra el balance presupuestal en forma de superávit. La escala de la tasa de desempleo está en el lado izquierdo de la gráfica y la escala del superávit del presupuesto del gobierno está a la derecha. La línea naranja muestra el desempleo y la línea azul, el superávit del presupuesto. Esta gráfica muestra que la tasa de desempleo y el superávit del presupuesto del gobierno se mueven en direcciones opuestas. Por ejemplo, cuando disminuye la tasa de desempleo, el superávit del presupuesto aumenta.

La figura 2.4(b) utiliza una escala para el saldo del presupuesto del gobierno medido en forma de déficit. Es decir, invertimos la escala derecha. La gráfica muestra que la tasa de desempleo y el déficit del presupuesto del gobierno se mueven en la misma dirección. El déficit del presupuesto y la tasa de desempleo aumentan juntos y disminuyen juntos.

**Diagrama de dispersión para comparar dos series de tiempo**   Podemos comparar dos series de tiempo en gráficas como las de la figura 2.4, o en diagramas de dispersión como los de la figura 2.2. ¿Cuál es mejor? No hay una respuesta acertada para esta pregunta. Si el propósito de la gráfica es mostrar *tanto* la forma en que han cambiado las dos variables a lo largo del tiempo, *como* la forma en que se relacionan entre sí, entonces la gráfica de series de tiempo realiza mejor el trabajo. Pero si el propósito de la gráfica es mostrar la fuerza de la relación entre las dos variables, entonces el diagrama de dispersión hace un mejor trabajo.

**FIGURA 2.4**

Relaciones de series de tiempo

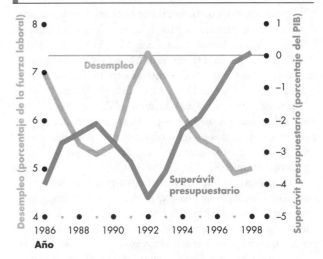

**(a) Desempleo y superávit presupuestario**

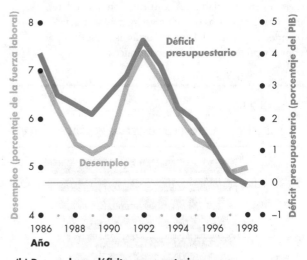

**(b) Desempleo y déficit presupuestario**

Estas dos gráficas muestran la tasa de desempleo y el saldo del presupuesto del gobierno. La línea del desempleo es idéntica en ambas partes. La parte (a) muestra el superávit presupuestario (*ingresos menos gastos del gobierno*) en la escala de la derecha. Es difícil percibir una relación entre el superávit presupuestario y el desempleo. La parte (b) muestra el presupuesto como déficit (*gastos menos ingresos del gobierno*). Es decir, se invierte la escala de la parte (a). Con la escala del saldo del presupuesto invertida, la gráfica revela la tendencia del desempleo y el déficit presupuestario a moverse juntos.

Una relación que se ve fuerte en una gráfica de series de tiempo, a menudo se ve débil en un diagrama de dispersión.

### Gráficas de corte transversal

Una **gráfica de corte transversal** muestra los valores de una variable económica para diferentes grupos de una población, en un momento dado. La figura 2.5 es un ejemplo de una gráfica de corte transversal. Muestra el ingreso promedio por persona en las diez zonas metropolitanas más grandes de Estados Unidos en 1995. Esta gráfica usa barras en lugar de puntos y líneas, y la longitud de cada barra indica el ingreso promedio por persona. La figura 2.5 le permite comparar los ingresos promedio por persona en esas diez ciudades, en una forma más rápida y clara que si viera una lista de números.

La gráfica de corte transversal descrita anteriormente es también un ejemplo de una *gráfica de barras*. Con frecuencia, usamos barras en lugar de líneas en las gráficas de corte transversal, pero no existen reglas fijas para usar líneas, puntos o barras. Es un asunto de gusto.

Usted ya ha visto cómo podemos usar gráficas en la economía para mostrar datos económicos y para revelar relaciones entre variables. A continuación, aprenderemos cómo usar las gráficas de una manera más abstracta. Aprenderemos cómo los economistas usan gráficas para elaborar y presentar modelos económicos.

**FIGURA 2.5**

Una gráfica de corte transversal

Nueva York
San Francisco
Washington
Boston
Chicago
Philadelphia
Dallas–Fort Worth
Detroit
Houston
Los Angeles

0    10    20    30

**Ingreso por persona**
**(miles de dólares por año)**

Una gráfica de corte transversal muestra el nivel de una variable para varios grupos de una cierta población. Esta gráfica muestra el ingreso promedio por persona en cada una de las zonas metropolitanas más grandes de Estados Unidos en 1995.

## Gráficas usadas en modelos económicos

LAS GRÁFICAS USADAS EN ECONOMÍA NO NECESARIAMENTE utilizan datos extraídos de la realidad. A menudo se usan para mostrar las relaciones que existen entre las diversas variables de un modelo económico.

Un **modelo económico** es una descripción simplificada, y reducida a lo esencial, de una economía o de un componente de una economía, tal como una empresa o una familia. Consiste de afirmaciones acerca de la conducta económica, que pueden expresarse en forma de ecuaciones o como curvas en una gráfica. Los economistas usan modelos para explorar los efectos de diferentes políticas u otras influencias sobre la economía, en formas que son similares al uso de modelos de aeroplanos en los túneles de viento y a los modelos climáticos.

Usted encontrará muchas clases diferentes de gráficas en los modelos económicos, pero hay algunos patrones que se repiten. Una vez que haya aprendido a reconocer estos patrones, usted comprenderá al instante el significado de una gráfica. Aquí veremos diferentes tipos de curvas que se usan en modelos económicos y veremos algunos ejemplos cotidianos de cada tipo de curva. Los patrones que deben buscarse en las gráfica son los cuatro casos en los que:

- Las variables se mueven en la misma dirección
- Las variables se mueven en direcciones opuestas
- Las variables tienen un máximo o un mínimo
- Las variables no están relacionadas

Veamos cada uno de estos cuatro casos.

### Variables que se mueven en la misma dirección

La figura 2.6 muestra gráficas de las relaciones entre dos variables que se mueven juntas hacia arriba y hacia abajo. Si dos variables se mueven en la misma dirección se dice que hay una **relación positiva** o **directa** entre ambas. Una relación así se muestra mediante una línea con pendiente positiva.

La figura 2.6 muestra tres tipos de relaciones: una que tiene una línea recta y dos que tienen líneas curvas. Note, sin embargo, que todas las líneas en estas tres gráficas se denominan curvas. Cualquier línea en una gráfica, sin importar si es recta o curva, se denomina *curva*.

Una relación mostrada por una línea recta se llama una **relación lineal**. La figura 2.6(a) muestra una relación lineal entre el número de kilómetros recorridos en cinco horas y la velocidad. Por ejemplo, el punto *a* nos muestra que recorreremos 200 kilómetros en cinco horas si nuestra

**FIGURA 2.6**

## Relaciones positivas (directas)

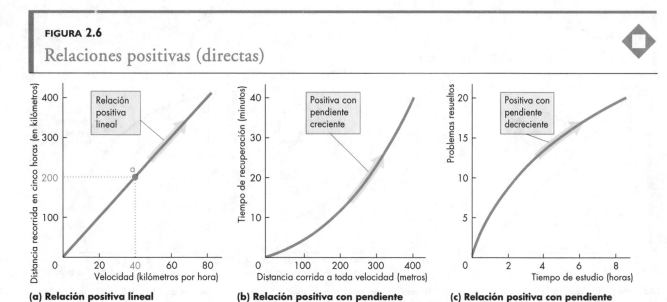

**(a) Relación positiva lineal**

**(b) Relación positiva con pendiente creciente**

**(c) Relación positiva con pendiente decreciente**

Cada parte de esta figura muestra una relación positiva (directa) entre dos variables. Es decir, conforme el valor de la variable medida en el eje de las *x* aumenta, también lo hace el valor de la variable medida en el eje de las *y*. La parte (a) muestra una relación lineal: conforme las dos variables aumentan, nos movemos a lo largo de una línea recta. La parte (b) muestra una relación positiva tal que conforme las dos variables aumentan, nos movemos a lo largo de una curva con pendiente creciente. La parte (c) muestra una relación positiva tal que conforme las dos variables aumentan, nos movemos a lo largo de una curva que se aplana.

velocidad es de 40 kilómetros por hora. Si doblamos nuestra velocidad a 80 kilómetros por hora, entonces viajaremos 400 kilómetros en cinco horas.

La parte (b) muestra la relación entre la distancia corrida a toda velocidad y el tiempo de recuperación (el tiempo que toma a la frecuencia cardiaca regresar a su tasa de reposo normal). Esta relación tiene una pendiente positiva mostrada por la línea curva que empieza bastante plana, pero después se vuelve más inclinada conforme nos alejamos del origen. La razón por la que esta curva tiene pendiente ascendente y se vuelve más inclinada se debe a que aumenta el tiempo de recuperación adicional necesario para correr a toda velocidad 100 metros adicionales. Toma menos de cinco minutos recuperarse de los primeros 100 metros, pero toma más de 10 minutos recuperarse de los terceros 100 metros.

La parte (c) muestra la relación entre el número de problemas resueltos por un estudiante y la cantidad de tiempo de estudio. La relación se muestra por una línea curva de pendiente positiva, que empieza bastante inclinada y se vuelve más plana conforme nos alejamos del origen. El tiempo de estudio se vuelve menos productivo conforme uno estudia más horas y se cansa más.

### Variables que se mueven en direcciones opuestas

La figura 2.7 muestra relaciones entre cosas que se mueven en direcciones opuestas. Si dos variables se mueven en direcciones opuestas se dice que entre ellas hay una **relación negativa** o **inversa**.

La parte (a) muestra la relación entre el número de horas disponibles para jugar squash y el número de horas para jugar tenis. Una hora extra jugando tenis significa una hora menos jugando squash, y viceversa. Esta relación es negativa y lineal.

La parte (b) muestra la relación entre el costo por kilómetros recorrido y la distancia de un viaje. Cuanto más largo es el viaje, más bajo es el costo por kilómetro. Pero conforme aumenta la distancia del viaje, el costo por kilómetro disminuye, y conforme la disminución en el costo es más pequeña, más largo es el viaje. Esta característica de una relación se muestra por el hecho de que la curva tiene pendiente hacia abajo, empezando muy inclinada en un viaje de corta distancia y, después, volviéndose más plana conforme aumenta la distancia del viaje. Esta relación surge porque algunos de los costos son fijos (como el seguro de

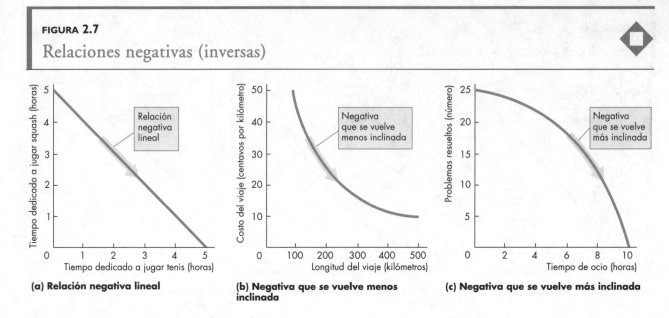

**FIGURA 2.7**

## Relaciones negativas (inversas)

**(a) Relación negativa lineal**

**(b) Negativa que se vuelve menos inclinada**

**(c) Negativa que se vuelve más inclinada**

Cada parte de esta gráfica muestra una relación negativa (inversa) entre dos variables. La parte (a) muestra una relación lineal: conforme una variable aumenta y la otra variable disminuye, nos movemos a lo largo de una línea recta. La parte

(b) muestra una relación negativa de tal forma que conforme la distancia del viaje aumenta, la curva se vuelve menos inclinada. La parte (c) muestra una relación negativa tal que conforme aumenta el tiempo de ocio, la curva se vuelve más inclinada.

automóviles) y este tipo de costos se distribuye a lo largo de un viaje largo.

La parte (c) muestra la relación entre la cantidad de tiempo de ocio y el número de problemas resueltos por un estudiante. Un aumento en las horas dedicadas al ocio genera que el número de problemas resueltos sea cada vez menor. Para un pequeño número de horas dedicadas al ocio, esta relación empieza con una pendiente suave, la cual se vuelve más inclinada conforme aumenta el número de horas dedicadas al ocio. La relación es una forma diferente de ver la idea mostrada en la figura 2.6(c).

### Variables que tienen un máximo o un mínimo

Muchas relaciones de modelos económicos tienen un máximo o un mínimo. Por ejemplo, las empresas tratan de obtener las máximas ganancias posibles y producir al menor costo posible. La figura 2.8 muestra relaciones que tienen un máximo o un mínimo.

La parte (a) muestra la relación entre la precipitación pluvial y el rendimiento de trigo. Cuando no hay lluvia, el trigo no crece, por lo que el rendimiento es cero. Conforme

aumenta la lluvia hasta 10 días al mes, el rendimiento de trigo también aumenta. Con 10 días de lluvia al mes, el rendimiento de trigo alcanza su máximo de cuatro toneladas por hectárea (punto *a*). Cuando la lluvia rebasa los 10 días al mes, empieza a reducirse el rendimiento de trigo. Si todos los días son de lluvia, el trigo padece de falta de luz solar y el rendimiento regresa a cero. Esta relación empieza con una pendiente ascendente, alcanza un máximo y después tiene una pendiente descendente.

La parte (b) muestra el caso contrario: una relación que empieza con una pendiente descendente, cae a un mínimo y después tiene una pendiente ascendente. Un ejemplo de una relación así es el costo de gasolina por kilómetro, conforme aumenta la velocidad del viaje. A bajas velocidades, el auto avanza lentamente en un congestionamiento de tráfico. El número de kilómetros por litro es bajo, así que el costo de gasolina por kilómetro es alto. A velocidades muy altas, el auto viaja más rápido que su velocidad más eficiente, y de nuevo el número de kilómetros por litro es bajo y el costo de gasolina por kilómetro es alto. A una velocidad de 80 kilómetros por hora, el costo de gasolina por kilómetro recorrido está en su mínimo (punto *b*). Esta relación es aquella que empieza con una pendiente descendente, alcanza un mínimo y después tiene una pendiente ascendente.

FIGURA **2.8**

## Puntos máximo y mínimo

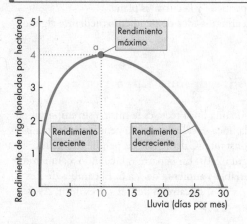

**(a) Relación con un máximo**

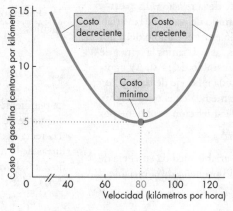

**(b) Relación con un mínimo**

La parte (a) muestra una relación que tiene un punto máximo, *a*. La curva tiene pendiente ascendente conforme sube a su máximo y después tiene pendiente descendente. La parte (b) muestra una relación con un punto mínimo, *b*. La curva tiene pendiente descendente conforme baja a su mínimo y después tiene pendiente ascendente.

## Variables que no están relacionadas

Existen muchas situaciones en las que no importa qué le suceda al valor de una variable, la otra variable permanece constante. Algunas veces queremos mostrar la independencia de dos variables en una gráfica, y la figura 2.9 presenta dos formas de lograrlo.

Al describir las gráficas de las figuras 2.6 a 2.9, hemos hablado de las pendientes de las curvas. Veamos más detenidamente el concepto de pendiente.

FIGURA **2.9**

## Variables que no están relacionadas

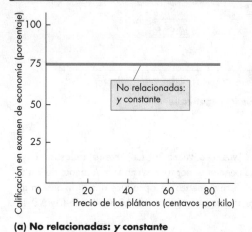

**(a) No relacionadas: *y* constante**

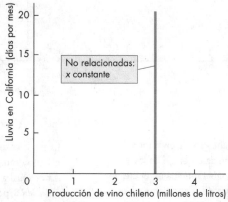

**(b) No relacionadas: *x* constante**

Esta gráfica muestra cómo podemos representar gráficamente dos variables que no están relacionadas una con otra. En la parte (a), el porcentaje de aciertos en un examen de economía se traza en 75 por ciento, independientemente del precio de los plátanos en el eje de las *x*. La curva es horizontal. En la parte (b), la producción de los viñedos de Chile no varía con la lluvia en California. La curva es vertical.

## La pendiente de una relación

PODEMOS MEDIR LA INFLUENCIA DE UNA VARIABLE sobre otra, mediante la pendiente de la relación. La **pendiente** de una relación es el cambio del valor de la variable medida en el eje de las *y*, dividido entre el cambio del valor de la variable medida en el eje de las *x*. Usamos la letra griega $\Delta$ (*delta*) para representar un "cambio de". Así, $\Delta y$ significa el cambio de la variable medida en el eje de las *y*, y $\Delta x$ significa el cambio de la variable medida en el eje de las *x*. Por consiguiente, la pendiente de la relación se obtiene por

$$\Delta y/\Delta x.$$

Si un cambio grande de la variable medida en el eje de las *y* ($\Delta y$) se asocia con un cambio pequeño de la variable medida en el eje de las *x* ($\Delta x$), la pendiente es grande y la curva es inclinada. Si un cambio pequeño de la variable medida en el eje de las *y* ($\Delta y$) se asocia con un cambio grande de la variable medida en el eje de las *x* ($\Delta x$), la pendiente es pequeña y la curva es plana.

Podemos afinar la idea de pendiente mediante algunos cálculos.

### La pendiente de una línea recta

La pendiente de una línea recta es la misma sin importar en qué parte de la línea se calcule. Así, la pendiente de una línea recta es constante. Calculemos las pendientes de las líneas de la figura 2.10. En la parte (a), cuando *x* aumenta de 2 a 6, la variable *y* aumenta de 3 a 6. El cambio de *x* es +4; es decir, $\Delta x$ es 4. El cambio de *y* es +3; es decir, $\Delta y$ es 3.

**FIGURA 2.10**

## Pendiente de una línea recta

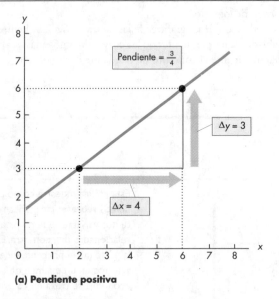

**(a) Pendiente positiva**

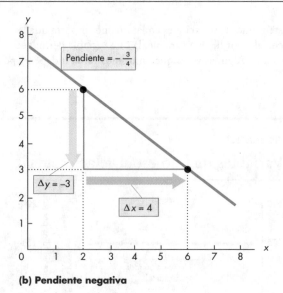

**(b) Pendiente negativa**

Para calcular la pendiente de una línea recta, dividimos el cambio del valor de la variable medida en el eje de las *y* entre el cambio del valor de la variable medida en el eje de las *x*. La parte (a) muestra el cálculo de la pendiente positiva. Cuando *x* aumenta de 2 a 6, $\Delta x$ es igual a 4. El cambio de *x* produce un incremento de *y*, de 3 a 6; por tanto $\Delta y$ es igual a 3.

La pendiente ($\Delta y/\Delta x$) es igual a 3/4. La parte (b) muestra el cálculo de una pendiente negativa. Cuando *x* aumenta de 2 a 6, $\Delta x$ es igual a 4. Este aumento de *x* produce una disminución de *y*, de 6 a 3; por tanto, $\Delta y$ es igual a $-3$. La pendiente ($\Delta y/\Delta x$) es igual a $-3/4$.

La pendiente de esa línea es

$$\frac{\Delta y}{\Delta x} = \frac{3}{4}.$$

En la parte (b), cuando la variable $x$ aumenta de 2 a 6, la variable $y$ disminuye de 6 a 3. El cambio de $y$ es *menos* 3; es decir, $\Delta y$ es $-3$. El cambio de $x$ es de *más* 4; es decir, $\Delta x$ es 4. La pendiente de la curva es

$$\frac{\Delta y}{\Delta x} = \frac{-3}{4}.$$

Advierta que las dos pendientes tienen la misma magnitud ($^3/_4$), pero la pendiente de la línea en la parte (a) es positiva ($+3/+4 = {}^3/_4$), en tanto que en la parte (b) es negativa ($-3/+4 = -^3/_4$). La pendiente de una relación directa es positiva; la pendiente de una relación inversa es negativa.

## La pendiente de una línea curva

La pendiente de una línea curva es más difícil debido a que no es constante. Depende de en qué parte de la curva se calcula. Existen dos formas de calcular la pendiente de una línea curva: usted puede calcularla en un punto, o puede hacerlo de un extremo a otro de un arco de la línea. Veamos las dos alternativas.

**Pendiente en un punto**   Para calcular la pendiente en un punto sobre una curva, usted necesita trazar una línea recta que tenga la misma pendiente que la curva en el punto en cuestión (es decir, la línea tangente). La figura 2.11 muestra cómo se hace esto. Suponga que quiere calcular la pendiente de la curva en el punto $a$. Coloque una regla sobre la gráfica de tal manera que toque el punto $a$ y ningún otro punto sobre la curva; trace entonces una línea recta a lo largo del borde de la regla. La línea recta en rojo es esta línea y es tangente a la curva en el punto $a$. Si la regla toca la curva sólo en el punto $a$, la pendiente de la curva en el punto $a$ debe ser la misma que la pendiente del borde de la regla. Si la curva y la regla no tienen la misma pendiente, la línea a lo largo del borde de la regla estará cortando la curva, en lugar de sólo tocarla.

Ahora que ha encontrado una línea recta con la misma pendiente que la curva en el punto $a$, puede deducir la pendiente de la curva en el punto $a$, calculando la pendiente de la línea recta. A lo largo de la línea recta, conforme $x$ aumenta de 0 a 4 ($\Delta x = 4$), la variable $y$ aumenta de 2 a 5 ($\Delta y = 3$). Por consiguiente, la pendiente de la línea es

$$\frac{\Delta y}{\Delta x} = \frac{3}{4}.$$

**FIGURA 2.11**

## Pendiente en un punto

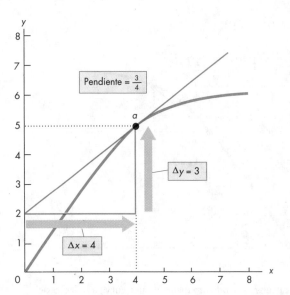

Para calcular la pendiente de una curva en el punto $a$, trace la línea roja que apenas toca a la curva en el punto $a$: la tangente. La pendiente de esta línea recta se calcula dividiendo el cambio de $y$ entre el cambio de $x$, a lo largo de la línea. Cuando $x$ aumenta de 0 a 4, $\Delta x$ es igual a 4. Ese cambio de $x$ está asociado con un aumento de $y$ de 2 a 5, por lo que $\Delta y$ es igual a 3. La pendiente de la línea roja es $^3/_4$. Así pues, la pendiente de la curva en el punto $a$ es $^3/_4$.

Por tanto, la pendiente de la curva en el punto $a$ es $^3/_4$.

**Pendiente de un extremo a otro de un arco**   Un arco de una curva es un segmento de la misma curva. En la figura 2.12, usted ve la misma curva de la figura 2.11. Pero en lugar de calcular la pendiente en el punto $a$, calcularemos la pendiente de un extremo a otro del arco, de $b$ a $c$. Usted puede ver que la pendiente en $b$ es más grande que la pendiente en $c$. Cuando calculamos la pendiente de un extremo a otro de un arco, estamos calculando la pendiente promedio entre dos puntos. Conforme nos movemos a lo largo del arco, de $b$ a $c$, $x$ aumenta de 3 a 5 y la variable $y$ aumenta de 4 a 5.5. El cambio de $x$ es 2 ($\Delta x = 2$) y el

**FIGURA 2.12**

Pendiente a través de un arco

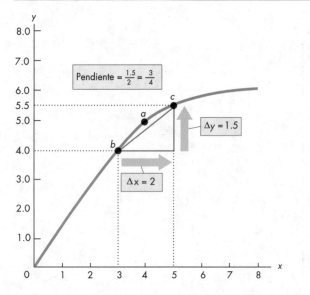

Para calcular la pendiente media de una curva a lo largo del arco *bc*, trace una línea recta de *b* a *c*. La pendiente de la línea *bc* se calcula dividiendo el cambio en *y* entre el cambio en *x*. Al moverse de *b* a *c*, Δ*x* es igual a 2 y Δ*y* es igual a 1.5. La pendiente de la línea *bc* es 1.5 dividido entre 2, es decir, ³/₄. Así que la pendiente de la curva a lo largo del arco *bc* es ³/₄.

---

cambio de *y* es 1.5 (Δ*y* = 1.5). Por consiguiente, la pendiente de la línea es

$$\frac{\Delta y}{\Delta x} = \frac{1.5}{2} = \frac{3}{4}.$$

Por tanto, la pendiente de la curva a través del arco *bc* es ³/₄.

Este cálculo nos da la pendiente de la curva entre los puntos *b* y *c*. La pendiente realmente calculada es la pendiente de una línea recta de *b* a *c*. Esta pendiente aproxima la pendiente media de la curva a lo largo del arco *bc*. En este ejemplo en particular, la pendiente a lo largo del arco *bc* es idéntica a la pendiente de la curva en el punto *a*. Pero el cálculo de la pendiente de una curva no siempre es tan pulcra como en este caso. Usted puede divertirse elaborando algunos contraejemplos.

Usted sabe ahora cómo elaborar e interpretar una gráfica. Pero hasta ahora, hemos limitado nuestra atención a gráficas de dos variables. Aprenderemos ahora cómo representar gráficamente más de dos variables.

## Representación gráfica de relaciones entre más de dos variables

HEMOS VISTO QUE PODEMOS REPRESENTAR GRÁFICA-mente la relación entre dos variables como un punto formado por las coordenadas *x* y *y*, en una gráfica de dos dimensiones. Usted puede pensar que aun cuando una gráfica de dos dimensiones es informativa, muchas de las cosas en las que probablemente se interese, implican relaciones entre muchas variables, no sólo dos. Por ejemplo, la cantidad de helado consumido depende del precio del producto y de la temperatura. Si el helado es caro y la temperatura baja, la gente come menos que cuando el es económico y la temperatura alta. Para cualquier precio dado del helado, la cantidad consumida varía con la temperatura, y para cualquier temperatura dada, la cantidad de helado consumida varía con su precio.

La figura 2.13 muestra una relación entre tres variables. La tabla muestra el número de litros de helado consumido cada día a diferentes temperaturas y los precios del helado. ¿Cómo podemos representar en una gráfica estos números?

Para hacer una gráfica de la relación que incluye a más de dos variables, usamos el supuesto de *ceteris paribus*.

**Ceteris paribus**    La frase en latín **ceteris paribus** significa "otras cosas permanecen igual". Todo experimento de laboratorio utiliza el concepto de *ceteris paribus* para poder aislar la relación de interés. Usamos el mismo método para elaborar una gráfica.

La figura 2.13 muestra un ejemplo. Ahí puede usted ver qué sucede a la cantidad de helado consumida cuando el precio del helado varía en tanto que se mantiene constante la temperatura. La línea con la leyenda 30°C muestra la relación entre el consumo de helado y el precio del helado si la temperatura es 30°C. Los números usados para trazar esa línea son los de la tercera columna de la tabla en la figura 2.13. Por ejemplo, si la temperatura es 30°C, se consumen 10 litros cuando el precio de una bola de helado es de 60¢ y se consumen 18 litros cuando el precio es 30¢. La curva con la leyenda 40°C muestra el consumo conforme varía el precio, si la temperatura es 40°C.

También podemos mostrar la relación entre el consumo de helado y la temperatura cuando el precio del helado permanece constante, como lo muestra la figura 2-13(b). La curva con la leyenda 60¢ muestra cómo varía el consumo de helado con la temperatura, cuando la bola de helado cuesta 60¢ . La segunda curva muestra la misma relación cuando el helado cuesta 15¢. Por ejemplo, a 60¢ se consumen 10 litros cuando la temperatura es 30°C y 20 litros cuando la temperatura es 40°C.

## Obtención de las ganancias del comercio

Si Tomás, que tiene ventaja comparativa en la producción de cinta, pone todos sus recursos en esa actividad, es capaz de producir 4,000 tramos de cinta por hora: el punto *b* en su *FPP*. Si Tina, que tiene ventaja comparativa en la producción de estuches, pone todos sus recursos en esa actividad, es capaz de producir 4,000 estuches por hora, el punto *b'* en su *FPP*. Al especializarse, Tomás y Tina pueden producir conjuntamente 4,000 estuches y 4,000 tramos de cinta por hora, el doble de su producción total sin especialización. Con especialización e intercambio, Tomás y Tina pueden colocarse a*fuera* de sus fronteras de posibilidades de producción.

Para alcanzar las ganancias de la especialización, Tomás y Tina deben comerciar entre ellos. Suponga que se ponen de acuerdo en el siguiente trato: cada hora Tina produce 4,000 estuches, Tomás produce 4,000 tramos de cinta y Tina suministra a Tomás 2,000 estuches a cambio de 2,000 tramos de cinta. Con este trato en vigor, Tomás y Tina se mueven a lo largo de la "línea de comercio" (en rojo) hasta llegar al punto *c*. En ese punto, cada uno produce 2,000 casetes por hora, el doble de su tasa de producción anterior. Éstas son las ganancias de la especialización y el comercio.

Ambas partes del comercio comparten las ganancias. Tina, que produce cinta a un costo de oportunidad de 3 estuches por tramo de cinta, puede comprar cinta a Tomás por un precio de 1 estuche por tramo. Tomás, que produce estuches a un costo de oportunidad de 3 tramos de cinta por estuche, puede comprar estuches a Tina por un precio de 1 tramo por cinta. Tina obtiene su cinta más barata y Tomás obtiene sus estuches más baratos de lo que les habría costado producirlos a cada uno de ellos.

## Ventaja absoluta

Suponga que Tina inventa y patenta un proceso de producción que la hace *cuatro* veces más productiva que antes en la producción tanto de estuches como de cinta. Con su nueva tecnología, Tina puede producir 16,000 estuches por hora (cuatro veces los 4,000 originales) si pone todos sus recursos en esa actividad. Como alternativa, puede producir 5,332 tramos de cinta (cuatro veces sus 1,333 originales) si pone todos sus recursos en esa actividad. Tina tiene ahora una **ventaja absoluta** en la producción de ambos bienes: con el uso de la misma cantidad de recursos que Tomás, es capaz de producir más de ambos bienes de lo que Tomás es capaz.

Pero Tina no tiene una ventaja *comparativa* en ambos bienes. Ella puede producir cuatro veces más de *ambos* bienes que antes, pero su *costo de oportunidad* de 1 tramo de cinta es todavía de 3 estuches. Y este costo de oportunidad

es más alto que el de Tomás. Así pues, Tina aún puede obtener cinta a un costo menor, mediante el intercambio de estuches por cinta con Tomás.

Un concepto clave que debe reconocerse es que *no* es posible para nadie tener una ventaja comparativa en *todo*. Por tanto, las ganancias de la especialización y el comercio están disponibles siempre y cuando los costos de oportunidad sean diferentes.

## Ventaja comparativa dinámica

En un momento dado, los recursos y las tecnologías disponibles determinan las ventajas comparativas que tienen los individuos y las naciones. Pero simplemente con la producción repetida de un bien o servicio en particular, la gente se vuelve más productiva en esa actividad. Este fenómeno se conoce como **aprender al hacer**. Aprender al hacer es la base de la ventaja comparativa *dinámica*. La **ventaja comparativa dinámica** es una ventaja comparativa que una persona (o país) posee como resultado de haberse especializado en una actividad determinada y que, como resultado de aprender al hacer, se ha convertido en el productor con el menor costo de oportunidad.

Hong Kong y Singapur son ejemplos de países que se han dedicado de manera vigorosa a la creación de una ventaja comparativa dinámica. Estos países han desarrollado industrias en las cuales inicialmente no tenían ventaja comparativa, pero a través de haber aprendido al hacer, se volvieron países productores con un bajo costo de oportunidad. Un ejemplo específico es la decisión de desarrollar una industria de ingeniería genética en Singapur. Es probable que en un principio Singapur no tuviera una ventaja comparativa en ingeniería genética, pero ésta pudo desarrollarse a medida que sus científicos y trabajadores se volvieron más diestros en esta actividad.

## PREGUNTAS DE REPASO

- ¿Qué da a una persona una ventaja comparativa en la producción de un bien?
- ¿Por qué no es posible que alguien tenga una ventaja comparativa en todo?
- ¿Cuáles son las ganancias de la especialización y el comercio?
- Explique el origen de las ganancias de la especialización y el comercio.
- Distinga entre ventaja comparativa y ventaja absoluta.
- ¿Qué es la ventaja comparativa dinámica y cómo surge?

# Economía de mercado

LOS INDIVIDUOS Y PAÍSES GANAN AL ESPECIALIZARSE EN la producción de aquellos bienes y servicios en los que tienen ventaja comparativa, y al comerciar entre ellos. Esta fuente de riqueza económica la identificó Adam Smith en su *Riqueza de las naciones*, publicada en 1776 (vea las págs. 50-51).

Para que se le permita cosechar estas ganancias a toda la gente que se especializa en producir distintos tipos de bienes y servicios, el comercio debe estar organizado. Pero el comercio no necesita estar *planeado* o *manejado* por una autoridad central. De hecho, cuando se ha intentado un arreglo así, como se intentó durante 60 años en Rusia, los resultados han sido muy poco convincentes.

El comercio se organiza mediante instituciones sociales. Las dos claves son:

■ Derechos de propiedad
■ Mercados

## Derechos de propiedad

Los **derechos de propiedad** son acuerdos sociales que rigen la propiedad, el uso y la disposición de recursos, bienes y servicios. La *propiedad inmobiliaria* incluye tierra y construcciones (las cosas que llamamos propiedad en el habla corriente), y bienes duraderos como planta y equipo. La *propiedad financiera* incluye acciones, bonos y dinero en el banco. La *propiedad intelectual* es el producto intangible del esfuerzo creador. Este tipo de propiedad incluye libros, música, programas de computadora e inventos de todas clases, y está protegida por patentes y derechos de autor.

Si no se hacen cumplir los derechos de propiedad, se debilita el incentivo para especializarse y producir los bienes en los que cada persona tiene ventaja comparativa, y se pierden algunas de las ganancias potenciales de la especialización y el comercio. Si la gente pudiera robar fácilmente la producción de otros, entonces se dedicarían tiempo, energía y recursos, no a la producción, sino a la protección de las pertenencias.

El establecimiento de derechos de propiedad es uno de los mayores desafíos que afrontan Rusia y otras naciones de Europa Central al buscar el desarrollo de economías de mercado. Incluso en países en los que los derechos de propiedad están bien establecidos, como en Estados Unidos, la protección de la propiedad intelectual está demostrando ser un desafío al encarar tecnologías modernas que provocan que sea relativamente fácil copiar material de audio y vídeo, programas de computadora y libros.

## Mercados

En el lenguaje corriente, la palabra *mercado* significa un lugar en el que la gente compra y vende bienes tales como pescado, carne, frutas y verduras. En economía, *mercado* tiene un significado más general. Un **mercado** es cualquier arreglo que permite a compradores y vendedores obtener información y llevar a cabo negocios entre ellos. Un ejemplo es el mercado en el que se compra y vende petróleo: el mercado internacional del petróleo. Este mercado no es un lugar; es una red de productores de petróleo, usuarios de petróleo, mayoristas e intermediarios que compran y venden. En el mercado internacional del petróleo, estos individuos no se reúnen físicamente; realizan tratos en todo el mundo, vía teléfono, fax y enlaces directos por computadora.

En el ejemplo que acabamos de estudiar, Tina y Tomás se reunieron e hicieron un trato. Acordaron intercambiar estuches por tramos de cinta. Pero en una economía de mercado, Tina vende estuches de casetes a un distribuidor de productos de plástico y compra tramos de cinta de un distribuidor de medios electrónicos de grabación. De manera similar, Tomás compra estuches de casetes y vende tramos de cinta en estos dos mismos mercados. Tomás puede usar los estuches de Tina y Tina puede usar los tramos de cinta de Tomás y, a pesar de ello, ambos pueden desconocer la existencia del otro.

## Flujos circulares en la economía de mercado

La figura 3.9 identifica dos tipos de mercado: los mercados de bienes y los mercados de recursos. Los *mercados de bienes* son aquellos en los cuales se compran y venden bienes y servicios. Los *mercados de recursos* son aquellos en los que se compran y venden recursos productivos.

Las familias deciden cuánto venderán o alquilarán de su trabajo, tierra, capital y habilidades empresariales en los mercados de recursos. Por la venta de estos recursos, las familias reciben ingresos en la forma de salarios, alquiler, intereses y beneficios. Las familias también deciden cómo gastar sus ingresos en bienes y servicios producidos por las empresas. Las empresas deciden las cantidades de recursos que contratarán, cómo usarlos para producir bienes y servicios, qué bienes y servicios producir y en qué cantidades.

La figura 3.9 muestra los flujos que resultan de estas decisiones de las familias y las empresas. Los flujos en rojo son los recursos que van de las familias a las empresas a través de los mercados de recursos, y los bienes y servicios que van de las empresas a las familias a través de los mercados de bienes. Los flujos en verde, que van en la dirección opuesta, son los pagos realizados a cambio de dichos artículos.

¿Cómo coordinan los mercados todas estas decisiones?

**FIGURA 3.9**

## Flujos circulares en la economía de mercado

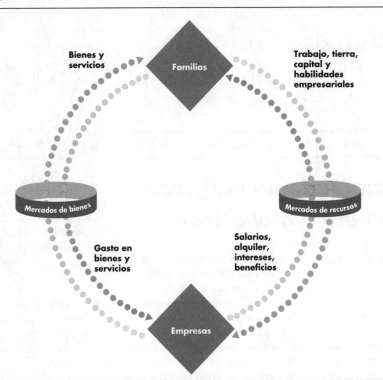

Las familias y empresas hacen elecciones económicas. Las familias eligen las cantidades de trabajo, tierra, capital y habilidades empresariales que venden o alquilan a empresas, a cambio de salarios, alquiler, intereses y beneficios, respectivamente. Las familias también eligen cómo gastar sus ingresos en los diversos tipos de bienes y servicios disponibles. Las empresas eligen las cantidades de recursos que contratan y las cantidades que producen de los diversos bienes y servicios. Los mercados de bienes y los mercados de recursos coordinan estas elecciones de las familias y las empresas. Recursos y bienes fluyen en el sentido de las manecillas del reloj (rojo), y los pagos en dinero fluyen en sentido contrario a las manecillas del reloj (verde).

## Coordinación de decisiones

Los mercados coordinan decisiones individuales a través de ajustes de precios. Para ver cómo ocurre esto, piense en su mercado local de hamburguesas. Suponga que algunas personas que quieren comprar hamburguesas no pueden hacerlo. Para hacer que sean compatibles las elecciones de compradores y vendedores, los compradores deben moderar su apetito o debe ofrecerse un mayor número de hamburguesas a la venta (o ambas cosas). Un alza del precio de las hamburguesas produce este resultado. Un precio más alto alienta a los productores a ofrecer más hamburguesas a la venta, y también frena el apetito por hamburguesas y cambia los planes de almuerzo de algunas personas. Menos personas compran hamburguesas y más compran otro tipo de productos (*hot dogs*, por ejemplo).

Como alternativa, suponga que hay más hamburguesas disponibles de las que quiere comprar la gente. En este caso, para hacer compatibles las elecciones de compradores y vendedores, deben comprarse más hamburguesas, o deben ofrecerse a la venta menos hamburguesas (o ambos). Una baja del precio de las hamburguesas logra este resultado. Un precio más bajo alienta a las empresas a producir una

cantidad menor de hamburguesas, también alienta a la gente a comprar más hamburguesas.

## PREGUNTAS DE REPASO

- ¿Por qué son necesarios arreglos sociales como los mercados y los derechos de propiedad?
- ¿Cuáles son las funciones principales de los mercados?

◆ Ha empezado usted a ver cómo los economistas enfrentan las cuestiones económicas. Escasez, elección y costos de oportunidad divergentes explican por qué nos especializamos y comerciamos, y por qué se han desarrollado los derechos de propiedad y los mercados. Usted puede ver en torno suyo las lecciones que ha aprendido en este capítulo. La *Lectura entre líneas* de las páginas 44-45 proporcionan un ejemplo. En ella se explora la *FPP* de un estudiante como usted y las elecciones que los estudiantes deben hacer y que influyen sobre su propio crecimiento económico: el crecimiento de sus ingresos.

# Costo de oportunidad:
# el costo y el beneficio de la educación

THE ECONOMIST, (Publicado en Excélsior) Miércoles 23 de octubre de 1996

### Esencia del artículo

## *Cae ingreso del empleado no calificado; se culpa a tecnología y globalización*

LONDRES, 14 de octubre. La mayoría de los lectores de este artículo son lo suficientemente afortunados para tener empleos relativamente calificados; probablemente también fueron a la universidad. De ser así, probablemente han prosperado financieramente en la última década. En 1979, el graduado universitario estadounidense promedio percibía el 49% más que el graduado de bachillerato; en 1993 la brecha se había ampliado al 89%. El 10% de los hombres estadounidenses de más bajos salarios han visto un descenso en sus salarios reales de casi el 20% desde 1980; el 10% superior ha disfrutado de un aumento salarial real del 10%. Y en los últimos 20 años, el salario del director ejecutivo promedio ha aumentado de 35 veces el del trabajador de producción promedio a 120 veces. La desigualdad salarial ha aumentado innegablemente en Estados Unidos. Muchos culpan a la tecnología de la información y a la globalización.

En otros países, también, notablemente Australia, Gran Bretaña y Nueva Zelanda, la brecha de ingresos entre trabajadores con mayor nivel educativo y más calificados, y el resto, se ha ampliado desde principios de los 80. En la mayor parte de la Europa continental, sin embargo, ha permanecido casi igual; ciertamente, en Alemania se ha estrechado. Los salarios mínimos altos, los sindicatos poderosos, la negociación salarial centrali-

zada y los beneficios de seguridad social generosos han establecido un límite mínimo para los salarios en todo el continente. Más bien, conforme la demanda de trabajadores poco calificados ha disminuido, el desempleo se ha elevado más significativamente en países donde los diferenciales salariales se han ampliado y soportado la presión. En Europa, el porcentaje de hombres en edad de trabajar que no lo están haciendo se ha más que duplicado en las últimas dos décadas, a alrededor del 30%, mientras que en Estados Unidos el porcentaje ha permanecido aproximadamente sin cambio en el 18 por ciento.

En teoría, los diferenciales salariales más amplios deberían hacer a la educación y el adiestramiento más atractivos para los individuos, incrementando por tanto la oferta de trabajadores calificados y ayudando a estrechar la brecha salarial. Pero los mejoramientos en la educación básica podrían necesitar una generación para manifestarse en el mercado laboral. Y aunque la mayoría de los expertos coincide en que la educación necesita volverse más flexible con frecuente readiestramiento durante la vida de un individuo, también coinciden principalmente en que los programas de readiestramiento no son muy útiles para los trabajadores de mayor edad y poco calificados.

- En los últimos años, los ingresos de los trabajadores calificados en Estados Unidos han aumentado en relación con los ingresos de los trabajadores menos calificados.

- Esta tendencia también se ha manifestado en otros países del mundo como Australia, Gran Bretaña y Nueva Zelanda.

- Dos posibles explicaciones de esta tendencia son la globalización y la tecnología de la información.

- En algunos países, esta tendencia se ha mostrado como un mayor desempleo de los trabajadores menos calificados.

- Un trabajador con estudios universitarios obtiene mayores ingresos que un trabajador que sólo tiene estudios a nivel preuniversitario.

- La mayor brecha salarial debería estimular mayor educación y adiestramiento de los trabajadores en el futuro.

La adquisición de mayor educación y su efecto en los ingresos futuros de las personas pueden analizarse en una forma similar al crecimiento económico de los países.

El costo de oportunidad de adquirir una mayor educación es el consumo no aprovechado como resultado de los gastos en matrícula, libros y transporte para asistir a la escuela, así como el costo del tiempo libre que no se aprovecha por asistir a la escuela.

La figura 1 muestra las elecciones a las que se enfrenta una persona que recientemente ha terminado sus estudios medios (nivel secundaria). Esta persona puede consumir bienes y servicios educativos, los cuales se miden en el eje de las $y$, o bien, trabajar y consumir todo tipo de bienes y servicios, los cuales se miden en el eje de las $x$.

La frontera de posibilidades de producción (*FPP*) de esta persona se representa con la línea azul en la figura 1. Si la persona se dedica a trabajar de tiempo completo (es decir, si elige no consumir bienes y servicios educativos), puede consumir un monto denominado como *a*.

Si esta persona decide trabajar tiempo parcial y opta por consumir algunos bienes y servicios

educativos, se puede situar en el punto *b* sobre su *FPP*. Durante la etapa en la que consume bienes y servicios educativos, esta persona tiene que reducir su consumo presente de otros bienes y servicios.

Gracias a la inversión que esta persona ha realizado, su *FPP* se desplaza hacia la derecha en el futuro, lo cual le permitirá alcanzar un mayor consumo de bienes y servicios. La nueva *FPP* está dada por la línea roja de la figura 1. Esto explica por qué un trabajador con un mayor nivel de educación percibe ingresos mayores que un estudiante con menos nivel.

De acuerdo con el artículo periodístico, ya sea la globalización o el cambio tecnológico han aumentado los ingresos que perciben los trabajadores calificados. Lo anterior implica que alguno de estos factores ha permitido que la *FPP* de los trabajadores más educados se haya desplazado más allá de la curva roja de la figura 1 hasta llegar a una situación como la descrita por la curva verde.

Si suponemos que los costos de adquirir más educación se mantuvieron constantes, el aumento en los beneficios esperados de una mayor educación debería estimular la adquisición de una mayor educación en el futuro.

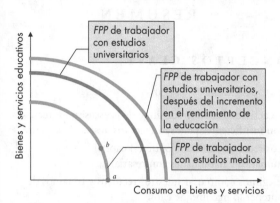

**Figura 1. Opciones de una persona con estudios medios**

Porcentaje de ingresos adicionales que perciben los trabajadores con educación secundaria, con respecto a los trabajadores sin educación.

**Figura 2. Rendimientos de la educación secundaria**

*Fuente:* Atanassio y Szekely (1999). El Trimestre Económico, No. 263.

El aumento en las remuneraciones de los trabajadores calificados también se ha presentado en América Latina. La figura 2 muestra lo que ha ocurrido con los rendimientos de la educación secundaria en algunos países latinoamericanos en dos puntos en el tiempo.

El aumento en los beneficios de la educación secundaria en América Latina podría estimular una mayor adquisición de este tipo de educación en el futuro.

# RESUMEN

## CONCEPTOS CLAVE

### Recursos y deseos (pág. 30)

- La actividad económica surge de la escasez: los recursos son insuficientes para satisfacer los deseos de la gente.
- Los recursos son trabajo, tierra, capital (incluye capital humano) y habilidades empresariales.
- Elegimos cómo usar nuestros recursos y tratamos de obtener lo máximo de ellos.

### Recursos, producción, posibilidades y costo de oportunidad (págs. 31-33)

- La frontera de posibilidades de producción, *FPP*, es el límite entre los niveles de producción que son alcanzables y aquellos que son inalcanzables cuando todos los recursos disponibles se utilizan plenamente.
- La producción eficiente ocurre en la *FPP*.
- A lo largo de la *FPP*, el costo de oportunidad de producir más de un bien es el monto que debe cederse del otro bien.
- El costo de oportunidad de un bien aumenta a medida que aumenta la producción del mismo bien.

### Uso eficiente de recursos (págs. 34-36)

- El costo marginal de un bien es el costo de oportunidad de producir una unidad adicional.
- El beneficio marginal de un bien es el monto máximo de otro bien al que una persona está dispuesta a renunciar para obtener más del primer bien.
- El beneficio marginal de un bien disminuye a medida que aumenta su monto disponible.
- Los recursos se usan con eficiencia cuando el costo marginal de cada bien es igual a su beneficio marginal.

### Crecimiento económico (págs. 37-38)

- El crecimiento económico, que es la expansión de las posibilidades de producción, resulta de la acumulación de capital y del cambio tecnológico.
- El costo de oportunidad del crecimiento económico es el consumo corriente al que se ha renunciado hoy para poder producir más en el futuro.

### Ganancias del comercio (págs. 39-41)

- Una persona tiene una ventaja comparativa en la producción de un bien si esa persona puede producir el bien a un costo de oportunidad menor que el del resto de las personas.
- *No* es posible que *alguien* tenga ventaja comparativa en *todo*.
- La gente gana al especializarse en la actividad en la cual tiene ventaja comparativa y al comerciar con otros.

### Economía de mercado (págs. 42-43)

- Los derechos de propiedad y los mercados permiten a la gente ganar con la especialización y el comercio.
- Los mercados coordinan decisiones y ayudan a asignar recursos a los usos de valor *más alto*.

## FIGURAS CLAVE

## TÉRMINOS CLAVE

# PROBLEMAS

*1. Use la figura para calcular el costo de oportunidad de Víctor de una hora de tenis, cuando aumenta el tiempo que juega tenis de:

a. 4 a 6 horas a la semana.

b. 6 a 8 horas a la semana.

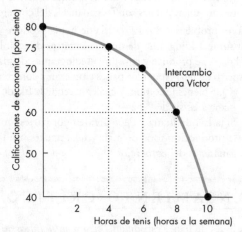

2. Use la figura para calcular el costo de oportunidad de María de una hora de patinar, cuando aumenta el tiempo que pasa patinando de:

a. 2 a 4 horas a la semana.

b. 4 a 6 horas a la semana.

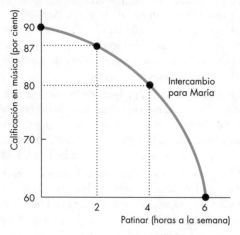

*3. En el problema 1, describa la relación entre el tiempo que Víctor juega tenis y el costo de oportunidad de una hora de tenis.

4. En el problema 2, describa la relación entre el tiempo que patina María y el costo de oportunidad de una hora de patinaje.

*5. Víctor, del problema 1, tiene la siguiente curva de beneficio marginal:

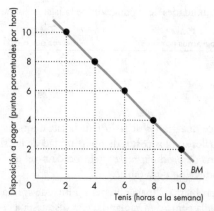

a. Si Víctor usa su tiempo de manera eficiente, ¿qué calificación obtendrá?

b. ¿Por qué estaría peor Víctor si obtuviera una calificación más alta?

6. María, del problema 2, tiene la siguiente curva de beneficio marginal:

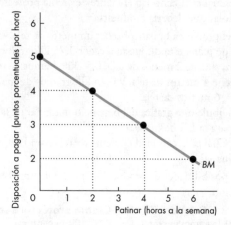

a. Si María usa su tiempo de manera eficiente, ¿cuánto tiempo patinará?

b. ¿Por qué estaría peor María si patinara menos horas a la semana?

*7. Las posibilidades de producción en el país Ociolandia son:

| Comida (kilogramos por mes) | | Crema protectora solar (litros por mes) |
|---|---|---|
| 300 | y | 0 |
| 200 | y | 50 |
| 100 | y | 100 |
| 0 | y | 150 |

a. Trace una gráfica de la frontera de posibilidades de producción en Ociolandia.

b. ¿Cuáles son los costos de oportunidad en Ociolandia de producir comida y crema protectora solar a cada nivel de producción de la tabla?

8. Las posibilidades de producción de la Isla de Juana son:

| Maíz (kilogramos por mes) | | Tela (metros por mes) |
|---|---|---|
| 3.0 | y | 0 |
| 2.0 | y | 2 |
| 1.0 | y | 4 |
| 0 | y | 6 |

  a. Trace una gráfica de la *FPP* de la Isla de Juana.

  b. ¿Cuáles son los costos de oportunidad de la Isla de Juana de producir maíz y tela a cada nivel de producción de la tabla?

*9. En el problema 7, para obtener un litro de crema protectora, la gente de Ociolandia está dispuesta a ceder 5 kilogramos de alimentos, si tiene 25 litros de crema protectora solar; 2 kilogramos de alimentos, si tiene 75 litros de crema protectora solar, y 1 kilogramo de alimentos, si tienen 125 litros de crema protectora solar.

  a. Dibuje una gráfica del beneficio marginal de la crema protectora solar en Ociolandia.

  b. ¿Cuál es la cantidad eficiente de crema protectora solar que debería producirse?

10. En el problema 8, para obtener un metro de tela, la Isla de Juana está dispuesta a ceder 0.75 kilogramos de maíz, si tiene 2 metros de tela; 0.50 kilogramos de maíz, si tiene 4 metros de tela, y 0.25 kilogramos de maíz, si tiene 6 metros de tela.

  a. Dibuje una gráfica del beneficio marginal de la tela para la Isla de Juana.

  b. ¿Cuál es la cantidad eficiente de tela para la Isla de Juana?

*11. Las posibilidades de producción en el país Activolandia son:

| Comida (kilogramos por mes) | | Crema protectora solar (litros por mes) |
|---|---|---|
| 150 | y | 0 |
| 100 | y | 100 |
| 50 | y | 200 |
| 0 | y | 300 |

Calcule los costos de oportunidad en Activolandia de producir comida y crema protectora solar a cada nivel de producción de la tabla.

12. Las posibilidades de producción de la Isla de Pepe son:

| Maíz (kilogramos por mes) | | Tela (metros por mes) |
|---|---|---|
| 6 | y | 0.0 |
| 4 | y | 1.0 |
| 2 | y | 2.0 |
| 0 | y | 3.0 |

¿Cuáles son los costos de oportunidad de la Isla de Pepe de producir maíz y tela a cada nivel de producción de la tabla?

*13. En los problemas 7 y 11, Ociolandia y Activolandia producen y consumen cada uno 100 kilogramos de comida y 100 litros de crema protectora solar por mes y no comercian. Suponga ahora que los países empiezan a comerciar entre ellos.

  a. ¿Qué bienes le compra y cuáles le vende Ociolandia a Activolandia?

  b. Si Ociolandia y Activolandia se dividen por partes iguales la producción total de comida y crema protectora solar, ¿cuáles son las ganancias del comercio?

14. En los problemas 8 y 12, la Isla de Juana produce y consume 1 kilogramo de maíz y 4 metros de tela. La Isla de Pepe produce y consume 4 kilogramos de maíz y 1 metro de tela. Ahora los países empiezan a comerciar.

  a. ¿Qué bienes le compra y cuáles le vende la Isla de Juana a la Isla de Pepe?

  b. Si la Isla de Juana y Pepe dividen por partes iguales la producción total de maíz y tela, ¿cuáles son las ganancias del comercio?

## PENSAMIENTO CRÍTICO

1. Después de haber estudiado *Lectura entre líneas* de las páginas 44-45, conteste a las siguientes preguntas:

  a. ¿Por qué la *FPP* de bienes y servicios educativos y bienes y servicios de consumo es convexa?

  b. En algunas universidades públicas, las colegiaturas están fuertemente subsidiadas. Incluso, en algunas casos, la educación es gratuita. ¿Elimina esto el costo de oportunidad de la educación?

  c. Utilice una figura similar a la 3.4 para explicar por qué el aumento en los rendimientos de la educación podrían estimular una mayor demanda de bienes y servicios educativos.

2. Utilice los enlaces de la página de Internet de este libro para leer una nota sobre la conveniencia económica de invertir en la educación de los niños. ¿En qué forma se relaciona la figura 3 de la nota, con el análisis realizado en la *Lectura entre líneas* de las páginas 44-45?

3. Utilice los enlaces de la página de Internet de este libro para leer un artículo sobre la demanda de estudios de Doctorado en Economía en Gran Bretaña.

  a. Utilice un diagrama similar al de la figura 3.4 para explicar por qué se ha reducido la demanda de estudios de doctorado en Economía en Gran Bretaña.

  b. ¿Qué ha ocurrido con el costo de oportunidad de estudiar un Doctorado en Economía en Gran Bretaña?

  c. Una buena parte de los estudiantes de Doctorado en Economía en Gran Bretaña provienen de países menos desarrollados. ¿Por qué cree que la demanda de estos estudiantes no se ha reducido tanto como la de los estudiantes locales?

Usted está progresando en el estudio de la economía: ya se ha encontrado con las grandes preguntas y las grandes ideas de esta disciplina, y ya ha aprendido acerca de la idea clave de Adam Smith, su fundador: la especialización y el intercambio crean riqueza económica. ◆ Usted estudia economía en una época que los historiadores del futuro llamarán la *Revolución de la información*. Reservamos la palabra "revolución" para grandes acontecimientos que influyen sobre las generaciones futuras. ◆

## El desarrollo económico

Durante la *Revolución agrícola*, que ocurrió hace 10,000 años, la gente aprendió a domesticar animales y a sembrar cultivos. La gente dejó de vagar en búsqueda de comida y se estableció en aldeas, pueblos y ciudades, en los que desarrolló mercados para intercambiar sus productos. ◆ Durante la *Revolución industrial*, que empezó hace 240 años, la gente usó la ciencia para crear nuevas tecnologías. Esta revolución trajo riqueza extraordinaria para algunos, pero creó condiciones en las que otros se rezagaron. La Revolución industrial ocasionó tensiones sociales y políticas que hoy día todavía enfrentamos. ◆ Durante la *Revolución de la información* de la actualidad, la gente que tiene la habilidad y oportunidad de adoptar las nuevas tecnologías prospera en una escala inimaginable. Pero los ingresos y niveles de vida de los menos educados se están quedando atrás y las tensiones sociales y políticas están aumentando. La revolución actual tiene una dimensión global. Algunos de los ganadores viven en países de Asia que antes eran pobres, y algunos de los perdedores viven en Estados Unidos y en otros países desarrollados. ◆ Así que usted está estudiando economía en una época interesante. Cualquiera que sea *su* motivación para estudiar esta disciplina, el objetivo de este libro es ayudarlo a salir bien en el curso, a disfrutarlo y a desarrollar una comprensión más profunda del mundo económico que lo rodea. ◆ Existen tres razones por las que se espera que usted tenga éxito: primera, una comprensión decente de la economía le ayudará a convertirse en un participante pleno de la Revolución de la información. Segunda, una mejor comprensión de la economía le ayudará a desempeñar un papel más eficiente como ciudadano y como votante, y le permitirá añadir su voz a aquellos que buscan soluciones a nuestros problemas sociales y económicos. Tercera, porque usted aprenderá por el puro gusto de *comprender* qué está pasando y por saber qué factores están dando forma al mundo actual. ◆ Si usted ha encontrado interesante la economía, piense seriamente en especializarse en la materia. Un título en economía proporciona la mejor capacitación disponible para resolver problemas, ofrece muchas oportunidades para desarrollar habilidades conceptuales y abre las puertas a una amplia gama de trabajos y de cursos de posgrado, entre los que se incluyen maestrías en administración de negocios o en políticas públicas. ◆ La ciencia económica nació durante la Revolución industrial. Veremos su nacimiento y conoceremos a su fundador, Adam Smith. Después, hablaremos acerca de las revoluciones económicas y de otros asuntos con uno de los economistas más destacados de la actualidad, el ganador del premio Nobel, el profesor Douglass North, de la Universidad de Washington en Estados Unidos.

## El padre de la economía

**Adam Smith** *fue un titán académico que contribuyó a la ética y a la jurisprudencia, así como a la economía. Nacido en 1723 en Kirkcaldy, una pequeña ciudad pesquera cerca de Edimburgo, Escocia, Adam Smith fue hijo único del funcionario de aduanas de la ciudad (quien murió antes de que él naciera).*

*Su primera posición académica, a la edad de 28 años, fue de profesor de lógica en la Universidad de Glasgow. Posteriormente, fue tutor de un acaudalado duque escocés, a quien acompañó durante dos años en una gran gira por Europa, después de lo cual recibió una pensión de 300 libras anuales, diez veces el ingreso anual promedio de la época.*

*Con la seguridad financiera de su pensión, Smith se dedicó diez años a escribir* Una investigación sobre la naturaleza y causas de **La riqueza de las naciones**, *publicada en 1776. Mucha gente había escrito sobre temas económicos antes de Adam Smith, pero él convirtió la economía en una ciencia. La narración de Smith fue tan amplia y tan bien documentada que ningún autor posterior podía proponer alguna idea sin que pudieran rastrearse sus conexiones a las ideas de Adam Smith.*

"No es de la benevolencia del carnicero, cervecero o panadero de quien esperamos nuestra cena, sino de su atención a su propio interés."

ADAM SMITH
*La riqueza de las naciones*

## Los temas

¿Por qué algunas naciones son ricas, en tanto que otras son pobres? Esta pregunta se encuentra en el corazón de la economía y lleva directamente a la segunda pregunta: ¿qué pueden hacer las naciones pobres para volverse ricas?

**Adam Smith**, quien es considerado por muchos académicos como el fundador de la economía, intentó responder a estas preguntas en su libro *La riqueza de las naciones*, publicado en 1776. Smith reflexionó sobre estas preguntas en la cúspide de la Revolución industrial. Durante esos años, se inventaron nuevas tecnologías y se aplicaron a la manufactura de telas de algodón, telas de lana, hierro, transporte y agricultura.

Smith quería entender las fuentes de la riqueza económica y utilizó sus agudos poderes de observación y abstracción para ofrecer una respuesta a su pregunta. Su respuesta:

- La división del trabajo
- Los mercados libres

Adam Smith dijo que la división del trabajo, es decir, la división de tareas complejas en tareas simples, en las cuales uno puede volverse experto, es la fuente de "la máxima mejoría en los poderes productivos del trabajo". La división del trabajo se volvió incluso más productiva cuando se aplicó a la creación de tecnologías nuevas. Científicos e ingenieros, adiestrados en materias muy específicas, se volvieron especialistas en la invención. Sus poderosas habilidades aceleraron el avance de la tecnología, así que para la década de 1820, las máquinas podían producir bienes de consumo más rápido y con más precisión que cualquier trabajador manual. Y para la década de 1850, las máquinas podían hacer otras máquinas que el trabajo por sí solo jamás habría podido hacer.

Pero, de acuerdo con Smith, los frutos de la división del trabajo pueden verse limitados por el tamaño del mercado. Para hacer al mercado tan grande como sea posible, no deben existir impedimentos al libre comercio ni dentro de un país ni entre países. Smith argumentó que cuando cada persona hace la mejor elección económica posible, esa elección conduce, como "una mano invisible", al mejor resultado para la sociedad en su conjunto. El carnicero, el cervecero y el panadero, persiguen, cada uno, sus propios intereses, pero al hacerlo, también atienden los intereses de todos los demás.

## Entonces

Adam Smith especuló que una persona que trabaja duro y utiliza las herramientas manuales disponibles en 1770, quizá pueda hacer 20 alfileres al día. Sin embargo, Adam Smith observó que si se utilizan esas mismas herramientas manuales, pero se divide el proceso en un número de pequeñas operaciones individuales en las que la gente se especializa (es decir, a través de la **división del trabajo**), diez personas son capaces de hacer un asombroso número de 48,000 alfileres al día. Una saca el alambre, otra lo endereza, el tercero lo corta, un cuarto le saca punta y un quinto lo afila. Tres especialistas hacen la cabeza y un cuarto la fija. Por último, se pule el alfiler y se empaca. Pero se necesita un mercado grande para sostener la división del trabajo. Una fábrica que emplea a diez trabajadores, necesitaría vender más de 15 millones de alfileres al año para mantenerse en el negocio.

## Ahora

Si Adam Smith estuviera hoy con nosotros, estaría fascinado con los circuitos integrados (*microchips*) de las computadoras. Los vería como un ejemplo extraordinario de la productividad de la división del trabajo y del uso de máquinas para hacer máquinas que hacen otras máquinas. Del diseño de los intrincados circuitos de un microchip, unas cámaras transfieren imágenes a placas de vidrio que funcionan como esténciles. Los trabajadores preparan las placas de silicio sobre las que se imprimen los circuitos. Algunos rebanan las placas, otros las pulen y otros las recubren con un químico sensible a la luz. Las máquinas transfieren una copia del circuito a la placa y los químicos graban el diseño sobre la placa. Los procesos posteriores depositan transistores del tamaño de un átomo y conectores de aluminio. Por último, un láser separa los cientos de circuitos en la placa. Cada etapa del proceso de creación de un circuito integrado de computadora utiliza otros circuitos integrados de computadora. Y al igual que el alfiler en 1770, el circuito integrado de computadora de la década de 1990 se beneficia de un mercado grande, un mercado global, que adquiere los circuitos en las inmensas cantidades en las que son producidos de manera eficiente.

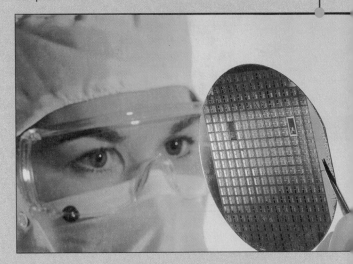

Muchos economistas han trabajado en los grandes temas que Adam Smith empezó. Uno de estos economistas es Douglass North, de la Universidad de Washington, a quien usted puede conocer en las páginas siguientes.

**Douglass North,** *quien enseña economía e historia económica en la Universidad de Washington en St. Louis, Estados Unidos, nació en Cambridge, Massachusetts, en 1920. North estudió su licenciatura y su posgrado en la Universidad de California, en Berkeley, de donde obtuvo su doctorado en 1952. El profesor North ha marcado nuevos rumbos en el estudio de instituciones económicas tales como la estabilidad de los gobiernos, el estado de derecho y los derechos de propiedad privada, así como en el papel que estas instituciones desempeñan para propiciar el desarrollo económico y el crecimiento sostenido del ingreso. Douglass North ha usado sus ideas para explicar por qué Estados Unidos y Europa Occidental han*

**Douglass North**

*evolucionado de ser sociedades agrícolas de bajos ingresos hace 200 años, a ser sociedades complejas de altos ingresos en la actualidad. En 1993 se confirió a North el Premio Nobel de Ciencia Económica por su trabajo. Michael Parkin conversó con el profesor North acerca de su trabajo y de su relevancia en el mundo actual y futuro.*

### Profesor North, ¿qué lo atrajo a la economía?

Yo crecí durante la Gran Depresión, y cuando estudié en la Universidad de California, en Berkeley, me volví marxista. Pensaba que los marxistas tenían las respuestas a las preocupaciones económicas que predominaban durante la depresión. En ese entonces creía que si la economía de mercado del capita-

lismo fuera reemplazada por la economía planeada del socialismo, la depresión y otros males económicos podrían curarse.
En Berkeley busqué cursos que me permitieran entender por qué algunos países eran ricos y algunos eran pobres. Así fue como me sentí atraído hacia la historia económica.

Después de graduarme, estalló la Segunda Guerra Mundial y pasé cuatro años en la marina mercante. Durante esos años, leí muchos libros. Al igual que cualquier otro buen marxista, decidí que quería salvar al mundo y que la forma de salvarlo era entender qué hacía que las economías funcionaran mal o bien. Desde entonces he estado en persecución de esa meta utópica.

### ¿Cómo abandonó sus inicios marxistas? ¿Hubo una revelación súbita o fue un proceso gradual?

Mi abandono del marxismo fue un proceso muy lento. Mi primer trabajo de docencia fue en la Universidad de Washington, en Seattle, en 1950. Acostumbraba jugar ajedrez todos los días con mi colega Donald Gordon. Él era un buen economista, y, durante tres años de jugar ajedrez y de hablar sobre economía todos los días, gradualmente me fui alejando del marxismo y me convertí en un economista de la corriente principal.

### ¿Cuáles son los principios económicos clave que guían su trabajo, es decir, cuáles son los principios y la perspectiva que el economista lleva a un estudio de procesos históricos de largo plazo?

Existen dos. El primero es la importancia de los costos de transacción: los costos en los que la gente incurre para poder realizar negocios unos con otros.

La economía intenta comprender cómo hacen frente las sociedades al problema de la escasez, tomando en consideración que los deseos de la gente superan los recursos limitados. Tradicionalmente, los economistas se han enfocado en cómo se asignan los recursos en un momento dado: qué determina la asignación del gasto entre escuelas secundarias y hospitales, o entre computadoras y automóviles. La historia económica trata de cómo evolucionan las sociedades en el transcurso del tiempo, e intenta descubrir por qué algunas sociedades se vuelven ricas, en tanto que otras permanecen pobres. Yo acabé convencido de que el razonamiento que sustenta los principios económicos es la forma correcta para entender cómo evolucionan las sociedades con el transcurso del tiempo. Pero esta convicción me condujo a través de un largo camino.

En la época en la que aprendía economía, las teorías económicas se basaban en el *supuesto* de que la gente podía especializarse e intercambiar sus productos en mercados que funcionarán de manera eficiente. Las teorías hacían caso omiso de los costos de transacción, es decir, los costos en los que la gente incurre cuando realiza negocios entre sí y los costos en los que incurren los gobiernos y las empresas para que funcionen los mercados. Así que el primer problema era pensar cómo ocurre el intercambio al afrontar grandes costos de transacción.

## ¿Y el segundo principio?

El segundo principio es que los costos de transacción dependen crucialmente de la forma en la que los seres humanos estructuran el orden económico: es decir, de sus instituciones. Y este hecho me dio mi segundo problema, pensar de qué manera evolucionan las instituciones para hacer que los mercados funcionen mejor con el transcurso del tiempo.

## Cuando un economista habla de instituciones económicas, ¿a qué se refiere exactamente? ¿Cuáles son esas instituciones?

Las instituciones son las reglas de la sociedad que dan estructura a la interacción entre la gente. Las instituciones están hechas de reglas formales, como las constituciones y el derecho estatutario (escrito), y de reglas comunes y regulaciones. Pero también son algo más que eso. Son las maneras informales con las que la gente se trata entre sí, lo cual podría considerarse como normas de conducta.

Las instituciones son la armazón dentro de la que sucede toda la interacción humana. Y así, comprender cómo funcionan, por qué funcionan bien en algunas circunstancias y por qué funcionan mal en otras, es la verdadera clave para entender la riqueza de las naciones. Algunos ejemplos de instituciones económicas son las legislaciones antimonopolio, de patentes y de bancarrota.

## ¿Pueden los economistas explicar la diferente evolución institucional de dos países como Estados Unidos y Rusia?

La pregunta se sitúa en pleno corazón de lo que debería ser la historia económica. Estados Unidos heredó un conjunto de instituciones, entre ellas el derecho consuetudinario (común) y los derechos de propiedad, de Gran Bretaña. Estas instituciones habían convertido a la Gran Bretaña en la nación principal para fines del siglo dieciocho. Estados Unidos modificó y mejoró las instituciones británicas. El resultado ha sido dos siglos y medio de crecimiento económico. En la mayor parte del resto del mundo, y Rusia en particular, se desarrollaron instituciones que no funcionaron muy bien.

En Gran Bretaña y Estados Unidos, los gobiernos desarrollaron un conjunto de reglas que proporcionaban mucha libertad y amplitud para que la gente celebrara contratos y acuerdos entre sí. Estas reglas produjeron eficiencia económica en una escala sin paralelo y condujeron a un crecimiento económico sostenido.

Rusia, al igual que otros países de Europa Oriental y del Tercer Mundo, eligió una senda económica diferente basada en el comunismo, el cual resultó ser una institución incapaz de mantener el crecimiento económico.

El objetivo de los estudios de historia y desarrollo económico es el de comprender exactamente qué llevó a estos procesos de cambio tan diferentes entre países como Estados Unidos y Rusia.

> Para tener mercados eficientes, un país necesita reglas y regulaciones que proporcionen incentivos para que la gente sea creativa y se vuelva crecientemente productiva.

## ¿Cómo explica usted el éxito económico de China y el fracaso económico de Rusia?

China es un país con autoritarismo político en la cúspide, y sus autoridades, en forma deliberada o accidental, han aflojado el control en las provincias. El resultado de esto ha sido una combinación muy lucrativa de funcionarios locales del partido comunista que trabajan en equipo con empresarios que obtuvieron su capital, y a veces su adiestramiento, de los gobiernos de Hong Kong y Taiwan, y a quienes se les ha dejado en libertad para dedicarse a los negocios. Y ésa es una situación única. Ciertamente esto no es probable que ocurra en la antigua Unión Soviética.

Pienso que las mayores lecciones económicas provienen de las exitosas economías asiáticas. A pesar de los retrocesos recientes, países como Corea del Sur y Taiwan nos muestran que una dosis apropiada de gobierno puede acelerar el proceso de creación de mercados eficientes. Para tener mercados eficientes, un país necesita reglas y regulaciones que proporcionen incentivos para que la gente sea creativa y se vuelva crecientemente productiva. De la crisis asiática y de la recesión de 1998 también aprendimos que conforme varían las tecnologías y las características de mercado, también cambian las condiciones para que los mercados sean eficientes. Este cambio continuo requiere de una actualización frecuente de las reglas para mantener condiciones eficientes. Esto no ocurre automáticamente. Asia nos ha mostrado que, aunque los gobiernos pueden en ocasiones ayudar a crear una mayor eficiencia, también pueden en ocasiones hacer fracasar la continuidad de los mercados eficientes.

## ¿Cómo caracterizaría los cambios que están ocurriendo en la economía actual, global y nacional?

Yo veo las revoluciones económicas como cambios en el conocimiento que afectan en forma fundamental toda la organización económica y social de las sociedades. El origen y desarrollo de la agricultura fue la primera revolución económica. Esta revolución económica probablemente sucedió en el octavo milenio A.C. La agricultura alteró por completo el ritmo de la economía y generó muchos otros cambios. Los

seres humanos empezaron a establecerse en aldeas y pueblos. Esto condujo al crecimiento del intercambio y sentó las bases de la civilización. La agricultura incrementó enormemente el potencial productivo y el potencial del progreso humano.

El siguiente cambio económico real y fundamental fue la aplicación de la ciencia a la tecnología. Yo diría que nunca hubo una época en la historia humana en la que hubiese un escenario tan impresionante de cambio como el que estamos presenciando en el mundo en que vivimos hoy día. Yo pienso que es extraordinario. Es un mundo muy apasionante para vivirlo, particularmente para un historiador económico. Yo he argumentado que algo ocurrió en el siglo diecinueve, que yo he llamado la segunda revolución económica: hubo un matrimonio sistemático de la ciencia y la tecnología que condujo al desarrollo de las disciplinas de la física, química, genética y biología. Esta revolución ha cambiado por completo la forma en que se conduce toda la actividad económica moderna y la forma en que los seres humanos viven e interactúan.

Las implicaciones personales y sociales de esa revolución son enormes. Como consecuencia de esta revolución, vivimos apiñados en ciudades inmensas, muchas de las cuales están plagadas de crímenes en una escala que nos aterra, y dependemos, para nuestro bienestar, de millones de personas que no conocemos. Mucha gente se ha beneficiado de los adelantos de la tecnología y disfruta de niveles de vida elevados no imaginados, en tanto que muchos otros se han quedado rezagados y no comparten la prosperidad que la segunda revolución económica ha creado. Así que, combinado con la

prosperidad de esta revolución económica, hemos creado un conjunto de problemas sociales, políticos y económicos, que aún no desciframos cómo resolver y que pueden abrumarnos en el futuro.

> **Pienso que lo más importante en el mundo es tener una vida creativa, estimulante, emocionante... Averigüe qué cosas le apasionan y dedíquese a ellas toda la vida.**

## ¿Cuál es su consejo a un estudiante que se dispone apenas a convertirse en economista? ¿Cómo debe el estudiante enfocar su trabajo? ¿Qué debe estudiar?

Cualquier persona debe encontrar emoción y desafío en las cosas que hace, y debe dedicarse a ellas. En una universidad, esto significa que usted debe incomodar a sus profesores. Debe tratar continuamente de obtener mucho de ellos. Yo pienso que la mayoría de los estudiantes universitarios no obtienen de la universidad lo que podrían. Tanto dentro como fuera de clase, usted debe preguntar y dar seguimiento a las respuestas recibidas. Yo pienso que eso es sumamente importante.

Pienso que lo más importante en el mundo es tener una vida creativa, estimulante, emocionante. Todo mundo puede hacerlo a su propia manera, de acuerdo con sus propias curiosidades, intereses y talentos. Averigüe qué cosas le apasionan y dedíquese a ellas toda su vida.

**Capítulo 4**

# Oferta
# y demanda

Derrumbes, ascensos vertiginosos y montaña rusa: ¿estamos hablando de un parque de diversiones? No, se trata de términos que se utilizan comúnmente para referirse a los cambios en los precios. ◆ El precio de los aparatos reproductores de discos compactos se ha derrumbado de cerca de $1,100 (en valor presente) en 1983 a menos de $100 en la actualidad. Durante esos años, la cantidad comprada de esos aparatos ha aumentado en forma sostenida. ¿Qué ocasionó la caída del precio? ¿Por qué este aumento sostenido en las compras no mantuvo el precio alto? ◆ El precio de la atención médica en algunos países se ha disparado. Sin embargo, a pesar de los aumentos vertiginosos de los precios, la gente de esos países sigue adquiriendo más servicios de atención médica cada año. ¿Por qué? ◆ Los precios del plátano, del café y de otros productos agrícolas se comportan en forma de montaña rusa. ¿Por qué el precio del plátano se mueve como una montaña rusa pese a que el gusto de la gente por el plátano casi no cambia? ◆ Los precios de muchas cosas que compramos son notablemente estables. Por ejemplo, el precio de una cinta de audiocasete no ha cambiado mucho en años recientes. Pero a pesar de su precio estable, cada año aumenta el número de cintas que las personas compran. ¿Por qué la gente compra más cintas a

## Derrumbes, ascensos vertiginosos y montaña rusa

pesar de que su precio no es menor que el de hace unos años?, y ¿por qué las empresas venden más cintas a pesar de que no pueden obtener precios más altos por ellas? ◆ La economía trata acerca de las elecciones que la gente hace para enfrentar la escasez. Estas elecciones son guiadas por costos y beneficios, y se coordinan a través de los mercados. ◆ La herramienta analítica que explica cómo funcionan los mercados se conoce como el modelo de la oferta y la demanda. Este modelo es central en todos los aspectos de la economía. Se usa para estudiar temas tan diversos como: empleos y salarios, vivienda y precio de los alquileres, contaminación, crimen, protección al consumidor, educación, bienestar, atención médica, valor del dinero y tasas de interés.

◆ El estudio cuidadoso de este tema será recompensado en forma importante tanto en sus estudios posteriores de economía como en su vida cotidiana. Una vez que haya entendido la oferta y la demanda, usted verá al mundo en una forma novedosa. Cuando haya terminado su estudio de la oferta y la demanda, usted será capaz de explicar cómo se determinan los precios y de predecir los derrumbes, los ascensos vertiginosos y los comportamientos en forma de montaña rusa de los precios. Pero antes de continuar, examinemos más detenidamente la idea de precio. ¿Qué es un precio?

### Después de estudiar este capítulo, usted será capaz de:

- Distinguir entre un precio nominal (o monetario) y un precio relativo

- Explicar los principales factores que influyen sobre la demanda

- Explicar los principales factores que influyen sobre la oferta

- Explicar cómo los precios y las cantidades (compradas y vendidas) son determinados por la oferta y la demanda

- Explicar por qué algunos precios bajan, algunos suben y algunos fluctúan

- Usar la oferta y la demanda para predecir cambios de precio

## Precio y costo de oportunidad

LAS ACCIONES ECONÓMICAS SURGEN DE LA ESCASEZ: LAS necesidades exceden los recursos disponibles para satisfacerlas. Al enfrentarnos a la *escasez*, debemos elegir. Y para elegir, debemos comparar *costos* y *beneficios*. Los costos de oportunidad influyen en las elecciones. Los productores ofrecen artículos a la venta sólo si el precio es lo suficientemente alto para cubrir su costo de oportunidad. Y los consumidores responden a los cambios en el costo de oportunidad al buscar alternativas más baratas para los artículos caros.

Estudiaremos la forma en que la gente responde a los *precios* y a las fuerzas que determinan los precios. Pero para dedicarnos a esta tarea, necesitamos entender la relación entre un precio y un costo de oportunidad.

En la vida cotidiana, el *precio* de un objeto es la cantidad de dinero (en unidades monetarias) que debe entregarse a cambio del objeto. Los economistas se refieren a este precio como el *precio monetario* o *nominal*.

El *costo de oportunidad* de una acción es la alternativa desaprovechada de más alto valor. Cuando usted compra una taza de café, si el elemento de más alto valor que no aprovecha es una goma de mascar, entonces el costo de oportunidad de comprar café es la *cantidad* de goma de mascar desaprovechada. Esta cantidad se puede calcular a partir de los precios nominales del café y de la goma de mascar.

Si el precio nominal del café es de $1 por taza y el precio nominal de la goma de mascar es de 50¢ por paquete, entonces el costo de oportunidad de una taza de café es de dos paquetes de goma de mascar. Para calcular este costo de oportunidad, dividimos el precio de una taza de café entre el precio de un paquete de goma de mascar y encontramos la *razón* de un precio al otro. La razón de un precio a otro se denomina **precio relativo**, y un *precio relativo es un costo de oportunidad*.

Podemos expresar el precio relativo del café en términos de goma de mascar o de cualquier otro bien. La forma normal de expresar un precio relativo es en términos de una "canasta" de todos los bienes y servicios. Para calcular este precio relativo, dividimos el precio nominal de un bien entre el precio nominal de una "canasta" de todos los bienes (denominado *índice de precios*). El precio relativo resultante se expresa en términos del poder de compra del dinero en un año en particular. Nos dice el costo de oportunidad de un artículo en términos de cuánto de la "canasta" debemos sacrificar para poder comprarlo.

La figura 4.1 muestra el precio nominal y el precio relativo del trigo. El precio nominal (verde) ha fluctuado, pero ha tendido a subir. El precio relativo (rojo) alcanzó un máximo en 1974 y ha tendido a bajar a partir de ese año.

La teoría de la oferta y la demanda que estamos a punto de estudiar determina *precios relativos*, y la palabra "precio"

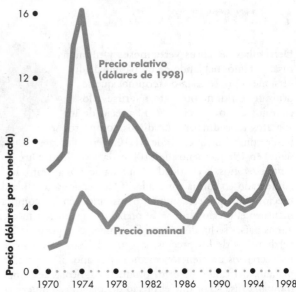

**FIGURA 4.1**

## El precio del trigo

El precio nominal del trigo, el número de dólares que deben entregarse por una tonelada de trigo, ha fluctuado entre $1.50 y $6.20. Pero el precio *relativo* o *costo de oportunidad* del trigo, expresado en dólares de 1998, ha fluctuado entre $4.10 y $16.25 y ha tendido a bajar. La baja del precio relativo del trigo no se aprecia claramente debido al comportamiento del precio nominal.

*Fuentes: Estadísticas Financieras Internacionales,* Fondo Monetario Internacional, Washington, D.C., 1999.

significa precio *relativo*. Cuando predecimos que un precio descenderá, no queremos decir que el precio *nominal* bajará, aun cuando puede hacerlo; queremos decir que su precio *relativo* bajará. Es decir, su precio bajará *relativo* al precio promedio de otros bienes y servicios.

### PREGUNTAS DE REPASO

- Explique la diferencia entre precio nominal y precio relativo.
- ¿Por qué un precio relativo es un costo de oportunidad?
- ¿Se le ocurre un ejemplo de un bien cuyos precios, nominal y relativo, hayan subido?
- ¿Se le ocurre un ejemplo de un bien cuyos precios, nominal y relativo, hayan bajado?

Demos comienzo a nuestro estudio de la teoría de la oferta y la demanda, empezando con el lado de la demanda.

# Demanda

SI USTED DEMANDA ALGO, ENTONCES USTED

1. Lo desea,
2. Puede pagarlo, y
3. Ha planeado definitivamente comprarlo.

Los *deseos* son las aspiraciones o los anhelos ilimitados que la gente tiene por bienes y servicios. ¿Cuántas veces ha pensado que querría algo "si pudiera pagarlo" o "si no fuera tan caro"? La escasez garantiza que muchos, quizá la mayoría, de nuestros deseos nunca serán satisfechos. La demanda refleja una decisión sobre qué deseos se van a satisfacer.

La **cantidad demandada** de un bien o servicio es la cantidad que los consumidores planean comprar en un período dado, a un precio en particular. La cantidad demandada no es necesariamente la misma cantidad que efectivamente se compra. Algunas veces, la cantidad demandada es mayor que la cantidad de bienes disponibles, por lo que la cantidad comprada es menor que la cantidad demandada.

La cantidad demandada se mide como una cantidad por unidad de tiempo. Por ejemplo, suponga que usted consume una taza de café al día. La cantidad de café que usted demanda se puede expresar como 1 taza al día o 7 tazas a la semana o 365 tazas al año. Sin una dimensión de tiempo, no podemos decir si una cantidad demandada en particular es grande o pequeña.

## ¿Qué determina los planes de compra?

La cantidad que los consumidores planean comprar de un bien o servicio determinado, depende de muchos factores. Los principales son:

1. El precio del bien
2. Los precios de los bienes relacionados
3. Los precios futuros esperados
4. El ingreso
5. La población
6. Las preferencias

Primero veremos la relación entre la cantidad demandada y el precio de un bien. Para estudiar esta relación, mantenemos constantes todas los otros factores que influyen sobre las compras planeadas de los consumidores y preguntamos: ¿cómo varía la cantidad demandada del bien a medida que varía su precio?

## La ley de la demanda

La ley de la demanda afirma:

Con otras cosas constantes, cuanto más alto es el precio de un bien, menor es la cantidad demandada.

¿Por qué un precio más alto reduce la cantidad demandada? Por dos razones:

1. Efecto sustitución
2. Efecto ingreso

**Efecto sustitución**   Cuando sube el precio de un bien, con otras cosas constantes, su precio *relativo*, su costo de oportunidad, sube. Aunque cada bien es único, tiene *sustitutos*, es decir, hay otros bienes que pueden usarse en su lugar. Al subir el costo de oportunidad de un bien, la gente compra menos de ese bien y más de sus sustitutos.

**Efecto ingreso**   Cuando un precio aumenta y todos los otros factores que influyen sobre los planes de compra se mantienen sin cambio, el precio, *relativo* a los ingresos de la gente, aumenta. Al enfrentar un precio más alto y un ingreso inalterado, la gente no puede permitirse comprar lo mismo que compraba anteriormente. Las cantidades demandadas de algunos bienes y servicios deberá disminuir. Por lo general, el bien cuyo precio ha aumentado es uno de aquéllos de los que se comprará una cantidad menor.

Para ver el efecto sustitución y el efecto ingreso en funcionamiento, piense en los efectos del cambio de precio de las cintas de audiocasete. Varios bienes diferentes proporcionan un servicio similar al de la cinta. Por ejemplo, un disco compacto, una transmisión de radio o televisión, o un concierto en vivo, son bienes que proporcionan servicios similares al de la cinta. Suponga que las cintas se venden inicialmente en $3 cada una y que después el precio se duplica a $6. La gente sustituye ahora las cintas de audiocasete por discos compactos: el efecto sustitución. Y al enfrentar un presupuesto más ajustado, compran menos cintas y menos de otros bienes y servicios: el efecto ingreso. La cantidad demandada de cintas disminuye por estas dos razones.

Suponga ahora que el precio de la cinta baja a $1. La gente sustituye ahora los discos compactos por audiocasetes: el efecto sustitución. Y con un presupuesto que ahora tiene cierta holgura debido al menor precio de las cintas, la gente compra más cintas así como más de otros bienes y servicios: el efecto ingreso. La cantidad demandada de cintas aumenta por estas dos razones.

## Curva de demanda y plan de demanda

Está usted a punto de estudiar una de las dos curvas más usadas en economía: la curva de demanda. Y está a punto de encontrarse con una de las distinciones más cruciales: la distinción entre *demanda* y *cantidad demandada*.

El término **demanda** se refiere a la relación completa entre la cantidad demandada y el precio de un bien, y se ilustra a través de la curva de demanda y del plan de demanda. El término *cantidad demandada* se refiere a un punto en la curva de demanda: la cantidad demandada a un precio en particular.

La figura 4.2 representa la curva de demanda de cintas. Una **curva de demanda** muestra la relación entre la cantidad demandada de un bien y su precio, cuando todos los otros factores que influyen sobre las compras planeadas de los consumidores permanecen constantes.

La tabla de la figura 4.2 es el plan de demanda de cintas. Un *plan de demanda* enumera las cantidades demandadas a diferentes precios, cuando todos los otros factores que influyen sobre las compras planeadas de los consumidores, tales como ingreso, población, preferencias y precios futuros, permanecen iguales. Por ejemplo, si el precio de una cinta es $1, la cantidad demandada es de 9 millones de cintas a la semana. Si el precio de una cinta es $5, la cantidad demandada es de 2 millones de cintas a la semana. Las otras filas de la tabla muestran las cantidades demandadas a precios de $2, $3 y $4.

El plan de demanda se representa en una figura como una curva de demanda, con la cantidad demandada en el eje horizontal y el precio en el eje vertical. Los puntos de la *a* a la *e* sobre la curva de demanda, muestran las filas correspondientes del plan de demanda. Por ejemplo, el punto *a* en la figura representa una cantidad demandada de 9 millones de cintas a la semana, a un precio de $1 por cinta.

**Disponibilidad y capacidad de pagar**    Otra forma de ver la curva de demanda es como una curva de disponibilidad y capacidad de pagar. Y la disponibilidad y capacidad de pagar es una medida del *beneficio marginal*.

Si sólo hay disponible una cantidad pequeña de un bien, el precio más alto que alguien está dispuesto a pagar y que es capaz de hacerlo, es alto. Pero conforme aumenta la cantidad disponible, el beneficio marginal de cada unidad adicional cae, y el precio más alto que alguien está dispuesto y es capaz de pagar también cae a lo largo de la curva de demanda.

En la figura 4.2, si hay disponibles 2 millones de cintas cada semana, el precio más alto que alguien está dispuesto a pagar por la cinta número 2 millones es $5. Pero si hay disponibles 9 millones de cintas cada semana, alguien está dispuesto a pagar sólo $1 por la última cinta comprada.

**FIGURA 4.2**

## Curva de demanda

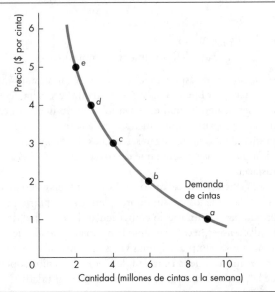

| | **Precio**<br>($ por cinta) | **Cantidad**<br>(millones de cintas por semana) |
|---|---|---|
| *a* | 1 | 9 |
| *b* | 2 | 6 |
| *c* | 3 | 4 |
| *d* | 4 | 3 |
| *e* | 5 | 2 |

La tabla muestra un plan de demanda que enumera la cantidad de cintas demandadas a cada precio, si todos los otros factores que influyen sobre los planes de los compradores permanecen iguales. A un precio de $1 la cinta, se demandan 9 millones de cintas a la semana; a un precio de $3 la cinta, se demandan 4 millones de cintas a la semana. La curva de demanda muestra la relación entre cantidad demandada y precio, cuando todo lo demás permanece igual.

La curva de demanda tiene pendiente negativa: conforme el precio baja, la cantidad demandada aumenta. La curva de demanda puede interpretarse de dos maneras. Para un precio dado, nos dice la cantidad que la gente planea comprar. Por ejemplo, a un precio de $3 la cinta, la cantidad demandada es de 4 millones de cintas a la semana. Para una cantidad dada, la curva de demanda nos dice el precio máximo que los consumidores están dispuestos y son capaces de pagar por la última cinta disponible. Por ejemplo, el precio máximo que los consumidores pagarán por la cinta 6 millones es $2.

## Un cambio de la demanda

Cuando cambia algún factor (distinto al precio del bien) que afecta los planes de compra, hay un **cambio de la demanda**. La figura 4.3 ilustra un aumento de la demanda. Cuando aumenta la demanda, la curva de demanda se desplaza hacia la derecha y la cantidad demandada es mayor que todos y cada uno de los precios. Por ejemplo, a un precio de $5 en la curva de demanda original (línea azul), la cantidad demandada es 2 millones de cintas a la semana. En la nueva curva de demanda (línea roja), la cantidad demandada es 6 millones de cintas a la semana. Vea detenidamente los números en la tabla de la figura 4.3 y compruebe que la cantidad demandada es mayor en cada precio.

Veamos los factores que ocasionan cambios de la demanda. Hay que considerar cinco factores clave.

**1. Precio de los bienes relacionados** La cantidad de cintas de audiocasete que los consumidores planean comprar depende en parte de los precios de los sustitutos de las cintas. Un **sustituto** es un bien que puede usarse en lugar de otro bien. Por ejemplo, un viaje en autobús es un sustituto de un viaje en tren; una hamburguesa es un sustituto de un *hot dog*, y un disco compacto es un sustituto de una cinta de audiocasete. Si aumenta el precio de un sustituto de una cinta, la gente compra menos del sustituto y más cintas. Así, por ejemplo, si sube el precio de los discos compactos, la gente compra menos discos compactos y más cintas. Es decir, aumenta la demanda de cintas.

La cantidad de cintas que la gente planea comprar depende también de los precios de los complementos de cintas. Un **complemento** es un bien que se usa en forma conjunta con otro bien. Las hamburguesas y las papas fritas son complementos. También lo son el espagueti y la salsa boloñesa, así como las cintas y los aparatos reproductores de casete portátiles (*walkman*). Si baja el precio de un *walkman*, la gente compra más *walkman* y más cintas. De hecho, una baja en el precio de los *walkman* podría ser la causa del aumento en la demanda de cintas de la figura 4.3.

**2. Los precios futuros esperados** Si un bien puede almacenarse y se espera que su precio aumente en el futuro, el costo de oportunidad de obtener el bien para un uso futuro será menor ahora que cuando el precio haya aumentado. Las personas pueden reprogramar sus compras, sustituyendo en el tiempo, y comprar más del bien ahora antes de que suba su precio (y menos después). Por tanto, la demanda actual del bien aumenta.

Por ejemplo, suponga que Brasil sufre de severos problemas climatológicos que, se espera, dañen la cosecha de café. Usted espera que el precio futuro del café sea más alto. Así que, en anticipación de un precio más alto, usted compra suficiente café para los siguientes seis meses. Su demanda actual de café ha aumentado (y su demanda futura ha disminuido).

**FIGURA 4.3**
## Un aumento de demanda

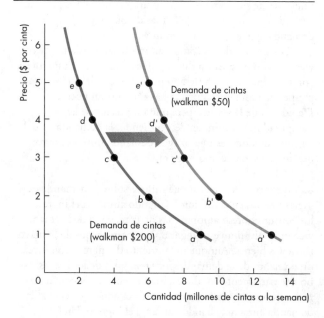

| Plan de demanda original walkman $200 | | | Plan de demanda nuevo walkman $50 | | |
|---|---|---|---|---|---|
| | Precio ($ por cinta) | Cantidad (millones de cintas a la semana) | | Precio ($ por cinta) | Cantidad (millones de cintas a la semana) |
| a | 1 | 9 | a' | 1 | 13 |
| b | 2 | 6 | b' | 2 | 10 |
| c | 3 | 4 | c' | 3 | 8 |
| d | 4 | 3 | d' | 4 | 7 |
| e | 5 | 2 | e' | 5 | 6 |

Un cambio de cualquier factor que influye sobre los planes de los compradores (que no sea el precio del bien), resulta en un nuevo plan de demanda y en un desplazamiento de la curva de demanda. Un cambio del precio de un *walkman* cambia la demanda de cintas. A un precio de $3 por cinta (fila *c* de la tabla), se demandan 4 millones de cintas a la semana cuando el *walkman* cuesta $200, y se demandan 8 millones de cintas a la semana cuando el *walkman* cuesta sólo $50. Una *caída* del precio de un *walkman aumenta* la demanda de cintas, porque el *walkman* es un bien complementario para las cintas de audiocasete. Cuando *aumenta* la demanda, la curva de demanda se desplaza *a la derecha,* como lo muestra la flecha de desplazamiento y la nueva curva resultante (en rojo).

De manera similar, si se espera que el precio de un bien descienda en el futuro, el costo de oportunidad de comprarlo en el presente es alto relativo a lo que se espera que sea en el futuro. Así pues, la gente programa nuevamente sus compras. Compran menos del bien ahora antes de que su precio baje (y más después), por lo que la demanda actual del bien disminuye.

Los precios de las computadoras bajan constantemente y este hecho plantea un dilema. ¿Comprará usted una nueva computadora ahora, a tiempo para el inicio del año escolar, o esperará hasta que el precio haya bajado un poco más? Debido a que la gente espera que los precios de las computadoras continúen descendiendo, la demanda actual de computadoras es menor (y la demanda futura es mayor) que lo que sería de otra manera.

**3. Ingreso**   Otro factor que influye sobre la demanda es el ingreso de los consumidores. Cuando aumenta el ingreso, los consumidores compran más de la mayoría de los bienes, y cuando disminuye su ingreso, compran menos de la mayoría de los bienes. Aunque un aumento de ingreso conduce a un aumento de la demanda por la *mayoría* de los bienes, esto no necesariamente conduce a un aumento de la demanda de *todos* los bienes. Un **bien normal** es aquel por el cual la demanda aumenta cuando aumenta el ingreso. Un **bien inferior** es uno por el cual la demanda disminuye cuando aumenta el ingreso. El transporte de larga distancia tiene ejemplos tanto de bienes normales como de bienes inferiores. Conforme suben los ingresos, la demanda de viajes aéreos (un bien normal) aumenta y la demanda de viajes de larga distancia en autobús (un bien inferior) disminuye.

**4. Población**   La demanda depende también del tamaño y la estructura por edades de la población. Cuanto mayor sea el tamaño de la población, mayor será la demanda de todos los bienes y servicios. Y cuanto menor sea la población, menor será la demanda de todos los bienes y servicios.

Por ejemplo, la demanda de lugares de estacionamiento de automóviles, o películas, o cintas, o cualquier cosa que pueda imaginarse, es mucho mayor en la ciudad de México (población, 17 millones) que en La Paz, Bolivia (población, 1.2 millones).

Asimismo, cuanto mayor es la proporción de la población de un cierto grupo de edad, mayor es la demanda de los tipos de bienes y servicios usados por ese grupo de edad.

Por ejemplo, entre 1970 y 1995, el número de personas de 5 a 14 años en América Latina pasó de 74 a 104 millones. Como resultado, la demanda de servicios educativos básicos aumentó en forma considerable en dicha región. Asimismo, entre 1988 y 1998, el número de estadounidenses de 85 años y mayores aumentó en más de 1 millón. Como resultado, la demanda de asilos para ancianos aumentó.

---

**TABLA 4.1**
## La demanda de cintas

**Ley de la demanda**

La cantidad de cintas demandada

| *Disminuye si:* | *Aumenta si:* |
| --- | --- |
| ■ El precio de la cinta sube | ■ El precio de la cinta baja |

**Cambios en la demanda**

La demanda de cintas

| *Disminuye si:* | *Aumenta si:* |
| --- | --- |
| ■ El precio de un sustituto baja | ■ El precio de un sustituto sube |
| ■ El precio de un complemento sube | ■ El precio de un complemento baja |
| ■ Se espera que el precio de una cinta baje en el futuro | ■ Se espera que el precio de una cinta suba en el futuro |
| ■ El ingreso baja* | ■ El ingreso sube* |
| ■ La población disminuye | ■ La población aumenta |

*Se supone que una cinta de audiocasete es un bien normal.

---

**5. Preferencias**   La demanda depende de las preferencias. Las *preferencias* son las actitudes de los individuos hacia los bienes y servicios. Por ejemplo, a un aficionado a la música de *rock* le gustan más las cintas de audiocasete que a una persona esclavizada por el trabajo y que no tiene un oído musical. En consecuencia, incluso si tienen el mismo ingreso, sus demandas de cintas serán muy diferentes.

La tabla 4.1 resume los factores que influyen sobre la demanda y la dirección en la que lo hacen.

### Un cambio de la cantidad demandada en oposición a un cambio de la demanda

Los cambios de los factores que influyen sobre los planes de los compradores ocasionan: ya sea un cambio de la cantidad demandada o un cambio de la demanda. De manera equivalente, ocasionan ya sea un movimiento a lo largo de la curva de demanda o un desplazamiento de la curva de demanda.

La distinción entre un cambio de la cantidad demandada y un cambio de demanda es la misma que la que hay entre un movimiento a lo largo de la curva de demanda y un desplazamiento de la curva de demanda.

Un punto en la curva de demanda muestra la cantidad demandada a un precio dado. Así que un movimiento a lo largo de la curva de demanda muestra un **cambio de la cantidad demandada**. La curva de demanda completa muestra la demanda. Por tanto, un desplazamiento de la curva de demanda muestra un **cambio de la demanda**. La figura 4.4 ilustra y resume estas distinciones.

**Movimiento a lo largo de la curva de demanda** Si el precio de un bien cambia pero todo lo demás permanece igual, hay un movimiento a lo largo de la curva de demanda. La pendiente negativa de la curva de demanda revela que una disminución del precio de un bien o servicio aumenta la cantidad demandada. Esto es la ley de la demanda.

En la figura 4.4, si el precio de un bien cae cuando todo lo demás permanece igual, la cantidad demandada de ese bien aumenta y hay un movimiento hacia abajo sobre la curva de demanda $D_0$. Si el precio sube cuando todo lo demás permanece igual, la cantidad demandada disminuye y hay un movimiento hacia arriba sobre la curva de demanda $D_0$.

**Un desplazamiento de la curva de demanda** Si el precio de un bien permanece constante, pero cambia alguno de los otros factores que influyen sobre los planes de los compradores, hay un cambio de la demanda de ese bien. Ilustramos un cambio de demanda como un desplazamiento de la curva de demanda. Por ejemplo, una baja del precio de los *walkman*, un complemento de las cintas, aumenta la demanda de cintas. Ilustramos este aumento de la demanda de cintas con un nuevo plan de demanda y una nueva curva de demanda. Si baja el precio del *walkman*, los consumidores compran más cintas independientemente de si el precio de la cinta es alto o bajo. Eso es lo que muestra un desplazamiento de la curva de demanda hacia la derecha: que más cintas se compran a todos y cada uno de los precios.

En la figura 4.4, cuando cambia cualquier otro factor que influye sobre las compras planeadas de los consumidores (que no sea el precio del bien), la curva de demanda se desplaza y hay un *cambio* (un aumento o una disminución) *de la demanda*. Un aumento del ingreso (para un bien normal), de la población, del precio de un sustituto, del precio futuro esperado, o una caída del precio de un complemento, desplaza la curva de demanda hacia la derecha (a la curva de demanda en rojo $D_1$). Esto representa un *aumento de la demanda*. Una baja del ingreso (para un bien normal), de la población, del precio de un sustituto, del precio futuro esperado del bien, o un aumento del precio de un complemento, desplaza la curva de demanda hacia la izquierda (a la curva de demanda en rojo $D_2$). Esto representa una *disminución de la demanda*. (Para un bien inferior, los efectos de un cambio del ingreso son en la dirección opuesta a los descritos anteriormente.)

**FIGURA 4.4**

# Un cambio de la cantidad demandada en oposición a un cambio de la demanda

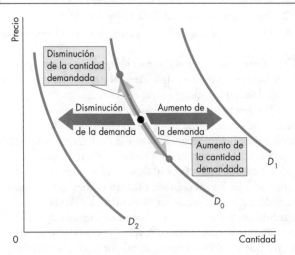

Cuando cambia el precio de un bien, hay un movimiento a lo largo de la curva de demanda y *cambia la cantidad demandada,* lo cual se muestra por las flechas azules en la curva de demanda $D_0$. Cuando cambia cualquier otro factor que influye sobre los planes de compra, hay un desplazamiento de la curva de demanda y un *cambio de la demanda*. Un aumento de la demanda desplaza la curva de demanda hacia la derecha (de $D_0$ a $D_1$). Una disminución de la demanda desplaza la curva de demanda hacia la izquierda (de $D_0$ a $D_2$).

## PREGUNTAS DE REPASO

- ¿Puede definir la *cantidad demandada* de un bien o servicio?
- ¿Qué es la *ley de la demanda* y cómo la ilustramos?
- Si hay disponible una cantidad fija de un bien, ¿qué nos dice la curva de demanda acerca del precio que los consumidores están dispuestos a pagar por esa cantidad fija?
- Enumere todos los factores que influyen sobre los planes de compra y que *cambian la demanda*. Para cada factor diga si su influencia consiste en aumentar o disminuir la demanda.
- ¿Qué le ocurre a la demanda y a la cantidad demandada de discos compactos, si el precio de un disco compacto baja y todos los otros factores que influyen sobre los planes de compra permanecen iguales?

## Oferta

SI UNA EMPRESA OFRECE UN BIEN O SERVICIO, LA empresa

1. Tiene los recursos y la tecnología para producirlo,
2. Puede obtener un beneficio al producirlo, y
3. Ha hecho planes definitivos para producirlo y venderlo.

Una oferta es más que simplemente tener los *recursos* y la *tecnología* para producir algo. *Recursos y tecnología* son restricciones que limitan lo que es posible.

Pueden producirse muchas cosas útiles, pero no se producen a menos que arrojen un beneficio. Dado el universo de bienes tecnológicamente factibles de producir, la oferta describe cuáles de éstos serán en efecto producidos.

La **cantidad ofrecida** de un bien o servicio es la cantidad que los productores planean vender durante un período dado a un precio en particular. La cantidad ofrecida no es necesariamente la misma cantidad que la cantidad realmente vendida. A veces, la cantidad ofrecida es mayor que la cantidad demandada, por lo que la cantidad comprada es menor que la cantidad ofrecida.

Al igual que la cantidad demandada, la cantidad ofrecida se mide como una cantidad por unidad de tiempo. Por ejemplo, suponga que GM produce 1,000 automóviles al día. La cantidad de autos ofrecida por GM puede expresarse como 1,000 al día, 7,000 a la semana o 365,000 al año. Sin la dimensión de tiempo, no podemos decir si un número determinado es grande o pequeño.

### ¿Qué determina los planes de venta?

Las cantidades de cualquier bien o servicio que los productores planean vender, dependen de muchos factores. Los principales son:

1. El precio del bien
2. Los precios de los recursos usados para producir el bien
3. Los precios de los bienes relacionados
4. Los precios futuros esperados
5. El número de oferentes
6. La tecnología

Veamos primero la relación entre el precio de un bien y la cantidad ofrecida. Para estudiar esta relación, mantenemos constante todas las otras influencias sobre la cantidad ofrecida. Preguntamos: ¿Cómo varía la cantidad ofrecida de un bien al variar su precio?

### Ley de la oferta

La ley de la oferta afirma:

Con otras cosas constantes, cuanto más alto es el precio de un bien, mayor es la cantidad ofrecida.

¿Por qué un precio más alto aumenta la cantidad ofrecida? Se debe al *costo marginal creciente.* Conforme aumenta la cantidad producida de cualquier bien, aumenta el costo marginal de producirlo. (Usted puede refrescar su memoria del costo marginal creciente en el capítulo 3, pág. 34.)

Nunca vale la pena producir un bien si el precio recibido por él no cubre al menos el costo marginal. Así pues, cuando sube el precio de un bien, si las otras cosas permanecen constantes, los productores están dispuestos a incurrir en el costo marginal más alto y aumentar la producción. El precio más alto ocasiona un aumento de la cantidad ofrecida.

Ilustremos ahora la ley de la oferta con una curva de oferta y una plan de oferta.

### Curva de oferta y plan de oferta

Estudiará usted ahora la segunda de las curvas de mayor uso en economía: la curva de oferta. Y aprenderá usted la distinción crucial entre *oferta* y *cantidad ofrecida.*

El término **oferta** se refiere a la relación completa entre la cantidad ofrecida y el precio de un bien, y la ilustra la curva de oferta y el plan de oferta. El término *cantidad ofrecida* se refiere a un punto en la curva de oferta: la cantidad ofrecida a un precio determinado.

La figura 4.5 muestra la curva de oferta de cintas. Una **curva de oferta** muestra la relación entre la cantidad ofrecida de un bien y su precio, cuando todas las otras influencias sobre las ventas planeadas de productores permanecen iguales. Es una gráfica de un plan de oferta.

La tabla en la figura 4.5 expone el plan de oferta de cintas. Un *plan de oferta* enumera las cantidades ofrecidas a cada precio, cuando todas las otras influencias sobre las ventas planeadas de productores permanecen iguales. Por ejemplo, si el precio de una cinta es $1, la cantidad ofrecida es cero, como se señala en la fila *a* de la tabla. Si el precio de una cinta es $2, la cantidad ofrecida es 3 millones de cintas a la semana (fila *b*). Las otras filas de la tabla muestran las cantidades ofrecidas a precios de $3, $4 y $5.

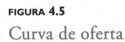

## FIGURA 4.5
## Curva de oferta

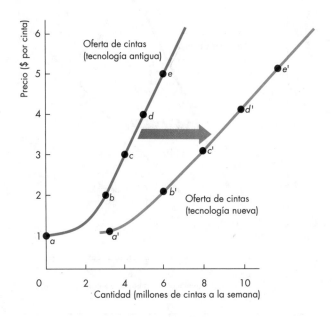

| | Precio<br>($ por cinta) | Cantidad<br>(millones de cintas a la semana) |
|---|---|---|
| a | 1 | 0 |
| b | 2 | 3 |
| c | 3 | 4 |
| d | 4 | 5 |
| e | 5 | 6 |

La tabla muestra el plan de oferta de cintas. Por ejemplo, a $2 la cinta, se ofrecen 3 millones de cintas a la semana; a $5 la cinta, se ofrecen 6 millones de cintas a la semana. La curva de oferta muestra la relación entre la cantidad ofrecida y el precio, si todo lo demás permanece igual. La curva de oferta generalmente tiene pendiente positiva: conforme el precio de un bien sube, también sube la cantidad ofrecida.

Una curva de oferta también puede interpretarse en dos formas. Para un precio dado, nos dice la cantidad que los productores planean vender. Y para una cantidad dada, nos dice el precio mínimo que los productores están dispuestos a aceptar por esa cantidad.

Para construir una curva de oferta, ponemos en la figura la cantidad ofrecida en el eje horizontal y el precio en el eje vertical, igual que en el caso de la curva de demanda. Los puntos rotulados de la *a* hasta la *e* sobre la curva de oferta representan las filas del plan de oferta. Por ejemplo, el punto *a* en la figura representa una cantidad ofrecida de cero, a un precio de $1 la cinta.

**Precio mínimo de oferta**   Al igual que la curva de demanda, la curva de oferta también tiene dos interpretaciones. La curva de demanda puede interpretarse como una curva de disposición y capacidad de pagar, o como una curva de precio mínimo de oferta. Nos dice el precio más bajo al cual alguien puede vender con beneficio una unidad adicional.

Si se produce una cantidad pequeña, el precio más bajo al cual alguien puede vender con beneficio una unidad adicional, es bajo. Pero si se produce una gran cantidad, el precio más bajo al cual alguien puede vender con beneficio una unidad adicional, es alto.

En la figura 4.5, si se producen 6 millones de cintas cada semana, el precio más bajo que un productor está dispuesto a aceptar por la cinta número 6 millones, es $5. Pero si sólo se producen 4 millones de cintas cada semana, el precio más bajo que un productor está dispuesto a aceptar por la cinta número 4 millones, es $3.

## Un cambio de la oferta

Cuando cambia cualquier factor que influye sobre los planes de venta, que no sea el precio del bien, hay un **cambio de la oferta**. Veamos los cinco factores clave que cambian la oferta.

**1. Precios de los recursos productivos**   Los precios de los recursos productivos influyen sobre la oferta. La manera más fácil de observar esta influencia es pensar en la curva de oferta como una curva de precio mínimo de oferta. Si los precios de los recursos productivos suben, aumenta el precio más bajo que un productor está dispuesto a aceptar, por lo que la oferta disminuye. Por ejemplo, durante 1996, el precio del combustible para *jets* aumentó, y la oferta de transporte aéreo disminuyó. De manera parecida, un aumento del salario mínimo en Estados Unidos disminuyó la oferta de hamburguesas. Si suben los salarios de los productores de cintas, la oferta de cintas disminuye.

**2. Precio de los bienes relacionados**   Los precios de bienes y servicios relacionados con un bien influyen sobre la oferta del mismo. Por ejemplo, si el precio de las cintas grabadas sube, la oferta de las cintas en blanco disminuye. Las cintas en blanco y las cintas grabadas son *sustitutos en la* *producción*: bienes que pueden producirse usando los mismos recursos. Si sube el precio de la carne de res, la oferta de piel de res aumenta. La carne de res y la piel de res son *complementos en la producción*: bienes que deben producirse juntos.

**3. Precios futuros esperados**   Si se espera que el precio de un bien suba, el rendimiento por la venta del bien será mayor en el futuro que en el presente. Por lo tanto, la oferta corriente disminuye.

**4. El número de oferentes**   La oferta depende también del número de oferentes. Cuanto mayor es el número de empresas que producen un bien, mayor es la oferta del bien. Conforme ingresan empresas a una industria, la oferta de la industria aumenta. A medida que las empresas abandonan una industria, la oferta en esa industria disminuye. Por ejemplo, durante los dos últimos años ha habido un enorme aumento del número de empresas que producen y administran sitios en la telaraña mundial *(World Wide Web o WWW)*. Como resultado, la oferta de servicios de Internet y de la WWW ha aumentado enormemente.

**5. Tecnología**   Nuevas tecnologías crean productos nuevos y disminuyen los costos de fabricar productos existentes. Como resultado, se produce un cambio en la oferta. Por ejemplo, el desarrollo de una tecnología nueva para la producción de cintas por parte de Sony y 3M (Minnesota Mining and Manufacturing) ha reducido los costos de producción de cintas y ha aumentado la oferta de cintas.

La figura 4.6 ilustra un aumento de oferta. Cuando aumenta la oferta, la curva de oferta se desplaza hacia la derecha y la cantidad ofrecida es mayor en todos y cada uno de los precios. Por ejemplo, a un precio de $2 en la curva de oferta original (azul), la cantidad ofrecida es de 3 millones de cintas a la semana. En la nueva curva de oferta (rojo), la cantidad ofrecida es de 6 millones de cintas a la semana. Vea detenidamente los números en la tabla de la figura 4.6 y compruebe que la cantidad ofrecida es mayor en cada precio.

La tabla 4.2 resume los factores que influyen sobre la oferta y la dirección de esas influencias.

## Un cambio de la cantidad ofrecida en oposición a un cambio de la oferta

Cambios en los factores que influyen sobre las ventas planeadas de los productores, ocasionan ya sea un cambio de la cantidad ofrecida o un cambio de la oferta. De manera equivalente, ocasionan ya sea un movimiento a lo largo de la curva de oferta o un desplazamiento de la curva de oferta.

Un punto en la curva de oferta muestra la cantidad ofrecida a un precio dado. Así que un movimiento a lo largo

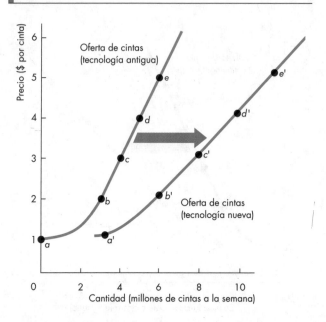

**FIGURA 4.6**

## Un aumento de oferta

| Plan de oferta original<br>Tecnología antigua | | Plan de oferta nuevo<br>Tecnología nueva | | |
|---|---|---|---|---|
| **Precio**<br>($ por cinta) | **Cantidad**<br>(millones de cintas a la semana) | | **Precio**<br>($ por cinta) | **Cantidad**<br>(millones de cintas a la semana) |
| a    1 | 0 | a' | 1 | 3 |
| b    2 | 3 | b' | 2 | 6 |
| c    3 | 4 | c' | 3 | 8 |
| d    4 | 5 | d' | 4 | 10 |
| e    5 | 6 | e' | 5 | 12 |

Un cambio de cualquier factor que influye sobre los planes de los vendedores, distinto al precio del bien mismo, resulta en un nuevo plan de oferta y en un desplazamiento de la curva de oferta. Por ejemplo, si Sony y 3M inventan una tecnología nueva para la producción de cintas que ahorra costos, la oferta de cintas cambia.

A un precio de $3 la cinta, se ofrecen 4 millones de cintas a la semana, cuando los productores usan la tecnología antigua (fila *c* de la tabla), y 8 millones cuando los productores usan la tecnología nueva. Un adelanto tecnológico *aumenta* la oferta de cintas y desplaza la curva de oferta hacia la derecha, como lo muestra la flecha de desplazamiento y la curva roja resultante.

de la curva de oferta muestra un **cambio de la cantidad ofrecida**. La curva de oferta completa muestra la oferta. Por tanto, un desplazamiento de la curva de oferta muestra un **cambio de la oferta**.

La figura 4.7 ilustra y resume estas distinciones. Si el precio de un bien baja y todo lo demás permanece igual, la cantidad ofrecida de ese bien disminuye y hay un movimiento hacia abajo sobre la curva de oferta $O_0$. Si el precio de un bien sube y todo lo demás permanece igual, la cantidad ofrecida aumenta y hay un movimiento hacia arriba sobre la curva de oferta $O_0$. Cuando cambia cualquier otra influencia sobre los planes de venta, la curva de oferta se desplaza y hay un cambio de la oferta. Si la curva de oferta es $O_0$ y los costos de producción bajan, la oferta aumenta y la curva de oferta se desplaza a la curva de oferta roja $O_1$. Si los costos de producción suben, la oferta disminuye y la curva de oferta se desplaza hacia la curva de oferta roja $O_2$.

**FIGURA 4.7**

## Un cambio de la cantidad ofrecida en oposición a un cambio de la oferta

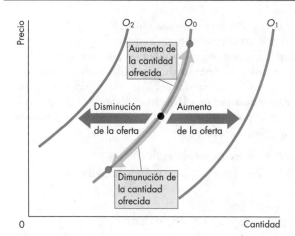

Cuando cambia el precio de un bien, hay un movimiento a lo largo de la curva de oferta y un *cambio de la cantidad ofrecida,* lo cual es mostrado por las flechas azules en la curva de oferta $O_0$. Cuando cambia cualquier otro factor que influye sobre los planes de venta, hay un desplazamiento de la curva de oferta y un *cambio de la oferta.* Un aumento de la oferta desplaza la curva de oferta hacia la derecha (de $O_0$ a $O_1$). Una disminución de la oferta desplaza la curva de oferta hacia la izquierda (de $O_0$ a $O_2$).

---

**TABLA 4.2**

## La oferta de cintas

**Ley de la oferta**

La cantidad de cintas ofrecidas

| *Disminuye si:* | *Incrementa si:* |
|---|---|
| ■ El precio de una cinta baja | ■ El precio de una cinta sube |

**Cambios de oferta**

La oferta de cintas

| *Disminuye si:* | *Incrementa si:* |
|---|---|
| ■ El precio de un recurso usa-para producir cintas sube | ■ El precio de un recurso usado para producir cintas baja |
| ■ El precio de un sustituto en la producción sube | ■ El precio de un sustituto en la producción baja |
| ■ El precio de un complemento en la producción baja | ■ El precio de un complemento en la producción sube |
| ■ Se espera que precio de una cinta suba en el futuro | ■ Se espera que el precio de una cinta baje en el futuro |
| ■ El número de productores de cintas aumenta | ■ El número de productores de cintas disminuye |
| | ■ Se descubren tecnologías más eficientes para producir cintas |

## PREGUNTAS DE REPASO

■ ¿Puede definir qué es la *cantidad ofrecida* de un bien o servicio?

■ ¿Cuál es la *ley de oferta* y cómo se ilustra?

■ Si los consumidores están dispuestos a comprar sólo una cantidad dada, ¿qué nos dice la curva de oferta acerca del precio al cual las empresas ofrecerán esa cantidad?

■ ¿Puede enumerar todos los factores que influyen sobre los planes de venta que *cambian la oferta*, y para cada uno de ellos decir si aumenta o disminuye la oferta?

Su próxima tarea es usar lo que ha aprendido acerca de la oferta y la demanda, y aprender cómo se determinan los precios y las cantidades.

## Equilibrio de mercado

HEMOS VISTO QUE CUANDO EL PRECIO DE UN BIEN sube, la cantidad demandada disminuye y la cantidad ofrecida aumenta. Veremos ahora cómo los precios coordinan los planes de compradores y vendedores y logran un equilibrio.

Un *equilibrio* es una situación en la que fuerzas opuestas se contrarrestan unas a otras. El equilibrio en un mercado ocurre cuando el precio equilibra los planes de compradores y vendedores. El **precio de equilibrio** es el precio al cual la cantidad demandada es igual a la cantidad ofrecida. La **cantidad de equilibrio** es la cantidad comprada y vendida al precio de equilibrio. Un mercado se mueve hacia su equilibrio debido a que:

■ El precio regula los planes de compra y venta
■ El precio ajusta los planes cuando no son iguales

### El precio como regulador

El precio de un bien regula las cantidades demandadas y ofrecidas. Si el precio es demasiado alto, la cantidad ofrecida excede la cantidad demandada. Si el precio es demasiado bajo, la cantidad demandada excede la cantidad ofrecida. Hay un precio al cual la cantidad demandada es igual a la cantidad ofrecida. Averigüemos cuál es ese precio.

La figura 4.8 muestra el mercado de cintas. La tabla muestra el plan de demanda (de la fig. 4.2) y el plan de oferta (de la fig. 4.5). Si el precio de una cinta es $1, la cantidad demandada es 9 millones de cintas a la semana, pero no se ofrecen cintas. La cantidad demandada excede la cantidad ofrecida en 9 millones de cintas a la semana. En otras palabras, a un precio de $1 la cinta, hay un faltante de 9 millones de cintas a la semana. Este faltante se muestra en la última columna de la tabla. A un precio de $2 la cinta, todavía hay un faltante, pero de sólo 3 millones de cintas a la semana. Si el precio de una cinta es $5, la cantidad ofrecida excede la cantidad demandada. La cantidad ofrecida es 6 millones de cintas a la semana, pero la cantidad demandada es de sólo 2 millones. Hay un excedente de 4 millones de cintas a la semana. El único precio al cual no hay faltante o excedente es de $3 la cinta. A ese precio, la cantidad demandada es igual a la cantidad ofrecida: 4 millones de cintas a la semana. El precio de equilibrio es $3 la cinta y la cantidad de equilibrio es 4 millones de cintas a la semana.

La figura 4.8 muestra que la curva de demanda y la curva de oferta se cruzan en el precio de equilibrio de $3 la cinta. A cada precio *por encima* de $3 la cinta, hay un excedente de cintas. Por ejemplo a $4 la cinta, el excedente es de

**FIGURA 4.8**

## Equilibrio

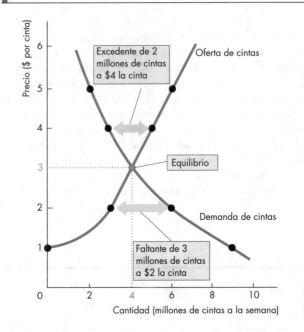

Cantidad (millones de cintas a la semana)

| Precio ($ por cinta) | Cantidad demandada | Cantidad ofrecida | Faltante (–) o excedente (+) |
|---|---|---|---|
| | (millones de cintas a la semana) | | |
| 1 | 9 | 0 | –9 |
| 2 | 6 | 3 | –3 |
| 3 | 4 | 4 | 0 |
| 4 | 3 | 5 | +2 |
| 5 | 2 | 6 | +4 |

La tabla enumera las cantidades demandadas y las cantidades ofrecidas, así como el faltante o excedente de cintas a cada precio. Si el precio es de $2 la cinta, se demandan 6 millones de cintas a la semana y se ofrecen 3 millones. Hay un faltante de 3 millones de cintas a la semana y el precio sube. Si el precio es de $4 la cinta, se demandan 3 millones de cintas a la semana y se ofrecen 5 millones. Hay un excedente de 2 millones de cintas a la semana y el precio baja. Si el precio es de $3 la cinta, se demandan 4 millones de cintas a la semana y se ofrecen 4 millones. No hay ni un faltante ni un excedente. Ni compradores ni vendedores tienen incentivo alguno para cambiar el precio. El precio al cual la cantidad demandada es igual a la cantidad ofrecida es el precio de equilibrio.

2 millones de cintas a la semana, como lo muestra la flecha azul. A cada precio *por debajo* de $3 la cinta, hay un faltante de cintas. Por ejemplo, a $2 la cinta, el faltante es de 3 millones de cintas a la semana, como lo muestra la flecha roja.

## Ajustes de precio

Usted ha visto que si el precio está por debajo del equilibrio, hay un faltante y si el precio está por encima del equilibrio, hay un excedente. Pero, ¿podemos confiar en el precio para cambiar y eliminar un faltante o excedente? Sí podemos, porque esos cambios de precio son mutuamente beneficiosos tanto para compradores como para vendedores. Veamos por qué el precio cambia cuando hay un faltante o excedente.

**Un faltante impulsa el precio hacia arriba**   Suponga que el precio de una cinta es $2. Los consumidores planean comprar 6 millones de cintas a la semana y los productores planean vender 3 millones de cintas a la semana. Los consumidores no pueden obligar a los productores a vender más de lo que planean, así que la cantidad realmente ofrecida a la venta es 3 millones de cintas a la semana. En esta situación, fuerzas poderosas operan para aumentar el precio y moverlo hacia el precio de equilibrio. Algunos productores, que observan filas de consumidores insatisfechos, suben sus precios. Algunos productores aumentan su producción. Conforme los productores suben sus precios, el precio asciende y se acerca a su nivel de equilibrio. El precio al alza reduce el faltante porque disminuye la cantidad demandada y aumenta la cantidad ofrecida. Cuando el precio ha aumentado hasta el punto en el cual ya no hay faltante, las fuerzas que mueven al precio dejan de operar y el precio se ubica en su equilibrio.

**Un excedente impulsa el precio hacia abajo**   Suponga que el precio de una cinta es $4. Los productores planean vender 5 millones de cintas a la semana y los consumidores planean comprar 3 millones de cintas a la semana. Los productores no pueden forzar a los consumidores a comprar más de lo que planean, así que la cantidad que realmente se compra es 3 millones de cintas a la semana. En esta situación, fuerzas poderosas operan para bajar el precio y moverlo al precio de equilibrio. Algunos productores, incapaces de vender las cantidades de cinta que planeaban vender, reducen sus precios. Además, algunos productores recortan la producción. Conforme los productores reducen precios, el precio baja hacia su equilibrio. El precio a la baja disminuye el excedente porque aumenta la cantidad demandada y disminuye la cantidad ofrecida. Cuando el precio ha caído hasta el punto en el cual ya no hay excedente, las fuerzas que mueven el precio dejan de operar y el precio se ubica en su equilibrio.

**El mejor intercambio disponible para compradores y vendedores**   Cuando el precio está por debajo del equilibrio, es impulsado hacia arriba hacia el equilibrio. ¿Por qué los compradores no resisten el aumento y se rehusan a pagar un precio más elevado? Porque valoran el bien más que el precio corriente y porque no pueden satisfacer todas sus demandas al precio actual. En algunos mercados, los compradores impulsan el precio hacia arriba al ofrecer precios más altos para desviar las cantidades limitadas de otros compradores (un ejemplo de ello ocurrió en el mercado de alquiler de alojamiento en Atlanta, durante los Juegos Olímpicos de 1996).

Cuando el precio está por arriba del equilibrio, éste es impulsado hacia abajo hasta alcanzar su nivel de equilibrio. ¿Por qué los vendedores no resisten este descenso y se rehusan a vender a un menor precio? Porque su precio mínimo de oferta está por debajo del precio corriente y porque no pueden vender todo lo que les gustaría al precio actual. Normalmente, son los vendedores los que impulsan el precio hacia abajo al ofrecer precios menores para ganar participación del mercado de sus competidores.

Al precio al que la cantidad demandada y la cantidad ofrecida son iguales, ni compradores ni vendedores pueden comerciar a un precio mejor. Los compradores pagan el precio más alto que están dispuestos a pagar por la última unidad comprada, y los compradores reciben el precio más bajo al cual están dispuestos a ofrecer la última unidad vendida.

Cuando la gente hace libremente ofertas para comprar y vender, y cuando los demandantes tratan de comprar al menor precio posible y los oferentes tratan de vender al precio más alto posible, el precio al cual se realiza el intercambio es el precio de equilibrio: el precio al cual la cantidad demandada es igual a la cantidad ofrecida. El precio coordina los planes de compradores y vendedores.

---

## PREGUNTAS DE REPASO

- ¿Qué es el *precio de equilibrio* de un bien o servicio?
- ¿En qué intervalo de precios surge un faltante?
- ¿En qué intervalo de precios surge un excedente?
- ¿Qué le ocurre al precio cuando hay un faltante?
- ¿Qué le ocurre al precio cuando hay un excedente?
- ¿Por qué se dice que el precio al cual la cantidad demandada es igual a la cantidad ofrecida, es el precio de equilibrio?
- ¿Por qué el precio de equilibrio es el mejor trato disponible tanto para compradores como para vendedores?

# Predicción de cambios en precios y cantidades

LA TEORÍA DE LA OFERTA Y LA DEMANDA QUE ACABAMOS de estudiar, nos proporciona una herramienta poderosa para analizar los factores que influyen sobre los precios y las cantidades compradas y vendidas. De acuerdo con esta teoría, un cambio de precio surge ya sea de un cambio de la demanda, un cambio de la oferta, o de un cambio de ambos. Veamos primeros los efectos de un cambio de la demanda.

## Cambio de la demanda

¿Qué les sucede al precio y a la cantidad de cintas si aumenta la demanda de cintas? Podemos contestar a esta pregunta con un ejemplo específico. Suponga que el precio de un *walkman* baja de $200 a $50. Debido a que el *walkman* y las cintas son complementos, la demanda de cintas aumenta, como se muestra en la tabla de la figura 4.9. Los planes de demanda (el original y el nuevo) se exhiben en las tres primeras columnas de la tabla. La tabla muestra también el plan de oferta de cintas.

El precio original de equilibrio es $3 por cinta. A ese precio, se demandan y ofrecen 4 millones de cintas a la semana. Cuando aumenta la demanda, el precio que iguala la cantidad demandada y la cantidad ofrecida es $5 la cinta. A este precio, se compran y se venden 6 millones de cintas cada semana. Cuando la demanda aumenta, tanto el precio como la cantidad de equilibrio aumentan.

La figura 4.9 ilustra esos cambios. Muestra la demanda y oferta originales de cintas. El precio original de equilibrio es $3 la cinta, y la cantidad original de equilibrio es 4 millones de cintas a la semana. Cuando aumenta la demanda, la curva de demanda se desplaza a la derecha. El precio de equilibrio sube a $5 la cinta y la cantidad ofrecida aumenta a 6 millones de cintas a la semana, como se resalta en la figura. Hay un *aumento de la cantidad ofrecida*, pero *no hay un cambio de la oferta*; un movimiento a lo largo, pero no un desplazamiento de la curva de oferta.

Invirtamos el ejercicio que acabamos de realizar. Podemos averiguar qué ocurre si partimos de un precio de $5 la cinta, con 6 millones de cintas compradas y vendidas a la semana, y después permitimos que la demanda disminuya a su nivel original. Una disminución de la demanda de este tipo puede surgir por una caída del precio de los discos compactos o de los aparatos reproductores de éstos (ambos bienes son sustitutos de las cintas de audiocasete). La disminución de demanda desplaza la curva de demanda a la izquierda. El precio de equilibrio cae a $3 la cinta y la cantidad de equilibrio disminuye a 4 millones de cintas a la semana.

FIGURA 4.9

# Efectos de un cambio de demanda

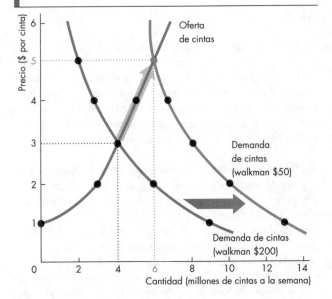

| Precio ($ por cinta) | Cantidad demandada (milones de cintas a la semana) | | Cantidad demandada (millones de cintas a la semana) |
|---|---|---|---|
| | walkman $200 | walkman $50 | |
| 1 | 9 | 13 | 0 |
| 2 | 6 | 10 | 3 |
| 3 | 4 | 8 | 4 |
| 4 | 3 | 7 | 5 |
| 5 | 2 | 6 | 6 |

Con un precio de un *walkman* de $200, la demanda de cintas de audiocasete es la curva azul. El precio de equilibrio es $3 la cinta y la cantidad de equilibrio es 4 millones de cintas a la semana. Cuando el precio de un *walkman* baja de $200 a $50, la demanda de cintas aumenta y la curva de demanda se desplaza a la derecha para convertirse en la curva roja.

A $3 la cinta, hay ahora un faltante de 4 millones de cintas a la semana. El precio de una cinta sube a un nuevo equilibrio de $5 la cinta. A medida que el precio sube a $5, la cantidad ofrecida aumenta, como lo muestra la flecha azul en la curva de oferta, hasta llegar a la nueva cantidad de equilibrio de 6 millones de cintas a la semana. Como resultado de un aumento de la demanda, la cantidad ofrecida aumenta, pero la oferta no cambia: la curva de oferta no se desplaza.

Ahora podemos hacer nuestras primeras dos predicciones:

1.  Cuando la demanda aumenta, aumentan tanto el precio como la cantidad de equilibrio.
2.  Cuando la demanda disminuye, disminuyen tanto el precio como la cantidad de equilibrio.

## Cambio de oferta

Suponga que Sony y 3M introducen una tecnología nueva que ahorra costos en sus plantas de producción de cintas. El nuevo plan de oferta (el mismo que se mostró en la fig. 4.6) se presenta en la tabla de la figura 4.10. ¿Cuál es el nuevo precio y la nueva cantidad de equilibrio? La respuesta se resalta en la tabla: el precio baja a $2 la cinta y la cantidad aumenta a 6 millones a la semana. Podrá ver por qué ocurre esto si observa las cantidades demandadas y ofrecidas al precio antiguo de $3 la cinta. La cantidad ofrecida a ese precio es de 8 millones de cintas a la semana y hay un excedente de cintas. El precio cae. Solamente cuando el precio es $2, la cantidad ofrecida es igual a la cantidad demandada.

La figura 4.10 ilustra el efecto de un aumento de oferta. Muestra la curva de demanda de cintas y las curvas de oferta original y nueva. El precio de equilibrio inicial es $3 la cinta y la cantidad es de 4 millones de cintas a la semana. Cuando aumenta la oferta, la curva de oferta se desplaza hacia la derecha. El precio de equilibrio cae a $2 la cinta y la cantidad demandada aumenta a 6 millones de cintas a la semana, lo que se resalta en la figura. Hay un *aumento de la cantidad demandada*, pero *no un aumento de la demanda*; un movimiento a lo largo, pero no un desplazamiento, de la curva de demanda.

El ejercicio que acabamos de realizar se puede invertir. Si partimos de un precio de $2 la cinta, con 6 millones de cintas compradas y vendidas a la semana, podemos averiguar qué sucede si la oferta disminuye a su nivel original. Una disminución de la oferta de este tipo puede surgir de un aumento del costo del trabajo o de las materias primas. La disminución de la oferta desplaza la curva de oferta hacia la izquierda. El precio de equilibrio sube a $3 la cinta y la cantidad de equilibrio disminuye a 4 millones de cintas a la semana.

Podemos ahora hacer dos predicciones más:

1.  Cuando aumenta la oferta, la cantidad de equilibrio aumenta y el precio de equilibrio baja.
2.  Cuando disminuye la oferta, la cantidad de equilibrio disminuye y el precio de equilibrio sube.

**FIGURA 4.10**

# Efectos de un cambio de oferta

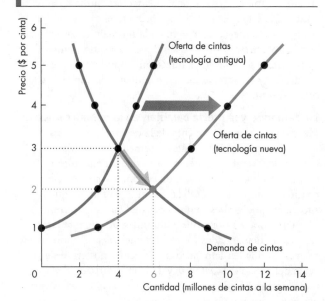

| Precio | Cantidad demandada | Cantidad demandada (millones de cintas a la semana) | |
| (\$ por cinta) | (millones de cintas a la semana) | Tecnología antigua | Tecnología nueva |
| --- | --- | --- | --- |
| 1 | 9 | 0 | 3 |
| 2 | 6 | 3 | 6 |
| 3 | 4 | 4 | 8 |
| 4 | 3 | 5 | 10 |
| 5 | 2 | 6 | 12 |

Con la tecnología antigua, la curva de oferta azul muestra la oferta de cintas. El precio de equilibrio es $3 la cinta y la cantidad de equilibrio es de 4 millones de cintas a la semana. Cuando se adopta la nueva tecnología, la oferta de cintas aumenta y la curva de oferta se desplaza a la derecha para convertirse en la curva roja.

A $3 la cinta, ahora hay un excedente de 4 millones de cintas a la semana. El precio de una cinta cae a un nuevo equilibrio de $2 la cinta. Al bajar el precio a $2, la cantidad demandada aumenta, como lo muestra la flecha azul en la curva de demanda, a una nueva cantidad de equilibrio de 6 millones de cintas a la semana. Como resultado de un aumento de la oferta, la cantidad demandada aumenta, pero la demanda no cambia: la curva de demanda no se desplaza.

## Cambio de demanda y oferta

Usted ya puede predecir los efectos de un cambio ya sea en la demanda u oferta sobre el precio y la cantidad. Pero, ¿qué sucede si cambian *ambas,* demanda y oferta juntas? Para contestar a esta pregunta, vemos primero el caso en el que la demanda y la oferta se mueven en la misma dirección: ambas aumentan o ambas disminuyen. Después vemos el caso cuando se mueven en direcciones opuestas: la demanda disminuye y la oferta aumenta, o la demanda aumenta y la oferta disminuye.

### La demanda y la oferta cambian en la misma dirección

Hemos visto que un aumento de la demanda de cintas aumenta el precio de las cintas y aumenta la cantidad comprada y vendida. Y hemos visto que un aumento de la oferta de cintas baja el precio de las cintas y aumenta la cantidad comprada y vendida. Examinemos ahora qué sucede cuando ambos cambios ocurren en forma simultánea.

La figura 4.11 describe y muestra gráficamente las cantidades demandadas y ofrecidas iniciales, así como las nuevas cantidades demandadas y ofrecidas posteriores a la caída del precio del *walkman* y de la introducción de la tecnología mejorada para la producción de cintas. Las curvas originales (azules) de oferta y demanda se cruzan a un precio de $3 la cinta y a una cantidad de 4 millones de cintas a la semana. Las nuevas curvas (rojas) de oferta y demanda también se cruzan a un precio de $3 la cinta, pero a una cantidad de 8 millones de cintas a la semana.

Un aumento, ya sea de demanda u oferta, incrementa la cantidad. Así que cuando ambas, demanda y oferta, aumentan, también lo hace la cantidad.

Un aumento de demanda sube el precio y un aumento de oferta baja el precio, así que no podemos decir si el precio subirá o bajará cuando la demanda y la oferta aumentan juntas. Pero advierta que si la demanda aumenta ligeramente más que la cantidad mostrada en la figura, el precio subirá. Y si la oferta aumenta ligeramente más que la cantidad mostrada en la figura, el precio bajará.

Podemos hacer ahora dos predicciones más:

1. Cuando la oferta y la demanda aumentan *en forma simultánea*, la cantidad de equilibrio aumenta y el precio de equilibrio aumenta, disminuye o permanece constante.

2. Cuando la oferta y la demanda disminuyen *en forma simultánea*, la cantidad de equilibrio disminuye y el precio de equilibrio aumenta, disminuye o permanece constante.

### La demanda y la oferta cambian en direcciones opuestas
Veamos ahora que sucede cuando la oferta y la demanda cambian en forma simultánea, pero en direcciones *opuestas*. Como antes, una mejora tecnológica aumenta la

**FIGURA 4.11**

# Efectos de un aumento de la demanda y de la oferta

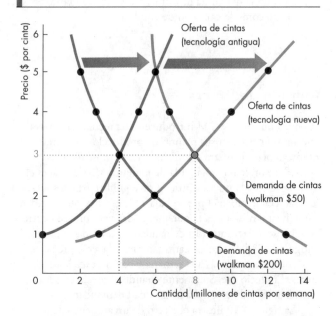

| Precio (\$ por cinta) | Cantidades originales (millones de cintas a la semana) | | Cantidades nuevas (millones de cintas a la semana) | |
|---|---|---|---|---|
| | Cantidad demandada *Walkman* \$200 | Cantidad ofrecida Tecnología antigua | Cantidad demandada *Walkman* \$50 | Cantidad ofrecida Tecnología nueva |
| 1 | 9 | 0 | 13 | 3 |
| 2 | 6 | 3 | 10 | 6 |
| 3 | 4 | 4 | 8 | 8 |
| 4 | 3 | 5 | 7 | 10 |
| 5 | 2 | 6 | 6 | 12 |

Cuando un *walkman* cuesta $200 y se usa la tecnología antigua para producir cintas, el precio de una cinta es $3 y la cantidad de equilibrio es de 4 millones de cintas a la semana. Una caída del precio de un *walkman* aumenta la demanda de cintas y una mejor tecnología aumenta la oferta de cintas. La nueva curva de oferta cruza la nueva curva de demanda en $3 la cinta, el mismo precio que antes, pero la cantidad aumenta a 8 millones de cintas a la semana. Estos aumentos de la oferta y la demanda incrementan la cantidad, pero no alteran el precio.

oferta de cintas. Pero ahora el precio de los aparatos reproductores de discos compactos disminuye. Un aparato reproductor de discos compactos es un *sustituto* de las cintas de audiocasete. Con reproductores de discos compactos menos costosos, más gente los puede comprar y deja de comprar audiocasetes para comprar discos compactos. Por tanto, la demanda de cintas disminuye.

La tabla de la figura 4.12 describe los planes, tanto originales como nuevos, de oferta y demanda. Estos planes se muestran en la figura como las curvas de demanda y oferta originales (azules), y como las curvas de oferta y demanda nuevas (rojas). Las curvas originales de demanda y oferta se cruzan a un precio de $5 la cinta y a una cantidad de 6 millones de cintas a la semana. Las nuevas curvas de oferta y demanda se cruzan a un precio de $2 la cinta y a una cantidad original de 6 millones de cintas a la semana.

Una disminución de la demanda, o un aumento de la oferta, hacen que baje el precio de equilibrio. Así que cuando ocurre en forma simultánea una disminución de la demanda y un aumento de la oferta, el precio de equilibrio baja.

Una disminución de la demanda disminuye la cantidad, y un aumento de la oferta aumenta la cantidad, así que no podemos decir en qué dirección cambiará la cantidad cuando la demanda disminuye y la oferta aumenta en forma simultánea. En este ejemplo, la disminución de la demanda y el aumento de la oferta son tales, que el aumento de la oferta es contrarrestado por la disminución de la demanda, por lo que la cantidad de equilibrio no cambia. Pero advierta que si la demanda hubiera disminuido ligeramente más, la cantidad habría disminuido. Y si la oferta hubiera aumentado ligeramente más, la cantidad habría aumentado.

Podemos ahora hacer dos predicciones más:

1. Cuando la demanda disminuye y la oferta aumenta, el precio de equilibrio baja, en tanto que la cantidad de equilibrio aumenta, disminuye o permanece constante.
2. Cuando la demanda aumenta y la oferta disminuye, el precio de equilibrio aumenta, en tanto que la cantidad de equilibrio aumenta, disminuye o permanece constante.

## PREGUNTA DE REPASO

- ¿Cuál es el efecto sobre el precio y la cantidad de equilibrio de cintas de audiocasete si ocurre lo siguiente: (a) el precio de los discos compactos sube, (b) el precio de los *walkman* sube, (c) más empresas empiezan a producir cintas, (d) los salarios de los trabajadores que producen las cintas suben, (e) cualquier par de estos sucesos ocurren al mismo tiempo? (¡Dibuje los diagramas!)

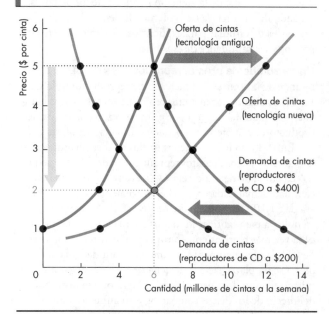

**FIGURA 4.12**

Efectos de una disminución de demanda y aumento de oferta

| Precio ($ por cinta) | Cantidades originales (millones de cintas a la semana) | | Cantidades nuevas (millones de cintas a la semana) | |
|---|---|---|---|---|
| | Cantidad demandada Reproductores de CD a $400 | Cantidad ofrecida Tecnología antigua | Cantidad demandada Reproductores de CD a $200 | Cantidad ofrecida Tecnología nueva |
| 1 | 13 | 0 | 9 | 3 |
| 2 | 10 | 3 | 6 | 6 |
| 3 | 8 | 4 | 4 | 8 |
| 4 | 7 | 5 | 3 | 10 |
| 5 | 6 | 6 | 2 | 12 |

Cuando un aparato reproductor de discos compactos cuesta $400 y se utiliza la tecnología antigua para producir cintas, el precio de una cinta es $5 y la cantidad de equilibrio es de 6 millones de cintas a la semana. Una baja del precio de los reproductores de CD disminuye la demanda de cintas, y una mejor tecnología aumenta la oferta de cintas. La nueva curva de oferta cruza la nueva curva de demanda en $2 la cinta, un precio más bajo. En este caso, la cantidad de equilibrio permanece constante en 6 millones de cintas a la semana. La disminución de la demanda y el aumento de la oferta bajan el precio, pero no alteran la cantidad.

## Reproductores de discos compactos, atención médica y plátanos

Anteriormente en este capítulo, vimos algunos datos acerca de precios y cantidades de los aparatos reproductores de discos compactos, de la atención médica y de los plátanos. Usemos ahora la teoría de la oferta y la demanda que acabamos de estudiar para explicar los movimientos en los precios y las cantidades de esos bienes.

**Un derrumbe de precio: reproductores de CD**   La figura 4.13(a) muestra el mercado de reproductores de CD. En 1983, cuando los aparatos reproductores de discos compactos se manufacturaron por primera vez, había muy pocos productores y la oferta era pequeña. La curva de oferta era $O_0$. En 1983 no había muchos títulos en discos compactos y la demanda de los aparatos reproductores de CD era pequeña. La curva de demanda era $D_0$. La cantidad ofrecida y la cantidad demandada en 1983 eran iguales en $Q_0$ y el precio era de $1,100 (en valor presente de 1994). Al mejorar la tecnología para fabricar los discos compactos y a medida que cada vez más fábricas empezaron a producir reproductores de CD, la oferta aumentó en una gran cantidad y la curva de oferta se desplazó hacia la derecha de $O_0$ hasta llegar a $O_1$. Al mismo tiempo, los aumentos en el ingreso, una disminución del precio de los discos compactos y un aumento del número de títulos en CD, aumentaron la demanda de reproductores de discos compactos. Pero el aumento de la demanda fue mucho más pequeño que el aumento de la oferta. La curva de demanda se desplazó hacia la derecha de $D_0$ a $D_1$. Con la nueva curva de demanda $D_1$ y la nueva curva de oferta $O_1$, el precio de equilibrio bajó a $170 en 1994 y la cantidad aumentó a $Q_1$. El gran aumento de la oferta combinado con un aumento menor de la demanda, resultaron en un aumento de la cantidad de aparatos reproductores de discos compactos y una impresionante caída del precio. La figura 4.13(a) muestra el derrumbe en el precio de los reproductores de discos compactos.

**Un ascenso vertiginoso de precio: la atención médica**
La figura 4.13(b) muestra el mercado de servicios médicos en Estados Unidos. En 1980, la curva de oferta de servicios de atención médica era $O_0$. Los adelantos de la tecnología médica han aumentado considerablemente la gama y complejidad de enfermedades que pueden tratarse y han aumentado la oferta de servicios de atención médica. Pero los grandes aumentos en los costos y en las compensaciones de los médicos han incrementado el costo de proporcionar atención médica y disminuido la oferta. El cambio neto resultante de estas dos fuerzas opuestas ha sido un aumento de la oferta. La curva de oferta se ha desplazado hacia la derecha de $O_0$ a $O_1$. Al mismo tiempo que la oferta aumentó en una cantidad relativamente modesta, la demanda de atención médica aumentó enormemente. Parte de ese

aumento es resultado de ingresos más altos, parte se debe a que la población ha envejecido y parte se debe a una demanda de nuevos tratamientos disponibles. La combinación de estos factores sobre la demanda resultó en un desplazamiento de la curva de demanda de $D_0$ a $D_1$. El efecto combinado de un gran aumento de la demanda y un aumento pequeño de la oferta, fue un aumento de la cantidad de equilibrio de $Q_0$ a $Q_1$ y un aumento de precio de 100 (un número índice), en 1980, a 167 en 1998. La figura 4.13(b) muestra el ascenso vertiginoso del precio de la atención médica.

**Un precio en montaña rusa: plátano**   La figura 4.13(c) muestra el mercado de plátanos. La demanda de plátanos, la curva $D$, no cambia mucho a través de los años. Pero la oferta de plátano, que depende principalmente del clima, fluctúa entre $O_0$ y $O_1$. Con buenas condiciones de crecimiento, la curva de oferta es $O_1$. Con malas condiciones de crecimiento, la oferta disminuye y la curva de oferta es $O_0$. Como consecuencia de fluctuaciones de oferta, la cantidad fluctúa entre $Q_0$ y $Q_1$. El precio del plátano fluctúa entre un precio máximo de 33 centavos la libra (en valor de 1995) y un precio mínimo de 20 centavos la libra. La figura 4.13(c) muestra la montaña rusa del precio del plátano.

**La mano invisible**   Adam Smith dijo que cada comprador y vendedor en un mercado "es conducido por una mano invisible para promover un fin que no formaba parte de su intención". ¿Qué quiso decir? Quiso decir que cuando cada uno de nosotros toma decisiones para comprar o vender a fin de alcanzar el mejor resultado para nosotros, y cuando nuestras decisiones se coordinan en los mercados libres, terminamos logrando el mejor resultado para todos.

Aunque los mercados son instrumentos sorprendentes, resulta que no siempre funcionan tan perfectamente como Adam Smith lo imaginó. Si usted estudia *micro*economía, descubrirá las condiciones bajo las que los mercados son eficientes y por qué a veces no permiten alcanzar el mejor resultado posible para todos. Si estudia usted *macro*economía, descubrirá las razones por las que la economía de mercado produce fluctuaciones de producción y empleo, y algunas veces crea desempleo persistente.

◆ Usted conoce ahora la teoría básica de la oferta y la demanda. Mediante esta teoría, usted puede explicar fluctuaciones pasadas de precio y cantidad, y predecir fluctuaciones futuras. La *Lectura entre líneas* en las páginas 74-75, le presenta la teoría en acción para el mercado de café, en presencia de un cambio en la oferta. Verá usted que entenderá mejor muchas noticias periodísticas, al recurrir a su conocimiento del modelo de la oferta y la demanda. Esté al pendiente de artículos acerca de heladas, sequías e inundaciones, y sus efectos sobre el precio de varias cosechas y otros productos.

**FIGURA 4.13**

# Derrumbe, ascenso vertiginoso y montaña rusa de los precios

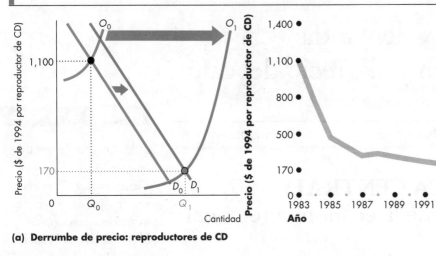

**(a) Derrumbe de precio: reproductores de CD**

Un aumento grande de la oferta de reproductores de discos compactos, de $O_0$ a $O_1$, combinado con un aumento pequeño de demanda, de $D_0$ a $D_1$, resultó en un aumento de la cantidad de reproductores de CD comprados y vendidos de $Q_0$ a $Q_1$. El precio promedio de los reproductores de CD pasó de \$1,100 en 1983 a \$170 en 1994; un derrumbe de precio.

*Fuente: U.S. Bureau of the Census, Statistical Abstract of the United States: 1994 (edición 114). Washington, D.C., 1994.*

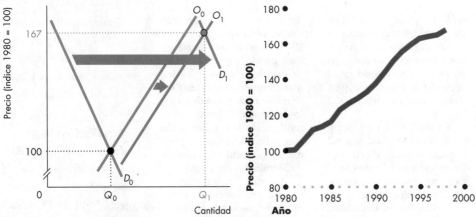

**(b) Ascenso vertiginoso de precio: atención médica**

Un aumento grande de la demanda de atención médica, de $D_0$ a $D_1$, combinado con un aumento pequeño de la oferta, de $O_0$ a $O_1$, resultó en un aumento de la cantidad de atención médica, de $Q_0$ a $Q_1$ y en un aumento del precio de atención médica de 100 en 1980, a 167 en 1998; un ascenso vertiginoso del precio.

*Fuente: Economic Report of the President, 1999.*

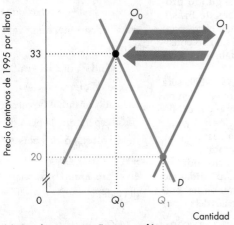

**(c) Precio en montaña rusa: plátano**

La demanda de plátanos permanece constante en $D$. Pero la oferta fluctúa entre $O_0$ y $O_1$. Como resultado, el precio del plátano fluctúa entre 20 y 33 centavos por libra; un precio en montaña rusa.

*Fuente: Estadísticas Financieras Internacionales, Fondo Monetario Internacional, Washington, D.C., Febrero de 1999.*

# Lectura
# entre
# líneas

## Oferta y demanda:
## el huracán Mitch y el precio del café

INTER PRESS SERVICE MÉXICO                    3 de noviembre, 1998

## AMÉRICA CENTRAL:
## huracán Mitch hunde la economía regional

SAN JOSÉ, 3 nov (IPS) América Central enfrentará una fuerte caída de sus ingresos por exportación de café en la cosecha 1998-1999, debido al paso devastador del huracán Mitch y a los bajos precios en el mercado internacional.

Guillermo Canet, director ejecutivo del Instituto del Café (ICAFE) de Costa Rica, afirmó que el reporte preliminar de daños indica que en sólo dos de las mayores zonas productoras de este país, las pérdidas ascienden a 120,000 sacos de 46 kilos.

Canet indicó que la organización de cafetaleros de Guatemala calculó de modo preliminar que el huracán destruyó en ese país el equivalente a 200,000 sacos de 46 kilos de café.

El embajador de Honduras en Costa Rica, Arístides Mejía, aseguró el lunes que su país perdió las dos terceras partes de su cosecha cafetera.

Honduras iba a ser el mayor productor y exportador de café de Centroamérica, con una producción prevista en la campaña 1998-1999 de cuatro millones de sacos.

Las pérdidas en El Salvador y Nicaragua también son elevadas, sobre todo en el segundo de esos dos países, debido a la intensidad del huracán.

En total, América Central tenía previsto producir 9.2 millones de sacos de 60 kilos de la variedad "otros suaves", un tipo de café considerado de exportación.

Los daños ocasionados por el huracán Mitch, que se estacionó la semana pasada frente a las costas de Honduras, impactarán fuertemente en la población campesina centroamericana.

Canet explicó que la producción de café en el istmo está básicamente en manos de pequeños agricultores, por lo cual el efecto social negativo será gigantesco.

A las pérdidas ocasionadas por el huracán se sumarán los bajos precios que se prevén para la cosecha de café que se avecina.

El funcionario opinó que si bien el lunes hubo una alza significativa en el merca-do internacional, el promedio se sitúa actualmente en 100 dólares el saco de 60 kilos y puede bajar aún más.

Eso se debe a que la demanda mundial se calcula en 99 millones de sacos de 60 kilos, mientras la producción rondará los 102 millones de sacos. Brasil, el mayor productor, anunció una cosecha de 34 millones de sacos.

América Central presenta una producción de 9.2 millones de sacos al año y controla 12 por ciento del mercado mundial. Como bloque es el segundo productor, después de Brasil, aunque ese lugar corresponde a Colombia, si se considera individualmente a cada país.

La cosecha 1998-1999 será la menor de América Central en mucho tiempo y la debilidad de los precios no ayudarán al istmo a recuperarse del paso del huracán.

Canet descartó toda influencia de las pérdidas de América Central en los precios internacionales del grano.

© INTER PRESS SERVICE MÉXICO. Todos los derechos reservados, 2000.

### Esencia del artículo

■ En Octubre de 1998, el huracán Mitch afectó a Centroamérica. El artículo anticipa que este fenómeno natural va a tener graves consecuencias económicas en toda la región.

■ Centroamérica, en conjunto, es el segundo productor de café en el mundo. Controla el 12 por ciento del mercado mundial.

■ América Central enfrentará una fuerte caída en sus ingresos por exportación de café en la cosecha 1998-1999, debido a los bajos precios internacionales del café y a la pérdida de cosechas que causó el paso del huracán Mitch.

■ Debido a que hay un exceso de oferta en el mercado mundial de café, no se espera que la pérdida de la cosecha de los países centroamericanos influya en el precio internacional del café.

■ Durante la cosecha 1996-97, el precio promedio de un costal de 60 kilogramos de café fue de 180 dólares. El volumen comerciado en ese período fue de 96 millones de costales. La situación del mercado del café en 1997 se muestra en la figura 1. Las curvas $O_0$ y $D_0$ representan, respectivamente, la oferta y la demanda de café en 1997.

■ En febrero de 1998, los analistas del mercado internacional del café pronosticaron un incremento en el precio del producto a corto plazo, como consecuencia de una posible reducción de la oferta de algunos países africanos y latinoamericanos.

■ Sin embargo, la cosecha de café en Brasil para el período 1997-98 fue de 34 millones de costales, un aumento de 50 por ciento con respecto al año anterior. Debido a que Brasil es el principal productor de café en el mundo, este aumento de la oferta condujo a una disminución en el precio del café a lo largo de 1998. El efecto de este aumento se muestra en la figura a través de la flecha roja.

■ La curva $O_1$ representa la nueva curva de oferta de café en 1998. El aumento de la oferta disminuyó el precio del café de 180 a 144 dólares por costal de

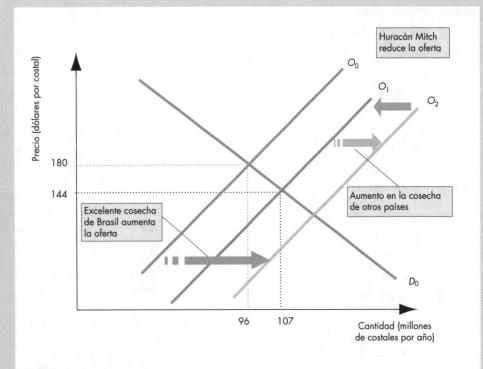

**Figura 1  Cosecha de café**
*Fuente*: International Coffee Organization.

60 kg. Esta disminución en el precio provocó un movimiento a lo largo de la curva de demanda, es decir, un incremento en la cantidad demandada.

■ En septiembre de 1998, la oferta mundial seguía en aumento y el precio promedio del costal de 60 kg de café ya era de sólo 127 dólares. Esta situación se representa gráficamente con la nueva curva de oferta $O_2$. En ese mes, los contratos de café en el mercado de Nueva York no aumentaron en forma importante, a pesar del anuncio de una reducción de un 30% en la producción de la zona de Centroamérica por problemas climáticos. Este

comportamiento en el precio se debió a los anuncios de otros países de incrementos en sus cosechas de café.

■ La reducción de la oferta de los países centroamericanos se ilustra por la flecha verde que desplaza la curva de oferta de $O_2$ a $O_1$, en tanto que el aumento en la oferta de otros países se ilustra por la flecha azul que desplaza nuevamente a la curva de oferta de $O_1$ a $O_2$.

■ Por tanto, la reducción en la oferta de café de los países centroamericanos fue suplida por el incremento en la producción de otros países. Las pérdidas provocadas por el huracán

Mitch en América Central favorecieron a otros países que tenían una mayor disponibilidad del producto.

■ En otras circunstancias, y considerando que el bloque centroamericano tiene una participación de cerca de 12% en el mercado mundial, se hubiera esperado que una disminución en la oferta de café de esta región hubiese causado un incremento en el precio del café. Sin embargo, la caída en la producción de Centroamérica se combinó con una excelente cosecha en Brasil y en otros países, de tal manera que el precio del café continuó con su tendencia a la baja.

# NOTA MATEMÁTICA
## Demanda, oferta y equilibrio de mercado

## Curva de demanda

La ley de la demanda dice que conforme el precio de un bien o servicio baja, su cantidad demandada aumenta. Ilustramos la ley de la demanda con la exhibición de un plan de demanda, con el dibujo de una gráfica de la curva de demanda, o escribiendo la ecuación. Cuando la curva de demanda es una línea recta, se puede describir por una ecuación lineal. La ecuación que describe una curva de demanda con pendiente negativa es

$$P = a - bQ_D$$

en donde $P$ es el precio y $Q_D$ es la cantidad demandada; $a$ y $b$ son constantes positivas.

Esta ecuación nos dice tres cosas:

1.  El precio al que nadie está dispuesto a comprar el bien ($Q_D$ es cero). Es decir, si el precio es $a$, entonces la cantidad demandada es cero. Usted puede ver el precio $a$ en la figura. Es el precio al cual la curva de demanda toca el eje de las $y$; lo que llamamos la "intersección con el eje de las $y$" de la curva de demanda.

2.  Que conforme baja el precio, la cantidad demandada aumenta. Si $Q_D$ es un número positivo, entonces el precio $P$ debe ser menor que $a$. Y conforme $Q_D$ aumenta, el precio $P$ se vuelve más pequeño. Es decir, a medida que aumenta la cantidad, se reduce el precio máximo que los compradores están dispuestos a pagar por el bien.

3.  La constante $b$ nos dice cuán rápido baja el precio máximo que alguien está dispuesto a pagar por el bien, a medida que aumenta la cantidad. Es decir, la constante $b$ nos dice la inclinación de la curva de demanda. La ecuación nos dice que la pendiente de la curva de demanda es $-b$.

## Curva de oferta

La ley de la oferta dice que conforme el precio de un bien o servicio sube, la cantidad ofrecida aumenta. Ilustramos la ley de la oferta con la presentación de un plan de oferta, con el dibujo de una gráfica de la curva de oferta, o escribiendo la ecuación. Cuando la curva de oferta es una línea recta, se puede describir mediante una ecuación lineal. La ecuación que describe una curva de oferta con pendiente positiva es

$$P = c + dQ_O$$

en donde $P$ es el precio y $Q_O$ es la cantidad ofrecida; $c$ y $d$ son constantes positivas.

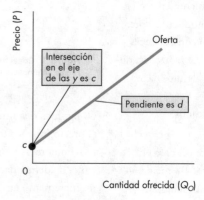

Esta ecuación nos dice tres cosas:

1.  El precio al que nadie está dispuesto a vender el bien ($Q_O$ es cero). Es decir, si el precio es $c$, entonces la cantidad ofrecida es cero. Usted puede ver el precio $c$ en la figura. Es el precio al cual la curva de oferta toca el eje de las $y$; lo que llamamos la "intersección con el eje de las $y$" de la curva de oferta.

2.  Que conforme sube el precio, la cantidad ofrecida aumenta. Si $Q_O$ es un número positivo, entonces el precio $P$ debe ser mayor que $c$. Y conforme aumenta $Q_O$, el precio $P$ aumenta. Es decir, a medida que aumenta la cantidad, aumenta el precio mínimo que los vendedores están dispuestos a aceptar.

3.  La constante $d$ nos dice cuán rápido sube el precio mínimo que alguien está dispuesto a vender el bien, cuando aumenta la cantidad. Es decir, la constante $d$ nos dice la inclinación de la curva de oferta. La ecuación nos dice que la pendiente de la oferta es $d$.

## Equilibrio de mercado

La oferta y la demanda determinan el equilibrio del mercado. La figura muestra el precio de equilibrio ($P^*$) y la cantidad de equilibrio ($Q^*$) en la intersección de las curvas de oferta y demanda.

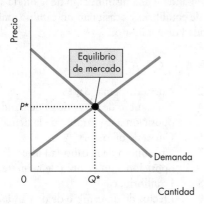

Podemos usar las ecuaciones para encontrar el precio de equilibrio y la cantidad de equilibrio. El precio de un bien se ajustará hasta que la cantidad demandada sea igual a la cantidad ofrecida. Es decir,

$$Q_D = Q_O$$

Así que al precio de equilibrio ($P^*$) y a la cantidad de equilibrio ($Q^*$),

$$Q_D = Q_O = Q^*$$

Para encontrar el precio de equilibrio y la cantidad de equilibrio:

sustituya primero $Q^*$ por $Q_D$ en la ecuación de demanda, y $Q^*$ por $Q_O$ en la ecuación de oferta. Entonces, el precio es el precio de equilibrio ($P^*$), que nos da

$$P^* = a - bQ^*$$
$$P^* = c + dQ^*$$

Advierta que:

$$a - bQ^* = c + dQ^*$$

Ahora despeje para $Q^*$:

$$a - c = bQ^* + dQ^*$$
$$a - c = (b + d)Q^*$$
$$Q^* = \frac{a - c}{b + d}$$

Para encontrar el precio de equilibrio ($P^*$), sustituya $Q^*$ en la ecuación de demanda o en la ecuación de oferta.

Mediante la ecuación de demanda,

$$P^* = a - b\left(\frac{a - c}{b + d}\right)$$

$$P^* = \frac{a(b + d) - b(a - c)}{b + d}$$

$$P^* = \frac{ad + bc}{b + d}$$

De manera alternativa, mediante la ecuación de oferta,

$$P^* = c + d\left(\frac{a - c}{b + d}\right)$$

$$P^* = \frac{c(b + d) + d(a - c)}{b + d}$$

$$P^* = \frac{cb + da}{b + d}$$

$$P^* = \frac{ad + bc}{b + d}$$

## Un ejemplo

La demanda de barquillos de helado es

$$P = 800 - 2Q_D$$

La oferta de barquillos de helado es

$$P = 200 + 1Q_O$$

El precio de un barquillo se expresa en centavos, y las cantidades, en barquillos por día.

Para encontrar el precio de equilibrio ($P^*$) y la cantidad de equilibrio ($Q^*$), sustituya $Q^*$ por $Q_D$ y $Q_O$, y $P^*$ por $P$.

Es decir,

$$P^* = 800 - 2Q^*$$
$$P^* = 200 + 1Q^*$$

Despeje ahora para $Q^*$:

$$800 - 2Q^* = 200 + 1Q^*$$
$$600 = 3Q^*$$
$$Q^* = 200$$

Y

$$P^* = 800 - 2Q^*$$
$$= 800 - 2(200)$$
$$= 400$$

El precio de equilibrio es $4 (o 400 centavos) el barquillo, y la cantidad de equilibrio es de 200 barquillos por día.

# RESUMEN

## CONCEPTOS CLAVE

### Precio y costo de oportunidad (pág. 56)

■ El costo de oportunidad es un precio relativo. Medimos el precio relativo a través de la división del precio de un bien, entre el precio de una canasta de todos los bienes (índice de precios).

■ La oferta y la demanda determinan los precios relativos.

### Demanda (págs. 57-61)

■ Demanda es la relación entre cantidad demandada de un bien y su precio, cuando todos los otros factores que influyen sobre los planes de compra permanecen constantes.

■ Cuanto más alto es el precio de un bien, manteniendo las otras cosas constantes, menor es la cantidad demandada.

■ La demanda depende de los precios de los sustitutos y los complementos, de los precios futuros esperados, del ingreso, de la población y de las preferencias.

### Oferta (págs. 62-65)

■ Oferta es la relación entre la cantidad ofrecida de un bien y su precio, cuando todos los otros factores que influyen sobre los planes de venta permanecen constantes.

■ Cuanto más alto es el precio de un bien, manteniendo las otras cosas constantes, mayor es la cantidad ofrecida.

■ La oferta depende de los precios de los recursos usados para producir un bien, de los precios de los bienes relacionados, de los precios futuros esperados, del número de productores y de la tecnología.

### Equilibrio de mercado (págs. 66-67)

■ En el precio de equilibrio, la cantidad demandada es igual a la cantidad ofrecida.

■ A precios por encima del equilibrio, hay un excedente de oferta y el precio cae.

■ A precios por debajo del equilibrio, hay un faltante de oferta (o un exceso de demanda) y el precio sube.

### Predicción de cambios en precios y cantidades (págs. 68-73)

■ Un aumento de la demanda ocasiona un aumento de precio y un aumento de la cantidad ofrecida. (Una disminución de la demanda ocasiona una baja de precio y una disminución de la cantidad ofrecida.)

■ Un aumento de oferta ocasiona una baja de precio y un aumento de la cantidad demandada. (Una disminución de la oferta ocasiona un aumento de precio y una disminución de la cantidad demandada.)

■ Un aumento simultáneo de la oferta y la demanda da lugar a un aumento en la cantidad de equilibrio y a un cambio ambiguo en el precio de equilibrio. Un aumento de la demanda y una disminución de la oferta suben el precio de equilibrio y ocasionan un cambio ambiguo en la cantidad de equilibrio.

## FIGURAS CLAVE

## TÉRMINOS CLAVE

# PROBLEMAS

*1. * Cuál es el efecto sobre el precio de una cinta y la cantidad de cintas vendida, si:

a. ¿Sube el precio de un disco compacto?

b. ¿Sube el precio de un *walkman*?

c. ¿Aumenta la oferta de reproductores de CD?

d. ¿Aumenta el ingreso de los consumidores?

e. ¿Los trabajadores que fabrican cintas obtienen un aumento de salario?

f. ¿El precio del *walkman* sube al mismo tiempo que los trabajadores fabricantes de cintas obtienen un aumento de salario?

2. Cuál es el efecto sobre el precio de los *hot dogs* y la cantidad de *hot dogs* vendida, si:

a. ¿Sube el precio de la hamburguesa?

b. ¿Sube el precio del panecillo del *hot dog*?

c. ¿Aumenta la oferta de salchichas para *hot dogs*?

d. ¿Baja el ingreso de los consumidores?

e. ¿La tasa salarial del vendedor de *hot dogs* aumenta?

f. ¿Si la tasa salarial del vendedor de *hot dogs* aumenta y al mismo tiempo bajan los precios de la salsa de tomate, de la mostaza y de la salsa picante?

*3. Suponga que ocurre uno de los siguientes acontecimientos:

a. El precio del petróleo sube.

b. El precio de los automóviles sube.

c. Se suprimen todos los límites de velocidad en las carreteras.

d. La tecnología de robots reduce los costos de producción de automóviles.

¿Cuál de los acontecimientos anteriores aumenta o disminuye lo siguiente?

(Enuncie el sentido del cambio.)

(i)   La demanda de gasolina.

(ii)  La oferta de gasolina.

(iii) La cantidad demandada de gasolina.

(iv)  La cantidad ofrecida de gasolina.

4. Suponga que ocurre uno de los siguientes acontecimientos:

a. Sube el precio de la lana.

b. Baja el precio de los suéteres.

c. Se inventa un sustituto cercano de la lana.

d. Se inventa un nuevo telar de alta velocidad.

¿Cuál de los acontecimientos anteriores aumenta o disminuye lo siguiente? (Enuncie el sentido del cambio.)

(i)   La demanda de lana.

(ii)  La oferta de lana.

(iii) La cantidad demandada de lana.

(iv)  La cantidad ofrecida de lana.

*5. La siguiente figura ilustra el mercado de pizzas.

a. Rotule las curvas de la figura.

b. ¿Cuál es el precio de equilibrio de una pizza y la cantidad de equilibrio de las pizzas?

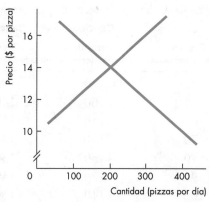

6. La figura ilustra el mercado de pan.

a. Rotule las curvas de la figura.

b. ¿Cuál es el precio de equilibrio y la cantidad de equilibrio de pan?

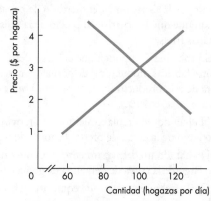

*7. Los planes de oferta y demanda de goma de mascar son:

| Precio (centavos por paquete) | Cantidad demandada | Cantidad ofrecida |
|---|---|---|
| | (millones de paquetes por semana) | |
| 20 | 180 | 60 |
| 30 | 160 | 80 |
| 40 | 140 | 100 |
| 50 | 120 | 120 |
| 60 | 100 | 140 |
| 70 | 80 | 160 |
| 80 | 60 | 180 |

a. ¿Cuál es el precio de equilibrio y la cantidad de equilibrio de la goma de mascar?

b. Si la goma de mascar costara 70 centavos el paquete, describa la situación en el mercado de goma de mascar y explique qué le pasaría al precio de la goma de mascar.

8. Las tablas de demanda y oferta de papas fritas son:

| Precio<br>(centavos por bolsa) | Cantidad<br>demandada | Cantidad<br>ofrecida |
|---|---|---|
| | (millones de bolsas por semana) | |
| 40 | 170 | 90 |
| 50 | 160 | 100 |
| 60 | 150 | 110 |
| 70 | 140 | 120 |
| 80 | 130 | 130 |
| 90 | 120 | 140 |
| 100 | 110 | 150 |
| 110 | 100 | 160 |

a. ¿Cuál es el precio de equilibrio y la cantidad de equilibrio de las papas fritas?

b. Si las papas fritas costaran 60 centavos la bolsa, describa la situación en el mercado de papas fritas y explique qué le ocurriría al precio de la bolsa de papas fritas.

*9. En el problema 7, suponga que el fuego destruye algunas fábricas productoras de goma de mascar y la oferta de este producto disminuye en 40 millones de paquetes a la semana.

a. ¿Ha habido un desplazamiento o un movimiento a lo largo de la curva de oferta de goma de mascar?

b. ¿Ha habido un desplazamiento o un movimiento a lo largo de la curva de demanda de goma de mascar?

c. ¿Cuál es el nuevo precio de equilibrio y la cantidad de equilibrio de la goma de mascar?

10. En el problema 8, suponga que llega al mercado una nueva fritura y, como resultado, la demanda de papas fritas disminuye en 40 millones de bolsas a la semana.

a. ¿Ha habido un desplazamiento o un movimiento a lo largo de la curva de oferta de papas fritas?

b. ¿Ha habido un desplazamiento o un movimiento a lo largo de la curva de demanda de papas fritas?

c. ¿Cuál es el nuevo precio de equilibrio y la cantidad de equilibrio de papas fritas?

*11. En el problema 9, suponga que un aumento de la población adolescente aumenta la demanda de goma de mascar en 40 millones de paquetes a la semana, al mismo tiempo que ocurre el incendio. ¿Cuál es el nuevo precio de equilibrio y la nueva cantidad de equilibrio de la goma de mascar?

12. En el problema 10, suponga que una inundación destruye varias plantaciones de papa y, como resultado, la oferta disminuye en 20 millones de bolsas a la semana, al mismo tiempo que la nueva fritura ingresa al mercado. ¿Cuál es el nuevo precio de equilibrio y la nueva cantidad de equilibrio de papas fritas?

# PENSAMIENTO CRÍTICO

 1. Después de haber estudiado la *Lectura entre líneas* de las páginas 74-75, conteste a lo siguiente:

a. Diga qué factores provocaron la caída en el precio mundial del café.

b. Explique qué ocurrió con la cantidad demandada y con la demanda de café.

c. Explique al señor Canet por qué su pronóstico sobre el efecto de la producción centroamericana en el precio del café sería incorrecto si mantuviéramos otras cosas constantes. Diga por qué a final de cuentas el pronóstico del señor Canet resultó ser correcto.

d. Diga qué podría haber ocurrido con el precio del café en la región centroamericana.

e. Utilice los vínculos en el sitio de Internet de este libro y obtenga información más reciente sobre el mercado mundial del café. Represente de manera gráfica lo que ha ocurrido en dicho mercado.

 2. Utilice los vínculos en el sitio en la red de Parkin y obtenga datos sobre precios y cantidades de trigo.

a. Haga una figura similar a la de la página 75 para ilustrar el mercado de trigo en el último año del que tenga información.

b. Muestre los cambios de oferta y demanda, y los cambios de las cantidades demandada y ofrecida, que son congruentes con la información de precio y cantidad.

 3. Utilice el vínculo en el sitio de Internet de este libro y lea el relato acerca de los precios de los cruceros del milenio.

a. Describa cómo cambia el precio de un crucero debido a las festejos de fin de milenio.

b. Use el modelo de oferta y demanda para explicar qué ocurre cuando hay un aumento de demanda y no hay ningún cambio de la oferta.

c. ¿Qué pronosticaría que ocurriría al precio de un crucero si las tarifas aéreas a Australia y el Pacífico Sur disminuyeran?

d. ¿Qué pronosticaría que ocurriría al precio de un crucero si aumentara el precio del petróleo?

# Capítulo 5

# La elasticidad

Suponga que usted es el dueño de un negocio de pizzas, el cual le produce una buena utilidad. Sin embargo, está preocupado porque acaba de enterarse de que una importante franquicia de pizzas está planeando una gran expansión en su vecindario. Usted sabe que el aumento resultante de la oferta disminuirá el precio de la pizza y que ello ocasionará una fuerte competencia a su negocio. Pero, ¿qué tan grande será la disminución en el precio a la que tendrá que enfrentarse? ¿Habrá un pequeño cambio en el consumo de pizzas y una gran disminución en el precio? ¿O habrá un enorme aumento en el consumo de pizzas y un pequeño cambio en el precio? Para contestar a esta pregunta se necesita una medida de la sensibilidad de la cantidad de pizzas demandadas al precio de la pizza. ◆ Al enfrentar una intensa competencia por parte de su pizzería, el establecimiento de hamburguesas que está junto a su negocio ha rebajado sus precios.

## Precios pronosticados

¿Cómo afectará el menor precio de las hamburguesas a la demanda de sus pizzas? ¿Le obligará a dejar de operar o sólo le ocasionará una pequeña mella en sus ventas? Para contestar a esta pregunta se necesita una medida de la sensibilidad de la demanda de sus pizzas al precio de las hamburguesas, las cuales son un sustituto de la pizza. ◆ La economía está en auge y los ingresos de las personas están aumentando. Usted sabe que al contar con más ingresos para gastar, las personas comprarán más pizzas. Pero, ¿cuántas pizzas más se comprarán con un ingreso más alto? ¿Se producirá un aumento en sus ventas o esto sólo representará una pequeña diferencia? Para contestar a esta pregunta se necesita una medida de la sensibilidad de la demanda de pizzas ante cambios en los ingresos de los consumidores. ◆ Al aumentar los ingresos, usted espera que aumente la demanda de pizzas. Pero, ¿el aumento de la demanda ocasionará un aumento del precio con un cambio pequeño en la cantidad comprada? ¿O producirá un enorme aumento en el consumo de pizzas con un cambio pequeño en el precio? Para contestar a esta pregunta se necesita una medida de la sensibilidad de la cantidad de pizzas ofrecidas ante un cambio en el precio de la pizza.

◆ En este capítulo aprenderá cómo contestar a preguntas como las que se acaban de presentar. Aprenderá sobre la elasticidad, una medida de la sensibilidad de las cantidades compradas y vendidas ante cambios en los precios y en otras variables que influyen sobre los planes de los compradores y vendedores.

## Después de estudiar este capítulo, usted será capaz de:

- Definir y calcular la elasticidad precio de la demanda

- Utilizar una prueba de ingreso total y una prueba de gasto para estimar la elasticidad precio de la demanda

- Explicar los factores que influyen sobre la elasticidad precio de la demanda

- Definir y calcular la elasticidad cruzada de la demanda

- Definir y calcular la elasticidad ingreso de la demanda

- Definir y calcular la elasticidad de la oferta

# La elasticidad precio de la demanda

USTED SABE QUE CUANDO AUMENTA LA OFERTA, EL PRE-cio de equilibrio baja y la cantidad de equilibrio aumenta. Pero, ¿disminuye el precio en un monto importante y la cantidad aumenta poco? ¿O el precio apenas baja y hay un gran aumento en la cantidad?

La respuesta depende de la sensibilidad de la cantidad demandada ante un cambio en el precio. Esto se puede comprender mejor estudiando la figura 5.1, en la que se muestran dos posibles situaciones en un mercado local de pizzas. En la figura 5.1(a) se muestra una situación, y en la figura 5.1(b) se muestra la otra.

En ambos casos, la oferta inicial es $O_0$. En la parte (a), se muestra la demanda de pizzas mediante la curva de demanda $D_a$. En la parte (b), se muestra la demanda de pizzas mediante la curva de demanda $D_b$. En ambos casos, el precio inicial es $20 por pizza y la cantidad de pizzas producidas y consumidas es de 10 por hora.

Ahora, una gran franquicia de pizzas inicia operaciones y aumenta la oferta de las mismas. La curva de oferta se desplaza hacia la derecha, hasta $O_1$. En el caso (a), el precio de una pizza disminuye en forma importante (el cambio es de $15) y el nuevo precio es de sólo $5, y la cantidad sólo aumenta en tres pizzas por hora (pasa de 10 a 13). En contraste, en el caso (b), el precio sólo disminuye en $5, hasta quedar en $15 la pizza, y la cantidad aumenta en siete unidades por hora, al pasar de 10 a 17 pizzas por hora.

La diferencia en los resultados se debe a los diferentes grados de sensibilidad de la cantidad demandada ante un cambio en el precio. Pero, ¿qué queremos decir con sensibilidad? Una posible respuesta es la pendiente. La pendiente de la curva de demanda $D_a$ es más pronunciada que la pendiente de la curva de demanda $D_b$.

En este ejemplo se pueden comparar las pendientes de las curvas de demanda, pero no siempre es posible hacer esto. La razón es que la pendiente de una curva de demanda depende de las unidades en que se miden el precio y la cantidad. Con frecuencia, tenemos que comparar las curvas de demanda para bienes y servicios diferentes que se miden en unidades que no están relacionadas. Por ejemplo, un productor de pizzas podría querer comparar la demanda de pizzas con la demanda de bebidas gaseosas. ¿Qué cantidad demandada es más sensible a un cambio en el precio? Esta pregunta no se puede contestar comparando las pendientes de las dos curvas de demanda. Las unidades de medición de las pizzas y las bebidas gaseosas no están relacionadas. La pregunta se puede contestar con una medición de sensibilidad que sea independiente de las unidades de medición. Esta medida es la elasticidad.

## FIGURA 5.1

## Cómo un cambio en la oferta afecta el precio y la cantidad

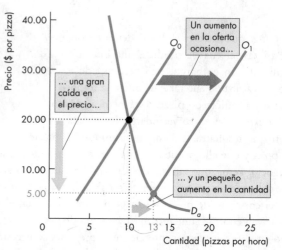

**(a) Gran cambio en el precio y cambio pequeño en la cantidad**

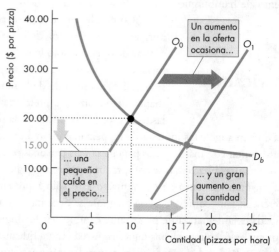

**(b) Cambio pequeño en el precio y gran cambio en la cantidad**

Inicialmente, el precio es $20 por pizza y la cantidad vendida es 10 pizzas por hora. Después, la oferta aumenta de $O_0$ a $O_1$. En la parte (a), el precio disminuye en $15, hasta quedar en $5 la pizza, y la cantidad aumenta en sólo 3, hasta llegar a 13 pizzas por hora. En la parte (b), el precio disminuye en sólo $5, a $15 por pizza, y la cantidad aumenta en 7, hasta 17 pizzas por hora. Este cambio en el precio es más pequeño y el cambio en la cantidad es mayor que en el caso (a). La cantidad demandada es más sensible al precio en el caso (b) que en el caso (a).

La **elasticidad precio de la demanda** es una medida, sin unidades, de la sensibilidad de la cantidad demandada de un bien ante un cambio en su precio, cuando todas las otras variables que influyen sobre los planes de los compradores permanecen constantes.

## Cálculo de la elasticidad

La *elasticidad precio de la demanda* se calcula mediante la fórmula

$$\text{Elasticidad precio de la demanda} = \frac{\text{Cambio porcentual en la cantidad demandada}}{\text{Cambio porcentual en el precio}}$$

Para usar esta fórmula, es necesario conocer las cantidades demandadas a diferentes precios, cuando todas las demás variables que influyen sobre los planes de los compradores permanecen sin cambios. Suponga que se cuenta con la información sobre los precios y las cantidades demandadas de pizzas y que se puede calcular la elasticidad precio de la demanda de pizza.

En la figura 5.2, se observa con mayor detalle la curva de demanda de pizzas y se muestra cómo responde la cantidad demandada ante un pequeño cambio en el precio. Inicialmente, el precio es de $20.50 por pizza y se venden 9 pizzas por hora —el punto inicial en la figura. Después, el precio baja a $19.50 por pizza y la cantidad demandada aumenta a 11 pizzas por hora —el punto nuevo en la figura. Cuando el precio baja en $1 por pizza, la cantidad demandada aumenta en dos pizzas por hora.

Para calcular la elasticidad precio de la demanda, se expresan los cambios en el precio y la cantidad demandada como porcentajes del *precio promedio* y de la *cantidad promedio*. Al utilizar el precio y la cantidad promedio, se calcula la elasticidad en un punto sobre la curva de la demanda, a medio camino entre el punto original y el nuevo. El precio original es $20.50, y el nuevo, $19.50; por tanto, el precio promedio es $20. La disminución de $1 en el precio es un 5% del precio promedio. Es decir,

$$\Delta P/P_{prom} = (\$1/\$20) \times 100 = 5\%$$

La cantidad original demandada es de 9 pizzas, y la nueva cantidad demandada es de 11 pizzas, por lo que la cantidad demandada promedio es de 10 pizzas. El aumento de 2 pizzas en la cantidad demandada es el 20% de la cantidad promedio. Es decir,

$$\Delta Q/Q_{prom} = (2/10) \times 100 = 20\%.$$

Por tanto, la elasticidad precio de la demanda, que es el cambio porcentual en la cantidad demandada (20%) dividido entre el cambio porcentual en el precio (5%), es 4. Es decir,

$$\text{Elasticidad precio de la demanda} = \frac{\%\Delta Q}{\%\Delta P}$$

$$= \frac{20\%}{5\%} = 4$$

## Cálculo de la elasticidad de la demanda

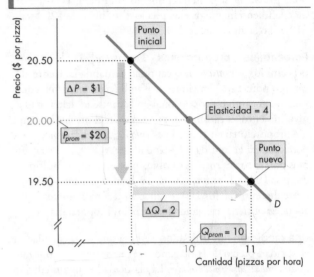

La elasticidad de la demanda se calcula mediante la fórmula*

$$\text{Elasticidad precio de la demanda} = \frac{\text{Cambio porcentual en la cantidad demandada}}{\text{Cambio porcentual en el precio}}$$

$$= \frac{\%\Delta Q}{\%\Delta P}$$

$$= \frac{\%\Delta Q/Q_{prom}}{\%\Delta P/P_{prom}}$$

$$= \frac{2/10}{1/20}$$

$$= 4$$

Este cálculo mide la elasticidad a un precio promedio de $20 por pizza y una cantidad promedio de 10 pizzas por hora.

*En la fórmula, la letra griega delta ($\Delta$) representa "cambio en" y %$\Delta$ representa "cambio porcentual en".

**Precio y cantidad promedio**   Observe que en el cálculo de la elasticidad se utilizan el precio *promedio* y la cantidad *promedio*. Esto se hace así debido a que estos valores proporcionan la medición más precisa de la elasticidad. Si el precio disminuye de $20.50 a $19.50, el cambio de $1 es el 4.9% de $20.50. El cambio en la cantidad de 2 pizzas es el 22.2% de 9, la cantidad original. Por lo tanto, si se utilizan estas cifras, la elasticidad de la demanda es 22.2 dividida entre 4.9, lo que es igual a 4.5. Si el precio aumenta de $19.50 a $20.50, el cambio en el precio de $1 es el 5.1% de $19.50.

El cambio en la cantidad de dos pizzas es el 18.2% de 11, la cantidad original. Por tanto, si se utilizan estas cifras, la elasticidad de la demanda es 18.2 dividida entre 5.1, lo que es igual a 3.6.

Al utilizar porcentajes con respecto al precio y a la cantidad *promedio*, se obtiene el mismo valor para la elasticidad, independientemente de si el precio disminuye de $20.50 a $19.50, o si aumenta de $19.50 a $20.50.

**Porcentajes y proporciones**    La elasticidad es la razón del cambio *porcentual* en la cantidad demandada, frente al cambio porcentual en el precio. También es, en forma equivalente, el cambio proporcional en la cantidad demandada dividido entre el cambio proporcional en el precio. El cambio proporcional en el precio es $\Delta P / P_{prom}$ y el cambio proporcional en la cantidad demandada es $\Delta Q / Q_{prom}$. Los cambios porcentuales son los cambios proporcionales multiplicados por 100. Por tanto, cuando se dividen dos cambios porcentuales entre sí, los 100 se cancelan y el resultado es igual al que se obtiene utilizando los cambios proporcionales.

**Una medición sin unidades**    Ahora que se ha calculado la elasticidad precio de la demanda, se puede observar por qué es una *medición sin unidades*. La elasticidad es una medición sin unidades porque el cambio porcentual en cada variable es independiente de las unidades en que se mide la variable. Y la razón de los dos porcentajes es una cifra sin unidades.

**Signo negativo y elasticidad**    Cuando *aumenta* el precio de un bien, la cantidad demandada *disminuye* a lo largo de la curva de demanda. Debido a que un cambio *positivo* en el precio ocasiona un cambio *negativo* en la cantidad demandada, la elasticidad precio de la demanda es un número negativo. Pero la magnitud, o el *valor absoluto*, de la elasticidad precio de la demanda es la que nos dice qué tan sensible —qué tan elástica— es la demanda. Para comparar elasticidades, se utiliza la magnitud de la elasticidad precio de la demanda, y no se toma en cuenta el signo negativo.

### Demandas elástica e inelástica

La figura 5.3 muestra tres curvas de demanda que abarcan el rango total de las posibles elasticidades de demanda. En la figura 5.3(a), la cantidad demandada es constante y, por tanto, es independiente del precio. Si la cantidad demandada permanece constante cuando cambia el precio, entonces la elasticidad precio de la demanda es cero y se dice que el bien tiene una **demanda perfectamente inelástica**. La insulina es un bien que tiene una elasticidad precio de la demanda muy baja (quizá de cero en algún rango de precios). La insulina tiene tanta importancia para algunos diabéticos que si el precio aumenta o disminuye, no cambia la cantidad que compran.

Si el cambio porcentual en la cantidad demandada es igual al cambio porcentual en el precio, entonces la elasticidad precio es igual a 1 y se dice que el bien tiene una **demanda con elasticidad unitaria**. La figura 5.3(b) es un ejemplo de este tipo de demanda.

Entre los casos mostrados en las partes (a) y (b) de la figura 5.3, se tiene el caso general en el cual el cambio porcentual en la cantidad demandada es menor que el porcentaje de cambio en el precio. En este caso, la elasticidad precio de la demanda se encuentra entre cero y uno, y se dice que el bien tiene una **demanda inelástica**. Los alimentos y la vivienda son ejemplos de bienes con demanda inelástica.

Si la cantidad demandada cambia en un porcentaje infinitamente grande como respuesta a un diminuto cambio en el precio, entonces la elasticidad precio de la demanda es infinita, y se dice que el bien tiene una **demanda perfectamente elástica**. La figura 5.3 (c) muestra una curva de demanda de este tipo. Un ejemplo de un bien que tiene una elasticidad de la demanda muy alta (casi infinita), corresponde a las bebidas refrescantes de dos máquinas vendedoras que están ubicadas una junto a la otra. Si las dos máquinas ofrecen el producto por el mismo precio, algunas personas comprarán en una máquina y algunas en la otra. Pero si el precio de una de las máquinas es más alto que el de la otra, incluso por una cantidad pequeña, casi nadie comprará en la máquina con el precio más alto, ya que las bebidas de las dos máquinas son sustitutos perfectos.

Entre los casos de las secciones (b) y (c) en la figura 5.3, se encuentra el caso general en el cual el cambio porcentual en la cantidad demandada de un bien excede al cambio porcentual en el precio. En este caso, la elasticidad precio es mayor que 1 y se dice que esos bienes tienen una **demanda elástica**. Los automóviles y el mobiliario son ejemplos de bienes que tienen demanda elástica.

### Elasticidad a lo largo de una curva de demanda en línea recta

A lo largo de una curva de demanda en línea recta, como la que se muestra en la figura 5.4, la elasticidad varía. A precios altos y cantidades pequeñas, la elasticidad es grande; en tanto que a precios bajos y cantidades grandes, la elasticidad es pequeña. Para convencerse de este hecho, calcule la elasticidad a tres precios promedio diferentes.

Primero, suponga que el precio disminuye de $25 a $15 por pizza. La cantidad demandada aumenta de cero a 20 pizzas por hora. El precio promedio es $20, por lo que el cambio porcentual en el precio es $10 dividido entre $20 y multiplicado por 100, lo que equivale a 50. La cantidad promedio es 10 pizzas, por lo que el cambio porcentual en la cantidad equivale a 20 pizzas dividido entre 10 pizzas

**FIGURA 5.3**

## Demanda elástica e inelástica

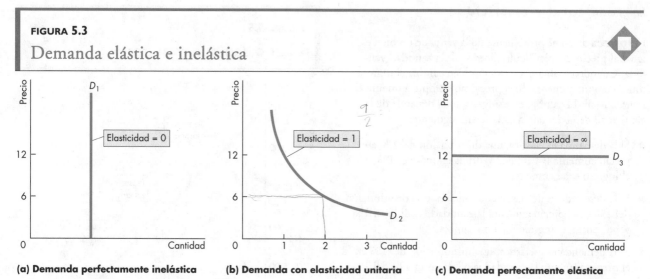

**(a) Demanda perfectamente inelástica**     **(b) Demanda con elasticidad unitaria**     **(c) Demanda perfectamente elástica**

Cada demanda presentada aquí tiene una elasticidad constante. La curva de demanda en la sección (a) muestra la demanda para un bien que tiene una elasticidad de demanda igual a cero. La curva de demanda en la sección (b) muestra la demanda para un bien con una elasticidad unitaria de la demanda. Y la curva de demanda en la sección (c) muestra la demanda para un bien con una elasticidad de demanda infinita.

y multiplicado por 100, lo que es igual a 200. Por tanto, al dividir el cambio porcentual en la cantidad demandada (200) entre el cambio porcentual en el precio (50), se observa que la elasticidad de la demanda, a un precio promedio de $20, es 4.

A continuación, suponga que el precio disminuye de $15 a $10 por pizza. La cantidad demandada aumenta de 20 a 30 pizzas por hora. Ahora el precio promedio es $12.50, por lo que el cambio porcentual en el precio es $5 dividido entre $12.50 y multiplicado por 100, lo que es igual a 40%. La cantidad promedio es de 25 pizzas por hora, por lo que el cambio porcentual en la cantidad demandada es de 10 pizzas dividido entre 25 pizzas y multiplicado por 100, lo que también es igual al 40%. Por tanto, al dividir el cambio porcentual en la cantidad demandada (40) el cambio porcentual en el precio (40), se observa que la elasticidad de la demanda, a un precio promedio de $12.50, es 1. La elasticidad de la demanda es siempre igual a uno en el punto medio de una curva de demanda en línea recta.

Por último, suponga que el precio disminuye de $10 a cero. La cantidad demandada aumenta de 30 a 50 pizzas por hora. Ahora el precio promedio es $5, por lo que el cambio porcentual en el precio es $10 dividido entre $5 y multiplicado por 100, lo que es 200. La cantidad promedio es de 40 pizzas, por lo que cambio porcentual en la cantidad demandada es de 20 pizzas dividido entre 40 pizzas y multiplicado por 100, lo que es 50. Por tanto, al dividir el cambio porcentual en la cantidad demandada (50) entre el cambio porcentual en el precio (200), la elasticidad de la demanda, a un precio promedio de $5, es 1/4.

**FIGURA 5.4**

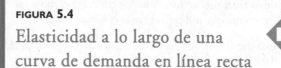

## Elasticidad a lo largo de una curva de demanda en línea recta

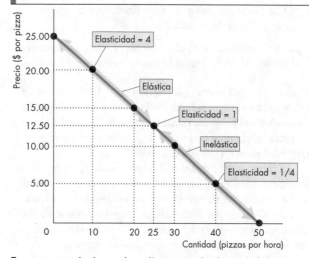

En una curva de demanda en línea recta, la elasticidad disminuye conforme disminuye el precio y aumenta la cantidad demandada. La demanda tiene elasticidad unitaria (es igual a 1) en el punto medio de la curva de demanda. Por encima del punto medio, la demanda es elástica, y por debajo del punto medio, la demanda es inelástica.

## Ingreso total y elasticidad

El **ingreso total** proveniente de la venta de un bien es igual al precio del bien multiplicado por la cantidad vendida. Cuando cambia el precio, también cambia el ingreso total. Pero un aumento en el precio no siempre aumenta el ingreso total. El cambio en el ingreso total depende de la elasticidad de la demanda en la forma siguiente:

■ Si la demanda es elástica, una disminución del 1% en el precio aumenta la cantidad vendida en más del 1%, y el ingreso total aumenta.

■ Si la demanda es de elasticidad unitaria, una disminución del 1% en el precio aumenta la cantidad vendida en 1% y, por tanto, el ingreso total no cambia.

■ Si la demanda es inelástica, una disminución del 1% en el precio aumenta la cantidad vendida en menos del 1%, y el ingreso total disminuye.

Se puede utilizar esta relación entre elasticidad e ingreso total para estimar la elasticidad mediante la prueba del ingreso total. La **prueba del ingreso total** es un método para estimar la elasticidad precio de la demanda, observando el cambio en el ingreso total como resultado de un cambio en el precio (manteniendo sin cambio todas las demás variables que influyen sobre la cantidad vendida).

■ Si una disminución en el precio aumenta el ingreso total, la demanda es elástica.

■ Si una disminución en el precio disminuye el ingreso total, la demanda es inelástica.

■ Si una disminución en el precio no produce cambios en el ingreso total, la demanda tiene una elasticidad unitaria.

La figura 5.5 muestra la relación entre la elasticidad de la demanda y el ingreso total. En la sección (a), la demanda es elástica en el rango de precios que va de $25 a $12.50; es inelástica en el rango de precios de $12.50 a cero; y tiene elasticidad unitaria cuando el precio es $12.50.

La figura 5.5(b) muestra el ingreso total. A un precio de $25, la cantidad vendida es cero, por lo que el ingreso total también es cero. A un precio de cero, la cantidad demandada es de 50 pizzas por hora, pero de nuevo el ingreso total es cero. Una disminución del precio en el rango elástico ocasiona un aumento en el ingreso total —el aumento porcentual en la cantidad demandada es mayor que la disminución porcentual en el precio. Una disminución del precio en el rango inelástico ocasiona una disminución en el ingreso total —el aumento porcentual en la cantidad demandada es menor que la disminución porcentual en el precio. El ingreso total se encuentra en su punto máximo cuando la elasticidad es unitaria.

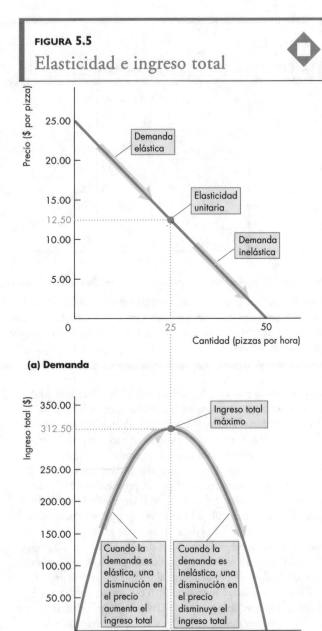

**FIGURA 5.5**

## Elasticidad e ingreso total

**(a) Demanda**

**(b) Ingreso total**

Cuando la demanda es elástica, como en el rango de precios de $25 a $12.50, una disminución en el precio (sección a) ocasiona un aumento en el ingreso total (sección b). Cuando la demanda es inelástica, como en el rango de precios de $12.50 a cero, una disminución en el precio (sección a) ocasiona una disminución en el ingreso total (sección b). Cuando la demanda tiene elasticidad unitaria, a un precio de $12.50 (sección a), el ingreso total está en su punto máximo (sección b).

## Gasto y elasticidad

Cuando el precio de un bien cambia, el cambio en el gasto total que usted realiza en dicho bien depende de la elasticidad de demanda *suya*.

- Si su demanda es elástica, una disminución del 1% en el precio de un bien aumenta la cantidad que usted compra en más del 1%, y su gasto en dicho bien aumentará.

- Si su demanda es de elasticidad unitaria, una disminución del 1% en el precio aumenta la cantidad que compra en 1% y, por tanto, su gasto en el artículo no cambiará.

- Si su demanda es inelástica, una disminución del 1% en el precio de un bien aumenta la cantidad que compra en menos del 1%, y su gasto en el artículo disminuirá.

Por tanto, si cuando baja el precio de un artículo usted gasta más en él, su demanda de ese artículo es elástica; si gasta la misma cantidad, su demanda tiene elasticidad unitaria; y si gasta menos, su demanda es inelástica.

## Factores que influyen sobre la elasticidad de la demanda

En la tabla 5.1 se presentan algunos valores estimados de elasticidades para el caso de Estados Unidos. Se puede observar que estas elasticidades del mundo real van desde 1.52 para metales, el bien con la demanda más elástica en la tabla, hasta 0.12 para los alimentos, el bien con la demanda más inelástica en la tabla. ¿Qué hace que la demanda de algunos bienes sea elástica y la de otros sea inelástica?

La elasticidad depende de tres factores principales:

- La cercanía de sustitutos

- La proporción del ingreso gastado en el bien

- El tiempo transcurrido desde el cambio en el precio

**Cercanía de sustitutos** Cuanto más cercanos sean los sustitutos para un bien o servicio, más elástica será la demanda del mismo. Por ejemplo, el petróleo tiene sustitutos, pero ninguno de ellos es muy cercano (imagínese un automóvil de vapor alimentado con carbón, o un avión de propulsión a chorro que opere con energía nuclear). Por tanto, la demanda de petróleo es inelástica. Los metales tienen sustitutos, por ejemplo, los plásticos, por lo que la demanda de metales es elástica.

El grado de sustituibilidad entre dos bienes depende también de lo estrechamente (o ampliamente) que se definan. Por ejemplo la elasticidad de la demanda de carne es baja, pero la elasticidad de la demanda de carne de res, de cordero o de pollo, es alta. La elasticidad de la demanda de computadoras personales es baja, pero la elasticidad de la demanda de computadoras de las marcas Compaq, Dell o IBM es alta.

---

### TABLA 5.1
## Algunas elasticidades precio de la demanda en el mundo real

| Bien o servicio | Elasticidad |
|---|---|
| **Demanda elástica** | |
| Metales | 1.52 |
| Productos de ingeniería eléctrica | 1.39 |
| Productos de ingeniería mecánica | 1.30 |
| Mobiliario | 1.26 |
| Vehículos de motor | 1.14 |
| Productos de ingeniería de instrumentos | 1.10 |
| Servicios profesionales | 1.09 |
| Servicios de transportación | 1.03 |
| **Demanda inelástica** | |
| Gas, electricidad y agua | 0.92 |
| Petróleo | 0.91 |
| Productos químicos | 0.89 |
| Bebidas (de todo tipo) | 0.78 |
| Ropa | 0.64 |
| Tabaco | 0.61 |
| Servicios bancarios y de seguros | 0.56 |
| Servicios de vivienda | 0.55 |
| Productos agrícolas y de pesca | 0.42 |
| Libros, revistas y periódicos | 0.34 |
| Alimentos | 0.12 |

*Fuentes:* "Numerical Specification of Applied General Equilibrium Models: Estimation, Calibration, and Data" de Ahsan Mansur y John Whalley, en *Applied General Equilibrium Analysis*, eds. Herbert E. Scarf y John B. Shoven (Nueva York: Cambridge University Press, 1984), 109, y *Advances in Econometrics, Supplement 1, 1989, International Evidence on Consumption Patterns*, de Henri Theil, Ching-Fan Chung y James L. Seale, Jr., Greenwich, Conn: JAI Press, Inc., 1989. Reproducido con autorización.

En lenguaje cotidiano, a ciertos bienes, como los alimentos y la vivienda, se les denomina *artículos de primera necesidad*; y a otros bienes, por ejemplo unas vacaciones en un lugar exótico, *artículos de lujo*. Un artículo de primera necesidad es un bien que tiene sustitutos deficientes y que es crucial para nuestro bienestar. Por tanto, en forma general, un artículo de primera necesidad tiene una demanda inelástica. Un artículo de lujo es un bien que suele tener muchos sustitutos, uno de los cuales consiste en no comprarlo. Por tanto, en general, un bien de este tipo tiene una demanda elástica.

**Proporción del ingreso gastado en el bien**   Manteniendo todo lo demás constante, cuanto mayor sea la proporción del ingreso que se gasta en un bien, más elástica será la demanda del mismo.

Piense en la elasticidad de su propia demanda de goma de mascar y vivienda. Si se duplica el precio de la goma de mascar, usted consume casi tanto como antes. Su demanda de goma de mascar es inelástica. Si el alquiler de su apartamento se duplica, usted protesta y busca más estudiantes que compartan la vivienda con usted. Su demanda de vivienda es más elástica que su demanda de goma de mascar. ¿Por qué la diferencia? La vivienda consume una gran parte de su presupuesto y la goma de mascar una proporción diminuta. A usted no le agrada ninguno de los dos aumentos de precios, pero mientras que el alquiler más alto le ocasiona graves problemas en su presupuesto, usted apenas nota el precio más alto de la goma de mascar.

La figura 5.6 muestra la proporción del ingreso que se gasta en alimentos y la elasticidad precio de la demanda de alimentos en varios países. Esta figura confirma la tendencia general que se acaba de describir. Cuanto mayor sea la proporción del ingreso que se gasta en alimentos, mayor será la elasticidad precio de la demanda de alimentos. Por ejemplo, en Tanzania, una nación en la que los ingresos en promedio corresponden al 3.3% de los ingresos en Estados Unidos, y en la que el 62% del ingreso se gasta en alimentos, la elasticidad precio de la demanda de alimentos es 0.77. En contraste, en Estados Unidos, el 12% del ingreso se gasta en alimentos, la elasticidad de la demanda de alimentos es de únicamente 0.12.

**Tiempo transcurrido desde el cambio en precios**
Cuanto mayor sea el tiempo transcurrido desde un cambio en los precios, más elástica será la demanda. Cuando aumenta un precio, con frecuencia los consumidores continúan comprando cantidades similares del bien por cierto período. Pero con suficiente tiempo, pueden encontrar sustitutos aceptables y menos costosos. Conforme se da este proceso de sustitución, la cantidad comprada del bien o servicio que se ha vuelto más caro disminuye en forma gradual. Cuando baja un precio, los consumidores compran más del bien, pero conforme transcurre el tiempo, los consumidores van encontrando otros usos para los bienes cuyos precios han bajado y la demanda se vuelve más elástica. Por ejemplo, algunos agricultores japoneses han descubierto que pueden utilizar un transmisor barato ¡para avisar a sus vacas cuando ha llegado el momento de la ordeña!

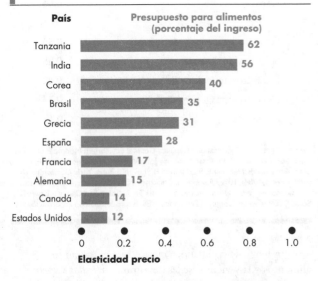

### FIGURA 5.6
## Elasticidades precio en varios países

| País | Presupuesto para alimentos (porcentaje del ingreso) |
|---|---|
| Tanzania | 62 |
| India | 56 |
| Corea | 40 |
| Brasil | 35 |
| Grecia | 31 |
| España | 28 |
| Francia | 17 |
| Alemania | 15 |
| Canadá | 14 |
| Estados Unidos | 12 |

**Elasticidad precio** (0, 0.2, 0.4, 0.6, 0.8, 1.0)

Conforme aumenta el ingreso y disminuye la proporción del ingreso gastado en alimentos, la demanda de alimentos se vuelve menos elástica.

Fuente: *Advances in Econometrics, Supplement 1, 1989, International Evidence on Consumption Patterns*, de Henri Theil, Ching-Fan Chung y James L. Seale, Jr., Greeenwich, Conn: JAI Press, Inc., 1989.

---

### PREGUNTAS DE REPASO

- ¿Por qué se necesita una medición sin unidades de la sensibilidad de la cantidad demandada de un bien o servicio ante un cambio en su precio?
- ¿Puede definir y calcular la elasticidad precio de la demanda?
- ¿Por qué al calcular la elasticidad precio de la demanda se expresa el cambio en el precio como un porcentaje del precio *promedio*, y el cambio en la cantidad como un porcentaje de la cantidad *promedio*?
- ¿Qué es la prueba del ingreso total y por qué funciona?
- ¿Cuáles son los principales factores que hacen que la demanda de algunos bienes sea elástica y la de otros, inelástica?

Usted ha terminado el estudio de la elasticidad *precio* de la demanda. Otros dos conceptos de elasticidad muestran los efectos de otros factores sobre la demanda. Veamos estas otras elasticidades de demanda.

# Más elasticidades de demanda

VOLVIENDO AL CASO DE LA PIZZERÍA, USTED ESTÁ intentando determinar cómo afectaría a la demanda de sus pizzas una disminución en los precios de las hamburguesas que se venden en el negocio que está al lado de su pizzería. Usted sabe que las pizzas y las hamburguesas son bienes sustitutos y que cuando baja el precio de un sustituto de las pizzas, disminuye la demanda de las mismas. Pero, ¿en cuánto?

También sabe que la pizza y las bebidas refrescantes son complementos, y sabe que si baja el precio de uno de sus complementos, aumentará la demanda de pizzas. Por tanto, usted se pregunta si sería posible conservar a sus clientes mediante una rebaja en el precio de las bebidas refrescantes. Pero quiere saber de cuánto tendría que ser la rebaja para retener a sus clientes ante las hamburguesas más baratas de al lado.

Para contestar a estas preguntas es necesario calcular la elasticidad cruzada de la demanda. Examinemos esta medida de elasticidad.

## Elasticidad cruzada de la demanda

Se mide la influencia de un cambio en el precio de sustitutos o complementos mediante el concepto de elasticidad cruzada de la demanda. La **elasticidad cruzada de la demanda** es una medida de la sensibilidad de la demanda de un bien ante un cambio en el precio de un sustituto o complemento, si todas las demás cosas permanecen constantes. Se calcula con la fórmula

$$\text{Elasticidad cruzada de la demanda} = \frac{\text{Cambio porcentual en la cantidad demandada}}{\text{Cambio porcentual en el precio de un sustituto o complemento}}.$$

La elasticidad cruzada de la demanda puede ser positiva o negativa. Es positiva para un sustituto y negativa para un complemento.

En la figura 5.7 se muestra la elasticidad cruzada de la demanda. Las pizzas y las hamburguesas son bienes sustitutos. Debido a ello, cuando baja el precio de las hamburguesas, disminuye la demanda de pizzas. La curva de la demanda de pizzas se desplaza hacia la izquierda, desde $D_0$ hasta $D_1$. Debido a que una *disminución* en el precio de la hamburguesa ocasiona una *disminución* en la demanda de pizzas, la elasticidad cruzada de la demanda de pizzas, en relación con el precio de las hamburguesas, es *positiva*. Tanto el precio como la cantidad cambian en la misma dirección.

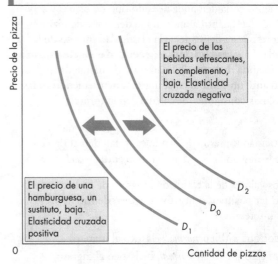

**FIGURA 5.7**
## Elasticidad cruzada de la demanda

La hamburguesa es un *sustituto* de la pizza. Cuando baja el precio de la hamburguesa, disminuye la demanda de pizzas y la curva de demanda de pizzas se desplaza hacia la izquierda, de $D_0$ a $D_1$. La elasticidad cruzada de la demanda de pizzas, con relación al precio de la hamburguesa, es *positiva*. Las bebidas refrescantes son un *complemento* de la pizza. Cuando baja el precio de estas bebidas, aumenta la demanda de pizzas y la curva de demanda de pizzas se desplaza hacia la derecha, de $D_0$ a $D_2$. La elasticidad cruzada de la demanda de pizzas, con respecto al precio de las bebidas, es *negativa*.

La pizza y las bebidas refrescantes son complementos. Por ello, cuando baja el precio de las bebidas refrescantes, aumenta la demanda de pizzas. La curva de la demanda de pizzas se desplaza hacia la derecha, desde $D_0$ hasta $D_2$. Debido a que una *disminución* en el precio de las bebidas ocasiona un *aumento* en la demanda de pizzas, la elasticidad cruzada de la demanda de pizzas, con respecto al precio de las bebidas refrescantes, es *negativa*. El precio y la cantidad cambian en direcciones *opuestas*.

La magnitud de la elasticidad cruzada de la demanda determina qué tan lejos se desplaza la curva de demanda. Cuanto mayor sea la elasticidad cruzada (valor absoluto), mayor será el cambio en la demanda y mayor el desplazamiento de la curva de demanda.

Si dos artículos son sustitutos muy cercanos, por ejemplo: dos marcas de agua mineral, la elasticidad cruzada es grande. Si dos artículos son complementos cercanos, por ejemplo: el café y el azúcar, la elasticidad cruzada es grande.

Si dos artículos tienen poca relación entre sí, como el periódico y el jugo de naranja, la elasticidad cruzada es pequeña y quizá sea igual a cero.

## Elasticidad ingreso de la demanda

La economía se está expandiendo y las personas están disfrutando de mayores ingresos. Esta prosperidad ocasiona un aumento en la demanda de todo tipo de bienes y servicios. Pero, ¿en cuánto aumentará la demanda de pizzas?

La respuesta depende de la elasticidad ingreso de la demanda. La **elasticidad ingreso de la demanda** es una medida de la sensibilidad de la demanda de un bien o servicio ante un cambio en el ingreso, manteniendo todas las demás cosas constantes. Se calcula con la fórmula

$$\text{Elasticidad ingreso de la demanda} = \frac{\text{Cambio porcentual en la cantidad demandada}}{\text{Cambio porcentual en el ingreso}}$$

Los valores de la elasticidad ingreso de la demanda pueden ser positivos o negativos, y caen dentro de tres rangos interesantes:

1. Mayor que 1 (bien *normal*, elástico al ingreso)
2. Entre cero y 1 (bien *normal*, inelástico al ingreso)
3. Menor que cero (bien *inferior*)

La figura 5.8(a) muestra una elasticidad ingreso de la demanda mayor que 1. Conforme aumenta el ingreso, aumenta la cantidad demandada, pero ésta aumenta con más rapidez que el ingreso. Ejemplos de bienes en esta categoría son los cruceros marítimos, los viajes internacionales, la joyería y las obras de arte.

La figura 5.8(b) muestra una elasticidad ingreso de la demanda que se encuentra entre cero y 1. En este caso, la cantidad demandada aumenta conforme aumenta el ingreso, pero el ingreso aumenta con más rapidez que la cantidad demandada. Ejemplos de bienes en esta categoría son los alimentos, la ropa, los periódicos y las revistas.

La figura 5.8(c) muestra una elasticidad ingreso de la demanda que termina por volverse negativa. En este caso, la cantidad demandada aumenta conforme aumenta el ingreso, hasta llegar a un punto máximo cuando el ingreso es *m*. Conforme el ingreso continúa aumentando por encima de *m*, la cantidad demandada disminuye. La elasticidad de la demanda es positiva, pero menor que 1, cuando el ingreso está entre 0 y *m*. Más allá del ingreso *m*, la elasticidad de la demanda se vuelve negativa. Ejemplos de bienes dentro de esta categoría son el transporte público, las papas y el arroz. Los consumidores con bajos ingresos compran más de estos bienes. Para niveles de ingreso bajo, la demanda de tales bienes se incrementa conforme aumenta el ingreso. Pero conforme el ingreso pasa de un cierto nivel, los consumidores reemplazan estos bienes con alternativas superiores. Por ejemplo, un automóvil pequeño reemplaza al transporte público; o bien, comienzan a aparecer las frutas, las verduras y la carne en una dieta que antes tenía una gran cantidad de arroz o papas.

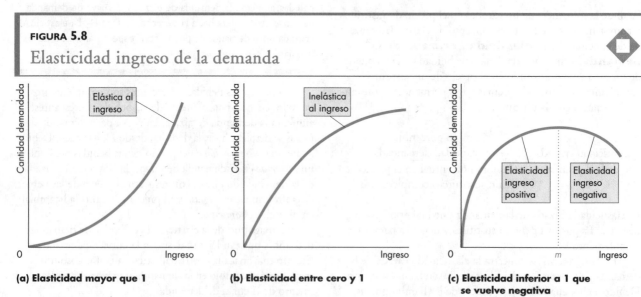

**FIGURA 5.8**

## Elasticidad ingreso de la demanda

**(a) Elasticidad mayor que 1**

**(b) Elasticidad entre cero y 1**

**(c) Elasticidad inferior a 1 que se vuelve negativa**

La elasticidad ingreso de la demanda tiene tres rangos de valores. En la sección (a), la elasticidad ingreso de la demanda es mayor que 1. Conforme aumenta el ingreso a lo largo del eje horizontal, aumenta la cantidad demandada, pero en un porcentaje mayor que el incremento en el ingreso. En la sección (b), la elasticidad ingreso de la demanda se encuentra entre cero y 1. Conforme aumenta el ingreso, aumenta la cantidad demandada, pero en un porcentaje menor que el aumento en el ingreso. En la sección (c), la elasticidad ingreso de la demanda es positiva a ingresos bajos, pero se vuelve negativa según aumenta el ingreso por encima del nivel *m*. El consumo máximo de este bien ocurre cuando el ingreso es *m*.

## Elasticidades ingreso de la demanda en el mundo real

En la tabla 5.2 se muestran estimaciones de algunas elasticidades ingreso para el caso de Estados Unidos. Los artículos de primera necesidad, como los alimentos y la ropa, son inelásticos al ingreso; en tanto que los artículos de lujo, como viajes en avión y al extranjero, son elásticos al ingreso.

Sin embargo, lo que es un artículo de primera necesidad y lo que es uno de lujo, dependen del nivel del ingreso. Para personas con ingresos bajos, el alimento y la ropa pueden ser un lujo. Por tanto, el *nivel* de ingreso tiene un gran efecto sobre las elasticidades ingreso de la demanda. La figura 5.9 muestra este efecto sobre la elasticidad ingreso de la demanda de alimentos en varios países. En los países con ingresos bajos, como Tanzania y la India, la elasticidad ingreso de la demanda de alimentos es alta. En países con ingresos altos, como Estados Unidos, la demanda de alimentos es baja.

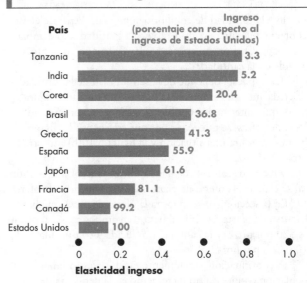

**FIGURA 5.9**

### Elasticidades ingreso en varios países

| País | Ingreso (porcentaje con respecto al ingreso de Estados Unidos) |
|---|---|
| Tanzania | 3.3 |
| India | 5.2 |
| Corea | 20.4 |
| Brasil | 36.8 |
| Grecia | 41.3 |
| España | 55.9 |
| Japón | 61.6 |
| Francia | 81.1 |
| Canadá | 99.2 |
| Estados Unidos | 100 |

**Elasticidad ingreso** (0 0.2 0.4 0.6 0.8 1.0)

Conforme aumenta el ingreso, disminuye la elasticidad ingreso de la demanda de alimentos. Los consumidores de bajos ingresos gastan en alimentos un porcentaje mayor de cualquier incremento en el ingreso, que en el caso de consumidores de altos ingresos.

*Fuente: Advances in Econometrics, Supplement 1, 1989, International Evidence on Consumption Patterns, de Henri Theil, Ching-Fan Chung y James L. Seale, Jr. (Greenwich, Conn: JAI Press, Inc., 1989).*

**TABLA 5.2**

## Algunas elasticidades ingreso de la demanda en el mundo real

**Demanda elástica**

| | |
|---|---|
| Viajes en avión | 5.82 |
| Películas | 3.41 |
| Viajes al extranjero | 3.08 |
| Electricidad | 1.94 |
| Comidas en restaurantes | 1.61 |
| Autobuses y trenes locales | 1.38 |
| Cortes de cabello | 1.36 |
| Automóviles | 1.07 |

**Demanda inelástica**

| | |
|---|---|
| Tabaco | 0.86 |
| Bebidas alcohólicas | 0.62 |
| Mobiliario | 0.53 |
| Ropa | 0.51 |
| Periódicos y revistas | 0.38 |
| Teléfono | 0.32 |
| Alimentos | 0.14 |

*Fuentes: Consumer Demand in the United States, de H.S. Houthakker y Lester D. Taylor (Cambridge, Mass.: Harvard University Press, 1970), y Advances in Econometrics, Supplement 1, 1989, International Evidence on Consumption Patterns, de Henri Theil, Ching-Fan Chung y James L. Seale, Jr. (Greenwich, Conn: JAI Press, Inc., 1989). Reproducido con autorización.*

### PREGUNTAS DE REPASO

- ¿Qué mide la elasticidad cruzada de la demanda?
- ¿Qué información proporciona el signo (positivo o negativo) de la elasticidad cruzada de la demanda sobre la relación entre dos bienes?
- ¿Qué mide la elasticidad ingreso de la demanda?
- ¿Qué información proporciona el signo (positivo o negativo) de la elasticidad ingreso de la demanda acerca de un bien?
- ¿Por qué influye el nivel de ingreso sobre la magnitud de la elasticidad ingreso de la demanda?

Ahora usted ha terminado el estudio de la *elasticidad cruzada* de la demanda y de la *elasticidad ingreso* de la demanda. Observemos el otro lado de un mercado, examinando la elasticidad de la oferta.

# Elasticidad de la oferta

USTED SABE QUE CUANDO AUMENTA LA DEMANDA, EL precio y la cantidad de equilibrio aumentan. Pero, ¿se eleva el precio de manera considerable y la cantidad sólo cambia un poco? ¿O el precio apenas se eleva y hay un aumento grande en la cantidad?

La respuesta depende de la sensibilidad de la cantidad ofrecida ante un cambio en el precio. Al estudiar la figura 5.10, que muestra dos posibles situaciones en un mercado local de pizzas, se puede ver por qué esto es así. La figura 5.10(a) muestra una situación y la figura 5.10(b) muestra la otra.

En ambos casos, la demanda inicial es $D_0$. En la sección (a) se muestra la oferta de pizzas mediante la curva de oferta $O_a$. En la sección (b) se muestra la oferta de pizzas mediante la curva de oferta $O_b$. Inicialmente, en ambos casos, el precio es $20 por pizza, y la cantidad producida y consumida es de 10 pizzas por hora.

A continuación, un aumento en el ingreso y en la población conduce a un incremento en la demanda de pizzas. La curva de demanda se desplaza hacia la derecha, hasta $D_1$. En el caso (a), el precio se eleva de $20 a $30 por pizza y la cantidad aumenta en tan sólo tres unidades, hasta llegar a 13 pizzas por hora. En contraste, en el caso (b), el precio sólo se eleva en $1, hasta $21 por pizza, y la cantidad aumenta en 10, hasta 20 pizzas por hora.

La diferencia de resultados se explica por los distintos grados de sensibilidad de la cantidad ofrecida ante un cambio en el precio. El grado de sensibilidad se mide utilizando el concepto de elasticidad de la oferta.

## Cálculo de la elasticidad de la oferta

La **elasticidad de la oferta** mide la sensibilidad de la cantidad ofrecida ante un cambio en el precio de un bien, cuando todos los demás factores que influyen sobre los planes de venta permanecen constantes. La elasticidad de la oferta se calcula con la fórmula

$$\frac{\text{Elasticidad}}{\text{de la oferta}} = \frac{\text{Cambio porcentual en la cantidad ofrecida}}{\text{Cambio porcentual en el precio}}$$

Se utiliza el mismo método que se aprendió al estudiar la elasticidad de la demanda. Podemos calcular la elasticidad de la oferta para las curvas de oferta en la figura 5.10.

En la figura 5.10(a), cuando el precio se eleva de $20 a $30, el aumento del precio es de $10 y el precio promedio es $25, por lo que el precio aumenta en un 40% sobre el precio promedio. La cantidad aumenta de 10 a 13, por lo que el aumento es de tres. La cantidad promedio es 11.5, por lo

**FIGURA 5.10**

## Cómo un cambio en la demanda cambia el precio y la cantidad

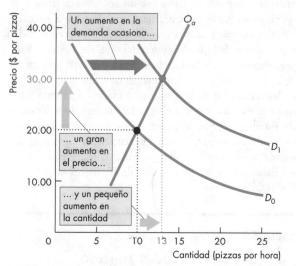

**(a) Gran cambio en el precio y cambio pequeño en la cantidad**

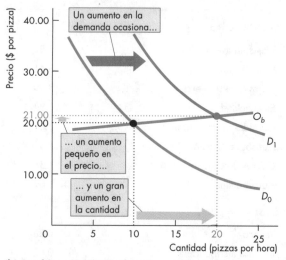

**(b) Cambio pequeño en el precio y gran cambio en la cantidad**

Inicialmente, el precio es $20 por pizza y la cantidad vendida es de 10 pizzas por hora. Después, aumentan los ingresos y la población, y la demanda incrementa de $D_0$ a $D_1$. En la sección (a), el precio aumenta en $10 y llega a $30 por pizza, la cantidad sólo aumenta en tres unidades, y alcanza las 13 pizzas por hora. En la sección (b), el precio se eleva en sólo $1, hasta $21 por pizza, y la cantidad aumenta en 10 unidades, hasta alcanzar las 20 pizzas por hora. La cantidad ofrecida es más sensible al precio en el caso (b) que en el caso (a).

que el aumento en la cantidad es de 26%. La elasticidad de la oferta es igual a 26% dividido entre 40%, lo que equivale a 0.65.

En la figura 5.10(b), cuando el precio se eleva de $20 a $21, el aumento en el precio es de $1 y el precio promedio es $20.50, por lo que el precio se eleva en un 4.9% sobre el precio promedio. La cantidad aumenta de 10 a 20, por lo que el aumento es de 10; la cantidad promedio es 15, y la cantidad aumenta en un 67%. La elasticidad de la oferta es igual a 67% dividido entre 4.9%, lo que equivale a 13.67.

En la figura 5.11 se muestra el rango de valores posibles de la elasticidad de la oferta. Si la cantidad ofrecida es fija, independientemente del precio, la curva de oferta es vertical y la elasticidad de la oferta es cero. Se dice entonces que la oferta es perfectamente inelástica. La figura 5.11(a) muestra este caso.

Un caso intermedio especial ocurre cuando el cambio porcentual en el precio es igual al cambio porcentual en la cantidad ofrecida. Entonces, la oferta tiene una elasticidad unitaria. La figura 5.11(b) muestra este caso. No importa lo pronunciada que sea la curva de oferta: si es lineal y pasa a través del origen, la oferta tiene elasticidad unitaria.

Por último, si hay un precio al cual los vendedores están dispuestos a ofrecer cualquier cantidad para venta, la curva de la oferta es horizontal y la elasticidad de la oferta es infinita. La oferta es perfectamente elástica. La figura 5.11(c) muestra este caso.

## Factores que influyen sobre la elasticidad de la oferta

La magnitud de la elasticidad de la oferta depende de:

- Las posibilidades de sustitución de insumos
- El marco de tiempo para la decisión de oferta

**Posibilidades de sustitución de insumos**   Algunos bienes y servicios sólo se pueden producir utilizando ciertos insumos o recursos productivos que son únicos o poco comunes. Estos artículos tienen una elasticidad de oferta baja y quizá de cero. Otros bienes y servicios se pueden producir utilizando insumos o recursos productivos que están fácilmente disponibles y que se podrían asignar a una amplia variedad de tareas alternativas. Esos artículos tienen una elasticidad de oferta alta.

Una pintura de Van Gogh es un ejemplo de un bien con una curva de oferta vertical y una elasticidad de oferta cero. En el otro extremo, se puede cosechar trigo en terrenos que son casi igualmente buenos para cosechar maíz. Por tanto, es igual de fácil cosechar trigo que maíz, y el costo de oportunidad del trigo en términos del maíz que se ha dejado de cosechar es casi constante. Como resultado, la curva de oferta del trigo es casi horizontal y su elasticidad de oferta es muy grande. En forma similar, cuando se produce un bien en muchos países diferentes (por ejemplo, azúcar y carne de res), la oferta del bien es altamente elástica.

**FIGURA 5.11**

## Ofertas elástica e inelástica

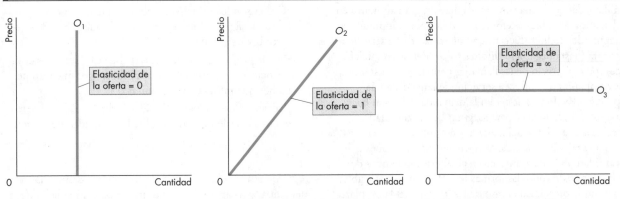

**(a) Oferta perfectamente inelástica**          **(b) Oferta con elasticidad unitaria**          **(c) Oferta perfectamente elástica**

Cada oferta mostrada aquí tiene una elasticidad constante. La curva de oferta en la sección (a) muestra la oferta de un bien que tiene una elasticidad de oferta igual a cero. La curva de oferta en la sección (b) muestra la oferta para un bien con una elasticidad unitaria de oferta. Todas las curvas de oferta lineales que pasan a través del origen tienen una elasticidad unitaria. La curva de oferta en la sección (c) muestra la oferta para un bien con una elasticidad de oferta infinita.

La oferta de la mayor parte de los bienes y servicios se encuentra entre estos dos extremos. La cantidad producida se puede aumentar, pero sólo si se incurre en costos más altos. Si se ofrece un precio más alto, aumenta la cantidad ofrecida. Estos bienes y servicios tienen una elasticidad de oferta que se encuentra entre cero e infinita.

**Marco de tiempo para la decisión de oferta**  Para estudiar la influencia de la duración del tiempo transcurrido desde un cambio en precios, se distinguen tres marcos de tiempo de la oferta:

- Oferta momentánea
- Oferta de largo plazo
- Oferta de corto plazo

Cuando el precio de un bien se eleva o disminuye, la *curva de oferta momentánea* muestra la respuesta de la cantidad ofrecida inmediatamente después de un cambio en el precio.

Algunos bienes, como las frutas y las verduras, tienen una oferta momentánea perfectamente inelástica —una curva de oferta vertical. Las cantidades ofrecidas dependen de las decisiones de sembrado de cosechas que se hicieron con anticipación. Por ejemplo, en el caso de las naranjas, las decisiones de sembrado se tienen que tomar muchos años antes de que esté disponible la cosecha. La curva de oferta momentánea es vertical porque, en un día determinado, sin importar cuál sea el precio de las naranjas, los productores no pueden cambiar su producción. Han recogido, empaquetado y embarcado su cosecha al mercado y la cantidad disponible para ese día es fija.

En contraste, algunos bienes tienen una oferta momentánea perfectamente elástica. Un ejemplo son las llamadas telefónicas de larga distancia. Cuando muchas personas hacen llamadas en forma simultánea, hay un gran aumento en la demanda de cables telefónicos, enlaces por computadoras y tiempo de satélites. La cantidad ofrecida de este servicio aumenta (hasta llegar a los límites físicos del sistema telefónico), pero el precio de las llamadas permanece constante. Las compañías que ofrecen servicios de larga distancia supervisan las fluctuaciones en la demanda y desvían hacia otras rutas las llamadas, para asegurar que la cantidad ofrecida sea igual a la demandada sin cambiar el precio.

La *curva de oferta a largo plazo* muestra la respuesta de la cantidad ofrecida a un cambio en el precio, después de haber intentado todas las formas tecnológicamente posibles de ajustar la oferta. En el caso de las naranjas, el largo plazo es el tiempo que se necesita para que los nuevos plantíos crezcan hasta llegar a su completa madurez —alrededor de 15 años. En algunos casos, el ajuste a largo plazo sólo ocurre después de haber construido una planta productiva completamente nueva y que se haya capacitado a los trabajadores para operarla; por lo general, este proceso lleva varios años.

La *curva de oferta a corto plazo* muestra cómo responde la cantidad ofrecida ante un cambio en el precio, cuando sólo se han hecho *algunos* ajustes tecnológicamente posibles en la producción. Por lo general, el primer ajuste que se hace, es en la cantidad de mano de obra utilizada. Para aumentar la producción a corto plazo, las empresas hacen trabajar tiempo extra a su fuerza laboral y quizá contraten a trabajadores adicionales. Para disminuir su producción a corto plazo, las empresas despiden a trabajadores o reducen sus horas de trabajo. Con el transcurso del tiempo, las empresas pueden hacer ajustes adicionales, quizá capacitando a más trabajadores o comprando herramientas y otros equipos adicionales. La respuesta a corto plazo ante un cambio en el precio, a diferencia de las respuestas momentáneas y a largo plazo, no es una respuesta única, sino una serie de ajustes.

La curva de oferta a corto plazo tiene una pendiente ascendente porque los productores pueden llevar a cabo acciones con bastante rapidez, a fin de cambiar la cantidad ofrecida como respuesta a un cambio en el precio. Por ejemplo, si disminuye el precio de las naranjas, los cosechadores pueden dejar de recogerlas y permitir que se pudran en los árboles. O si aumenta el precio, pueden utilizar más fertilizantes y mejorar la irrigación para aumentar los rendimientos de los árboles ya existentes. A largo plazo, pueden plantar más árboles y aumentar la cantidad ofrecida aún más, como respuesta a un determinado aumento del precio.

## PREGUNTAS DE REPASO

- ¿Por qué es necesario medir la sensibilidad de la cantidad ofrecida de un bien o servicio ante un cambio en su precio?
- ¿Puede definir y calcular la elasticidad de la oferta?
- ¿Cuáles son los principales factores que hacen que la oferta de algunos bienes sea elástica y que la oferta de otros bienes sea inelástica?
- ¿Puede proporcionar ejemplos de bienes o servicios cuya elasticidad de oferta sea (a) cero, (b) mayor que cero pero menos que infinita y (c) infinita?
- ¿Cómo influye el marco de tiempo durante el cual se toma una decisión de oferta sobre la elasticidad de la oferta?

◆  Ahora usted ha estudiado la teoría de la oferta y la demanda, y ha aprendido cómo medir las elasticidades de la oferta y la demanda. En la tabla 5.3 se resumen todas las elasticidades que ha encontrado en este capítulo. En el capítulo siguiente, se estudiará la eficiencia de los mercados competitivos. Antes de ello, lea la *Lectura entre líneas* en las páginas 96-96, para que vea cómo opera la elasticidad precio en la práctica.

**TABLA 5.3**

## Glosario resumido de las elasticidades

### Elasticidades precio de la demanda

| Una relación se describe como | Cuando su magnitud es | Lo que significa que |
|---|---|---|
| Perfectamente elástica o infinitamente elástica | Infinita | El aumento más pequeño posible en el precio ocasiona una disminución infinitamente grande en la cantidad demandada* |
| Elástica | Menos que infinita pero mayor que 1 | La disminución porcentual en la cantidad demandada excede al aumento porcentual en el precio |
| Elástica unitaria | 1 | La disminución porcentual en la cantidad demandada es igual al aumento porcentual en el precio |
| Inelástica | Mayor que cero, pero menor que 1 | La disminución porcentual en la cantidad demandada es inferior al aumento porcentual en el precio |
| Perfectamente inelástica o completamente inelástica | Cero | La cantidad demandada es la misma a todos los precios |

### Elasticidades cruzadas de la demanda

| Una relación se describe como | Cuando su valor es | Lo que significa que |
|---|---|---|
| Sustitutos perfectos | Infinito | El aumento más pequeño posible en el precio de un bien ocasiona un aumento infinitamente grande en la cantidad demandada del otro bien |
| Sustitutos | Positivo, menos que infinito | Si aumenta el precio de un bien, también aumenta la cantidad demandada del otro bien |
| Independientes | Cero | La cantidad demandada de un bien permanece constante, independientemente del precio del otro bien |
| Complementos | Menos que cero | La cantidad demandada de un bien disminuye cuando el precio del otro bien aumenta |

### Elasticidades ingreso de la demanda

| Una relación se describe como | Cuando su valor es | Lo que significa que |
|---|---|---|
| Elástica al ingreso (bien normal) | Mayor que 1 | El aumento porcentual en la cantidad demandada es mayor que el aumento porcentual en el ingreso |
| Inelástica al ingreso (bien normal) | Menor que 1, pero mayor que cero | El aumento porcentual en la cantidad demandada es menor que el aumento porcentual en el ingreso |
| Elasticidad ingreso negativa (bien inferior) | Menor que cero | Cuando aumenta el ingreso, disminuye la cantidad demandada |

### Elasticidades de la oferta

| Una relación se describe como | Cuando su magnitud es | Lo que significa que |
|---|---|---|
| Perfectamente elástica | Infinita | El aumento más pequeño posible en el precio ocasiona un aumento infinitamente grande en la cantidad ofrecida |
| Elástica | Menor que infinita, pero mayor que 1 | El aumento porcentual en la cantidad ofrecida excede al aumento porcentual en el precio |
| Inelástica | Mayor que cero, pero menor que 1 | El aumento porcentual en la cantidad ofrecida es menor que el aumento porcentual en el precio |
| Perfectamente inelástica | Cero | La cantidad ofrecida es la misma a todos los precios |

* En cada descripción, la dirección del cambio puede invertirse. Por ejemplo, en este caso: la *disminución* más pequeña posible en el precio ocasiona un *aumento* infinitamente grande en la cantidad demandada.

# La elasticidad-precio en la práctica: los descuentos diferenciados en las tarifas telefónicas

EL ECONOMISTA, 2 de julio, 1996

## Blanca Nieves va al salón de belleza

POR MAURICIO FLORES

Una de las promesas de la apertura telefónica es el abaratamiento de los servicios al consumidor... aunque el abaratamiento lleva en sí mismo el riesgo de intensas guerras tarifarias donde nadie gana.

Pero el beneficio inmediato de menores tarifas, en las actuales circunstancias del país, es el estímulo a una mayor demanda de servicios telefónicos estratégicos para las empresas... sobre todo si se considera que en promedio el gasto telefónico representa el 70% en promedio del gasto administrativo de las compañías.

Avantel está por terminar su base tecnológica, que le permitirá ofrecer servicios de red privada a partir del 11 de agosto próximo... pero ya desde ahora, Jorge L. Rodríguez está promoviendo una agresiva campaña de descuentos en precio para allegarse clientes.

Ante una competencia realmente ruda, Blanca Nieves fue al salón de belleza. Desde hoy, los de Jaime Chico Pardo inician una campaña de descuentos para sus clientes corporativos (25 al 38 por ciento) dentro del Plan Lada Ahorro Unión Empresarial, y residenciales (20%) sobre el consumo mensual de larga distancia.

¿Por qué ahora los descuentos y la promesa de mejorar el servicio? Porque si no lo hacen ahora, el pastel se lo comerá la competencia... y nada más frustrante que perder clientes por precio cuando se tiene la fuerza y la infraestructura para evitarlo.

Ciertamente que los descuentos implican de manera inmediata una reducción de los ingresos contabilizados por Oscar von Hauske y Adolfo Cerezo, pero se apuesta al mayor tráfico con un estímulo de precios, sobre todo en los clientes residenciales (cerca del 80% de las líneas en operación) donde la elasticidad precio es mayor que en los clientes comerciales.

## Esencia del artículo

■ México promovió la apertura a la competencia en los servicios telefónicos locales en 1996.

■ Un efecto anticipado de la mayor competencia en la provisión de servicios telefónicos es el de una reducción en los precios que pagan los usuarios.

■ Si los precios bajan, se espera un aumento importante en la demanda de servicios telefónicos por parte de las empresas, ya que los gastos telefónicos representan el 70% de sus gastos administrativos (en promedio).

■ Una empresa telefónica, Avantel, inició una campaña de descuentos diferenciados a empresas (del 25 al 38%) y a hogares (20%).

■ El 80% de las líneas telefónicas en México es de tipo residencial.

La figura 1 muestra una versión simplificada del mercado de servicios telefónicos en un país como México. Se supone que la oferta es perfectamente elástica al precio $P_0$. La demanda se divide en dos segmentos: la empresarial ($D_E$) y la residencial ($D_R$).

Se supone que al precio $P_0$ la demanda residencial es más grande que la demanda empresarial. Esto refleja simplemente el hecho de que la mayor parte (80%) de las líneas telefónicas son residenciales. Las cantidades demandadas que se muestran en la figura, son hipotéticas y se utilizan solamente por motivos ilustrativos.

De acuerdo con lo que dice la nota periodística, las empresas tienen una elasticidad precio más alta que los hogares. Esto implica que ante un cambio porcentual en el precio, el aumento porcentual en la cantidad demandada de los hogares es mayor que el aumento porcentual en la cantidad demandada de las empresas.

Después del descuento, el precio para las empresas se ha reducido, en promedio, en un 30%. El precio para las empresas es ahora de $0.7P_0$. Con este nuevo precio se da un aumento en la cantidad demandada de servicios telefónicos (note que no se trata de un aumento en la demanda, como erróneamente lo menciona el artículo). La cantidad demandada de las empresas pasa de 20 a 25; es decir, un aumento de 25%. Si utilizamos los valores promedio de precios y cantidades, la elasticidad precio (hipotética) para las empresas es de $(5/22.5)/(0.3/0.85)$, lo que significa 0.63. Por tanto, la demanda de las empresas por servicios telefónicos es inelástica.

El precio para los hogares se ha reducido en un 20%. El precio al que se enfrentan los hogares es ahora de $0.8P_0$. Con este nuevo precio se da un aumento en la cantidad demandada, la cual pasa de 80 a 100; es decir, un aumento de 25%. Si utilizamos los valores promedio de precios y cantidades, la elasticidad precio (hipotética) para los hogares es de $(20/90)/(0.2/0.9)$, es decir, igual a 1. Por tanto, la demanda de los hogares por servicios telefónicos tiene una elasticidad unitaria.

Note que para inducir un cambio proporcional igual (25%) en ambos tipos de demanda, fue necesario ofrecer descuentos diferenciados por tipos de consumidor. Esto se debe a que las elasticidades, precio de los dos segmentos de la demanda son diferentes.

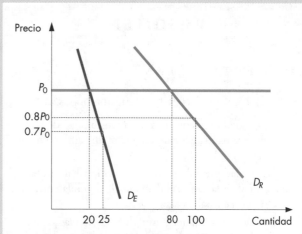

**Figura 1  Mercado de servicios telefónicos**

# RESUMEN

## CONCEPTOS CLAVE

### La elasticidad precio de la demanda (págs. 82-88)

- La elasticidad es una medida de la sensibilidad de la cantidad demandada de un bien ante un cambio en su precio.
- La elasticidad precio de la demanda es igual al cambio porcentual en la cantidad demandada dividida entre el cambio porcentual en el precio.
- Cuanto mayor sea la magnitud de la elasticidad de la demanda, mayor será la sensibilidad de la cantidad demandada ante un cambio determinado en el precio.
- La elasticidad precio de la demanda depende de la facilidad con que un bien sirva como sustituto de otro, de la proporción del ingreso gastado en el bien y de la duración del tiempo transcurrido desde que ocurrió el cambio en el precio.
- Si la demanda es elástica, una disminución en el precio conduce a un aumento en el ingreso total que perciben los vendedores. Si la demanda es de elasticidad unitaria, una disminución en el precio no ocasiona cambio alguno en el ingreso total. Y si la demanda es inelástica, una disminución en el precio conduce a una disminución en el ingreso total.

### Más elasticidades de la demanda (págs. 89-91)

- La elasticidad cruzada de la demanda mide la sensibilidad de la demanda de un bien ante un cambio en el precio de un sustituto o de un complemento.
- La elasticidad cruzada de la demanda con relación al precio de un sustituto es positiva. La elasticidad cruzada de la demanda con relación al precio de un complemento es negativa.
- La elasticidad ingreso de la demanda mide la sensibilidad de la demanda ante un cambio en el ingreso. Para un bien normal, la elasticidad ingreso de la demanda es positiva. Para un bien inferior, la elasticidad ingreso de la demanda es negativa.
- Cuando la elasticidad ingreso es mayor que 1, conforme aumenta el ingreso, se eleva el porcentaje del ingreso gastado en el bien.
- Cuando la elasticidad ingreso es inferior a 1, pero mayor que cero, conforme aumenta el ingreso, disminuye el porcentaje del ingreso gastado en el bien.

### Elasticidad de la oferta (págs. 92-94)

- La elasticidad de la oferta mide la sensibilidad de la cantidad ofrecida de un bien ante un cambio en su precio.
- La elasticidad de la oferta pertenece a un rango que fluctúa entre cero (curva de oferta vertical) y el infinito (curva de oferta horizontal).
- Las decisiones de oferta tienen tres marcos de tiempo: momentáneo, largo plazo y corto plazo.
- La oferta momentánea se refiere a la respuesta de los vendedores ante un cambio de precio en el instante mismo en el que cambia el precio.
- La oferta de largo plazo se refiere a la respuesta de los vendedores ante un cambio en el precio, cuando se han hecho todos los ajustes técnicamente viables a la producción.
- La oferta de corto plazo se refiere a la respuesta de los vendedores ante un cambio en el precio, después de que se han hecho algunos ajustes en la producción.

## FIGURAS Y TABLAS CLAVE

## TÉRMINOS CLAVE

# PROBLEMAS

*1. La lluvia echó a perder la cosecha de fresas. Como resultado, el precio se eleva de $4 a $6 la caja, y la cantidad demandada disminuye de 1,000 a 600 cajas a la semana. En este rango de precios,

   a. ¿Cuál es la elasticidad precio de la demanda?

   b. Describa la demanda de fresas.

 2. El buen clima produce una cosecha inusualmente grande de tomates. El precio del tomate baja de $6 a $4 la cesta, y la cantidad demandada aumenta de 200 a 400 cestas diarias. En este rango de precios,

   a. ¿Cuál es la elasticidad precio de la demanda?

   b. Describa la demanda de tomates.

*3. La figura muestra la demanda de alquiler de videocasetes.

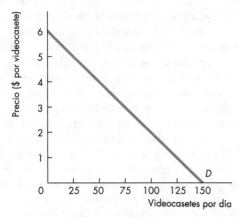

   a. Calcule la elasticidad de la demanda para un aumento de $3 a $5 en el precio del alquiler.

   b. ¿A qué precio la elasticidad de la demanda es igual a 1, infinita y cero?

 4. La figura muestra la demanda de plumas.

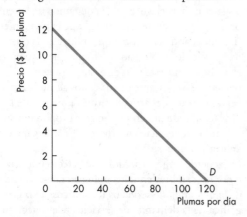

   a. Calcule la elasticidad de la demanda para un aumento de $2 a $4 en el precio.

   b. ¿A qué precios la elasticidad de la demanda es igual a 1, mayor que 1 y menor que 1?

*5. Si la cantidad demandada de servicios dentales aumenta en un 10% cuando el precio de los servicios dentales disminuye en 10%, ¿la demanda de servicios dentales es inelástica, elástica o elástica unitaria?

*6. Si la cantidad demandada de pescado disminuye en 5% cuando el precio del pescado aumenta en 10%, ¿la demanda de pescado es elástica, inelástica o elástica unitaria?

*7. La demanda de microprocesadores para computadoras está dada por:

| Precio<br>($ por microprocesador) | Cantidad demandada<br>(millones de microprocesadores por año) |
| --- | --- |
| 200 | 50 |
| 250 | 45 |
| 300 | 40 |
| 350 | 35 |
| 400 | 30 |

   a. ¿Qué le ocurre al ingreso total si el precio de un microprocesador disminuye de $400 a $350?

   b. ¿Qué le ocurre al ingreso total si el precio de un microprocesador disminuye de $350 a $300?

   c. ¿A qué precio se encuentra en su punto máximo el ingreso total?

   d. ¿Qué cantidad de microprocesadores se venderá al precio que se obtuvo como respuesta a la pregunta anterior?

   e. A un precio promedio de $350, ¿la demanda de microprocesadores es elástica o inelástica? Para contestar a esta pregunta utilice la prueba del ingreso total.

 8. La demanda de café está dada por:

| Precio<br>($ por kilo) | Cantidad demandada<br>(millones de kilos por año) |
| --- | --- |
| 10 | 30 |
| 15 | 25 |
| 20 | 20 |
| 25 | 15 |

   a. ¿Qué le ocurre al ingreso total si el precio del café se eleva de $10 a $20 por kilo?

   b. ¿Qué le ocurre al ingreso total si el precio se eleva de $15 a $25 por kilo?

   c. ¿Qué precio maximizará el ingreso total?

   d. ¿Qué cantidad de café se venderá al precio que se obtuvo como respuesta a la pregunta anterior?

   e. A un precio promedio de $15 por kilo, ¿la demanda de café es elástica o inelástica? Para contestar a esta pregunta utilice la prueba del ingreso total.

*9. En el problema 7, a $250 el microprocesador, ¿la demanda de microprocesadores es elástica o inelástica?

Para contestar a esta pregunta utilice la prueba del ingreso total.

10. En el problema 8, a $15 el kilo, ¿la demanda de café es elástica o inelástica? Para contestar a esta pregunta utilice la prueba del ingreso total.

*11. Si un aumento del 12% en el precio del jugo de naranja disminuye la cantidad demandada de este bien en un 22% y aumenta la cantidad demandada de jugo de manzana en 14%, calcule la elasticidad cruzada de la demanda entre el jugo de naranja y el jugo de manzana.

12. Si una disminución del 10% en el precio de la carne de res aumenta la cantidad demandada de la misma en 15% y disminuye la cantidad demandada de pollo en 20%, calcule la elasticidad cruzada de la demanda entre la carne de res y el pollo.

*13. El año pasado, el ingreso de Alejandro aumentó de $3,000 a $5,000. Alejandro aumentó su consumo de panecillos dulces de 4 a 8 por mes y disminuyó su consumo de buñuelos de 12 a 6 al mes. Calcule la elasticidad ingreso de la demanda de Alejandro para (i) panecillos dulces y (ii) buñuelos.

14. El año pasado, el ingreso de Judith aumentó de $10,000 a $12,000. Judith aumentó su demanda de boletos para conciertos en un 10% y disminuyó su demanda de viajes en autobús en un 5%. Calcule la elasticidad ingreso de la demanda de (i) boletos para conciertos y (ii) viajes en autobús para Judith.

*15. La tabla siguiente proporciona la oferta de llamadas telefónicas de larga distancia:

| Precio | Cantidad demandada |
|---|---|
| (centavos por minuto) | (millones de minutos por día) |
| 10 | 200 |
| 20 | 400 |
| 30 | 600 |
| 40 | 800 |

Calcule la elasticidad de la oferta cuando

a. El precio disminuye de $0.40 a $0.30 por minuto.

b. El precio es de $0.20 por minuto.

16. La tabla siguiente proporciona un plan de oferta de zapatos:

| Precio | Cantidad ofrecida |
|---|---|
| ($ por par) | (millones de pares por año) |
| 120 | 1200 |
| 125 | 1400 |
| 130 | 1600 |
| 135 | 1800 |

Calcule la elasticidad de la oferta cuando

a. El precio aumenta de $125 a $135 el par.

b. El precio es de $125 el par.

## PENSAMIENTO CRÍTICO

1. Lea nuevamente la *Lectura entre líneas* de las páginas 96-97 y responda a lo siguiente:

   a. Diga cómo cambiarían sus cálculos de las elasticidades precio de la demanda, si en lugar de utilizar valores promedio de precios y cantidades, usted hubiera utilizado los valores iniciales. Explique por qué estos resultados serían imprecisos.

   b. El artículo dice que la demanda de los hogares es más elástica que la demanda de las empresas. Diga por qué esto implica necesariamente que la curva de demanda residencial debe ser menos inclinada que la curva de demanda de las empresas al precio $P_0$.

   c. Ahora explique por qué no es suficiente que la curva de demanda de las empresas sea más inclinada que la curva de los hogares, para garantizar que la primera tenga una mayor elasticidad que la segunda. (Sugerencia: Piense en la forma en la que cambia la elasticidad a lo largo de una línea recta.)

   d. Con base en los cálculos hipotéticos de las elasticidades precio que se mencionan en la página 96, diga qué espera que ocurra con los ingresos totales en cada uno de los segmentos de la demanda.

   e. Diga en qué forma cambiaría su respuesta a la pregunta anterior si usted hubiera utilizado los precios y cantidades iniciales en el cálculo de las elasticidades precio. ¿Qué resultado es el más apropiado? Compruébelo calculando los ingresos (hipotéticos) que percibiría la empresa telefónica antes y después del programa de descuentos.

2. Utilice los enlaces de Internet de este libro para leer un artículo sobre los posibles efectos de un impuesto especial al uso de los servicios telefónicos en un país de América Latina. Responda a lo siguiente:

   a. Al igual que el artículo de la *Lectura entre líneas*, este artículo también menciona que la demanda de los hogares es más elástica que la demanda de las empresas. ¿Qué factores cree usted que expliquen esto?

   b. ¿En qué sentido cree usted que influye en la elasticidad precio de los servicios telefónicos de las empresas el hecho de que este tipo de gastos representan un porcentaje importante de sus gastos administrativos?

   c. Según el texto del artículo, ¿qué segmento de la población reducirá en una mayor proporción su consumo de servicios telefónicos, si se llegara a aplicar el impuesto?

   d. De acuerdo con el artículo, ¿qué efecto pueden tener los cambios en la tecnología en la elasticidad de la demanda de servicios telefónicos? Dibuje una gráfica de la demanda de servicios telefónicos antes y después de que existiera la posibilidad de enviar mensajes de voz a través de Internet.

# Eficiencia y equidad

Las personas constantemente luchan por obtener más por menos. Como consumidores nos encantan las gangas. Disfrutamos contándole a nuestros amigos sobre el gran negocio que hicimos al comprar un disco compacto o algún otro artículo a un precio sorprendentemente bajo. Cada vez que compramos algo o que decidimos no comprar algo, expresamos nuestro punto de vista sobre cómo se deben usar los recursos escasos. Intentamos gastar nuestros ingresos de manera tal que obtengamos lo más posible a partir de nuestros recursos escasos. Por ejemplo, tratamos de equilibrar el placer que recibimos de lo que gastamos en películas, contra el que obtenemos de nuestros libros de texto. ◆ ¿Es correcta la asignación que hacemos de nuestros recursos entre el placer y la educación, entre pizzas y hamburguesas, entre patines y pelotas, y entre todas las demás cosas que compramos? ¿Podríamos obtener más de nuestros recursos si gastáramos más en algunos bienes y servicios y menos en otros? ◆ Los científicos y los ingenieros dedican enormes esfuerzos para encontrar nuevas tecnologías para producir bienes y servicios. Los trabajadores en las fábricas y en las líneas de ensamble hacen sugerencias que aumentan la productividad. ¿Es eficiente nuestra economía en la producción de bienes y servicios? ¿Obtenemos lo más posible de nuestros recursos escasos en las fábricas, oficinas y tiendas? ◆ Algunas empresas obtienen enormes utilidades año tras año. Por ejemplo, en los últimos diez años, Microsoft ha producido utilidades suficientes para que Bill Gates, uno de sus fundadores, sea una de las personas más ricas del mundo. Ese tipo de éxito en los negocios, ¿es una señal de eficiencia? ◆ ¿Es justo que Bill Gates sea tan increíblemente rico, en tanto que otros viven en una pobreza miserable?

## Más por menos

Éste es el tipo de preguntas que usted examinará en este capítulo. Primero aprenderá algunos conceptos que le permitan pensar en la eficiencia en una forma más amplia que la que se da cotidianamente a esta palabra. Descubrirá que los mercados competitivos pueden ser eficientes, pero también descubrirá algunas fuentes de no eficiencia que se pueden resolver con acciones por parte del gobierno. También descubrirá que las empresas que tienen enormes utilidades, aunque sean eficientes en algún sentido, podrían ser poco eficientes en un sentido más amplio.

**Después de estudiar este capítulo, usted será capaz de:**

- **Definir la eficiencia**
- **Distinguir entre valor y precio, y definir el excedente del consumidor**
- **Distinguir entre costo y precio, y definir el excedente del productor**
- **Explicar las condiciones en las que los mercados competitivos desplazan los recursos hacia sus usos de mayor valor**
- **Explicar los obstáculos a la eficiencia en nuestra economía**
- **Explicar las ideas principales sobre la justicia, y evaluar las afirmaciones de que los mercados competitivos generan resultados injustos**

# Eficiencia: un repaso

ES DIÍFCIL HABLAR SOBRE LA EFICIENCIA EN UNA CON-versación cotidiana sin que se generen desacuerdos y malen-tendidos. Muchas personas contemplan la eficiencia como una meta claramente deseable. Para un ingeniero, un em-presario, un político, una madre que trabaja, un economista, el obtener más por menos parece ser una meta obviamente razonable. Otras personas piensan que la búsqueda de la eficiencia interfiere con otras metas que creen que son más valiosas. Los grupos de protección ambiental se preocupan por la contaminación proveniente de las "eficientes" plantas de energía nuclear. Los productores nacionales de auto-móviles se preocupan por la competencia de productores extranjeros "eficientes".

Los economistas utilizan la idea de eficiencia en una forma que evita estos conflictos. El uso de los recursos es **eficiente** cuando se producen los bienes y servicios que las personas valoran más (véase el capítulo 3, págs. 34-36). En forma equivalente, el uso de recursos es eficiente cuando no podemos producir más de un bien o servicio sin dejar de pro-ducir otros bienes o servicios a los que les damos más valor.

Si las personas valoran un ambiente libre de contaminación nuclear mucho más de lo que valoran la energía eléctrica barata, es eficiente usar tecnologías no nu-cleares, de costos más altos, para producir electricidad. Sin embargo, si las personas valoran más la energía eléctrica barata que un ambiente libre de contaminación nuclear, es eficiente utilizar plantas de energía nuclear. La eficiencia no es un concepto frío, mecánico. Es un concepto que se basa en el valor, y el valor se basa en los sentimientos de las personas.

Piense acerca de la cantidad eficiente de pizzas. Para producir más pizzas, se tiene que renunciar a otros bienes y servicios. Por ejemplo, se podría renunciar a producir más hamburguesas. Si producimos menos pizzas, podemos producir más hamburguesas, y viceversa. ¿Cuál es la canti-dad eficiente de pizzas por producir? La respuesta depende del beneficio marginal y del costo marginal.

## Beneficio marginal

Si consumimos una pizza más, recibimos un beneficio marginal. El **beneficio marginal** es el beneficio que recibe una persona al consumir una unidad más de un bien o servicio. El beneficio marginal de un bien o servicio se mide como la cantidad máxima que está dispuesta a pagar una persona por una unidad más del mismo bien. Por tanto, el beneficio marginal de una pizza es la cantidad máxima de otros bienes y servicios a los que la persona está dispuesta a renunciar para obtener una pizza más. El beneficio marginal de la pizza disminuye conforme aumenta la cantidad de pizzas consumida. Éste es el principio del *beneficio marginal decreciente.*

Se puede expresar el beneficio marginal de una pizza como el número de hamburguesas a las que están dispuestas a renunciar las personas para obtener una pizza más. Pero también es posible expresarlo como el importe monetario de otros bienes y servicios a los que las personas están dispues-tas a renunciar. La figura 6.1 muestra el beneficio marginal de la pizza expresado en esta forma. A medida que aumenta la cantidad de pizzas, disminuye el valor de otros artículos a los que las personas están dispuestas a renunciar para obtener una pizza más.

## Costo marginal

Si se produce una pizza más, incurrimos en un costo marginal. El **costo marginal** es el costo de oportunidad de producir *una unidad más* de un bien o servicio. El costo marginal de un bien o servicio se mide como el valor de la

---

**FIGURA 6.1**

## La cantidad eficiente de pizzas

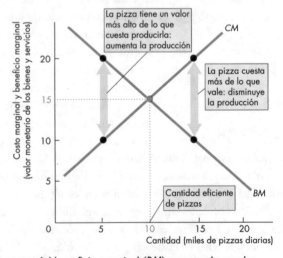

La curva del beneficio marginal (*BM*) muestra lo que las personas *están dispuestas* a perder para obtener una pizza más. La curva del costo marginal (*CM*) muestra lo que las personas *tienen* que perder para obtener una pizza más. Si se producen menos de 10,000 pizzas diarias, el beneficio marginal excede al costo marginal. Se puede obtener un mayor valor produciendo más pizzas. Si se producen más de 10,000 pizzas diarias, el costo marginal excede al beneficio marginal. Se puede obtener un mayor valor produciendo menos pizzas. Si se producen 10,000 pizzas diarias, el beneficio marginal es igual al costo marginal y se cuenta con la cantidad eficiente de pizzas.

mejor alternativa a la que se ha renunciado. Por tanto, el costo marginal de una pizza es el valor de la mejor alternativa a la que se ha renunciado para obtener una pizza más. El costo marginal de una pizza aumenta a medida que se incrementa la cantidad de pizzas producidas. Éste es el principio del *costo marginal creciente.*

Se puede expresar el costo marginal como el número de hamburguesas a los que se tiene que renunciar para obtener una pizza más, pero también es posible expresarlo como el importe monetario de los bienes y servicios a los que es necesario renunciar para producir una unidad adicional. La figura 6.1 muestra el costo marginal de la pizza, expresado en esta forma. Conforme aumenta la cantidad de pizzas producidas, aumenta el valor de otros artículos a los que es necesario renunciar para obtener una pizza más.

### Eficiencia y no eficiencia

Para determinar la cantidad eficiente de pizzas, se compara el costo marginal de una pizza con el beneficio marginal de la misma. Hay tres casos posibles:

- El beneficio marginal excede al costo marginal.
- El costo marginal excede al beneficio marginal.
- El beneficio marginal es igual al costo marginal.

#### El beneficio marginal excede al costo marginal

Suponga que la cantidad de pizzas producidas en un día es 5,000. La figura 6.1 muestra que a esta cantidad el beneficio marginal de una pizza es $20. Es decir, cuando la cantidad de pizzas disponibles es de 5,000 unidades diarias, las personas están dispuestas a pagar $20 por la última de las 5,000 pizzas.

En la figura 6.1 también se muestra que el costo marginal de la última de las 5,000 pizzas es $10. Es decir el valor de otros bienes y servicios a los que es necesario renunciar para producir una pizza más es $10. Si la producción de pizzas aumenta de 4,999 a 5,000, el valor de la pizza adicional es $20 y su costo marginal es $10. Al producir esta pizza, el valor de la misma excede en $10 al valor de los bienes y servicios a los que se ha renunciado. Los recursos se utilizan con más eficiencia, es decir, crean más valor, si se produce una pizza adicional y se produce menos de otros bienes y servicios. Este mismo razonamiento se aplica para todas y cada una de las pizzas hasta llegar a la pizza número 9,999. Sólo cuando se llega a la pizza número 10,000 es que el beneficio marginal ya no excede al costo marginal.

#### El costo marginal excede al beneficio marginal

Suponga que la cantidad de pizzas producidas en un día es de 15,000. La figura 6.1 muestra que a esta cantidad el beneficio marginal de una pizza es $10. Es decir, cuando la cantidad de pizzas disponibles es de 15,000 diarias, las personas están dispuestas a pagar $10 por la última pizza.

En la figura 6.1 se muestra también que el costo marginal de la pizza 15,000 es $20. Es decir, el valor de los otros bienes y servicios a los que se tiene que renunciar para producir una pizza adicional es $20.

Si la producción de pizzas disminuye de 15,000 a 14,999, el valor de la pizza a la que se renuncia es $10 y su costo marginal es $20. Por tanto, al no producirse esta pizza, el valor de los otros bienes y servicios producidos excede en $10 al valor de la pizza a la que se renuncia. Los recursos se usan en forma más eficiente —crean más valor— si se produce una pizza menos y se produce más de otros bienes y servicios. Este mismo razonamiento se aplica hasta llegar a la pizza 10,001. Sólo cuando se llega a la pizza 10,000, el costo marginal ya no excede al beneficio marginal.

#### El beneficio marginal es igual al costo marginal

Suponga ahora que la cantidad de pizzas producidas es de 10,000 por día. La figura 6.1 muestra que a esta cantidad el beneficio marginal de una pizza es $15. Es decir, cuando la cantidad de pizzas disponibles es de 10,000 diarias, las personas están dispuestas a pagar $15 por la pizza número 10,000.

En la figura 6.1 también se muestra que el costo marginal de la pizza 10,000 es $15. Es decir, para producir una pizza más, el valor de los otros bienes y servicios a los que se tiene que renunciar es $15.

En esta situación no se puede aumentar el valor de los bienes y servicios producidos, incrementando o disminuyendo la cantidad de pizzas. Si se aumenta la cantidad de pizzas, el producir la pizza 10,001 cuesta más de lo que vale. Si se disminuye la cantidad de pizzas producidas, la pizza 9,999 vale más que su costo para producirla. Por tanto, cuando el beneficio marginal es igual al costo marginal, el uso de los recursos es eficiente.

---

## PREGUNTAS DE REPASO

- Si el beneficio marginal de la pizza excede al costo marginal de la misma, ¿estamos produciendo demasiadas pizzas y muy poco de los demás bienes, o estamos produciendo muy pocas pizzas y demasiado de los otros bienes?
- Si el costo marginal de la pizza excede a su beneficio marginal, ¿estamos produciendo demasiadas pizzas y muy poco de los otros bienes, o estamos produciendo muy pocas pizzas y demasiado de los otros bienes?
- ¿Cuál es la relación entre el beneficio marginal de la pizza y el costo marginal de la misma, cuando se está produciendo la cantidad eficiente de pizzas?

---

¿Un mercado de pizzas competitivo produce una cantidad eficiente de pizzas? Contestemos esta pregunta.

## Valor, precio y excedente del consumidor

PARA INVESTIGAR SI UN MERCADO COMPETITIVO ES EFI-
ciente, es necesario entender las relaciones entre la demanda
y el beneficio marginal, y entre la oferta y el costo marginal.

### Valor, disposición a pagar y demanda

En la vida diaria, hablamos de "obtener un mayor valor por
nuestro dinero". Cuando usamos esta expresión, estamos
distinguiendo entre *valor* y *precio*. Valor es lo que obtenemos, y precio es lo que pagamos.

El **valor** de una unidad más de un bien o servicio es su
*beneficio marginal*. El beneficio marginal se puede expresar
como el precio máximo que las personas están dispuestas a
pagar por otra unidad del bien o servicio. La disposición a
pagar por un bien o servicio determina la demanda del
mismo.

En la figura 6.2(a), la curva de demanda muestra la
cantidad demandada a cada precio. Por ejemplo, cuando el
precio de una pizza es $15, la cantidad demandada es de

10,000 pizzas diarias. En la figura 6.2(b), la curva de
demanda muestra el precio máximo que las personas están
dispuestas a pagar cuando hay una cantidad determinada.
Por ejemplo, cuando se dispone de 10,000 pizzas diarias, lo
más que las personas están dispuestas a pagar por una pizza
es $15. Esta interpretación significa que el beneficio
marginal de la pizza número 10,000 es $15.

Cuando se dibuja una curva de demanda se utiliza un
*precio relativo*, no un *precio en dinero*. El precio relativo se
expresa en unidades monetarias y mide la cantidad de éstas
que valen los otros bienes y servicios a los que se ha renunciado para obtener una unidad más del bien de que se trate
(véase el capítulo 4, pág. 62). Por tanto, la curva de demanda nos dice la cantidad de otros bienes y servicios a los que
las personas están dispuestas a renunciar para obtener una
unidad adicional de un bien. Pero esto también es lo que
nos dice una curva de beneficio marginal. Por tanto:

Una curva de demanda es una curva de beneficio
marginal.

No siempre es necesario pagar el precio máximo que
uno está dispuesto a pagar. Con frecuencia, cuando se
compra algo, se obtiene una ganga. Veamos cómo ocurre
esto.

---

**FIGURA 6.2**

## Demanda, disposición a pagar y beneficio marginal

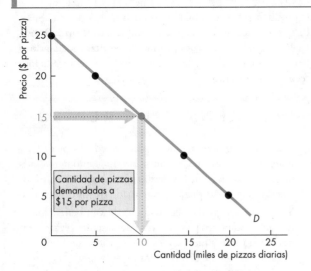

**(a) El precio determina la cantidad demandada**

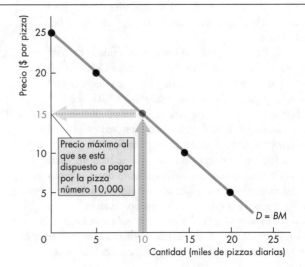

**(b) La cantidad determina la disposición a pagar**

La curva de demanda por pizzas, *D*, muestra la cantidad de
pizzas demandadas a cada precio, si las demás cosas
permanecen constantes. También muestra el precio máximo que
los consumidores están dispuestos a pagar si se ofrece una
determinada cantidad de pizzas. A un precio de $15, la cantidad

demandada es de 10,000 pizzas diarias (sección a). Si están
disponibles 10,000 pizzas diarias, el precio máximo que los
consumidores están dispuestos a pagar por la pizza número
10,000 es $15 (sección b).

## Excedente del consumidor

Cuando las personas compran algo por menos de lo que la valoran, reciben un excedente del consumidor. El **excedente del consumidor** es el valor de un bien menos el precio pagado por él.

Para comprender el excedente del consumidor, observemos la demanda por pizzas de Elisa, que se muestra en la figura 6.3. A Elisa le gustan las pizzas, pero el beneficio marginal que obtiene de ellas disminuye con rapidez conforme aumenta su consumo.

Por sencillez, suponga que Elisa puede comprar las pizzas por rebanadas y que cada pizza tiene diez porciones. Si el costo de una rebanada de pizza es $2.50 (o $25 la pizza), Elisa gasta su presupuesto para alimentos en artículos que valora más que las pizzas. A $2 la rebanada (o $20 la pizza), compra 10 rebanadas (una pizza) a la semana. A $1.50 la rebanada, compra 20 rebanadas a la semana; a $1 la rebanada, compra 30 rebanadas a la semana, y a $0.50 la rebanada ($5 la pizza), no come otra cosa más que pizzas y compra 40 rebanadas a la semana.

La curva de demanda de Elisa por pizzas en la figura 6.3 es también su curva de *disposición a pagar* o de beneficio marginal. La curva nos dice que si Elisa sólo pudiera comprar diez rebanadas a la semana, ella estaría dispuesta a pagar $2 por cada rebanada. El beneficio marginal de la décima rebanada es $2. Si puede comprar 20 rebanadas a la semana, Elisa está dispuesta a pagar $1.50 por la vigésima rebanada. El beneficio marginal de la vigésima rebanada es $1.50.

En la figura 6.3 también se muestra el excedente del consumidor que recibe Elisa de la pizza, cuando el precio de ésta es de $1.50 la rebanada. A este precio, ella compra veinte rebanadas a la semana. El precio de $1.50 por rebanada es lo más que está dispuesta a pagar por la vigésima rebanada, por lo que su beneficio marginal es exactamente el precio que paga por ella.

Pero Elisa está dispuesta a pagar casi $2.50 por la primera rebanada. Por tanto, el beneficio marginal de esta rebanada es de casi $1 más de lo que paga por ella. Es decir, Elisa recibe un *excedente del consumidor* de casi $1 por la primera rebanada de pizza. A una cantidad de 10 rebanadas de pizza a la semana, el beneficio marginal de Elisa es de $2 por rebanada. Por tanto, en esta rebanada recibe un excedente del consumidor de $0.50. Para calcular el excedente del consumidor de Elisa es necesario determinar el excedente del consumidor en cada rebanada y después sumar estos excedentes. Esta suma es el área del triángulo verde en la figura 6.3. Esta área es igual a la base del triángulo (20 rebanadas de pizza a la semana), multiplicada por la altura del triángulo ($1), dividida entre 2, o $10 a la semana.

El rectángulo azul en la figura 6.3 es la cantidad que Elisa gasta en pizzas, el cual representa $30 a la semana, 20 rebanadas a $1.50 cada una.

### FIGURA 6.3
## La demanda y el excedente del consumidor

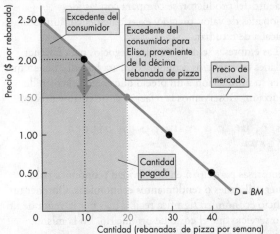

La curva de demanda de Elisa para pizzas nos dice que a $2.50 la rebanada, ella no compra pizzas. A $2 la rebanada, compra 10 porciones a la semana; a $1.50 la rebanada, compra 20 porciones a la semana. La curva de demanda de Elisa también nos dice que ella está dispuesta a pagar $2 por la décima rebanada y $1.50 por la vigésima. En realidad, paga $1.50 por rebanada —el precio del mercado— y compra 20 porciones a la semana. Su excedente del consumidor proveniente de las pizzas es $10 y está representado por un triángulo verde.

Todos los bienes y servicios pueden representarse en forma similar al ejemplo de la pizza que se acaba de estudiar. Debido al principio del beneficio marginal decreciente, las personas reciben más beneficios de su consumo que el importe monetario que pagan.

### PREGUNTAS DE REPASO

- ¿Cómo se mide el valor o beneficio marginal de un bien o servicio?
- ¿Puede explicar la relación entre el beneficio marginal y la curva de demanda?
- ¿Qué es el excedente del consumidor y cómo se mide?

Usted ha visto cómo distinguimos entre valor —beneficio marginal— y precio. Y ha visto que los compradores reciben un excedente del consumidor porque el beneficio marginal excede al precio. A continuación, se estudiará la relación entre la oferta y el costo marginal, y aprenderá acerca del excedente del productor.

## Costo, precio y excedente del productor

LO QUE APRENDERÁ AHORA SOBRE COSTO, PRECIO Y excedente del productor, se compara con las ideas relacionadas de valor, precio y excedente del consumidor, que acaba de estudiar.

Las empresas se dedican a los negocios para obtener utilidades o beneficios económicos. Para hacerlo, tienen que vender su producción a un precio que exceda el costo de producción. Observemos la relación entre costo y precio.

### Costo, precio mínimo de oferta y oferta

Las empresas participan en la actividad económica para obtener utilidades o rendimientos económicos. Obtener un beneficio económico significa recibir más por la venta de un bien o servicio que el costo de producirlo. En la misma forma que los consumidores distinguen entre *valor* y *precio*,

los productores distinguen entre *costo* y *precio*. El costo es a lo que renuncia un productor y el precio es lo que recibe.

El costo de producir una unidad más de un bien o servicio es su *costo marginal*. El costo marginal es el precio mínimo que tienen que recibir los productores para estimularlos a producir otra unidad del bien o servicio. Este precio mínimo aceptable determina la oferta del bien.

En la figura 6.4(a), la curva de oferta muestra la cantidad ofrecida a cada precio. Por ejemplo, cuando el precio de una pizza es $15, la cantidad ofrecida es de 10,000 pizzas diarias. En la figura 6.4(b), la curva de oferta muestra el precio mínimo que se tiene que ofrecer a los productores para que produzcan una determinada cantidad de pizzas. Por ejemplo, si hay que producir 10,000 pizzas diarias, el precio mínimo que se tiene que ofrecer a los productores es $15 por pizza. Esta segunda visión de la curva de oferta significa que el costo marginal de la pizza número 10,000 es $15.

Debido a que el precio es un precio relativo, una curva de oferta nos dice la cantidad de otros bienes y servicios a los que *tienen que renunciar los vendedores* para producir una unidad más del bien. Pero la curva del costo marginal también nos dice la cantidad de otros bienes y servicios a los

---

**FIGURA 6.4**

## Oferta, precio mínimo de oferta y costo marginal

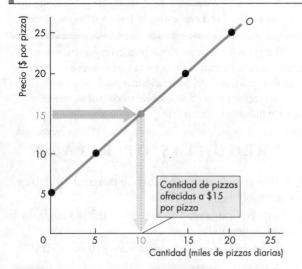

**(a) El precio determina la cantidad ofrecida**

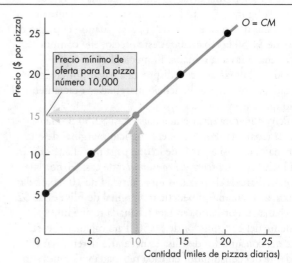

**(b) La cantidad determina el precio mínimo de oferta**

La curva de oferta de pizzas, *O*, muestra la cantidad de pizzas ofrecidas a cada precio, si las demás cosas permanecen constantes. También muestra el precio mínimo que se tiene que ofrecer a los productores si se quiere producir una cantidad

determinada de pizzas. A un precio de $15, la cantidad ofrecida es de 10,000 pizzas diarias (sección a). Si se producen 10,000 pizzas diarias, el precio mínimo que es necesario ofrecer a los productores para la pizza número 10,000 es $15 (sección b).

que tenemos que renunciar para obtener una unidad más del bien. Por lo tanto:

*Una curva de oferta es una curva de costo marginal*

Los productores no siempre terminan recibiendo su precio mínimo de oferta. Si el precio que reciben excede al costo en el que incurren, pueden tener un excedente. Este excedente obtenido por los productores es similar al excedente del consumidor. Veamos el excedente del productor.

## Excedente del productor

Cuando una empresa vende un bien a un monto por encima del costo de producción, la empresa obtiene un excedente del productor. El **excedente del productor** es el precio de un bien menos el costo de oportunidad de producirlo. Para comprender el excedente del productor, observe la oferta de pizzas de Max en la figura 6.5.

Max puede ya sea producir pizzas u hornear pan. Cuantas más pizzas hornee, es menos el pan que puede hornear. El costo de oportunidad de la pizza es el valor del pan al que se tiene que renunciar. Este costo de oportunidad aumenta conforme Max aumenta su producción de pizzas. Si la pizza se vende por sólo $5, Max no produce pizzas y utiliza su cocina para hornear pan. No vale la pena producir pizzas. Sin embargo, a $10 la pizza, Max produce 50 pizzas diarias. A $15, produce 100 pizzas diarias.

La curva de oferta de Max es también su curva del *precio mínimo de oferta.* Nos dice que si Max sólo puede vender una pizza diaria, el mínimo que se le tiene que pagar por ella es $5. Si puede vender 50 pizzas diarias, el mínimo que se le tiene que pagar por la pizza número 50 es $10, y así sucesivamente.

En la figura 6.5 también se muestra el excedente del productor de Max. Si el precio de la pizza es $15, Max piensa vender 100 pizzas diarias. El mínimo que se le tiene que pagar por la pizza 100 es $15. Por tanto, su costo de oportunidad es exactamente el precio que recibe por ella. Pero el costo de oportunidad de la primera pizza es de sólo $5. Por tanto, producir la primera pizza cuesta $10 menos de lo que se recibe por ella, por lo que Max recibe un *excedente del productor* de $10 en su primera pizza. De igual forma, Max recibe un excedente del productor ligeramente inferior por la segunda pizza, aún menor en la tercera, y así sucesivamente, hasta que en la pizza 100 ya no recibe excedente del productor.

La figura 6.5 muestra el excedente del productor de Max como el triángulo azul formado por el área por encima de la curva de oferta y por debajo de la línea del precio. Esta área es igual a la base del triángulo ($10 por pizza), multiplicada por la altura (100 pizzas semanales), dividida entre 2, o $500 semanales. En la figura 6.5 también se muestran los costos de oportunidad de producción de Max, como el área roja por debajo de la curva de oferta.

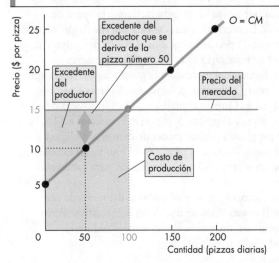

La curva de oferta de pizzas de Max nos dice que a un precio de $5, él no piensa vender pizzas. A un precio de $10, piensa vender 50 pizzas diarias, y a un precio de $15, piensa vender 100 pizzas diarias. La curva de oferta de Max también nos dice que el mínimo que se le tiene que ofrecer es $10 por la pizza número 50 y $15 por la pizza número 100. Si el precio del mercado es $15 por pizza, vende 100 pizzas cada día y recibe $1,500. El área roja muestra que el costo de producir pizzas para Max es de $1,000 diarios, y el área azul muestra su excedente del productor, que es de $500 diarios.

## PREGUNTAS DE REPASO

- ¿Cuál es la relación entre el costo marginal (el costo de oportunidad de producir un bien o servicio) y el precio mínimo de oferta (el precio mínimo que se tiene que ofrecer a los productores para inducirlos a ofrecer una cantidad positiva del bien o servicio)?
- ¿Puede explicar la relación entre el costo marginal y la curva de oferta?
- ¿Qué es el excedente del productor y cómo se mide?

El excedente del consumidor y el excedente del productor se pueden usar para medir la eficiencia de un mercado. Veamos cómo se usan estos conceptos para estudiar la eficiencia de un mercado competitivo.

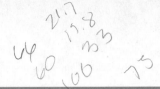

## ¿Es eficiente el mercado competitivo?

LA FIGURA 6.6 MUESTRA EL MERCADO DE PIZZAS. LA demanda por pizzas se muestra mediante la curva de demanda *D*. La oferta de pizzas se muestra mediante la curva de oferta *O*. El precio de equilibrio es $15 por pizza y la cantidad de equilibrio es de 10,000 pizzas diarias.

Las fuerzas del mercado que se estudiaron en el capítulo 4 (págs. 66-67), llevarán al mercado de pizzas a su equilibrio. Si el precio es mayor que $15, el exceso de oferta obligará a bajar el precio. Si el precio es inferior a $15, la escasez provocada por un exceso de demanda obligará a subir el precio. Sólo si el precio es $15 no habrá excesos de demanda u oferta y no operarán fuerzas para cambiar el precio.

Por tanto, el precio y la cantidad del mercado son llevados hacia su valor de equilibrio competitivo. Pero ¿es eficiente un mercado competitivo? ¿Produce la cantidad eficiente de pizzas?

### Eficiencia de un mercado competitivo

El equilibrio en la figura 6.6 es eficiente. Los recursos se están utilizando para producir la cantidad de pizzas que más valoran las personas. No es posible producir más pizzas sin renunciar a algún otro bien o servicio que tiene un valor más alto. Si se produjera una menor cantidad de pizzas, los recursos se estarían utilizando para producir algún otro bien al que no se le asigna un valor tan alto como a las pizzas a las que se ha renunciado.

Para ver por qué el equilibrio en la figura 6.6 es eficiente, piense en la interpretación de la curva de demanda como una curva de beneficio marginal, y en la curva de oferta como una curva de costo marginal. La curva de demanda nos da el beneficio marginal de las pizzas. La curva de oferta nos da el costo marginal de las pizzas. Por tanto, donde se cruzan las curvas de oferta y demanda, el beneficio marginal es igual al costo marginal.

Pero esta condición —beneficio marginal igual a costo marginal— es justamente la que da lugar a un uso eficiente de los recursos. Los recursos están empleados en las actividades que crean el mayor valor posible. Por tanto, un mercado competitivo es eficiente.

Si la producción fuese inferior a 10,000 pizzas diarias, a la pizza marginal se le asignaría un valor más alto que su costo de oportunidad. Si la producción fuese mayor que las 10,000 pizzas diarias, costaría más producir la pizza marginal que el valor que le asignan los consumidores. Sólo cuando se producen 10,000 pizzas diarias, la pizza marginal tiene un valor exactamente igual a su costo. El mercado competitivo impulsa la cantidad de pizzas producidas a su

**FIGURA 6.6**

## Un mercado de pizzas eficiente

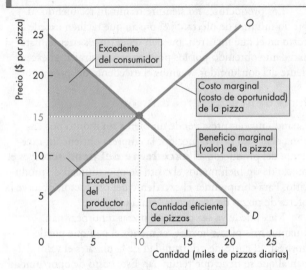

Los recursos se usan en forma eficiente cuando se maximiza la suma de los excedentes del consumidor y del productor. El excedente del consumidor es el área que se encuentra por debajo de la curva de demanda y por encima de la línea del precio del mercado (el triángulo verde). El excedente del productor es el área que se encuentra por debajo de la línea del precio y por encima de la curva de oferta (el triángulo azul). Aquí, tanto el excedente del consumidor como el excedente del productor es $50,000. El excedente total es $100,000. Este excedente se maximiza cuando la disposición a pagar es igual al costo de oportunidad. La cantidad eficiente de pizzas es de 10,000 pizzas diarias.

nivel eficiente de 10,000 diarias. Si la producción es menor que 10,000 diarias, la escasez eleva el precio, lo que estimula un aumento en la producción. Si la producción excede las 10,000 diarias, el exceso de oferta baja el precio, lo que disminuye la producción.

Cuando el mercado utiliza los recursos en forma eficiente en un equilibrio competitivo, la suma del excedente del consumidor y del excedente del productor se maximiza. En este equilibrio, los recursos se están empleando en las actividades en las cuales se les asigna un valor más alto.

Los compradores y los vendedores intentan lograr lo mejor que pueden para sí mismos, y nadie hace planes para obtener un resultado eficiente para la sociedad en su conjunto. Los compradores buscan el precio más bajo posible y los vendedores buscan el precio más alto posible. El mercado por sí mismo llega a un equilibrio en el cual las ganancias provenientes del comercio son tan grandes como sea posible.

## La mano invisible

Al escribir su obra *La riqueza de las naciones* en 1776, Adam Smith (vea las págs. 50-51) fue el primero en sugerir que los mercados competitivos orientaban los recursos hacia los usos en los que tienen el mayor valor. Smith creía que cada participante en un mercado competitivo está "dirigido por una mano invisible para fomentar un fin [el uso eficiente de los recursos] que no era parte de su intención".

En la caricatura se puede ver la mano invisible operando. El vendedor tiene bebidas frías y una sombrilla; tiene un costo de oportunidad para cada uno y un precio mínimo de oferta para cada uno. El lector sentado en la banca del parque puede obtener un beneficio marginal tanto de una bebida fría como de la sombrilla. Se puede ver que el beneficio marginal de la sombrilla excede a su costo marginal, pero el costo marginal de una bebida fría excede a su beneficio marginal. La transacción que ocurre produce ganancias del comercio. El vendedor obtiene un excedente del productor al vender la sombrilla por encima de su costo de oportunidad (de otra manera no la habría vendido), y el lector obtiene un excedente del consumidor al comprar la sombrilla por un monto inferior a su beneficio marginal (de otra manera no la habría comprado). En el tercer cuadro de la caricatura, tanto el consumidor como el productor están en mejor situación de lo que estaban en el primer cuadro. La sombrilla se ha desplazado a su uso de mayor valor.

## La operación de la mano invisible en la actualidad

La economía de mercado realiza incansablemente las actividades que se muestran en la caricatura y en la figura 6.6, a fin de lograr el uso eficiente de los recursos. Raramente el mercado ha estado operando con tanta intensidad como en la actualidad. Piense en algunos de los cambios que están teniendo lugar en nuestra economía y que están siendo guiados por el mercado hacia un uso eficiente de los recursos.

Las nuevas tecnologías han rebajado el costo de producir computadoras. Al ocurrir estos avances se ha incrementado la oferta de computadoras y ha disminuido el precio. Los precios más bajos han estimulado un aumento de la cantidad demandada de esta herramienta, la cual es ahora menos costosa. El beneficio marginal de las computadoras se ha igualado a su costo marginal.

Una helada en Florida reduce la oferta de naranjas en Estados Unidos. Al haber menos naranjas disponibles, el beneficio marginal de una naranja aumenta. La escasez de naranjas provoca un aumento de precios que permite asignar la menor cantidad disponible a las personas que les asignan un mayor valor.

Las fuerzas del mercado conducen en forma persistente hacia la igualdad entre los costos y los beneficios marginales, lo que permite la maximización de la suma de los excedentes de consumidores y productores.

## Obstáculos a la eficiencia

AUNQUE POR LO GENERAL LOS MERCADOS FUNCIONAN bien y envían los recursos a donde se les asigna el mayor valor, no siempre dan con la respuesta correcta. En ocasiones, los mercados generan una producción excesiva de un bien o servicio, y en ocasiones ocurre lo contrario. Los obstáculos más importantes para lograr una asignación eficiente de los recursos en la economía de mercado son

- Precios tope y precios mínimos
- Impuestos, subsidios y cuotas
- Monopolio
- Bienes públicos
- Costos y beneficios externos (o externalidades)

**Precios tope y precios mínimos**  El precio tope es una regulación que hace ilegal cobrar un precio superior a un nivel especificado. Un ejemplo es el tope a los alquileres de los apartamentos que imponen algunas ciudades. Un precio mínimo es una regulación que hace ilegal pagar un precio inferior al de un nivel especificado. Un ejemplo es el salario mínimo. (En el capítulo 7 se estudian ambas restricciones sobre compradores y vendedores.)

La existencia de topes a los precios o de precios mínimos obstaculiza a las fuerzas de la oferta y la demanda, dando como resultado un nivel de producción que pudiera exceder o ser inferior a la cantidad que se determinaría en un mercado no regulado.

**Impuestos, subsidios y cuotas**  Los impuestos aumentan los precios que pagan los compradores y reducen los precios que reciben los vendedores. Los impuestos disminuyen la cantidad producida (por razones que se explican en el capítulo 7, pág. 129). Por lo general, se grava todo tipo de bienes y servicios, pero los bienes con los impuestos más elevados son la gasolina, el alcohol y el tabaco.

Los subsidios, que son pagos que hace el gobierno a los productores, disminuyen los precios que pagan los compradores y aumentan los precios que reciben los vendedores. Los subsidios aumentan la cantidad producida.

Las cuotas, que son límites a la cantidad que se permite producir a una empresa, restringen la producción por debajo del nivel que produciría un mercado competitivo. En algunos países, cierto tipo de productos agrícolas están sujetos a cuotas.

**Monopolio**    Un **monopolio** es una empresa que tiene control exclusivo de un mercado. Por ejemplo, Microsoft tiene casi un monopolio sobre los sistemas operativos de las computadoras personales. Aunque los monopolios obtienen grandes beneficios, su presencia evita que los mercados logren un uso eficiente de los recursos. La meta de un monopolio es maximizar las utilidades; para lograr esta meta se restringe la producción y se elevan los precios. (En el capítulo 13 se estudia el monopolio.)

**Bienes públicos**    Un **bien público** es un bien o servicio que consumen en forma simultánea todas las personas, inclusive si no pagan por él. Algunos ejemplos son la defensa nacional y la procuración e impartición de justicia. Los mercados competitivos producirían una cantidad demasiado pequeña de los bienes públicos debido al *problema del parásito*. A cada persona, en lo individual, no le conviene pagar la parte que le corresponde de un bien público. Por tanto, un mercado competitivo produce una cantidad inferior a la eficiente. (En el capítulo 18 se estudian los bienes públicos.)

**Costos externos y beneficios externos (externalidades)**    Un **costo externo** es un costo que no recae en el productor, sino en otras personas. Un ejemplo de un costo externo es el costo de la contaminación. Cuando una planta de electricidad quema carbón para obtener electricidad, lanza dióxido de sulfuro a la atmósfera. Este contaminante cae posteriormente en forma de lluvia ácida y daña la vegetación y las cosechas. La compañía eléctrica no considera el costo de la contaminación cuando decide la cantidad de energía eléctrica que va a suministrar. Su oferta se basa en sus propios costos, no en los costos que inflige a otros. Como resultado, se produce más energía que la que se consideraría como eficiente.

Un **beneficio externo** es un beneficio que reciben personas distintas de la que compra el bien. Un ejemplo es cuando alguien en un vecindario pinta su casa o prepara un jardín en su patio trasero. El dueño de la casa no toma en cuenta el beneficio marginal para su vecino, cuando decide llevar a cabo este tipo de trabajo. Por tanto, la curva de demanda para estos servicios no incluye todos los beneficios que se producen. En este caso, la cantidad de equilibrio es inferior a la cantidad eficiente. (Las externalidades se estudian en el capítulo 20.)

Los impedimentos a la eficiencia que se acaban de revisar y que se estudiarán con mayor detalle en capítulos posteriores, conducen a dos posibles resultados:

■ Subproducción

■ Sobreproducción

## Subproducción

Suponga que una empresa posee todos los establecimientos de venta de pizzas en una ciudad y que restringe la cantidad de pizzas producidas a 5,000 diarias. La figura 6.7(a) muestra que a esta cantidad los consumidores están dispuestos a pagar $20 por la pizza marginal, ya que el beneficio marginal que obtienen es $20. El costo marginal de una pizza es de sólo $10. Por tanto, hay una brecha entre lo que las personas están dispuestas a pagar y lo que se tendría que ofrecer a los productores para que produzcan; es decir, hay una brecha entre el beneficio marginal y el costo marginal.

La suma de los excedentes del consumidor y del productor disminuye en una cantidad igual al triángulo gris en la figura 6.7(a). A este triángulo se le denomina pérdida irrecuperable. La **pérdida irrecuperable** es la disminución en el excedente del consumidor y el excedente del productor, que resulta de un nivel de producción no eficiente.

La pizza número 5,000 proporciona un beneficio de $20 y producirla sólo cuesta $10. Si no se produce esta pizza se desperdician casi $10. Se aplica un razonamiento similar a todas las pizzas hasta la 9,999. Al producirse más pizzas y menos de otros bienes y servicios, se obtiene un mayor valor de los recursos utilizados.

La pérdida irrecuperable recae sobre toda la sociedad. No es una pérdida para los consumidores y una ganancia para el productor. Es una pérdida *social*.

## Sobreproducción

Suponga que los encargados del cabildeo de la industria de la pizza logran que el gobierno pague a los productores de pizzas un fuerte subsidio, y que la producción aumente hasta 15,000 diarias. La figura 6.7(b) muestra que a esta cantidad los consumidores están dispuestos a pagar sólo $10 por esa pizza marginal, pero el costo de oportunidad de la misma es $20. Ahora cuesta más producir la pizza marginal de lo que los consumidores están dispuestos a pagar por ella. La brecha se hace más pequeña según la producción se acerca a las 10,000 pizzas diarias, pero está presente en todas las cantidades mayores que 10,000 diarias.

De nuevo, la pérdida irrecuperable se representa mediante un triángulo gris. Esta pérdida se tiene que sustraer de los excedentes del productor y el consumidor para calcular las ganancias provenientes del comercio. La pizza número 15,000 proporciona un beneficio de tan sólo $10, pero cuesta $20 producirla. Si se produce esta pizza, se están desperdiciando casi $10. Se aplica un razonamiento similar hasta llegar a la pizza 10,001. Al producir menos pizzas y más de los otros bienes y servicios, se obtiene un mayor valor de los recursos utilizados.

**FIGURA 6.7**

## Subproducción y sobreproducción

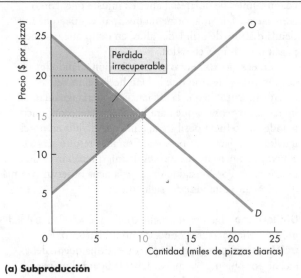

**(a) Subproducción**

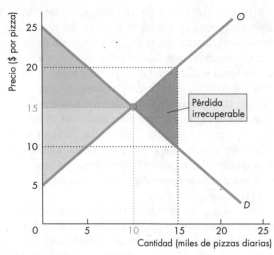

**(b) Sobreproducción**

Si la producción se restringe a 5,000 pizzas diarias, se presenta una pérdida irrecuperable (el triángulo gris). El excedente del consumidor y el excedente del productor se reducen a las áreas verde y azul, respectivamente. A 5,000 pizzas, el beneficio de una pizza adicional excede a su costo. Lo mismo es cierto para todos los niveles de producción hasta llegar a las 10,000 pizzas diarias. Si la producción aumenta hasta 15,000, se presenta una pérdida irrecuperable. A 15,000 pizzas diarias, el costo de la última pizza excede a su beneficio. De hecho, el costo de cada pizza por encima de 10,000 excede a su beneficio. La suma de los excedentes del consumidor y del productor es igual al área verde y azul menos la pérdida irrecuperable.

## PREGUNTAS DE REPASO

- ¿Utilizan los mercados competitivos los recursos en forma eficiente?
- Los mercados con precios tope o mínimos, impuestos, subsidios, cuotas, poder de monopolio, bienes públicos, o externalidades, ¿dan como resultado que la cantidad producida sea la cantidad eficiente?
- ¿Qué es la pérdida irrecuperable y bajo qué condiciones ocurre?
- ¿Ocurre una pérdida irrecuperable en un mercado competitivo cuando la cantidad producida es igual a la cantidad del equilibrio competitivo y la asignación de los recursos es eficiente?

Ahora ya conoce las condiciones bajo las cuales es eficiente la asignación de recursos. Ha visto cómo un mercado competitivo puede ser eficiente y ha visto algunos impedimentos a la eficiencia.

Pero, ¿es justa la asignación eficiente de los recursos? ¿Proporciona el mercado competitivo ingresos justos a las personas por su trabajo? Y, ¿siempre pagan las personas un precio justo por las cosas que compran? ¿No se necesita que el gobierno entre a algunos mercados competitivos para evitar que el precio se eleve demasiado o que llegue a un punto demasiado bajo? Estudiemos ahora estas preguntas.

# ¿Es justo el mercado competitivo?

CUANDO GOLPEA UN DESASTRE NATURAL, POR EJEMPLO: una fuerte tormenta invernal o un huracán, los precios de muchos artículos esenciales se disparan. La razón de este salto en los precios es que algunas personas tienen una mayor demanda y una mayor disposición a pagar cuando la oferta de los artículos es limitada. Por tanto, los precios más altos logran la asignación eficiente de los recursos escasos. Los informes de la prensa sobre estos aumentos en los precios casi nunca mencionan la eficiencia. En lugar de ello, se refieren a la justicia, o más particularmente, a la injusticia. Afirman que es injusto que los comerciantes, en busca de mayores utilidades, se aprovechen de las víctimas de desastres naturales.

En forma similar, cuando las personas poco calificadas trabajan por un salario que está por debajo de lo que la mayoría consideraría como un "salario de subsistencia", los medios de comunicación y los políticos hablan de que los empleadores se aprovechan injustamente de los trabajadores.

¿Cómo se decide si algo es justo o injusto? Todas las personas saben cuando *ellas* creen que algo es injusto. Pero, ¿cómo lo saben?, ¿cuáles son los *principios* de la justicia?

Durante siglos, los filósofos han intentado contestar a esta pregunta. Los economistas también han ofrecido sus respuestas. Pero antes de observar las respuestas que se han ofrecido, debe entenderse que no hay una respuesta en la que exista un consenso universal.

Los economistas están de acuerdo con el tema de la eficiencia. Es decir, coinciden en que tiene sentido hacer que el pastel económico sea lo más grande posible, y que éste pueda ser horneado al costo más bajo posible. Pero no están de acuerdo sobre la justicia. Es decir, no están de acuerdo sobre cuáles son las porciones justas del pastel económico para todas las personas que lo preparan. La razón es que las ideas sobre la justicia no son ideas exclusivamente económicas. Se relacionan con la política, la ética y la religión. No obstante, los economistas han pensado sobre estos temas y tienen una contribución que hacer. Por tanto, examinemos los puntos de vista de los economistas sobre este tema.

Para pensar en la justicia, piense en la vida económica como un juego, pero un juego muy serio. Todas las ideas relacionadas con la justicia se pueden dividir en dos grandes grupos. Éstos son:

- No es justo si el *resultado* no es justo
- No es justo si las *reglas* no son justas

## No es justo si el resultado no es justo

Los primeros esfuerzos para establecer un principio de justicia se basaron en el punto de vista de que lo que importa es el resultado. La idea general considera injusto el que los ingresos de las personas sean demasiado desiguales. Es injusto que los presidentes de los bancos reciban millones de dólares al año, en tanto que los cajeros sólo ganan unos cuantos miles de dólares al año. Es injusto que, como consecuencia de una tormenta invernal, el dueño de una tienda disfrute de utilidades altas, en tanto que sus clientes pagan precios más elevados.

En el siglo XIX, hubo gran excitación cuando los economistas pensaron que habían hecho el increíble descubrimiento de que la eficiencia requería igualdad de ingresos. Se pensaba que para hacer el pastel económico tan grande como fuera posible, se tenía que dividir en porciones iguales, una para cada persona. Esta idea resultó ser equivocada, pero de sus errores de interpretación se deriva una lección. Por consiguiente, vale la pena observar con más detenimiento esta idea del siglo XIX.

**Utilitarismo**    La idea del siglo XIX de que sólo la igualdad produce eficiencia, se conoce como utilitarismo. El **utilitarismo** es un principio que afirma que se debe luchar por obtener "la mayor felicidad para el mayor número de personas". A las personas que desarrollaron esta idea se les conoció como utilitaristas. Incluía las mentes más eminentes, como David Hume, Adam Smith, Jeremy Bentham y John Stuart Mill.

Los utilitaristas afirmaban que para lograr "la mayor felicidad para el mayor número de personas" se tenía que transferir el ingreso de los ricos a los pobres hasta el punto de llegar a la igualdad completa, es decir, hasta el punto en que no hubiera ni ricos ni pobres.

Su razonamiento era el siguiente: primero, todos tienen las mismas necesidades básicas y una capacidad similar para disfrutar de la vida. Segundo, cuanto mayor sea el ingreso de una persona, menor será el beneficio marginal del dinero. El último peso gastado por una persona rica le proporciona a esa persona un beneficio marginal menor que el beneficio marginal del último peso gastado por una persona pobre. Por tanto, al transferir recursos de las personas ricas a las personas pobres, se gana más de lo que se pierde y las personas, tomadas en conjunto, están en una mejor situación.

La figura 6.8 muestra la idea utilitarista. Tomás y Pablo tienen la misma curva de beneficio marginal, *BM*. El beneficio marginal se mide en la misma escala de 1 a 3 para ambos. Tomás se encuentra en el punto *a*. Él gana $5,000 al año y su beneficio marginal por unidad de ingreso es 3. Pablo se encuentra en el punto *b*. Él gana $45,000 al año y su beneficio marginal por unidad de ingreso es 1. Si se transfiere un dólar de Pablo a Tomás, el primero pierde una unidad de beneficio marginal y el segundo gana 3 unidades. Por consiguiente, Tomás y Pablo, en conjunto, están en mejor posición: comparten el pastel económico en forma más eficiente. Si se transfiere una segunda unidad, ocurre lo

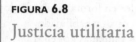

## FIGURA 6.8

# Justicia utilitaria

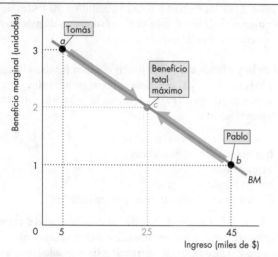

Tomás gana $5,000 y tiene 3 unidades de beneficio marginal (punto *a*). Pablo gana $45,000 y tiene 1 unidad de beneficio marginal (punto *b*). Si se transfieren ingresos de Pablo a Tomás, la pérdida de Pablo es inferior a la ganancia de Tomás. Cuando cada uno de ellos tiene $25,000 y 2 unidades de beneficio marginal (en el punto *c*), la suma del beneficio total deja de aumentar.

mismo: Tomás gana más de lo que pierde Pablo y lo mismo es cierto para cada unidad de ingreso que se transfiere hasta que ambos hayan llegado al punto *c*. En el punto *c*, tanto Tomás como Pablo tienen $25,000 cada uno y ambos tienen un beneficio marginal de 2 unidades. Ahora están compartiendo el pastel económico en la forma más eficiente, y eso les genera la mayor felicidad posible tanto a Tomás como a Pablo.

**El gran dilema**   Un problema serio con el ideal utilitario de la igualdad completa es que no toma en cuenta los costos de hacer las transferencias de ingresos. El reconocer el costo de estas transferencias conduce a lo que se conoce como "el **gran dilema**": la disyuntiva entre eficiencia y equidad.

El gran dilema se basa en los hechos siguientes. Se pueden transferir ingresos de personas con altos ingresos a personas de bajos ingresos, sólo si se gravan los ingresos. Gravar los ingresos producto del trabajo de las personas, hace que éstas trabajen menos. Da como resultado que la cantidad de trabajo sea inferior a la eficiente. Gravar los ingresos de capital de las personas hace que éstas ahorren menos. Esto da como resultado que la cantidad de capital sea inferior a la eficiente. Al existir menores cantidades de trabajo y capital, la cantidad de bienes y servicios producidos es inferior a la cantidad eficiente. El pastel económico se encoge.

La disyuntiva se presenta entre el tamaño del pastel económico y el grado de igualdad con el que se comparte. Cuanto mayor sea la cantidad de ingreso que se redistribuye mediante impuestos a los ingresos, mayor será la no eficiencia; es decir, más pequeño será el pastel económico.

Hay una segunda fuente de no eficiencia. El dinero que se le retira a una persona rica no se transfiere íntegramente a las manos de una persona pobre. Parte del mismo se gasta en la administración del sistema fiscal y de transferencias. El costo de las agencias cobradoras de impuestos y de las agencias de administración del bienestar social, tiene que pagarse con algunos de los impuestos cobrados. Además, los contribuyentes contratan a contadores, auditores y abogados que les ayudan a asegurarse de que pagan la cantidad de impuestos correcta. Estas actividades utilizan trabajo capacitado y recursos de capital que de lo contrario podrían utilizarse para producir los bienes y servicios que valoran las personas.

Se puede ver que cuando se toman en cuenta todos estos costos, los recursos que se sustraen a las personas ricas no se transfieren en forma íntegra a las personas pobres. Incluso, es posible, que con impuestos altos, aquellas personas con ingresos bajos terminen en una peor situación. Suponga, por ejemplo, que los empresarios que pagan impuestos altos deciden trabajar menos intensamente y cerrar algunas de sus empresas. Los trabajadores de bajos ingresos despedidos tienen que buscar otro trabajo, aun peor pagado.

Debido a esta gran disyuntiva, aquellos que dicen que la justicia es igualdad, proponen una versión modificada del utilitarismo.

**Hacer que los más pobres estén lo mejor posible**   Un filósofo de Harvard, John Rawls, propuso una versión modificada del utilitarismo en un libro clásico titulado *Una teoría de la justicia,* publicado en 1971. Rawls dice que, después de tomar en cuenta todos los costos de las transferencias de ingresos, la distribución justa del pastel económico es aquella que hace que la persona más pobre esté lo mejor posible. Se deben gravar los ingresos de las personas ricas y, después de pagar los costos de administrar el sistema fiscal y de transferencias, lo que sobra se debe transferir a los pobres. Pero los impuestos no deben ser tan altos que hagan que el pastel económico se reduzca hasta el punto en que la persona más pobre termine con una porción más pequeña. Una porción mayor de un pastel más pequeño puede ser menor que una participación más pequeña de un pastel más grande. La meta es hacer que la porción que disfruta la persona más pobre sea lo más grande posible. Lo más probable es que esta porción no corresponda a una participación igual.

Las ideas de generar "resultados justos" requieren de un cambio en los resultados después de que se termina el juego. Algunos economistas afirman que estos cambios son injustos en sí mismos y proponen una forma diferente de pensar acerca de la justicia.

## No es justo si las reglas no son justas

La idea de que algo no es justo si las reglas no son justas se basa en un principio fundamental que parece estar enraizado en el cerebro humano: el principio de simetría. El **principio de simetría** requiere que las personas en situaciones similares sean tratadas en forma similar. Es el principio moral que se encuentra en el centro de todas las religiones importantes y que dice, en una forma u otra: "trata a los demás como esperas que ellos te traten a ti".

En la vida económica, este principio se convierte en la *igualdad de oportunidades*. Pero, igualdad de oportunidades, ¿para hacer qué? Esta pregunta la contesta otro filósofo de Harvard, Robert Nozick, en un libro titulado *Anarquía, estado y utopía*, publicado en 1974.

Nozick afirma que la idea de justicia, en términos de resultados, no puede funcionar, y que el concepto de justicia se tiene que basar en la justicia de las reglas. Nozick sugiere que la justicia obedece a dos reglas:

1. El estado tiene que hacer cumplir las leyes que establecen y protegen la propiedad privada.
2. La propiedad privada sólo se puede transferir de una persona a otra mediante el intercambio voluntario.

La primera regla expresa que todo lo que es valioso es propiedad de las personas y que el estado tiene que asegurarse de que se evite el robo. La segunda regla expresa que la única forma legítima en que una persona puede adquirir una propiedad, es comprándola o dando algo a cambio que sea de su propiedad. Si se siguen estas reglas, que son las únicas reglas justas, el resultado es justo. No importa lo desigual que se comparta el pastel económico, siempre y cuando lo horneen personas que proporcionen servicios en forma voluntaria a cambio de la porción del pastel que se les ofrece en compensación.

Estas reglas satisfacen el principio de simetría. Y si no se siguen, se viola el principio de simetría. Estos hechos se pueden observar imaginando un mundo en el que no se cumplan las leyes.

Primero, suponga que algunos de los recursos o bienes no tienen propietario. Son de propiedad común. Entonces, todos están en libertad de tomar y usar estos recursos o bienes. El más fuerte prevalecerá. Pero cuando prevalece el más fuerte, éste *posee* efectivamente los recursos o bienes de que se trata y evita que otros los disfruten.

Segundo, suponga que no se insista en el intercambio voluntario para transferir la propiedad de los recursos de una persona a otra. La alternativa es la transferencia *involuntaria*. Dicho en forma simple, la alternativa es el robo.

Ambas situaciones violan el principio de simetría. Sólo los fuertes llegan a adquirir lo que quieren. Los débiles terminan tan sólo con los recursos y bienes que no desean los fuertes.

En contraste, si se siguen las dos reglas de la justicia, todos, fuertes y débiles, son tratados en forma similar. Todos están en libertad de utilizar sus recursos y habilidades humanas para crear cosas que sean valoradas por ellos mismos y por los demás, y para intercambiar los frutos de sus esfuerzos con otros. Éste es el único grupo de medidas que obedecen el principio de simetría.

**Justicia y eficiencia**   Si se hacen cumplir los derechos de propiedad privada y si se realiza el intercambio voluntario en un mercado competitivo, los recursos se asignarán en forma eficiente si no hay:

- Precios tope o precios mínimos
- Impuestos, subsidios o cuotas
- Monopolios
- Bienes públicos
- Costos y beneficios externos (externalidades)

Y, según las reglas de Nozick, la distribución del ingreso y la riqueza resultantes será justa. Estudiemos un ejemplo concreto para examinar la afirmación de que si los recursos se asignan en forma eficiente, también se asignan en forma justa.

**Un aumento de precios en un desastre natural**   Un terremoto ha roto las tuberías que llevan el agua potable a una ciudad. El precio del agua embotellada salta de $1 a $8 la botella en las aproximadamente 30 tiendas que venden agua.

Primero, establezcamos que el agua se está utilizando en forma *eficiente*. Hay una cantidad fija de agua embotellada en la ciudad y, dada la cantidad disponible, algunas personas están dispuestas a pagar $8 para conseguir una botella. Las personas que asignan el mayor valor al agua la obtienen. La suma de los excedentes del consumidor y del productor alcanzan su nivel máximo.

Por tanto, los recursos acuíferos están siendo utilizados en forma eficiente. Pero, ¿se están usando también en forma justa? Las personas que no pueden permitirse pagar $8 por una botella, ¿no deberían recibir una parte del agua disponible a un precio inferior que sí puedan pagar? ¿No es la solución justa el que las tiendas vendan el agua a un precio menor, al cual las personas sí puedan adquirirla? O quizá pudiera ser más justo si el gobierno comprara el agua y después la pusiera a disposición de las personas a un precio "razonable", mediante una tienda gubernamental. Analicemos estas soluciones alternativas al problema del agua de esta ciudad.

La primera respuesta que viene a la mente es que el agua debería ponerse a disposición de las personas a un precio más razonable. Pero, ¿es ésta la respuesta correcta?

***Una tienda ofrece el agua a $5***   Suponga que Carlos, el propietario de una tienda, ofrece el agua a $5 la botella.

¿Quién la compra? Hay dos tipos de compradores. Roberto ilustra al primer grupo de ellos. Él valora al agua en $8, es decir, está dispuesto a pagar $8 por una botella. Recuerde que, dada la cantidad de agua disponible, el precio de equilibrio es de $8 la botella. Si Roberto compra el agua, la consume. Roberto termina con un excedente del consumidor de $3 por botella y Carlos recibe $3 *menos* de excedente del productor.

Miguel es un ejemplo del segundo tipo de comprador. Miguel no pagaría $8 por una botella. De hecho, ni siquiera pagaría $5 para consumir una botella de agua. Pero él compra una botella en $5. ¿Por qué? Porque piensa vender el agua a alguna otra persona que esté dispuesta a pagar $8 por consumirla. Cuando Miguel compra el agua, de nuevo Carlos recibe un excedente del productor de $3 menos de lo que hubiera recibido si cobrara el precio vigente en el mercado. Ahora Miguel se convierte en un distribuidor de agua. Él vende el agua al precio vigente de $8 y tiene un excedente del productor de $3.

Por tanto, al intentar beneficiar a las personas ofreciendo agua por menos del precio del mercado, Carlos termina empeorando en $3 por botella y los compradores terminan mejorando en $3 por botella. Las mismas personas consumen el agua en ambas situaciones. Son las personas que valoran el agua en $8 la botella. Pero en los dos casos la distribución del excedente del consumidor y del excedente del productor es diferente. Cuando Carlos ofrece a $5 la botella, termina con un excedente del productor más pequeño, y Roberto y Miguel terminan con un mayor excedente del consumidor y un mayor excedente del productor, respectivamente.

Por tanto, ¿cuál es el arreglo justo? ¿el que favorece a Carlos o el que favorece a Roberto y Miguel? El punto de vista de las reglas justas es que ambos arreglos son justos. Carlos vende voluntariamente el agua a $5 con lo que, de hecho, está ayudando a la comunidad a enfrentar su problema del agua. Es justo que ayude, pero la elección es suya. Él es el propietario del agua y no sería justo que se le obligara a ayudar.

***El gobierno compra el agua*** En lugar de ello, suponga ahora que el gobierno compra toda el agua. El precio vigente es de $8 la botella, así que eso es lo que paga el gobierno. Después, ofrece el agua a la venta por $1 la botella, su "precio normal".

La cantidad de agua suministrada es exactamente la misma que antes. Pero ahora, a $1 la botella, la cantidad demandada es mucho mayor que la ofrecida. Hay escasez de agua.

Debido a que existe una gran escasez de agua, el gobierno decide racionar la cantidad que puede comprar cada persona. A cada uno se le asigna una botella. Por tanto, todos se ponen en fila para recibir su botella. Dos de estas personas son Roberto y Miguel. Según recordará, Roberto

está dispuesto a pagar $8 por una botella. Miguel está dispuesto a pagar menos de $5. Pero ambos obtienen una ganga. Roberto se bebe su botella de $1 y disfruta de un excedente del consumidor de $7. ¿Qué hace Miguel? ¿Se bebe su botella? No lo hace. Se la vende a otra persona que valora el agua en $8 y disfruta de un excedente del productor de $7, proveniente de su negocio temporal de comerciar con agua.

Por tanto, las personas que le dan más valor al agua la consumen. Pero los excedentes del consumidor y del productor se distribuyen en una forma diferente de lo que hubiera sucedido con el libre mercado. De nuevo se presenta la pregunta ¿cuál arreglo es justo?

La principal diferencia entre el programa del gobierno y las contribuciones caritativas privadas de Carlos se encuentra en el hecho de que para comprar el agua en $8 y venderla en $1, el gobierno tiene que cobrar a alguien un impuesto de $7 por cada botella vendida. Por tanto, el que este arreglo sea justo depende de si los impuestos son justos.

Los impuestos son una transferencia involuntaria de propiedad privada, por lo que, de acuerdo con el punto de vista de las reglas justas, los impuestos no son justos. Pero la mayoría de los economistas y la mayoría de las personas piensan que existen impuestos justos. Por tanto, parece ser que es necesario flexibilizar un poco el punto de vista de la regla de lo justo. El estar de acuerdo con la existencia de impuestos justos es la parte fácil. El ponerse de acuerdo sobre qué es un impuesto justo, proporciona interminables desacuerdos y debates.

## PREGUNTAS DE REPASO

- ¿Cuáles son los dos grandes enfoques para pensar en torno a la justicia?
- ¿Qué es la idea utilitaria de justicia y qué problema tiene?
- ¿En qué consiste el gran dilema y qué idea de justicia se ha desarrollado para enfrentarlo?
- ¿Cuál es la principal idea de la justicia con base en las reglas justas?

◆ Ahora usted ha estudiado los dos temas más importantes en que se basa toda la economía: eficiencia y equidad (justicia). En el próximo capítulo se estudian algunas fuentes de no eficiencia e injusticia. En muchas partes de este libro —y a lo largo de su vida—, usted regresará y utilizará las ideas sobre la eficiencia y la equidad que ha aprendido en este capítulo.

# Lectura
# entre
# líneas

## Eficiencia y equidad
## en la agricultura

EL NACIONAL, México, D.F. a 27 de abril, 1998

### Esencia del artículo

### *Cayeron precios internacionales de granos hasta 25%;*
### *se apoyará a productores, conservarán ingresos*

**ERNESTO PEREA**

Entrevista a Romárico Arroyo Marroquín, Secretario de Agricultura, Ganadería y Desarrollo Rural de México.

—Con la caída de los precios internacionales de granos, ¿cuáles serán las medidas que tomará la Secretaría de Agricultura para apoyar a esos sectores, que desgraciadamente se enfrentarán a esta situación?

—Ya se están poniendo en marcha, principalmente en el estado de Sinaloa, que es uno de los principales productores de grano. El esfuerzo que está haciendo el gobierno federal va a implicar que a pesar de que en el exterior se cayó 25 por ciento el precio del trigo y 18 por ciento el del maíz, aquí vamos a lograr que se mantenga como ingreso el mismo nivel de precio del año pasado. A pesar del problema presupuestal, el esfuerzo económico que se está haciendo es muy amplio y permite que los productores mexicanos reciban el mismo precio. El elemento central de esto es evitar que se le caiga el ingreso a nuestro productor, ahora que en el mundo está cayendo en proporciones verdaderamente récord en muchos años. Así que a pesar de la crítica de las oposiciones, que aseguran no hay una política para el agro, demostramos que tan la hay que aun en situaciones de apremio presupuestal se está cumpliendo con proteger el ingreso del productor.

—Es decir, ¿se está subsidiando?

—Sí, sin ningún recato se está apoyando y quiere decir que se está subsidiando.

En seguida, al funcionario se le pregunta el impacto al consumidor final que en el precio de la tortilla tiene la variación de precios

en el mercado internacional, y sobre esto recuerda que el actor importante en el mercado de granos no es el consumo humano. "Ésta es otra parte que hay que precisar".

Aclara que el consumo humano de granos se traduce básicamente en tortilla. Luego señala que uno de los méritos de la política actual es que desvincula el programa de tortilla del precio del grano en el campo. El precio de la tortilla se fija entre el valor que se paga por el maíz y el que hay que entregar a las harineras o a los nixtamaleros; todo es subsidiado, eso permite que esté desvinculada una cosa de otra. "Aquí estamos ante uno de esos casos en que si baja el precio del grano, nos cuesta y si sube, también". Y explica el porqué. Por dos cosas, en la medida en que el gobierno está metido en el extremo subsidio al consumo, subsidio al precio, está condenado; si sube el precio le pago más a la industria, si no, pago más subsidio a los productores; esa trampa tenemos que irla rompiendo. En ello, se lleva más recursos que los de la Alianza.

—La producción del sector comienza a mostrar una recuperación con los programas de la Alianza, ¿se refleja esto en la balanza comercial?

—El año pasado, la balanza comercial se redujo de un déficit de alrededor de mil 260 millones a 400 millones, que es otro buen síntoma. En términos de volúmenes de producción, en 1996 se contrarrestaron los signos negativos, y en 97 prácticamente se mantiene a pesar de ser un año muy malo climatológicamente.

Por tanto, a aquellos que ven con reservas la importación de granos, dice el secretario: "Si empezamos a demandar e importar más granos, en tanto que sigamos incrementando nuestra propia producción, son buenas noticias".

■ Los precios mundiales del trigo y del maíz disminuyeron, en 18 y 25 por ciento, respectivamente, durante 1998.

■ El gobierno mexicano respondió a la caída en los precios internacionales, otorgando un subsidio a los productores domésticos, con el objeto de proteger sus ingresos.

■ El subsidio permitirá a los productores recibir el precio que estuvo vigente el año anterior.

■ El gobierno de México también otorga un subsidio al consumo de maíz.

■ México tiene un déficit comercial en productos agrícolas. Sin embargo, este déficit se redujo en 1997 y la producción se mantuvo relativamente constante a pesar de ciertas dificultades climatológicas.

## Antecedentes

■ Como parte de los acuerdos establecidos en el Tratado de Libre Comercio de América del Norte (TLCAN), el gobierno de México ha iniciado un proceso de liberación paulatina del control que ejercía sobre los precios del maíz.

■ Las razones para justificar el control de precios del maíz son dos: 1) la importancia de este bien en la producción de pequeños productores de bajos ingresos en el campo, y 2) el hecho de que el maíz es un insumo básico para la producción de tortillas, un componente importante en la dieta típica del mexicano promedio.

■ La intervención del gobierno mexicano se eliminará en un período de 15 años, a partir de la entrada en vigor del TLCAN (enero de 1994).

## Análisis económico

■ La figura 1 muestra el mercado mundial del maíz. La curva de demanda, que es también la curva de beneficio marginal, es $D = BM$. La curva de oferta, que es también la curva de costo marginal, es $O = CM$.

■ Si el mercado mundial es competitivo, el equilibrio se obtiene a un precio mundial igual a $P_{M0}$, en el que la oferta mundial es igual a la demanda mundial.

■ En el equilibrio del mercado, la producción es eficiente: el costo marginal es igual al beneficio marginal. El excedente del consumidor se representa por el área verde, y el excedente del productor está dado por el área azul.

■ En 1998, una serie de condiciones climatológicas

adecuadas en otras partes del mundo permitió un aumento de la oferta mundial. Esto se representa en la figura 1 mediante el desplazamiento de la curva $O$ a $O'$. Como resultado de este cambio, el precio mundial baja a $P_{M1}$ y la cantidad demandada aumenta.

■ La figura 2 muestra la situación a la que se enfrenta un productor individual. Su curva de costo marginal está dada por $CM_0$. La curva de costo marginal para este productor individual no ha cambiado, porque las condiciones climatológicas no mejoraron en México en 1998. Este productor se enfrenta a un precio mundial que toma como dado. Cuando el precio mundial es $P_{M0}$, el productor produce $q_0$. A ese nivel de producción, el costo marginal es igual al precio, y el excedente del consumidor está dado por la suma de las áreas azules.

■ La figura 2 también muestra lo que ocurre cuando el precio mundial baja a $P_{M1}$. En ausencia de subsidio, el pequeño productor elegiría un nivel de producción igual a $q_1$. El excedente del productor se reduce al triángulo azul oscuro y el productor se siente presionado. Sin embargo, su nivel de producción es eficiente.

■ La figura 3 muestra lo que ocurre cuando el gobierno introduce un subsidio a los productores, el cual les permite recibir el mismo precio del año anterior. El precio que recibirán los productores es nuevamente $P_{M0}$, y el productor elige producir nuevamente $q = q_0$.

■ A esta cantidad, el costo marginal es $P_{M0}$, en tanto que el beneficio marginal es $P_{M1}$. Debido a que el costo

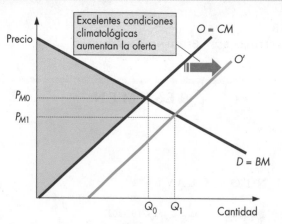

**Figura 1  Mercado mundial de maíz**

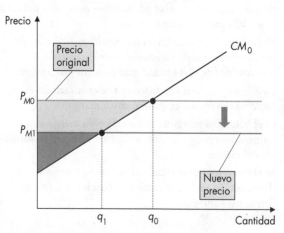

**Figura 2  Un productor de maíz presionado**

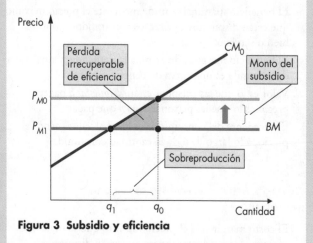

**Figura 3  Subsidio y eficiencia**

marginal es mayor que el beneficio marginal, hay sobreproducción y se presenta una pérdida irrecuperable de eficiencia.

■ Subsidiar la producción de maíz ayuda a los pequeños

productores, pero es ineficiente.

■ La distorsión es mayor si se toma en cuenta que además existe un subsidio por el lado del consumo.

# RESUMEN

## PUNTOS CLAVE

### Eficiencia: un repaso (págs. 102-103)

- El beneficio marginal de un bien o servicio —el beneficio de consumir una unidad adicional— es el *valor* del bien o servicio para sus consumidores.
- El costo marginal de un bien o servicio —el costo de producir una unidad adicional— es el costo de *oportunidad* de una unidad más para sus productores.
- La asignación de los recursos es eficiente cuando el beneficio marginal es igual al costo marginal.
- Si el beneficio marginal excede al costo marginal, un aumento en la producción utiliza los recursos en forma más eficiente.
- Si el costo marginal excede al beneficio marginal, una disminución en la producción utiliza los recursos en forma más eficiente.

### Valor, precio y excedente del consumidor (págs. 104-105)

- El beneficio marginal se mide mediante el precio máximo que están dispuestos a pagar los consumidores por un bien o servicio.
- El beneficio marginal determina la demanda, y una curva de demanda es una curva de beneficio marginal.
- Valor es lo que las personas están *dispuestas a* pagar; precio es lo que las personas *tienen* que pagar.
- El excedente del consumidor es igual al valor menos el precio, a lo largo de toda la cantidad consumida.

### Costo, precio y excedente del productor (págs. 106-107)

- El costo marginal es el precio mínimo que se tiene que ofrecer a los productores para que estén dispuestos a aumentar la producción en una unidad.
- El costo marginal determina la oferta, y una curva de oferta es una curva de costo marginal.
- El costo de oportunidad es lo que pagan los productores; el precio es lo que reciben los productores.
- El excedente del productor es igual al precio menos el costo de oportunidad, a lo largo de toda la cantidad producida.

### ¿Es eficiente el mercado competitivo? (págs. 108-109)

- En un equilibrio competitivo, el beneficio marginal es igual al costo marginal, y la asignación de recursos es eficiente.

### Obstáculos a la eficiencia (págs. 109-111)

- El monopolio restringe la producción y crea una pérdida irrecuperable.
- Un mercado competitivo proporciona una cantidad demasiado pequeña de bienes públicos, debido al problema del parásito.
- Un mercado competitivo proporciona una cantidad demasiado grande de bienes y servicios que tienen costos externos, y una cantidad demasiado pequeña de bienes y servicios que tienen beneficios externos.

### ¿Es justo el mercado competitivo? (págs. 112-115)

- Las ideas sobre la justicia se dividen en dos grupos: *resultados* justos y *reglas* justas.
- Las ideas de resultados justos requieren transferencias de ingresos de los ricos a los pobres.
- Las ideas de reglas justas requieren derechos de propiedad e intercambios voluntarios.

## FIGURAS CLAVE

## TÉRMINOS CLAVE

# PROBLEMAS

*1. En la figura se muestran la demanda y la oferta de disquetes para computadora.

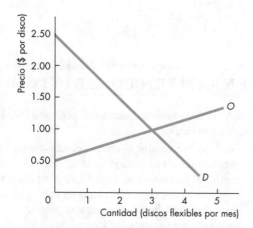

a. ¿Cuáles son el precio y la cantidad de equilibrio de los disquetes?
b. ¿Cuál es el excedente del consumidor?
c. ¿Cuál es el excedente del productor?
d. ¿Cuál es la cantidad eficiente de disquetes?

2. En la figura se muestran la demanda y la oferta de latas de atún.

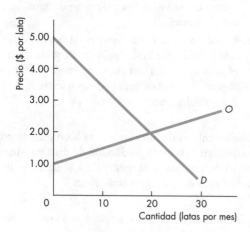

a. ¿Cuáles son el precio y la cantidad de equilibrio de las latas de atún?
b. ¿Cuál es el excedente del consumidor?
c. ¿Cuál es el excedente del productor?
d. ¿Cuál es la cantidad eficiente de latas de atún?

*3. En la tabla siguiente se proporcionan los planes de oferta y demanda de hamburguesas:

| Precio ($ por hamburguesa) | Cantidad demandada | Cantidad ofrecida |
|---|---|---|
| | (hamburguesas por hora) | |
| 0 | 400 | 0 |
| 1 | 350 | 50 |
| 2 | 300 | 100 |
| 3 | 250 | 150 |
| 4 | 200 | 200 |
| 5 | 150 | 250 |
| 6 | 100 | 300 |
| 7 | 50 | 350 |
| 8 | 0 | 400 |

a. ¿Cuál es el precio máximo que están dispuestos a pagar los consumidores por la hamburguesa número 250?
b. ¿Cuál es el precio mínimo que están dispuestos a aceptar los productores por la hamburguesa número 250?
c. ¿Son 250 hamburguesas por hora una cantidad mayor o menor que la cantidad eficiente?
d. ¿Cuál es el excedente del consumidor si se produce la cantidad eficiente de hamburguesas?
e. ¿Cuál es el excedente del productor si se produce la cantidad eficiente de hamburguesas?
f. ¿Cuál es la pérdida irrecuperable si se producen 250 hamburguesas?

4. En la tabla siguiente se proporcionan los planes de oferta y demanda de agua mineral:

| Precio ($ por botella) | Cantidad demandada | Cantidad ofrecida |
|---|---|---|
| | (botellas por día) | |
| 0 | 80 | 0 |
| 0.50 | 70 | 10 |
| 1.00 | 60 | 20 |
| 1.50 | 50 | 30 |
| 2.00 | 40 | 40 |
| 2.50 | 30 | 50 |
| 3.00 | 20 | 60 |
| 3.50 | 10 | 70 |
| 4.00 | 0 | 80 |

a. ¿Cuál es el precio máximo que están dispuestos a pagar los consumidores por la trigésima botella de agua mineral?
b. ¿Cuál es el precio mínimo que están dispuestos a aceptar los productores por las trigésima botella de agua mineral?
c. ¿Treinta botellas diarias es menor o mayor que la cantidad eficiente?

d. ¿Cuál es el excedente del consumidor si se produce la cantidad eficiente de agua mineral?

e. ¿Cuál es el excedente del productor si se produce la cantidad eficiente de agua mineral?

f. ¿Cuál es la pérdida irrecuperable si se producen treinta botellas de agua mineral?

*5. En la tabla siguiente se proporcionan los planes de oferta y demanda de viajes en tren para Benjamín, Berta y Benigno:

| Precio (centavos por kilómetro-pasajero) | Cantidad demandada (kilómetro-pasajero) | | |
|:---:|:---:|:---:|:---:|
| | **Benjamín** | **Berta** | **Benigno** |
| 10 | 500 | 300 | 60 |
| 20 | 450 | 250 | 50 |
| 30 | 400 | 200 | 40 |
| 40 | 350 | 150 | 30 |
| 50 | 300 | 100 | 20 |
| 60 | 250 | 50 | 10 |
| 70 | 200 | 0 | 0 |

a. Si el precio del viaje en tren es de $0.40 por kilómetro-pasajero, ¿cuál es el excedente del consumidor de cada uno de los pasajeros?

b. ¿Qué pasajero tiene el mayor excedente del consumidor? Explique por qué.

c. Si el precio del viaje en tren se eleva a $0.50 por kilómetro-pasajero, ¿cuál es el cambio en el excedente del consumidor de cada uno de los pasajeros?

6. En la tabla siguiente se proporcionan los planes de oferta y demanda de viajes en autobús para José, Juana y Julia

| Precio (centavos por kilómetro-pasajero) | Cantidad demandada (kilómetro-pasajero) | | |
|:---:|:---:|:---:|:---:|
| | **José** | **Juana** | **Julia** |
| 10 | 50 | 600 | 300 |
| 20 | 45 | 500 | 250 |
| 30 | 40 | 400 | 200 |
| 40 | 35 | 300 | 150 |
| 50 | 30 | 200 | 100 |
| 60 | 25 | 100 | 50 |
| 70 | 20 | 0 | 0 |

a. Si el precio del viaje en autobús es de $0.50 por kilómetro-pasajero, ¿cuál es el excedente del consumidor de cada pasajero?

b. ¿Qué pasajero tiene el mayor excedente del consumidor? Explique por qué.

c. Si el precio del viaje en autobús disminuye hasta $0.30 por kilómetro-pasajero, ¿cuál es el cambio en el excedente del consumidor de cada uno de los pasajeros?

## PENSAMIENTO CRÍTICO

1. Estudie la *Lectura entre líneas* de las páginas 116-117 y responda lo siguiente:

a. Describa brevemente el efecto del subsidio en términos de la producción de maíz. ¿Es esta cantidad mayor, menor o igual a su nivel eficiente? Explique su respuesta utilizando los conceptos de costo marginal, beneficio marginal, precio, excedente del consumidor y excedente del productor.

b. ¿Qué cree usted que debería hacerse para obtener un resultado eficiente?

c. ¿Considera usted que el subsidio aumenta la equidad? ¿Por qué?

d. Evalúe la siguiente afirmación del Secretario de Agricultura: "Si empezamos a demandar e importar más granos, en tanto que sigamos incrementando nuestra propia producción, son buenas noticias."

e. Piense en un caso que conozca de su país, en el que una medida que busca mejorar la equidad, tenga efectos sobre la eficiencia, o viceversa. ¿Tiene usted alguna idea sobre cómo podrían hacerse compatibles ambos objetivos?

2. Use los enlaces de Internet de este libro para investigar lo que ocurrió con la producción de maíz en México en 1999. Discuta estos resultados a la luz del análisis económico de la *Lectura entre líneas*.

3. ¿Cómo determinaría si la asignación de su tiempo para estudiar los temas de sus diferentes cursos es eficiente? ¿En qué unidades mediría usted el costo marginal y el beneficio marginal? Explique su respuesta utilizando los conceptos de costo marginal, beneficio marginal, precio, excedente del consumidor y excedente del productor.

# Capítulo 7

# Los mercados en la práctica

En 1906, San Francisco sufrió un devastador terremoto que destruyó más de la mitad de las casas de la ciudad, pero que causó la muerte de relativamente pocas personas. ¿Cómo le hizo frente a este enorme choque el mercado de viviendas de San Francisco? ¿Fue necesario controlar los precios de los alquileres para mantener asequible la vivienda? ¿Se asignaron los recursos escasos de vivienda a sus usos de más alto valor? ◆ Casi todos los días se inventa una nueva máquina que ahorra mano de obra y aumenta la productividad. ¿Cómo se enfrentan los mercados de trabajo al cambio tecnológico que ahorra mano de obra? ¿Bajan los salarios de los trabajadores con baja capacitación? ¿Se necesitan leyes de salarios mínimos para evitar que caigan los salarios? ¿Nos permiten los salarios mínimos utilizar con eficiencia la mano de obra? ◆ Casi todo lo que compramos está gravado por algún impuesto. ¿Cómo afectan los impuestos a los precios? ¿Aumentan los precios en la misma magnitud que

## Tiempos difíciles

los impuestos, de modo tal que los compradores somos los que pagamos todo el impuesto? ¿O acaso el vendedor paga una parte del impuesto? ¿Ayudan u obstaculizan los impuestos al mercado en su intento por dirigir los recursos hacia donde se les dé el más alto valor? ◆ El comercio de artículos como drogas, armas de fuego automáticas y uranio enriquecido es ilegal. ¿Cuáles son los efectos de las leyes que hacen ilegal el comerciar con un bien o servicio determinado sobre las cantidades que se consumen de esos artículos? ¿Y cómo afectan estas leyes a los precios que pagan aquellos que comercian ilegalmente? ◆ En 1991, condiciones ideales generaron altos rendimientos en la producción de cereales. Pero, en 1996, las cosechas quedaron devastadas por la sequía, y los rendimientos fueron bajos. ¿Cómo reaccionan los precios y los ingresos agrícolas a esas fluctuaciones en la producción? ¿Cómo influyen las acciones de los especuladores y las agencias gubernamentales sobre los ingresos agrícolas?

◆ En este capítulo se estudian diversos mercados. Se usa la teoría de la oferta y la demanda (capítulo 4), y los conceptos de elasticidad (capítulo 5) y eficiencia (capítulo 6), para contestar a las preguntas que se acaban de hacer. Comenzaremos a estudiar dos mercados que tienen importantes repercusiones sobre nuestras vidas: el mercado de la vivienda y el mercado de trabajo. Con frecuencia, los gobiernos intervienen en estos mercados para intentar controlar los precios. Imponen topes a los alquileres y salarios mínimos. Con el fin de preparar el escenario para cada uno de estos casos, veremos cómo responde un mercado a acontecimientos turbulentos. Comenzaremos por ver cómo un mercado de vivienda hace frente a un choque de oferta muy severo.

## Después de estudiar este capítulo, usted será capaz de:

- Explicar cómo opera el mercado de vivienda y cómo los topes a los alquileres crean escasez de viviendas e ineficiencia

- Explicar cómo operan los mercados de trabajo y cómo las leyes de salarios mínimos crean desempleo e ineficiencia

- Explicar los efectos del impuesto a las ventas

- Explicar cómo operan los mercados de bienes ilegales

- Explicar por qué fluctúan los precios y los ingresos agrícolas

- Explicar cómo la especulación limita las fluctuaciones en los precios

## Mercados de vivienda y topes a los alquileres

PARA VER CÓMO UN MERCADO HACE FRENTE A UN CHO-que de oferta, transportémonos a San Francisco en abril de 1906, cuando la ciudad sufría los efectos de un impresionante terremoto y de una serie de incendios posteriores. Se puede comprender la enormidad de los problemas de San Francisco al leer un titular del *New York Times* en uno de los primeros días de la crisis, 19 de abril, 1906:

*Más de 500 muertos, $200,000,000 de pérdidas en el terremoto de San Francisco*
*Casi la mitad de la ciudad está en ruinas y 50,000 personas se han quedado sin hogar*

El comandante de las tropas federales a cargo de la emergencia describió la magnitud del problema:

No quedó en pie un hotel de renombre o de importancia. Los grandes edificios de apartamentos habían desaparecido... 225,000 personas estaban... sin hogar.[1]

Casi de un día para otro, más de la mitad de la población en una ciudad de 400,000 habitantes había perdido su hogar. Los refugios y campamentos temporales aliviaron parte del problema, pero también era necesario utilizar los edificios de apartamentos y las casas que habían quedado en pie. Como consecuencia, fue necesario que estas construcciones recibieran 40 por ciento más personas de las que tenían antes del terremoto.

El *San Francisco Chronicle* no se publicó durante más de un mes después del terremoto. Cuando reapareció el periódico, el 24 de mayo, 1906, no se mencionó la escasez de viviendas en la ciudad —lo que parecería ser una noticia central y que seguía siendo en extremo importante. Milton Friedman y George Stigler describen la situación:

¡*No se menciona ni una sola vez la escasez de viviendas!* Los anuncios clasificados nombraban 64 ofertas de apartamentos y casas para alquilar, y 19 casas para venta, contra 5 anuncios solicitando apartamentos o casas. A partir de entonces, se ofreció en renta un número importante de todo tipo de alojamiento, excepto habitaciones en hoteles.[2]

¿Cómo hizo frente San Francisco a una reducción tan devastadora en la oferta de viviendas?

[1] Presentado en "Roofs or Ceilings? The Current Housing Problem", de Milton Friedman y George J. Stigler, en *Popular Essays on Current Problems*, vol. 1, no. 2 (Nueva York: Foundation for Economic Education, 1946), 3-159.
[2] *Ibid.*, 3.

## La respuesta del mercado a una disminución en la oferta

La figura 7.1 muestra el mercado de viviendas en San Francisco. La curva de demanda de viviendas es *D*. Hay una curva de oferta a corto plazo, denominada *OC*, y una curva de oferta a largo plazo, denominada *OL*.

La curva de oferta a corto plazo muestra el cambio en la cantidad de viviendas ofrecidas a medida que cambia el precio (alquiler), en tanto que el número de casas y apartamentos permanece constante. La respuesta de la oferta a corto plazo se deriva de los cambios en la intensidad con que se usan los edificios existentes. La cantidad de viviendas ofrecidas aumenta si las familias alquilan habitaciones que antes usaban para sí mismas, y disminuye si las familias utilizan para ellas las habitaciones que antes alquilaban a otros.

La curva de oferta a largo plazo muestra cómo responde la cantidad de viviendas ofrecidas ante un cambio en el precio, después de que ha transcurrido el tiempo suficiente para que se construyan nuevos apartamentos y casas, o para que se destruyan los ya existentes. En la figura 7.1, la curva de oferta a largo plazo es *perfectamente elástica*. En realidad, no se sabe si la curva de oferta a largo plazo es perfectamente elástica, pero es un supuesto razonable. Implica que el costo de construir un apartamento es muy parecido, independientemente del número de apartamentos existentes.

El precio de equilibrio (alquiler) y la cantidad se determinan en el punto de intersección de la curva de oferta a *corto plazo* y la curva de demanda. Antes del terremoto, el alquiler de equilibrio era $16 al mes y la cantidad era de 100,000 unidades de viviendas.

En figura 7.1 (a) se muestra la situación inmediatamente después del terremoto. La destrucción de edificios disminuye la oferta de viviendas y desplaza la curva de oferta a corto plazo *OC* hacia la izquierda, hasta $OC_A$. Sin cambios en la población, la demanda de viviendas no cambia. Si el alquiler permanece en $16 mensuales, sólo se dispone de 44,000 unidades de vivienda. Pero con sólo 44,000 unidades de viviendas disponibles, el alquiler máximo que alguien está dispuesto a pagar por el último apartamento disponible es de $24 mensuales. Por tanto, aumentan los alquileres. En la figura 7.1 (a), el alquiler aumenta hasta $20 mensuales.

A medida que aumenta el alquiler, la cantidad demandada de viviendas disminuye y la cantidad ofrecida aumenta hasta 72,000 unidades. Estos cambios ocurren porque las personas economizan el uso de espacio y ofrecen a otros el lugar disponible en otras habitaciones, áticos y sótanos. El alquiler más alto asigna las viviendas escasas a las personas que les confieren el valor más alto y están dispuestas a pagar más por las mismas.

Pero un precio de alquiler más alto tiene efectos en el largo plazo. Veamos cuáles son estos efectos.

## FIGURA 7.1

# El mercado de vivienda de San Francisco en 1906

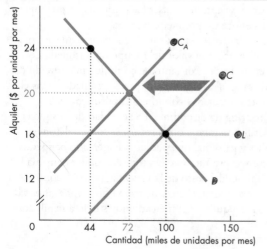

**(a) Después del terremoto**

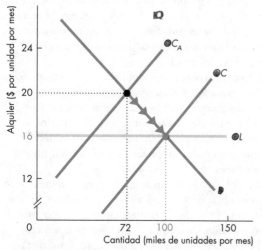

**(b) Ajuste a largo plazo**

En la sección (a) se muestra que antes del terremoto 100,000 unidades de vivienda estaban alquiladas en $16 al mes. Después del terremoto, la curva de oferta a corto plazo se desplaza desde OC hasta OC_A. El alquiler se eleva hasta $20 al mes, y la cantidad de viviendas disminuye hasta 72,000 unidades.

Con el alquiler en $20 mensuales, existen ganancias al construir nuevos departamentos y casas. Conforme avanza el programa de construcción, la curva de oferta a corto plazo se desplaza hacia la derecha (sección b). El alquiler baja gradualmente hasta $16 al mes y la cantidad de viviendas aumenta hasta 100,000 unidades, como se muestra en la línea de flechas.

## Ajustes a largo plazo

Con el tiempo suficiente para la construcción de nuevos apartamentos y casas, la oferta de vivienda aumenta. La curva de oferta a largo plazo en la figura 7.1(a) nos dice que a largo plazo se suministran viviendas a un alquiler de $16 mensuales. Debido a que el alquiler de $20 mensuales excede al precio de oferta a largo plazo, hay un auge en la construcción. Se construyen más apartamentos y casas, y la curva de oferta a corto plazo se desplaza gradualmente hacia la derecha.

En la figura 7.1(b) se muestra el ajuste a largo plazo. A medida que se construyen más viviendas, la curva de oferta a corto plazo se desplaza hacia la derecha y cruza la curva de demanda a precios de alquiler inferiores y con una mayor cantidad. El equilibrio del mercado sigue las flechas hacia abajo de la curva de demanda. Cuando el proceso termina, ya no hay beneficios adicionales en la construcción. El alquiler ha regresado a $16 mensuales y se dispone nuevamente de 100,000 unidades de viviendas.

## Un mercado de viviendas regulado

Acabamos de ver cómo responde un mercado de viviendas a una disminución de la oferta. Y hemos visto que una parte fundamental del proceso de ajuste es un aumento en el alquiler.

Suponga que el gobierno aprueba una ley para evitar que aumenten los alquileres. A esa ley se le denomina un tope a los precios. Un **tope a los precios** es una regulación que considera ilegal el cobrar un precio superior a un cierto nivel especificado. Cuando se aplica el tope de precios a los mercados de viviendas, se conoce como un **tope a los alquileres** (o **control de rentas**). ¿Cómo afecta un tope a los alquileres al mercado de viviendas?

El efecto de un tope al precio (alquiler) depende de si se impone a un nivel que esté por encima o por debajo del precio (alquiler) de equilibrio. Un tope a los precios establecido por encima del precio de equilibrio no tiene efecto. La razón es que el tope al precio no restringe las fuerzas del mercado. La fuerza de la ley y las fuerzas del mercado no están en conflicto. Pero un tope a los precios establecido por debajo del precio de equilibrio tiene efectos intensos sobre un mercado. La razón es que intenta evitar que el precio regule las cantidades demandadas y ofrecidas. La fuerza de la ley y las fuerzas del mercado están en conflicto y una (o ambas) de estas fuerzas tienen que ceder hasta un cierto grado. Estudiemos, con el caso de San Francisco, los efectos de un tope de precios que se establece por debajo del precio de equilibrio. ¿Qué hubiera ocurrido en San Francisco si después del terremoto se hubiera impuesto un tope al alquiler de $16 mensuales (es decir, si se hubiera dejado fijo el precio del alquiler previo al terremoto)?

La figura 7.2 muestra esta pregunta y algunas respuestas. Con un alquiler de $16 mensuales, la cantidad de viviendas ofrecida es de 44,000 unidades y la cantidad demandada es de 100,000 unidades. Por tanto, existe un déficit de 56,000 unidades de vivienda.

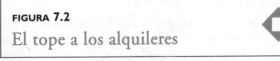

## FIGURA 7.2
## El tope a los alquileres

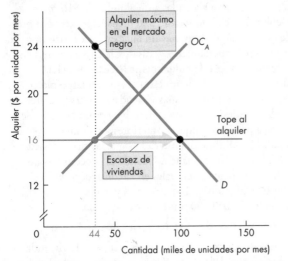

Si hubiera existido un tope al alquiler de $16 al mes, la cantidad de viviendas ofrecidas después del terremoto se hubiera mantenido en 44,000 unidades. Las personas habrían estado dispuestas a pagar $24 al mes por la unidad número 44,000. Debido a que la última unidad disponible vale más que el tope al alquiler, los arrendatarios frustrados dedicarán tiempo a la búsqueda de viviendas, y los arrendatarios y propietarios frustrados efectuarán operaciones en un mercado negro.

Sin embargo, la historia no termina aquí. Las 44,000 unidades de vivienda disponibles se tienen que asignar de alguna forma a personas que demandan 100,000 unidades. ¿Cómo se logra esta asignación? Cuando un tope a los alquileres crea una escasez de viviendas, ocurren dos acontecimientos. Éstos son:

■ Actividad de búsqueda
■ Mercado negro

### Actividad de búsqueda

El tiempo que se dedica a buscar a alguien con quien hacer negocios se conoce como **actividad de búsqueda**. Casi siempre que compramos algo, dedicamos algún tiempo a la actividad de búsqueda. Usted quiere el disco compacto de más venta y conoce cuatro tiendas que lo venden. ¿Pero cuál de ellas tiene el mejor precio? Es necesario pasar algunos minutos en el teléfono averiguándolo. En algunos mercados, se dedica mucho tiempo a la búsqueda. Un ejemplo es el mercado de automóviles usados. Las personas pasan mucho tiempo revisando varios distribuidores y tipos de automóviles.

Pero cuando un precio está regulado y existe escasez, la actividad de búsqueda aumenta. En los mercados de viviendas con alquileres controlados, los posibles arrendatarios frustrados revisan los periódicos ¡no sólo en busca de anuncios de viviendas, sino también de avisos de fallecimientos! Cualquier información sobre viviendas recientemente disponibles es útil y se apresuran a ser los primeros en presentarse cuando se conoce un posible proveedor.

El *costo de oportunidad* de un bien incluye no sólo su precio, sino también el valor del tiempo de búsqueda dedicado a encontrarlo. Por tanto, el costo de oportunidad de la vivienda es igual al alquiler (un precio regulado), más el tiempo y otros recursos dedicados a la búsqueda de la cantidad restringida disponible. La actividad de búsqueda es costosa. Utiliza tiempo y otros recursos, como teléfonos, automóviles y gasolina, que pudieran haber sido ocupados en otras formas productivas. Un tope al alquiler controla la parte de la renta del costo de la vivienda, pero no controla el costo de oportunidad, el cual incluso pudiera ser *más alto* de lo que sería el alquiler si el mercado no estuviera regulado.

### Mercado negro

Un **mercado negro** es un mercado ilegal en el que el precio excede al precio tope legalmente impuesto. Tiende a haber mercados negros para las viviendas con renta controlada, al igual que los revendedores controlan mercados negros para los boletos de eventos deportivos y conciertos importantes de música rock.

Cuando existen topes a los alquileres, los arrendatarios y propietarios frustrados buscan constantemente formas de aumentar los alquileres. Una forma común es que el nuevo inquilino pague un precio alto por accesorios sin valor alguno, como por ejemplo $2,000 por cortinas raídas. Otra es que el inquilino pague un precio exorbitante por nuevas cerraduras y llaves.

El nivel del alquiler en un mercado negro depende de lo estricta que sea la aplicación del tope a los alquileres. Si no es muy estricta, el alquiler en el mercado negro es cercano al alquiler no regulado. Pero con un cumplimiento estricto, el alquiler en el mercado negro es igual al precio máximo que están dispuestos a pagar los arrendatarios.

Con un cumplimiento estricto del tope al alquiler en el ejemplo de San Francisco que se muestra en la figura 7.2, la cantidad de viviendas disponibles permanece en 44,000 unidades. Un pequeño número de personas ofrece viviendas para alquilar a $24 mensuales, el alquiler más alto que alguien está dispuesto a pagar, y el gobierno detecta y sanciona a algunos de estos participantes en el mercado negro.

### Ineficiencia de los topes a los alquileres (controles de renta)

En un mercado no regulado, el mercado determina el alquiler al cual la cantidad demandada es igual a la ofrecida.

En esta situación, los recursos se asignan en forma eficiente. La suma del *excedente del consumidor* y del *excedente del productor* (las ganancias provenientes del comercio) se maximiza (véase el capítulo 6, págs. 104-105).

La figura 7.3 muestra la ineficiencia de un tope a los alquileres. Si el alquiler se fija en $16 por unidad mensual, se suministran 44,000 unidades. El excedente del productor se muestra mediante el triángulo azul por encima de la curva de oferta y por debajo de la línea del precio del alquiler. Debido a que la cantidad de viviendas es menor que la cantidad competitiva, hay una pérdida irrecuperable de eficiencia que se muestra mediante el triángulo gris. Esta pérdida la soportan los consumidores que no pueden encontrar vivienda y los productores que no pueden suministrar viviendas al nuevo precio más bajo. Los consumidores que sí encuentran viviendas al alquiler controlado ganan. Si nadie incurre en costos de búsqueda, el excedente del consumidor se muestra mediante la suma del triángulo verde y el rectángulo rojo. Pero los costos de búsqueda pueden consumir parte del excedente del consumidor, posiblemente tanto como la cantidad total que los consumidores están dispuestos a pagar por encima del precio regulado por la vivienda disponible. Esto se muestra mediante el rectángulo rojo.

Por tanto, los topes a los alquileres evitan que los recursos escasos fluyan a su uso de mayor valor. Pero, ¿acaso no aseguran los topes a los alquileres que las viviendas escasas las reciban las personas con mayor necesidad? La idea de necesidad es compleja. ¿Quién puede determinar si la "necesidad" de una persona es mayor que la de otra? El mercado no regulado respeta la evaluación que cada uno hace de la "necesidad", al permitir que la disponibilidad a pagar de cada persona asigne los recursos escasos.

Cuando la ley evita que los alquileres se ajusten para proporcionar la cantidad demandada en igualdad con la ofrecida, otros factores distintos al alquiler asignan las viviendas escasas. Uno de estos factores es la discriminación racial, los grupos étnicos o el sexo.

Hay varios ejemplos modernos de topes a los alquileres, pero el mejor es la ciudad de Nueva York. Una consecuencia de los topes a los alquileres en Nueva York es que familias que han vivido mucho tiempo en la ciudad, incluyendo algunas de las más ricas y famosas, disfrutan de alquileres bajos, en tanto que los recién llegados pagan precios de alquiler muy altos por apartamentos difíciles de conseguir. Al mismo tiempo, los propietarios en Harlem, donde están controlados los alquileres, abandonan manzanas completas de la ciudad a las ratas y a los distribuidores de drogas.

Los efectos de los topes a los alquileres han conducido a Assar Lindbeck, presidente del comité del premio Nobel de ciencia económica, a sugerir que los topes a los alquileres son a la fecha el medio más efectivo para destruir ciudades, incluso más efectivo que la bomba de hidrógeno.

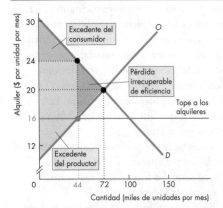

**FIGURA 7.3**

## La ineficiencia de un tope a los alquileres

Un tope a los alquileres de $16 al mes disminuye la cantidad de viviendas ofrecidas hasta 44,000 unidades. El excedente del productor se reduce al triángulo azul y se produce una pérdida irrecuperable de eficiencia (el triángulo gris). Si las personas no utilizan recursos en actividades de búsqueda, el excedente del consumidor es el que se muestra mediante el triángulo verde, más el rectángulo rojo. Sin embargo, las personas quizá utilicen recursos en actividades de búsqueda iguales a la cantidad que están dispuestas a pagar por la vivienda disponible, el rectángulo rojo.

### PREGUNTAS DE REPASO

■ ¿Cómo cambia una disminución en la oferta de viviendas el precio de alquiler de equilibrio a corto plazo? ¿Quién consume los recursos escasos de vivienda?

■ ¿Cuáles son los efectos a largo plazo de los alquileres más altos, después de una disminución en la oferta de viviendas?

■ ¿Qué es un tope a los alquileres y cuáles son los efectos de un tope a los alquileres que se establece por encima del alquiler de equilibrio?

■ ¿Cuáles son los efectos de un tope a los alquileres que se establece por debajo del alquiler de equilibrio?

■ ¿Cómo se asignan los recursos escasos de vivienda cuando se establece un tope a los alquileres?

Ahora usted conoce cómo opera un tope a los precios (tope a los alquileres o control de rentas). A continuación, aprenderemos los efectos de un precio mínimo, estudiando los salarios mínimos en el mercado de trabajo.

# El mercado de trabajo y el salario mínimo

PARA CADA UNO DE NOSOTROS, EL MERCADO DE TRABAJO es el mercado más importante en el que participamos. Es el mercado que influye sobre los empleos que obtenemos y los salarios que ganamos. Las empresas deciden cuánto trabajo demandar, y cuanto más baja sea la tasa salarial, mayor será la cantidad demandada de trabajo. Los hogares deciden cuánto trabajo proporcionar, y cuanto más alta sea la tasa salarial, mayor será la cantidad ofrecida de trabajo. La tasa salarial se ajusta para hacer que la cantidad demandada de trabajo sea igual a la ofrecida.

Pero el mercado de trabajo es golpeado constantemente por choques, y los salarios y las posibilidades de empleo cambian en forma constante. La fuente más extendida de estos choques es el avance de la tecnología.

Cada año, hay nuevas tecnologías que ahorran trabajo. Como resultado, la demanda por ciertos tipos de trabajo, por lo general los que requieren menos capacitación, tiende a disminuir. Por ejemplo, durante las décadas de 1980 y 1990, disminuyó la demanda de operadores de centrales telefónicas y de personal de reparación de televisores. En los últimos 200 años, ha disminuido en forma constante la demanda de trabajadores agrícolas poco calificados.

¿Cómo enfrenta el mercado de trabajo la disminución continua de la demanda de trabajadores poco calificados? ¿Significa esto que los salarios de los trabajadores poco calificados han disminuido en forma constante?

Para contestar a estas preguntas, es necesario estudiar el mercado de trabajadores poco calificados. Y en la misma forma en que lo hicimos al estudiar el mercado de vivienda, hay que observar tanto el corto como el largo plazo.

A corto plazo hay un número determinado de personas que tienen una determinada habilidad, capacitación y experiencia. La oferta de trabajo a corto plazo describe cómo cambia el número de horas de trabajo proporcionadas por este número determinado de trabajadores, a medida que cambia la tasa salarial. Para conseguir que los trabajadores trabajen más horas, es necesario ofrecerles una tasa salarial más alta.

A largo plazo, las personas pueden adquirir nuevas habilidades y encontrar nuevos tipos de empleos. El número de personas en el mercado de trabajo poco calificado depende de la tasa salarial en este mercado, en comparación con otras oportunidades. Si la tasa salarial de los trabajadores poco calificados es suficientemente alta, las personas entrarán a este mercado. Si la tasa salarial es demasiado baja, las personas lo abandonarán. Algunas otras buscarán capacitación para entrar a mercados de trabajo más calificados y otras más dejarán de trabajar y se quedarán en sus casas o se retirarán.

La oferta de trabajo a largo plazo es la relación entre la cantidad de trabajo ofrecido y la tasa salarial, después de que ha transcurrido el tiempo suficiente para que las personas entren o abandonen el mercado de trabajo poco calificado. Si las personas pueden entrar y salir con libertad del mercado de trabajo poco calificado, la oferta de trabajo a largo plazo es *perfectamente elástica*.

La figura 7.4 muestra el mercado para trabajo poco calificado. Si las demás cosas permanecen igual, cuanto menor sea la tasa salarial, mayor será la cantidad de trabajo que demanden las empresas. La curva de demanda de trabajo, *D*, en la sección (a), muestra esta relación entre la tasa salarial y la cantidad de trabajo demandada. Si las demás cosas permanecen igual, cuanto más alta sea la tasa salarial, mayor será la cantidad de trabajo que ofrecen los hogares. Pero mientras más largo sea el período de ajuste, mayor será la *elasticidad de la oferta* de trabajo. La curva de oferta de trabajo a corto plazo es *OC*, y la curva de oferta a largo plazo es *OL*. En la figura se supone que la oferta a largo plazo es perfectamente elástica (la curva *OL* es horizontal). Este mercado se encuentra en equilibrio a una tasa salarial de $5 por hora y con 22 millones de horas de trabajo empleadas.

¿Qué ocurre si un nuevo invento permite ahorrar trabajo, lo que lleva a una disminución de la demanda de trabajo poco calificado? En la figura 7.4(a) se muestran los efectos de corto plazo de este tipo de cambio. La curva de demanda antes de que entre en vigor la nueva tecnología es la curva denominada *D*. Después de la introducción de la nueva tecnología, la curva de demanda se desplaza hacia la izquierda, hasta *DA*. La tasa salarial baja hasta $4 la hora, y la cantidad de trabajo empleado disminuye a 21 millones de horas. Sin embargo, este efecto de corto plazo sobre la tasa salarial y el empleo no es el fin de la historia.

Las personas que ahora están ganando sólo $4 por hora, buscan otras oportunidades; perciben que hay muchos otros empleos (en mercados para otros tipos de habilidades) que pagan más de $4 la hora. Uno por uno, los trabajadores deciden regresar a la escuela o tomar empleos que paguen menos, pero que ofrezcan capacitación en el propio lugar de trabajo. Como resultado, la curva de oferta a corto plazo comienza a desplazarse hacia la izquierda.

La figura 7.4(b) muestra el ajuste a largo plazo. A medida que la curva de oferta a corto plazo se desplaza hacia la izquierda, cruza la curva de demanda *DA*, a tasas salariales más altas y niveles más bajos de empleo. El proceso termina cuando los trabajadores no tienen incentivos para abandonar el mercado de trabajo poco calificado y la curva de oferta se ha desplazado por completo hasta *OCA*. En este punto, la tasa salarial ha regresado a $5 la hora y el empleo ha disminuido a 20 millones de horas al año.

En ocasiones, el proceso de ajuste que se acaba de describir es rápido. En otras ocasiones es lento y los salarios permanecen bajos durante un período largo. Para incrementar los salarios de los trabajadores de más baja remuneración, el gobierno interviene en el mercado de trabajo y establece el salario mínimo que se exige que

---

**FIGURA 7.4**

# Un mercado para trabajo poco calificado

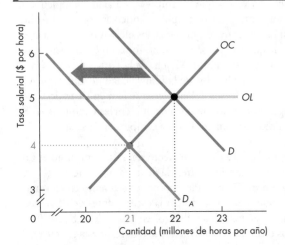

**(a) Después del invento**

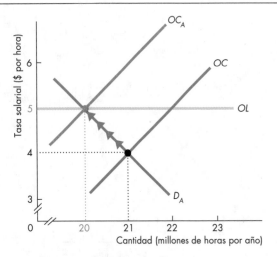

**(b) Ajuste a largo plazo**

En la sección (a) se muestra el efecto inmediato de un invento que ahorra trabajo sobre el mercado de trabajo poco calificado. Inicialmente, la tasa salarial es de $5 la hora y se emplean 22 millones de horas de trabajo. Un invento que ahorre trabajo, desplaza la curva de demanda desde $D$ hasta $D_A$. La tasa salarial baja hasta $4 la hora y el empleo disminuye hasta 21 millones

de horas al año. Con la tasa salarial más baja, algunos trabajadores dejan este mercado y la curva de oferta a corto plazo comienza a desplazarse gradualmente hasta $OC_A$ (sección b). La tasa salarial aumenta gradualmente y el nivel de empleo disminuye. A largo plazo, la tasa salarial regresa hasta $5 la hora y el empleo disminuye hasta 20 millones de horas al año.

---

paguen los empleadores. Observemos los efectos del salario mínimo.

## El salario mínimo

Una **ley de salario mínimo** es una regulación que hace que el contratar trabajo por debajo de un salario especificado sea ilegal. La figura 7.5 muestra cómo opera una ley de salario mínimo. Al no existir salario mínimo, el salario de equilibrio es de $4 la hora. Si el salario de equilibrio *excede* al salario mínimo, la ley y las fuerzas de mercado no están en conflicto y el salario mínimo no tiene efecto. Pero si el salario de equilibrio está *por debajo* del salario mínimo, el salario mínimo está en conflicto con las fuerzas del mercado y tiene algunos efectos sobre el mercado de trabajo.

Suponga que el gobierno establece un salario mínimo de $5 la hora. La línea roja horizontal de la figura 7.5 muestra este salario mínimo. A $5 la hora, se demandan 20 millones de horas de trabajo (punto *a*) y se ofrecen 22 millones de horas de trabajo (punto *b*). Hay 2 millones de horas de trabajo disponibles que quedan desempleadas.

Al ser la demanda de tan sólo 20 millones de horas, algunos trabajadores están dispuestos a suministrar la hora número 20 millones por $3. Los trabajadores frustrados y sin empleo dedican tiempo y otros recursos a buscar empleos que son difíciles de encontrar.

## El salario mínimo en la práctica

El salario mínimo en Estados Unidos está fijado por el Acta de Estándares Laborales Justos (*Fair Labor Standards Act*) del gobierno federal. Algunos gobiernos estatales han aprobado leyes estatales de salario mínimo que exceden al salario mínimo federal. En 1998, el salario mínimo fue de $5.15 la hora. De vez en cuando se ha aumentado el salario mínimo y éste ha fluctuado entre el 35 por ciento y más del 50 por ciento del salario promedio de los trabajadores industriales.

En la figura 7.5 se observa que el salario mínimo ocasiona desempleo. Pero, ¿cuánto desempleo produce? Los economistas no están de acuerdo al contestar esta pregunta. Hasta hace poco, la mayoría de los economistas creía que el salario mínimo contribuía de manera importante al alto desempleo entre los trabajadores jóvenes poco calificados. Pero

**FIGURA 7.5**

## Salario mínimo y desempleo

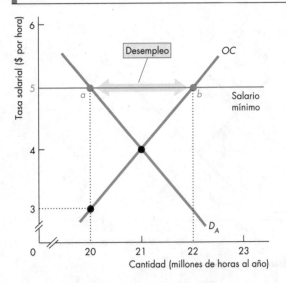

La curva de demanda de trabajo es $D_A$ y la curva de oferta es OC. En un mercado no regulado, la tasa salarial es de $4 la hora y se emplean 21 millones de horas de trabajo al año. Si se impone un salario mínimo de $5 la hora, sólo se contratan 20 millones de horas, aunque estén disponibles 22 millones de horas. Se crea un desempleo de 2 millones de horas al año (segmento ab).

recientemente se ha puesto en duda este punto de vista, lo cual a su vez ha sido impugnado.

David Card, un economista canadiense que trabaja en la Universidad de California en Berkeley, y Alan Krueger de la Universidad de Princeton, afirman que los aumentos en el salario mínimo no han disminuido el empleo y creado desempleo. Al estudiar los salarios mínimos en California, New Jersey y Texas, estos autores dicen que la tasa de empleo de los trabajadores de bajos ingresos aumentó después de un aumento en el salario mínimo. Ellos sugieren tres razones por las que los salarios más altos pudieran aumentar el empleo. Primero, los trabajadores se hacen más conscientes y productivos. Segundo, es menos probable que los trabajadores renuncien, por lo que se reduce la rotación de empleos, que es costosa. Tercero, los gerentes hacen más eficientes las operaciones de la empresa.

La mayoría de los economistas ven con escepticismo las sugerencias de Card y Krueger y se hacen dos preguntas. Primero, si los salarios más altos hacen que los trabajadores sean más productivos y se reduce la rotación de empleos, ¿por qué las empresas no pagan libremente tasas salariales por encima del salario de equilibrio para estimular hábitos de trabajo

más productivos? Segundo, ¿existen otras explicaciones para las respuestas del empleo encontradas por Card y Krueger?

Según Daniel Hamermesh, de la Universidad de Texas en Austin, Card y Krueger están equivocados en cuanto a la secuencia. Él afirma que las empresas rebajan el empleo *antes* de que aumente el salario mínimo, anticipándose al aumento. Si él está en lo correcto, observar los efectos de un aumento *después* de que éste ha ocurrido; no toma en cuenta sus efectos principales. Finish Welch, de la Universidad Texas A&M, y Kevin Murphy, de la Universidad de Chicago, expresan que los efectos del empleo que han encontrado Card y Krueger están ocasionados por diferencias regionales en el crecimiento económico, no por cambios en el salario mínimo.

Según la figura 7.5, un efecto del salario mínimo es un aumento en la cantidad ofrecida de trabajo. Si este efecto ocurre, esto podría manifestarse como un aumento en el número de personas que abandonan la escuela antes de terminar la segunda enseñanza (bachillerato) en busca de trabajo. Algunos economistas afirman que esta respuesta sí ocurre.

## Ineficiencia del salario mínimo

Un mercado de trabajo no regulado asigna los recursos escasos de trabajo a los empleos en que se les da mayor valor. El salario mínimo frustra el mecanismo del mercado y produce desempleo (recursos de trabajo desperdiciados) y una cantidad poco eficiente de búsqueda de empleo.

En la figura 7.5, en las empresas en las que emplean sólo 20 millones de horas de trabajo pagado al salario mínimo, muchas personas que están dispuestas a ofrecer su trabajo se ven imposibilitadas de ser contratadas. Se puede observar que la hora de trabajo número 20 millones está disponible a $3. Es decir, el salario más bajo al que alguien está dispuesto a ofrecer la hora número 20 millones es de $3 (véase la curva de oferta). Alguien que logre encontrar un empleo, gana $5 la hora; es decir, $2 más por hora que la tasa salarial más baja a la que alguien está dispuesto a trabajar. Por tanto, para las personas desempleadas vale la pena dedicar tiempo y esfuerzo a buscar trabajo. Aunque sólo llegan a emplearse en realidad 20 millones de horas de trabajo, cada persona dedica tiempo y esfuerzo a la búsqueda de uno de los empleos escasos.

## El salario mínimo en América Latina

Los países de América Latina tienen al menos un tipo de salario mínimo vigente. El salario mínimo más común se aplica únicamente en la industria manufacturera y en las zonas urbanas. En algunos países, existen salarios mínimos por región y por tipo de actividad económica. En general, el salario mínimo en América Latina equivale a alrededor de

**FIGURA 7.6**

## Salarios mínimos urbanos reales en Latinoamérica, 1997 (1980 =100)

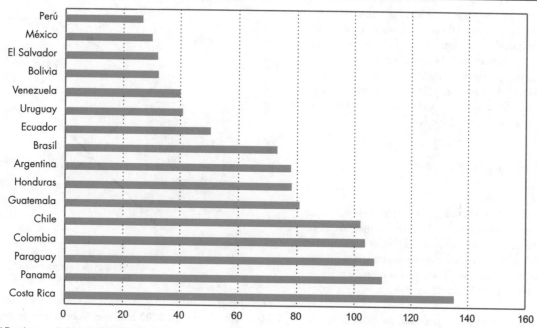

*Fuente:* World Development Indicators 200. Banco Mundial.

50% del salario promedio. A partir de 1980, los salarios mínimos en América Latina han tendido a disminuir en términos reales.

La figura 7.6 muestra el índice del salario mínimo real en las zonas urbanas en un grupo de 16 países en 1997. El año de referencia es 1980, por lo que un índice con un valor superior a 100 indica que el salario mínimo urbano en 1997 fue mayor que el salario mínimo real en 1980. Si el índice es inferior a 100, el salario mínimo real en 1997 fue menor que el salario mínimo real de 1980.

La figura muestra que el salario real en la mayor parte de los países latinoamericanos ha disminuido en forma considerable en los últimos años. Los casos en los que se observa la mayor reducción son: Perú, México, El Salvador, Bolivia, Venezuela, Uruguay y Ecuador. Los casos en los que el salario mínimo real se ha mantenido relativamente constante (o incluso ha aumentado) son: Chile, Colombia, Paraguay, Panamá y Costa Rica.

La tendencia decreciente del salario mínimo real ha ayudado a disminuir la ineficiencia potencial de este tipo de regulación. Esto se debe a que cuanto menor es el salario mínimo, menos probable es que éste se encuentre por encima del salario de equilibrio del mercado laboral. Por tanto, la ineficiencia de este tipo de regulación es menor cuanto menor es el nivel del salario mínimo.

## PREGUNTAS DE REPASO

- ¿Cómo cambia la tasa salarial a corto plazo ante una disminución en la demanda de trabajo poco calificado?

- ¿Cuáles son los efectos a largo plazo de una menor tasa salarial en la oferta de trabajo poco calificado?

- ¿Qué es una ley de salarios mínimos y cuál es el efecto de un salario mínimo que se establece por debajo del salario de equilibrio?

- ¿Cuál es el efecto de un salario mínimo que se establece por encima del salario de equilibrio?

- ¿Cuál ha sido la tendencia reciente del salario mínimo en América Latina? ¿Qué implica esto con respecto a la ineficiencia de este tipo de regulación?

A continuación, se estudiará una intervención muy generalizada del gobierno en los mercados: los impuestos. Un ejemplo de esto es el impuesto a las ventas. Se verá cómo los impuestos influyen en los precios y las cantidades de equilibrio. Se mostrará que el consumidor no paga por completo el impuesto a las ventas. Y se verá que, por lo general, los impuestos crean una pérdida irrecuperable de eficiencia.

# Los impuestos

CASI TODO LO QUE SE COMPRA ESTÁ GRAVADO CON impuestos. Pero, ¿quién paga en realidad el impuesto? Debido a que el impuesto a las ventas se añade al precio del bien o servicio cuando se vende, ¿no es obvio que usted, el comprador, paga el impuesto? ¿No aumenta el precio de un bien en un monto igual al impuesto? Puede ser así, pero por lo general no lo es. ¡E incluso es posible que usted no pague impuesto alguno! Veamos cómo podemos explicar estas afirmaciones aparentemente absurdas.

## ¿Quién paga el impuesto a las ventas?

Suponga que el gobierno aplica un impuesto a las ventas de $10 a los aparatos reproductores de discos compactos. ¿Cuáles son los efectos del impuesto sobre el precio y la cantidad de equilibrio de estos aparatos? Para contestar a esta pregunta, es necesario averiguar qué le ocurre a la oferta y la demanda en el mercado de aparatos reproductores de discos compactos.

La figura 7.7 muestra este mercado. La curva de demanda es *D* y la curva de oferta es *O*. Al no existir impuesto a las ventas, el precio de equilibrio es $100 por aparato y cada semana se compran y venden 5,000 de ellos.

Cuando se aplica un impuesto a un bien, éste tiene dos precios: un precio que excluye el impuesto y un precio que incluye el impuesto. Los compradores sólo responden al precio que incluye el impuesto, porque ése es el que pagan ellos. Los vendedores sólo responden al precio que excluye el impuesto, porque ése es el precio que reciben. El impuesto es como una cuña entre estos dos precios.

Piense en el precio sobre el eje vertical de la figura 7.7 como el precio que pagan los compradores, es decir, el precio que *incluye* el impuesto. Cuando se aplica un impuesto y cambia el precio, hay un cambio en la cantidad demandada, pero no hay cambios en la demanda. Es decir, hay un movimiento a lo largo de la curva de demanda y ningún desplazamiento de la curva de demanda.

Pero la oferta cambia y la curva de oferta se desplaza. El impuesto a las ventas es como un aumento del costo, por lo que disminuye la oferta y la curva de oferta se desplaza hacia la izquierda, hasta *O + impuesto*. Para determinar la posición de esta nueva curva de oferta, se suma el impuesto al precio mínimo que están dispuestos a aceptar los vendedores por cada cantidad vendida. Por ejemplo, sin impuestos, los vendedores están dispuestos a ofrecer 5,000 aparatos a la semana, a un precio de $100 cada uno. Por tanto, con un impuesto de $10, ofrecerán a la semana 5,000 aparatos reproductores de discos compactos a $110 (un precio que

**FIGURA 7.7**

## El impuesto a las ventas

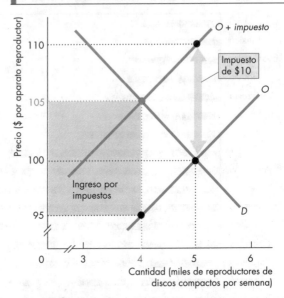

Al no haber un impuesto a las ventas, se compran y venden 5,000 reproductores a $100 cada uno. Se establece un impuesto a las ventas de $10 por reproductor y la curva de oferta se desplaza hacia la izquierda, hasta *O + impuesto*. En el nuevo equilibrio, el precio se eleva hasta $105 por reproductor y la cantidad disminuye hasta 4,000 reproductores de discos compactos a la semana. El impuesto a las ventas eleva el precio en un monto inferior al impuesto, en tanto que el precio recibido por el vendedor y la cantidad de equilibrio disminuyen. El impuesto a las ventas produce al gobierno ingresos iguales al rectángulo azul.

incluye el impuesto). La curva *O + impuesto* describe las condiciones en que los vendedores están dispuestos a ofrecer aparatos reproductores ahora que existe un impuesto de $10.

Existe un equilibrio en el que la nueva curva de oferta cruza la curva de demanda. Esta situación ocurre a un precio de $105 y una cantidad de 4,000 aparatos reproductores de discos compactos a la semana. El impuesto a las ventas de $10 aumenta el precio que paga el comprador en $5 por aparato. Y disminuye el precio que recibe el vendedor en $5 por aparato. Por tanto, el comprador y el vendedor pagan por igual el impuesto de $10.

El impuesto produce al gobierno ingresos fiscales iguales al impuesto por artículo, multiplicado por el número de artículos vendidos. El área azul en la figura 7.7 muestra el ingreso por impuestos. El impuesto de $10 sobre los aparatos reproductores de discos compactos proporciona un ingreso por impuestos de $40,000 por semana.

En este ejemplo, el comprador y el vendedor dividen por igual el impuesto: el comprador paga $5 por aparato y lo mismo hace el vendedor. El compartir por igual el impuesto es un caso especial y no ocurre normalmente. Sin embargo, es usual que exista alguna división del impuesto entre el comprador y el vendedor. También, hay otros casos especiales en los que el comprador o el vendedor paga la totalidad del impuesto. La división del impuesto entre el comprador y el vendedor depende de las elasticidades de la demanda y la oferta.

## División del impuesto y elasticidad de la demanda

La división del impuesto entre el comprador y el vendedor depende, en parte, de la elasticidad de la demanda. Hay dos casos extremos:

- Demanda perfectamente inelástica: el comprador paga.
- Demanda perfectamente elástica: el vendedor paga.

**Demanda perfectamente inelástica**  La figura 7.8 (a) muestra el mercado de insulina, una medicina diaria vital para los diabéticos. La demanda es perfectamente inelástica a 100,000 dosis diarias, y es independiente del precio, tal como se muestra mediante la curva vertical $D$. Es decir, un diabético sacrificaría todos los demás bienes y servicios en lugar de no consumir la insulina que le proporciona buena salud. La curva de oferta de insulina es $O$. Sin impuesto, el precio es $2 por dosis y la cantidad es de 100,000 dosis diarias.

Si se grava la insulina con un impuesto de $0.20 por dosis, se tiene que sumar el impuesto al precio mínimo al que las compañías fabricantes de la medicina están dispuestas a vender la insulina. El resultado es una nueva curva de oferta $O$ + *impuesto*. El precio se eleva hasta $2.20 por dosis, pero la cantidad no cambia. El comprador pagará la totalidad del impuesto de $0.20 por dosis.

**Demanda perfectamente elástica**  La figura 7.8 (b) muestra el mercado para plumas de color azul. La demanda es perfectamente elástica a $1 cada pluma, tal como se muestra mediante la curva vertical $D$. Si las plumas de color azul son menos caras que las demás, todos usan la de color azul. Si las plumas de color azul son más caras que las otras, nadie las usa. La curva de oferta es $O$. Sin impuesto, el precio de las plumas azules es $1 y la cantidad es de 4,000 plumas a la semana.

Si se aplica un impuesto a las ventas de $0.10 por pluma a las plumas marcadoras de color azul, se añade el impuesto al precio mínimo al que los vendedores están dispuestos a ofrecerlas para la venta, y la nueva curva de oferta es $O$ + *impuesto*. El precio sigue siendo $1 por pluma

**FIGURA 7.8**

## Impuesto a las ventas y la elasticidad de la demanda

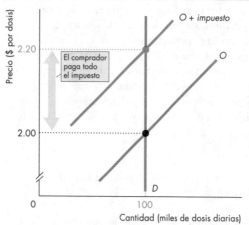

**(a) Demanda inelástica**

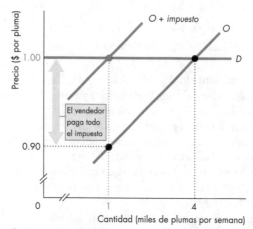

**(b) Demanda elástica**

En la sección (a) se muestra el mercado de insulina. La demanda de insulina es perfectamente inelástica. Al no existir impuesto, el precio es de $2 la dosis y la cantidad es de 100,000 dosis diarias. Un impuesto a las ventas de $0.20 por dosis desplaza la curva de oferta hasta $O$ + *impuesto*. El precio se eleva hasta $2.20 la dosis, pero la cantidad comprada no cambia. Los compradores pagan todo el impuesto. En la sección (b) se muestra el mercado para plumas de color azul. La demanda de estas plumas es perfectamente elástica. Cuando no existen impuestos, el precio es de $1 la pluma y la cantidad es de 4,000 plumas semanales. Un impuesto a las ventas de $0.10 por pluma desplaza la curva de oferta hasta $O$ + *impuesto*. El precio sigue siendo $1 por pluma y la cantidad de plumas color azul disminuye hasta 1,000 semanales. Los vendedores pagan todo el impuesto.

y la cantidad disminuye hasta 1,000 semanales. El impuesto a las ventas de $0.10 hace que el precio que paga el comprador no cambie, pero la cantidad que recibe el vendedor disminuye por el importe total del impuesto a las ventas. Como resultado, los vendedores disminuyen la cantidad que ofrecen para la venta.

Se ha visto que cuando la demanda es perfectamente inelástica, el comprador paga la totalidad del impuesto, y cuando la demanda es perfectamente elástica, es el vendedor quien lo paga. En el caso normal, la demanda no es ni perfectamente elástica ni perfectamente inelástica y el impuesto se divide entre el comprador y el vendedor. Pero la división depende de la elasticidad de la demanda. Cuanto más inelástica sea la demanda, mayor será la cantidad del impuesto que paga el comprador.

### División del impuesto y elasticidad de la oferta

La división del impuesto entre el comprador y el vendedor depende también, en parte, de la elasticidad de la oferta. De nuevo, existen dos casos extremos:

■ Oferta perfectamente inelástica: el vendedor paga.
■ Oferta perfectamente elástica: el comprador paga.

**Oferta perfectamente inelástica**   La figura 7.9(a) muestra el mercado para el agua proveniente de un manantial mineral que fluye a una tasa constante que no se puede controlar. La oferta es perfectamente inelástica a 100,000 botellas semanales, tal como se muestra mediante la curva de oferta $O$. La curva de demanda del agua proveniente de este manantial es $D$. Al no haber impuestos, el precio es $0.50 por botella y se compran las 100,000 botellas que fluyen del manantial.

Suponga que a esta agua mineral se le aplica un impuesto de $0.05 por botella. La curva de oferta no cambia porque los dueños del manantial aún producen 100,000 botellas a la semana, aunque el precio que reciben baja. Sin embargo, los compradores sólo están dispuestos a adquirir las 100,000 botellas si el precio es $0.50 por botella. Por tanto, el precio sigue siendo $0.50 por botella y el vendedor pagará todo el impuesto. El impuesto a las ventas reduce el precio recibido por los vendedores a $0.45 la botella.

**Oferta perfectamente elástica**   La figura 7.9(b) muestra el mercado para la arena de la cual extraen silicio los fabricantes de microprocesadores para computadoras. La oferta de esta arena es perfectamente elástica a un precio de $0.10 la libra, tal como se muestra mediante la curva de oferta $O$. La curva de demanda de arena es $D$. Al no haber impuestos, el precio es $0.10 la libra y cada semana se compran 5,000 libras.

**FIGURA 7.9**

# Impuesto a las ventas y la elasticidad de la oferta

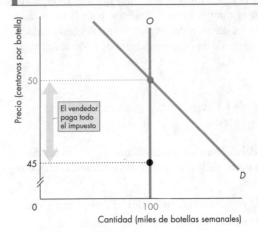

**(a) Oferta inelástica**

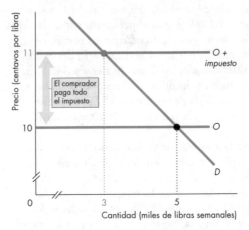

**(b) Oferta elástica**

En la sección (a) se muestra el mercado de agua proveniente de un manantial mineral. La oferta es perfectamente inelástica. Sin impuesto, el precio es de $0.50 la botella. Con un impuesto a las ventas de $0.05 por botella, el precio se mantiene en $0.50 la botella. El número de botellas compradas sigue siendo el mismo, pero el precio que recibe el vendedor disminuye hasta $0.45 la botella. El vendedor paga todo el impuesto. En la sección (b) se muestra el mercado de arena. La oferta es perfectamente elástica. Cuando no hay impuesto, el precio es de $0.10 la libra y se compran 5,000 libras semanales. Un impuesto a las ventas de $0.01 la libra aumenta el precio mínimo de oferta hasta $0.11 la libra. La curva de oferta se desplaza hasta $O$ + impuesto. El precio aumenta hasta $0.11 la libra. El comprador paga todo el impuesto.

Si a esta arena se le aplica un impuesto de $0.01 por libra, se tiene que añadir el impuesto al precio mínimo de oferta. Ahora los vendedores están dispuestos a ofrecer cualquier cantidad a $0.11 la libra a lo largo de la curva *O + impuesto*. Se determina un nuevo equilibrio en el que la nueva curva de oferta cruza la curva de demanda. Esto ocurre a un precio de $0.11 la libra y una cantidad de 3,000 libras semanales. El impuesto a las ventas ha aumentado el precio que paga el comprador por la cantidad total del impuesto ($0.01 la libra) y ha disminuido la cantidad vendida.

Se ha visto que cuando la oferta es perfectamente inelástica, el vendedor paga todo el impuesto, y cuando la oferta es perfectamente elástica, el comprador lo paga. En el caso normal, la oferta no es ni perfectamente inelástica ni perfectamente elástica y el impuesto se divide entre el comprador y el vendedor. Pero la división entre el comprador y el vendedor depende de la elasticidad de la oferta. Cuanto más elástica sea la oferta, mayor será la cantidad del impuesto que paga el comprador.

## Los impuestos a las ventas en la práctica

Los artículos con gravámenes elevados, como el alcohol, el tabaco y la gasolina, tienen una baja elasticidad de demanda. Por tanto, el comprador paga la mayor parte del impuesto.

Asimismo, debido a que la demanda es inelástica, la cantidad comprada no disminuye mucho y el gobierno obtiene ingresos importantes por estos impuestos.

Pero en ocasiones el gobierno comete un error. En 1991, el gobierno federal de Estados Unidos trataba de obtener cualquier dólar que pudiera encontrar para rebajar su déficit. Puso en vigor un plan para aplicar un "impuesto a los artículos de lujo" de 10% a los barcos de recreo, aviones privados, automóviles caros, pieles y joyería, que se estimó produciría $300 millones al año. Pero el gobierno no tuvo en cuenta la alta elasticidad de la demanda por estos artículos. La cantidad de barcos de recreo y otros artículos de lujo que se compraron, disminuyó hasta en un 90%, y el ingreso por el cobro del impuesto fue de sólo una décima parte de la cantidad esperada. El impuesto a los artículos de lujo se abandonó con rapidez.

Este breve experimento con un impuesto a los bienes de lujo explica por qué los artículos gravados son aquellos que tienen demandas inelásticas y por qué, en la práctica, los compradores pagan la mayor parte de los impuestos.

## Impuestos y eficiencia

Ya se ha visto que un impuesto a las ventas representa una cuña entre el precio pagado por los compradores y el recibido por los vendedores. El precio que pagan los compradores

---

**FIGURA 7.10**

## Impuestos y eficiencia

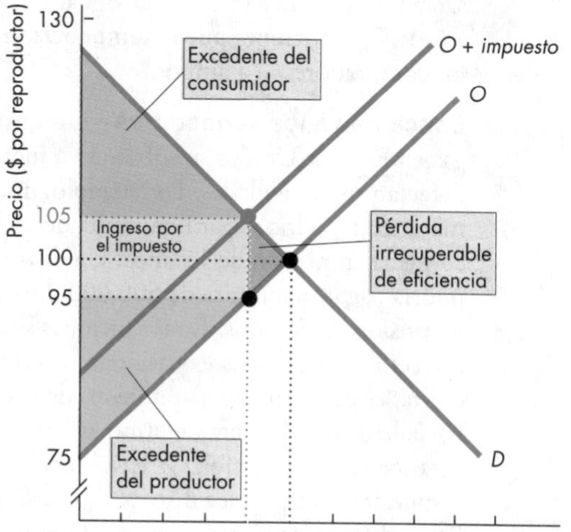

Cuando no existe un impuesto a las ventas, se compran y venden 5,000 reproductores a la semana por $100 cada uno. Con un impuesto a las ventas de $10 por reproductor, el precio del comprador se eleva hasta $105 por reproductor, el precio del vendedor baja hasta $95 y la cantidad disminuye hasta 4,000 reproductores de discos compactos a la semana. El excedente del consumidor se reduce al área verde y el excedente del productor disminuye hasta el área de color azul oscuro. También se produce una pérdida irrecuperable de eficiencia, la cual se muestra mediante el área gris.

es también su disposición a pagar, la cual mide el beneficio marginal. Y el precio que reciben los vendedores es su precio mínimo de oferta, el cual equivale al costo marginal.

Por tanto, debido a que el impuesto coloca una cuña entre el precio de los compradores y el de los vendedores, también establece una cuña entre el beneficio marginal y el costo marginal y genera ineficiencia. Con un precio de compra más alto y un precio de venta más bajo, el impuesto disminuye la cantidad producida y consumida y se produce una pérdida irrecuperable de eficiencia. La figura 7.10 muestra la ineficiencia de los impuestos. Tanto el excedente del consumidor como el excedente del productor disminuyen. El gobierno obtiene una parte de cada uno de estos excedentes en forma de ingresos por impuestos (el área de color azul claro en la figura). Otra parte de los excedentes se convierte en una pérdida irrecuperable de eficiencia (el área gris).

En los casos extremos de una demanda perfectamente inelástica y una oferta perfectamente inelástica, la cantidad no cambia y no hay una pérdida irrecuperable de eficiencia. Cuanto más inelástica sea la demanda o la oferta, menor será la disminución de la cantidad y menor la pérdida irrecuperable. Cuando la demanda o la oferta es perfectamente inelástica, la cantidad permanece constante y no hay pérdida irrecuperable.

## PREGUNTAS DE REPASO

- ¿Cómo influye la elasticidad de la demanda en el efecto que tiene un impuesto a las ventas sobre el precio pagado por el comprador, el precio recibido por el vendedor, la cantidad, el ingreso por el impuesto y la pérdida irrecuperable?

- ¿Cómo influye la elasticidad de la oferta en el efecto que tiene un impuesto a las ventas sobre el precio pagado por el comprador, el precio recibido por el vendedor, la cantidad, el ingreso por el impuesto y la pérdida irrecuperable?

- ¿Por qué los impuestos crean una pérdida irrecuperable de eficiencia?

Los gobiernos hacen que sea ilegal el comerciar con algunos tipos de bienes, por ejemplo: las drogas. Veamos cómo opera el mercado cuando se comercia con un bien ilegal.

# Mercados para bienes ilegales

LOS MERCADOS PARA MUCHOS BIENES Y SERVICIOS ESTÁN regulados, y la compra y venta de algunos de ellos es ilegal. Los ejemplos más conocidos de estos bienes son las drogas, como la mariguana, la cocaína y la heroína.

A pesar del hecho de que estas drogas son ilegales, su comercio es un negocio de varios miles de millones de dólares. Este comercio se puede comprender utilizando el mismo modelo y principios económicos que explican el comercio de bienes legales. Para estudiar el mercado de bienes ilegales, primero se examinan los precios y las cantidades que prevalecerían si estos bienes no fueran ilegales. A continuación se verá cómo opera la prohibición. Después se verá cómo un impuesto podría limitar el consumo de estos bienes.

## Un mercado libre para las drogas

La figura 7.11 muestra el mercado de las drogas. La curva de demanda, $D$, indica que, si todas las demás cosas permanecen igual, cuanto más bajo sea el precio de las drogas, mayor será la cantidad demandada de las mismas. La curva de oferta, $O$, señala que, si todas las demás cosas permanecen igual, cuanto más bajo sea el precio de las drogas, menor será la cantidad ofrecida. Si las drogas no fueran ilegales, la cantidad comprada y vendida sería $Q_c$ y el precio sería $P_c$.

## Un mercado para las drogas ilegales

Cuando un bien es ilegal, aumenta su costo de comercialización. En cuánto aumenta el costo y sobre quién recae, depende de las sanciones por violar la ley y de la efectividad con que se haga cumplir la ley. Cuanto mayores sean las sanciones y más efectiva sea la vigilancia, más altos serán los costos. Las sanciones pueden imponerse a los vendedores, a los compradores, o a ambos.

**Sanciones a los vendedores**    Los distribuidores de drogas en Estados Unidos se enfrentan a fuertes sanciones si se detectan sus actividades. Por ejemplo, un distribuidor de mariguana podría pagar una multa de 200,000 dólares y una condena en prisión de 15 años. Un distribuidor de heroína podría pagar una multa de 500,000 dólares y una condena en prisión de 20 años. Estas sanciones son parte del costo de ofrecer drogas ilegales y ocasionan una disminución en la oferta, es decir, un desplazamiento de la curva de oferta hacia la izquierda. Para determinar la nueva curva de oferta, se suma el costo de violar la ley al precio mínimo que están dispuestos a aceptar los distribuidores de drogas. En la figura 7.11, el costo de violar la ley al vender drogas (*CVL*) se añade al precio mínimo que aceptarán los distribuidores, y la curva de oferta se desplaza hacia la izquierda, hasta $O +$ *CVL*. Si sólo se aplican sanciones a los vendedores, el mercado se desplaza desde el punto *c* hasta el punto *a*. El precio aumenta y la cantidad comprada disminuye.

**Sanciones a los compradores** En Estados Unidos, al igual que en muchos otros países, es ilegal *poseer* drogas como mariguana, cocaína y heroína. Por ejemplo, la posesión de mariguana o heroína puede ocasionar una condena a prisión por uno o dos años, respectivamente. Los castigos recaen sobre los compradores y el costo de violar la ley (*CVL*) tiene que rebajarse del valor del bien para determinar el precio máximo que los compradores están dispuestos a pagar por la droga. La demanda disminuye y la curva de demanda se desplaza hacia la izquierda. En la figura 7.11, la curva de demanda se desplaza hasta $D - CVL$. Cuando se imponen sanciones sólo a los compradores, el mercado se desplaza desde el punto *c* hasta el punto *b*. Tanto el precio como la cantidad disminuyen.

**Sanciones tanto a los vendedores como a los compradores** Si se imponen sanciones a los vendedores y a los compradores, disminuyen tanto la oferta como la demanda, y las curvas de oferta y de demanda se desplazan hacia la izquierda. En la figura 7.11, los costos de violar la ley son los mismos tanto para los compradores como para los vendedores, por lo que ambas curvas se desplazan hacia la izquierda por la misma cantidad. El mercado se desplaza hasta el punto *d*. El precio permanece en $P_c$, pero la cantidad comprada disminuye hasta $Q_p$.

Cuanto mayores sean las sanciones y mayor el grado de cumplimiento de la ley, mayor será la disminución en la demanda y/o la oferta y mayores los desplazamientos de la curva de demanda y/o de la curva de oferta. Si las sanciones son más fuertes para los vendedores, la curva de oferta se desplaza más que la curva de demanda y el precio se eleva por encima de $P_c$. Si las sanciones son más fuertes para los compradores, la curva de demanda se desplaza más que la curva de oferta y el precio cae por debajo de $P_c$. En Estados Unidos, las sanciones para los vendedores son mayores que para los compradores, por lo que la cantidad de drogas vendidas disminuye y el precio aumenta en comparación con un mercado no regulado.

Con sanciones lo suficientemente fuertes y un efectivo cumplimiento de la ley, es posible disminuir la demanda y/o la oferta hasta el punto en el que la cantidad comprada sea cero. Pero en la realidad este tipo de resultados no es usual. No ocurre en el caso de las drogas ilegales. La razón fundamental es el alto costo de hacer cumplir la ley y los recursos insuficientes para que la policía haga cumplir la ley con eficiencia. Debido a esta situación, algunas personas sugieren la legalización y la venta libre de las drogas (y otros bienes ilegales) pero también la aplicación de una alta tasa de impuesto en la misma forma en que se gravan las drogas legales como el alcohol. ¿Cómo operaría este método?

**FIGURA 7.11**
## Un mercado para un bien ilegal

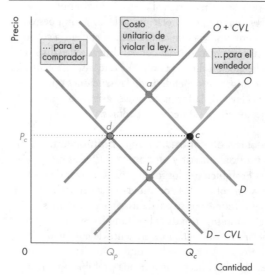

La curva de demanda de drogas es *D* y la curva de oferta es *O*. Si las drogas no son ilegales, la cantidad comprada y vendida es $Q_c$, a un precio de $P_c$ (punto *c*). Si la venta de drogas es ilegal, el costo de violar la ley al vender drogas (*CVL*) se añade al precio mínimo de oferta, y la oferta disminuye hasta $O + CVL$. El precio se eleva y la cantidad comprada disminuye (punto *a*). Si la compra de drogas es ilegal, el costo de violar la ley se rebaja del precio máximo que los compradores están dispuestos a pagar, y la demanda disminuye hasta $D - CVL$. El precio baja y la cantidad comprada disminuye (punto *b*). Si tanto la compra como la venta son ilegales, las curvas de oferta y demanda se desplazan, la cantidad comprada disminuye aún más, pero (en este ejemplo) el precio permanece a su nivel no regulado (punto *d*).

## La legalización de las drogas y su gravamen con impuestos

Con base en el estudio de los efectos de los impuestos, es fácil deducir que se podría disminuir la cantidad de drogas compradas si éstas se legalizaran y se gravaran con impuestos. Para disminuir la oferta, se podría aplicar un impuesto lo suficientemente alto, elevar el precio y lograr la misma disminución de la cantidad comprada que con la prohibición de las drogas. El gobierno recibiría un gran ingreso por concepto del impuesto.

**Comercio ilegal para evadir el impuesto** Es probable que se necesitara un tipo de impuesto extremadamente alto para rebajar la cantidad de drogas compradas al nivel que prevalecería con una prohibición. También es probable que muchos distribuidores y consumidores de drogas intentaran encubrir sus actividades para evadir el impuesto. Si actuaran de esta forma, se enfrentarían al costo de incumplir la ley fiscal. Si la sanción por la violación de la ley de impuestos fuera tan fuerte y se vigilara con la misma eficiencia como se hace con las leyes relacionadas con las drogas, el análisis que ya hemos hecho se aplicaría también a este caso. La cantidad de drogas compradas dependería de las sanciones por incumplir la ley y de la forma en que se asignarían las sanciones a los compradores y vendedores.

**Los impuestos en contraste con la prohibición: algunos puntos a favor y en contra**   ¿Qué es más efectivo, la prohibición o los impuestos? En favor de los impuestos y en contra de la prohibición está el hecho de que el ingreso por impuestos se puede usar para hacer más eficiente el cumplimiento de la ley. También se puede usar para manejar una campaña más eficiente de educación contra las drogas. A favor de la prohibición y en contra de los impuestos está el hecho de que una prohibición envía una señal que podría influir sobre las preferencias, lo cual haría disminuir la demanda de drogas. Además, a algunas personas les desagrada mucho la idea de que el gobierno se beneficie de comerciar con sustancias dañinas.

## PREGUNTAS DE REPASO

- ¿Cómo influye la imposición de sanciones por vender una droga sobre la demanda, la oferta, el precio y la cantidad de drogas consumidas?
- ¿Cómo influye la imposición de sanciones por comprar una droga sobre la demanda, la oferta, el precio y la cantidad de drogas consumidas?
- ¿Cómo influye la imposición de sanciones por vender o comprar una droga sobre la demanda, la oferta, el precio y la cantidad de drogas consumidas?
- ¿Tiene algún caso legalizar las drogas?

Usted ha visto cómo la intervención del gobierno en los mercados, en forma de topes a los precios, precios mínimos e impuestos, limita la cantidad y ocasiona el uso ineficiente de los recursos. También ha visto cómo se puede disminuir la cantidad en un mercado para un bien ilegal, al imponer sanciones a los compradores o a los vendedores, o al legalizar y gravar el bien. En la última sección de este capítulo se observan los mercados agrícolas y se analiza cómo el gobierno intenta estabilizar los ingresos agrícolas.

# Estabilización de los ingresos agrícolas

CUANDO LAS INUNDACIONES CUBRIERON AMPLIAS zonas del oeste medio de Estados Unidos en el verano de 1993, muchos agricultores vieron desaparecer sus cosechas. La producción agrícola fluctúa mucho debido a las variaciones en el clima. ¿Cómo afectan los cambios en la producción agrícola a los precios y los ingresos agrícolas? ¿Y cómo podrían estabilizarse los ingresos agrícolas? Comencemos a contestar a estas preguntas observando un mercado agrícola.

## Un mercado agrícola

La figura 7.12 muestra el mercado para el trigo. En ambas secciones, la curva de demanda para el trigo es $D$. Una vez que los agricultores han recogido su cosecha, carecen de control sobre la cantidad ofrecida y la oferta es inelástica a lo largo de una *curva de oferta momentánea (OM)*. Con condiciones climáticas normales, la curva de oferta momentánea es $OM_0$ (en ambas secciones de la figura).

El precio se determina en el punto de intersección de la curva de oferta momentánea con la curva de demanda. El precio es $4 el kilogramo. La cantidad de trigo producida es 20,000 millones de kilogramos, y el ingreso agrícola es $80,000 millones. Suponga que el costo de oportunidad para los agricultores de producir trigo es también $80,000 millones. Entonces, en condiciones normales, los agricultores cubren exactamente su costo de oportunidad.

**Mala cosecha**   Suponga que hay una temporada de malos cultivos que da como resultado una mala cosecha. ¿Qué le ocurre al precio del trigo y al ingreso de los agricultores? En la figura 7.12(a) se contesta a esta pregunta. La oferta disminuye y la curva de oferta momentánea se desplaza a la izquierda, hasta $OM_1$, donde se producen 15,000 millones de kilogramos de trigo. Con una disminución en la oferta, el precio aumenta hasta $6 el kilogramo.

¿Qué le ocurre al ingreso total agrícola? *Aumenta* hasta $90,000 millones. Una disminución de la oferta ha ocasionado un aumento del precio y un aumento en el ingreso agrícola. Esto es así debido a que la demanda de trigo es relativamente *inelástica*. La disminución en porcentaje en la cantidad demandada es menor que el aumento en porcentaje en el precio. Se puede verificar este hecho al observar que, en la figura 7.12(a), el aumento en el ingreso, debido al precio más alto (30,000 millones en el área de color azul claro), excede a la disminución en el ingreso por la menor cantidad ($20,000 millones en el área

**FIGURA 7.12**

Cosechas, precios agrícolas
e ingreso agrícola

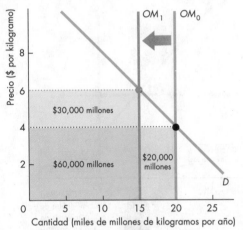

**(a) Mala cosecha: aumenta el ingreso**

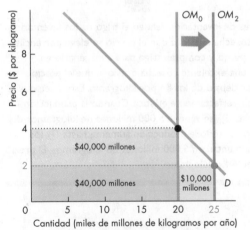

**(b) Cosecha abundante: disminuye el ingreso**

La curva de demanda de trigo es *D*. En tiempos normales, la curva de oferta es $OM_0$ y se venden 20,000 millones de kilogramos a $4 el kilogramo. En la sección (a), una mala cosecha disminuye la oferta hasta $OM_1$. El precio se eleva hasta $6 el kilogramo y el ingreso agrícola aumenta hasta $90,000 millones; el aumento de 30,000 millones, debido al precio más alto (área azul claro), excede a la disminución de $20,000 millones, debida a la cantidad más pequeña (área roja). En la sección (b), una cosecha excelente aumenta la oferta hasta $OM_2$. El precio baja hasta $2 el kilogramo y el ingreso agrícola disminuye hasta $50,000 millones; la disminución de $40,000 millones por el precio inferior (área roja) excede al aumento de $10,000 millones por el aumento en la cantidad vendida (área azul claro).

roja). Ahora los agricultores obtienen un ingreso que excede a su costo de oportunidad.

Aunque el ingreso agrícola total aumenta cuando hay una mala cosecha, algunos agricultores (aquellos que perdieron toda su cosecha, por ejemplo) sufren una disminución en sus ingresos. Otros agricultores, cuyas cosechas no resultaron afectadas, obtienen una ganancia enorme.

**Cosecha abundante**   La figura 7.12 (b) se muestra lo que ocurre en la situación opuesta, cuando hay una cosecha excelente. Ahora la oferta aumenta hasta 25,000 millones de kilogramos y la curva de oferta momentánea se desplaza hacia la derecha, hasta $OM_2$. Con la mayor cantidad ofrecida, el precio baja hasta $2 por kilogramo. El ingreso agrícola disminuye hasta $50,000 millones. Esto sucede porque la demanda de trigo es inelástica. Para ver este hecho, observe en la figura 7.12 (b) que la disminución de ingresos, ocasionada por el precio inferior ($40,000 millones en el área roja), excede al aumento en ingresos provenientes del incremento en la cantidad vendida ($10,000 millones en el área de color azul claro).

**Elasticidad de la demanda**   En el ejemplo que se acaba de ver, la demanda es inelástica. Si la demanda es elástica, las fluctuaciones en el precio siguen la misma dirección que las observadas hasta ahora, pero el ingreso fluctúa en la dirección opuesta. Las cosechas abundantes aumentan el ingreso y las malas cosechas lo disminuyen. Sin embargo, la demanda de la mayor parte de los productos agrícolas es inelástica y el caso que se ha estudiado es el importante.

Debido a que los precios agrícolas fluctúan, se han desarrollado algunos mecanismos que intentan estabilizarlos. Hay dos tipos de mecanismos:

- Mercados especulativos en inventarios
- Política de estabilización de precios agrícolas

**Mercados especulativos en inventarios**

Muchos bienes, incluyendo una amplia variedad de productos agrícolas, pueden almacenarse. Estos inventarios proporcionan un colchón entre la producción y el consumo. Si disminuye la producción, se puede vender de los bienes que están en inventarios; si la producción aumenta, se pueden guardar bienes en inventarios.

En un mercado que tiene inventarios, es necesario distinguir la producción de la oferta. La cantidad producida no es la misma que la ofrecida. La cantidad ofrecida excede a la producida cuando se venden bienes de los inventarios, y la cantidad ofrecida es inferior a la producida cuando se guardan bienes en inventarios. Por tanto, la oferta depende del comportamiento de quienes tienen los inventarios (tenedores).

### El comportamiento de los tenedores de inventarios

Quienes mantienen inventarios especulan. Confían en que comprarán a un precio bajo y venderán a uno alto. Es decir, confían en comprar bienes y colocarlos en inventario cuando los precios son bajos, para después venderlos de los inventarios cuando los precios son altos. Obtienen una utilidad o sufren una pérdida igual a su precio de venta, menos su precio de compra y menos el costo de almacenamiento.

Pero, ¿cómo saben los tenedores de inventarios cuándo comprar y cuándo vender? ¿Cómo saben si el precio es alto o bajo? Para decidir si un precio es alto o bajo, los tenedores de inventarios tienen que pronosticar los precios futuros. Si el precio actual está por encima del precio futuro pronosticado, venden bienes de sus inventarios. Si el precio actual está por debajo del precio futuro pronosticado, compran bienes para guardarlos en inventario. Este comportamiento por parte de los tenedores de inventarios hace que la oferta sea perfectamente elástica a los precios pronosticados por ellos.

Expliquemos lo que ocurre al precio y a la cantidad de equilibrio cuando fluctúa la producción en un mercado en el que se mantienen inventarios. Observemos de nuevo el mercado del trigo.

### Fluctuaciones en la producción

En la figura 7.13, la curva de demanda para el trigo es *D*. Los tenedores de inventarios esperan que el precio futuro sea $4 el kilogramo. La curva de oferta es *O*, la oferta es perfectamente elástica al precio que esperan los tenedores de inventarios. La producción fluctúa entre $Q_1$ y $Q_2$.

Cuando fluctúa la producción y no existen inventarios, el precio y la cantidad fluctúan. En la figura 7.12 vimos este resultado. Pero si hay inventarios, el precio no fluctúa. Cuando la producción disminuye hasta $Q_1$, o sea 15,000 millones de kilogramos, los tenedores de inventarios venden 5,000 millones de kilogramos de los inventarios y la cantidad que compran los consumidores es de 20,000 millones de kilogramos. El precio sigue siendo $4 el kilogramo. Cuando la producción aumenta hasta $Q_2$, o sea 25,000 millones de kilogramos, los tenedores de inventarios compran 5,000 millones de kilogramos y los consumidores siguen comprando 20,000 millones de kilogramos. De nuevo, el precio se mantiene en $4 por kilogramo. Los inventarios reducen las fluctuaciones en los precios. En la figura 7.13, las fluctuaciones de los precios se eliminan por completo. Cuando hay costos de mantener inventarios y cuando los inventarios casi se agotan, ocurren algunas fluctuaciones en los precios, pero estas fluctuaciones son menores que las que ocurrirían en un mercado sin inventarios.

### Ingreso agrícola

Incluso si la especulación de inventarios tiene éxito en estabilizar los precios, no estabiliza el ingreso agrícola. Al estar estabilizado el precio, el ingreso agrícola

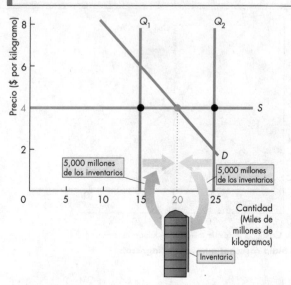

**FIGURA 7.13**

## Cómo los inventarios limitan los cambios en los precios

Los tenedores de inventarios venden el trigo de los inventarios si una mala cosecha ocasiona que el precio se eleve por encima de $4 el kilogramo, y compran trigo para almacenarlo en inventario si una excelente cosecha ocasiona que el precio disminuya por debajo de los $4 por kilogramo. Esto hace que la oferta (*O*) sea perfectamente elástica. Cuando la producción disminuye hasta $Q_1$, se venden 5,000 millones de kilogramos de los inventarios; cuando la producción aumenta hasta $Q_2$, los inventarios aumentan en 5,000 millones de kilogramos. El precio permanece en $4 el kilogramo.

varía según fluctúa la producción. Pero ahora las cosechas excelentes siempre proporcionan ingresos mayores que las malas cosechas, porque ahora el precio es constante y sólo fluctúa la cantidad.

## Política de estabilización de precios agrícolas

La mayoría de los gobiernos interviene en los mercados agrícolas. La mayor intervención de este tipo ocurre en la Unión Europea y en Japón. En Estados Unidos, la intervención en los precios agrícolas no está tan extendida, pero las regulaciones del gobierno de este país influyen sobre los precios de algunos artículos, como en el del azúcar y los cacahuetes. En América Latina, hay una larga tradición de intervención gubernamental en los precios agrícolas (véase, por ejemplo, la *Lectura entre líneas* del capítulo 6).

Los gobiernos intervienen en los mercados agrícolas en tres formas diferentes:

1. Fijan límites a la producción
2. Fijan precios mínimos
3. Mantienen inventarios

Los límites a la producción, que se denominan *cuotas*, restringen la cantidad producida y pueden resultar en un precio de equilibrio que excede al precio en un mercado no regulado. Los agricultores se benefician de las cuotas porque el precio se eleva por encima del precio mínimo de oferta. Sin embargo, los consumidores pierden y las cuotas crean pérdidas irrecuperables de eficiencia. Las cuotas existen principalmente debido al poder de cabildeo de los agricultores.

Los precios mínimos que se establecen por encima del precio de equilibrio, crean excedentes. Operan en una forma similar al salario mínimo que se estudió antes. El salario mínimo crea desempleo y los precios mínimos en los mercados agrícolas crean excedentes de alimentos. Para hacer que opere un precio mínimo, el organismo de estabilización de precios del gobierno tiene que comprar los excedentes de producción. Si el precio es persistentemente mayor que el precio de equilibrio, el organismo gubernamental compra más de lo que vende y termina con grandes inventarios. Éste ha sido el resultado en Europa, donde tienen ¡"montañas" de mantequilla y "lagos" de vino! El costo de comprar y almacenar los inventarios recae sobre los contribuyentes, y los beneficiarios son las grandes granjas con costos bajos.

Si el organismo gubernamental de estabilización de precios opera como un poseedor privado de inventarios, mantiene el precio cercano al precio de equilibrio. Cuando los precios están por encima de lo normal, el organismo vende inventarios, y cuando el precio está por debajo de lo normal, el organismo compra para almacenar inventarios. Pero este tipo de intervención no es necesario porque el comercio privado puede lograr el mismo resultado.

## PREGUNTAS DE REPASO

- ¿Puede explicar cómo influyen las malas y las excelentes cosechas en los precios y los ingresos agrícolas?
- ¿Puede explicar cómo influyen la existencia de inventarios y la especulación en los precios y los ingresos agrícolas?
- ¿Cuáles son las principales acciones que llevan a cabo los gobiernos en los mercados agrícolas, y cómo influyen estas acciones sobre los precios y los ingresos agrícolas?

◆ Usted sabe cómo usar el modelo de la oferta y la demanda para predecir los precios, estudiar la intervención gubernamental en los mercados y estudiar las fuentes y los costos de la ineficiencia. Antes de dejar este tema, lea la sección *Lectura entre líneas* en las páginas 140-141 y vea lo que está ocurriendo en la actualidad en el mercado de cigarrillos en el estado de Michigan, en Estados Unidos de América.

# Impuestos y actividades ilegales

**Esencia del artículo**

THE DETROIT NEWS, 11 de febrero 1999

## El sello fiscal a los cigarrillos aumenta los ingresos

En 1994, Michigan aumentó el impuesto a los cigarrillos de 0.25 dólares la cajetilla a 0.75. dólares. A este nivel, el impuesto a los cigarrillos en Michigan se convirtió en el séptimo más alto de la nación y alrededor del doble del promedio nacional. En el extremo opuesto de la escala de impuestos se encuentran Kentucky, con 0.03 dólares la cajetilla: Carolina del Norte, con 0.05 dólares y Carolina del Sur, con 0.07 dólares.

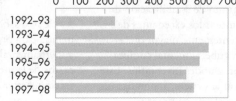

Ingreso por el impuesto (millones de dólares)

Fuente: Michigan Senate Fiscal Agency.

Después del aumento en la tasa del impuesto en 1994, los ingresos fiscales aumentaron. Los ingresos totales del impuesto al tabaco y los cigarrillos aumentaron en un 56% entre el año fiscal 1993-94 y el año fiscal 1994-95.

Pero entre 1994-95 y 1996-97, el ingreso proveniente del impuesto al tabaco y los cigarrillos disminuyó en 12%, o sea, en 73 millones de dólares. La División del Impuesto a Combustibles para Motores y el Tabaco del Departamento de la Tesorería de Michigan atribuyó la disminución en el ingreso fiscal a un aumento en el contrabando.

En un intento por controlar el contrabando y aumentar el ingreso del estado, la legislatura de Michigan aprobó un sello fiscal para los cigarrillos en 1998. El sello hace más difícil vender cigarrillos importados ilegalmente de otros estados con bajos impuestos y hace más obvio el hecho de saber si se ha pagado o no el impuesto estatal de Michigan en cada cajetilla de cigarrillos.

Después de la aplicación del sello fiscal, el ingreso por el impuesto comenzó a aumentar de nuevo. La procuradora general del estado de Michigan, Jennifer Granholm, dice que el sello fiscal ha reducido el contrabando de cigarrillos a Michigan, pero también dice que los delincuentes están haciendo sellos falsificados para el tabaco.

A pesar de los problemas existentes, otros estados han observado el éxito relativo del experimento en Michigan y han puesto en práctica su propia versión del sello fiscal. El estado de Alabama, de bajos impuestos, lo hizo en 1999.

**Esencia del artículo**

- En 1994, el gobierno del estado de Michigan en Estados Unidos de América aumentó el impuesto a los cigarrillos de 0.25 a 0.75 dólares por cajetilla.

- En otros estados del país, el impuesto a los cigarrillos es mucho más bajo. Por ejemplo, en Kentucky, el impuesto es 0.03 dólares por cajetilla, en Carolina del Norte es 0.05 dólares y en Carolina del Sur es 0.07 dólares por cajetilla.

- En general, el impuesto a los cigarrillos en Michigan es de aproximadamente el doble del promedio nacional.

- En el primer año del incremento al impuesto, los ingresos provenientes del impuesto a los cigarrillos en Michigan aumentaron, pero después comenzaron a disminuir.

- El Departamento de la Tesorería estatal dice que el ingreso por impuestos disminuyó debido al contrabando.

- En 1998, Michigan estableció un sello fiscal a los cigarrillos, lo cual disminuyó el contrabando y aumentó el ingreso del estado por el impuesto.

■ La figura 1 muestra el mercado para cigarrillos en Michigan antes del aumento del impuesto en 1994.

■ La demanda de cigarrillos es *D*. Esta curva de demanda *supone* una elasticidad de la demanda igual a 0.61, que es la elasticidad precio estimada de la demanda por tabaco para Estados Unidos. (Véase la tabla 5.1, pág. 87.)

■ La oferta de cigarrillos en Michigan es perfectamente elástica. La razón es que las compañías de tabaco pueden vender sus productos en cualquier lugar del mundo al precio actual (antes de impuestos), por lo que están en posibilidad de vender cualquier cantidad en Michigan a ese precio.

■ Si no existe el impuesto a los cigarrillos, el precio de equilibrio es 2.75 dólares por cajetilla y se compran 1,028 millones de cajetillas al año.

■ Con un impuesto de 0.25 dólares por cajetilla, la curva de oferta se desplaza hasta $O + impuesto_0$. El precio se eleva hasta 3.00 dólares por cajetilla y la cantidad comprada disminuye hasta 975 millones de cajetillas al año. El estado cobra 244 millones de dólares por el impuesto y hay una pequeña pérdida irrecuperable de eficiencia.

■ La figura 2 muestra la situación después de que se aumentó el impuesto a 0.75 dólares por cajetilla, pero antes de que se aprobara la ley del sello fiscal.

■ La curva de oferta se desplaza hasta $O + impuesto_1$. El precio se eleva hasta 3.50 dólares por cajetilla y la cantidad comprada disminuye hasta 887 millones de cajetillas al año. Esta disminución en la cantidad comprada se predice por la elasticidad supuesta de la demanda de 0.61.

■ Michigan obtuvo 562 millones de dólares de ingresos por el impuesto (promedio para 1995-1998). Por tanto, a 0.75 dólares de impuesto por cajetilla, sólo se habría pagado el impuesto correspondiente a 750 millones de cajetillas.

■ Si es correcta la suposición de la elasticidad de la demanda, cada año entran de contrabando a Michigan 137 millones de cajetillas de cigarrillos. Los contrabandistas obtienen 103 millones de dólares al año, que dejan de ser percibidos por la tesorería del estado.

■ Por tanto, el sello fiscal parece haber disminuido el contrabando, pero no lo ha eliminado.

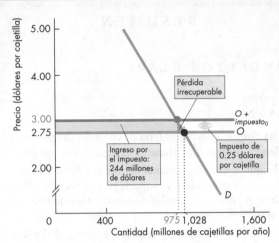

**Figura 1  Antes del aumento del impuesto**

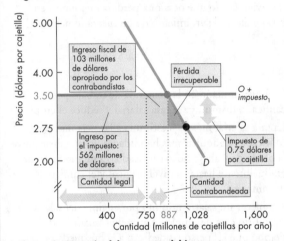

**Figura 2  Después del aumento del impuesto**

■ ¿Votaría usted por una ley que gravara los cigarrillos en su estado a una tasa más alta que el promedio? Explique por qué.

■ ¿Votaría usted por una ley de un sello fiscal para los cigarrillos? ¿Por qué sí o por qué no?

■ ¿Qué otras medidas recomendaría usted que tomara el gobierno para evitar el contrabando? (Sugerencia: Piense en el análisis en este capítulo de los mercados para bienes ilegales.)

# RESUMEN

## CONCEPTOS CLAVE

### Mercados de vivienda y topes a los alquileres (págs. 122-125)

- Una disminución en la oferta de viviendas disminuye la oferta a corto plazo y aumenta el alquiler de equilibrio.

- El alquiler más alto aumenta la cantidad de viviendas ofrecidas a corto plazo y estimula la construcción a largo plazo. A la larga, el alquiler disminuye y la cantidad de viviendas aumenta.

- Si un tope a los alquileres evita que aumente el alquiler, la cantidad ofrecida permanece constante y hay una escasez de viviendas, lo que ocasiona pérdida de tiempo en búsquedas y el surgimiento de un mercado negro.

### El mercado de trabajo y el salario mínimo (págs. 126-129)

- Una disminución en la demanda de trabajo poco calificado disminuye la tasa salarial y reduce el empleo.

- La tasa salarial más baja estimula a las personas poco calificadas a adquirir más habilidades, lo que disminuye la oferta de trabajo poco calificado. El salario aumenta gradualmente hasta su nivel original y el empleo disminuye.

- Establecer un salario mínimo por encima del salario de equilibrio crea desempleo y aumenta la cantidad de tiempo que las personas dedican a la búsqueda de un empleo.

- Los salarios mínimos golpean con más fuerza a la gente joven poco calificada.

### Los impuestos (págs. 130-134)

- Cuando se grava un bien o servicio, por lo general el precio aumenta y la cantidad comprada disminuye, pero el aumento en el precio es menor que el impuesto. Una parte del impuesto la pagan los compradores y la otra parte los vendedores.

- La parte del impuesto que pagan los compradores y los vendedores depende de las elasticidades de la oferta y la demanda.

- Cuanto menos elástica sea la demanda y más elástica sea la oferta, mayor será el aumento en el precio, más pequeña será la disminución en la cantidad y mayor será la parte del impuesto que paga el comprador.

- Si la demanda es perfectamente elástica o si la oferta es perfectamente inelástica, el vendedor paga todo el impuesto. Si la demanda es perfectamente inelástica o la oferta es perfectamente elástica, el comprador paga todo el impuesto.

### Mercados para bienes ilegales (págs. 134-136)

- Las sanciones a los vendedores de un bien ilegal aumentan el costo de vender el bien y disminuyen su oferta. Las sanciones a los compradores disminuyen su disposición a pagar y la demanda del bien.

- Cuanto más fuertes sean las sanciones y más eficiente el cumplimiento de la ley, menor será la cantidad comprada. El precio es más alto o más bajo que el precio no regulado, dependiendo de si las sanciones a los vendedores o a los compradores son más fuertes.

- Un impuesto establecido a una tasa suficientemente alta disminuirá la cantidad consumida de una droga, pero existirá la tendencia a evadir el impuesto.

### Estabilización de los ingresos agrícolas (págs. 136-139)

- Los ingresos agrícolas fluctúan debido a que la oferta varía.

- La demanda de la mayor parte de los productos agrícolas es inelástica, por lo que una disminución en la oferta aumenta el precio y aumenta el ingreso agrícola, en tanto que un aumento en la oferta disminuye el precio y disminuye el ingreso agrícola.

- Los tenedores de inventarios y las agencias del gobierno actúan para estabilizar los precios y los ingresos agrícolas.

## FIGURAS CLAVE

## TÉRMINOS CLAVE

# PROBLEMAS

*1. En la figura se muestra la demanda y la oferta de viviendas para alquiler en una comunidad

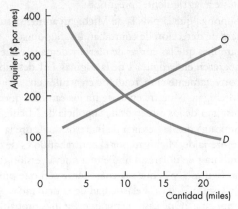

a. ¿Cuáles son el alquiler y la cantidad de equilibrio de las viviendas alquiladas?

Si se establece un tope a los alquileres en $150 mensuales, ¿cuál es:

b. La cantidad de viviendas alquiladas?

c. La escasez de viviendas?

d. El precio máximo que alguien está dispuesto a pagar por la última unidad de viviendas disponible?

2. En la figura se muestra la oferta y la demanda de viviendas para alquiler en otra comunidad:

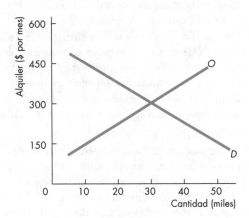

a. ¿Cuáles son el alquiler y la cantidad de equilibrio de las viviendas alquiladas?

Si se establece un tope a los alquileres en $150 al mes, ¿cuál es:

b. La cantidad de viviendas alquiladas?

c. La escasez de viviendas?

d. El precio máximo que alguien está dispuesto a pagar por la última unidad disponible?

*3. En la tabla se proporcionan la demanda y la oferta de trabajo de adolescentes:

| Tasa salarial ($ por hora) | Cantidad demandada | Cantidad ofrecida |
|---|---|---|
| | (horas por mes) | |
| 2 | 3,000 | 1,000 |
| 3 | 2,500 | 1,500 |
| 4 | 2,000 | 2,000 |
| 5 | 1,500 | 2,500 |
| 6 | 1,000 | 3,000 |

a. ¿Cuál es la tasa salarial de equilibrio y el nivel de empleo?

b. ¿Cuál es la cantidad de desempleo?

c. Si se establece un salario mínimo de $3 la hora para los adolescentes, ¿cuántas horas trabajan?

d. Si se establece un salario mínimo de $3 la hora para los adolescentes, ¿cuántas horas de su trabajo están desempleadas?

e. Si se establece un salario mínimo de $5 la hora para los adolescentes, ¿cuáles son las cantidades de empleo y desempleo?

f. Si se establece un salario mínimo de $5 la hora y la demanda aumenta en 500 horas al mes, ¿cuál es la tasa salarial que se paga a los adolescentes y cuántas horas de su trabajo están desempleadas?

4. En la tabla se proporciona la demanda y la oferta de graduados preuniversitarios:

| Tasa salarial ($ por hora) | Cantidad demandada | Cantidad ofrecida |
|---|---|---|
| | (horas por mes) | |
| 6 | 9,000 | 4,000 |
| 7 | 8,000 | 5,000 |
| 8 | 7,000 | 6,000 |
| 9 | 6,000 | 7,000 |
| 10 | 5,000 | 8,000 |

a. ¿Cuál es la tasa salarial de equilibrio y el nivel de empleo?

b. ¿Cuál es el nivel de desempleo?

c. Si se establece un salario mínimo de $7 la hora, ¿cuántas horas trabajan los preuniversitarios?

d. Si se establece un salario mínimo de $7 la hora, ¿cuántas horas de trabajo están desempleadas?

e. Si se establece un salario mínimo de $9 la hora, ¿cuáles son el empleo y el desempleo?

f. Si el salario mínimo es $9 la hora y la demanda aumenta en 500 horas mensuales, ¿cuál es la tasa salarial pagada a los preuniversitarios y cuántas horas de su trabajo están desempleadas?

*5. En la tabla se proporcionan los planes de oferta y demanda para dulces de chocolate:

| Precio (centavos por dulce de chocolate) | Cantidad demandada | Cantidad ofrecida |
|---|---|---|
| | (millones por día) | |
| 50 | 5 | 3 |
| 60 | 4 | 4 |
| 70 | 3 | 5 |
| 80 | 2 | 6 |
| 90 | 1 | 7 |

a. Si no se aplican impuestos a los dulces de chocolate, ¿cuál es el precio de un dulce y cuántos se consumen?

b. Si se aplica un impuesto de $0.20 a cada dulce de chocolate, ¿cuál es el precio y cuántos dulces se consumen? ¿Quién paga el impuesto?

6. Los planes de oferta y demanda de café son:

| Precio ($ por taza) | Cantidad demandada | Cantidad ofrecida |
|---|---|---|
| | (tazas por hora) | |
| 1.50 | 90 | 30 |
| 1.75 | 70 | 40 |
| 2.00 | 50 | 50 |
| 2.25 | 30 | 60 |
| 2.75 | 10 | 70 |

a. Si no hay un impuesto al café, ¿cuál es el precio de equilibrio y cuánto café se consume?

b. Si se aplica un impuesto de $0.75 por taza, ¿cuál es el precio y cuánto café se consume? ¿Quién pagará el impuesto?

*7. La demanda y la oferta de arroz están dadas por:

| Precio ($ por caja) | Cantidad demandada | Cantidad ofrecida |
|---|---|---|
| | (cajas por semana) | |
| 1.20 | 3,000 | 500 |
| 1.30 | 2,750 | 1,500 |
| 1.40 | 2,500 | 2,500 |
| 1.50 | 2,250 | 3,500 |
| 1.60 | 2,000 | 4,500 |

Una tormenta destruye parte de la cosecha y disminuye la oferta en 500 cajas a la semana.

a. ¿Qué hacen los tenedores de inventarios?

b. ¿Cuál es el precio y cuál es el ingreso agrícola?

8. En el problema 7, suponga que en lugar de una tormenta, hay un clima perfecto que aumenta la oferta en 500 cajas a la semana.

a. ¿Qué hacen los tenedores de inventarios?

b. ¿Cuál es el precio y cuál es el ingreso agrícola?

# PENSAMIENTO CRÍTICO

1. Estudie la *Lectura entre líneas* sobre el mercado de cigarrillos en Michigan de las páginas 140-141 y conteste a las siguientes preguntas:

a. Suponga que la policía de Michigan aumenta su tasa de detección de contrabandos. Suponga también que las curvas de oferta y demanda que aparecen en la figura 1 de la páginas 141 describen correctamente el mercado de cigarrillos en Michigan. Muestre en la figura los cambios que resultan de los esfuerzos de la policía de Michigan.

b. Suponga que la pérdida de ingresos que sufre la tesorería de Michigan por el contrabando es de 60 millones de dólares. Dibuje una nueva versión de las figuras 1 y 2, que sea consistente con este punto de vista. ¿Cuál es la elasticidad de la demanda implícita? ¿Qué caso piensa que sea más probable?

c. Suponga que la población de Michigan quiere disminuir la cantidad de cigarrillos que fuman. ¿Qué nivel de impuesto por cajetilla se necesitaría para lograr una disminución del 10% y del 20% en la cantidad que se fuma? ¿Qué problemas especiales se presentarían con los impuestos establecidos a estos niveles?

d. ¿Cómo podría reducirse la cantidad de cigarrillos que se fuman, sin aumentar el impuesto a éstos?

2. Utilice los vínculos en la página de Internet de este libro para leer una nota sobre las políticas de control del consumo de tabaco.

a. ¿Qué políticas han demostrado ser eficientes en el control del consumo de tabaco?

b. ¿Cuál es la magnitud de la elasticidad precio de la demanda de tabaco en los países con ingresos altos? ¿Y en los países con bajos ingresos? ¿Por qué cree usted que las elasticidades difieren entre países?

c. ¿Cómo representaría gráficamente el efecto de una mayor información al consumidor en el mercado de cigarrillos?

3. Utilice los vínculos en la página de Internet de este libro para obtener información sobre los instrumentos de política agrícola en Venezuela. ¿Cuáles son los principales programas dirigidos a resolver los problemas de ingreso de los productores y cuáles son sus efectos sobre la producción agrícola, sus precios y la eficiencia económica?

4. Utilice los vínculos en la página de Internet de este libro para leer el resumen de un trabajo que analiza el efecto de los salarios mínimos en México y en Colombia. Utilice la información de la figura 7.6 para ofrecer una explicación de los resultados de este trabajo.

# Comprensión de la operación de los mercados

Los cuatro capítulos que se acaban de estudiar explican cómo operan los mercados. El mercado es un instrumento asombroso. Permite que personas que nunca se han conocido y que no conocen nada de los demás interactúen y hagan negocios. También permite asignar los recursos escasos a los usos que valoramos más. Los mercados pueden ser muy sencillos o altamente organizados. ◆ Un mercado sencillo es el que describe el historiador estadounidense Daniel J. Boorstin en *The Discoverers* (pág. 161), a fines del siglo XI.

## El sorprendente mercado

*Las caravanas musulmanas que se dirigían hacia el sur desde Marruecos, a través de las montañas del Atlas, llegaban después de veinte días a las orillas del río Senegal. Allí los comerciantes marroquíes preparaban por separado montones de sal, de cuentas de coral de Ceuta y bienes manufacturados baratos. A continuación se retiraban donde no los vieran. Después, los miembros de las tribus locales, que vivían en las minas a cielo abierto de donde extraían su oro, llegaban a la orilla y ponían una pila de oro junto a cada montón de los bienes marroquíes. Entonces, a su vez, se retiraban donde no los vieran, y dejaban que los comerciantes marroquíes tomaran el oro que se ofrecía por un montón en particular, o que redujeran la cantidad de su mercancía para ajustarla al precio en oro ofrecido. De nuevo se retiraban los comerciantes marroquíes y el proceso continuaba. Mediante este sistema de etiqueta comercial, los marroquíes cobraban su oro.*

Un mercado organizado es la bolsa de valores de Nueva York, que negocia muchos millones de acciones cada día. Otro es una subasta en la que el gobierno de los Estados Unidos vende los derechos a las compañías radiodifusoras y a las compañías de telefonía celular, para el uso de los canales de transmisión. ◆ Todos estos mercados determinan los precios a los que se realizan los intercambios y permiten que se beneficien tanto los compradores como los vendedores. ◆ Todo lo que se puede intercambiar se negocia en los mercados. Hay mercados para bienes y servicios; para recursos como trabajo, capital y materias primas; para dólares, libras y yenes; para bienes que deben ser entregados ahora y para bienes por entregar en el futuro. Sólo la imaginación establece límites a lo que se puede comerciar en los mercados. ◆ Se comenzó el estudio de los mercados en el capítulo 4, en el cual se aprendió sobre las leyes de la oferta y la demanda. Ahí se descubrieron las fuerzas que hacen que los precios se ajusten para coordinar los planes de compra y venta. En el capítulo 5, se aprendió cómo calcular y usar el concepto de elasticidad para predecir la sensibilidad de los precios y las cantidades a los cambios en la oferta y la demanda. En el capítulo 6, se estudió la eficiencia y se descubrieron las condiciones bajo las cuales un mercado competitivo envía recursos a usos en los que se les da su mayor valor. Y por último, en el capítulo 7, se estudiaron los mercados en la práctica. Ahí se aprendió cómo los mercados hacen frente al cambio y se descubrió cómo operan cuando los gobiernos intervienen para fijar precios, aplicar impuestos, o declarar ilegales algunos bienes. ◆ Las leyes de la oferta y la demanda que se aprendieron y se utilizan en estos cuatro capítulos fueron descubiertas en el siglo XIX por algunos economistas notables. Concluiremos el estudio de la oferta y la demanda de los mercados observando la vida y la época de algunos de estos economistas y hablando con uno de los economistas más influyentes en la actualidad, que estudia y crea mercados sofisticados para subastas.

# Examen de las ideas

## Descubrimiento de las leyes de oferta y demanda

### El economista

### Alfred Marshall *(1842-1924)*

*creció en una Inglaterra que estaba transformándose por el ferrocarril y por la expansión de las manufacturas. Mary Paley era una de las estudiantes de Marshall en Cambridge y, cuando Alfred y Mary se casaron en 1877, las reglas del celibato impidieron que Alfred continuara enseñando en Cambridge. Para 1884, con reglas más liberales, los Marshall regresaron a Cambridge, donde Alfred se convirtió en profesor de economía política.*

*Muchos otros participaron en el perfeccionamiento de la teoría de la oferta y la demanda, pero la primera exposición profunda y completa de la teoría tal como la conocemos en la actualidad fue realizada por Alfred Marshall, con la reconocida ayuda de Mary Paley Marshall. Su monumental tratado,* Principios de Economía (The Principles of Economics), *publicado en 1890, se convirtió en el libro de texto sobre economía en ambos lados del Atlántico durante casi medio siglo. Marshall era un notable matemático, pero en su trabajo le dio poca importancia a las matemáticas e incluso a los diagramas. Su diagrama de la oferta y la demanda sólo aparece en una nota de pie de página.*

"Las fuerzas con las que hay que tratar son... tan numerosas, que lo mejor es tomarlas una por una... Por tanto, comenzamos aislando las principales relaciones de la oferta, la demanda y el precio."

ALFRED MARSHALL
*Principios de Economía*

### Los temas

Las leyes de la oferta y la demanda que usted estudió en el capítulo 4 fueron descubiertas durante la década de 1830 por Antoine-Augustin Cournot (1801-1877), un profesor de matemáticas de la Universidad de Lyon, Francia. Aunque Cournot fue el primero en usar la oferta y la demanda, el desarrollo y la expansión de los ferrocarriles durante la

década de 1850 fue lo que dio a la recientemente surgida teoría sus primeras aplicaciones prácticas. En esa época, los ferrocarriles eran lo más avanzado de la tecnología, en la misma forma en que lo son en la actualidad las aerolíneas. Y al igual que en la industria de las aerolíneas en la actualidad, la competencia entre los ferrocarriles era feroz.

Dionysius Lardner (1793-1859), un profesor irlandés de filosofía en la Universidad de Londres, utilizó la oferta y la demanda para mostrar a las compañías de ferrocarriles cómo podían aumentar sus utilidades al rebajar las tarifas en los viajes de larga distancia en los que la competencia era más feroz y elevar las tarifas en los viajes cortos en los que tenían menos que temer de otros proveedores de transportación. En la actualidad, los economistas utilizan los principios que creó Lardner durante la década de 1850 para calcular las tarifas de fletes y de pasajeros que darán a las aerolíneas la mayor utilidad posible. Y las tarifas calculadas tienen mucho en común con las tarifas de los ferrocarriles del siglo XIX. En las rutas locales, en las que existe poca competencia, las tarifas son las más altas, en tanto que en las rutas de larga distancia en las que las empresas aéreas compiten ferozmente, las tarifas por kilómetro son las más bajas.

Conocido en forma satírica por los científicos de su época como "Dionysius Diddler" ("Dionisio el Timador"), Lardner trabajó en un sorprendente rango de problemas, desde astronomía hasta ingeniería de ferrocarriles y economía. De un carácter pintoresco, habría sido un huésped habitual en los programas de entrevistas nocturnos, si éstos hubieran existido en la década de 1850. Lardner visitó la École des Ponts et Chaussées (Escuela de puentes y caminos) en París, en la que debe haber aprendido mucho de Jules Dupuit.

En Francia, Jules Dupuit (1804-1866), un ingeniero/ economista francés, utilizó la demanda para calcular los beneficios de construir un puente y, una vez que estuvo construido el puente, para calcular el peaje a cobrar por su uso. Su trabajo fue el precursor de lo que en la actualidad se conoce como el *análisis costo-beneficio*. Los economistas actuales calculan los costos y beneficios de las carreteras, aeropuertos, represas y estaciones de energía, con los principios inventados por Dupuit.

## Ahora

En la actualidad, con el uso de los mismos principios que creó Dupuit, los economistas calculan si los beneficios de ampliar los aeropuertos y las instalaciones de control del tránsito aéreo son suficientes para cubrir sus costos. Las compañías de aerolíneas emplean los principios desarrollados por Lardner para fijar sus precios y decidir si ofrece "ventas especiales de asientos". Al igual que lo hicieron antes los ferrocarriles, las aerolíneas cobran un precio por kilómetro alto en vuelos cortos, en los que se enfrentan a poca competencia, y un precio por kilómetro bajo en los vuelos largos, en los que la competencia es feroz.

## Entonces

Dupuit usó la ley de la demanda para determinar si los usuarios valorarían lo suficiente un puente o un canal como para justificar el costo de construirlo. Lardner fue el primero en resolver la relación entre el costo de producción y la oferta, y utilizó la teoría de la oferta y la demanda para explicar los costos, precios y utilidades de las operaciones de los ferrocarriles. También usó la teoría para descubrir formas de aumentar los ingresos mediante la elevación de las tarifas en viajes cortos y su disminución en fletes a largas distancias.

Los mercados realizan un trabajo sorprendente, y las leyes de la oferta y la demanda nos ayudan a comprender cómo operan. Sin embargo, en algunas situaciones, se tiene que diseñar un mercado y crear instituciones que le permitan operar. En años recientes, los economistas comienzan a utilizar sus herramientas para diseñar y crear mercados. Uno de los principales arquitectos del nuevo estilo de mercados es Paul Milgrom, a quien puede conocer en las páginas siguientes.

# Charla con

**Paul R. Milgrom** *es profesor de economía de la Universidad de Stanford y editor asociado de* American Economic Review, *la principal publicación sobre investigación económica. Es fundador y presidente de Market Design, Inc., una joven compañía que diseña nuevas reglas de subastas y mercados para empresas y gobiernos. Nacido en Detroit, Michigan, en 1948, el profesor Milgrom cursó sus estudios universitarios en la Universidad de Michigan y fue estudiante de posgrado en la Universidad de Stanford (Ph.D., Doctor en filosofía, 1979). Enseñó en las universidades de Northwestern y Yale antes de regresar a Stanford en 1987. El profesor Milgrom es un teórico económico,*

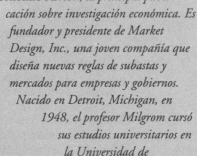

Paul R. Milgrom

*lo que significa que utiliza técnicas matemáticas para estudiar el comportamiento económico. Su trabajo sobre subastas ha sido especialmente influyente y ha encontrado aplicaciones prácticas en la subasta de partidas, que van desde las frecuencias de transmisión (utilizadas en los radiolocalizadores y teléfonos celulares) hasta los derechos de minería.*

*Michael Parkin charló con el profesor Milgrom sobre su trabajo y cómo se relaciona con la teoría de la oferta y la demanda desarrollada por Cournot y Marshall.*

### Profesor Milgrom, ¿cómo se convirtió usted en economista?

Entré a la casa de la economía por una puerta lateral sin señalamientos y sin saber en dónde estaba sino hasta que me encontraba bien adentro. La entrada

principal es a través de un título de posgrado en economía, pero yo no tengo título universitario en economía a ningún nivel. Mis estudios de licenciatura fueron en matemáticas y estadística, y mis estudios de posgrado fueron de administración de empresas. Fue en la escuela de posgrado donde me encontré un brillante estudio de la teoría de las subastas por William Vickrey, trabajo por el que le concedieron el Premio Nobel 21 años más tarde, en 1996. El trabajo de Vickrey me sorprendió y me convenció de que el análisis matemático podía ayudar a comprender las subastas e incluso señalar el camino hacia tipos mejorados de subastas.

### Las subastas, al igual que todos los arreglos de mercado, reúnen a compradores y vendedores. ¿No explica el modelo de la oferta y la demanda la forma en la que operan las subastas?

El modelo de la oferta y la demanda es el caballo de batalla de los economistas para el análisis cotidiano de los mercados. Proporciona una forma maravillosa de resumir algunos de los principales factores que afectan los precios y las cantidades, y de explicar cómo los precios guían las elecciones importantes.

Pero el modelo no menciona cómo se establecen las reglas que gobiernan el comercio o cómo éstas afectan los resultados económicos. Asimismo, el modelo no es muy útil para pensar sobre decisiones tecnológicas que pueden tener una enorme repercusión sobre los resultados económicos. Por ejemplo, la forma en que se establecen normas para los sistemas telefónicos celulares, determina si el mismo teléfono operará en diferentes sistemas, en distintas partes de la nación y del mundo. En Europa, una sola norma permite al consumidor ir de un país a otro y seguir teniendo un teléfono en operación. En Estados Unidos, donde no existe una norma única, el consumidor quizá se encuentre con que su teléfono deja de operar incluso con el sistema del pueblo más cercano.

Es obvio que esa falla disminuye las ventas de servicio telefónico celular, aunque no tiene nada que ver con las preferencias del consumidor en cuanto a comunicaciones, o con el costo o disponibilidad de la tecnología de la telefonía celular.

Por tanto, las instituciones influyen sobre los precios, las cantidades y las clases de planes que hacen las personas. Y en ocasiones las instituciones, por ejemplo los organismos encargados de establecer normas, solucionan problemas a los que no puede hacerles frente con eficiencia un mercado guiado sólo por los precios.

### Regresemos a las subastas. ¿Cuál es la teoría de la subasta? ¿Cómo se relaciona con la oferta y la demanda?

Las subastas son instituciones que determinan los precios y otras condiciones, de acuerdo con las cuales negociarán los compradores y vendedores. La teoría de la subasta explica cómo las reglas de una subasta afectan a su resultado.

Los vendedores quieren subastas que proporcionen el precio más alto. Los compradores quieren subastas que produzcan el precio más bajo. Las empresas de subastas quieren subastas que equilibren los intereses de los compradores y de los vendedores, y que aseguren un flujo continuo de clientes para subastas futuras.

En las subastas de los canales de transmisión en Estados Unidos, el principal objetivo del gobierno fue asignarlos en forma eficiente.

El modelo de la oferta y la demanda no incluye un lugar para las reglas de la subasta. Supone que los compradores y los vendedores conocen todos los precios importantes cuando toman sus decisiones. En la realidad esto no siempre es cierto.

Con frecuencia, en una subasta, los licitadores tienen que hacer una elección sin conocer todos los precios pertinentes.

### ¿Cuáles son los principales tipos de subastas y por qué hay tantos tipos diferentes? ¿Por qué no es mejor uno solo?

Una subasta puede ser sellada o abierta. En una subasta sellada, las licitaciones se presentan por escrito y la mejor gana. Por lo general, en las subastas abiertas hay una serie de licitaciones en las que cada uno de los licitadores tiene la oportunidad de responder a las ofertas de otros. Dentro de estos dos tipos de subastas hay una gran variedad.

La subasta sellada tiene dos ventajas sobre la abierta; la primera, los licitadores no tienen que reunirse físicamente en un momento determinado para realizar la subasta. Por ejemplo, en la licitación en un almacén de automóviles usados, los licitadores (por lo general distribuidores de automóviles usados) los examinan en momentos que son convenientes para ellos y dejan un sobre sellado con sus ofertas. Hay una fecha tope para las licitaciones. Una vez que transcurre ésta, se abren las licitaciones y se notifican los resultados a los licitadores.

Segunda, es más difícil para los licitadores coludirse para bajar el precio que recibe el vendedor. Con las licitaciones selladas, un miembro de un grupo de compradores que esté de acuerdo con mantener bajos los precios, podría sentirse tentado a presentar una licitación ligeramente más alta y aprovecharse de las licitaciones bajas de los otros miembros del grupo. La tentación para engañar en una subasta abierta es mucho menor, porque los demás miembros del grupo pueden castigar al que los traiciona, subiendo el precio cuando este miembro viola el convenio.

Las subastas abiertas también tienen ventajas. Cuando sólo se vende un artículo y el precio es el factor clave, la subasta abierta elimina el proceso de adivinación existente en las licitaciones selladas. El licitador con el valor más alto puede superar a los competidores. Asimismo, cuando se vende un gran número de artículos y los licitadores están presentes en una subasta abierta, los artículos se pueden vender con rapidez uno tras otro.

### ¿Qué avances hemos hecho en la teoría de la subasta?

Desde que Vickrey inició la teoría de la subasta hace unos 35 años, hemos mejorado nuestra capacidad de predecir cómo se desempeñan los distintos tipos de subastas. Hemos aprendido también cómo diseñar subastas teniendo en mente objetivos en particular. Incluso hemos desarrollado descripciones matemáticas de las "subastas óptimas", que teóricamente son los mejores diseños de subastas para lograr objetivos determinados.

Aún no hemos puesto en práctica una subasta óptima en una situación real, pero un pequeño grupo de economistas han utilizado la teoría de la subasta para diseñar nuevas subastas importantes. Recientemente, yo formé parte de un grupo que propuso un diseño completamente nuevo denominado "subasta ascendente simultánea". Este tipo de subasta es una subasta abierta de muchos artículos diferentes, sobre los que se puede licitar en forma simultánea.

**149**

La U.S. Federal Communications Commission usó este tipo de subasta durante la venta de licencias para utilizar canales de transmisión en servicios de telecomunicaciones. La subasta fue la mayor en la historia y produjo ingresos brutos de 24,000 millones de dólares.

Aún más importante para mí es que el nuevo diseño de subastas se desempeñó como se predijo y llegó a asignaciones de licencias mucho más eficientes de lo que hubieran logrado otros tipos de subastas.

Las subastas para canales de transmisión han dado forma a la competencia en las comunicaciones inalámbricas y han determinado qué empresas operarán en determinadas secciones del país.

## ¿Por qué la venta de canales de transmisión necesitó de una subasta con licitaciones ascendentes simultáneas? ¿Y cómo opera ese tipo de subasta?

Los licitadores quieren adquirir licencias para proporcionar un servicio de comunicaciones inalámbricas que abarque ciertas áreas geográficas. Un licitador quizá quiera usar una de dos bandas de transmisión disponibles para proporcionar servicios en, por ejemplo, el condado de Los Ángeles. Si cualquiera de las dos bandas de transmisión satisface sus necesidades, y el licitador tan sólo necesita una, entonces las licencias para utilizar estas bandas son sustitutos económicos.

Pero el licitador también podría estar dispuesto a pagar más para adquirir una licencia que cubriera el sur de California, si también pudiera adquirir una licencia que cubriera el norte de California. Estas licencias son complementos. Una razón por la que las licencias podrían ser complementos

es que las dos áreas pueden compartir algunas instalaciones y bajar los costos. Otra razón es que el propietario de ambas licencias podría estar en posibilidad de proporcionar un servicio más valioso a los consumidores y, por tanto cobrar un precio más alto por el mismo.

La subasta con licitación ascendente simultánea maneja bien ambas situaciones. En este tipo de subasta, las licitaciones por las licencias del Norte y del Sur de California, y, de hecho, por todas las licencias, se realizan al mismo tiempo, y la licitación permanece abierta para *todas* las licencias individuales hasta que se haya terminado la licitación para todas las licencias. En una subasta como ésta, el licitador que esté interesado en las licencias de California, puede licitar por ambas y puede dejar de licitar cuando el precio de la combinación sea demasiado alto. Esta solución dista mucho de ser perfecta, pero es mucho mejor que cualquiera de las alternativas tradicionales y parece haberse desempeñado bien en la venta de licencias de canales de transmisión en Estados Unidos.

## ¿Qué diferencias representan las tecnologías de información actuales para los problemas del diseño de subastas?

Sin la tecnología de información moderna no se hubiera podido realizar la subasta ascendente simultánea de licencias de canales de transmisión. En una versión grande de una subasta, tanto el subastador como los licitadores necesitan conocer simultáneamente las licitaciones sobre cientos o incluso miles de licencias. Se han creado programas de *software* para facilitar la presentación de licitaciones y dar seguimiento a los resultados de la subasta.

## ¿Qué aconsejaría usted a los estudiantes universitarios actuales, con el fin de que se preparen para una carrera en economía? ¿Qué deben estudiar, además de economía?

Los mejores economistas son técnicamente capaces, curiosos por lo que ocurre en el mundo, preocupados por el bienestar humano, flexibles en sus perspectivas y dedicados al pensamiento claro, analítico. Los cursos pueden ayudar con algunas de estas cosas. Ciertamente, los estudiantes pueden aprender conceptos matemáticos y estadísticos antes de graduarse.

Para disfrutar una carrera de economista, es necesario ir más allá de las abstracciones académicas e incluir elementos que estimulen. Muchos alumnos estudian economía debido a sus preocupaciones sociales específicas, por ejemplo: desear comprender las fuentes de la pobreza de sus propios países y distinguir los medios para salir de ella. A esos estudiantes yo les recomiendo leer mucho y estudiar otras ciencias sociales para aprender sobre la cultura y la política de la pobreza, y la forma en que éstas imponen obstáculos a las buenas políticas económicas. ¡Hay muchas formas de incluir los placeres propios en una carrera económica! Tengo amigos y colegas que han estudiado la economía de los deportes, de los precios de los vinos, de las artes en espectáculos y de Internet. Al reunir sus intereses personales y profesionales, eliminan la aguda división entre su profesión y el placer. Éstas son las personas que yo presento como modelos a seguir.

# Utilidad
# y demanda

Necesitamos agua para vivir. Los diamantes
sólo los necesitamos para decoración. Si
los beneficios del agua superan con mucho
a los beneficios de los diamantes, ¿por qué entonces el agua prácticamente no cuesta nada, en
tanto que los diamantes son terriblemente caros? ◆
Cuando la Organización de Países Exportadores de Petróleo (OPEP) restringió sus ventas de petróleo en 1973, el precio de este bien aumentó en forma drástica, pero las personas
continuaron usando casi tanto petróleo como antes. La demanda de
petróleo resultó ser inelástica al precio. Pero, ¿por qué? ◆ Cuando se introdujo por primera vez un reproductor de discos compactos en 1983, su
precio era de más de 1,000 dólares y los consumidores compraron pocas
unidades. Desde entonces, el precio ha disminuido drásticamente y la gente
ha comprado reproductores de discos compactos en cantidades enormes.
Nuestra demanda de estos aparatos es elástica al
precio. ¿Qué hace que la demanda de algunas
cosas sea elástica al precio, en tanto que la demanda de otras es inelástica? ◆ Durante los últimos 20 años, los ingresos en Estados Unidos,
después de que se eliminan los efectos de la inflación, han aumentado en un 40%. Durante
ese mismo período, el gasto en electricidad ha aumentado en más de 60%,
en tanto que el gasto en transportación ha aumentado en menos de 20%.
Por tanto, la proporción del ingreso gastado en electricidad ha aumentado y
la proporción gastada en transportación ha disminuido. ¿Por qué a medida
que aumenta el ingreso, la proporción del mismo gastada en algunos bienes
se eleva y la gastada en otros disminuye?

## Agua, agua, por todas partes

◆ En los cuatro capítulos anteriores, se observó que la demanda tiene un
efecto importante sobre el precio de un bien. Sin embargo, no se analizó
exactamente qué es lo que da forma a la demanda de las personas. En este
capítulo se examina el comportamiento de las personas y su influencia sobre
la demanda. Se explica por qué la demanda de algunos bienes es elástica y la
de otros es inelástica. También se explica por qué los precios de algunas cosas, como los diamantes y el agua, son tan desproporcionados con respecto a
sus beneficios totales.

**Después de estudiar
este capítulo, usted
será capaz de:**

■ Explicar la restricción
presupuestal de los
consumidores

■ Definir la utilidad total y
la utilidad marginal

■ Explicar la teoría de la
elección del consumidor
basada en la utilidad
marginal

■ Utilizar la teoría de la
utilidad marginal para
predecir los efectos de
cambios en precios e
ingresos

■ Explicar la relación entre
la demanda individual y la
demanda del mercado

■ Explicar la paradoja del
valor

## Elecciones de consumo

LAS ELECCIONES DE CONSUMO DE LAS PERSONAS ESTÁN determinadas por varios factores, los cuales se pueden resumir bajo dos conceptos amplios:

■ Posibilidades de consumo
■ Preferencias

### Posibilidades de consumo

Las opciones de un consumidor están limitadas por su ingreso y por los precios de los bienes y servicios que compra. El consumidor tiene una determinada cantidad de ingresos para gastar, y no puede influir sobre los precios de los bienes y servicios que adquiere.

Los límites a las opciones de consumo de los individuos se describen mediante su *línea de restricción presupuestal*. Observemos el hogar de Elisa. Ella tiene un ingreso de $30 mensuales y piensa comprar sólo dos bienes: películas y hamburguesas. Las películas cuestan $6 cada una, y las hamburguesas cuestan $3 cada una.

La figura 8.1 muestra todas las combinaciones posibles de consumo de películas y hamburguesas para Elisa. La tabla de la figura 8.1 muestra seis formas alternativas de asignar $30 al consumo de estos dos bienes. Por ejemplo, Elisa puede ver dos películas por $12 y comprar seis hamburguesas por $18 (renglón *c*). Los puntos *a-f* en la figura muestran las distintas posibilidades de consumo que se describen en la tabla. La línea que pasa a través de estos puntos es la restricción presupuestal de Elisa.

La restricción presupuestal de Elisa limita sus posibles elecciones de consumo. Marca el límite entre lo que puede y lo que no puede comprar. Elisa puede permitirse comprar todos las combinaciones que están ya sea por debajo o sobre la línea de su restricción presupuestal. La restricción a su consumo depende de su ingreso y de los precios de las películas y de las hamburguesas. La restricción cambia cuando cambia el ingreso, o cuando cambian los precios de las películas o de las hamburguesas.

### Preferencias

¿Cómo divide Elisa sus $30 entre estos dos bienes? La respuesta depende de lo que le agrada y lo que le desagrada, es decir, de sus *preferencias*. Los economistas utilizan el concepto de utilidad para describir las preferencias. El beneficio o la satisfacción que obtiene una persona del consumo de un bien o servicio se conoce como **utilidad**. Pero, ¿qué es exactamente la utilidad y en qué unidades se puede medir? La utilidad es un concepto abstracto y sus unidades son arbitrarias.

**FIGURA 8.1**

## Posibilidades de consumo

| Posibilidades | Películas Cantidad | Gasto ($) | Hamburguesas Cantidad | Gasto ($) |
|---|---|---|---|---|
| a | 0 | 0 | 10 | 30 |
| b | 1 | 6 | 8 | 24 |
| c | 2 | 12 | 6 | 18 |
| d | 3 | 18 | 4 | 12 |
| e | 4 | 24 | 2 | 6 |
| f | 5 | 30 | 0 | 0 |

Los renglones *a-f* en la tabla muestran seis formas posibles en que Elisa puede asignar los $30 entre películas y hamburguesas. Por ejemplo, Elisa puede comprar 2 películas y 6 hamburguesas (línea *c*). La combinación en cada línea cuesta $30. Estas posibilidades se representan gráficamente en la figura. La línea recta que pasa a través de los puntos *a-f* es un límite entre lo que Elisa puede permitirse y lo que no. Sus posibilidades de consumo son aquellas que se ubican a lo largo de la línea *a-f* o dentro del área de color naranja.

**Temperatura, una analogía**   La temperatura es un concepto abstracto y las unidades de la temperatura son arbitrarias. Usted sabe cuando siente calor y cuando siente frío, pero no puede *observar* la temperatura. Usted observa cómo el agua se convierte en vapor si está lo suficientemente caliente, o cómo se convierte en hielo si está lo suficientemente fría. Usted puede crear un instrumento, conocido como termómetro, que le ayuda a predecir cuándo ocurrirán esos cambios. La escala en el termómetro es lo que denominamos temperatura. Pero las unidades en las que medimos la temperatura son arbitrarias. Por ejemplo, podemos predecir con exactitud que cuando un termómetro en grados centígrados muestra una temperatura de 0, el agua se convertirá en hielo. Pero las unidades de medición no tienen importancia porque esto mismo ocurre cuando un termómetro en grados Fahrenheit muestra una temperatura de 32.

El concepto de utilidad nos ayuda a hacer predicciones sobre las elecciones de consumo, de la misma manera que el concepto de temperatura nos ayuda a predecir fenómenos físicos. Aunque hay que reconocer que la teoría de la utilidad marginal no es tan precisa como la teoría que nos permite predecir cuándo el agua se convertirá en hielo o vapor.

Veamos a continuación cómo se puede usar el concepto de utilidad para describir las preferencias.

## Utilidad total

La **utilidad total** es el beneficio total que una persona obtiene del consumo de bienes y servicios. La utilidad total depende del nivel de consumo; por lo general, un mayor consumo produce una mayor utilidad total. La tabla 8.1 muestra la utilidad total que Elisa obtiene de consumir películas y hamburguesas. Si no ve película alguna, ella no obtiene utilidad de este bien. Si ve una película al mes, obtiene 50 unidades de utilidad. Según aumenta el número de películas que ve en un mes, se incrementa su utilidad total; si ve 10 películas al mes, obtiene 250 unidades de utilidad total. La otra parte de la tabla muestra la utilidad total que Elisa obtiene de las hamburguesas. Si no consume hamburguesas, ella no obtiene utilidad de este bien. Según aumenta la cantidad de hamburguesas que consume, su utilidad total aumenta.

## Utilidad marginal

La **utilidad marginal** es el cambio en la utilidad total, que resulta del aumento de una unidad en la cantidad consumida de un bien. La tabla de la figura 8.2 muestra el cálculo de la utilidad marginal de las películas para Elisa. Cuando el número de películas que ella ve aumenta de cuatro a cinco por mes, la utilidad total que Elisa recibe de las películas aumenta de 150 unidades a 175. Por tanto, la utilidad marginal para Elisa de ver una quinta película al mes es de 25 unidades. Observe que la utilidad marginal aparece a medio camino entre las cantidades de películas. Esto es así porque el *cambio* en el consumo de cuatro a cinco películas es lo que produce la utilidad *marginal* de 25 unidades. La tabla muestra los cálculos de la utilidad marginal para cada número de películas consumidas.

**TABLA 8.1**

## Utilidad total de Elisa que se deriva de las películas y las hamburguesas

| Películas | | Hamburguesas | |
|---|---|---|---|
| Cantidad mensual | Utilidad total | Cantidad mensual | Utilidad total |
| 0 | 0 | 0 | 0 |
| 1 | 50 | 1 | 75 |
| 2 | 88 | 2 | 117 |
| 3 | 121 | 3 | 153 |
| 4 | 150 | 4 | 181 |
| 5 | 175 | 5 | 206 |
| 6 | 196 | 6 | 225 |
| 7 | 214 | 7 | 243 |
| 8 | 229 | 8 | 260 |
| 9 | 241 | 9 | 276 |
| 10 | 250 | 10 | 291 |
| 11 | 256 | 11 | 305 |
| 12 | 259 | 12 | 318 |
| 13 | 261 | 13 | 330 |
| 14 | 262 | 14 | 341 |

La figura 8.2(a) muestra la utilidad total que obtiene Elisa de las películas. Cuantas más películas ve Elisa en un mes, mayor es la utilidad total que obtiene. La figura 8.2(b) muestra su utilidad marginal. Esta figura nos dice que a medida que Elisa ve más películas, la utilidad marginal que ella obtiene de este bien disminuye. Por ejemplo, su utilidad marginal disminuye de 50 unidades en la primera película, a 38 unidades en la segunda y 33 en la tercera. A la disminución en la utilidad marginal que se presenta cuando aumenta la cantidad consumida de un bien, se le denomina como el principio de la **utilidad marginal decreciente**.

La utilidad marginal es positiva, pero disminuye conforme aumenta el consumo de un bien. ¿Por qué la utilidad marginal tiene estas dos características? En el caso de Elisa, a ella le gustan las películas, y cuantas más ve, mejor. Por eso la utilidad marginal es positiva. El beneficio que obtiene Elisa de la última película que ha visto, es su utilidad marginal. Para comprender por qué la utilidad marginal disminuye, piense en las siguientes dos situaciones:

---

### FIGURA 8.2
## Utilidad total y utilidad marginal

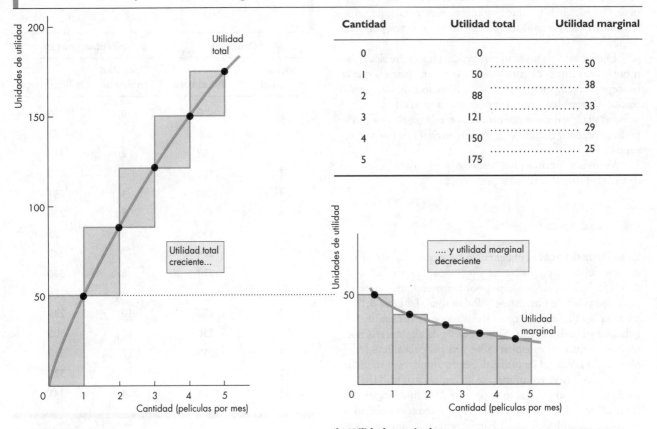

| Cantidad | Utilidad total | Utilidad marginal |
|----------|---------------|-------------------|
| 0 | 0 | |
| | | 50 |
| 1 | 50 | |
| | | 38 |
| 2 | 88 | |
| | | 33 |
| 3 | 121 | |
| | | 29 |
| 4 | 150 | |
| | | 25 |
| 5 | 175 | |

**(a) Utilidad total**

La tabla muestra que conforme Elisa ve más películas, aumenta la utilidad total que obtiene de las mismas. La tabla también muestra su utilidad marginal, el cambio en la utilidad total que resulta de ver una película adicional. La utilidad marginal disminuye según aumenta el consumo. La figura presenta en forma gráfica la utilidad total y la utilidad marginal que Elisa obtiene de las películas. En la sección (a) se muestra su utilidad

**(b) Utilidad marginal**

total. También se muestra en forma de barra la utilidad total adicional que ella obtiene de cada película adicional (su utilidad marginal). En la sección (b) se muestra cómo disminuye la utilidad marginal que obtiene Elisa de las películas, al colocar las barras que se presentan en la sección (a) una junto a la otra, en forma de escalones descendentes.

---

en una, usted ha estudiado durante 29 noches consecutivas cuando se le presenta la oportunidad de ver una película. La utilidad que obtiene de ver esa película es la utilidad marginal de ver una película en un mes. En la segunda situación, usted ha participado en una maratón de películas. En las últimas 29 noches no ha realizado una sola tarea. Ya está cansado de ver tantas películas. Se siente lo suficientemente contento para ver una película más, pero la emoción que siente de ver una película adicional no es muy grande. Ésa es la utilidad marginal de la trigésima película en un mes.

### PREGUNTAS DE REPASO

■ Explique cómo el ingreso del consumidor y los precios de los bienes limitan las posibilidades de consumo.

■ ¿Qué es la utilidad y cómo se usa este concepto para describir las preferencias de un consumidor?

■ ¿Cuál es la distinción entre utilidad total y utilidad marginal?

■ ¿Cuál es el supuesto clave acerca de la utilidad marginal?

# Maximización de la utilidad

EL INGRESO DE LAS PERSONAS Y LOS PRECIOS A LOS QUE se enfrentan, limitan sus elecciones de consumo. Asimismo, las preferencias de las personas determinan la utilidad que pueden obtener de cada opción de consumo posible. La teoría de la utilidad marginal supone que las personas eligen la mezcla de consumo posible que maximiza su utilidad total. Este supuesto de maximización de la utilidad es una forma alternativa de expresar el problema económico fundamental: la escasez. Las necesidades de las personas exceden los recursos disponibles para satisfacer dichas necesidades, por lo que tienen que hacer elecciones difíciles. Al hacer las elecciones, las personas intentan lograr el máximo beneficio posible; esto es, intentan maximizar su utilidad total.

Veamos cómo asigna Elisa sus $30 al mes entre películas y hamburguesas, para maximizar su utilidad total. Se continuará suponiendo que las películas cuestan $6 cada una y que cada hamburguesa cuesta $3.

## La elección para maximizar la utilidad

La forma más directa de calcular cómo gasta Elisa su ingreso para maximizar su utilidad total, es preparando una tabla como la 8.2. Los renglones de la tabla muestran las combinaciones asequibles de películas y hamburguesas que se encuentran sobre su restricción presupuestal en la figura 8.1. La tabla registra tres cosas: primero, el número de películas vistas y la utilidad total obtenida de ellas (el lado izquierdo de la tabla); segundo, el número de hamburguesas consumidas y la utilidad total obtenida de ellas (el lado derecho de la tabla); y tercero, la utilidad total obtenida tanto de las películas como de las hamburguesas (la columna del centro).

La primera fila de la tabla 8.2 registra la situación cuando Elisa no ve películas y compra 10 hamburguesas. En este caso, Elisa no obtiene utilidad de las películas y deriva 291 unidades de utilidad total de las hamburguesas. La utilidad total de las películas y las hamburguesas (la columna del centro) es de 291 unidades. El resto de la tabla se elabora en forma similar.

El consumo de películas y hamburguesas que maximiza la utilidad total de Elisa, está resaltado en la tabla. Cuando Elisa ve dos películas y compra seis hamburguesas obtiene 313 unidades de utilidad total. Esto es lo mejor que puede hacer Elisa, dadas sus preferencias, sus $30 para gastar y los precios de las películas y de las hamburguesas. Si compra ocho hamburguesas, sólo puede ver una película. Obtiene 310 unidades de utilidad total, tres menos del máximo posible. Si ve tres películas, sólo puede comprar cuatro hamburguesas. Obtiene 302 unidades de utilidad total, 11 menos del máximo posible.

**TABLA 8.2**

## Combinaciones asequibles de Elisa

| | Películas | | Utilidad total derivada de las películas y las hamburguesas | Hamburguesas | |
|---|---|---|---|---|---|
| | Cantidad mensual | Utilidad total | | Utilidad total | Cantidad por mes |
| a | 0 | 0 | 291 | 291 | 10 |
| b | 1 | 50 | 310 | 260 | 8 |
| c | 2 | 88 | 313 | 225 | 6 |
| d | 3 | 121 | 302 | 181 | 4 |
| e | 4 | 150 | 267 | 117 | 2 |
| f | 5 | 175 | 175 | 0 | 0 |

Se acaba de describir el equilibrio del consumidor para Elisa. El **equilibrio del consumidor** es una situación en la que un consumidor ha asignado todo su ingreso disponible en forma tal que, de acuerdo con los precios de los bienes y los servicios, maximice su utilidad total. El equilibrio del consumidor para Elisa es de dos películas y seis hamburguesas.

Al encontrar el equilibrio del consumidor para Elisa, se midió su utilidad *total* derivada de las películas y las hamburguesas. Pero hay una forma mejor para determinar el equilibrio de un consumidor, una forma en la que no es necesario hacer medición alguna de la utilidad total. Veamos esta alternativa.

## Igualación de la utilidad marginal por unidad monetaria gastada

Otra forma de determinar la asignación que maximice la utilidad total de un consumidor, es hacer que la utilidad marginal por unidad monetaria (peso, dólar, etc.) gastada en cada bien sea igual para todos los bienes. La **utilidad marginal por unidad monetaria gastada** es la utilidad marginal que se obtiene de la última unidad consumida de un bien, dividida entre el precio del bien. Por ejemplo, la utilidad marginal de Elisa al ver la primera película es de 50 unidades. El precio de una película es $6, lo que significa que cuando Elisa ve una película, la utilidad marginal por unidad monetaria gastada en películas es de 50 unidades divididos entre $6, es decir, 8.33 unidades de utilidad por unidad monetaria gastada.

La utilidad total se maximiza cuando el consumidor gasta todo su ingreso disponible, y la utilidad marginal por unidad monetaria gastada es igual para todos los bienes.

Elisa maximiza su utilidad total cuando gasta todo su ingreso y consume películas y hamburguesas en forma tal que

$$\frac{\text{Utilidad marginal de las películas}}{\text{Precio de una película}} = \frac{\text{Utilidad marginal de las hamburguesas}}{\text{Precio de una hamburguesa}}$$

Definamos la utilidad marginal de las películas como $UM_p$, la utilidad marginal de las hamburguesas como $UM_h$ al precio de una película como $P_p$ y el precio de las hamburguesas como $P_h$. Así, Elisa maximiza su utilidad cuando gasta todo su ingreso, y cuando

$$\frac{UM_p}{P_p} = \frac{UM_h}{P_h}$$

Utilizaremos esta fórmula para encontrar la elección de consumo que maximiza la utilidad de Elisa. En la tabla 8.3, cada línea agota el ingreso de Elisa de $30. La tabla establece sus utilidades marginales Elisa (calculadas con base en la tabla 8.1) y su utilidad marginal por unidad monetaria gastada en cada bien. Por ejemplo, en la línea *b*, la utilidad marginal de las películas es de 50 unidades y, puesto que las películas cuestan $6 cada una, su utilidad marginal por unidad monetaria gastada en películas es 8.33 (50 unidades divididas entre $6). Se puede ver que la utilidad marginal de Elisa por unidad monetaria gastada en cada bien, al igual que la propia utilidad marginal, disminuye según se consume más del bien.

Elisa maximiza su utilidad total cuando la utilidad marginal por unidad monetaria gastada en películas es igual a la utilidad marginal por unidad monetaria gastada en hamburguesas (posibilidad *c*). Elisa consume dos películas y seis hamburguesas.

La figura 8.3 muestra por qué funciona la regla de "igualación de la utilidad marginal por unidad monetaria gastada en cada uno de los bienes". Suponga que en lugar de dos películas y seis hamburguesas (posibilidad *c*), Elisa consume una película y ocho hamburguesas (posibilidad *b*). Entonces obtiene 8.33 unidades de utilidad por unidad monetaria gastada en películas y 5.67 unidades por unidad monetaria gastada en hamburguesas. Elisa puede mejorar su utilidad total si compra menos hamburguesas y ve más películas. Si gasta menos en hamburguesas y más en películas, la parte de su utilidad total que se deriva de las hamburguesas disminuye en 5.67 y la parte que se deriva de las películas aumenta en 8.33. Su utilidad total aumenta en 2.66 unidades por unidad monetaria.

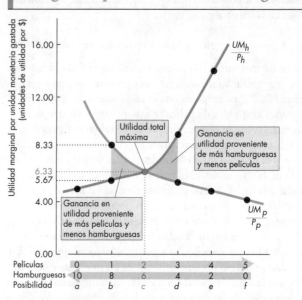

**FIGURA 8.3**

## Igualación de las utilidades marginales por unidad monetaria gastada

Si Elisa consume una película y ocho hamburguesas (posibilidad *b*), obtiene 8.33 unidades de utilidad de la última unidad monetaria gastada en películas y 5.67 unidades de utilidad de la última unidad monetaria gastada en hamburguesas. Ella puede obtener más utilidad total si ve una película más. Si consume cuatro hamburguesas y tres películas (posibilidad *d*), obtiene 5.50 unidades de utilidad de la última unidad monetaria gastada en películas y 9.33 unidades de utilidad de la última unidad monetaria gastada en hamburguesas. Puede aumentar su utilidad total si ve una película menos. Cuando la utilidad marginal de Elisa por unidad monetaria gastada en ambos bienes es igual, su utilidad total alcanza su valor máximo.

**TABLA 8.3**

## Igualación de las utilidades marginales por unidad monetaria gastada

| | Películas ($6 cada una) | | | Hamburguesas ($3 cada una) | | |
|---|---|---|---|---|---|---|
| | Cantidad | Utilidad marginal | Utilidad marginal por unidad monetaria gastada | Cantidad | Utilidad marginal | Utilidad marginal por unidad monetaria gastada |
| *a* | 0 | | | 10 | 15 | 5.00 |
| *b* | 1 | 50 | 8.33 | 8 | 17 | 5.67 |
| *c* | 2 | 38 | 6.33 | 6 | 19 | 6.33 |
| *d* | 3 | 33 | 5.50 | 4 | 28 | 9.33 |
| *e* | 4 | 29 | 4.83 | 2 | 42 | 14.00 |
| *f* | 5 | 25 | 4.17 | 0 | | |

O suponga que Elisa consume tres películas y cuatro hamburguesas (posibilidad *d*). En esta situación, su utilidad marginal por unidad monetaria gastada en películas (5.50) es menor que su utilidad marginal por unidad monetaria gastada en hamburguesas (9.33). Ahora Elisa puede aumentar su utilidad total gastando menos en películas y más en hamburguesas.

**El poder del análisis marginal**   El método que se acaba de utilizar para encontrar la elección de películas y hamburguesas que maximiza la utilidad de Elisa, es un ejemplo del poder del análisis marginal. Al comparar la ganancia marginal proveniente de tener más de un bien con la pérdida marginal de tener menos de otro, Elisa está en posibilidad de asegurarse de que recibe la máxima utilidad posible.

En el ejemplo, Elisa selecciona la combinación en la que las utilidades marginales por unidad monetaria gastada en películas y hamburguesas son iguales. Debido a que compramos bienes y servicios en cantidades cerradas, los números no siempre funcionan con tanta precisión. Pero el enfoque básico siempre funciona.

La regla a seguir es muy sencilla: si la utilidad marginal por unidad monetaria gastada en películas excede a la utilidad marginal por unidad monetaria gastada en hamburguesas, vea más películas y compre menos hamburguesas; si la utilidad marginal por unidad monetaria gastada en hamburguesas excede a la utilidad marginal por unidad monetaria gastada en películas, compre más hamburguesas y vea menos películas.

En forma más general, si la ganancia marginal proveniente de una acción excede a la pérdida marginal, lleve a cabo la acción. Hemos visto antes este principio, y lo encontrará una y otra vez en sus estudios dentro de la economía. Seguramente usted lo utilizará cuando haga sus propias elecciones económicas, especialmente cuando tenga que tomar una gran decisión.

**Unidades de utilidad**   Al calcular la elección que maximiza la utilidad de Elisa en la tabla 8.3 y en la figura 8.3, no se utilizó en forma alguna el concepto de utilidad total. Todos los cálculos usan la utilidad marginal y el precio. Al hacer que la utilidad marginal por unidad monetaria gastada sea igual para ambos bienes, sabemos que Elisa maximiza su utilidad total.

Esta forma de contemplar la utilidad máxima significa que las unidades en que se mide la utilidad no tienen importancia. Se podrían duplicar o reducir a la mitad las cifras con que se mide la utilidad, o multiplicarlas por cualquier otra cifra positiva, o elevarlas al cuadrado, o sacar sus raíces cuadradas. Ninguna de estas transformaciones de las unidades empleadas para medir la utilidad representa diferencia alguna para el resultado. En este aspecto, la utilidad es similar a la temperatura. Nuestras predicciones sobre el congelamiento del agua no dependen de la escala de la temperatura; nuestra predicción sobre la elección de los consumidores no depende de las unidades de utilidad.

**PREGUNTAS DE REPASO**

■ ¿Cuál es el objetivo de Elisa cuando elige las cantidades de películas y hamburguesas que va a consumir?
■ ¿Qué par de condiciones se cumplen si un consumidor maximiza su utilidad?
■ Explique por qué la igualación de la utilidad marginal de cada bien *no* maximiza la utilidad.
■ Explique por qué el igualar la utilidad marginal por unidad monetaria gastada en cada bien *sí* maximiza la utilidad.

## Predicciones de la teoría de la utilidad marginal

AHORA UTILIZAREMOS LA TEORÍA DE LA UTILIDAD marginal para hacer algunas predicciones. ¿Qué le ocurre al consumo de películas y hamburguesas de Elisa cuando cambian los precios y el ingreso?

Para encontrar el efecto de un cambio en el precio o en el ingreso sobre la elección de consumo, proceda de la siguiente forma: primero, determine las combinaciones de películas y hamburguesas que agotan el ingreso nuevo a los precios nuevos. Segundo, calcule las nuevas utilidades marginales por unidad monetaria gastada. Tercero, determine la combinación que iguala las utilidades marginales por unidad monetaria gastada en películas y en hamburguesas.

### Una reducción en el precio de las películas

Suponga que el precio de una película baja de $6 a $3. Los renglones de la tabla 8.4 muestran las combinaciones de películas y hamburguesas que agotan exactamente los $30 de ingreso de Elisa, cuando las películas y las hamburguesas cuestan $3 cada una. Las preferencias de Elisa no cambian cuando cambian los precios, por lo que su esquema de utilidad marginal permanece igual que antes. Ahora divida la utilidad marginal de las películas entre $3 para obtener la utilidad marginal por unidad monetaria gastada en películas.

Para determinar cómo responde Elisa a la baja en el precio de una película, compare la nueva elección que maximiza su utilidad (tabla 8.4), con su elección original (tabla 8.3). Elisa ve más películas (aumenta de 2 a 5 mensuales) y come menos hamburguesas (baja de 6 a 5 su consumo de hamburguesas por mes). Es decir, *sustituye* películas por hamburguesas. La figura 8.4 muestra estos efectos. La baja en el precio de una película produce un

## TABLA 8.4

### Cómo un cambio en el precio de las películas afecta las elecciones de Elisa

| Películas ($3 cada una) | | Hamburguesas ($3 cada una) | |
|---|---|---|---|
| Cantidad | Utilidad marginal por unidad monetaria gastada | Cantidad | Utilidad marginal por unidad monetaria gastada |
| 0 | | 10 | 5.00 |
| 1 | 16.67 | 9 | 5.33 |
| 2 | 12.67 | 8 | 5.67 |
| 3 | 11.00 | 7 | 6.00 |
| 4 | 9.67 | 6 | 6.33 |
| 5 | 8.33 | 5 | 8.33 |
| 6 | 7.00 | 4 | 9.33 |
| 7 | 6.00 | 3 | 12.00 |
| 8 | 5.00 | 2 | 14.00 |
| 9 | 4.00 | 1 | 25.00 |
| 10 | 3.00 | 0 | |

## FIGURA 8.4

### Una disminución en el precio de las películas

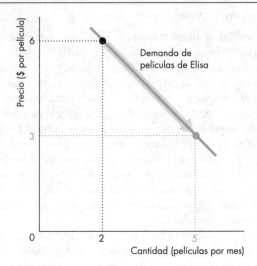

**(a) Películas**

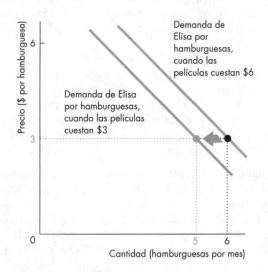

**(b) Hamburguesas**

movimiento a lo largo de la curva de demanda de películas de Elisa (sección a), y desplaza su curva de demanda de hamburguesas (sección b).

## Un aumento en el precio de las hamburguesas

Suponga ahora que el precio de las hamburguesas se eleva de $3 a $6 cada una. Los renglones de la tabla 8.5 muestran las combinaciones de películas y hamburguesas que agotan exactamente los $30 de ingreso de Elisa, cuando las películas cuestan $3 cada una y las hamburguesas cuestan $6. Las preferencias de Elisa no cambian cuando cambia el precio de las hamburguesas. Ahora se divide la utilidad marginal derivada de las hamburguesas entre $6, para obtener la utilidad marginal de Elisa por unidad monetaria gastada en hamburguesas.

Para encontrar el efecto del aumento en el precio de las hamburguesas sobre la elección que maximiza la utilidad de Elisa, compare su nueva elección (tabla 8.5) con su elección anterior (tabla 8.4). Cuando aumenta el precio de las hamburguesas, Elisa consume menos de ellas (baja de 5 a 2 hamburguesas al mes) y ve más películas (aumenta de 5 a 6 mensuales). Es decir, Elisa *sustituye* películas por hamburguesas. La figura 8.5 muestran estos efectos. El aumento en el precio de las hamburguesas produce un movimiento a lo largo de la curva de demanda de

Cuando el precio de una película baja y el precio de las hamburguesas permanece igual, la cantidad de películas demandadas por Elisa aumenta. En la sección (a), Elisa se mueve a lo largo de su curva de demanda de películas. Además, Elisa disminuye su demanda de hamburguesas y, en la sección (b), su curva de demanda de hamburguesas se desplaza hacia la izquierda.

**TABLA 8.5**

## Cómo un cambio en el precio de las hamburguesas afecta las elecciones de Elisa

| Películas ($3 cada una) | | Hamburguesas ($6 cada una) | |
|---|---|---|---|
| Cantidad | Utilidad marginal por unidad monetaria gastada | Cantidad | Utilidad marginal por unidad monetaria gastada |
| 0 | | 5 | 4.17 |
| 2 | 12.67 | 4 | 4.67 |
| 4 | 9.67 | 3 | 6.00 |
| 6 | 7.00 | 2 | 7.00 |
| 8 | 5.00 | 1 | 12.50 |
| 10 | 3.00 | 0 | |

hamburguesas de Elisa (sección a) y desplaza su curva de demanda de películas (sección b).

La teoría de la utilidad marginal predice estos dos resultados:

1. Cuando aumenta el precio de un bien, disminuye la cantidad demandada del mismo.

2. Si el precio de un bien aumenta, la demanda de otro bien que puede usarse como sustituto aumenta.

¿Le suena esto como algo conocido? Debería ser así. Estas predicciones de la teoría de la utilidad marginal corresponden a los supuestos que se hicieron sobre la demanda en el capítulo 4. Allí se *supuso* que la curva de demanda de un bien tiene pendiente descendente y se *supuso* que un aumento en el precio del sustituto aumenta la demanda.

Hemos visto que la teoría de la utilidad marginal predice cómo responden las cantidades de bienes y servicios que demandan las personas ante cambios en los precios. La teoría nos ayuda a comprender tanto la forma como la posición de la curva de demanda, y cómo la curva de demanda de un bien se desplaza cuando cambia el precio de otro. La teoría de la utilidad marginal también nos ayuda a comprender una cosa más sobre la demanda: cómo cambia ésta cuando cambia el ingreso. Estudiemos los efectos sobre el consumo de un cambio en el ingreso.

**FIGURA 8.5**

## Un aumento en el precio de las hamburguesas

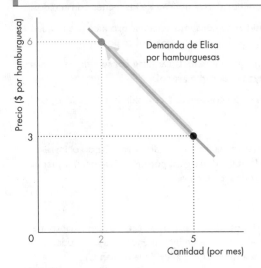

**(a) Hamburguesas**

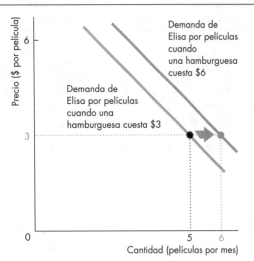

**(b) Películas**

Cuando el precio de las hamburguesas aumenta y el precio de las películas permanece igual, la cantidad de hamburguesas demandadas por Elisa disminuye y, en la sección (a), Elisa se mueve

a lo largo de su curva de demanda de hamburguesas. Además, Elisa aumenta su demanda de películas y, en la sección (b), su curva de demanda de películas se desplaza hacia la derecha.

## Un aumento en el ingreso

Suponga que el ingreso mensual de Elisa aumenta a $42, y que las películas y las hamburguesas cuestan $3 cada una. En la tabla 8.4 se vio que con estos precios y con un ingreso de $30 al mes, Elisa ve cinco películas y compra cinco hamburguesas al mes. Queremos comparar esta elección de películas y hamburguesas con la elección que hace Elisa cuando su ingreso es de $42. La tabla 8.6 muestra los cálculos necesarios para hacer la comparación. Con $42, Elisa puede ver 14 películas al mes y no comprar hamburguesas, o comprar 14 hamburguesas al mes y no ver películas, o elegir cualquier combinación de los dos bienes que se menciona en la tabla. Si calculamos la utilidad marginal por unidad monetaria gastada en exactamente la misma forma en que se hizo antes, se encuentran las cantidades a las cuales las utilidades marginales por unidad monetaria gastada en películas y en hamburguesas son

iguales. Con un ingreso de $42, la utilidad marginal por unidad monetaria gastada en cada bien es igual cuando Elisa ve siete películas y consume siete hamburguesas al mes.

Al comparar esta situación con la de la tabla 8.4, se observa que, con $12 adicionales al mes Elisa compra dos hamburguesas más y ve dos películas más al mes, La respuesta de Elisa surge de sus preferencias, tal como se describen mediante sus utilidades marginales. Otras preferencias producirían diferentes respuestas cuantitativas. Con un ingreso mayor, el consumidor siempre compra más de un bien *normal* y menos de un bien *inferior*. Para Elisa, las hamburguesas y las películas son bienes normales. Cuando aumenta su ingreso, Elisa compra más de ambos bienes.

Ahora ha terminado su estudio de la teoría de la utilidad marginal de las elecciones de consumo de las personas. En la tabla 8.7 se resumen los supuestos clave, las implicaciones y las predicciones de la teoría.

## Demanda individual y demanda del mercado

La teoría de la utilidad marginal explica cómo gasta su ingreso un individuo y nos permite derivar una curva de

---

**TABLA 8.6**

### Elecciones de Elisa con un ingreso mensual de $42

| Películas ($3 cada una) | | Hamburguesas ($6 cada una) | |
|---|---|---|---|
| Cantidad | Utilidad marginal por unidad monetaria gastada | Cantidad | Utilidad marginal por unidad monetaria gastada |
| 0 | | 14 | 3.67 |
| 1 | 16.67 | 13 | 4.00 |
| 2 | 12.67 | 12 | 4.33 |
| 3 | 11.00 | 11 | 4.67 |
| 4 | 9.67 | 10 | 5.00 |
| **5** | **8.33** | 9 | 5.33 |
| 6 | 7.00 | 8 | 5.67 |
| 7 | 6.00 | 7 | 6.00 |
| 8 | 5.00 | 6 | 6.33 |
| 9 | 4.00 | **5** | **8.33** |
| 10 | 3.00 | 4 | 9.33 |
| 11 | 2.00 | 3 | 12.00 |
| 12 | 1.00 | 2 | 14.00 |
| 13 | 0.67 | 1 | 25.00 |
| 14 | 0.33 | 0 | |

---

**TABLA 8.7**

### Teoría de la utilidad marginal

**Supuestos**

- El consumidor deriva utilidad de los bienes consumidos.

- Cada unidad de consumo adicional produce una utilidad total adicional; la utilidad marginal es positiva.

- A medida que aumenta la cantidad consumida de un bien, disminuye la utilidad marginal.

- El objetivo del consumidor es maximizar la utilidad total.

**Implicación**

La utilidad total se maximiza cuando se gasta todo el ingreso disponible, y la utilidad marginal por unidad monetaria gastada es igual para todos los bienes.

**Predicciones**

- Si todas las demás cosas permanecen iguales, cuanto más alto sea el precio de un bien, menor será la cantidad demandada del mismo (la ley de la demanda).

- Cuanto más alto sea el precio de un bien, mayor será la cantidad demandada de sustitutos de ese bien.

- Cuanto más alto sea el ingreso del consumidor, mayor será la cantidad demandada de bienes normales.

demanda para esa persona. En capítulos anteriores, utilizamos las curvas de demanda del *mercado*. Se puede derivar una curva de demanda del *mercado* a partir de las curvas de demanda individuales. Veamos cómo.

La relación entre la cantidad total demandada de un bien y su precio, se conoce como **demanda del mercado**. La curva de demanda del mercado es lo que se estudió en el capítulo 4. La relación entre la cantidad demandada de un bien por una sola persona y su precio, se conoce como *demanda individual*.

La figura 8.6 muestra la relación entre la demanda individual y la demanda del mercado. En este ejemplo, Elisa y Roberto son las únicas personas. La demanda del mercado es la demanda total de Elisa y Roberto. A $3 la película, Elisa demanda cinco películas al mes y Roberto, dos, por lo que la cantidad total demandada en el mercado es de siete películas al mes. La curva de demanda de películas de Elisa en la sección (a), y la de Roberto, en la sección (b), se suman

*horizontalmente* para obtener la curva de demanda del mercado en la sección (c).

La curva de demanda del mercado es la suma horizontal de las curvas de demanda individuales, y se forma al sumar las cantidades demandadas por cada persona, a cada precio.

Debido a que la teoría de la utilidad marginal predice que las curvas de demanda individuales tienen pendiente descendente, también predice que las curvas de demanda del mercado tienen pendiente descendente.

## Utilidad marginal y el mundo real

La teoría de la utilidad marginal se puede usar para contestar a una amplia gama de preguntas sobre el mundo real. La teoría arroja luz sobre por qué la demanda de reproductores de discos compactos es elástica al precio, en tanto que la demanda de petróleo es inelástica al precio, así como por qué la demanda de electricidad es elástica al ingreso, en tanto

---

**FIGURA 8.6**

## Curvas de demanda individual y del mercado

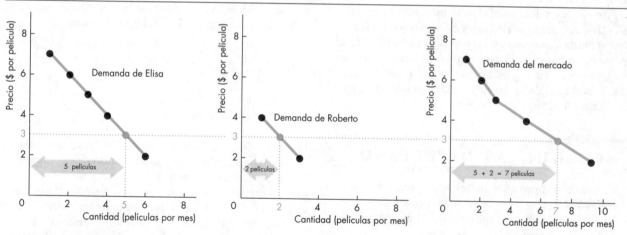

**(a) Demanda de Elisa**

**(b) Demanda de Roberto**

**(c) Demanda del mercado**

| Precio ($ por película) | Cantidad de películas demandada | | |
|---|---|---|---|
| | Elisa | Roberto | Mercado |
| 7 | 1 | 0 | 1 |
| 6 | 2 | 0 | 2 |
| 5 | 3 | 0 | 3 |
| 4 | 4 | 1 | 5 |
| 3 | 5 | 2 | 7 |
| 2 | 6 | 3 | 9 |

La tabla y la figura muestran cómo varía la cantidad demandada de películas conforme varía su precio. En la tabla, la demanda del mercado es la suma de las demandas individuales. Por ejemplo, a un precio de $3, Elisa demanda cinco películas y Roberto demanda dos películas, por lo que la cantidad demandada total en el mercado es de siete películas. En la figura, la curva de demanda del mercado es la suma horizontal de las curvas de demanda individuales. Por tanto, cuando el precio es $3, la curva de demanda del mercado muestra que la cantidad demandada es de siete películas, la suma de las cantidades demandadas por Elisa y Roberto.

que la demanda de transporte es inelástica al ingreso. Las preferencias determinan las elasticidades. La característica de nuestras preferencias que determina la elasticidad, es la tasa a la que declina la utilidad marginal; es decir, lo pronunciado de los escalones de la utilidad marginal en la figura 8.2(b).

Note que para mantener relativamente constante a la utilidad marginal por unidad monetaria gastada, un aumento de precio de un bien por lo general deberá ir acompañado de un aumento en la utilidad marginal de ese mismo bien. Por ello, si la utilidad marginal de un bien cambia a una tasa relativamente alta, un aumento de precio del bien se verá acompañado de una reducción relativamente pequeña en el consumo del bien, ya que eso bastará para generar el aumento en la utilidad marginal que se necesita para mantener la igualdad en las utilidades marginales por unidad monetaria constantes. En este caso, la demanda es relativamente inelástica. Por el contrario, si la utilidad marginal cambia relativamente despacio, un aumento de precio de un bien se verá acompañado de una reducción relativamente grande en el consumo del mismo, ya que esto será necesario para poder generar el aumento en la utilidad marginal que se necesita para mantener la igualdad en las utilidades marginales por unidad monetaria constantes. Éste es el caso en el que la demanda es elástica.

Pero la teoría de la utilidad marginal puede hacer mucho más que explicar las elecciones de *consumo* de los individuos. Puede usarse para explicar *todas* las elecciones hechas por los individuos. Una de estas elecciones, la asignación del tiempo entre el ocio y el trabajo en el hogar, la oficina, o la fábrica, es el tema de las cuestiones e ideas desarrolladas en las páginas 188-189.

## PREGUNTAS DE REPASO

- Cuando baja el precio de un bien, y los precios de otros bienes y el ingreso de un consumidor permanecen iguales, ¿qué le ocurre al consumo del bien cuyo precio ha bajado y al consumo de otros bienes?
- Amplíe su respuesta a la pregunta anterior utilizando curvas de demanda. ¿Para cuál bien hay un cambio en la demanda y para cuál hay un cambio en la cantidad demandada?
- Si el ingreso de un consumidor aumenta y si todos los bienes son bienes normales, ¿cómo cambia la cantidad comprada de cada bien?

Vamos a terminar este capítulo regresando a un tema que se repite a lo largo de los estudios dentro de la economía: el concepto de eficiencia, y la distinción entre precio y valor.

# Eficiencia, precio y valor

LA TEORÍA DE LA UTILIDAD MARGINAL NOS AYUDA A profundizar en la comprensión del concepto de eficiencia, y también nos ayuda a apreciar con mayor claridad la distinción entre *valor* y *precio*. Veamos cómo ocurre esto.

## Eficiencia del consumidor y excedente del consumidor

Cuando Elisa asigna su presupuesto limitado para maximizar su utilidad, está utilizando con eficiencia sus recursos. Cualquier otra asignación de su presupuesto desperdicia algunos recursos.

Pero cuando Elisa ha asignado su presupuesto limitado para maximizar su utilidad, ella se encuentra *sobre* su curva de demanda para cada bien. Una curva de demanda es una descripción de la cantidad demandada a cada precio cuando se maximiza la utilidad. Al estudiar la eficiencia en el capítulo 6, se aprendió que una curva de demanda es también una curva de disposición a pagar. Nos dice el *beneficio marginal* de un consumidor: el beneficio de consumir una unidad adicional de un bien. Ahora se le puede dar un significado más profundo a la idea del beneficio marginal:

El beneficio marginal es el precio máximo que está dispuesto a pagar un consumidor por una unidad adicional de un bien o servicio, cuando se maximiza la utilidad.

## La paradoja del valor

Durante siglos, los filósofos se han sentido desconcertados por una paradoja que presentamos al inicio de este capítulo. El agua, que es esencial para la propia vida, cuesta poco, pero los diamantes, que son inútiles en comparación con el agua, son caros. ¿Por qué? Adam Smith intentó solucionar esta paradoja. Pero no fue sino hasta que se desarrolló la teoría de la utilidad marginal que pudo darse una respuesta satisfactoria.

Es posible solucionar este acertijo al distinguir entre utilidad *total* y utilidad *marginal*. La utilidad total que obtenemos del agua es enorme. Pero recuerde: cuanto más consumimos de algo, menor es su utilidad marginal. Usamos tanta agua que su utilidad marginal, el beneficio que obtenemos de un vaso más de agua, disminuye hasta un valor pequeño. Por otra parte, los diamantes tienen una utilidad total pequeña en relación con el agua, pero, debido a que compramos pocos diamantes, tienen una utilidad marginal alta. Cuando un hogar o individuo ha maximizado su utilidad total, ha asignado su presupuesto en la forma que hace que la utilidad marginal por unidad monetaria gastada

**FIGURA 8.7**

## La paradoja del valor

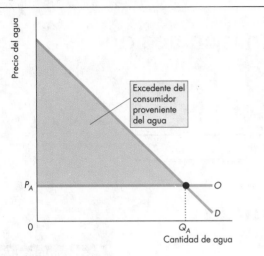

**(a) Agua**

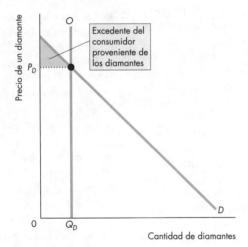

**(b) Diamantes**

La sección (a) muestra la demanda de agua, *D*, y la oferta de agua, *O*. La oferta (se supone) es perfectamente elástica al precio $P_A$. A este precio, la cantidad de agua consumida es $Q_A$ y el excedente del consumidor proveniente del agua es el gran triángulo verde. La sección (b) muestra la demanda de diamantes, *D*, y la oferta de diamantes, *O*. La oferta (se supone) es perfectamente inelástica a la cantidad $Q_D$. A esta cantidad, el precio de un diamante es $P_D$ y el excedente del consumidor proveniente de los diamantes es el pequeño triángulo verde. El agua es valiosa —tiene un gran excedente del consumidor— pero es barata. Los diamantes son menos valiosos que el agua —tienen un menor excedente del consumidor— pero son caros.

sea igual para todos los bienes. Es decir, la utilidad marginal de un bien dividida entre el precio del mismo es igual para todos los bienes. Esta igualdad de las utilidades marginales por unidad monetaria gastada es cierta para los diamantes y el agua: los diamantes tienen un precio alto y una utilidad marginal alta. El agua tiene un precio bajo y una utilidad marginal baja. Cuando la alta utilidad marginal de los diamantes se divide entre el alto precio de los mismos, el resultado es un número que es igual a la baja utilidad marginal del agua dividida entre el bajo precio del agua. La utilidad marginal por unidad monetaria gastada es la misma para los diamantes y para el agua.

Otra forma de pensar en la paradoja del valor utiliza el *excedente del consumidor*. En la figura 8.7 se explica la paradoja del valor utilizando esta idea. Se supone que la oferta del agua (sección a) es perfectamente elástica al precio $P_A$, por lo que la cantidad de agua consumida es $Q_A$ y el excedente del consumidor proveniente del agua es la gran área verde. La oferta de diamantes (sección b) es perfectamente inelástica a la cantidad $Q_D$, por lo que el precio de los diamantes es $P_D$ y el excedente del consumidor proveniente de los diamantes es la pequeña área verde. El agua es barata, pero proporciona un gran excedente del consumidor; los diamantes son caros, pero proporcionan un pequeño excedente del consumidor.

## PREGUNTAS DE REPASO

- ¿Puede explicar por qué, a lo largo de la curva de demanda, las elecciones de los consumidores son eficientes?
- ¿Puede explicar la paradoja del valor?
- ¿Qué tiene mayor utilidad marginal, el agua o los diamantes? ¿Qué tiene mayor utilidad total, el agua o los diamantes? ¿Qué genera un mayor excedente del consumidor, el agua o los diamantes?

Hemos terminado el estudio de la teoría de la utilidad marginal y hemos visto cómo ésta puede usarse para explicar nuestras elecciones de consumo en el mundo real. Se puede ver la teoría en acción de nuevo en la *Lectura entre Líneas* de las páginas siguientes, donde se usa para interpretar algunas tendencias recientes en el consumo de bebidas.

En el capítulo siguiente se presenta una teoría alternativa del comportamiento de los individuos. Para ayudarle a ver la relación entre las dos teorías del comportamiento del consumidor, se continuará con el mismo ejemplo. Nos encontraremos de nuevo con Elisa y descubriremos otra forma de comprender cómo aprovecha al máximo sus $30 mensuales.

# Lectura
# entre
# líneas

# La utilidad marginal en acción

THE DETROIT NEWS, 20 DE FEBRERO DE 1999

## Coca-Cola
## venderá agua embotellada
## en Estados Unidos

POR DAN SEWELL, REDACTOR DE NEGOCIOS DE AP

ATLANTA.- Agua. Es lo importante.

Coca-Cola comenzará a vender agua embotellada en Estados Unidos este año.

Su nombre será Dasani, lo que no significa nada en particular, pero quiere transmitir un "sabor limpio, fresco".

Scott Jacobson, vocero de Coca-Cola, dijo: "Es suficiente con decir que pensamos que éste es el momento oportuno para que entremos a este mercado". En la actualidad, el agua embotellada es muy popular, superando a otras bebidas en crecimiento de ventas.

Se espera que Dasani estará a la venta en Canadá y Estados Unidos antes de este verano, en una botella de plástico color azul claro.

Steve Tessereau, gerente de una gasolinera Texaco de gran movimiento en las afueras de Atlanta, dijo: "Si es una marca de Coke, se venderá. No sé por qué esperaron cinco o seis años para hacerlo".

El fabricante de la bebida gaseosa más popular en todo el mundo, vende en el extranjero una marca de agua embotellada con el nombre BonAqua, pero se ha mostrado reacio a participar en el mercado de Estados Unidos, al preferir en lugar de ello estimular a las personas a beber Coca-Cola, Sprite y sus otras bebidas gaseosas. Para hacer frente a la creciente demanda de los estadounidenses, quienes son cada vez más conscientes de la salud y del peso, en los años recientes la Coca-Cola ha comenzado a ofrecer jugos y bebidas para deportistas.

Pero en fecha tan reciente como el mes anterior, M. Douglas Ivester, presidente y director general, dijo que la empresa desconfiaba del agua: "Se vende una enorme cantidad de agua en todo el mundo. No se gana una cantidad enorme de dinero vendiendo agua".

Las ventas de agua embotellada han saltado de 2,650 millones de dólares en 1990 a $4,300 millones en 1998. En 1997, las ventas crecieron casi 10%. El mercado de bebidas gaseosas, de $56,300 millones, sólo creció un 3% el año anterior.

Pepsi-Cola, Co., comenzó a vender agua embotellada hace cinco años. Desde entonces, Aquafina se ha convertido en la marca líder de agua en las pequeñas tiendas de los vecindarios.

## Esencia del artículo

■ Las ventas de agua embotellada en Estados Unidos crecieron de 2,650 millones de dólares en 1990, a 4,300 millones en 1998. Crecieron casi un 10% en 1997.

■ Las ventas de bebidas gaseosas fueron de $56,300 millones en 1998, pero sólo aumentaron en 3% durante el año.

■ Pepsi-Cola, Co., comenzó a vender agua embotellada en 1994, y se convirtió en líder del mercado.

■ Tradicionalmente, Coca-Cola, Co., ha intentado animar a las personas a que consuman Coca-Cola, Sprite y sus otras bebidas gaseosas.

■ Pero para satisfacer la mayor demanda de bebidas distintas a las gaseosas, Coca-Cola ofrece jugos y bebidas para deportistas, y comenzó a vender agua embotellada en Estados Unidos en 1999.

■ Los patrones de consumo cambian con el tiempo. La figura 1 muestra algunas de las tendencias en el consumo de bebidas en Estados Unidos durante la década de 1990.

■ La cantidad consumida de agua embotellada y de bebidas gaseosas ha aumentado, en tanto que el consumo de otras bebidas, como el café y la cerveza, han disminuido (véase la figura 1).

■ Es posible comprender estas tendencias utilizando la teoría de la utilidad marginal.

■ Las personas obtienen utilidad de consumir agua embotellada, bebidas gaseosas, café y cerveza.

■ Para maximizar la utilidad, las personas hacen que la utilidad marginal por unidad monetaria gastada sea igual para todos los bienes. Por tanto, las personas consumen agua embotellada, bebidas gaseosas, café y cerveza en cantidades que hagan que las utilidades marginales por unidad monetaria gastada en cada uno de ellos sean iguales. Esta condición se muestra en la siguiente ecuación:

■ Si el precio de un bien aumenta, y todas las demás cosas permanecen iguales, la utilidad marginal de ese bien tiene que aumentar para mantener la utilidad máxima posible.

■ Pero la utilidad marginal aumenta cuando la cantidad consumida del bien disminuye. Por tanto, si las demás cosas permanecen iguales, cuando el precio de un bien se eleva, la cantidad consumida de ese bien disminuye.

■ Si los precios explican las tendencias de consumo en la figura 1, entonces tiene que ser que los precios del agua y las bebidas gaseosas han bajado en relación con los precios de la cerveza y el café.

■ El precio del agua embotellada ha bajado debido a que el agua de manantial, de alto costo, se ha reemplazado con agua de menor costo, purificada mediante la ósmosis invertida y el filtrado con carbono.

■ El precio del agua embotellada también ha bajado debido a que más empresas han entrado al mercado del agua, como lo está haciendo Coca-Cola, según el artículo noticioso.

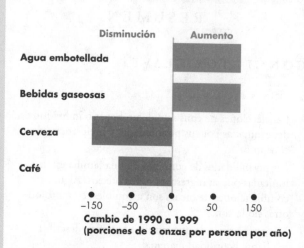

Figura 1 Tendencias en el consumo de bebidas

■ En forma similar, el precio de las bebidas gaseosas también ha bajado debido a que más empresas han entrado al mercado y a que las ventas de bebidas genéricas han despegado.

■ El precio del café ha aumentado en la década de 1990, debido a los bajos rendimientos de las cosechas en algunas regiones donde se cultiva (Brasil experimentó severas heladas y sequías en 1994) y debido a restricciones a las exportaciones por parte de los principales productores.

■ El verdadero precio, o costo de oportunidad, de la cerveza también ha aumentado. El precio de la cerveza no ha cambiado mucho, pero la mayor vigilancia y las sanciones más severas a quienes manejan ebrios ha aumentado el costo de oportunidad de beber cerveza.

■ Se puede ver que las tendencias en el consumo de bebidas pueden comprenderse como respuestas a cambios en los precios. Las tendencias no son un misterio o un fenómeno social. Son la consecuencia de que las personas intentan obtener el valor más alto de sus recursos escasos.

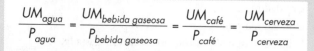

$$\frac{UM_{agua}}{P_{agua}} = \frac{UM_{bebida\ gaseosa}}{P_{bebida\ gaseosa}} = \frac{UM_{café}}{P_{café}} = \frac{UM_{cerveza}}{P_{cerveza}}$$

# RESUMEN

## CONCEPTOS CLAVE

### Elecciones de consumo (págs. 152-154)

■ Las elecciones de consumo de un hogar o individuo están determinadas por sus posibilidades y preferencias de consumo.

■ Las posibilidades de consumo de una familia están limitadas por su ingreso y por los precios. Algunas combinaciones de bienes son asequibles, en tanto que otras no lo son.

■ Las preferencias de una familia se pueden describir mediante la utilidad marginal.

■ La suposición clave de la teoría de la utilidad marginal es que la utilidad marginal de un bien o servicio disminuye conforme aumenta el consumo del bien o servicio.

### Maximización de la utilidad (págs. 155-157)

■ La teoría de la utilidad marginal supone que las personas compran la combinación de bienes y servicios asequible que maximiza su utilidad total.

■ La utilidad total se maximiza cuando se gasta todo el ingreso disponible, y la utilidad marginal por unidad monetaria gastada en cada bien es igual.

■ Si la utilidad marginal por unidad monetaria gastada en el bien *A* excede a la del bien *B*, el consumidor puede aumentar la utilidad total comprando más del bien *A* y menos del bien *B*.

### Predicciones de la teoría de la utilidad marginal (págs. 157-162)

■ La teoría de la utilidad marginal predice la ley de la demanda. Es decir, si las demás cosas permanecen igual, cuanto más alto sea el precio de un bien, menor será la cantidad demandada del mismo.

■ La teoría de la utilidad marginal también predice que, con las demás cosas constantes, cuanto más alto sea el ingreso de un consumidor, mayor será la cantidad demandada de un bien normal.

■ La demanda del mercado es la suma de todas las demandas individuales y la curva de demanda del mercado se encuentra sumando horizontalmente todas las curvas de demanda individuales.

### Eficiencia, precio y valor (págs. 162-163)

■ Cuando un consumidor maximiza su utilidad, está utilizando en forma eficiente los recursos.

■ La teoría de la utilidad marginal resuelve la paradoja del valor relativo del agua y los diamantes.

■ Cuando se habla en forma general sobre el valor, se está pensando en la utilidad *total* o el excedente del consumidor. Pero el precio se relaciona con la utilidad *marginal*.

■ El agua, que consumimos en grandes cantidades, tiene una utilidad total alta y un gran excedente del consumidor, pero un precio bajo y una utilidad marginal baja.

■ Los diamantes, que consumimos en pequeñas cantidades, tienen una utilidad total baja y un pequeño excedente del consumidor, pero un precio alto y una utilidad marginal alta.

## FIGURAS Y TABLAS CLAVE

## TÉRMINOS CLAVE

# PROBLEMAS

*1. Jorge disfruta los discos compactos (CD) de rock y las novelas de espías, y gasta $60 cada mes en ellos. En la tabla se muestra la utilidad que obtiene de cada bien:

| Cantidad mensual | Utilidad proveniente de los **CD de rock** | Utilidad proveniente de las novelas de espías |
|---|---|---|
| 1 | 60 | 20 |
| 2 | 110 | 38 |
| 3 | 150 | 53 |
| 4 | 180 | 64 |
| 5 | 200 | 70 |
| 6 | 206 | 75 |

a. Dibuje figuras que muestren la utilidad que obtiene Jorge de los CD de rock y de las novelas de espías.

b. Compare las dos figuras de utilidades. ¿Puede decir algo sobre las preferencias de Jorge?

c. Dibuje figuras que muestren la utilidad marginal que obtiene Jorge de los CD de rock y de las novelas de espías.

d. ¿Qué nos dicen las figuras de utilidad marginal acerca de las preferencias de Jorge?

e. Si tanto los CD de rock como las novelas de espías cuestan $10 cada uno, ¿cómo gasta Jorge los $60?

2. María disfruta los CD de música clásica y los libros de viajes, y cada mes gasta en ellos $50. La tabla muestra la utilidad que obtiene de cada bien:

| Cantidad mensual | Utilidad proveniente de los **CD de música clásica** | Utilidad proveniente de los libros de viajes |
|---|---|---|
| 1 | 30 | 30 |
| 2 | 40 | 38 |
| 3 | 48 | 44 |
| 4 | 54 | 46 |
| 5 | 58 | 47 |

a. Dibuje figuras que muestren la utilidad que obtiene María de los CD de música clásica y de los libros de viajes.

b. Compare las dos figuras de utilidades. ¿Puede decir algo sobre las preferencias de María?

c. Dibuje figuras que muestren la utilidad marginal que obtiene María de los CD de música clásica y de los libros de viajes.

d. ¿Qué nos dicen las figuras de utilidad marginal acerca de las preferencias de María?

e. Si tanto un CD de música clásica como un libro de viajes cuesta $10 cada uno, ¿cómo gasta María los $50 mensuales?

*3. Máximo disfruta de velear y bucear. En la tabla se muestra la utilidad que obtiene Máximo de cada deporte:

| Horas por día | Utilidad proveniente de velear | Utilidad proveniente de bucear |
|---|---|---|
| 1 | 120 | 40 |
| 2 | 220 | 76 |
| 3 | 300 | 106 |
| 4 | 360 | 128 |
| 5 | 400 | 140 |
| 6 | 412 | 150 |
| 7 | 422 | 158 |

Máximo tiene $35 para gastar y puede dedicar todo el tiempo que desee a disfrutar de sus deportes. El alquiler del equipo para velear es de $10 la hora y el de bucear es de $5 la hora.

a. Dibuje una figura que muestre la restricción presupuestal de Máximo.

b. ¿Qué tiempo dedica Máximo a velear y qué tiempo dedica a bucear?

4. A Ronaldo le encantan los conciertos de rock y la ópera. En la tabla se muestra la utilidad que obtiene de cada actividad:

| Conciertos por mes | Utilidad proveniente de los conciertos de rock | Utilidad proveniente de las óperas |
|---|---|---|
| 1 | 100 | 60 |
| 2 | 180 | 110 |
| 3 | 240 | 150 |
| 4 | 280 | 180 |
| 5 | 300 | 200 |
| 6 | 310 | 210 |

Ronaldo puede gastar cada mes $100 en conciertos. El boleto para un concierto de rock cuesta $20 y para la ópera $10.

a. Dibuje una figura que muestre la restricción presupuestal de Ronaldo.

b. ¿A cuántos conciertos de rock y de ópera asiste?

*5. En el problema 3, la hermana de Máximo le da $20 para que gaste en sus deportes, por lo que ahora tiene $55.

a. Dibuje una figura que muestre la nueva restricción presupuestal de Máximo.

b. ¿Cuántas horas dedica Máximo a velear y cuántas horas elige para bucear, ahora que tiene $55 para gastar?

6. En el problema 4, el tío de Ronaldo le da $30 para gastar en boletos para conciertos, por lo que ahora tiene $130.

a. Dibuje una figura que muestre la nueva restricción presupuestal de Ronaldo.

b. ¿A cuántos conciertos de rock y a cuántas óperas asiste, ahora que tiene $130 para gastar?

*7. En el problema 5, si el alquiler del equipo para velear disminuye a $5 la hora, ¿cuántas horas dedica ahora Máximo a velear y cuántas a bucear?

8. En el problema 4, si el precio de un concierto de rock disminuye a $10, ¿a cuántos conciertos de rock y a cuántas óperas asistirá Ronaldo?

*9. Máximo toma unas vacaciones en un Club Med, en cuyo costo se incluyen actividades deportivas ilimitadas. No hay un cargo adicional por el equipo. Si Máximo velea y bucea durante seis horas al día en total, ¿cuántas horas velea y cuántas horas bucea?

10. Ronaldo gana una lotería y tiene dinero más que suficiente para satisfacer sus deseos de asistir a conciertos de rock y óperas. Decide que le gustaría asistir a cinco conciertos cada mes. ¿A cuántos conciertos de rock y a cuántas óperas asiste ahora?

*11. Los planes de demanda de dulces de Silvia y Daniel son:

| Precio (centavos por paquete de dulces) | Cantidad demandada de | |
|---|---|---|
| | Silvia | Daniel |
| | (paquetes por semana) | |
| 10 | 12 | 6 |
| 30 | 9 | 5 |
| 50 | 6 | 4 |
| 70 | 3 | 3 |
| 90 | 1 | 2 |

Si Silvia y Daniel son las únicas personas, ¿cuál es la demanda de dulces de todo el mercado?

12. La demanda de Benjamín y Pablo de barquillos de helado está dada por:

| Precio ($ por barquillo) | Cantidad demandada de | |
|---|---|---|
| | Benjamín | Pablo |
| | (barquillos por semana) | |
| 1.00 | 8 | 10 |
| 1.30 | 7 | 8 |
| 1.50 | 6 | 6 |
| 1.70 | 5 | 4 |
| 1.90 | 4 | 2 |

Si Benjamín y Pablo son las únicas personas, ¿cuál es la demanda de barquillos de helado de todo el mercado?

# PENSAMIENTO CRÍTICO

1. Estudie la *Lectura entre Líneas* en las páginas 164-165 sobre el consumo de bebidas en Estados Unidos durante la década de 1990, y después conteste a las preguntas siguientes:

a. ¿Qué hechos sobre el consumo de agua embotellada se presentan en el artículo noticioso?

b. ¿Cómo podemos explicar, utilizando la teoría de la utilidad marginal, la creciente cantidad de agua embotellada consumida?

c. Utilice la teoría de la utilidad marginal para predecir ¿qué le ocurrirá al consumo de agua embotellada si se produce un aumento brusco en su precio?

d. Utilice la teoría de la utilidad marginal para predecir qué le ocurrirá al consumo de agua embotellada si aumentan los ingresos.

e. ¿Piensa que los cambios en los precios y la teoría de la utilidad marginal pueden explicar todos los cambios en el consumo de bebidas en Estados Unidos durante la década de 1990, o piensa que existen algunos otros factores? Si es así, ¿cuáles son?

2. Utilice los enlaces en la página de Internet de este libro y lea el artículo que habla sobre el futuro de la página impresa en el mundo. Utilice la teoría de la utilidad marginal que ha aprendido en este capítulo para interpretar las predicciones que allí se hacen sobre el uso de libros electrónicos en el futuro, y discuta el posible impacto que esto podría tener en la demanda de libros impresos.

3. ¿Por qué piensa que el porcentaje del ingreso gastado en alimentos ha disminuido, en tanto que el porcentaje del ingreso gastado en automóviles ha aumentado durante los últimos 50 años?

Utilice la teoría de la utilidad marginal para explicar estas tendencias.

4. En todos los vuelos de aerolíneas estadounidenses, y en la mayor parte de los vuelos internacionales, está prohibido fumar. Utilice la teoría de la utilidad marginal para explicar sus respuestas a las preguntas siguientes:

a. ¿Qué efecto tiene esta prohibición sobre la utilidad de (i) los fumadores y (ii) los no fumadores?

b. ¿Cómo espera usted que la prohibición influya sobre las decisiones de (i) los fumadores y (ii) los no fumadores? En su respuesta a esta pregunta, considere decisiones sobre fumar, volar y la disposición a pagar por un vuelo.

# Capítulo 9

# Posibilidades, preferencias y elecciones

Al igual que los continentes que flotan sobre el manto terrestre, nuestros patrones de gastos cambian constantemente con el tiempo. En esos movimientos subterráneos, ascienden y descienden imperios empresariales. Bienes como los teléfonos celulares y las computadoras, por ejemplo, aparecen ahora en nuestras listas de compras, mientras que han desaparecido de éstas los discos de larga duración (LP) y los carruajes tirados por caballos. Las minifaldas aparecen, desaparecen y vuelven a aparecer en los ciclos de la moda. ◆ Pero la resplandeciente superficie de nuestro consumo oscurece los cambios más profundos y más lentos de la forma en que gastamos. En los últimos años, hemos visto proliferar los restaurantes de especialidades y las tiendas de ropa de diseñadores.

## Movimientos subterráneos

Sin embargo, en la actualidad se dedica un porcentaje menor de nuestros ingresos para alimentos y ropa de lo que se hacía en 1950. Al mismo tiempo, se ha producido un crecimiento constante del porcentaje del ingreso que se gasta en vacaciones y atención médica. ¿Por qué cambia el gasto del consumidor con los años? ¿Cómo reaccionan las personas a los cambios en el ingreso y en los precios de las cosas que compran? ◆ Movimientos subterráneos similares rigen la forma en que gastamos el tiempo. Por ejemplo, la semana de trabajo promedio ha disminuido en forma continua desde 70 horas a la semana en el siglo XIX, hasta alrededor de 40 horas a la semana en la actualidad. Aunque la semana de trabajo promedio es mucho más corta de lo que era antes, ahora muchas más personas tienen empleos. Este cambio ha sido especialmente notorio en el caso de las mujeres, pues es mucho más probable ahora que trabajen fuera del hogar de lo que lo hacían en generaciones anteriores. ¿Por qué ha disminuido la semana de trabajo promedio? ¿Y por qué trabajan más mujeres?

◆ En este capítulo se estudiará un modelo de elección que predice los efectos de los cambios en los precios y en los ingresos sobre lo que compran las personas y sobre el trabajo que realizan.

**Después de estudiar este capítulo, usted será capaz de:**

■ Calcular y representar en forma gráfica la restricción presupuestal de los individuos

■ Determinar cambios en la restricción presupuestal, cuando cambian los precios o el ingreso

■ Elaborar un mapa de preferencias mediante curvas de indiferencia

■ Explicar las elecciones que hacen los individuos

■ Predecir los efectos de cambios en los precios y el ingreso sobre las elecciones de consumo

■ Predecir los efectos de cambios en los salarios sobre la elección entre trabajo y tiempo libre

## Posibilidades de consumo

LAS ELECCIONES DE CONSUMO ESTÁN LIMITADAS POR EL ingreso y por los precios. Una familia tiene una determinada cantidad de ingreso para gastar y no puede influir sobre los precios de los bienes y servicios que compra. Los límites a las elecciones de consumo de una familia se describen mediante su **restricción presupuestal**.

Observemos la restricción presupuestal de Elisa.[1] Elisa tiene un ingreso mensual de $30. Ella sólo compra dos bienes: películas y hamburguesas. Las películas cuestan $6 cada una y las hamburguesas cuestan $3 cada una. En la figura 9.1 se muestran las combinaciones alternativas de consumo de películas y hamburguesas que son asequibles para Elisa. En el renglón *a* se observa que ella puede comprar 10 hamburguesas y no ver películas. Ésta es una combinación de películas y hamburguesas que agota su ingreso mensual de $30. En el renglón *f* se observa que Elisa puede ver cinco películas y no comer hamburguesas, ésta es otra combinación que agota los $30 disponibles. Cada uno de los otros renglones de la tabla también agota el ingreso de Elisa. (Verifique que cada uno de esos renglones cueste exactamente $30.) Las cifras en la tabla definen las posibilidades de consumo de Elisa. Se pueden presentar en forma gráfica las posibilidades de consumo de Elisa como los puntos de *a* a *f* en la figura 9.1.

**Bienes divisibles e indivisibles**  Algunos bienes, llamados divisibles, pueden comprarse en cualquier cantidad deseada. Algunos ejemplos son la gasolina y la electricidad. Se comprende mejor la elección de los individuos si se supone que todos los bienes y servicios son divisibles. Por ejemplo, Elisa puede consumir la mitad de una película *en promedio* al mes, si ella ve una película cada dos meses. Cuando pensamos en los bienes como divisibles, las posibilidades de consumo no son tan sólo los puntos *a-f* que aparecen en la figura 9.1, sino también todos los puntos intermedios que forman la línea que va desde *a* hasta *f*. Esa línea es la restricción presupuestal.

La restricción presupuestal de Elisa es una restricción a sus elecciones. Marca el límite entre lo que es asequible y lo que no lo es. Puede permitirse cualquier punto sobre la línea y por debajo de ella. No puede permitirse punto alguno fuera de la línea. La restricción a su consumo depende de los precios y de su ingreso, y la restricción cambia cuando cambian los precios o el ingreso. Veamos cómo lo hace, al estudiar la ecuación presupuestaria.

<hr>

[1] Si ha leído el capítulo anterior sobre la teoría de la utilidad marginal, ya conoce a Elisa. Esta historia de su gusto por las hamburguesas y su afición a las películas le parecerá hasta cierto punto familiar. Pero en este capítulo vamos a utilizar un método diferente para representar preferencias, uno que no nos exige recurrir a la idea de la utilidad.

### FIGURA 9.1
## La restricción presupuestal

| Ingreso | $ 30 |
|---|---|
| Películas | $ 6 |
| Hamburguesas | $ 3 |

| Posibilidad de consumo | Películas (por mes) | Hamburguesas (por mes) |
|:---:|:---:|:---:|
| *a* | 0 | 10 |
| *b* | 1 | 8 |
| *c* | 2 | 6 |
| *d* | 3 | 4 |
| *e* | 4 | 2 |
| *f* | 5 | 0 |

La restricción presupuestal de Elisa muestra el límite entre lo que puede y lo que no puede permitirse. Los renglones de la tabla relacionan las combinaciones asequibles de películas y hamburguesas de Elisa cuando su ingreso es $30, el precio de cada hamburguesa es $3 y el precio de la película es $6. Por ejemplo, el renglón *a* nos dice que Elisa agota su ingreso de $30 cuando compra 10 hamburguesas y no ve películas. La figura ilustra la restricción presupuestal de Elisa. Los puntos *a-f* en la figura representan cada uno de los renglones de la tabla. En el caso de bienes divisibles, la restricción presupuestal es la línea continua *af*. Para calcular la ecuación para la restricción presupuestal de Elisa, comience con el gasto igual al ingreso:

$$\$3Q_h + \$6Q_p = \$30$$

Divida entre $3 para obtener

$$Q_h + 2Q_p = 10$$

Reste $2Q_p$ de ambos lados para obtener

$$Q = 10 - 20\ Q$$

## La ecuación presupuestaria

Es posible describir la restricción presupuestal utilizando una *ecuación presupuestaria*. La ecuación presupuestaria se inicia con el hecho de que

Gasto = Ingreso

El gasto es igual a la suma del precio de cada bien, multiplicado por la cantidad comprada. En el caso de Elisa,

Gasto = (Precio de una hamburguesa × Cantidad de hamburguesas) + (Precio de una película × Cantidad de películas)

Represente el precio de la hamburguesa como $P_h$, la cantidad de hamburguesas como $Q_h$, el precio de una película como $P_p$, la cantidad de películas como $Q_p$ y el ingreso como $y$. Utilizando estos símbolos, la ecuación presupuestaria de Elisa es

$$P_hQ_h + P_pQ_p = y$$

O, utilizando el ingreso de Elisa ($30) y los precios a los que ella se enfrenta ($3 para una hamburguesa y $6 para una película), se obtiene

$$\$3Q_h + \$6Q_p = \$30$$

Elisa puede elegir cualesquiera cantidades de hamburguesas ($Q_h$) y películas ($Q_p$) que satisfagan esta ecuación. Con el fin de encontrar la relación entre estas cantidades, divida primero ambos lados de la ecuación entre el precio de la hamburguesa ($P_h$) para obtener

$$Q_h + \frac{P_p}{P_h} \times Q_p = \frac{y}{P_h}$$

Ahora reste el término $(P_p/P_h) \times Q_p$ de ambos lados de esta ecuación para obtener

$$Q_h = \frac{y}{P_h} - \frac{P_p}{P_h} \times Q_p$$

En el caso de Elisa, el ingreso ($y$) es $30, el precio de una película ($P_p$) es $6 y el precio de una hamburguesa ($P_h$) es $3. Por tanto, Elisa tiene que elegir las cantidades de películas y hamburguesas que satisfagan la ecuación siguiente

$$Q_h = \frac{\$30}{\$3} - \frac{\$6}{\$3} \times Q_p$$

o bien,

$$Q_h = 10 - 2Q_p.$$

Para interpretar la ecuación, regrese a la restricción presupuestal de la figura 9.1 y verifique que la ecuación dé como resultado esa restricción presupuestal. Primero, establezca $Q_p$ igual a cero. En este caso, la ecuación presupuestaria expresa que $Q_h$, la cantidad de hamburguesas, es $y/P_h$, lo que representa 10 hamburguesas. Esta combinación de $Q_p$ y $Q_h$ es la misma que aparece en el renglón *a* de la tabla que acompaña a la figura 9.1. A continuación, establezca $Q_p$ igual a cinco. Ahora $Q_h$ es igual a cero (renglón *f* del cuadro). Verifique que se puedan derivar los otros renglones.

La ecuación presupuestaria contiene dos variables elegidas por la familia ($Q_p$ y $Q_h$) y dos variables ($y/P_h$ y $P_p/P_h$) que la familia toma como dadas. Observemos con más detalle estas variables.

**Ingreso real**   El **ingreso real** de un individuo es el ingreso de ese individuo expresado no como dinero, sino como una cantidad de bienes que puede comprar la familia. Expresado en términos de hamburguesas, el ingreso real de Elisa es $y/P_h$. Esta cantidad es el número máximo de hamburguesas que ella puede comprar. Es igual a su ingreso monetario dividido entre el precio de las hamburguesas. El ingreso de Elisa es $30 y el precio de cada hamburguesa es $3, por lo que su ingreso real en términos de hamburguesas es de 10 hamburguesas, lo que aparece en la figura 9.1 como el punto en el que la restricción presupuestal cruza el eje $y$.

**Precio relativo**   Un **precio relativo** es el precio de un bien dividido entre el precio de otro bien. En la ecuación presupuestaria de Elisa, la variable $P_p/P_h$ es el precio relativo de una película en términos de hamburguesas. Para Elisa, $P_p$ es $6 por película y $P_h$ es $3 por hamburguesa, por lo que el precio relativo es igual a dos hamburguesas por película. Es decir, para ver una película más, Elisa tiene que renunciar a dos hamburguesas.

Se acaba de calcular el costo de oportunidad de una película para Elisa. Recuerde que el costo de oportunidad de una acción es la mejor alternativa perdida. Para que Elisa vea una película más al mes, tiene que renunciar a dos hamburguesas. También se ha calculado el costo de oportunidad de las hamburguesas para Elisa. Para que Elisa consuma dos hamburguesas más al mes, tiene que renunciar a ver una película. Por tanto, su costo de oportunidad de dos hamburguesas es una película.

El precio relativo de una película en términos de hamburguesas es la magnitud de la pendiente de la restricción presupuestal de Elisa. Para calcular la pendiente de la restricción presupuestal, recuerde la fórmula para la pendiente (capítulo 2): la pendiente es igual al cambio en la variable medida sobre el eje $y$, dividido entre el cambio en la variable medida sobre el eje $x$, conforme nos desplazamos a lo largo de la línea. En el caso de Elisa (figura 9.1), la variable medida sobre el eje $y$ es la cantidad de hamburguesas, y la variable medida sobre el eje $x$ es la cantidad de películas. A lo largo de la restricción presupuestal de Elisa, conforme las hamburguesas disminuyen de 10 a 0, las películas aumentan de cero a cinco. Por tanto, la magnitud de la pendiente de la restricción presupuestal es de 10 hamburguesas divididas entre cinco películas, o sea, dos hamburguesas por película. La magnitud de esta pendiente es exactamente la misma que el precio relativo que se acaba de calcular. También es el costo de oportunidad de una película.

**Un cambio en los precios**   Cuando los precios cambian, también lo hace la restricción presupuestal. Cuanto más bajo

## FIGURA 9.2

## Cambios en precios e ingresos

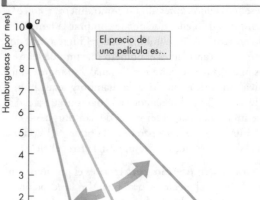

**(a) Un cambio en el precio**

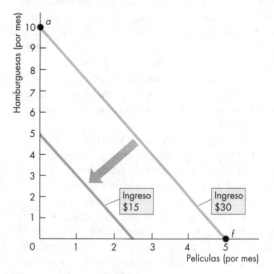

**(b) Un cambio en el ingreso**

En la sección (a) el precio de la película cambia. Una disminución en el precio de $6 a $3 hace girar la restricción presupuestal hacia afuera y la hace más plana. Un aumento del precio de $6 a $12 hace girar la restricción presupuestal hacia adentro y la hace más inclinada.

En la sección (b) el ingreso disminuye de $30 a $15, en tanto que los precios de las películas y las hamburguesas permanecen constantes. La restricción presupuestal se desplaza hacia la izquierda, pero su pendiente no cambia.

sea el precio del bien que se mide sobre el eje horizontal, si las demás cosas permanecen iguales, más plana será la restricción presupuestal. Por ejemplo, si el precio de una película baja de $6 a $3, el ingreso real en términos de hamburguesas no cambia, pero el precio relativo de una película baja. La restricción presupuestal se desplaza hacia afuera y se hace más plana, tal como se muestra en la figura 9.2(a). Cuanto más alto sea el precio del bien medido sobre el eje horizontal, si las demás cosas permanecen iguales, más inclinada será la línea del presupuesto. Por ejemplo, si el precio de la película se eleva de $6 a $12, el precio relativo de una película aumenta. La restricción presupuestal se desplaza hacia adentro y se hace más pronunciada, como se muestra en la figura 9.2(a).

**Un cambio en el ingreso**    Un cambio en el *ingreso monetario* cambia el ingreso real, pero no cambia el precio relativo. La restricción presupuestal se desplaza, pero su pendiente no cambia. Cuanto mayor sea el ingreso monetario de un hogar o individuo, mayor será el ingreso real y más hacia la derecha estará la restricción presupuestal. Cuanto menor sea el ingreso monetario de un hogar o individuo, menor será el ingreso real y más a la izquierda estará la restricción presupuestal. En la figura 9.2(b) se muestra el efecto de un cambio en el ingreso monetario sobre la restricción presupuestal de Elisa. La restricción presupuestal inicial es la misma con la que se inició en la figura 9.1 cuando el ingreso de Elisa era $30. La nueva restricción presupuestal muestra los límites al consumo de Elisa si su ingreso baja hasta $15 al mes. Las dos líneas de presupuesto tienen la misma pendiente porque tienen el mismo precio relativo. La nueva restricción presupuestal está más cercana al origen que la inicial, porque el ingreso real de Elisa ha disminuido.

## PREGUNTAS DE REPASO

- ¿Qué muestra la restricción presupuestal de un individuo?
- ¿Cómo influye sobre su restricción presupuestal el ingreso real del individuo y el precio relativo al que se enfrenta?
- Si una familia tiene un ingreso de $40 y sólo consume viajes en autobús a $4 cada uno y revistas a $2 cada una, ¿cuál es la ecuación que describe su restricción presupuestal?
- Si el precio de un bien cambia, ¿qué les ocurre al precio relativo y a la pendiente de la restricción presupuestal?
- Si el ingreso monetario de un individuo cambia y ningún precio cambia, ¿qué les ocurre al ingreso real del individuo y a su restricción presupuestal?

Hemos estudiado los límites hasta los que puede consumir una familia. Ahora aprenderemos cómo se pueden describir las preferencias y cómo hacer un mapa que contenga información abundante sobre las preferencias de un hogar o individuo.

# Preferencias y curvas de indiferencia

USTED VA A DESCUBRIR UNA IDEA MUY INGENIOSA, LA DE dibujar un mapa de las preferencias de una persona. El mapa de preferencias se basa en el supuesto, intuitivamente atractivo, de que las personas pueden clasificar todas las posibles combinaciones de bienes en tres grupos: preferidos, no preferido se indiferentes. Para hacer más concreta esta idea, pidamos a Elisa que nos diga cómo clasifica diversas combinaciones de películas y hamburguesas.

La figura 9.3(a) muestra parte de la respuesta de Elisa. Ella nos dice que en la actualidad consume al mes dos películas y seis hamburguesas; es decir, su consumo está descrito por el punto c. Después, ella enumera todas las combinaciones de películas y hamburguesas que le son igualmente aceptables a la combinación de dos películas y seis hamburguesas al mes. Cuando se trazan estas combinaciones de películas y hamburguesas, se obtiene la curva verde de la figura 9.3(a). Esta curva es el elemento clave en un mapa de preferencias y se le conoce como una curva de indiferencia.

La **curva de indiferencia** es una línea que muestra combinaciones de bienes que resultan *indiferentes* a un consumidor. La curva de indiferencia en la figura 9.3(a) nos dice que Elisa se siente tan feliz de consumir dos películas y seis hamburguesas al mes en el punto c, como de consumir la combinación de películas y hamburguesas en el punto g o en cualquier otro punto a lo largo de la curva.

Elisa también dice que prefiere cualquier combinación de películas y hamburguesas en el área amarilla que se encuentra por encima de la curva de indiferencia en la figura 9.3(a), frente a cualquier combinación de consumo sobre la curva de indiferencia. Y que prefiere cualquier combinación sobre la curva de indiferencia a cualquier combinación en el área gris por debajo de la curva de indiferencia.

La curva de indiferencia de la figura 9.3(a) es tan sólo una de toda una familia de este tipo de curvas. Esta curva de indiferencia aparece de nuevo en la figura 9.3(b) denominada $I_1$. Las curvas denominadas $I_0$ e $I_2$ son otras dos curvas de indiferencia. Elisa prefiere cualquier punto sobre la curva de indiferencia $I_2$ a cualquier punto sobre la curva de indiferencia $I_1$, y prefiere cualquier punto sobre $I_1$ a cualquier punto sobre $I_0$. En este caso, se dice que $I_2$ es una curva de indiferencia más alta que $I_1$, e $I_1$ una curva más alta que $I_0$.

Un mapa de indiferencia es una serie de curvas de indiferencia que se asemejan a las líneas de contorno en un mapa. Al observar la forma de las líneas de contorno, se puede llegar a conclusiones sobre el terreno. En forma similar, al observar la forma de las curvas de indiferencia se puede llegar a conclusiones sobre las preferencias de una persona.

Aprendamos cómo "leer" un mapa de preferencias.

## FIGURA 9.3

### Un mapa de preferencias

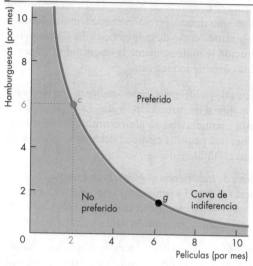

**(a) Una curva de indiferencia**

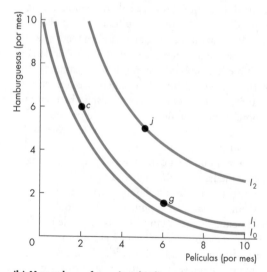

**(b) Mapa de preferencias de Elisa**

En la sección (a) Elisa consume seis hamburguesas y dos películas al mes (punto c). Le son indiferentes todos los puntos sobre la curva de indiferencia verde, por ejemplo c y g. Prefiere cualquier punto por encima de la curva de indiferencia (área amarilla) a cualquier punto sobre ella, y prefiere cualquier punto sobre la curva de indiferencia a cualquier punto por debajo de ella (área gris). Un mapa de preferencias es un número de curvas de indiferencia. En la sección (b) se muestran tres ($I_0$, $I_1$ e $I_2$) que son parte del mapa de preferencias de Elisa. Ella prefiere el punto j a los puntos c o g, por lo que prefiere cualquier punto sobre $I_2$ a cualquier punto sobre $I_1$.

## Tasa marginal de sustitución

La **tasa marginal de sustitución** (*TMS*) es la tasa a la que una persona renunciará al bien *y* (el bien medido sobre el eje *y*) para obtener más del bien *x* (el bien medido sobre el eje *x*) y al mismo tiempo permanecer indiferente (permanecer sobre la misma curva de indiferencia). La tasa marginal de sustitución se mide mediante la magnitud de la pendiente de una curva de indiferencia.

■ Si la curva de indiferencia tiene pendiente *pronunciada*, la tasa marginal de sustitución es *alta*. La persona está dispuesta a renunciar a una gran cantidad del bien *y* para obtener una pequeña cantidad del bien *x*, que lo haga permanecer indiferente.

■ Si la curva de indiferencia es *plana*, la tasa marginal de sustitución es *baja*. La persona sólo está dispuesta a renunciar a una pequeña cantidad del bien *y* para obtener una gran cantidad del bien *x*, que lo haga seguir indiferente.

En la figura 9.4 se muestra cómo calcular la tasa marginal de sustitución. Suponga que Elisa consume seis hamburguesas y dos películas en el punto *c*, sobre la curva de indiferencia $I_1$. Su tasa marginal de sustitución se calcula midiendo la magnitud de la pendiente de la curva de indiferencia en el punto *c*. Para medir esta magnitud, coloque una línea recta que sea tangente a la curva de indiferencia en el punto *c*. A lo largo de esa línea, a medida que el consumo de hamburguesas disminuye en 10 unidades, el consumo de películas aumenta en cinco. Por tanto, en el punto *c*, Elisa está dispuesta a renunciar al consumo de hamburguesas y sustituirlo por más películas a una tasa de dos hamburguesas por película. Su tasa marginal de sustitución es dos.

Suponga ahora que Elisa consume seis películas y una hamburguesa y media en el punto *g* de la figura 9.4. Su tasa marginal de sustitución se mide ahora mediante la pendiente de la curva de indiferencia en el punto *g*. Esa pendiente es la misma que la pendiente de la tangente a la curva de indiferencia en el punto *g*. Aquí, a medida que el consumo de hamburguesas disminuye en 4.5 unidades, el consumo de películas aumenta en nueve. Por tanto, en el punto *g*, Elisa está dispuesta a renunciar a hamburguesas por películas a la tasa de 1/2 hamburguesa por película. Su tasa marginal de sustitución es 1/2.

A medida que aumenta el consumo de películas de Elisa y disminuye su consumo de hamburguesas, su tasa marginal de sustitución disminuye. La tasa marginal de sustitución decreciente es el supuesto clave de la teoría del consumidor. El supuesto de la **tasa marginal de sustitución decreciente** es una tendencia general a que la tasa marginal de sustitución disminuya a medida que el consumidor se mueve a lo largo de una curva de indiferencia, aumentando el consumo del bien medido sobre el eje *x* y disminuyendo el consumo del bien medido sobre el eje *y*.

FIGURA 9.4

## La tasa marginal de sustitución

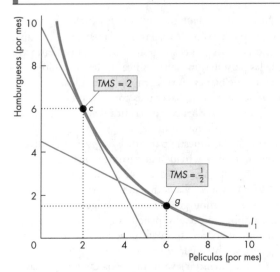

La magnitud de la pendiente de una curva de indiferencia se denomina tasa marginal de sustitución (*TMS*). La línea roja en el punto *c* nos dice que Elisa está dispuesta a renunciar a 10 hamburguesas para ver cinco películas. Su tasa marginal de sustitución en el punto *c* es 10 dividido entre cinco, lo que es igual a dos. La línea roja en el punto *g* nos dice que Elisa está dispuesta a renunciar a 4.5 hamburguesas para ver nueve películas. Su tasa marginal de sustitución en el punto *g* es 4.5 dividido entre nueve, lo que es igual a 1/2.

**Sus propias preferencias y la tasa marginal de sustitución decreciente**   Usted quizá esté en posibilidad de apreciar por qué suponemos que es válido el principio de una tasa marginal de sustitución decreciente al pensar en sus propias preferencias. Imagine que en una semana consume 10 hamburguesas y ninguna película. Lo más probable es que usted estará dispuesto a renunciar a una buena cantidad de hamburguesas para poder ir al cine en una ocasión. Pero imagine ahora que en una semana consume una hamburguesa y seis películas. Lo más probable es que ahora sólo estará dispuesto a renunciar a un pedazo de su hamburguesa (recuerde que el bien puede ser divisible) para ver una séptima película. Como regla general, cuanto mayor sea el número de películas que ve, menor será la cantidad de hamburguesas a las que estará dispuesto a renunciar para ver una película adicional.

La forma de las curvas de indiferencia de una persona incorpora el principio de la tasa de sustitución decreciente porque las curvas son convexas hacia el origen. El grado de curvatura que muestra una curva de indiferencia nos dice lo dispuesta que está una persona a sustituir un bien por otro, al mismo tiempo que permanece indiferente. Veamos algunos ejemplos que aclaran este punto.

## Grado de sustitución

La mayoría de nosotros no consideraría a las películas y las hamburguesas como sustitutos cercanos entre sí. Es probable que tengamos algunas ideas bastante claras sobre cuántas películas queremos ver cada mes y cuántas hamburguesas queremos comer. No obstante, hasta cierto grado, estamos dispuestos a sustituir entre estos dos bienes. Sin importar lo aficionado que sea a las hamburguesas, es seguro que hay un aumento en el número de películas que puede ver, que podría compensarle el privarse de una hamburguesa. En forma similar, sin importar lo aficionado que sea a las películas, es seguro que existe algún número de hamburguesas que le compensarán por privarse de ver una película. Las curvas

de indiferencia de una persona para las películas y las hamburguesas podrían parecerse a las que se presentan en la figura 9.5(a).

**Sustitutos cercanos**  Algunos bienes se sustituyen entre sí con tanta facilidad que la mayoría de nosotros ni siquiera se da cuenta de cuáles estamos consumiendo. Un ejemplo son las diferentes marcas de computadoras personales. En tanto que tenga un aviso de "Intel inside" y que cuente con Windows, a la mayoría de nosotros no nos preocupa mucho si nuestra PC es una Dell, una Compaq, una Toshiba o cualquiera de una docena de otras marcas. Lo mismo es cierto en el caso de los cuadernos en los que escribe. A la mayoría de nosotros no le preocupa si utilizamos un cuaderno de una marca u otra. Cuando los bienes son sustitutos perfectos entre sí, sus curvas de indiferencia son líneas rectas con pendiente descendente, como se muestra en la figura 9.5(b). La tasa marginal de sustitución es constante.

---

**FIGURA 9.5**

## El grado de sustitución

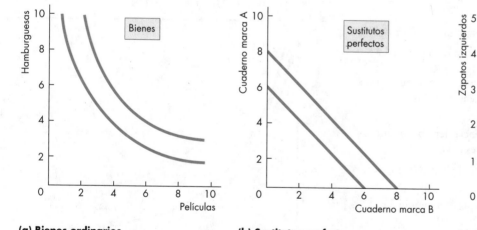

**(a) Bienes ordinarios**          **(b) Sustitutos perfectos**

**(c) Complementos perfectos**

Las formas de las curvas de indiferencia revelan el grado de sustitución posible entre dos bienes. La sección (a) muestra las curvas de indiferencia para dos bienes ordinarios: películas y hamburguesas. Para consumir menos hamburguesas y permanecer indiferentes, es necesario ver más películas. El número de películas que compensa una reducción de hamburguesas aumenta a medida que se consumen menos hamburguesas. La sección (b) muestra las curvas de indiferencia

para dos sustitutos perfectos. Para que el consumidor permanezca indiferente, un cuaderno marca A se tiene que reemplazar con un cuaderno adicional marca B. La sección (c) muestra dos complementos perfectos, es decir, bienes que no se pueden sustituir entre sí en forma alguna. El tener dos zapatos izquierdos con uno derecho no es mejor que tener uno de cada uno. Sin embargo, se prefiere tener dos de cada uno a tener uno de cada uno.

**Complementos**   Algunos bienes no se pueden sustituir entre sí; en lugar de ello, son complementos. Los complementos en la figura 9.5(c) son como los zapatos derechos e izquierdos. Las curvas de indiferencia de complementos perfectos tienen forma de L. Un zapato izquierdo y uno derecho son tan buenos como uno izquierdo y dos derechos. Es preferible tener dos de cada uno, en lugar de uno solo, pero el tener dos de uno y uno del otro no es mejor que tener uno de cada uno.

Los casos extremos de sustitutos perfectos y complementos perfectos que se muestran aquí, no ocurren con frecuencia en la realidad. Sin embargo, sí muestran que la forma de la curva de indiferencia refleja el grado de sustitución entre dos bienes. Cuanto más perfectamente sustituibles sean los dos bienes, sus curvas de indiferencia estarán más cercanas a las líneas rectas, y la tasa marginal de sustitución descenderá con menor rapidez. Los bienes que son sustitutos deficientes entre sí, tienen curvas de indiferencia con gran curvatura que se acercan a la forma de las que aparecen en la figura 9.5(c).

Como se puede ver en la caricatura, según las preferencias del camarero, la Coca-Cola y el vino blanco de Alsacia son sustitutos perfectos y cada uno es un complemento con la carne de cerdo. Confiamos en que los clientes estén de acuerdo con él.

## PREGUNTAS DE REPASO

- ¿Qué es una curva de indiferencia y cómo muestra un mapa de indiferencia las preferencias de los consumidores?

- ¿Por qué una curva de indiferencia tiene pendiente descendente y por qué es convexa al origen?

- ¿Cómo llamamos a la magnitud de la pendiente de una curva de indiferencia?

- ¿Cuál es el supuesto clave sobre la tasa marginal de sustitución de un consumidor?

Los dos elementos de la elección de los individuos ya están operando: la restricción presupuestal y el mapa de preferencias. Ahora, estos elementos se utilizarán para determinar la elección de la familia y predecir cómo cambian las elecciones cuando cambian los precios y el ingreso.

# Predicción del comportamiento del consumidor

AHORA VAMOS A PREDECIR LAS CANTIDADES DE PELÍCULAS y hamburguesas que Elisa *elige* comprar. La figura 9.6 muestra la restricción presupuestal de Elisa, proveniente de la figura 9.1, y sus curvas de indiferencia, provenientes de la figura 9.3(b). Se supone que Elisa consume en su mejor punto asequible, que es: dos películas y seis hamburguesas en el punto *c*. Aquí, Elisa:

- Está sobre su restricción presupuestal

- Está sobre su curva de indiferencia asequible más alta

- Tiene una tasa marginal de sustitución entre películas y hamburguesas igual al precio relativo de las películas y las hamburguesas.

Para cada punto dentro de la restricción presupuestal, como el punto *i*, hay puntos *sobre* la línea del presupuesto que prefiere Elisa. Por ejemplo, ella prefiere todos los puntos entre *f* y *h* que caen sobre la restricción presupuestal, por encima del

**FIGURA 9.6**

## El mejor punto asequible

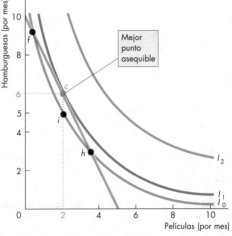

El mejor punto asequible para Elisa es *c*. En ese punto, se encuentra sobre su restricción presupuestal y también sobre la curva de indiferencia más alta posible. En un punto como *h*, Elisa está dispuesta a renunciar a más películas, a cambio de más hamburguesas de las que le correspondería renunciar. Puede desplazarse hasta el punto *i*, que es tan bueno como el punto *h*, y tener algún ingreso sobrante. Puede gastar ese ingreso y moverse hasta *c*, un punto que ella prefiere al punto *i*.

punto *i*. Por tanto, elige un punto sobre la restricción presupuestal.

Cada punto sobre la restricción presupuestal se encuentra sobre una curva de indiferencia. Por ejemplo, el punto *h* se encuentra sobre la curva de indiferencia $I_0$. En ese punto, la tasa marginal de sustitución de Elisa es menor que el precio relativo. Elisa está dispuesta a renunciar a más películas, a cambio de hamburguesas, de lo que la restricción presupuestal dice que tiene que renunciar. Por tanto, se mueve a lo largo de su línea del presupuesto, desde *h* hacia *c*. Al hacerlo, pasa a través de varias curvas de indiferencia (que no se muestran en la figura) ubicadas entre las curvas de indiferencia $I_0$ e $I_1$. Todas estas curvas de indiferencia son más altas que $I_0$ y, por consiguiente, Elisa prefiere cualquier punto sobre ellas al punto *h*. Pero cuando ella llega al punto *c*, se encuentra en la curva de indiferencia más alta posible. Si sigue moviéndose a lo largo de la línea del presupuesto, comienza a encontrar curvas de indiferencia que son más bajas que $I_1$. Por tanto, Elisa elige el punto *c*.

En el punto elegido, la tasa marginal de sustitución (la magnitud de la pendiente de la curva de indiferencia) es igual al precio relativo (la magnitud de la pendiente de la restricción presupuestal).

Utilizaremos este modelo de elección individual para predecir los efectos sobre el consumo de los cambios en precios y en el ingreso. Comenzaremos por estudiar el efecto de un cambio en el precio.

## Un cambio en el precio

El efecto de un cambio en el precio sobre la cantidad de un bien consumido se conoce como el **efecto precio**. Se utilizará la figura 9.7(a) para determinar el efecto precio de una baja en el precio de la película. Se comienza con las películas que cuestan $6 cada una, en tanto que las hamburguesas cuestan $3 cada una, y el ingreso de Elisa es de $30 al mes. En esta situación, ella consume seis hamburguesas y dos películas al mes en el punto *c*.

Suponga ahora que el precio de la película baja hasta $3. Con un menor precio de las películas, la restricción presupuestal se desplaza hacia afuera y se hace más plana. (Revise de nuevo la figura 9.2(a) como un recordatorio de cómo afecta un cambio de precio a la restricción presupuestal). La nueva restricción presupuestal es la de color naranja oscuro de la figura 9.7(a).

El mejor punto asequible de Elisa es ahora el punto *j*, en el que consume cinco películas y cinco hamburguesas. Come menos hamburguesas y ve más películas ahora que éstas cuestan menos. Reduce su consumo de hamburguesas de seis a cinco y aumenta el número de películas que ve de dos a cinco. Elisa sustituye películas por hamburguesas cuando se reduce el precio de una película y el precio de las hamburguesas y sus ingresos permanecen constantes.

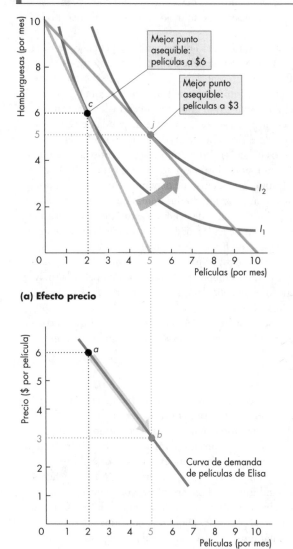

**FIGURA 9.7**

Efecto precio y curva de demanda

**(a) Efecto precio**

**(b) Curva de demanda**

Inicialmente, Elisa consume en el punto *c* (sección a). Si el precio de la película baja de $6 a $3, ella consume en el punto *j*. El desplazamiento de *c* a *j* es el efecto precio.

A un precio de $6 por película, Elisa ve dos películas al mes (punto *a*, sección b). A un precio de $3 por película, ella ve cinco películas al mes (punto *b*). La curva de demanda de Elisa muestra su mejor cantidad asequible de películas a medida que varía el precio de una película.

**La curva de demanda**   En el capítulo 4 se afirmó que la curva de demanda tiene pendiente descendente. Ahora se puede derivar una curva de demanda de una restricción presupuestal del consumidor y de sus curvas de indiferencia. Al hacerlo, es posible ver que la ley de la demanda y la curva de demanda con pendiente descendente, son consecuencias de que el consumidor elige su mejor combinación asequible de bienes.

Para derivar la curva de demanda de películas de Elisa, rebaje el precio de una película y encuentre su mejor punto asequible a los diferentes precios. Ya se ha hecho esto para dos precios distintos de las películas en la figura 9.7(a). En la figura 9.7(b) se resaltan estos dos precios y los dos puntos que se encuentran sobre la curva de demanda de películas por parte de Elisa. Cuando el precio de una película es $6, Ella ve dos películas al mes (punto $a$). Cuando el precio baja hasta $3, aumenta el número de películas que ve hasta cinco al mes (punto $b$). La curva de demanda está integrada por estos dos puntos, más todos los demás puntos que nos muestran el mejor consumo de películas asequible para Elisa a cada precio de las películas, dados el precio de las hamburguesas y el ingreso de Elisa. Como puede ver, la curva de demanda de películas por parte de Elisa tiene pendiente descendente. Cuanto menor es el precio de una película, mayor es la cantidad de películas que ella ve cada mes. Ésta es la ley de la demanda.

A continuación se examina cómo cambia Elisa su consumo de películas y hamburguesas cuando cambia su ingreso.

## Un cambio en el ingreso

El efecto sobre el consumo de un cambio en el ingreso se conoce como el **efecto ingreso**. Determinemos el efecto ingreso examinando cómo cambia el consumo cuando el ingreso cambia y los precios permanecen constantes. La figura 9.8(a) muestra el efecto ingreso cuando baja el ingreso de ella. Con un ingreso de $30 y un precio de $3 por película y $3 por hamburguesa, Elisa consume en el punto $j$ (cinco películas y cinco hamburguesas). Si su ingreso baja a $21, ella consume en el punto $k$ y ahora sólo consume cuatro películas y tres hamburguesas. Cuando baja su ingreso, consume menos de ambos bienes. Tanto las películas como las hamburguesas son bienes normales para Elisa.

**La curva de demanda y el efecto ingreso**   Un cambio en el ingreso conduce a un desplazamiento de la curva de demanda, tal como se muestra en la figura 9.8(b). Con un ingreso de $30 y un precio por película de $3, Elisa se encuentra en el punto $b$ sobre la curva de demanda $D_0$, la misma curva de la figura 9.7. Pero cuando su ingreso baja a $21, ella sólo ve cuatro películas (punto $c$). Con menos ingresos, planea ver menos películas a cada precio, por lo que su curva de demanda se desplaza hacia la izquierda hasta $D_1$.

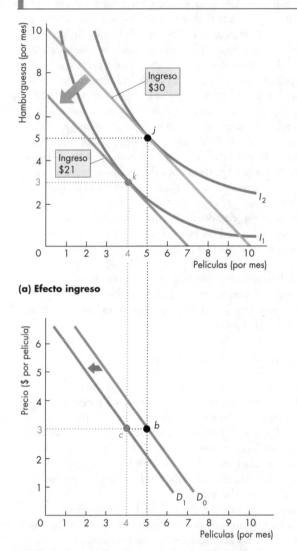

**FIGURA 9.8**

# Efecto ingreso y cambio en la demanda

**(a) Efecto ingreso**

**(b) Curva de demanda**

Un cambio en el ingreso desplaza la restricción presupuestal, cambia el mejor punto asequible y cambia el consumo. En la sección (a), cuando el ingreso de Elisa disminuye de $30 a $21, consume menos películas y menos hamburguesas. En la sección (b), cuando el ingreso de Elisa es de $30, su curva de demanda de películas es $D_0$. Cuando su ingreso disminuye hasta $21, su curva de demanda de películas se desplaza hacia la izquierda hasta $D_1$. La demanda de películas de Elisa disminuye porque ahora ve menos películas a cada precio.

## Efecto sustitución y efecto ingreso

Para un bien normal, una disminución en el precio *siempre* resulta en un aumento en la cantidad comprada. Se puede probar esta afirmación dividiendo el efecto precio en dos partes:

- Efecto sustitución
- Efecto ingreso

La figura 9.9(a) muestra el efecto precio y la figura 9.9(b) divide el efecto precio en sus dos partes.

**Efecto sustitución** El **efecto sustitución** es el efecto de un cambio en el precio sobre la cantidad comprada, cuando el consumidor permanece indiferente (hipotéticamente) entre la situación original y la nueva. Para determinar el efecto sustitución de Elisa, imagine que cuando baja el precio de la película, también le reducimos su ingreso lo suficiente para que ella se mantenga sobre la misma curva de indiferencia que antes.

Cuando el precio de una película baja de $6 a $3, suponga (hipotéticamente) que rebajamos el ingreso de Elisa hasta $21. ¿Qué tiene de especial $21? Es el ingreso que es justamente suficiente, al nuevo precio de una película, para mantener el mejor punto asequible de Elisa, sobre la misma curva de indiferencia, que su punto de consumo original *c*. Ahora la restricción presupuestal de Elisa es la línea de color naranja claro que se muestra en la figura 9.9(b). Al ser inferior el precio de una película y tener un ingreso menor, el mejor punto asequible para Elisa es *k*, sobre la curva de indiferencia $I_1$. El cambio de *c* a *k* aísla el efecto sustitución del cambio en el precio. El efecto sustitución de la disminución en el precio de una película es un aumento en el consumo de películas de dos a cuatro. La dirección del efecto sustitución nunca varía: cuando el precio relativo de un bien baja, el consumidor sustituye más de ese bien por otro; es decir, consume más del bien cuyo precio relativo ha bajado.

**Efecto ingreso** Para calcular el efecto sustitución, se retiraron a Elisa $9. Ahora se le regresan sus $9. El aumento de $9 en el ingreso desplaza la restricción presupuestal de Elisa hacia afuera, tal como se muestra en la figura 9.9(b). La pendiente de la restricción presupuestal no cambia porque ambos precios permanecen constantes. Este cambio en la restricción presupuestal de Elisa es similar al que se mostró en la figura 9.8. A medida que se desplaza hacia afuera la restricción presupuestal de Elisa, su punto más asequible se convierte en *j*, el cual está sobre la curva de indiferencia $I_2$. El movimiento de *k* hacia *j* aísla el efecto ingreso del cambio en el precio. El efecto ingreso de la baja en el precio de las películas es el aumento en la cantidad de películas consumidas de cuatro a cinco. A medida que aumenta el ingreso de Elisa, ella aumenta su consumo de películas. Para Elisa, las películas son un bien normal. Para un bien normal, el efecto ingreso refuerza el efecto sustitución.

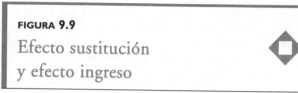

**FIGURA 9.9**

## Efecto sustitución y efecto ingreso

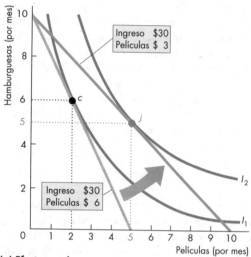

**(a) Efecto precio**

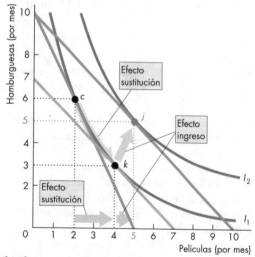

**(b) Efecto sustitución y efecto ingreso**

El efecto precio en la sección (a) se puede separar en un efecto sustitución y un efecto ingreso en la sección (b). Para aislar el efecto sustitución, se permite que Elisa se confronte con el nuevo precio, mientras ella se mantiene sobre su curva de indiferencia original, $I_1$. El efecto sustitución es el desplazamiento de *c* a *k*. Para aislar el efecto ingreso, se permite que Elisa se confronte con el nuevo precio de las películas, pero se le aumenta su ingreso para que pueda desplazarse desde la curva de indiferencia original, $I_1$, hasta la nueva, $I_2$. El efecto ingreso es el desplazamiento de *k* a *j*.

**Bienes inferiores**   El ejemplo que acaba de estudiar, es el del cambio en el precio de un bien normal. El efecto de un cambio en el precio de un bien inferior es diferente. Recuerde que un bien inferior es uno cuyo consumo disminuye a medida que aumenta el ingreso. Para un bien inferior, el efecto ingreso es negativo. Por tanto, para un bien inferior, un menor precio no siempre conduce a un aumento en la cantidad demandada. Un menor precio tiene un efecto sustitución que aumenta la cantidad demandada. Sin embargo, este precio menor también tiene un efecto ingreso negativo que reduce la demanda del bien inferior. Por tanto, el efecto ingreso compensa el efecto sustitución hasta cierto grado. Si el efecto ingreso negativo excediera al efecto sustitución positivo, la curva de demanda tendría pendiente ascendente. Este caso no parece ocurrir en el mundo real.

### De regreso a los hechos

Se comenzó este capítulo observando cómo ha cambiado el gasto del consumidor con el transcurso de los años. El modelo de la curva de indiferencia explica esos cambios. Las elecciones más asequibles determinan los patrones de gastos. Los cambios en los precios y en los ingresos modifican tanto la mejor elección alcanzable como los patrones de consumo.

## PREGUNTAS DE REPASO

- Cuando un consumidor elige la combinación de bienes y servicios que va a comprar, ¿qué está intentando lograr?
- Explique las condiciones que se cumplen cuando un consumidor ha encontrado la mejor combinación asequible de bienes. (Utilice en la explicación los términos "restricción presupuestal", "tasa marginal de sustitución" y "precios relativos".)
- Si baja el precio de un bien normal, ¿qué ocurre a la cantidad demandada de ese bien?
- ¿En qué par de efectos se puede dividir el efecto de un cambio en el precio?
- En el caso de un bien normal, ¿el efecto ingreso refuerza o compensa parcialmente el efecto sustitución?

El modelo de la elección de los individuos puede explicar muchas otras elecciones de los individuos. Veamos una de ellas.

## Elecciones de trabajo y tiempo libre

LOS INDIVIDUOS HACEN MUCHAS ELECCIONES ADEMÁS de aquellas relacionadas con la forma en que gastan su ingreso en los diversos bienes y servicios disponibles. Se puede utilizar el modelo de la elección del consumidor para comprender otras muchas elecciones de las personas. Algunas de éstas se estudian en las páginas 188-192. Aquí se estudiará una elección clave: cuánto trabajo ofrecer.

### Oferta de trabajo

Cada semana asignamos nuestras 168 horas disponibles entre el trabajo y otras actividades denominadas "*de tiempo libre*". ¿Cómo decidimos la manera de asignar nuestro tiempo entre el trabajo y el tiempo libre? Se puede contestar a esta pregunta utilizando la teoría de la elección de los consumidores.

Cuantas más horas se dediquen al *tiempo libre*, menor es el ingreso. La relación entre tiempo libre e ingreso está descrita mediante una *restricción presupuestal entre ingreso y tiempo*. En la figura 9.10(a) se muestra la restricción presupuestal ingreso-tiempo de Elisa. Si ella dedica toda la semana al tiempo libre (168 horas), no obtiene ingresos y se encuentra en el punto *z*. Al ofrecer trabajo a cambio de un salario, ella puede convertir las horas en ingresos a lo largo de la restricción presupuestal ingreso-tiempo. La pendiente de esa línea queda determinada por la tasa salarial por hora que reciba. Si la tasa salarial es $5 la hora, Elisa se enfrenta a la restricción presupuestal más plana. Si la tasa salarial es $10 por hora, se enfrenta a la restricción presupuestal con una pendiente intermedia. Y si la tasa salarial es $15 la hora, ella se enfrenta a la restricción presupuestal con pendiente más pronunciada.

Elisa compra tiempo libre al no ofrecer su trabajo y al renunciar al ingreso. El costo de oportunidad de una hora de descanso es la tasa salarial por hora a la que se ha renunciado.

La figura 9.10(a) también muestra las curvas de indiferencia de Elisa entre el ingreso y el tiempo libre. Elisa elige su mejor punto asequible. Esta elección del ingreso y la asignación del tiempo es igual a su elección de películas y hamburguesas. Ella llega a la curva de indiferencia más alta posible al hacer que su tasa marginal de sustitución entre el ingreso y el tiempo libre sea igual a su tasa salarial. La elección de Elisa depende de la tasa salarial que pueda ganar. A una tasa salarial de $5 por hora, Elisa elige el punto *a* y trabaja 20 horas a la semana (168-148), con lo que obtiene un ingreso semanal de $100. A una tasa salarial de $10 la hora, ella elige el punto *b* y trabaja 35 horas a la semana (168-133) para un ingreso semanal de $350. Y a una tasa de salarios de $15 la hora, Elisa elige el punto *c* y trabaja 30 horas a la semana (168-138), para un ingreso semanal de $450.

## La curva de oferta de trabajo

La figura 9.10(b) muestra la curva de oferta de trabajo de Elisa. Esta curva indica que a medida que aumenta la tasa salarial de $5 a $10 la hora, Elisa aumenta la cantidad de trabajo que ofrece de 20 a 35 horas a la semana. Pero cuando la tasa salarial aumenta hasta $15 la hora, ella disminuye su cantidad de trabajo ofrecida a 30 horas por semana.

La oferta de trabajo de Elisa es similar a la descrita para la economía en su conjunto, al inicio de este capítulo. A medida que han aumentado las tasas salariales, las horas de trabajo ofrecidas han disminuido. Al principio, este patrón parece sorprendente. Hemos visto que la tasa salarial por hora es el costo de oportunidad del tiempo libre. Por tanto, una tasa salarial más alta significa un costo de oportunidad del tiempo libre más alto. Por sí solo, este hecho conduce a una disminución en el tiempo libre y a un aumento en las horas de trabajo. Pero en lugar de ello, nuestras horas de trabajo se han reducido. ¿Por qué? Porque nuestros ingresos han aumentado. A medida que aumentan las tasas salariales, aumenta el ingreso, por lo que las personas demandan más de todos los bienes normales. El tiempo libre es un bien normal, por lo que conforme aumentan los ingresos, las personas demandan más tiempo libre.

La tasa salarial más alta tiene tanto un *efecto sustitución* como un *efecto ingreso*. La tasa salarial más alta aumenta el costo de oportunidad del tiempo libre y, por tanto conduce a un efecto de sustitución hacia menos tiempo libre. Pero la tasa salarial más alta también aumenta el ingreso, lo cual conduce a un efecto ingreso hacia más tiempo libre.

Esta teoría de la elección de los individuos puede explicar los patrones de trabajo que se describieron al inicio de este capítulo. Primero, explica por qué la semana de trabajo promedio ha caído continuamente desde 70 horas en el siglo XIX hasta alrededor de 40 horas en la actualidad. La razón es que conforme han aumentado las tasas salariales, aunque las personas han sustituido trabajo por tiempo libre, también han decidido utilizar en parte sus ingresos más altos para consumir más tiempo libre. Segundo, la teoría explica por qué ahora más mujeres deciden participar en el mercado de trabajo. La razón es que los aumentos en sus tasas salariales y las mejorías en sus oportunidades de empleo han conducido a un efecto sustitución que las aleja de trabajar en el hogar y las induce a participar en el mercado de trabajo.

◆ La teoría de la elección de los individuos que acabamos de estudiar puede explicar las tendencias en el consumo de distintos tipos de bebidas, como verá en la *Lectura entre líneas* en las páginas 182-183. En los siguientes capítulos se estudiarán las elecciones que hacen las empresas. Se verá cómo, en la búsqueda de beneficios económicos, las empresas hacen elecciones que determinan la oferta de bienes y servicios y la demanda de recursos productivos.

---

### FIGURA 9.10

## La oferta de trabajo

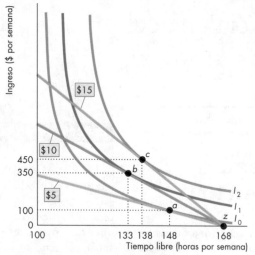

**(a) Decisión de asignación del tiempo**

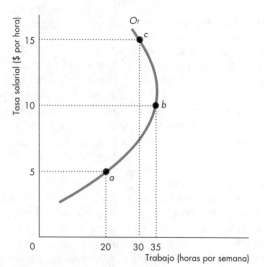

**(b) Curva de oferta de trabajo**

En la sección (a), con una tasa salarial de $5 la hora, Elisa usa 148 horas como tiempo libre y trabaja 20 horas a la semana (punto *a*). Si la tasa salarial aumenta de $5 a $10, el tiempo libre disminuye hasta 133 horas y su oferta de trabajo aumenta a 35 horas a la semana (punto *b*). Pero si la tasa de salarios aumenta de $10 a $15, Elisa aumenta su tiempo libre hasta 138 horas y disminuye su oferta de trabajo a 30 horas a la semana (punto *c*). La sección (b) muestra la curva de oferta de trabajo de Elisa. Los puntos *a*, *b* y *c* sobre la curva de oferta corresponden a las elecciones de Elisa sobre sus restricciones presupuestales de ingreso y tiempo en la sección (a).

# Curvas de indiferencia en acción

EL INFORMADOR, Guadalajara, México, Lunes 3 de julio, 2000

## El refresco y la cerveza consolidan su crecimiento

CIUDAD DE MÉXICO.– Las industrias del refresco y de la cerveza consolidarán su crecimiento de producción en niveles cercanos a 7% al cierre de este año, considera el área de análisis de Grupo Financiero Banamex-Accival (Banacci).

En su estudio "Industria de las bebidas en México", Graciela Avila, analista de Banacci, indica que para las bebidas alcohólicas se prevé un modesto repunte, luego de la drástica caída que se dio en 1995, de la cual aún no se pueden recuperar.

Explica que el crecimiento de los refrescos y aguas envasadas, así como de la cerveza, se basa más en el desarrollo del mercado interno, mientras que el de las bebidas alcohólicas se ve afectado por la competencia del exterior equivalente al 13% del consumo nacional.

"El consumo de refrescos es altamente dependiente del nivel de masa salarial —que hasta 1999 estuvo apoyado en aumentos de empleo— y no tanto del salario real", apunta el análisis.

Advierte que para el consumo de bebidas alcohólicas, si bien el ingreso es importante, el precio al consumidor juega un factor esencial.

Ejemplifica que entre 1994 y 1999, el precio de la cerveza tuvo un crecimiento promedio anual de 23.7%, similar a la inflación general, y menor al observado en bebidas alcohólicas que aumentó 27.2% promedio anual en el mismo lapso.

"El precio es fundamental en esta actividad, dado que el consumidor encuentra como un sustituto cercano a la cerveza", señala.

El estudio de Banacci afirma que entre 1993 y 1999 el mercado de la industria de las bebidas en México creció 3.8% real en promedio anual.

Detalla que la industria de la cerveza creció 5.2% promedio anual en ese lapso, mientras que los refrescos lo hicieron en 4.4%; sin embargo, las bebidas alcohólicas registraron un retroceso real anual de 1.8% en el período señalado.

"Refrescos y cerveza muestran un claro repunte, pero las bebidas alcohólicas están estancadas, incluso con caídas en los últimos dos años", indica.

Comenta que la industria de bebidas alcohólicas está entre las pocas ramas (otras son derivados del petróleo, petroquímica básica, equipo y material de transporte y beneficio y molienda de café) que, a cinco años de la crisis, aún no logran recuperar los niveles de producción obtenidos en 1994. En el caso de bebidas alcohólicas el rezago entre la producción de 1994 y la de ahora, asciende a 11%.

"La situación destaca aún más si se toma en cuenta que el porcentaje de su producción que se exportó en 1999 (alcanzó 28%), es tres veces mayor que el de 1993. Significa que la demanda local es muy débil y su evolución debe ser aún más dramática que la mostrada por producción. Los magros avances de producción han estado apoyados en mucho por el segmento exportador", menciona. (SUN)

## Esencia del artículo

■ Entre 1993 y 1999, las industrias de la bebida gaseosa (refresco) y de la cerveza en México crecieron a tasas superiores al 4% anual, en tanto que la industria de las bebidas alcohólicas retrocedió a una tasa de 1.8% al año.

■ La crisis de 1995 en México afectó drásticamente a la industria de las bebidas. Esto se debe a que el consumo de bebidas en México depende en forma importante del ingreso (masa salarial).

■ Entre 1994 y 1999, el precio de la cerveza aumentó en un nivel similar al del resto de los bienes. En ese mismo período, el precio de las bebidas alcohólicas aumentó aún más que el del resto de los bienes.

■ El consumidor considera como sustitutos a la cerveza y a las bebidas alcohólicas.

■ La figura 1 muestra el equilibrio en el consumo de cerveza y bebidas alcohólicas en México en 1994. En la elaboración del gráfico se ha supuesto que todo lo demás permanece constante y que los consumidores mexicanos destinan una parte fija de su ingreso al consumo de estos dos bienes. Además, la curva de indiferencia con pendiente negativa sugiere que la cerveza y las bebidas alcohólicas son bienes sustitutos para los consumidores mexicanos.

■ El equilibrio en 1994 se alcanza en donde la línea presupuestal azul es tangente a la curva de indiferencia $I_0$ (punto $a$). Para simplificar el análisis, hemos supuesto que las cantidades consumidas de cerveza y bebidas alcohólicas en 1994 son iguales a 100.

■ La figura 1 muestra el efecto ingreso de la crisis de 1995 en las cantidades consumidas de cerveza y bebidas alcohólicas en México. Como resultado de la caída del ingreso de ese año, la línea presupuestal se contrajo (línea roja) y el nuevo consumo de equilibrio se alcanzó en el punto $d'$. La demanda de ambos tipos de bebidas disminuyó, debido a que ambos bienes son normales. Note que el nuevo equilibrio cae en la curva de indiferencia $I_1$, por lo que el consumidor se encuentra en una situación peor con respecto a 1994.

■ La figura 2 muestra lo que ocurrió con el consumo de estos dos bienes entre 1994 y 1999. En esos años, el ingreso de los mexicanos se recuperó y el precio de las bebidas alcohólicas aumentó con respecto al de la cerveza. Estos cambios se manifiestan en una nueva línea presupuestal, la cual tiene una mayor pendiente en valor absoluto, para ilustrar el encarecimiento relativo de las bebidas alcohólicas.

■ El equilibrio en el consumo de 1999 se muestra en el punto $b$ en la figura 2. Como puede ver, el consumo de cerveza aumentó en 31% con respecto al de 1994, en tanto que el consumo de bebidas alcohólicas disminuyó en un 11% durante el mismo período. Este efecto se puede descomponer en dos partes: el *efecto ingreso* y el *efecto sustitución*.

■ El efecto sustitución se obtiene trazando una línea presupuestal que sea tangente a la curva de indiferencia inicial ($I_0$), a los nuevos precios relativos. Este efecto está representado por el segmento $ac$ en la figura 2. Debido a que la cerveza y las bebidas alcohólicas son bienes sustitutos, el aumento en el precio relativo de las bebidas alcohólicas condujo a una disminución en su consumo y a un aumento en el consumo de cerveza.

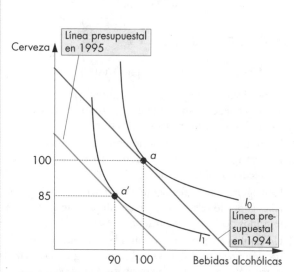

**Figura 1 Efecto ingreso**

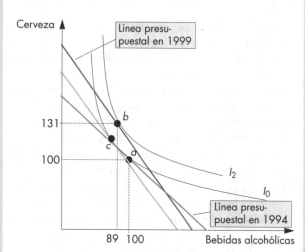

**Figura 2 Cambio en precios relativos**

■ Por otro lado, el efecto ingreso se representa por el segmento $cb$.

## RESUMEN

## CONCEPTOS CLAVE

### Posibilidades de consumo (págs. 170-172)

■ La restricción presupuestal es el límite entre lo que un individuo puede y lo que no puede permitirse, de acuerdo con su ingreso y los precios de los bienes.

■ El punto en el que la restricción presupuestal cruza el eje *y*, es el ingreso real del individuo en términos de los bienes medidos sobre este eje.

■ La magnitud de la pendiente de la restricción presupuestal es el precio relativo del bien medido sobre el eje *x*, en términos del bien medido sobre el eje *y*.

■ Un cambio en el precio modifica la pendiente de la restricción presupuestal. Un cambio en el ingreso desplaza la restricción presupuestal, pero no cambia su pendiente.

### Preferencias y curvas de indiferencia (págs. 173-176)

■ Las preferencias de un consumidor se pueden representar mediante curvas de indiferencia. Una curva de indiferencia une todas las combinaciones de bienes entre los cuales el consumidor es indiferente.

■ Un consumidor prefiere cualquier punto por encima de una curva de indiferencia a cualquier punto sobre ella, y también prefiere cualquier punto sobre una curva de indiferencia a cualquier punto por debajo de ella.

■ La magnitud de la pendiente de una curva de indiferencia se denomina tasa marginal de sustitución.

■ La tasa marginal de sustitución disminuye cuando el consumo del bien medido sobre el eje *y* disminuye y cuando el consumo del bien medido sobre el eje *x* aumenta.

### Predicción del comportamiento del consumidor (págs. 176-180)

■ Un individuo consume en su mejor punto asequible. Este punto se encuentra sobre la restricción presupuestal y sobre la curva de indiferencia más alta alcanzable. Este punto tiene una tasa marginal de sustitución igual al precio relativo.

■ El efecto de un cambio en el precio (el efecto precio) se puede dividir en un efecto sustitución y en un efecto ingreso.

■ El efecto sustitución es el efecto de un cambio en el precio de un bien sobre la cantidad comprada del mismo, cuando el consumidor (hipotéticamente) permanece indiferente entre la situación original y la nueva.

■ El efecto sustitución siempre da como resultado un aumento en el consumo del bien cuyo precio relativo ha bajado.

■ El efecto ingreso es el efecto de un cambio en el ingreso sobre el consumo de un bien o servicio.

■ Para un bien normal, el efecto ingreso refuerza el efecto sustitución. Para un bien inferior, el efecto ingreso opera en la dirección opuesta al efecto sustitución.

### Elecciones de trabajo y tiempo libre (págs. 180-181)

■ El modelo de la elección de los individuos, basado en las curvas de indiferencia, permite comprender la forma en que las personas asignan su tiempo entre el trabajo y el tiempo libre.

■ Las horas de trabajo han disminuido y las horas de tiempo libre han aumentado debido a que el efecto ingreso sobre la demanda de tiempo libre ha sido mayor que el efecto sustitución.

## FIGURAS CLAVE

## TÉRMINOS CLAVE

# PROBLEMAS

*1. Sara tiene un ingreso de $12 a la semana. Una bolsa de dulces cuesta $3 y un jugo de naranja en lata cuesta $3.

   a. ¿Cuál es el ingreso real de Sara en términos de jugos de naranja?

   b. ¿Cuál es su ingreso real en términos de bolsas de dulces?

   c. ¿Cuál es el precio relativo del jugo de naranja en términos de las bolsas de dulces?

   d. ¿Cuál es el costo de oportunidad de una lata de jugo de naranja?

   e. Calcule la ecuación para la restricción presupuestal de Sara. (Coloque las bolsas de dulces del lado izquierdo de la ecuación.)

   f. Dibuje una gráfica de la restricción presupuestal de Sara, con los jugos de naranja sobre el eje x.

   g. ¿Cuál es la pendiente de la restricción presupuestal de Sara en la pregunta anterior? ¿A qué es igual?

2. Marcos tiene un ingreso de $20 por semana. Los discos compactos (CD) cuestan $10 cada uno y las latas de cerveza cuestan $5 cada una.

   a. ¿Cuál es el ingreso real de Marcos en términos de cerveza?

   b. ¿Cuál es su ingreso real en términos de discos compactos?

   c. ¿Cuál es el precio relativo de la cerveza en términos de los CD?

   d. ¿Cuál es el costo de oportunidad de una lata de cerveza?

   e. Calcule la ecuación para la restricción presupuestal de Marcos. (Coloque las latas de cerveza en la parte izquierda de la ecuación.)

   f. Dibuje una gráfica de la restricción presupuestal de Marcos, con los discos compactos sobre el eje x.

   g. ¿Cuál es la pendiente de la restricción presupuestal de Marcos en la pregunta anterior? ¿A qué es igual?

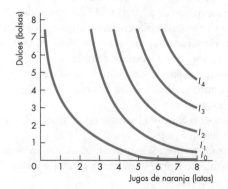

*3. El ingreso de Sara y los precios a los que se enfrenta son los mismos del problema 1. En la figura se muestran las preferencias de Sara.

   a. ¿Cuáles son las cantidades de bolsas de dulces y jugos de naranja que compra Sara?

   b. ¿Cuál es la tasa marginal de sustitución de Sara de bolsas de dulces por jugos de naranja, en el punto en el que ella consume?

4. El ingreso de Marcos y los precios a los que se enfrenta son los mismos del problema 2. En la figura se muestran sus preferencias.

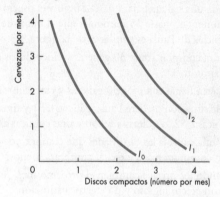

   a. ¿Cuáles son las cantidades de cerveza y discos compactos que compra Marcos?

   b. ¿Cuál es la tasa marginal de sustitución de Marcos de discos compactos por cerveza, en el punto en el que él consume?

*5. Suponga ahora que en el problema 3, el precio de los jugos de naranja ha bajado a $1.50 y que el precio de los dulces y el ingreso de Sara permanecen constantes.

   a. Determine las nuevas cantidades de jugos de naranja y de bolsas de dulces que compra Sara.

   b. Determine dos puntos sobre la curva de demanda de Sara para jugos de naranja.

   c. Determine el efecto sustitución del cambio en el precio.

   d. Determine el efecto ingreso del cambio en el precio.

   e. La lata de jugo de naranja, ¿es un bien normal o un bien inferior para Sara?

   f. ¿Son los dulces, un bien normal o un bien inferior para Sara?

6. Suponga ahora que en el problema 4, el precio del disco compacto baja hasta $5 y que el precio de la cerveza y el ingreso permanecen constantes.

   a. Determine las nuevas cantidades de cerveza y CD que compra Marcos.

   b. Determine dos puntos sobre la curva de demanda de Marcos para discos compactos.

c.  Determine el efecto sustitución del cambio en el precio.

d.  Determine el efecto ingreso del cambio en el precio.

e.  ¿Son los discos compactos un bien normal o un bien inferior para Marcos?

f.  ¿Es la cerveza un bien normal o un bien inferior para Marcos?

*7.  Paula compra galletas y revistas de tiras cómicas. El precio de las galletas es $1 y el precio de una tira cómica es $2. Cada mes, Paula gasta todo su ingreso y compra 30 galletas y cinco libros. Al mes siguiente, el precio de una galleta bajará hasta $0.50 y el precio del libro aumentará hasta $5. Suponga que el mapa de preferencias de Paula es similar al de la figura 9.3(b).

a.  ¿Podrá comprar Paula 30 galletas y cinco libros el próximo mes?

b.  ¿Querrá Paula comprar 30 galletas y cinco libros?

c.  ¿Qué situación prefiere Paula: galletas a $1 y tiras cómicas a $2, o galletas a $0.50 y tiras cómicas a $3?

d.  Si Paula cambia las cantidades que compra, ¿de qué bien comprará más y de cuál comprará menos?

e.  Cuando los precios cambien el próximo mes, ¿habrá un efecto ingreso y un efecto sustitución operando, o tan sólo uno de ellos?

8.  Raúl compra atún y pelotas de golf. El precio del atún es $2.00 la lata y el precio de las pelotas de golf es $1.00 cada una. Cada mes Raúl gasta todo su ingreso y compra 20 latas de atún y 40 pelotas de golf. El mes próximo, el precio del atún aumentará hasta $3.00 la lata y el de las pelotas de golf bajará hasta $0.50 cada una. Suponga que el mapa de preferencias de Raúl es similar al de la figura 9.3(b).

a.  ¿Podrá comprar Raúl 20 latas de atún y 40 pelotas de golf el próximo mes?

b.  ¿Querrá comprar Raúl 20 latas de atún y 40 pelotas de golf?

c.  ¿Qué situación prefiere Raúl: atún a $2 la lata y pelotas de golf a $1 cada una, o atún a $3 la lata y pelotas de golf a $0.50 cada una?

d.  Si Raúl cambia las cantidades que compra, ¿de qué bien comprará más y de cuál comprará menos?

e.  Cuando cambien los precios el próximo mes, ¿habrá un efecto ingreso y un efecto sustitución operando o tan sólo uno de ellos?

# PENSAMIENTO CRÍTICO

1.  Estudie la *Lectura entre líneas* sobre las tendencias recientes en el consumo de bebidas en México, en las páginas 182-183, y después responda a lo siguiente:

a.  Explique por qué la curva de indiferencia entre el consumo de cerveza y el de bebidas alcohólicas no es perfectamente lineal.

b.  Diga qué cree que ocurrió con el consumo de bebidas gaseosas en 1995, con respecto a 1994.

c.  Con base en el artículo, realice alguna inferencia sobre lo que pudo haber ocurrido con el precio de las bebidas alcohólicas entre 1994 y 1999.

d.  Diga qué hubiera ocurrido con el consumo de bebidas alcohólicas si el ingreso de los mexicanos no hubiese aumentado entre 1994 y 1999.

2.  Utilice los vínculos en la página de Internet de este libro para obtener información sobre la participación femenina en la fuerza laboral en varios países de América Latina. Muestre en una figura similar a la 9.10 lo que ha ocurrido con la participación femenina en el mercado laboral de algún país de su interés, entre 1980 y 2000.

3.  Algunas personas dicen que un aumento al impuesto que se aplica al tabaco podría ayudar a que la gente dejara de fumar. Suponga que en la actualidad el impuesto al tabaco es de $0.75 la cajetilla y que una cajetilla de cigarros cuesta $3.50. Si se duplica el impuesto al tabaco hasta $1.50:

a.  ¿Qué ocurriría al precio relativo de los cigarros y otros bienes y servicios?

b.  ¿Qué ocurriría a la restricción presupuestal que muestra en un eje las cantidades de cigarros y en el otro las cantidades de otros bienes y servicios que son asequibles para una persona?

c.  ¿Cómo cambiaría una persona típica sus compras de cigarros? Utilice una gráfica para mostrar su respuesta a esta pregunta e identifique por separado el efecto sustitución y el efecto ingreso.

4.  Juan gasta su ingreso en el alquiler de un departamento, en alimentos, ropa y vacaciones. Él obtiene un aumento de sueldo de $3,000 a $4,000 mensuales. Al mismo tiempo, las tarifas aéreas y otros costos relacionados con vacaciones aumentan en 50%, en tanto que otros precios permanecen sin cambios.

a.  ¿Cómo piensa que cambiará Juan su patrón de gastos como resultado de los cambios en su ingreso y en los precios?

b.  ¿Mejora o empeora la situación de Juan? ¿Por qué sí o por qué no?

c.  Si *todos* los precios aumentan 50%, ¿cómo cambia Juan sus compras? ¿Está ahora en mejor o peor situación? ¿Por qué?

# Comprensión de las elecciones de los individuos

Las poderosas fuerzas de la oferta y la demanda dan forma a las fortunas de familias, empresas, naciones e imperios en la misma inexorable forma en que las mareas y los vientos dan forma a las rocas y las líneas costeras. En los capítulos 4 al 7, se estudió cómo estas fuerzas aumentan y reducen los precios, aumentan y reducen las cantidades compradas y vendidas, ocasionan que los ingresos fluctúen, y asignan los recursos a sus usos más valiosos. ◆ Estas poderosas fuerzas comienzan tranquila y privadamente con las

## Sacar lo mejor de la vida

elecciones que hacemos cada uno de nosotros. Los capítulos 8 y 9 examinan estas elecciones individuales. En el capítulo 8, se examina la teoría de la utilidad marginal de las decisiones humanas. Esta teoría explica los planes de consumo de las personas. Explica también el consumo que hacen las personas de su tiempo libre y, del otro lado de la moneda, la oferta del tiempo de trabajo. Incluso se puede usar la teoría de la utilidad marginal para explicar elecciones "no económicas", por ejemplo: si casarse o no y cuántos hijos tener.

En un sentido no hay elecciones no económicas. Si existe escasez, tiene que haber elección, y la economía estudia todas esas elecciones. El capítulo 9 describe una herramienta que nos permite hacer un mapa de lo que agrada y desagrada a las personas, una herramienta denominada *curva de indiferencia*. Las curvas de indiferencia se consideran un tema avanzado, por lo que este capítulo es *estrictamente opcional*. Pero la presentación de las curvas de indiferencia en el capítulo está hecha en la forma más clara y más directa posible, por lo que si desea aprender sobre esta herramienta, este capítulo es el lugar para hacerlo. ◆ Los primeros economistas (Adam Smith y sus contemporáneos) no tenían una comprensión muy profunda de las elecciones de los individuos. No fue sino hasta el siglo XIX cuando se avanzó en esta área. En las páginas siguientes, puede pasar algún tiempo con Jeremy Bentham, la persona que realizó los primeros trabajos relacionados con el uso del concepto de la utilidad para estudiar las elecciones humanas, y con Gary Becker, de la Universidad de Chicago, que en la actualidad es uno de los estudiosos más influyentes del comportamiento humano.

# Examen de las ideas
## Las personas como tomadoras de decisiones en forma racional

### El economista

#### Jeremy Bentham

*(1748-1832) vivió en Londres y fue hijo y nieto de abogados. Él también estudió para ser abogado, pero rechazó la oportunidad de mantener la tradición familiar y, en lugar de ello, dedicó su vida a ser escritor, activista y miembro del Parlamento, en la búsqueda de leyes racionales que proporcionaran la mayor felicidad al mayor número de personas.*

*Bentham, cuyo cuerpo embalsamado se conserva hasta la actualidad en una vitrina en la Universidad de Londres, fue la primera persona en utilizar el concepto de utilidad para explicar las elecciones humanas. Pero en la época de Bentham, la diferencia entre explicar y recomendar no era muy clara, y Bentham estaba dispuesto a utilizar sus ideas en decir a las personas cómo debían comportarse. Fue uno de los primeros en proponer pensiones para los retirados, empleo garantizado, salarios mínimos y beneficios sociales como la educación y la atención médica gratuitas.*

> "... La mayor felicidad del mayor número es la medida de lo correcto y de lo incorrecto."
>
> JEREMY BENTHAM
> *Fragmento sobre el gobierno*

### Los temas

El análisis económico del comportamiento humano en la familia, en el lugar de trabajo, en los mercados de bienes y servicios, en los mercados laborales y en los mercados financieros, se basa en la idea de que nuestro comportamiento se puede comprender como una respuesta a la escasez. Todo lo que hacemos se puede comprender como una elección que maximiza el beneficio total sujeto a las restricciones impuestas por nuestros recursos y por las limitaciones de la tecnología. Si las preferencias de las personas son estables ante cambios en las restricciones, entonces se tiene la posibilidad de predecir cómo responderán ante un ambiente cambiante.

El enfoque económico explica el increíble cambio ocurrido durante los últimos 100 años en la forma en que las mujeres asignan su tiempo, como consecuencia de cambios en las restricciones y no en las actitudes. Los avances tecnológicos han equipado a las granjas y las fábricas con máquinas que han aumentado la productividad tanto de hombres como de mujeres, con lo que se han incrementado los salarios que pueden ganar. El mundo cada vez más tecnológico ha incrementado el rendimiento de la educación tanto para mujeres como para hombres y ha conducido a un gran aumento en graduados universitarios de uno u otro sexos. Equipadas con un número cada vez mayor de mecanismos y dispositivos que reducen el tiempo necesario para hacer los trabajos en el hogar, una proporción cada vez mayor de mujeres se ha unido a la fuerza de trabajo.

La explicación económica quizá no sea correcta, pero es poderosa. Y si es correcta, los cambios en las actitudes son una consecuencia, no una causa, del avance económico de las mujeres.

## Entonces

Los economistas explican las acciones de las personas como consecuencias de elecciones que maximizan la utilidad total, y las cuales están sujetas a restricciones. En la década de 1890, menos de 20% de las mujeres estadounidenses participaban en el mercado laboral y la mayoría de las que lo hicieron tenían empleos de baja remuneración y poco atractivos. El otro 80% de las mujeres eligió trabajar en el hogar, en actividades no relacionadas con el mercado. Por otra parte, el porcentaje de la población femenina que participaba en el mercado laboral en América Latina a finales del siglo XIX era, muy probablemente, inferior al de Estados Unidos. ¿Qué restricciones condujeron a estas elecciones?

## Ahora

En 1995, más de 47% de las mujeres latinoamericanas entre 20 y 49 años de edad pertenecía a la fuerza laboral, y aunque muchas de ellas aún tienen empleos mal remunerados, cada vez hay más mujeres profesionales y con altos puestos ejecutivos. En Estados Unidos, 60% de la población femenina en edad de trabajar participa en el mercado laboral. ¿Qué ocasionó este cambio tan drástico en comparación con lo que ocurría 100 años antes? ¿Fue un cambio de preferencias o un cambio en las restricciones a las que se enfrentan las mujeres?

Un economista que destaca sobre todos los demás en la actualidad y que se apoya en las teorías de Jeremy Bentham, es Gary Becker, de la Universidad de Chicago. El profesor Becker ha transformado la forma en que pensamos sobre las elecciones humanas. En las páginas siguientes, usted podrá conocerlo.

# Charla con

## Gary S. Becker

*es profesor de Economía y Sociología en la Universidad de Chicago. Nació en 1930 en Pottsville, Pennsylvania. Estudió la carrera en la Universidad de Princeton y el posgrado en la Universidad de Chicago. Su supervisor de posgrado fue Milton Friedman y su tesis para obtener el título de Doctorado (Ph.D) se convirtió en el libro* La economía de la discriminación *(The Economics of Discrimination), un trabajo que cambió profundamente la forma en que pensamos sobre la discriminación social y las formas económicas de reducirla.*

*El otro libro importante del profesor Becker,* Capital humano *(Human Capital), fue publicado por primera vez en 1964 y se ha convertido en un clásico que ha influido en el pensamiento de la administración del*

**Gary S. Becker**

*Presidente Clinton sobre temas de educación. En 1992 se le otorgó el Premio Nobel de Economía por su trabajo sobre el capital humano.*

*El profesor Becker ha revolucionado la forma en que pensamos sobre las decisiones humanas en todos los aspectos de la vida. Michael Parkin habló con el profesor Becker sobre su trabajo y cómo utiliza y aprovecha el trabajo de Jeremy Bentham.*

### ¿Por qué es usted economista?

Cuando fui a Princeton estaba interesado en las matemáticas, pero quería hacer algo por la sociedad. En mi primer año tomé economía por accidente y fue un accidente afortunado. Encontré que la economía era tremendamente excitante en términos intelectuales, porque se podía utilizar para comprender la diferencia entre

el capitalismo y el socialismo, los determinantes de los salarios y la forma en que se grava con impuestos a las personas. Esto me resultó tan interesante que en ese momento ni siquiera me preocupé por oportunidades de trabajo.

### ¿Podemos confiar realmente en explicar todas las elecciones humanas utilizando modelos que se inventaron inicialmente para explicar y predecir elecciones sobre la asignación del ingreso entre bienes alternativos?

Pienso que podemos confiar en explicar todas las elecciones humanas. Todas las elecciones incluyen hacer comparaciones y evaluar cómo asignar nuestro tiempo entre el trabajo, el tiempo libre y la atención de los hijos. Hay elecciones que en principio no son muy diferentes del tipo de elecciones que se utilizan para asignar el ingreso. Por supuesto, aún está por verse si los economistas tienen éxito en la meta de explicar todo. Ciertamente aún no lo hemos hecho, pero pienso que hemos logrado progresos importantes en ampliar nuestros horizontes con la teoría de la elección.

### Usted es profesor tanto de economía como de sociología. ¿Considera que estas mismas técnicas desarrolladas en economía son utilizables para resolver preguntas del dominio tradicional del sociólogo? ¿O es la sociología una disciplina totalmente diferente?

La sociología es una disciplina con muchos enfoques diferentes. Hay un grupo pequeño, pero creciente y que se hace escuchar, de sociólogos que creen en lo que ellos llaman *teoría de la elección racional,* que es la teoría que los economistas han usado para explicar las elecciones en los mercados. Mi difunto colega, James Coleman, fue el líder de ese grupo. Uno de los temas que tratan ellos es la influencia de los compañeros sobre el comportamiento. Por ejemplo, imagínese que yo soy un adolescente que me enfrento a la elección de utilizar drogas, beber excesivamente o fumar debido a la presión de los compañeros. ¿Cómo incorporan los teóricos de la elección racional esta presión de los compañeros al análisis de estas elecciones? El enfoque sencillo que ellos siguen es que mi utilidad, o placer, no sólo depende de lo que estoy consumiendo, sino también de lo que hacen mis compañeros. Si están haciendo algo muy diferente de lo que yo estoy haciendo, eso reduce en parte mi utilidad, porque ellos me respetan menos y yo siento que no pertenezco tanto al grupo.

Por tanto, cuando intento obtener toda la utilidad posible, tomo en cuenta lo que están haciendo mis compañeros. Pero, puesto que todos estamos haciendo lo mismo, esto conduce a algún equilibrio en este mercado de los compañeros. En lugar de comportarnos todos en forma independiente, todos nos comportamos interdependientemente. Pienso que los economistas han prestado muy poca atención a estructuras sociales, por ejemplo, la presión de los compañeros. Una de las cosas que aprendí durante mi asociación con Coleman y otros sociólogos, es una mejor apreciación de la importancia de los factores sociales en el comportamiento individual.

### ¿Puede identificar a los personajes históricos que han influido más en su comportamiento y en su carrera?

La economía es un campo acumulativo en el que se aprovechan las enseñanzas de los gigantes que pasaron antes, y uno trata de añadir un poco. Después, otras personas aprovechan las aportaciones de nuestra generación. El punto de vista que yo sigo sobre el amplio alcance del enfoque económico, lo han tenido varios profesionales importantes, incluyendo a Jeremy Bentham, quien expresó y aplicó un punto de vista muy general del comportamiento maximizador de la utilidad a muchos problemas; por ejemplo, al de los factores que reducen los delitos.

Otras personas del siglo XIX, como Wicksteed y Marshall, resaltaron el aspecto de la elección racional de la economía. En el siglo XVIII, Adam Smith ya aplicó el razonamiento económico al comportamiento político. Mi trabajo sobre el capital humano recibió una gran influencia de Irving Fisher, Alfred Marshall, Milton Friedman y Ted Schultz. Ciertamente, son muy pocos los trabajos de las personas, y desde luego no es el caso del mío, que se producen de la nada. Tienen continuidad con el pasado. Lo que hacemos es tratar de aprovechar el trabajo de economistas anteriores y hacer un poco más y mejor de lo que lo hicieron ellos.

> Son muy pocos los trabajos de las personas, y desde luego no es el caso del mío, que se producen de la nada. Tienen continuidad con el pasado. Lo que hacemos es tratar de aprovechar el trabajo de economistas anteriores y hacer un poco más y mejor de lo que lo hicieron ellos.

### ¿Cómo caracterizaría usted los logros importantes de la economía del comportamiento humano? Por ejemplo, ¿qué preguntas tendrían respuestas convincentes?

El área del derecho y la economía ha tenido mucho éxito en analizar el comportamiento criminal. Los trabajos de muchos abogados y economistas, en particular el del juez Richard Posner y William Landes, de la Escuela de Derecho de la Universidad de Chicago, han producido muchas aplicaciones exitosas. La pregunta que busca contestar la economía del crimen es: ¿qué determina la cantidad de delitos que ocurren y qué efectividad tienen las diversas acciones que pueden realizar los gobiernos para reducir su cantidad? Este análisis trata sobre la aprehensión y el castigo de los delincuentes, dar mejor educación a las personas que pudieran cometer delitos, reducir el desempleo, etc. Básicamente se ha dicho que, en lo fundamental, los factores que determinan el comportamiento delictivo no son tan diferentes de los factores que determinan si las personas se convierten en profesores o no. Las personas realizan elecciones y esas elecciones están condicionadas por sus costos y beneficios esperados. Es posible influir en el número de personas que deciden realizar actividades delictivas, si se influye en los costos y los beneficios. En la medida en que las personas hagan estos cálculos, es más probable que cometan delitos cuando los beneficios son altos en relación con el costo.

Una forma de influir en el costo es hacer más probable que quien comete un delito, sea capturado, arrestado, condenado y castigado. Eso eleva el costo y reduce el crimen. Yo creo que ahora las personas aceptan esta conclusión para la mayor parte de los delitos.

Pero el enfoque económico no es sólo simplemente un enfoque de ley y orden. También dice que si es posible aumentar el atractivo para las personas de trabajar en actividades legales, en lugar de actividades ilegales o criminales, también se tendrán menos delitos. Una forma de aumentar el atractivo es hacer más fácil para las personas encontrar empleos y ganar más al mejorar sus habilidades, su educación y su capacitación, y también mejorando el funcionamiento de los mercados de trabajo.

**Usted ha hecho una aportación importante a la economía demográfica. Hace casi 40 años presentó la idea de que los niños son bienes duraderos. ¿Puede hablar sobre la evolución de esta idea?**

En un principio, los demógrafos recibieron con extrema hostilidad mi punto de vista. Sin embargo, recientemente he recibido el premio Irene Tacuber: el premio demográfico más prestigioso de la Population Association of America. Se me otorgó como reconocimiento al valor de la forma económica de observar los problemas demográficos, incluyendo las tasas de nacimiento y de matrimonios. Con el tiempo, el trabajo acumulado de muchos economistas que estudiaban los problemas de la población en todo el mundo tuvo repercusión.

El principal beneficio de este trabajo ha sido nuestra comprensión de la fertilidad. Las conclusiones obtenidas del enfoque económico son que el número de hijos que tienen las personas depende mucho de dos variables: costos y elecciones. Los costos dependen no sólo de cuánto alimento y vivienda se dan a los hijos, sino también del tiempo de los padres. En la mayoría de las sociedades, gran parte de ese tiempo es tiempo de la madre, lo que tiene un valor. Al hacernos más ricos y las mujeres tener mejor educación y trabajar fuera del hogar más tiempo, el costo para ellas de dedicar tiempo a los niños ha aumentado. A medida que han aumentado estos costos, las familias se han visto impedidas de tener tantos hijos como en el pasado. Por tanto, uno de los factores que explican la gran disminución de las tasas de nacimientos, es el creciente costo de los niños.

La segunda variable que reconocen los economistas es que las familias hacen elecciones entre la calidad de vida de los hijos, en términos de su educación, capacitación y salud. En las economías modernas, este elemento de la calidad se ha vuelto muy importante debido a la insistencia en esas economías sobre el conocimiento, la tecnología y las habilidades. Pero hay una disyuntiva. Si se gasta más en las habilidades, la educación y la capacitación de cada hijo, esto hace que los hijos sean más costosos y es probable que se tengan menos. En los últimos 30, años las tasas de nacimiento han estado disminuyendo en la mayor parte de los países del mundo, incluyendo India, China, parte de Asia, América Latina, algunas partes de África, Europa y Estados Unidos.

> Hay aproximadamente quince países del mundo que ahora tienen tasas de nacimiento muy por debajo de los niveles de reposición. Si las familias continúan con estas tasas, con el tiempo disminuirán estas poblaciones, y lo harán con rapidez.

**¿Cómo responde usted a las personas que sienten que explicar elecciones —por ejemplo cuántos hijos tener—, es algo profundamente personal y que por tanto es inmoral pensar en los niños en estos términos?**

Creo que en esta área la moralidad está fuera de lugar. Intentamos comprender cambios muy importantes en el mundo. Hay aproximadamente quince países del mundo que ahora tienen tasas de nacimientos muy por debajo de los niveles de reposición. Si las familias continúan con estas tasas, con el tiempo disminuirán estas poblaciones, y lo harán con rapidez. Esto incluye a Alemania, Italia, España, Portugal, Francia y Japón. Es importante comprender por qué están descendiendo las tasas de nacimiento. Si esta forma de enfrentar el problema es una herramienta poderosa para comprender por qué las familias han hecho estas elecciones, entonces pienso que sería inmoral no tomar en cuenta este enfoque. Si estamos preocupados por las bajas tasas de nacimientos, ¿qué podemos hacer para elevarlas? O si queremos comprender qué se puede esperar de otros países que están experimentando un importante desarrollo económico, nos equivocaremos si no tomamos en cuenta un grupo importante de consideraciones que nos ayuden a comprender lo que está ocurriendo.

**¿Es la economía un tema al que pueda dedicarse alegremente una persona joven en la actualidad? ¿Cuáles son los principales incentivos para estudiar economía antes de graduarse?**

Ciertamente yo estimularía a una persona joven a estudiar economía por varias razones. Hay muchas oportunidades de empleo en la economía. También es útil si la persona decide después participar en otras áreas como derecho, administración, o incluso medicina. Los temas económicos, como el déficit presupuestario, los programas de prestaciones, los salarios mínimos y cómo subsidiar a las personas de edad, son temas de política pública extremadamente importantes.

También quiero insistir en que la economía es una maravillosa actividad intelectual. Poder tomar este mundo tan misterioso en que vivimos e iluminar partes del mismo, partes importantes de él, mediante el uso de la economía, es enormemente satisfactorio desde un punto de vista intelectual y retador para un estudiante o para cualquier otra persona. Por tanto, yo diría que es al mismo tiempo práctico y satisfactorio. ¿Quién puede pedir una combinación mejor?

**Capítulo** 10

# Organización de la producción

En el otoño de 1990, un científico británico, Tim Berners-Lee, inventó la red mundial de computadoras conocida como World Wide Web. Esta notable idea preparó el camino para la creación y el crecimiento de miles de empresas rentables. Una de ellas es Netscape, fundada por el empresario Jim Clark y por Marc Andreessen, el autor del ahora famoso navegador de Internet Netscape Navigator ◆ ¿Cómo toman sus decisiones de negocios Netscape y los otros millones de empresas que operan en el mundo? ¿Cómo operan con eficiencia? ◆ Las empresas van desde los gigantes multinacionales como Microsoft, hasta pequeños restaurantes familiares y proveedores de servicios locales de Internet. En Estados Unidos, tres cuartas partes de todas las empresas están operadas por sus propietarios. Sin embargo, las corporaciones (como Netscape y Microsoft) representan 86% de todas las ventas de negocios. ¿Cuáles son las diferentes formas que puede tomar una empresa?

## Explorando la Web

¿Por qué algunas empresas permanecen pequeñas, en tanto que otras se convierten en gigantes? ¿Por qué la mayor parte de las empresas están operadas por sus propietarios? ◆ Muchas empresas operan en un ambiente extremadamente competitivo y luchan por obtener utilidades. Otras empresas, como Microsoft, parecen haber dominado el mercado con sus productos y obtienen grandes utilidades. ¿Cuáles son los diferentes tipos de mercados en los que operan las empresas y por qué es más difícil obtener utilidades en algunos mercados que en otros? ◆ La mayor parte de los componentes de una computadora personal IBM son hechos por otras empresas. Microsoft produce el sistema operativo Windows, e Intel hace el microprocesador de circuitos integrados. Otras empresas hacen las unidades controladoras (discos duros) y los cables de comunicación telefónica (modem), y otras más hacen unidades para discos compactos, tarjetas de sonido, etc. ¿Por qué IBM no produce todos los elementos para sus propias computadoras? ¿Por qué deja estas actividades a otras empresas y por qué compra estos productos en los mercados? ¿Cómo deciden las empresas qué hacer ellas mismas y qué comprar en el mercado a otras empresas?

◇ En este capítulo aprenderá sobre las empresas y las elecciones que hacen para hacer frente a la escasez. Comience estudiando los problemas y las elecciones económicas a los que se enfrentan *todas* las empresas.

**Después de estudiar este capítulo, usted será capaz de:**

■ Explicar lo que es una empresa y describir los problemas económicos a los que se enfrentan *todas* las empresas

■ Distinguir entre eficiencia tecnológica y eficiencia económica

■ Definir y explicar el problema del agente y el principal

■ Describir y distinguir entre los diferentes tipos de organización de empresas

■ Describir y distinguir entre los diferentes tipos de mercados en los que operan las empresas

■ Explicar por qué las empresas coordinan algunas actividades económicas y los mercados coordinan otras

# La empresa y su problema económico

LOS 20 MILLONES DE EMPRESAS EN ESTADOS UNIDOS difieren en tamaño y en el alcance de lo que hacen. Pero todas realizan las mismas funciones económicas básicas. Cada **empresa** es una institución que contrata recursos productivos y los organiza para producir y vender bienes y servicios.

La finalidad de esta sección es predecir el comportamiento de la empresa. Para hacerlo, es necesario conocer los objetivos de una empresa y las restricciones a las que se enfrenta. Primero se estudiarán los objetivos.

## El objetivo de la empresa

Si usted preguntara a un grupo de empresarios qué tratan de lograr, obtendría muchas respuestas diferentes. Algunos hablarían de fabricar un producto de calidad, otros de hacer crecer su negocio, otros de aumentar su participación en el mercado y otros de la satisfacción en el trabajo de sus empleados. Se pueden intentar alcanzar todos estos objetivos, pero no son el objetivo fundamental. Todos estos objetivos son pasos intermedios para alcanzar una meta más profunda.

La meta de una empresa es *maximizar sus utilidades o beneficios económicos*. Una empresa que no busque maximizar sus utilidades es eliminada del mercado o es adquirida por otras empresas que sí buscan hacerlo.

¿Qué es exactamente lo que busca maximizar una empresa? Para contestar a esta pregunta, veamos el caso de Camisas Carlitos.

## Medición de los beneficios de una empresa

Carlitos opera un exitoso negocio que produce camisas. Camisas Carlitos recibe $400,000 al año por las camisas que vende. Sus gastos son de $80,000 al año para algodón, $20,000 para servicios públicos como electricidad, gas y agua, $120,000 para sueldos y salarios, y $10,000 en intereses de un préstamo bancario. Con ingresos de $400,000 y gastos de $230,000, el superávit anual de Camisas Carlitos es de $170,000.

El contador de la empresa reduce esta cifra en $20,000 más al año, que él atribuye a la depreciación (disminución de valor) de los edificios y de las máquinas de la empresa. (Por lo general, para calcular la depreciación, los contadores utilizan una serie de reglas contables que se basan en normas establecidas por organizaciones internacionales). Por tanto, el contador informa que los beneficios de Camisas Carlitos son de $150,000 al año.

El contador de Carlitos mide el costo y los beneficios para asegurarse de que la empresa pague la cantidad correcta de impuestos sobre la renta y para mostrar al banco cómo se ha utilizado su préstamo. Pero queremos predecir las decisiones que toma una empresa. Estas decisiones responden al *costo de oportunidad* y a los *beneficios económicos*.

## Costo de oportunidad

El **costo de oportunidad** de cualquier acción es la alternativa de más alto valor a la que se renuncia. La acción que usted decidió no realizar, es decir, la alternativa de mayor valor a la que se renuncia, es el costo de la acción que usted elige realizar. Para una empresa, el costo de oportunidad de la producción es el valor que ella asigna al mejor uso alternativo de sus recursos.

El costo de oportunidad es una alternativa real a la que se renuncia. Pero para poder comparar el costo de una acción con el de otra, expresamos el costo de oportunidad en unidades monetarias. Los costos de oportunidad de una empresa son:

- Costos explícitos
- Costos implícitos

**Costos explícitos**   Los costos explícitos se pagan con dinero. La cantidad pagada por un recurso podría haberse gastado en alguna otra cosa, por lo que es el costo de oportunidad de usar el recurso. Para Carlitos, sus gastos en algodón, electricidad, gas, agua, salarios e intereses bancarios son costos explícitos.

**Costos implícitos**   Una empresa incurre en costos implícitos cuando renuncia a una acción alternativa, pero no hace un pago. Una empresa incurre en costos implícitos cuando:

1. Utiliza su propio capital
2. Usa el tiempo de su propietario o sus recursos financieros.

El costo de utilizar su propio capital es un costo implícito y un costo de oportunidad, porque la empresa hubiera podido alquilar el capital a otra empresa. El ingreso por el alquiler al que se ha renunciado es el costo de oportunidad de la empresa de utilizar su propio capital. A este costo de oportunidad se le conoce como **tasa de alquiler implícita** del capital.

Las personas alquilan casas, apartamentos, automóviles y teléfonos. Las empresas alquilan fotocopiadoras, excavadoras, servicios de lanzamiento de satélites, entre otras cosas. Si una empresa alquila capital, incurre en un costo explícito. Si una empresa compra el capital que usa, incurre en un costo implícito. La tasa de alquiler implícita del capital está compuesta de:

1. La depreciación económica
2. Los intereses perdidos

La **depreciación económica** es el cambio en el valor de mercado del capital durante un determinado período. Se calcula como el precio de mercado del capital al inicio de un período, menos su precio de mercado al final del mismo. Por ejemplo, suponga que Carlitos hubiera vendido sus edificios y máquinas el 31 de diciembre de 1999, en $400,000. Si puede vender el mismo capital el 31 de diciembre de 2000 por $375,000, su depreciación económica durante el año 2000 es de $25,000. Este monto representa la disminución en el valor de mercado de las máquinas. Estos $25,000 son un costo implícito de utilizar el capital durante el año 2000.

Los fondos utilizados para comprar el capital pudieron haberse utilizado para otros propósitos. Y en su mejor uso siguiente tal vez hubieran producido un rendimiento, es decir, un ingreso por intereses. Este interés perdido es parte del costo de oportunidad de utilizar el capital. Por ejemplo, Camisas Carlitos pudo haber comprado bonos del gobierno, en lugar de comprar máquinas de coser. El interés perdido sobre los bonos gubernamentales es un costo implícito de operar las máquinas de coser.

**Costo de los recursos del propietario**   El propietario de una empresa con frecuencia aporta *habilidades empresariales,* es decir, el recurso o factor productivo que organiza la empresa, toma las decisiones de negocios, lleva a cabo las innovaciones y corre el riesgo de manejar el negocio. El rendimiento de las habilidades empresariales son los beneficios, y al rendimiento promedio por proporcionar estas habilidades se le denomina **beneficio normal**. El beneficio normal es una parte del costo de oportunidad de una empresa, porque representa el costo de una alternativa perdida: manejar otra empresa. Si la utilidad normal en el negocio textil es de $50,000 al año, esta cantidad se tiene que agregar a los costos de Carlitos para determinar su costo de oportunidad.

El propietario de una empresa también puede proporcionar trabajo (además de sus habilidades empresariales). El rendimiento del trabajo es un salario. Y el costo de oportunidad del tiempo del propietario dedicado a trabajar para la empresa son los salarios perdidos por no trabajar en el mejor empleo alternativo. Suponga que Carlitos hubiera tomado otro empleo que le pagara $40,000 al año. Al trabajar para su empresa y perder este ingreso, Carlitos incurre en un costo de oportunidad de $40,000 al año.

## Beneficios económicos

¿Cuál es el resultado final de esta contabilidad? ¿Cuál es el monto de la utilidad o pérdida de la empresa? Los **beneficios económicos** de una empresa son iguales a su ingreso total menos su costo de oportunidad. El costo de oportunidad de la empresa es la suma de sus costos explícitos e implícitos. Recuerde que los costos implícitos incluyen los *beneficios normales*. El rendimiento de las habilidades empresariales es superior a lo normal en una empresa que obtiene un beneficio económico positivo. En forma similar, el rendimiento de las habilidades empresariales es inferior a lo normal en una empresa que obtiene un beneficio económico negativo (pérdida económica).

## Contabilidad económica: un resumen

En la tabla 10.1 se resumen los conceptos de la contabilidad económica que se acaban de estudiar. El ingreso total de Camisas Carlitos es $400,000; su costo de oportunidad es $365,000, y sus beneficios económicos son $35,000.

Para lograr el objetivo de maximización de los beneficios, la empresa tiene que tomar cinco decisiones básicas:

1. Qué bienes y servicios producir y en qué cantidades
2. Cómo producir, es decir, qué tecnología utilizar
3. Cómo organizar y remunerar a sus gerentes y trabajadores
4. Cómo comercializar y fijar precios a sus productos
5. Qué producir por sí misma y qué comprar a otras empresas

En todas estas decisiones, las acciones de la empresa están limitadas por las restricciones a las que se enfrenta. Nuestra siguiente tarea es aprender sobre estas restricciones.

**TABLA 10.1**

## Contabilidad económica

| Artículo | | Importe |
|---|---|---|
| **Ingreso total** | | **$400,000** |
| **Costos de oportunidad** | | |
| Algodón | $80,000 | |
| Electricidad, gas y agua | 20,000 | |
| Salarios pagados | 120,000 | |
| Interés bancario pagado | 10,000 | |
| *Total de costos explícitos* | | $230,000 |
| Salarios perdidos por Carlitos | 40,000 | |
| Intereses perdidos por Carlitos | 20,000 | |
| Depreciación económica | 25,000 | |
| Beneficios normales | 50,000 | |
| *Total de costos implícitos* | | $135,000 |
| **Costo total** | | **$365,000** |
| **Beneficios económicos** | | **$35,000** |

## Las restricciones de la empresa

Existen tres características que limitan los beneficios que puede obtener una empresa. Éstas son:

- Restricciones de tecnología
- Restricciones de información
- Restricciones del mercado

**Restricciones de tecnología**   Los economistas definen a la tecnología en forma amplia. Una **tecnología** es cualquier método de producir un bien o servicio. La tecnología incluye el diseño y las características de las máquinas, pero también incluye la distribución del lugar de trabajo y la organización de la empresa. Por ejemplo, un centro comercial es una tecnología para producir servicios de comercialización al menudeo. Es una tecnología diferente a la de las tiendas por catálogo, lo que a su vez es diferente de la tecnología de establecer tiendas en el centro de las ciudades.

Podría parecer sorprendente que los beneficios de una empresa estén limitados por la tecnología, puesto que los avances tecnológicos mejoran constantemente las oportunidades de obtener beneficios. Casi cada día nos enteramos de algún nuevo avance tecnológico que nos sorprende. Uno pensaría que con computadoras que hablan y que reconocen nuestra propia voz, y con automóviles que pueden encontrar una dirección en una ciudad que nunca habíamos visitado antes, estamos en posibilidad de lograr cada vez más.

La tecnología sin duda está avanzando. Sin embargo, en un punto en el tiempo, para obtener una mayor producción y generar mayores ingresos, una empresa tiene que contratar más recursos e incurrir en mayores costos. El aumento en los beneficios que logra la empresa, queda limitado por la tecnología disponible para transformar los recursos en producción. Por ejemplo, con el uso de su planta y de trabajadores actuales, Ford produce un cierto número máximo de automóviles por día. Para fabricar más automóviles por día, Ford tiene que contratar más recursos e incurrir en mayores costos, lo que limita el aumento en los beneficios que la empresa puede obtener al vender los automóviles adicionales.

**Restricciones de información**   Nunca contamos con toda la información que nos gustaría tener para tomar decisiones. Carecemos de información tanto sobre el futuro como sobre el presente. Por ejemplo, suponga que piensa comprar una nueva computadora. ¿Cuándo debe comprarla? La respuesta depende de cómo vaya a cambiar el precio en el futuro. ¿Dónde debe comprarla? La respuesta depende de los precios de cientos de diferentes tiendas que venden computadoras. Para obtener la mejor operación, tiene que comparar la calidad y los precios en cada tienda. ¡Pero el costo de oportunidad de esta comparación excede al costo de la computadora!

En forma similar, una empresa está restringida por su información limitada que posee sobre la calidad y el esfuerzo de sus trabajadores, sobre los planes de compra actuales y futuros de sus clientes y sobre los planes de sus competidores. Los trabajadores pueden estar haraganeando cuando los gerentes piensan que están trabajando intensamente. Los clientes pueden irse con proveedores competidores. Nuevas empresas hacen más difícil la competencia.

Las empresas intentan crear sistemas de incentivos para los trabajadores, a fin de asegurarse de que trabajen intensamente, incluso cuando nadie supervise sus esfuerzos. Y las empresas gastan mucho dinero en investigación de mercados. Pero ninguno de estos esfuerzos y gastos eliminan los problemas de la información incompleta y la incertidumbre. Además, el costo de hacer frente a una información limitada, impone en sí mismo un límite a los beneficios.

**Restricciones del mercado**   Lo que puede vender cada empresa y el precio que puede obtener, están limitados por la disposición a pagar de sus clientes y por los precios y esfuerzos de marketing de otras empresas. En forma similar, los recursos o factores que puede comprar cada empresa y los precios que tiene que pagar, están limitados por la disposición de las personas a trabajar en la empresa e invertir en la misma. Las empresas gastan enormes sumas de dinero en marketing y venta de sus productos. Algunas de las mentes más creativas luchan por encontrar el mensaje correcto que producirá un anuncio de televisión impactante. Las restricciones del mercado, y los gastos que tienen que hacer las empresas para superarlas, limitan los beneficios que pueden obtener las empresas.

---

## PREGUNTAS DE REPASO

- ¿Por qué las empresas buscan maximizar sus beneficios? ¿Qué ocurre a las empresas que no buscan este objetivo?
- ¿Por qué los contadores y los economistas calculan el costo y los beneficios de una empresa en forma diferente?
- ¿Cuáles son las partidas que hacen que el costo de oportunidad sea diferente a la medición del costo contable?
- ¿Por qué los beneficios normales representan un costo de oportunidad?
- ¿Cuáles son los tres tipos de restricciones a las que se enfrentan las empresas? ¿En qué forma limita cada una de estas restricciones a los beneficios que puede obtener una empresa?

En el resto de este capítulo, y en los capítulos 11 a 14, se estudian las decisiones que toman las empresas. Aprenderemos cómo se predice el comportamiento de una empresa, como si fuera una respuesta a las restricciones a las que se enfrenta y a los cambios en dichas restricciones. Se comienza con un análisis más detallado de las restricciones de tecnología, de información y del mercado a las que se enfrenta la empresa.

# Tecnología y eficiencia económica

MICROSOFT EMPLEA UNA GRAN CANTIDAD DE FUERZA DE trabajo, y la mayoría de sus trabajadores poseen mucho capital humano. Microsoft también utiliza capital físico, aunque en una escala relativamente menor. En contraste, una compañía minera de carbón emplea una enorme cantidad de equipo de minería (capital físico) y relativamente pocos trabajadores. ¿Por qué? La respuesta se encuentra en el concepto de eficiencia. Hay dos conceptos de eficiencia de producción: eficiencia tecnológica y eficiencia económica. La **eficiencia tecnológica** ocurre cuando la empresa genera una determinada producción utilizando el menor número posible de insumos. La **eficiencia económica** ocurre cuando la empresa genera una determinada producción al menor costo. Examinemos los dos conceptos de eficiencia a través de un ejemplo.

Suponga que hay cuatro técnicas alternativas para producir televisores:

a. *Producción con robots.* Una persona supervisa todo el proceso controlado por computadoras.
b. *Línea de producción.* Los trabajadores se especializan en una pequeña parte del trabajo, a medida que los televisores pasan frente a ellos en una línea de producción.
c. *Producción en mesas de trabajo.* Los trabajadores se especializan en una pequeña parte del trabajo, pero se desplazan de un lugar a otro para realizar sus tareas.
d. *Producción con herramientas manuales.* Un solo trabajador utiliza pocas herramientas manuales para producir el televisor.

En la tabla 10.2 se establecen las cantidades de trabajo y capital que requiere cada uno de estos cuatro métodos para

---

**TABLA 10.2**

## Cuatro formas de fabricar 10 televisores al día

| Método | | Cantidades de insumos | |
|---|---|---|---|
| | | **Trabajo** | **Capital** |
| a | Producción con robots | 1 | 1,000 |
| b | Línea de producción | 10 | 10 |
| c | Producción en mesas de trabajo | 100 | 10 |
| d | Producción con herramientas manuales | 1,000 | 1 |

---

hacer 10 televisores al día. ¿Cuáles de estos métodos alternativos son tecnológicamente eficientes?

## Eficiencia tecnológica

Recuerde que se alcanza la eficiencia tecnológica cuando la empresa elabora una determinada producción utilizando la menor cantidad posible de insumos. Inspeccione las cifras de la tabla y observe que el método *a* usa la mayor cantidad de capital, pero la menor cantidad de trabajo. El método *d* utiliza la mayor cantidad de trabajo, pero la menor cantidad de capital. Los métodos *b* y *c* se encuentran entre los dos extremos. Utilizan menos capital pero más trabajo que el método *a*, y menos trabajo pero más capital que el método *d*. Compare los métodos *b* y *c*. El método *c* requiere a 100 trabajadores y 10 unidades de capital para producir 10 televisores. Ese mismo número de televisores puede producirse con el método *b*, utilizando a 10 trabajadores y 10 unidades de capital. Debido a que el método *c* utiliza la misma cantidad de capital pero más trabajo que el método *b*, el método *c* no es tecnológicamente eficiente.

¿Son tecnológicamente ineficientes algunos de los otros métodos? La respuesta es no. Cada uno de los otros métodos es tecnológicamente eficiente. El método *a* usa más capital, pero menos trabajo que el método *b*, y el método *d* usa más trabajo, pero menos capital que el método *b*.

¿Cuáles de los métodos son económicamente eficientes?

## Eficiencia económica

Recuerde que se alcanza la eficiencia económica cuando la empresa elabora una determinada producción al menor costo posible. Suponga que el trabajo cuesta $75 por día por persona y que el capital cuesta $250 por día por máquina. En la tabla 10.3(a) se calculan los costos de los diferentes métodos. Al inspeccionar la tabla, se puede ver que el método *b* tiene el costo más bajo. Aunque el método *a* usa menos trabajo, el costo del capital requerido es demasiado caro. Y aunque el método *d* utiliza menos capital, el costo de la mano de obra requerida es demasiado caro.

El método *c*, que es tecnológicamente ineficiente, también es económicamente ineficiente. Utiliza la misma cantidad de capital que el método *b*, pero usa 10 veces más trabajo, por lo que cuesta más. Un método tecnológicamente ineficiente nunca es económicamente eficiente.

Aunque el método económicamente eficiente en este ejemplo es *b*, los métodos *a* o *d* podrían ser económicamente eficientes con diferentes precios de los insumos.

Primero, suponga que el trabajo cuesta $150 por día por persona y que el capital sólo cuesta $1 por día por máquina. La tabla 10.3(b) muestra el costo de producir

**TABLA 10.3**

Los costos de formas diferentes de fabricar 10 televisores al día

**(a) Cuatro formas de fabricar televisores**

| Método | Costo de la mano de obra ($75 por día) | | Costo del capital ($250 por día) | | Costo total | Costo por televisor |
|---|---|---|---|---|---|---|
| a | $75 | + | $250,000 | = | $250,075 | $25,007.50 |
| b | 750 | + | 2,500 | = | 3,250 | 325.00 |
| c | 7,500 | + | 2,500 | = | 10,000 | 1,000.00 |
| d | 75,000 | + | 250 | = | 75,250 | 7,525.00 |

**(b) Tres formas de fabricar televisores: altos costos de mano de obra**

| Método | Costo de la mano de obra ($150 por día) | | Costo del capital ($1 por día) | | Costo total | Costo por televisor |
|---|---|---|---|---|---|---|
| a | $150 | + | $1,000 | = | $1,150 | $115.00 |
| b | 1,500 | + | 10 | = | 1,510 | 151.00 |
| d | 150,000 | + | 1 | = | 150,001 | 15,000.10 |

**(c) Tres formas de fabricar televisores: altos costos de capital**

| Método | Costo de la mano de obra ($1 por día) | | Costo del capital ($1,000 por día) | | Costo total | Costo por televisor |
|---|---|---|---|---|---|---|
| a | $1 | + | $1,000,000 | = | $1,000,001 | $100,000.10 |
| b | 10 | + | 10,000 | = | 10,010 | 1,001.00 |
| d | 1,000 | + | 1,000 | = | 2,000 | 200.00 |

un televisor. En este caso, el método *a* es económicamente eficiente. Ahora el capital es tan barato con relación al trabajo, que el método que usa la mayor cantidad de capital es el método económicamente eficiente.

Segundo, suponga que el trabajo sólo cuesta $1 por día por persona, en tanto que el capital cuesta $1,000 por día por máquina. La tabla 10.3(c) muestra los costos en este caso. El método *d*, que usa mucho trabajo y poco capital, es ahora el método del menor costo y es el método económicamente eficiente.

A partir de estos ejemplos se puede observar que mientras que la eficiencia tecnológica sólo depende de lo que es viable, la eficiencia económica depende de los costos relativos de los recursos. El método económicamente eficiente es aquel que utiliza la menor cantidad de un recurso caro y una mayor cantidad de un recurso menos caro.

Una empresa que es económicamente eficiente maximiza sus beneficios. La selección natural favorece a las empresas eficientes y se opone a las ineficientes. Las empresas ineficientes tienen que dejar de operar, o son compradas por empresas con menores costos. Las empresas que maximizan beneficios tienen mayores posibilidades de sobrevivir una adversidad temporal que las empresas ineficientes.

**PREGUNTAS DE REPASO**

■ ¿Cómo se define la eficiencia tecnológica? ¿Una empresa es tecnológicamente eficiente si utiliza la tecnología más moderna? ¿Por qué?

■ ¿Cómo se define la eficiencia económica? ¿Una empresa es económicamente ineficiente si puede rebajar costos produciendo menos? ¿Por qué?

■ Explique la distinción fundamental entre la eficiencia tecnológica y la eficiencia económica.

■ ¿Por qué algunas empresas utilizan mucho capital y poco trabajo, en tanto que otras usan poco capital y mucho trabajo?

Ahora usted ha visto cómo las restricciones de tecnología a las que se enfrenta una empresa influyen sobre las cantidades de capital y trabajo que emplea. A continuación se estudian las restricciones de información y la diversidad de estructuras de organización que ocasionan.

# Información y organización

CADA EMPRESA ORGANIZA LA PRODUCCIÓN DE BIENES Y servicios combinando y coordinando los recursos productivos que contrata. Pero hay diferentes formas de organización de la producción. Las empresas usan una mezcla de dos sistemas:

- Sistemas de órdenes
- Sistemas de incentivos

## Sistemas de órdenes

Un **sistema de órdenes** es un método para organizar la producción que utiliza una jerarquía gerencial. Las órdenes bajan a través de la jerarquía gerencial y la información asciende por ella. Los gerentes dedican la mayor parte de su tiempo a recopilar y procesar información sobre el desempeño de las personas bajo su control. Los gerentes también toman decisiones sobre las órdenes que van a emitir y sobre la mejor manera de que se pongan en práctica.

Los militares utilizan la forma más pura del sistema de órdenes. El comandante en jefe (el Presidente o el Ministro de Defensa) toma las grandes decisiones sobre los objetivos estratégicos. En el nivel inmediato inferior, los generales organizan sus recursos militares. Debajo de los generales, los sucesivos grados inferiores organizan unidades cada vez más pequeñas y atienden los detalles más mínimos de cada una de las decisiones.

Los sistemas de órdenes en las empresas no son tan rígidos como en el caso de los militares, pero comparten algunas características similares. El director general representa la parte superior de un sistema de órdenes de una empresa. Los altos ejecutivos que dependen y reciben órdenes del director general, se especializan en administrar la producción, el marketing, las finanzas, el personal y quizá otros aspectos de las operaciones de la empresa. Debajo de estos altos ejecutivos, pueden encontrarse varias capas de puestos administrativos de nivel medio, que se extienden hacia abajo hasta los gerentes que supervisan las operaciones diarias de la empresa. Debajo de estos gerentes, se encuentran las personas que operan las máquinas de la empresa y que hacen y venden los bienes y servicios.

Las empresas pequeñas tienen una o dos capas de gerentes, en tanto que las grandes empresas tienen varias. Al hacerse más complejos los procesos de producción, se han ampliado los puestos de administración. En la actualidad, hay más personas que tienen empleos administrativos que nunca. Pero la revolución de la información de la década de 1990 disminuyó el crecimiento de la administración y, en algunas industrias, disminuyó el número de capas de gerentes y se produjeron despidos de gerentes de nivel medio.

Los gerentes hacen esfuerzos enormes para estar bien informados, tomar buenas decisiones y emitir órdenes que conduzcan a la utilización eficiente de los recursos. Sin embargo, los gerentes siempre tienen información incompleta sobre lo que está ocurriendo en las divisiones de la empresa bajo su responsabilidad. Por esta razón, las empresas utilizan sistemas de incentivos junto con sistemas de órdenes para organizar la producción.

## Sistemas de incentivos

Un **sistema de incentivos** es un método de organizar la producción, que utiliza, en el interior de una empresa, un mecanismo similar al de mercado. En lugar de emitir órdenes, los altos ejecutivos crean programas de remuneración que inducirán a los trabajadores a desempeñarse en formas que maximicen los beneficios de la empresa.

Las organizaciones que se dedican a las ventas, son las que más usan los sistemas de incentivos. Los vendedores que pasan la mayor parte de su tiempo de trabajo solos y sin supervisión, son inducidos a trabajar intensamente al pagarles un sueldo pequeño y una gran prima relacionada con su desempeño.

Sin embargo, los sistemas de incentivos operan en todos los niveles de una empresa. El plan de compensación de un director general puede incluir una participación en las utilidades de la empresa, y los trabajadores de las fábricas en ocasiones reciben compensaciones basadas en la cantidad producida.

## Mezcla de sistemas

Las empresas usan una mezcla de órdenes e incentivos, y eligen la mezcla que maximiza los beneficios. Las empresas utilizan órdenes cuando es fácil supervisar el desempeño o cuando una pequeña desviación de un desempeño ideal es muy costosa. Emplean incentivos cuando no es posible, o cuando es demasiado costoso, llevar a cabo la supervisión directa del desempeño de los trabajadores.

Por ejemplo, es fácil y relativamente barato supervisar el desempeño de los trabajadores en una línea de producción. Si una persona trabaja con demasiada lentitud, toda la línea opera lentamente. Por tanto, la línea de producción está organizada con un sistema de órdenes.

En contraste, es costoso supervisar a un director general. Por ejemplo, ¿qué hizo John Sculley (ex presidente de Apple Computer) para contribuir al éxito y a la resolución de los problemas posteriores a los que se enfrentó Apple? Esta pregunta no se puede contestar con certeza y, sin embargo, Apple tiene que poner a alguien a cargo de las operaciones y proporcionar a esta persona el *incentivo* para ser eficiente. Los incentivos, y los contratos que sirven para crearlos, son un intento por hacer frente a un problema general denominado "problema del agente y el principal".

## El problema del agente y el principal

El problema que se conoce como **problema agente-principal** consiste en crear reglas de remuneración que induzcan a un *agente* a actuar en el mejor interés de un *principal*. Por ejemplo, los accionistas de Chase Manhattan Bank son *principales* y los gerentes del banco son *agentes*. Los accionistas (los principales) tienen que inducir a los gerentes (agentes) a actuar de acuerdo con el mejor interés de los accionistas. En forma similar, Bill Gates (un principal) tiene que inducir a los programadores que desarrollan Windows 2000 (agentes) a trabajar en forma eficiente.

Los agentes, ya sean gerentes o trabajadores, buscan sus propias metas, y con frecuencia imponen costos a un principal. Por ejemplo, la meta de un accionista del Chase Manhattan (un principal) es maximizar la utilidad del banco. Sin embargo, la utilidad del banco depende de las acciones de sus gerentes (agentes), quienes tienen sus propias metas. Quizá un gerente lleve a un cliente a un evento deportivo con el pretexto de que está relacionándose con él, cuando de hecho simplemente está divirtiéndose durante las horas de trabajo. Este mismo gerente también es un principal y sus cajeros son agentes. El gerente quiere que los cajeros trabajen intensamente y que atraigan a nuevos clientes con el fin de cumplir sus metas de operación. Sin embargo, los cajeros disfrutan conversando entre sí y mantienen esperando a los clientes. No obstante, el banco constantemente busca formas de mejorar el desempeño y aumentar los beneficios.

## Solución del problema agente-principal

Emitir órdenes no siempre resuelve el problema agente-principal. En la mayor parte de las empresas, los accionistas no pueden supervisar a los gerentes y con frecuencia éstos no pueden supervisar a los trabajadores. Cada principal tiene que crear incentivos que induzcan a cada agente a trabajar de acuerdo con los intereses del principal. Tres formas de hacer frente al problema agente-principal son:

- Copropiedad
- Pago de incentivos
- Contratos a largo plazo

**Copropiedad**    Un principal induce un buen desempeño en el trabajo, al hacer copropietarios de una empresa al gerente o a los trabajadores. Los programas de propiedad parcial para los altos ejecutivos son bastante comunes en algunos países, pero son menos comunes para los trabajadores. Un caso aislado ocurrió cuando United Airlines se vio en problemas hace unos años e hizo a todos sus empleados copropietarios de la compañía.

**Pago de incentivos**    Los programas de pagos de incentivos, es decir, remuneraciones relacionadas con el desempeño, son relativamente comunes. Se basan en diversos criterios de desempeño, por ejemplo: metas de utilidades, producción o ventas. Ascender a un empleado por un buen desempeño es otro ejemplo de un programa de pago de incentivos.

**Contratos a largo plazo**    Los contratos a largo plazo vinculan la suerte de los gerentes y los trabajadores (agentes) al éxito del propietario de la empresa (principal). Por ejemplo, un contrato de empleo de varios años para un director general lo estimula a tomar una perspectiva de largo plazo y a crear estrategias que obtengan la utilidad máxima durante un período sostenido.

Estas tres formas de hacer frente al problema agente-principal dan lugar a diferentes clases de organización empresarial. Cada tipo de organización es una respuesta diferente al problema agente-principal. Cada uno utiliza la propiedad, los incentivos y los contratos a largo plazo en formas diferentes. Observemos los principales tipos de organización de las empresas.

## Formas de organización de las empresas

Los tres tipos principales de organización de las empresas son:

- Propiedad individual
- Sociedad
- Corporación

**Propiedad individual**    Una *propiedad individual* es una empresa con un solo dueño o propietario, el cual tiene responsabilidad ilimitada. La responsabilidad ilimitada es la responsabilidad legal por todas las deudas de la empresa hasta una cantidad igual a la totalidad de la riqueza del propietario. Si una empresa con propiedad individual no puede pagar sus deudas, aquellos a quienes les deba dinero la empresa pueden reclamar las propiedades personales del propietario. Las tiendas de barrio, los programadores de computadoras y los artistas son ejemplos de propiedad individual.

El propietario toma las decisiones administrativas, recibe los beneficios de la empresa y es responsable por sus pérdidas. Por lo general, los beneficios de una propiedad individual se gravan a la misma tasa que otras fuentes del ingreso personal del propietario.

**Sociedad**   Una *sociedad* es una empresa con dos o más propietarios que tienen responsabilidad ilimitada. Los socios tienen que estar de acuerdo con la estructura administrativa y sobre cómo dividir entre ellos las utilidades de la empresa. Las utilidades de una sociedad se gravan en forma de ingreso personal de los propietarios. Pero cada socio es legalmente responsable de todas las deudas de la sociedad (limitado sólo por la riqueza del socio individual). A la responsabilidad por la totalidad de las deudas de la sociedad se le denomina *responsabilidad ilimitada conjunta*.

**Corporación**   Una corporación es una empresa propiedad de uno o más accionistas con responsabilidad limitada. La *responsabilidad limitada* significa que los propietarios sólo tienen responsabilidad por el valor de su inversión inicial. La limitación de la responsabilidad significa que si la corporación quiebra, a sus dueños no se les exige utilizar su riqueza personal para pagar las deudas de la corporación.

Las utilidades de la corporación se gravan independientemente de los ingresos de los accionistas. Debido a que éstos pagan impuestos sobre el ingreso que reciben como dividendos sobre sus acciones, las utilidades de la corporación se gravan dos veces. En algunos países, los accionistas también pagan el impuesto sobre las ganancias de capital que resultan de vender una acción a un precio mayor que el que pagaron por ella. Las acciones corporativas producen ganancias de capital cuando la corporación retiene algunas de sus utilidades y las reinvierte en actividades rentables. Por tanto, incluso las utilidades retenidas están sujetas a un doble gravamen.

### Ventajas y desventajas de las diferentes clases de empresas

Las diferentes clases de organizaciones de empresas han sido creadas para hacer frente al problema agente-principal. Cada una de ellas tiene ciertas ventajas en situaciones particulares y por ello sigue existiendo. Cada clase también tiene sus desventajas, lo que explica por qué aún no ha eliminado a las otras dos.

En la tabla 10.4 se resumen las ventajas y desventajas de las diferentes clases de empresas.

---

**TABLA 10.4**

## Ventajas y desventajas de las diferentes clases de empresas

| Propiedad individual | ■ Fácil de establecer | ■ No hay quien verifique una mala decisión |
|---|---|---|
| | ■ Toma de decisiones sencilla | ■ Toda la riqueza del propietario está en riesgo |
| | ■ Los beneficios sólo se gravan una vez (en forma de ingresos del propietario) | ■ La empresa muere con el propietario |
| | | ■ El capital es caro |
| | | ■ El trabajo es caro |
| Sociedad | ■ Fácil de establecer | ■ Lograr el consenso puede ser lento y caro |
| | ■ Toma de decisiones diversificada | ■ Toda la riqueza de los propietarios está en riesgo |
| | ■ Puede sobrevivir al retiro de un socio | ■ El retiro de un socio puede ocasionar escasez de capital |
| | ■ Las utilidades sólo se gravan una vez (en forma de ingresos del propietario) | ■ El capital es caro |
| Corporación | ■ Los propietarios tienen responsabilidad limitada | |
| | ■ Capital disponible en gran escala y a bajo costo | ■ Una estructura administrativa compleja puede hacer que las decisiones sean lentas y caras |
| | ■ La administración profesional no está restringida por la capacidad de los propietarios | ■ Los beneficios se gravan dos veces: primero como utilidad de la compañía y después como ingreso de los accionistas |
| | ■ Vida perpetua | |
| | ■ Los contratos de trabajo a largo plazo reducen los costos del trabajo | |

## FIGURA 10.1

### Importancia relativa de tres clases de empresas en Estados Unidos

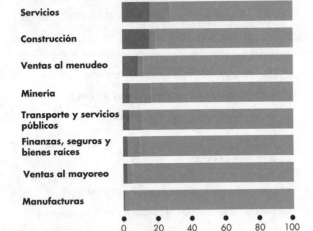

(a) Número de empresas e ingreso total

(b) Ingreso total en varias industrias

Tres cuartas partes de todas las empresas de Estados Unidos son de propiedad individual, casi una quinta parte son corporaciones y sólo una vigésima parte son sociedades. Las corporaciones representan el 89% del ingreso proveniente de negocios (sección a). Pero los propietarios individuales y las sociedades representan un porcentaje importante de los ingresos por negocios en algunas industrias (sección b).

*Fuente: Statistical Abstract of the United States: 1998,* del U.S. Bureau of the Census, 118 edición (Washington, DC: 1998): Cuadros 855, 856 y 1103.

## Importancia relativa de las diferentes clases de empresas

La figura 10.1(a) muestra la importancia relativa de las tres clases principales de empresas en la economía estadounidense. La figura también indica que el ingreso de las corporaciones es mucho mayor que el de las otras clases de empresas. Aunque sólo 19% de todas las empresas son corporaciones, éstas producen 89% de los ingresos.

La figura 10.1(b) muestra el porcentaje de los ingresos producidos por las diferentes clases de empresas en varias industrias. Las empresas de propiedad individual producen alrededor de 36% del ingreso total en la agricultura, la silvicultura y la pesca. Las propiedades individuales también producen un gran porcentaje del ingreso total en los sectores de servicios, construcción y ventas al menudeo. Las sociedades producen alrededor de 14% de los ingresos totales en la agricultura, la silvicultura y la pesca. Las sociedades son más destacadas en los servicios, la minería, las finanzas, los seguros y los bienes raíces, que en otros sectores. Las corporaciones son importantes en todos los sectores y en la manufactura tienen el campo prácticamente para ellas solas.

¿Por qué las corporaciones dominan el escenario de los negocios? ¿Por qué sobreviven los otros tipos de empresas? ¿Por qué las propiedades individuales y las sociedades son más prominentes en algunos sectores? Las respuestas a estas preguntas se encuentran en las ventajas y desventajas de las diferentes clases de organizaciones, las cuales se resumen en la tabla 10.4. Las corporaciones dominan donde se usa una gran cantidad de capital. Pero las propiedades individuales dominan donde la flexibilidad en la toma de decisiones es crítica.

## PREGUNTAS DE REPASO

- Explique la distinción entre un sistema de órdenes y un sistema de incentivos.
- ¿Cuál es el problema agente-principal y cuáles son las tres formas que usan las empresas para resolver este problema?
- ¿Cuáles son las tres clases de empresas? Explique las ventajas y desventajas principales de cada clase.
- ¿Por qué sobreviven las tres clases de empresas y en qué sectores son más prominentes cada una de ellas?

Ahora usted ha visto cómo influyen las restricciones de la tecnología sobre el uso del capital y el trabajo por parte de la empresa, y cómo influyen las restricciones de información en la organización de una empresa. Ahora observaremos las restricciones del mercado y veremos cómo influyen éstas sobre el ambiente en el que compiten las empresas.

# Los mercados y el ambiente competitivo

LOS MERCADOS EN LOS QUE OPERAN LAS EMPRESAS SON muy diferentes. Algunos otros son altamente competitivos y es muy difícil obtener utilidades. Otros parecen estar casi libres de competencia y tienen empresas que obtienen grandes utilidades. Otros están dominados por violentas campañas publicitarias en las que cada empresa busca persuadir a los compradores de que tiene los mejores productos. Y otros más muestran una apariencia como de guerra.

Los economistas identifican cuatro clases de mercados:

1. Competencia perfecta
2. Competencia monopolística
3. Oligopolio
4. Monopolio

Se presenta a **competencia perfecta** si se cumplen las siguientes condiciones: hay muchas empresas; cada una de ellas vende un producto idéntico; hay muchos compradores; y no hay restricciones a la entrada de nuevas empresas a la industria. Además, tanto las empresas como los compradores están bien informados sobre los precios de los productos de cada empresa en la industria. Los mercados mundiales para las cosechas de maíz, arroz y otros cereales, son ejemplos de competencia perfecta.

La **competencia monopolística** es una estructura de mercado en la que un gran número de empresas compite haciendo productos similares, pero ligeramente diferentes.

Hacer un producto ligeramente diferente al de una empresa competidora se denomina **diferenciación del producto**. La diferenciación del producto da a una empresa un elemento de poder monopólico. La empresa es la única productora de la versión particular del producto de que se trata. Por ejemplo, en el mercado de zapatos para correr, Nike, Reebok y Fila fabrican su propia versión del zapato deportivo perfecto. Cada una de estas empresas tiene un monopolio sobre una marca y un modelo específicos. Los productos diferenciados no son por necesidad productos diferentes. Lo que importa es que los consumidores los *perciban* como diferentes. Por ejemplo, varias marcas de aspirina son químicamente idénticas (ácido acetilsalicílico) y sólo difieren en su empaque.

El **oligopolio** es una estructura de mercado en la que compite un pequeño número de empresas. El *software* para computadoras, la fabricación de aviones y la transportación aérea internacional son ejemplos de industrias oligopolísticas. Los oligopolios producen productos casi idénticos, como las bebidas gaseosas de cola producidas por Coca Cola y PepsiCo, o productos diferenciados como el caso de los distintos modelos y marcas de automóviles.

Un **monopolio** es una industria que produce un bien o servicio para el que no existe un sustituto cercano y en el cual hay un solo proveedor que se encuentra protegido de la competencia por una barrera que evita la entrada de nuevas empresas. En algunos lugares, los proveedores de servicios de teléfono, gas, electricidad y agua son monopolios locales; es decir, monopolios que están restringidos a una ubicación determinada. Microsoft Corporation, la empresa que creó Windows, el sistema operativo que utilizan las computadoras personales, es un ejemplo de monopolio mundial.

La competencia perfecta es la forma más extrema de competencia. El monopolio representa el extremo en el que hay ausencia total de competencia. Las otras dos clases de mercados caen entre estos dos extremos.

Al tratar de determinar qué estructura de mercado describe un mercado específico del mundo real, se deben tomar en cuenta muchos factores. Uno de ellos es el grado en que el mercado está dominado por un pequeño número de empresas. Para medir esta característica de un mercado, los economistas usan índices denominados medidas de concentración. Observemos estas medidas.

## Medidas de concentración

Los economistas usan dos medidas de concentración:

1. El coeficiente de concentración de cuatro empresas
2. El Índice Herfindahl-Hirschman

### El coeficiente de concentración de cuatro empresas

El **coeficiente de concentración de cuatro empresas** (CC4E) es el porcentaje del valor de las ventas de una industria que corresponde a las cuatro empresas más grandes. El rango del coeficiente de concentración va de casi cero para la competencia perfecta, hasta 100% para el monopolio. Este coeficiente es una de las medidas más utilizadas para evaluar la estructura de un mercado.

La tabla 10.5 muestra cálculos hipotéticos del coeficiente de concentración de cuatro empresas en dos in-dustrias diferentes. En este ejemplo, 14 empresas producen llantas. Las cuatro empresas más grandes tienen 80% de las ventas, por lo que el coeficiente de concentración de cuatro empresas es 80%. En la industria de la impresión, en donde hay 1004 empresas, las cuatro más grandes sólo tienen el 0.5% de las ventas, por lo que el coeficiente de concentración de cuatro empresas es 0.5%.

Un coeficiente de concentración bajo señala un alto grado de competencia y un coeficiente de concentración alto señala ausencia de competencia. Un monopolio tiene un coeficiente de concentración de 100%, ya que la empresa más grande (y única) tiene un 100% de las ventas. Un coeficiente de concentración de cuatro empresas que exceda 60% se considera como indicador de un mercado que está altamente concentrado y que, al ser dominado por unas pocas empresas, coincide con la definición de oligopolio. Un coeficiente inferior a 40% se considera como señal de un mercado competitivo.

### El Índice Herfindahl-Hirschman

El **Índice Herfindahl-Hirschman**, llamado también el IHH, es la suma de las participaciones porcentuales de mercado al cuadrado de cada una de las 50 empresas más importantes en un mercado (o la suma de todas las empresas si son menos de 50). Por ejemplo, si hay cuatro empresas en un mercado y las participaciones del mercado de las empresas son 50%, 25%, 15% y 10%, el índice Herfindahl-Hirschman es

$$IHH = 50^2 + 25^2 + 15^2 + 10^2 = 3{,}450.$$

---

**TABLA 10.5**

## Cálculo del coeficiente de concentración de cuatro empresas

| Fabricante de llantas | | Impresores | |
|---|---|---|---|
| **Empresa** | **Ventas** (millones de $) | **Empresa** | **Ventas** (millones de $) |
| Top, Inc. | 200 | de Francisco | 2.5 |
| ABC, Inc. | 250 | de Eduardo | 2.0 |
| Big, Inc. | 150 | de Tomás | 1.8 |
| XYZ, Inc. | <u>100</u> | de Julia | <u>1.7</u> |
| Las 4 empresas más grandes | 700 | Las 4 empresas más grandes | 8.0 |
| Las otras 10 empresas | <u>175</u> | Las otras 1,000 empresas | <u>1,592.0</u> |
| Industria | **<u>875</u>** | Industria | **<u>1,600.0</u>** |

**Coeficientes de concentración de cuatro empresas:**

Fábrica de llantas: $\dfrac{700}{875} \times 100 = 80\%$

Impresores: $\dfrac{8}{1{,}600} \times 100 = 0.5\%$

En la competencia perfecta, el IHH es pequeño. Por ejemplo, si cada una de las 50 empresas más grandes en una industria tiene una participación del mercado de 0.1%, el IHH es $(0.1)^2 \times 50 = 0.5$. En un monopolio, el IHH es 10,000 ya que la empresa tiene el 100% del control del mercado: $100^2 = 10,000$.[1]

El IHH fue una medida del grado de competencia que se utilizó mucho en Estados Unidos durante la década de 1980, cuando la Comisión Federal de Comercio (FTC, por sus siglas en inglés) la utilizó para clasificar a los mercados estadounidenses. Un mercado en el que el IHH es inferior a 1,000 se considera competitivo. Un mercado en el que el IHH se encuentre entre 1,000 y 1,800 se considera como moderadamente competitivo. Pero un mercado en el que el IHH exceda a 1,800 se considera como no competitivo. La FTC revisa a fondo cualquier fusión de empresas en un mercado en el cual el IHH exceda a 1,000, y es probable que objete una fusión si el IHH excede a 1,800. Otras agencias antimonopólicas en el mundo utilizan criterios similares a los de la FTC.

## Medidas de concentración para la economía de Estados Unidos

La figura 10.2 muestra una selección de coeficientes de concentración y de IHH para la economía de Estados Unidos que fueron calculados por la Secretaría de Comercio de ese país.

Las industrias que producen goma de mascar, equipos para lavado de ropa en los hogares, bombillas eléctricas, cereales para desayuno y vehículos de motor, tienen un alto grado de concentración y son oligopolios. Las industrias de la leche, los helados y la impresión editorial tienen bajas medidas de concentración y son altamente competitivos. Las industrias que producen galletas y alimento para mascotas están moderadamente concentradas. Estas industrias son ejemplos de competencia monopolística.

Las medidas de concentración son un indicador útil del grado de competencia en un mercado. Pero para determinar la estructura de un mercado, estas medidas tienen que complementarse con otra información. En la tabla 10.6 se resume otra información que, al combinarse con las medidas de concentración, ayuda a determinar qué estructura de mercado describe a un mercado específico del mundo real.

**FIGURA 10.2**

# Medidas de concentración en Estados Unidos

Las industrias que producen goma de mascar, lavadoras, bombillas eléctricas y vehículos de motor, están altamente concentradas, en tanto que aquellas que producen leche, helados e impresión, son altamente competitivas. Las industrias que producen alimento para mascotas y galletas, tienen un grado intermedio de concentración.

*Fuente: Concentration Ratios in Manufacturing,* de la Secretaría de Comercio de EUA, Washington D.C., 1996.

---

[1]Algunas personas calculan el índice sin utilizar porcentajes. Esto implica que, por ejemplo, se usa 0.5 en lugar de 50%. En la práctica, esto implica dividir el IHH que se menciona aquí entre 10,000. Por consiguiente, el valor del índice fluctúa entre 0 y 1.

**TABLA 10.6**
# Estructura del mercado

| Características | Competencia perfecta | Competencia monopolística | Oligopolio | Monopolio |
|---|---|---|---|---|
| Número de empresas en la industria | Muchas | Muchas | Pocas | Una |
| Producto | Idéntico | Diferenciado | Idénticos o diferenciados | No tiene sustitutos cercanos |
| Barreras a la entrada | Ninguna | Ninguna | Moderadas | Altas |
| Control de la empresa sobre el precio | Ninguno | Moderado | Bastante | Bastante o regulado |
| Coeficiente de concentración | 0 | Bajo | Alto | 100 |
| IHH (rangos aproximados) | Menos de 100 | 101 a 999 | Más de 1,000 | 10,000 |
| Ejemplos | Trigo, maíz | Alimentos, ropa | Automóviles, cereales | Provisión de agua |

## Limitaciones de las medidas de concentración

Las medidas de concentración por sí solas no pueden usarse como determinantes de la estructura de mercado, debido a que no toman en consideración los siguientes elementos:

■ El campo de acción geográfico del mercado
■ Las barreras a la entrada y la rotación de las empresas
■ La correspondencia entre un mercado y una industria

**Campo de acción geográfico del mercado**  Las medidas de concentración adoptan una visión nacional del mercado. Muchos bienes se venden en un mercado nacional, pero algunos se venden en un mercado regional, y otros más se venden en un mercado mundial. Por ejemplo, la industria de los periódicos está integrada por mercados locales. Las medidas de concentración para la industria periodística son bajas, pero en la mayor parte de las ciudades esta industria tiene un alto grado de concentración. Por otra parte, la industria automotriz tiene un mercado global. Los tres principales fabricantes de automóviles en Estados Unidos representan 92% de los automóviles vendidos por los fabricantes estadounidenses, pero representan un porcentaje menor del mercado total de automóviles en Estados Unidos (incluyendo las importaciones) y un porcentaje aún más pequeño del mercado mundial de automóviles.

**Barreras a la entrada y rotación**  Las medidas de concentración no calculan las barreras a la entrada. Algunas industrias están altamente concentradas, pero son de fácil acceso y tienen una enorme rotación de empresas. Por ejemplo, muchas localidades pequeñas tienen pocos restaurantes, pero no existen restricciones a la apertura de ellos. De hecho, muchas empresas intentan hacerlo.

Una industria también puede ser competitiva como resultado de la *entrada potencial* de nuevas empresas. Es decir, unas cuantas empresas en un mercado pueden enfrentar la competencia de muchas empresas que quizá entrarían con facilidad al mercado, y que así lo harán en caso de que existan utilidades económicas.

**El mercado y la industria**  Para calcular los coeficientes de concentración, la Secretaría de Comercio de Estados Unidos y otras agencias antimonopólicas en el mundo clasifican a cada empresa como perteneciente a una industria en particular. Sin embargo, existen por lo menos tres razones por las cuales los mercados no tienen una correspondencia estrecha con las industrias: primera, porque los mercados son usualmente más estrechos que las industrias. Por ejemplo, la industria farmacéutica, que tiene un coeficiente de concentración bajo, opera en muchos mercados por separado para productos individuales. La vacuna contra el sarampión y las medicinas para luchar contra el SIDA son un ejemplo de medicinas que no compiten entre sí. Por ello, esta industria, que parece ser competitiva, en realidad incluye empresas que son monopolios (o casi monopolios) en mercados para medicinas individuales.

Segunda, la mayor parte de las empresas produce varios productos. Por ejemplo, la empresa Westinghouse fabrica equipos eléctricos y, entre otras cosas, incineradores operados con gas y madera contrachapada. Por tanto, esta empresa opera en por lo menos tres mercados por separado. Sin embargo, la Secretaría de Comercio clasifica a Westinghouse como perteneciente a la industria de bienes y equipos eléctricos. El hecho de que Westinghouse compita con otros productores de madera contrachapada no aparece en las cifras de concentración para el mercado de ese producto.

**FIGURA 10.3**

## Las estructuras de mercado en la economía de Estados Unidos

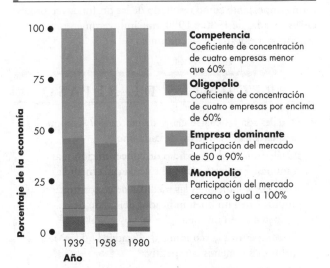

**Competencia**
Coeficiente de concentración de cuatro empresas menor que 60%

**Oligopolio**
Coeficiente de concentración de cuatro empresas por encima de 60%

**Empresa dominante**
Participación del mercado de 50 a 90%

**Monopolio**
Participación del mercado cercano o igual a 100%

Tres cuartas partes de la economía de Estados Unidos son efectivamente competitivas (competencia perfecta o competencia monopolística), una quinta parte es oligopolio y el resto es monopolio. La economía se hizo más competitiva entre 1939 y 1980. (El profesor Shepherd, cuyo estudio de 1982 sigue siendo la última palabra en este tema, piensa que, aunque algunas industrias se han vuelto más concentradas, otras se han vuelto menos, por lo que el resultado neto es probable que no haya cambiado mucho desde 1980.)

*Fuente:* "Causes of Increased Competition in the U.S. Economy, 1939-1980", de William G. Shepherd, en *Review of Economics and Statistics*, noviembre de 1982, págs. 613-626.

Tercera, las empresas cambian de un mercado a otro según las oportunidades de negocios. Por ejemplo, Motorola, que en la actualidad produce teléfonos celulares y otros productos de comunicaciones, anteriormente producía televisores y microprocesadores para computadora. En la actualidad, los editores de periódicos, revistas y libros de texto se están diversificando rápidamente a Internet y a productos multimedia. Estos cambios entre industrias muestran que hay muchas posibilidades para entrar y salir de una industria. En ese sentido, las medidas de concentración tienen una utilidad limitada.

A pesar de sus limitaciones, las medidas de concentración proporcionan una base para determinar el grado de competencia en una industria, cuando se combinan en forma adecuada con información sobre el alcance geográfico del mercado, la existencia de barreras a la entrada y el grado en el que empresas que producen una variedad de productos participan en múltiples mercados.

## Estructuras de mercado en la economía de Estados Unidos

¿Qué tan competitivos son los mercados en Estados Unidos? ¿Operan las empresas estadounidenses en mercados competitivos o en mercados con elementos de monopolio?

En la figura 10.3 se proporciona parte de la respuesta a estas preguntas. Esta figura muestra la estructura de mercado en la economía de Estados Unidos y las tendencias en la estructura de mercado entre 1939 y 1980. (Lamentablemente no se cuenta con información comparable para las décadas de 1980 y 1990.)

En 1980, tres cuartas partes del valor de los bienes y servicios comprados y vendidos en Estados Unidos se negociaban en mercados que eran esencialmente competitivos (mercados que tienen competencia casi perfecta o competencia monopolística). Las situaciones de monopolio y de dominio de una sola empresa representaron alrededor de 5% de las ventas totales. El oligopolio, que se encuentra principalmente en la manufactura, representó aproximadamente 18% de las ventas.

En el período que abarca la información de la figura 10.3, la economía de Estados Unidos se hizo cada vez más competitiva. Se puede ver que los mercados competitivos son los que más se han ampliado (las áreas azules) y que los mercados de oligopolio son los que más han disminuido (las áreas rojas).

Además, durante la década de 1990, la economía estadounidense se expuso a una mayor competencia del resto del mundo. Desafortunadamente, la figura 10.3 no incluye información que muestre esta mayor competencia internacional.

**TABLA 10.7**

## Estructuras de mercado de la industria en México, 1980

| Estructura de mercado | Participación en el valor agregado total | Concentración (CC4E) | Diferenciación (gasto en publicidad como % de las ventas) |
|---|---|---|---|
| Oligopolios concentrados | 18.7 | 75.2 | 0.4 |
| Oligopolios concentrados y diferenciados | 14.4 | 83.7 | 2.7 |
| Oligopolios diferenciados | 11.5 | 38.9 | 3.2 |
| Oligopolios competitivos | 30.4 | 41.3 | 0.5 |
| Industrias competitivas | 24.9 | 13.7 | 0.5 |

## Estructuras de mercado en la economía de México

La tabla 10.7 muestra las estructuras de mercado de la industria en México, en 1980. Por desgracia, en este caso tampoco se cuenta con información más reciente.

En primer lugar, debe señalarse que las categorías que se muestran en la tabla no coinciden con las descritas en este capítulo. Esto se debe a que la tipología que se muestra en la tabla, incorpora elementos no sólo de concentración, sino también de diferenciación del producto. Las categorías utilizadas son: oligopolios concentrados (CC4E > 75% y bajos gastos en publicidad), oligopolios concentrados y diferenciados (CC4E > 75% y altos gastos en publicidad), oligopolios diferenciados (27% < CC4E < 75% y altos gastos en publicidad), oligopolios competitivos (27% < CC4E < 75% y bajos gastos en publicidad) e industrias competitivas (CC4E < 27%). Note que, por su definición, los oligopolios competitivos incluyen tanto situaciones que podrían considerarse como de competencia monopolística como situaciones de oligopolio con empresa dominante.

De acuerdo con las cifras que se muestran en la tabla, una cuarta parte del valor agregado de la industria mexicana corresponde a sectores competitivos. Otra cuarta parte corresponde a industrias muy concentradas, con elevada diferenciación del producto. Alrededor de 20% del valor de la industria lo realizan industrias altamente concentradas, y el restante 30% es producido por industrias en competencia monopolística o con oligopolio de empresa dominante.

Es probable que estas magnitudes estén afectadas en forma importante como resultado de las profundas reformas de las décadas de 1980 y 1990, que influyeron en toda la economía mexicana en su conjunto.

## PREGUNTAS DE REPASO

- ¿Cuáles son las cuatro clases de mercados? Explique las características distintivas de cada uno.
- ¿Cuáles son las dos medidas de concentración más comunes? Explique cómo se calcula cada medida.
- ¿Bajo qué condiciones las medidas de concentración proporcionan un buen indicador del grado de competencia en un mercado?
- ¿Es competitiva la economía de Estados Unidos? ¿Se ha vuelto más o menos competitiva?
- ¿Cómo eran las estructuras de mercado de la industria mexicana en 1980?

Ahora usted ya conoce la variedad de estructuras de mercados que existen en una economía y sabe cómo se clasifican las distintas empresas e industrias en estas clases de mercado. Nuestra última pregunta en este capítulo es: ¿qué determina lo que comprarán unas empresas a otras, en lugar de producirlo ellas mismas?

# Empresas y mercados

AL INICIO DE ESTE CAPÍTULO DEFINIMOS A LA EMPRESA como una institución que contrata recursos productivos y los organiza para producir y vender bienes y servicios. Para organizar la producción, las empresas coordinan las decisiones y actividades económicas de muchas personas. Pero las empresas no son las únicas que coordinan las decisiones económicas. En el capítulo 4 aprendió que los mercados también coordinan decisiones. Al ajustar los precios, los mercados hacen que las decisiones de los compradores y vendedores sean consistentes; es decir, hacen que las cantidades demandadas sean iguales a las cantidades ofrecidas para los diferentes bienes y servicios.

Los mercados pueden coordinar la producción. Un ejemplo de coordinación del mercado, en contraste con la coordinación de las empresas, es la producción de un concierto de música "rock". Un promotor contrata un estadio, algunos equipos para el escenario, ingenieros y técnicos de sonido y grabación de vídeo, algunos grupos de "rock", una superestrella, un agente de publicidad y un agente vendedor de boletos (todas estas actividades son transacciones de mercado). Después, el promotor vende boletos a miles de aficionados a la música "rock", los derechos de sonido a una compañía de grabaciones, y los derechos de vídeo y transmisión a una red de televisión (éstas también son transacciones de mercado). Si los conciertos de "rock" se produjeran como hojuelas de maíz, la empresa que los produce poseería todo el capital utilizado (estadios, escenarios, equipos de sonido y vídeo) y contrataría todo el trabajo necesario (cantantes, ingenieros, vendedores, etc.). Sin embargo, esto por lo general no es así.

Otro ejemplo de coordinación de mercado, en contraste con la coordinación de las empresas, son las *compras externas*. Una empresa utiliza las compras externas cuando adquiere piezas o productos de otra empresa, en lugar de fabricarlas ella misma. Los principales fabricantes de automóviles utilizan las compras externas para parabrisas, ventanas, transmisiones, llantas y muchas otras piezas para el automóvil.

¿Qué determina si es una empresa o el mercado quien coordina un grupo de actividades en particular? ¿Cómo decide una empresa si debe comprar a otra empresa, o si debe fabricar un artículo ella misma? La respuesta es el costo. Las personas usan el método que cueste menos y para ello consideran tanto el costo de oportunidad del tiempo como los costos de los otros insumos. En otras palabras, las personas usan el método económicamente eficiente.

Las empresas coordinan la actividad económica cuando son capaces de realizar una tarea en forma más eficiente de lo que pueden hacerlo los mercados. En una situación como ésta, es rentable crear una empresa. Si los mercados pueden realizar una tarea en forma más eficiente de lo que es capaz una empresa, las personas usarán los mercados, y cualquier intento por establecer una empresa para reemplazar esa coordinación del mercado estará condenado al fracaso.

## ¿Por qué las empresas?

Hay cuatro razones clave por las que, en muchos casos, las empresas son más eficientes que los mercados como coordinadoras de la actividad económica. Las empresas pueden lograr:

- Costos de transacción más bajos
- Economías de escala
- Economías de alcance
- Economías de producción en equipos

**Costos de transacción**    La idea de que las empresas existen porque hay actividades en las cuales son más eficientes que los mercados, surgió por primera vez del economista y premio Nobel de la Universidad de Chicago, Ronald Coase. Este autor se concentró en la capacidad de la empresa de reducir o eliminar los costos de transacción. Los **costos de transacción** son los costos que se producen al tratar de encontrar a alguien con quien hacer negocios, de llegar a un acuerdo sobre el precio y otros aspectos del intercambio, y de asegurarse de que se cumplan las condiciones del convenio. Las transacciones de *mercado* requieren que los compradores y vendedores se reúnan y negocien los términos y condiciones de su operación. En ocasiones es necesario contratar a abogados para redactar los contratos. Un contrato incumplido conduce a gastos aún mayores. Una *empresa* puede rebajar esos costos de transacción al reducir el número de transacciones individuales que realiza.

Considere por ejemplo dos formas de reparar su automóvil, si éste se encuentra dañado.

*Coordinación a través de la empresa*: Usted lleva el automóvil al taller. El propietario del taller coordina la compra de las piezas y herramientas, la contratación del tiempo del mecánico y le repara el automóvil. Usted paga una sola cuenta por todo el trabajo.

*Coordinación a través del mercado*: Usted contrata a un mecánico que diagnostica los problemas y prepara una relación de las piezas y herramientas necesarias para arreglarlos. Usted compra las piezas en el lote local de automóviles chocados y alquila las herramientas que necesita para reparar su automóvil. Contrata al mecánico de nuevo para arreglar los problemas. Devuelve las herramientas y paga las cuentas: salarios al mecánico, alquiler de las herramientas y el costo de las piezas usadas al dueño del lote de automóviles chocados.

¿Qué determina el método a utilizar? La respuesta es el costo. Tomando en cuenta el costo de oportunidad de su tiempo, así como los costos de los otros insumos que tendría que comprar, usted utilizará el método que le cueste menos. En otras palabras, usted empleará el método económicamente eficiente.

El primer método requiere que usted realice una transacción única con una empresa. Es cierto que la empresa tiene que llevar a cabo varias transacciones: contratar a la mano de obra y comprar las piezas y herramientas requeridas para hacer el trabajo. Pero la empresa no tiene que llevar a cabo esas transacciones simplemente para arreglar su automóvil. Una parte de esas transacciones permite a la empresa arreglar cientos de automóviles. Por tanto, hay una reducción enorme en el número de transacciones individuales que se realizan si las personas arreglan sus automóviles en el taller, en lugar de seguir una serie compleja de transacciones en el mercado.

**Economías de escala**  Existen economías de escala cuando el costo unitario de producir un bien disminuye a medida que aumenta la tasa de producción. Por ejemplo, los fabricantes de automóviles experimentan economías de escala porque a medida que aumenta la escala de producción, la empresa puede utilizar equipos que ahorran costos y mano de obra altamente especializada. El fabricante de automóviles que sólo produce pocos automóviles al año, tiene que utilizar métodos costosos con herramientas manuales. Las economías de escala se producen por la especialización y la división del trabajo que se obtienen con mayor eficiencia mediante la coordinación a través de la empresa, en lugar de hacerlo a través del mercado.

**Economías de alcance**  Una empresa experimenta **economías de alcance** cuando usa recursos especializados (y con frecuencia caros) para producir una *gama de bienes y servicios*. Por ejemplo, Microsoft contrata a programadores especializados, diseñadores y expertos en marketing, y utiliza sus habilidades en una gama de productos de *software*. Como resultado, Microsoft coordina los recursos que producen *software* a un costo inferior de lo que puede hacerlo una persona que compra todos estos servicios en el mercado.

**Economías de producción en equipos**  Un proceso de producción en el que las personas de un grupo se especia-

lizan en tareas que se respaldan mutuamente, es una *producción en equipo*. Los deportes proporcionan el mejor ejemplo de una actividad en equipo. Algunos miembros del equipo se especializan como defensas y algunos como delanteros. La producción de bienes y servicios ofrece muchos ejemplos de actividad en equipo. Por ejemplo, las líneas de producción en las plantas de fabricación de automóviles y televisores trabajan con más eficiencia cuando la actividad individual se organiza en equipos, en los que cada uno de ellos se especializa en una tarea pequeña. También se puede pensar en toda una empresa como si fuera un equipo. El equipo tiene compradores de materias primas y de otros insumos, trabajadores de la producción y vendedores. Incluso dentro de estos diversos grupos hay especialistas. Cada miembro individual del equipo se especializa, pero el valor de la producción del equipo y los beneficios que se obtienen, dependen de las actividades coordinadas de todos sus miembros. La idea de que las empresas se crean como consecuencia de las economías de la producción en equipos, surgió por primera vez de Armen Alchian y Harold Demsetz, de la Universidad de California, en Los Angeles.

Debido a que las empresas pueden economizar en los costos de transacción, obtener economías de escala y organizar la producción eficiente en equipos, son las empresas, en lugar de los mercados, las que coordinan la mayor parte de la actividad económica. Pero hay límites a la eficiencia económica de las empresas. Si una empresa se vuelve demasiado grande o demasiado diversificada en las cosas que quiere hacer, el costo de la administración y de la supervisión por unidad de producción comienza a elevarse y, en algún punto, el mercado se hace más eficiente en la coordinación del uso de los recursos. IBM es un ejemplo de una empresa que se hizo demasiado grande para ser eficiente. En un intento por restaurar la eficiencia en sus operaciones, IBM dividió su gran organización en varias "IBM pequeñas", cada una de las cuales estaba especializada en un segmento del mercado de computadoras.

En ocasiones, algunas empresas establecen acuerdos de largo plazo con otras empresas para reducir las transacciones normales del mercado, y esto hace difícil ver dónde termina una empresa y dónde comienza la otra. Por ejemplo, General Motors tiene relaciones de largo plazo con proveedores de ventanas, llantas y otras piezas. Wal-Mart tiene relaciones de largo plazo con proveedores de los bienes que vende en sus tiendas. Estas relaciones hacen que los costos de transacción sean inferiores a lo que serían si estas empresas salieran a comprar en el mercado libre cada vez que necesitaran nuevos suministros.

## PREGUNTAS DE REPASO

- ¿Cuáles son las dos formas en que se puede coordinar la actividad económica?
- ¿Qué determina si la coordinación de la producción se realiza a través de las empresas o a través de los mercados?
- ¿Cuáles son las razones principales por las que es más frecuente que las empresas coordinen la producción a un costo inferior al de los mercados?

◆ En la *Lectura entre líneas* de las páginas 212-213 se examina la evolución reciente de la estructura de mercados y de la concentración económica en Argentina. En los próximos cuatro capítulos se continúa el estudio de las empresas y sus decisiones. En el capítulo 11 se analizan las relaciones entre el costo y el producto a diferentes niveles de producción. Estas relaciones de costo-producción son comunes para todas las clases de empresas en todas las clases de mercado. Posteriormente, se consideran problemas que son específicos de empresas en diferentes clases de mercados: la competencia perfecta en el capítulo 12, el monopolio en el capítulo 13, y la competencia monopolística y el oligopolio en el capítulo 14.

# Lectura entre líneas

# Concentración industrial en Argentina

NEGOCIOS No. 67 de abril de 1997

## Los nuevos dueños

POR TRISTÁN RODRÍGUEZ LOREDO
Y GUSTAVO SENCIO

Hay caras nuevas y otras conocidas, pero la historia vuelve a repetirse. La economía argentina sigue concentrándose en cada vez menos grupos, que manejan los hilos de los negocios locales.

La concentración es una corriente que baja de otros países en los que la economía tomó ese rumbo y nada se interpuso en el camino para revertirlo. "Probablemente esta tendencia se mantenga en algunas actividades en donde son relevantes la escala y la tecnología, mientras que no ocurrirá lo mismo con otras en donde la especialización y el management son los factores críticos", opina el economista Solanet, presidente de INFUPA, empresa especializada en el área de fusiones y adquisiciones.

¿Qué es lo que implica la concentración económica de un país? La explicación apunta a distinguir entre bienes transables y no transables. En los primeros, si el mercado está concentrado pero la economía abierta, no surgen problemas de concentración. En el segundo caso, la solución pasaría por un rol más activo de las comisiones de defensa de la competencia.

Que unos pocos grupos manejen la economía parece ser inevitable en economías chicas como las de la Argentina, Suecia o Nueva Zelanda, donde las empresas, en general, necesitan cierta escala para tener una plataforma de lanzamiento razonable. Cuando el mercado no es muy grande, pocos productores pueden abastecer la demanda local.

El economista destaca que otro es el caso de los bienes que no se importan, ya sea por restricciones naturales –como es el caso del cemento– o por estar fuertemente protegidos mediante aranceles, como los insumos industriales en la Argentina. En el mercado local, es preponderante el análisis de los índices de concentración, ya que si el sector se comporta de manera oligopólica, los fabricantes pueden hacer uso de su poder para elevar su mark-up (margen de ganancia proyectado sobre el costo real) de los bienes que venden.

¿Cómo se hace para medir el grado de concentración en un mercado? El indicador más utilizado es el de Herfindahl, que relaciona la cantidad de empresas que hay en un sector con el volumen del mismo. Si dicho número es mayor que 0.1, se está frente a una economía con riesgo de cartelización. En el ámbito local, la mayor concentración se da en los sectores Químico, Plásticos y Automotores/Autopartes (sobre todo en los últimos años), según la Comisión de Defensa de la Competencia (CDC) local.

## Esencia del artículo

- En los años recientes ha habido un proceso de concentración en la economía de Argentina.

- Este proceso de concentración económica se puede explicar como el resultado de las privatizaciones y de la mayor apertura al exterior.

- Mientras que algunas empresas argentinas pudieron conseguir financiamiento y lograron expandirse, otras se quedaron rezagadas por no poder acceder a estas fuentes de financiamiento. Esto provocó que se crearan grandes grupos que concentran gran parte de la actividad económica.

- La concentración de la economía tiene que ver con la escala de la producción y con el tamaño de la economía. Los países chicos tienden a tener un alto grado de concentración industrial.

- Una mayor concentración de la industria puede permitir que los productores incrementen sus márgenes de ganancia.

■ La tendencia hacia la concentración es más fuerte en industrias en las que el volumen de producción y la tecnología son muy importantes. Estos factores representan barreras a la entrada que dificultan el ingreso de nuevas empresas al mercado.

■ Si una industria está concentrada, pero los bienes que produce son comerciables, los consumidores no se ven tan perjudicados como si los bienes fueran no comerciables. Esto se debe a que los productores domésticos no pueden tomar ventaja de su posición oligopólica debido a la competencia externa.

■ En cambio, si los bienes son no comerciables, la alta concentración provoca poca competencia, por lo que los productores pueden mover los precios a su conveniencia y obtener altas ganancias a costa de los consumidores.

■ Para evitar esto, se crean comisiones que regulan y fomentan la competencia. Una de las tareas de este tipo de agencias consiste en medir el grado de concentración de un mercado.

■ El índice de Herfindahl-Hirschman que se menciona en el artículo

es similar al IHH que se estudió en el capítulo. Más específicamente, el índice Herfindahl es igual al IHH dividido entre 10,000. A esto se debe que el índice de Herfindahl fluctúe entre 0 y 1.

■ Si el índice de concentración es menor que 0.1, la industria no está concentrada. Si el índice se encuentra entre 0.1 y 0.18, entonces hay una tendencia a la concentración. Un valor por encima de 0.18 nos indica una alta concentración.

■ La tabla que acompaña a este artículo, muestra que

los sectores "Plásticos" y "Automotores y autopartes" están altamente concentrados, ya que tienen valores del índice superiores a 0.18.

■ En tanto, en el resto de los sectores observamos una tendencia a la concentración, ya que su índice Herfindahl está por encima de 0.1, pero debajo de 0.18.

■ El promedio del índice Herfindahl de todos los sectores en Argentina es 0.1472. Esto indica que la economía argentina tiende a la concentración de la economía en pocas manos.

## Concentración sectorial

| Sector | Participación de las cinco primeras empresas | Participación de las tres primeras empresas | Índice de concentración Herfindahl |
|---|---|---|---|
| Químicas | 71.17 | 51.61 | 0.1237 |
| Plásticos | 85.84 | 65.73 | 0.2060 |
| Papel e Imprentas | 63.09 | 44.45 | 0.1078 |
| Alimentos | 41.39 | 22.75 | 0.0497 |
| Automotores y autopartes | 89.73 | 83.08 | 0.3165 |
| Construcción | 56.63 | 42.38 | 0.1083 |
| Siderúrgicas | 69.64 | 61.64 | 0.1186 |
| Promedio | 68.21 | 52.44 | 0.1472 |

*Fuente*: Comisión Nacional de Defensa de la Competencia.

# RESUMEN

## CONCEPTOS CLAVE

### La empresa y su problema económico (págs. 194-196)

- Las empresas contratan y organizan recursos para producir y vender bienes y servicios.
- Las empresas buscan maximizar los beneficios económicos, los cuales se calculan como el ingreso total menos el costo de oportunidad.
- La tecnología, la información y los mercados limitan la utilidad de una empresa.

### Tecnología y eficiencia económica (págs. 197-198)

- Un método de producción es tecnológicamente eficiente cuando ya no es posible aumentar la producción sin utilizar más insumos.
- Un método de producción es económicamente eficiente cuando el costo de obtener una determinada producción es tan bajo como sea posible.

### Información y organización (págs. 199-202)

- Las empresas utilizan una combinación de sistemas de órdenes y de incentivos para organizar la producción.
- Al enfrentarse a información incompleta e incertidumbre, las empresas inducen a los gerentes y a los trabajadores a desempeñarse en forma consistente con los objetivos de la empresa.
- La propiedad individual, las sociedades y las corporaciones utilizan la propiedad, los incentivos y los contratos a largo plazo para hacer frente al problema del agente y el principal.

### Los mercados y el ambiente competitivo (págs. 203-208)

- La competencia perfecta ocurre cuando hay muchos compradores y vendedores de un producto idéntico y cuando las nuevas empresas pueden entrar al mercado con facilidad.
- La competencia monopolística ocurre cuando un gran número de empresas compiten entre sí al fabricar productos ligeramente diferentes.
- El oligopolio es una situación en la que un pequeño número de empresas compiten entre sí.

- El monopolio es una situación en la que una sola empresa produce un bien o servicio para el cual no hay sustitutos cercanos y, además, la empresa está protegida por una barrera que evita la entrada de competidores.

### Empresas y mercados (págs. 209-211)

- Las empresas coordinan las actividades económicas cuando pueden desarrollar una tarea en forma más eficiente (es decir, a un costo inferior) que los mercados.
- Las empresas economizan en costos de transacción y pueden obtener los beneficios de las economías de escala, economías de alcance y economías de producción en equipos.

## FIGURAS Y TABLAS CLAVE

## TÉRMINOS CLAVE

# PROBLEMAS

*1. Hace un año, Juan y Julia crearon una empresa embotelladora de vinagre (con el nombre de JJEV). Utilice la información siguiente para calcular los costos explícitos e implícitos de JJEV durante su primer año de operaciones:

a. Juan y Julia aportaron a la empresa $50,000 de su propio dinero.

b. Compraron equipos por $30,000.

c. Contrataron a un empleado con un salario anual de $20,000.

d. Juan renunció a su trabajo anterior, en el cual ganaba $30,000, y dedicó todo su tiempo a trabajar para JJEV.

e. Julia conservó su antiguo trabajo, que le paga $30 la hora, pero renunció a 10 horas de descanso cada semana (durante 50 semanas) para trabajar en JJEV.

f. La empresa JJEV compró $10,000 en bienes y servicios de otras empresas.

g. El valor de mercado del equipo al final del año era $28,000.

2. Hace un año, Mariana y Silvio abrieron una empresa productora de quesos (denominada MSEQ). Utilice la información siguiente para calcular los costos explícitos e implícitos de MSEQ durante su primer año de operaciones:

a. Mariana y Silvio aportaron a la empresa $70,000 de su propio dinero.

b. Compraron equipo por $40,000.

c. Contrataron a un empleado con un salario anual de $18,000.

d. Mariana renunció a su trabajo anterior, en el cual ganaba $22,000, y dedicó todo su tiempo a trabajar para MSEQ.

e. Silvio conservó su antiguo empleo, el cual le paga $20 la hora, pero renunció a 20 horas de descanso cada semana (durante 50 semanas) para trabajar en MSEQ.

f. MSEQ compró bienes por $5,000 a otras empresas.

g. El valor de mercado del equipo al finalizar el año era $37,000.

*3. Existen cuatro métodos para preparar una declaración de impuestos: computadora personal, calculadora de bolsillo, calculadora de bolsillo con papel y lápiz, o papel y lápiz. Con una computadora personal, el trabajo requiere una hora; con una calculadora de bolsillo, se necesitan 12 horas; con una calculadora de bolsillo y papel y lápiz, se necesitan 12 horas; y con papel y lápiz, se requieren 16 horas. La computadora personal y el *software* cuestan $1,000, la calculadora de bolsillo cuesta $10 y el papel y lápiz cuestan $1.

a. ¿Cuál de los métodos es tecnológicamente eficiente?

b. ¿Qué método es económicamente eficiente si la tasa de salarios es:
   (i) $5 la hora?
   (ii) $50 la hora?
   (iii) $500 la hora?

4. Susana puede hacer su tarea de contabilidad con: una computadora personal; una calculadora de bolsillo; una calculadora de bolsillo y papel y lápiz, o papel y lápiz. Con la computadora personal, Susana termina el trabajo en media hora; con una calculadora de bolsillo, necesita cuatro horas; con una calculadora de bolsillo y papel y lápiz, requiere cinco horas; y con papel y lápiz, necesita 14 horas. La computadora personal y el *software* cuestan $2,000, la calculadora de bolsillo cuesta $15 y el papel y lápiz cuestan $3.

a. ¿Cuál de los métodos es tecnológicamente eficiente?

b. ¿Qué método es económicamente eficiente si la tasa de salarios de Susana es:
   (i) $10 la hora?
   (ii) $20 la hora?
   (iii) $50 la hora?

*5. Algunas formas alternativas de lavar 100 camisas son:

| Método | Trabajo (horas) | Capital (máquinas) |
|--------|-----------------|--------------------|
| a | 1 | 10 |
| b | 5 | 8 |
| c | 20 | 4 |
| d | 50 | 1 |

a. ¿Cuáles métodos son tecnológicamente eficientes?

b. ¿Qué método es económicamente eficiente si:
   (i) La tasa de salarios es $1 la hora y el costo de alquiler de una máquina es $100 la hora?
   (ii) La tasa de salarios es $5 la hora y el costo de alquiler de una máquina es $50 la hora?
   (iii) La tasa de salarios es $50 la hora y el costo de alquiler de una máquina es $5 la hora?

6. Algunas formas alternativas de confeccionar 100 camisas al día son:

| Método | Trabajo (horas) | Capital (máquinas) |
|--------|-----------------|--------------------|
| a | 10 | 50 |
| b | 20 | 40 |
| c | 50 | 20 |
| d | 100 | 10 |

a. ¿Cuáles son tecnológicamente eficientes?

b. ¿Qué método es económicamente eficiente si la tasa de salarios por hora y la tasa de alquiler son:
  (i) Tasa de salario $1, tasa de alquiler $100?
  (ii) Tasa de salario $5, tasa de alquiler $50?
  (iii) Tasa de salario $50, tasa de alquiler $5?

\*7. Las ventas de las empresas en la industria de tatuajes son:

| Empresa | Ventas ($) |
|---|---|
| Bright Spots | 450 |
| Freckles | 325 |
| Love Galore | 250 |
| Native Birds | 200 |
| Otras 15 empresas | 800 |

a. Calcule la tasa de concentración de cuatro empresas.

b. ¿Cuál es la estructura de la industria de tatuajes?

8. Las ventas de las empresas en la industria de alimento para mascotas son:

| Empresa | Ventas (miles de $) |
|---|---|
| Big Collar, Inc. | 50 |
| Shiny Coat, Inc. | 75 |
| Friendly Pet, Inc. | 60 |
| Nature's Way, Inc. | 65 |
| Otras ocho empresas | 400 |

a. Calcule la tasa de concentración de cuatro empresas.

b. ¿Cuál es la estructura de la industria?

\*9. Las participaciones de mercado de los fabricantes de chocolate son:

| Empresa | Participación del mercado (porcentaje) |
|---|---|
| Mayfair, Inc. | 15 |
| Bond, Inc. | 10 |
| Magic, Inc. | 20 |
| All Natural, Inc. | 15 |
| Truffles, Inc. | 25 |
| Gold, Inc. | 15 |

a. Calcule el índice Herfindahl-Hirschman.

b. ¿Cuál es la estructura de la industria?

10. Las participaciones de mercado de los fabricantes de tapetes son:

| Empresa | Participación del mercado (porcentaje) |
|---|---|
| Made-to-Last, Inc. | 20 |
| Big Wheel, Inc. | 17 |
| Magic Carpet, Inc. | 22 |
| Supreme, Inc. | 17 |
| Copra, Inc. | 24 |

a. Calcule el índice Herfindahl-Hirschman.

b. ¿Cuál es la estructura de la industria?

# PENSAMIENTO CRÍTICO

1. Utilice los vínculos de la página de Internet de este libro para leer un artículo noticioso sobre los planes de la empresa Levi Strauss and Company, una de las productoras más importantes de pantalones de mezclilla en todo el mundo.

a. Describa el problema económico al que se ha enfrentado la empresa en años recientes.

b. ¿Qué tipo de mano de obra cree que requiere la producción de pantalones de mezclilla? ¿Cree que si la compañía utilizara otro tipo de tecnología podría ser económicamente eficiente?

c. ¿Cuál es el objetivo de visitar fábricas en otros países? ¿Considera que mudar las operaciones de un país de altos costos salariales a uno de bajos costos salariales es tecnológicamente eficiente? Explique su respuesta.

d. De la información proporcionada en el artículo, ¿qué tipo de estructura de mercado cree que caracteriza a la producción de pantalones de mezclilla?

2. Utilice los vínculos de la página de Internet de este libro para leer una nota sobre las distintas fases por las que atraviesan las empresas.

a. Explique de qué manera se relacionan las distintas fases con las diferentes clases de empresas que se mencionaron en el capítulo.

b. ¿En cuál de las fases mencionadas se comienza a presentar el problema agente-principal?

c. ¿En cuál de las fases mencionadas empiezan a ser relevantes los costos de transacción?

3. Utilice los vínculos de la página de Internet de este libro para leer una nota sobre la estructura del mercado de tarjetas de crédito en Argentina.

a. Calcule el Índice Herfindahl-Hirschman suponiendo que, además de las tres empresas más importantes, existen otras tres empresas pequeñas con una participación en el mercado de 1% cada una.

b. Compare su resultado anterior con la información sobre la economía argentina que se menciona en la sección Lectura entre líneas de este capítulo. Diga qué tipo de estructura de mercado es la que mejor representa a esta industria.

c. Explique por qué no se puede concluir que la estructura de mercado afecta a los consumidores únicamente a partir de la información contenida en el IHH. ¿Qué otra información o qué otros criterios se mencionan en la nota?

(Arriba, columna derecha:)

a. Calcule el índice Herfindahl-Hirschman.

b. ¿Cuál es la estructura de la industria?

# Capítulo 11

# Producción y costos

En los negocios, el tamaño no garantiza la supervivencia. De las 100 compañías más grandes en Estados Unidos en 1917, sólo 22 permanecieron aún en ese grupo en 1997. Pero el permanecer pequeño no garantiza tampoco la supervivencia. Cada año, millones de pequeñas empresas dejan de operar. Elija al azar los nombres de algunos restaurantes y boutiques del directorio telefónico del año *pasado* y vea cuántos han desaparecido. ¿Qué tiene que hacer una empresa para ser una de las supervivientes? ◆ Las empresas difieren en muchas cosas, y van desde la pequeña tienda familiar hasta las gigantes multinacionales que producen bienes de alta tecnología. Pero, independientemente de su tamaño o de lo que producen, todas las empresas tienen que decidir cuánto producir. ¿Cómo toman esas decisiones las empresas? ◆ La

## Supervivencia de los más aptos

mayor parte de los fabricantes de automóviles en el mundo produce más automóviles de los que vende. ¿Por qué los fabricantes de automóviles tienen equipos caros que no se utilizan plenamente? En algunos países o regiones, las compañías de servicios públicos, productoras de electricidad, no tienen suficientes equipos de producción disponibles para hacer frente a la demanda en los días más fríos o más calurosos, y tienen que comprar energía a otros productores. ¿Por qué no instalan más equipos estas empresas, con el fin de poder abastecer por sí mismas el mercado?

◆ En este capítulo se contestarán a estas preguntas. Para hacerlo, se estudiarán las decisiones económicas de una pequeña empresa ficticia: Camisas Carlitos, una empresa productora de camisas. La empresa es propiedad de Carlos, quien la opera. Al estudiar los problemas económicos de Camisas Carlitos y la forma en que Carlos les hace frente, obtendremos una visión clara de los problemas a que se enfrentan *todas* las empresas, tanto las pequeñas (como Camisas Carlitos) como las gigantes. Comenzaremos por establecer el escenario y describir los marcos de tiempo en los que Camisas Carlitos toma sus decisiones de negocios.

## Después de estudiar este capítulo, usted será capaz de:

- ■ **Distinguir entre el corto plazo y el largo plazo**
- ■ **Explicar la relación entre la producción y el trabajo utilizado por una empresa a corto plazo**
- ■ **Explicar la relación entre la producción y los costos de una empresa a corto plazo**
- ■ **Derivar y explicar las curvas de costos de una empresa a corto plazo**
- ■ **Explicar la relación entre la producción y los costos de una empresa a largo plazo**
- ■ **Derivar y explicar la curva del costo promedio a largo plazo de una empresa**

# Marcos de tiempo para las decisiones

LAS PERSONAS QUE OPERAN LAS EMPRESAS TOMAN muchas decisiones. Todas las decisiones están encaminadas a un objetivo primordial: obtener el mayor beneficio económico posible. Pero no todas las decisiones son igualmente críticas. Algunas son importantes y una vez que se toman es costoso (o imposible) revertirlas. Si esta decisión resulta ser incorrecta, puede conducir al fracaso de la empresa. Algunas de las decisiones son pequeñas y es posible cambiarlas con facilidad. Si una de estas decisiones resulta ser incorrecta, la empresa puede cambiar sus acciones y sobrevivir.

La mayor decisión que toma cualquier empresa es en cuál industria operar. Para la mayoría de los empresarios, sus conocimientos e intereses anteriores determinan esta decisión. Pero la decisión también depende de las posibilidades de beneficios. Nadie establece una empresa sin creer que será rentable. Y el beneficio depende del ingreso total y del costo de oportunidad (véase el capítulo 10, págs. 194-195).

La empresa que estudiamos ya ha elegido la industria en la que operará. También ha elegido su método de organización más efectivo. Pero no ha decidido la cantidad a producir, las cantidades de recursos a contratar, o el precio al que va a vender su producción.

Las decisiones sobre la cantidad a producir y el precio a cobrar dependen del tipo de mercado en el que opera la empresa. Cada una de las diferentes estructuras de mercado (competencia perfecta, competencia monopolística, oligopolio y monopolio) confronta a la empresa con sus propios problemas especiales.

Pero las decisiones sobre cómo elaborar una determinada producción no dependen del tipo de mercado en el que opera la empresa. Estas decisiones son similares para *todos* los tipos de empresas en *todos* los tipos de mercados.

Las acciones que puede tomar una empresa para influir sobre la relación entre la producción y el costo, dependen de qué tan pronto quiere actuar la empresa. Una empresa que piensa cambiar su tasa de producción mañana, tiene menos opciones que una que piensa cambiar su tasa de producción dentro de seis meses.

Para estudiar la relación entre la decisión de producción de una empresa y sus costos, se distinguen dos marcos de tiempo para las decisiones:

- El corto plazo
- El largo plazo

## El corto plazo

El **corto plazo** es un marco de tiempo en el que las cantidades de algunos recursos son fijas. Para la mayor parte de las empresas, los recursos fijos son los edificios y el capital de la empresa. La organización administrativa y la tecnología que usan, también son fijas a corto plazo. Al grupo de recursos fijos de la empresa lo denominaremos la *planta* de la empresa. Por tanto, a corto plazo, la planta de una empresa es fija.

Para Camisas Carlitos, la planta fija es el edificio de la fábrica y sus máquinas de coser. Para una empresa de servicios públicos de electricidad, la planta fija son sus edificios, generadores, computadoras y sistemas de control. Para un aeropuerto, la planta fija se compone de las pistas, los edificios de las terminales y las instalaciones para el control del tránsito aéreo.

Para aumentar la producción a corto plazo, una empresa tiene que aumentar la cantidad de insumos variables que usa. Por lo general, el trabajo es el insumo variable. Por tanto, para aumentar la producción, Camisas Carlitos tiene que contratar más trabajo y operar las máquinas de coser durante un mayor número de horas por día. Una empresa de servicios eléctricos tiene que contratar más trabajo y operar sus generadores más horas por día. Y un aeropuerto tiene que contratar más trabajo y operar sus pistas, terminales e instalaciones de control del tránsito aéreo más horas por día.

Las decisiones a corto plazo se pueden revertir con facilidad. La empresa puede aumentar o disminuir la producción a corto plazo aumentando o disminuyendo las horas de trabajo que contrata.

## El largo plazo

El **largo plazo** es un marco de tiempo en el que es posible variar las cantidades de *todos* los recursos. Es decir, el largo plazo es un período en el que la empresa puede cambiar su *planta*.

Para aumentar la producción a largo plazo, la empresa está en posibilidad de elegir si cambiar su planta o aumentar la cantidad de trabajo que contrata. Camisas Carlitos puede decidir si instalar algunas máquinas de coser adicionales, usar un nuevo tipo de máquinas, reorganizar su administración, o contratar más trabajo. Una empresa de servicios públicos de energía eléctrica puede decidir si instalar más generadores. Y un aeropuerto puede decidir si construir más pistas, terminales e instalaciones de control del tránsito aéreo.

Las decisiones a largo plazo *no* se revierten con facilidad. Una vez que se toma una decisión de planta, la empresa tiene que mantenerla durante algún tiempo. Para insistir en este hecho, al costo pasado de comprar una nueva planta lo denominamos **costo hundido**. Un costo hundido no tiene importancia para las decisiones de la empresa. Los únicos costos que influyen sobre sus decisiones son: el costo a corto plazo de cambiar sus insumos de trabajo y el costo a largo plazo de cambiar su planta en el futuro.

Se estudiarán los costos a corto y largo plazos. Se comienza con el corto plazo y se describe la restricción de tecnología a la que se enfrenta la empresa.

# Restricción de tecnología a corto plazo

PARA AUMENTAR LA PRODUCCIÓN A CORTO PLAZO, LA empresa tiene que aumentar la cantidad de trabajo empleado. Se describe la relación entre la producción y la cantidad de trabajo empleado mediante tres conceptos relacionados:

- Producto total
- Producto marginal
- Producto promedio

Estos conceptos del producto se pueden mostrar ya sea mediante planes de producto o mediante curvas de producto. Veamos primero los planes de producto.

## TABLA 11.1

### Producto total, producto marginal y producto promedio

| Trabajo (trabajadores por día) | Producto total (camisas por día) | Producto marginal (camisas por trabajador adicional) | Producto promedio (camisas por trabajador) |
|---|---|---|---|
| a | 0 | 0 | |
| | | ........... 4 | |
| b | 1 | 4 | 4.00 |
| | | ........... 6 | |
| c | 2 | 10 | 5.00 |
| | | ........... 3 | |
| d | 3 | 13 | 4.33 |
| | | ........... 2 | |
| e | 4 | 15 | 3.75 |
| | | ........... 1 | |
| f | 5 | 16 | 3.20 |

El producto total es la cantidad total producida. El producto marginal es el cambio en el producto total como resultado del aumento de una unidad de trabajo. Por ejemplo, cuando el trabajo aumenta de 2 a 3 trabajadores por día (del renglón *c* al renglón *d*), el producto total aumenta de 10 a 13 camisas. (El producto marginal se muestra entre los renglones para resaltar que es el resultado de cambiar el trabajo). El producto marginal de pasar de 2 a 3 trabajadores es de 3 camisas. El producto promedio es el producto total dividido entre la cantidad de trabajo empleada. Por ejemplo, el producto promedio de 3 trabajadores es 4.33 camisas por trabajador (13 camisas al día divididas entre 3 trabajadores).

## Planes de producto

La tabla 11.1 muestra algunos datos que describen el producto total, el producto marginal y el producto promedio. Las cifras indican cómo aumenta la producción de Camisas Carlitos a medida que se emplean más trabajadores. También nos dicen sobre la productividad de la fuerza de trabajo de Camisas Carlitos.

Se centra la atención primero en las columnas con los títulos "Trabajo" y "Producto total". El **producto total** es la cantidad total producida por Camisas Carlitos. Gracias a las cifras en estas columnas, se puede ver que si la empresa emplea más trabajo, su producto total aumenta. Por ejemplo, cuando Camisas Carlitos emplea a un trabajador, el producto total es cuatro camisas al día; y cuando emplea a dos trabajadores, el producto total es 10 camisas al día. Cada aumento en el número de trabajadores empleados ocasiona un aumento en el producto total.

El producto marginal expresa en cuánto aumenta el producto total cuando aumenta el empleo. El **producto marginal** del trabajo es el aumento en el producto total que resulta del aumento de una unidad en la cantidad de trabajo empleado. Por ejemplo, en la tabla 11.1, cuando Camisas Carlitos aumenta el empleo de dos a tres trabajadores, el producto marginal es de tres camisas, es decir, el producto total aumenta de 10 hasta 13 camisas.

El producto promedio expresa qué tan productivos son los trabajadores. El **producto promedio** del trabajo es igual al producto total dividido entre la cantidad de trabajo empleada. Por ejemplo, en la tabla 11.1, el producto promedio de tres trabajadores es de 4.33 camisas por trabajador (13 camisas al día divididas entre tres trabajadores).

Si se observan con cuidado las cifras en la tabla 11.1, se pueden ver algunos patrones. Por ejemplo, a medida que aumenta el trabajo, el producto marginal aumenta al principio y después comienza a disminuir. Por ejemplo, el producto marginal aumenta de cuatro a seis camisas al día cuando se contrata a un segundo trabajador, y después disminuye hasta tres camisas al día cuando se contrata el tercer trabajador. El producto promedio también aumenta al principio y después disminuye. Las relaciones entre el empleo y los tres conceptos del producto se observan con más claridad con las curvas de producto.

## Curvas de producto

Las curvas de producto son gráficas de las relaciones entre el empleo y los tres conceptos de producto que se acaban de estudiar. Muestran cómo cambian el producto total, el producto marginal y el producto promedio, según cambia el empleo. También muestran las relaciones entre los tres conceptos. Observemos las curvas de producto.

## Curva del producto total

La figura 11.1 muestra la curva del producto total de Camisas Carlitos, *PT*. Según aumenta el empleo, también lo hace el número de camisas. Los puntos que van desde *a* hasta *f* sobre la curva, corresponden a esos mismos renglones de la tabla 11.1.

La curva del producto total es similar a la *frontera de posibilidades de producción* (que se explicó en el capítulo 3). Separa los niveles de producción alcanzables de aquellos que no lo son. Todos los puntos que se encuentran arriba de la curva no son alcanzables. Los puntos que se encuentran por debajo de la curva (en el área de color naranja) son alcanzables, pero ineficientes, ya que utilizan más trabajo del que es necesario para obtener una determinada producción. Sólo los puntos sobre la curva del producto total son tecnológicamente eficientes.

Observe en particular la forma de la curva del producto total. Según aumenta el empleo de cero a un trabajador por día, la curva se hace más inclinada. Después, según continúa aumentando el empleo hasta tres, cuatro y cinco trabajadores al día, la curva se hace menos inclinada. Cuanto más inclinada sea la pendiente de la curva del producto total, mayor será el producto marginal, como se verá en seguida.

### FIGURA 11.1
## Curva del producto total

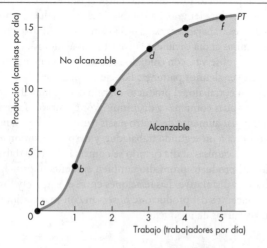

La curva del producto total (*PT*), con base en la información de la tabla 11.1, muestra cómo cambia la cantidad de camisas producidas cuando cambia la cantidad de trabajo empleado. Por ejemplo, dos trabajadores pueden producir 10 camisas al día (punto *c*). Los puntos *a-f* sobre la curva corresponden a los mismos renglones de la tabla 11.1. La curva del producto total separa las producciones alcanzables de las no alcanzables. Los puntos por debajo de la curva *PT* son ineficientes.

## Curva del producto marginal

La figura 11.2 muestra el producto marginal del trabajo de Camisas Carlitos. En la sección (a), se reproduce la curva del producto total, que es la misma que la curva del producto total en la figura 11.1. En la sección (b), se muestra la curva del producto marginal, *PM*.

En la sección (a), las barras de color naranja muestran el producto marginal del trabajo. La altura de cada barra mide el producto marginal. El producto marginal también se mide mediante la pendiente de la curva del producto total. Recuerde que la pendiente de una curva es el cambio en el valor de la variable que se mide sobre el eje *y* (producción) dividido entre el cambio en la variable medida sobre el eje *x* (insumo del trabajo), a medida que nos desplazamos a lo largo de la curva. El aumento de una unidad en el insumo trabajo, de dos a tres trabajadores, aumenta la producción de 10 a 13 camisas diarias, por lo que la pendiente desde el punto *c* hasta el punto *d* es tres, la misma que el producto marginal que se acaba de calcular.

Se ha calculado el producto marginal del trabajo para una serie de aumentos unitarios en la cantidad de trabajo. Sin embargo, el trabajo es divisible en unidades más pequeñas que una persona. Es divisible en horas e incluso minutos. Al variar la cantidad de trabajo en las unidades más pequeñas imaginables, se puede trazar la curva del producto marginal que aparece en la figura 11.2(b). La altura de esta curva mide la *pendiente* de la curva del producto total en un punto. En la sección (a), se muestra que un aumento en el empleo de dos a tres trabajadores, aumenta la producción de 10 a 13 camisas diarias (un aumento de tres). El aumento en la producción de tres camisas por mes aparece sobre el eje vertical de la sección (b) como el producto marginal que se obtiene al pasar de dos a tres trabajadores. Se traza ese producto marginal en el punto medio entre dos y tres trabajadores. Observe que el producto marginal que se muestra en la figura 11.2(b) llega a su punto máximo en 1.5 unidades de trabajo y que en ese punto el producto marginal es seis. El punto máximo ocurre en 1.5 unidades de trabajo porque la curva del producto total es más pronunciada cuando el empleo aumenta de uno a dos trabajadores (véase la figura 11.1).

Las curvas del producto total y del producto marginal varían según la empresa y los tipos de bienes. Las curvas del producto de Ford Motor Company son diferentes a las del puesto de venta de hamburguesas de Jaime, las que a su vez son diferentes a las de la fábrica de Camisas Carlitos. Pero las formas de las curvas del producto son similares, porque casi todo proceso de producción tiene dos características:

■ Rendimientos marginales crecientes, al inicio

■ Rendimientos marginales decrecientes, más adelante

**Rendimientos marginales crecientes**   Ocurren rendimientos marginales crecientes cuando el producto marginal

## FIGURA 11.2
# Producto marginal

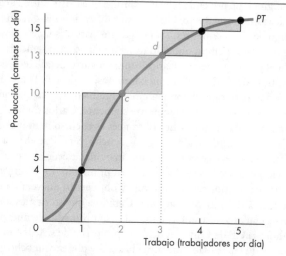

**(a) Producto total**

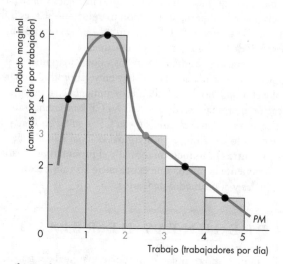

**(b) Producto marginal**

El producto marginal se muestra mediante las barras de color naranja. Por ejemplo, cuando el trabajo aumenta de dos a tres, el producto marginal es la barra naranja cuya altura es de tres camisas. (El producto marginal se muestra a la mitad de camino entre las cantidades de trabajo, para resaltar que es el resultado de insumos cambiantes.) Cuanto más pronunciada sea la pendiente de la curva del producto total (*PT*) en la sección (a), mayor será el producto marginal (*PM*) de la sección (b). El producto marginal aumenta hasta un máximo (en este ejemplo es en donde se emplea al segundo trabajador) y después disminuye. Éste es un ejemplo de rendimientos marginales decrecientes.

de un trabajador adicional excede al producto marginal del trabajador anterior. Los rendimientos marginales crecientes se producen por una mayor especialización y división del trabajo en el proceso de producción.

Por ejemplo, si Camisas Carlitos emplea tan sólo a un trabajador, esa persona tiene que aprender todos los aspectos de la producción de camisas: manejar las máquinas de coser, arreglarlas cuando se descomponen, empacar y enviar por correo las camisas, comprar y verificar el tipo y el color del algodón. Todas estas tareas las tendría que realizar esa misma persona.

Si Camisas Carlitos contrata a una segunda persona, los dos trabajadores se pueden especializar en diferentes partes del proceso de producción. Como resultado, dos trabajadores producen más del doble que uno. El producto marginal del segundo trabajador es mayor que el producto marginal del primero. Los rendimientos marginales son crecientes.

**Rendimientos marginales decrecientes** La mayor parte de los procesos de producción experimenta inicialmente rendimientos marginales crecientes. Pero al final, todos los procesos de producción llegan a un punto de rendimientos marginales *decrecientes*. Ocurren **rendimientos marginales decrecientes** cuando el producto marginal de un trabajador adicional es menor que el producto marginal del trabajador anterior.

Los rendimientos marginales decrecientes se producen por el hecho de que cada vez más trabajadores están utilizando el mismo capital y trabajando en el mismo espacio. A medida que se añaden más empleados, los trabajadores adicionales tienen cada vez menos oportunidades de hacer labores productivas. Por ejemplo, si Camisas Carlitos contrata a un tercer trabajador, la producción aumenta, pero no tanto como lo hizo cuando contrató al segundo. En este caso, después de que se contratan a dos trabajadores, se han agotado todas las ganancias provenientes de la especialización y de la división del trabajo. Al contratar al tercer trabajador, la fábrica produce más, pero el equipo opera cerca de su límite. Incluso hay momentos en que el tercer trabajador no tiene nada que hacer, porque las máquinas están operando sin necesidad de atención adicional. Añadir cada vez más y más trabajadores permite aumentar la producción, pero en cantidades cada vez más pequeñas. Los rendimientos marginales son decrecientes. Este fenómeno es tan intenso que se le conoce como una "ley": "la ley de los rendimientos decrecientes". La **ley de los rendimientos decrecientes** expresa que:

A medida que una empresa usa más de un insumo variable, con una determinada cantidad de insumos fijos, el producto marginal del insumo variable termina por disminuir.

Al estudiar los costos de la empresa, se volverá a tratar la ley de los rendimientos decrecientes. Pero antes de hacerlo, observemos el producto promedio del trabajo y la curva del producto promedio.

## Curva del producto promedio

La figura 11.3 muestra el producto promedio del trabajo de Camisas Carlitos, *PP*. También muestra la relación entre el producto promedio y el producto marginal. Los puntos *b* hasta *f* sobre la curva del producto promedio corresponden a esos mismos renglones en la tabla 11.1. El producto promedio aumenta al pasar de uno a dos trabajadores (su valor máximo en el punto *c*), pero después disminuye a medida que se emplean aún más trabajadores. Observe también que el producto promedio es mayor cuando el producto promedio y el producto marginal son iguales. Es decir, la curva del producto marginal cruza la curva del producto promedio en el punto del producto promedio máximo. Para niveles de empleo en los que el producto marginal excede al producto promedio, el producto promedio está aumentando. Para niveles de empleo en los cuales el producto marginal es inferior al producto promedio, el producto promedio está disminuyendo.

La relación entre las curvas del producto promedio y el producto marginal es una característica general de la relación entre los valores promedio y marginal de cualquier variable. Veamos un ejemplo conocido.

### FIGURA 11.3
## Producto promedio

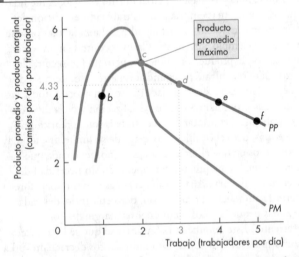

La figura muestra el producto promedio y la relación entre el producto promedio y el producto marginal. Con un trabajador, el producto marginal excede al producto promedio, por lo que el producto promedio está aumentando. Con dos trabajadores, el producto marginal es igual al producto promedio, por lo que el producto promedio se encuentra en su máximo. Con más de dos trabajadores, el producto marginal es menor que el producto promedio, por tanto, el producto promedio está disminuyendo.

## Calificación marginal y calificación promedio

Para ver la relación entre el producto promedio y el producto marginal, piense en la relación similar que existe entre la calificación promedio de Carlos y su calificación marginal a lo largo de cinco semestres. (Suponga que Carlos es un estudiante de medio tiempo que sólo toma un curso cada semestre). En el primer semestre, Carlos toma un curso de cálculo y su calificación es siete (de un máximo posible de 10). Esta calificación es su calificación marginal. También es su calificación promedio, su CP. En el semestre siguiente, Carlos toma francés y obtiene un ocho. El francés es el curso marginal de Carlos y su calificación marginal es ocho. Su CP se eleva a 7.5. Debido a que su calificación marginal excede a su calificación promedio, esto hace subir su promedio. En el tercer semestre, Carlos toma economía y obtiene un nueve, ésta es su nueva calificación marginal. Debido a que su calificación marginal excede a su CP, hace subir su promedio de nuevo. Ahora la CP de Carlos es ocho, el promedio de siete, ocho y nueve. El cuarto semestre toma historia y obtiene un ocho. Debido a que su calificación es igual a su promedio, su CP no cambia. En el quinto semestre, Carlos toma inglés y obtiene un seis. Debido a que su calificación marginal, un seis, es inferior a su CP de ocho, su CP baja (usted puede comprobar que la CP de Carlos es ahora de únicamente 7.6).

Esta relación cotidiana entre los valores marginales y promedio concuerda con la que hay entre el producto marginal y el promedio. La CP de Carlos aumenta cuando su calificación marginal excede a su CP. Su CP baja cuando su calificación marginal es inferior a su CP. Y su CP es constante cuando su calificación marginal es igual a su CP. La relación entre el producto marginal y el producto promedio es exactamente la misma que existe entre las calificaciones marginales y el promedio de Carlos.

## PREGUNTAS DE REPASO

- Explique cómo cambian el producto marginal del trabajo y el producto promedio del trabajo cuando aumenta la cantidad de trabajo empleado (a) inicialmente y (b) a la larga.

- ¿Qué es la ley de los rendimientos decrecientes? ¿Por qué a la larga disminuye el producto marginal?

- Explique la relación entre el producto marginal y el producto promedio. ¿Cómo cambia el producto promedio cuando el producto marginal excede al producto promedio? ¿Cómo cambia el producto promedio cuando el producto promedio excede al producto marginal? ¿Por qué?

Carlos se preocupa por sus curvas de producto porque éstas influyen sobre sus costos. Observemos los costos de Camisas Carlitos.

# Costos a corto plazo

PARA ELABORAR MÁS PRODUCCIÓN A CORTO PLAZO, LA empresa tiene que emplear más trabajo, lo que significa que tiene que aumentar sus costos. La relación entre la producción y el costo se describe mediante tres conceptos de costo:

- Costo total
- Costo marginal
- Costo promedio

## Costo total

El **costo total** de una empresa (*CT*) es el costo de todos los recursos productivos que usa. El costo total incluye el costo de la tierra, el capital y el trabajo. Incluye también el costo de la capacidad empresarial, que es el *beneficio normal* (véase el capítulo 10, pág.199). El costo total se divide en costo fijo total y costo variable total.

El **costo fijo total** (*CF*) es el costo de todos los insumos fijos de la empresa. Debido a que la cantidad de un insumo fijo no cambia a medida que cambia la producción, el costo fijo no cambia cuando cambia la producción.

El **costo variable total** (*CV*) es el costo de todos los insumos variables de la empresa. Debido a que la empresa tiene que cambiar la cantidad de insumos variables para cambiar su producción, el costo variable total cambia según cambia la producción.

El costo total es la suma del costo fijo total y el costo variable total. Es decir,

$$CT = CF + CV$$

La tabla de la figura 11.4 muestra los costos totales de Camisas Carlitos. Con una máquina de coser que cuesta $25 al día, el *CF* es $25. Para producir más camisas, Camisas Carlitos contrata más trabajo, que le cuesta $25 al día. El *CV*, que aumenta según aumenta la producción, es el número de trabajadores multiplicado por $25. Por ejemplo, para producir 13 camisas al día, Camisas Carlitos contrata a tres trabajadores y el *CV* es $75. El *CT* es la suma de *CF* y *CV*, por lo que para producir 13 camisas al día, el costo total de la empresa, *CT*, es $100. Verifique el cálculo en cada renglón de la tabla.

La figura 11.4 muestra las curvas de costo total de Camisas Carlitos. Estas curvas muestran en forma gráfica el costo total contra la producción. La curva verde del costo fijo total (*CF*) es horizontal porque el costo fijo total no cambia cuando cambia la producción. Se mantiene constante en $25. La curva del costo variable total de color púrpura (*CV*) y la curva azul del costo total (*CT*) aumentan con la producción. La distancia vertical entre el *CV* y la curva *CT* es el costo fijo total, tal y como se muestra mediante las flechas.

Observemos ahora el costo marginal de Camisas Carlitos.

**FIGURA 11.4**

## Curvas del costo total

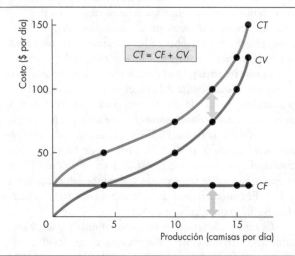

| | | | Costo fijo total (CF) | Costo variable total (CV) | Costo total (CT) |
|---|---|---|---|---|---|
| | **Trabajo** (trabajadores por día) | **Producción** (camisas por día) | | | |
| | | | | **($ por día)** | |
| a | 0 | 0 | 25 | 0 | 25 |
| b | 1 | 4 | 25 | 25 | 50 |
| c | 2 | 10 | 25 | 50 | 75 |
| d | 3 | 13 | 25 | 75 | 100 |
| e | 4 | 15 | 25 | 100 | 125 |
| f | 5 | 16 | 25 | 125 | 150 |

Camisas Carlitos alquila una máquina de coser por $25 al día. Esta cantidad es el costo fijo total de la empresa. Camisas Carlitos contrata a trabajadores a una tasa salarial de $25 por día y este costo es el costo variable total de Camisas Carlitos. Por ejemplo, si la empresa emplea a tres trabajadores, el costo variable total es (3 × $25), lo que es igual a $75. El costo total es la suma del costo fijo total y el costo variable total. Por ejemplo, cuando Camisas Carlitos emplea a tres trabajadores, el costo total es $100 (el costo fijo total de $25, más el costo variable total de $75). La gráfica muestra las curvas del costo total de Camisas Carlitos. El costo fijo total (*CF*) es constante y se muestra en la gráfica como una línea horizontal, en tanto que el costo variable total (*CV*) aumenta conforme se incrementa la producción. El costo total (*CT*) también aumenta a medida que se incrementa la producción. La distancia vertical entre la curva del costo total y la curva del costo variable total es el costo fijo total, tal como se muestra mediante las flechas.

## Costo marginal

En la figura 11.4, el costo variable total y el costo total aumentan a una tasa decreciente a niveles de producción pequeños, y después comienzan a aumentar a una tasa creciente según se incrementa la producción. Para comprender estos patrones de los cambios en el costo total, es necesario usar el concepto del *costo marginal*.

El **costo marginal** de una empresa es el aumento en el costo total que resulta del aumento de una unidad de producción. Se calcula el costo marginal como el aumento en el costo total dividido entre el aumento en la producción.

La tabla de la figura 11.5 muestra este cálculo. Por ejemplo, cuando la producción aumenta de 10 a 13 camisas diarias, el costo total aumenta de $75 a $100. El cambio en la producción es de tres camisas y el cambio en el costo total es $25. El costo marginal de cada una de esas tres camisas es ($25 ÷ 3), lo que equivale a $8.33.

La figura 11.5 muestra en forma tabular y gráfica los datos del costo marginal. La curva roja representa el costo marginal, *CM*. Esta curva tiene forma de U, porque cuando Camisas Carlitos contrata a un segundo trabajador, el costo marginal disminuye, pero cuando contrata a un tercero, un cuarto y un quinto trabajador, el costo marginal aumenta sucesivamente.

El costo marginal disminuye con producciones pequeñas a causa de las economías provenientes de una mayor especialización. Después termina por aumentar debido a la *ley de los rendimientos decrecientes*. La ley de los rendimientos decrecientes significa que cada trabajador adicional produce un aumento cada vez menor de la producción. Por tanto, para obtener una unidad adicional de producción, cada vez se requieren más trabajadores. Debido a que se requieren más trabajadores para obtener una unidad adicional de producción, el costo de la producción adicional (costo marginal) tiene que aumentar a la larga.

El costo marginal expresa cuánto cambia el costo total al cambiar la producción. El siguiente concepto del costo nos dice lo que cuesta, en promedio, elaborar una unidad de producción. Observemos ahora los costos promedio de Camisas Carlitos.

## Costo promedio

Hay tres costos promedio:

1. Costo fijo promedio
2. Costo variable promedio
3. Costo total promedio o costo promedio

El **costo fijo promedio** (*CFP*) es el costo fijo total por unidad de producción.  El **costo variable promedio** (*CVP*) es el costo variable total por unidad de producción. El **costo total promedio** o **costo promedio** (*CP*) es el costo total por unidad de producción. Los conceptos de costo promedio se calculan a partir de los conceptos de costo total, en la forma siguiente:

$$CT = CF + CV$$

Divida cada término del costo total entre la cantidad producida, $Q$, para obtener

$$\frac{CT}{Q} = \frac{CF}{Q} + \frac{CV}{Q} \ .$$

o bien,

$$CP = CFP + CVP$$

La tabla de la figura 11.5 muestra el cálculo del costo promedio. Por ejemplo, cuando la producción es de 10 camisas, el costo fijo promedio es ($25 ÷ 10), lo que es igual a $2.50; el costo variable promedio es ($50 ÷ 10), lo que es igual a $5.00, y el costo total promedio es ($75 ÷ 10), lo que es igual a $7.50. Observe que el costo promedio es igual al costo fijo promedio ($2.50), más el costo variable promedio ($5.00).

La figura 11.5 muestra las curvas del costo promedio. La curva verde del costo fijo promedio (*CFP*) tiene pendiente descendente. Según aumenta la producción, el mismo costo fijo constante se distribuye entre una producción mayor. La curva azul del costo promedio (*CP*) y la curva púrpura del costo variable promedio (*CVP*) tienen forma de U. La distancia vertical entre las curvas del costo promedio y del costo variable promedio es igual al costo fijo promedio (como se señala mediante las dos flechas). Esa distancia disminuye según aumenta la producción, debido a que el costo fijo promedio disminuye conforme aumenta el nivel de producción.

La curva del costo marginal cruza la curva del costo variable promedio y la curva del costo promedio en sus puntos mínimos. Es decir, cuando el costo marginal es inferior al costo promedio, el costo promedio está disminuyendo, y cuando el costo marginal excede al costo promedio, el costo promedio está aumentando. Esta relación se mantiene tanto para la curva *CP* como para la curva *CVP* y es otro ejemplo de la relación que se observó en la figura 11.3 para el producto promedio y el producto marginal, así como en el ejemplo de las calificaciones de Carlos.

## Por qué la curva del costo promedio tiene forma de U

El costo promedio, *CP*, es la suma del costo fijo promedio, *CFP*, y el costo variable promedio, *CVP*. Por tanto, la forma de la curva *CP* combina las formas de las curvas *CFP* y *CVP*. La forma en U de la curva del costo promedio surge de la influencia de dos fuerzas en conflicto:

## FIGURA 11.5
## Costo marginal y costos promedio

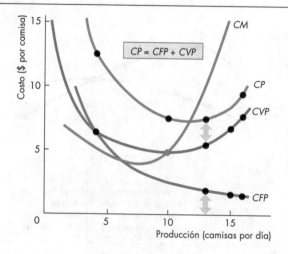

$$CP = CFP + CVP$$

Producción (camisas por día)

El costo marginal se calcula como el cambio en el costo total dividido entre el cambio en la producción. Cuando la producción aumenta de cuatro a 10 camisas, un aumento de seis, el costo total aumenta en $25 y el costo marginal es 25 ÷ 6, lo que es igual a $4.17. Cada concepto de costo promedio se calcula dividiendo el costo total correspondiente entre el nivel de la producción. Cuando se producen 10 camisas, el $CFP$ es $2.50 ($25 ÷ 10), el $CVP$ es $5 ($50 ÷ 10) y el $CP$ es $7.50 ($75 ÷ 10).

La figura muestra la curva del costo marginal y las curvas de costos promedio. La curva del costo marginal ($CM$) tiene forma de U y cruza las curvas del costo variable promedio y del costo total promedio en sus puntos mínimos. El costo fijo promedio ($CFP$) disminuye a medida que aumenta la producción. La curva del costo total promedio ($CP$) y la curva del costo variable promedio ($CVP$) tienen forma de U. La distancia vertical entre estas dos curvas es igual al costo fijo promedio, como se indica mediante las dos flechas.

| Trabajo (trabajadores por día) | Producción (camisas por día) | Costo fijo total (CF) ($ por día) | Costo variable total (CV) ($ por día) | Costo total (CT) ($ por día) | Costo marginal (CM) ($ por camisa adicional) | Costo fijo promedio (CFP) ($ por camisa) | Costo variable promedio (CVP) ($ por camisa) | Costo promedio total (CP) ($ por camisa) |
|---|---|---|---|---|---|---|---|---|
| b | 0 | 0 | 25 | 0 | 25 | | — | — | — |
| | | | | | | 6.25 | | | |
| b | 1 | 4 | 25 | 25 | 50 | | 6.25 | 6.25 | 12.50 |
| | | | | | | 4.17 | | | |
| c | 2 | 10 | 25 | 50 | 75 | | 2.50 | 5.00 | 7.50 |
| | | | | | | 8.33 | | | |
| d | 3 | 13 | 25 | 75 | 100 | | 1.92 | 5.77 | 7.69 |
| | | | | | | 12.50 | | | |
| e | 4 | 15 | 25 | 100 | 125 | | 1.67 | 6.67 | 8.33 |
| | | | | | | 25.00 | | | |
| f | 5 | 16 | 25 | 125 | 150 | | 1.56 | 7.81 | 9.38 |

- Distribución del costo total entre una producción mayor
- Rendimientos decrecientes a la larga

Cuando aumenta la producción, la empresa distribuye sus costos fijos entre una producción mayor, y su costo fijo promedio disminuye (su curva del costo fijo promedio tiene pendiente descendente).

Los rendimientos decrecientes significan que conforme aumenta la producción, se necesitan cantidades cada vez mayores de trabajo para obtener una unidad adicional de producción. Por tanto, el costo variable promedio aumenta a la larga y al final la curva $CVP$ tiene pendiente ascendente.

La forma de la curva del costo promedio combina estos dos efectos. Inicialmente, a medida que aumenta la producción, tanto el costo fijo promedio como el costo variable promedio disminuyen, por lo que el costo total promedio disminuye y la curva $CP$ tiene pendiente descendente. Pero conforme aumenta aún más la producción y comienzan a operar los rendimientos decrecientes, el costo variable promedio comienza a incrementarse. Al final, el costo variable promedio aumenta con más rapidez de lo que disminuye el costo fijo promedio, por lo que el costo total promedio aumenta y la curva $CP$ tiene pendiente ascendente.

## Curvas de costos y curvas de producto

La tecnología que utiliza una empresa determina sus costos. La figura 11.6 muestra los vínculos entre la restricción de la tecnología de la empresa (sus curvas de producto) y sus curvas de costos. En la parte superior de la figura se muestran la curva del producto promedio y la curva del producto marginal (similares a las de la figura 11.3). En la parte inferior de la figura, se muestran la curva del costo variable promedio y la curva del costo marginal (similares a las de la figura 11.5).

La figura resalta los vínculos entre la tecnología y los costos. A medida que aumenta el trabajo inicialmente, el producto marginal y el producto promedio se elevan y el costo marginal y el costo variable promedio bajan. Después, en el punto del producto marginal máximo, el costo marginal está en su mínimo. A medida que aumenta aún más el trabajo, el producto marginal disminuye y el costo marginal aumenta. Pero el producto promedio continúa elevándose y el costo variable promedio continúa bajando. Después, en el punto del producto promedio máximo, el costo variable promedio se encuentra en su mínimo. A medida que aumenta aún más el trabajo, el producto promedio disminuye y el costo variable promedio aumenta.

## Cambios en las curvas del costo

La posición de las curvas de costos a corto plazo de una empresa depende de dos factores:

■ Tecnología
■ Precios de los recursos productivos

**Tecnología**   Un cambio tecnológico que aumenta la productividad desplaza la curva del producto total hacia arriba. También desplaza la curva del producto marginal y la curva del producto promedio hacia arriba. Debido a que con una mejor tecnología se puede producir más, el cambio tecnológico disminuye los costos y desplaza las curvas de costos hacia abajo.

Por ejemplo, los avances en las técnicas de producción con robots han aumentado la productividad en la industria automotriz. Como resultado, las curvas de producto de Chrysler, Ford, General Motors y Volkswagen se han desplazado hacia arriba y sus curvas de costos se han desplazado hacia abajo. Pero las relaciones entre sus curvas de producto y de costos no han cambiado. Las curvas siguen estando vinculadas en la forma que se mostró en la figura 11.6.

Con frecuencia, cuando avanza la tecnología, una empresa utiliza más capital (un insumo fijo) y menos trabajo (un insumo variable). Por ejemplo, en la actualidad, las compañías telefónicas usan computadoras para conectar las

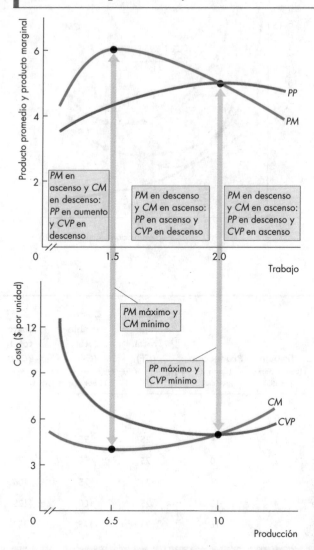

**FIGURA 11.6**

## Curvas de producto y de costos

La curva del producto marginal de una empresa está vinculada con su curva del costo marginal. Si el producto marginal se eleva, el costo marginal baja. Si el producto marginal se encuentra en su máximo, el costo marginal está en su mínimo. Si el producto marginal disminuye, el costo marginal se eleva. La curva del producto promedio de una empresa está vinculada con su curva del costo variable promedio. Si el producto promedio se eleva, el costo variable promedio baja. Si el producto promedio está al máximo, el costo variable promedio está al mínimo. Si el producto promedio disminuye, el costo variable promedio se eleva.

**TABLA 11.2**

## Glosario resumido de costos

| Término | Símbolo | Definición | Ecuación |
|---|---|---|---|
| Costo fijo | | Costo que es independiente del nivel de producción; costo de un insumo fijo | |
| Costo variable | | Costo que varía con el nivel de producción; costo de un insumo variable | |
| Costo fijo total | $CF$ | Costo de los insumos fijos | |
| Costo variable total | $CV$ | Costo de los insumos variables | |
| Costo total | $CT$ | Costo de todos los insumos | $CT = CF + CV$ |
| Producto total | $PT$ | Cantidad total producida (producción $Q$) | |
| Costo marginal | $CM$ | Cambio en el costo total como resultado del aumento de una unidad en la producción | $CM = \Delta CT \div \Delta Q$ |
| Costo fijo promedio | $CFP$ | Costo fijo total por unidad de producción | $CFP = CF \div Q$ |
| Costo variable promedio | $CVP$ | Costo variable total por unidad de producción | $CVP = CVP \div Q$ |
| Costo total promedio | $CP$ | Costo total por unidad de producción | $CP = CFP + CVP$ |

llamadas de larga distancia, en lugar de las operadoras telefónicas que utilizaban en la década de 1980. Cuando ocurre este tipo de cambio tecnológico, los costos fijos aumentan y los variables disminuyen. Este cambio en la mezcla de costos fijos y variables significa que a niveles de producción pequeños, el costo promedio podría aumentar, en tanto que a niveles de producción grandes, el costo promedio disminuiría.

**Precios de los recursos** Un aumento en el precio de un recurso productivo aumenta los costos y desplaza las curvas de costos. Pero la forma exacta en la que se desplacen, depende de cuál recurso cambia de precio. Un aumento en el alquiler o en algún otro elemento del costo *fijo* desplaza hacia arriba las curvas de costos *fijos* ($CF$ y $CFP$) y totales ($CT$), pero no afecta las curvas de costo variable ($CVP$ y $CV$) y marginal ($CM$). Un aumento de las tasas salariales o de algún otro elemento del costo *variable* desplaza hacia arriba las curvas de costo variable ($CV$ y $CVP$) y marginal ($CM$), pero no afecta las curvas de costos fijos ($CFP$ y $CF$). Por consiguiente, si, por ejemplo, aumenta el salario de los conductores de camiones, el costo variable y el costo marginal de los servicios de transporte aumentan. Si el gasto

por intereses que paga una compañía de servicios de transporte aumenta, los costos fijos de los servicios de transporte aumentan.

Ahora ha terminado sus estudios de los costos a corto plazo. Todos los conceptos que ha visto están resumidos en un glosario resumido en la tabla 11.2.

## PREGUNTAS DE REPASO

- ¿Qué relaciones muestran las curvas de costos a corto plazo de una empresa?
- ¿Cómo cambia el costo marginal cuando aumenta la producción (a) inicialmente y (b) a la larga?
- ¿Qué implica la *ley de los rendimientos decrecientes* para la forma de la curva del costo marginal?
- ¿Cuál es la forma de la curva del costo fijo promedio y por qué?
- ¿Cuáles son las formas de la curva del costo variable promedio y de la curva del costo total promedio y por qué?

## Costos a largo plazo

A CORTO PLAZO, UNA EMPRESA PUEDE VARIAR LA cantidad de trabajo, pero la cantidad de capital es fija. A largo plazo, la empresa puede variar tanto la cantidad de trabajo como la cantidad de capital. Ahora se verá cómo varían los costos cuando varían las cantidades de trabajo y capital. Es decir, se van a estudiar los costos a largo plazo de una empresa. El *costo a largo plazo* es el costo de producción cuando la empresa usa las cantidades económicamente eficientes de trabajo y capital. No hay costos *fijos* a largo plazo.

El comportamiento del costo a largo plazo depende de la *función de producción* de la empresa, que es la relación entre la producción máxima alcanzable y las cantidades tanto de trabajo como de capital.

### La función de producción

La tabla 11.3 muestra la función de producción de Camisas Carlitos. La tabla relaciona los planes de producto total para cuatro cantidades diferentes de capital. Se identifica la cantidad de capital por el tamaño de la planta. Las cifras para la planta 1 son para una fábrica con una máquina de coser (el caso que se acaba de estudiar). Las otras tres plantas tienen dos, tres y cuatro máquinas de coser. Si Camisas Carlitos duplica su capital a dos máquinas de coser, las diversas cantidades de trabajo pueden elaborar la producción que se muestra en la segunda columna de la tabla. Las últimas dos columnas muestran las producciones con cantidades de capital aún mayores.

**Rendimientos decrecientes**   Ocurren rendimientos decrecientes en las cuatro cantidades de capital, a medida que aumenta la cantidad de trabajo. Se puede verificar ese hecho calculando el producto marginal del trabajo en las plantas con dos, tres y cuatro máquinas. En cada tamaño de planta, según aumenta la cantidad de trabajo, disminuye (a la larga) su producto marginal.

**Producto marginal del capital decreciente**   También se presentan rendimientos decrecientes a medida que aumenta la cantidad de capital. Se puede verificar ese hecho calculando el producto marginal del capital, a una determinada cantidad de trabajo. El *producto marginal del capital* es el cambio en el producto total dividido entre el cambio en capital cuando la cantidad de trabajo es constante. En forma equivalente, es el cambio en producción resultante del aumento de una unidad en la cantidad de capital. Por ejemplo, si Camisas Carlitos tiene tres trabajadores y aumenta su capital de una a dos máquinas, la producción aumenta de 13 a 18 camisas al día. El producto marginal del capital es de cinco camisas por día. Si Camisas

**TABLA 11.3**

## La función de producción

| Trabajo (trabajadores por día) | Producción (camisas por día) | | | |
|---|---|---|---|---|
| | **Planta 1** | **Planta 2** | **Planta 3** | **Planta 4** |
| 1 | 4 | 10 | 13 | 15 |
| 2 | 10 | 15 | 18 | 21 |
| 3 | 13 | 18 | 22 | 24 |
| 4 | 15 | 20 | 24 | 26 |
| 5 | 16 | 21 | 25 | 27 |
| **Máquinas de coser (número)** | 1 | 2 | 3 | 4 |

La tabla muestra la información del producto total para cuatro cantidades de capital. Cuanto mayor sea el tamaño de la planta, mayor será el producto total para cualquier cantidad de trabajo determinada. Pero para un determinado tamaño de planta, el producto marginal del trabajo disminuye. Y para una determinada cantidad de trabajo, el producto marginal del capital disminuye.

Carlitos aumenta el número de máquinas de dos a tres, la producción aumenta de 18 a 22 camisas por día. El producto marginal del capital es de cuatro camisas por día, lo cual es inferior a las cinco camisas por día que se obtuvieron cuando se usaban solamente dos máquinas.

Ahora se verá lo que implica la función de producción para los costos a largo plazo.

### Costos a corto y a largo plazos

Se continúa suponiendo que el trabajo cuesta $25 por trabajador por día y que el capital cuesta $25 por máquina por día. Si se utilizan estos precios de los insumos y la información de la tabla 11.3, es posible calcular y presentar en forma gráfica las curvas del costo promedio para las fábricas con una, dos, tres y cuatro máquinas de coser. Ya se han estudiado los costos de una fábrica con una máquina, en las figuras 11.4 y 11.5. En la figura 11.7, la curva del costo promedio para ese caso es $CP_1$. La figura 11.7 muestra también las curvas del costo promedio para una fábrica con dos, tres y cuatro máquinas de coser ($CP_2$, $CP_3$ y $CP_4$, respectivamente).

En la figura 11.7 se observa que el tamaño de la planta tiene un gran efecto sobre el costo promedio de la empresa. Resaltan dos cosas:

## FIGURA 11.7

## Costos a corto plazo de cuatro plantas diferentes

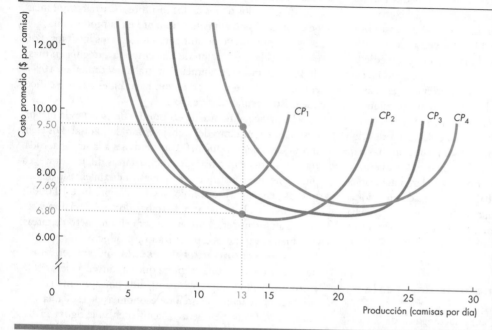

La figura muestra curvas del costo promedio a corto plazo, para cuatro cantidades diferentes de capital. Camisas Carlitos puede producir 13 camisas al día con una máquina en $CP_1$ o con tres máquinas en $CP_3$, para un costo promedio de $7.69 por camisa. Camisas Carlitos también puede producir 13 camisas utilizando dos máquinas de coser en $CP_2$, por $6.80 por camisa, o con cuatro máquinas en $CP_4$, a $9.50 por camisa. Si Camisas Carlitos produce 13 camisas al día, el método de producción de menor costo (el método a largo plazo) es con dos máquinas en $CP_2$.

■ Cada curva del costo promedio a corto plazo tiene forma de U.

■ Para cada curva del costo promedio a corto plazo, cuanto mayor sea la planta, mayor será la producción en la que el costo promedio se encuentra en un mínimo.

Cada curva del costo promedio a corto plazo tiene forma de U porque, a medida que aumenta la cantidad de trabajo, al principio aumenta su producto marginal y después disminuye. Estos patrones en el producto marginal del trabajo, que se examinaron con cierto detalle para la planta con una máquina de coser en las páginas 220-221, ocurren en todos los tamaños de planta.

El costo promedio mínimo para una planta mayor ocurre a una producción mayor de lo que sucede con una planta más pequeña, porque la planta es mayor y, por consiguiente, tiene un costo fijo promedio más alto para cualquier nivel de producción determinado.

Sobre cuál de las curvas del costo promedio a corto plazo opera Camisas Carlitos, depende del tamaño de su planta. Pero, a largo plazo, Carlitos elige el tamaño de su planta. Y el tamaño de la planta que elige depende de la producción que piensa lograr. La razón es que el costo promedio de obtener una determinada producción depende del tamaño de la planta.

Para ver por qué, suponga que Carlitos piensa producir 13 camisas al día. Con una máquina, la curva del costo pro-

medio es $CP_1$ (en la figura 11.7) y el costo promedio de 13 camisas al día es $7.69 por camisa. Con dos máquinas, en $CP_2$, el costo promedio es $6.80 por camisa. Con tres máquinas, en $CP_3$, el costo promedio es $7.69 por camisa, el mismo que con una máquina. Por último, con cuatro máquinas, en $CP_4$, el costo promedio es $9.50 por camisa.

El tamaño de planta económicamente eficiente para obtener una determinada producción es aquel que tiene el costo promedio más bajo. Para Camisas Carlitos, la planta económicamente eficiente a usar para producir 13 camisas al día es la de dos máquinas.

A largo plazo, Carlitos elige el tamaño de planta que minimiza el costo promedio. Cuando una empresa está obteniendo una determinada producción al costo más bajo posible, está operando en su *curva del costo promedio a largo plazo*.

La **curva del costo promedio a largo plazo** es la relación entre el costo promedio alcanzable más bajo y la producción, cuando varían tanto el tamaño de planta como la cantidad de trabajo. La curva del costo promedio a largo plazo es una curva de planeación. Dice a la empresa el tamaño de planta y la cantidad de trabajo a utilizar para cada producción, con el fin de minimizar el costo. Una vez que se elige el tamaño de la planta, la empresa opera sobre las curvas de costos a corto plazo que sean aplicables al tamaño de la planta.

## La curva del costo promedio a largo plazo

La figura 11.8 muestra la curva del costo promedio a largo plazo de Camisas Carlitos, *CPLP*. Esta curva del costo promedio a largo plazo se deriva de las curvas del costo promedio a corto plazo en la figura 11.7. Para tasas de producción de hasta 10 camisas al día, el costo promedio es más bajo a lo largo de la curva $CP_1$. Para tasas de producción de entre 10 y 18 camisas al día, el costo promedio es más bajo a lo largo de la curva $CP_2$. Para tasas de producción de entre 18 y 24 camisas al día, el costo promedio más bajo ocurre a lo largo de la curva $CP_3$. Y para tasas de producción por encima de 24 camisas al día, el costo promedio más bajo ocurre a lo largo de la curva $CP_4$. El segmento de cada una de las cuatro curvas del costo promedio a lo largo del cual el costo total promedio es el más bajo, está realzado en color azul oscuro en la figura 11.8. La curva con forma de concha, compuesta de estos cuatro segmentos, es la curva del costo promedio a largo plazo.

## Economías y deseconomías de escala

Las **economías de escala** son características de la tecnología de una empresa que conducen a que baje el costo promedio a largo plazo conforme aumenta la producción. Cuando existen economías de escala, la curva *CPLP* tiene pendiente descendente. La curva *CPLP* en la figura 11.8 muestra que Camisas Carlitos experimenta economías de escala para producciones de hasta 15 camisas al día.

Con precios dados de los insumos, ocurren economías de escala si el porcentaje de aumento en la producción excede el porcentaje de aumento en todos los insumos. Por ejemplo, si la producción de una empresa aumenta en más de 10%, cuando ésta aumenta su trabajo y capital en 10%, entonces su costo total promedio baja. En este caso, se dice que existen economías de escala.

La principal fuente de economías de escala es la mayor especialización, tanto del trabajo como del capital. Por ejemplo, si Chrysler produce 100 automóviles a la semana, cada trabajador tiene que realizar muchas tareas diferentes y el capital tiene que consistir en máquinas y herramientas para propósitos generales. En cambio, si Chrysler produce 10,000 automóviles a la semana, cada trabajador se especializa y se vuelve altamente eficiente en un pequeño número de tareas. También el capital es especializado y productivo.

Las **deseconomías de escala** son características de la tecnología de una empresa que conducen a elevar el costo promedio a largo plazo a medida que aumenta la producción. Cuando existen deseconomías de escala, la curva *CPLP* tiene pendiente ascendente. En la figura 11.8, Camisas Carlitos experimenta deseconomías de escala a niveles de producción superiores a 15 camisas al día.

---

**FIGURA 11.8**

## Curva del costo promedio a largo plazo

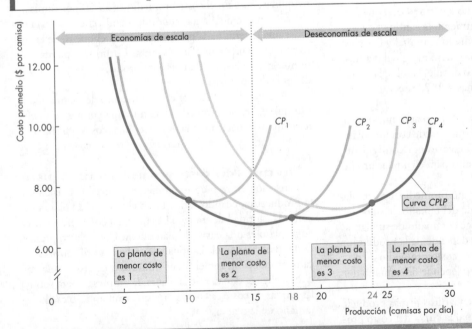

A largo plazo, Camisas Carlitos puede variar los insumos tanto de capital como de trabajo. La curva del costo promedio a largo plazo dibuja el costo promedio más bajo alcanzable. Camisas Carlitos produce sobre su curva del costo promedio a largo plazo si utiliza una máquina para producir hasta 10 camisas al día, dos máquinas para producir entre 10 y 18 camisas al día, tres máquinas para producir entre 18 y 24 camisas al día y cuatro máquinas para producir más de 24 camisas al día. Dentro de cada rango, Camisas Carlitos varía su producción variando el insumo trabajo.

Con precios dados de los insumos, ocurren deseconomías de escala si el incremento porcentual en la producción es inferior al aumento porcentual de los insumos. Por ejemplo, si cuando una empresa aumenta su trabajo y capital en 10%, la producción aumenta en menos de 10%, entonces su costo total promedio se eleva. En este caso, se dice que existen deseconomías de escala.

La principal fuente de las deseconomías de escala es la dificultad de administrar una empresa muy grande. Cuanto mayor sea la empresa, mayor será el reto de organizarla y mayor el costo de la comunicación a lo largo de la jerarquía administrativa y entre los gerentes. Con el tiempo, la complejidad de la administración ocasiona la elevación del costo promedio. En todos los procesos de producción existen deseconomías de escala, pero quizá sólo a una tasa de producción muy grande.

Los **rendimientos constantes a escala** son aspectos de la tecnología de una empresa que conducen a un costo promedio a largo plazo constante, a medida que aumenta la producción. Cuando existen rendimientos constantes a escala, la curva *CPLP* es horizontal.

Con precios dados de los insumos, ocurren rendimientos a escala constantes si el aumento porcentual en la producción es igual al aumento porcentual en los insumos. Por ejemplo, si la producción de una empresa aumenta en 10%, cuando su trabajo y capital aumentan en 10%, su costo total promedio es constante. En este caso, se dice que existen rendimientos constantes a escala.

Por ejemplo, Ford Motor Company puede duplicar su producción de automóviles Focus duplicando sus instalaciones de producción para esos automóviles. Puede construir una línea de producción idéntica y contratar a un número idéntico de trabajadores. Con las dos líneas de producción idénticas, Ford produce exactamente el doble de automóviles.

**Escala eficiente mínima**   Una empresa experimenta economías de escala hasta algún nivel de producción. Más allá de ese nivel pasa a rendimientos constantes a escala o a deseconomías de escala. La **escala eficiente mínima** de una empresa es el menor nivel de producción en el que el costo promedio a largo plazo alcanza su nivel más bajo.

La escala eficiente mínima desempeña un papel importante en la determinación de la estructura del mercado, como se aprenderá en los próximos tres capítulos. La escala eficiente mínima también ayuda a contestar a algunas preguntas sobre negocios de verdad.

**Economías de escala en Camisas Carlitos**   La función de producción de Camisas Carlitos, que aparece en la tabla 11.3, muestra economías y deseconomías de escala. Si los insumos de Camisas Carlitos aumentan de una máquina y un trabajador a dos de cada uno, es decir, un aumento de 100% en todos los insumos, la producción aumenta en más del 100%, al pasar de cuatro a 15 camisas al día. Camisas Carlitos experimenta economías de escala y disminuye su

costo promedio a largo plazo. Pero si los insumos de Camisas Carlitos aumentan a tres máquinas y tres trabajadores, un aumento de 50%, la producción aumenta en menos de 50%, al pasar de 15 a 22 camisas al día. Ahora Camisas Carlitos experimenta deseconomías de escala y su costo promedio a largo plazo aumenta. La escala eficiente mínima de Camisas Carlitos se encuentra en 15 camisas al día.

**Producción de automóviles y generación de energía eléctrica**   Al inicio de este capítulo se presentó la pregunta: ¿Por qué los fabricantes de automóviles tienen equipos caros que no se utilizan en forma plena? Ahora puede contestar a esta pregunta. Un fabricante de automóviles utiliza la planta que minimiza el costo total promedio de elaborar la producción que puede vender, pero opera por debajo de la escala eficiente mínima. Su curva del costo total promedio a corto plazo se parece a $CP_1$. Si pudiera vender más automóviles, produciría más y su costo total promedio bajaría.

También se observó que muchas compañías de servicios públicos de electricidad no tienen el equipo de producción suficiente para satisfacer la demanda en los días más fríos o más calientes, y tienen que comprar energía a otros productores. Ahora sabe por qué. Un productor de energía usa el tamaño de planta que minimiza el costo total promedio de elaborar la producción que puede vender en un día normal. Pero produce por encima de la escala eficiente mínima y experimenta deseconomías de escala. La curva del costo total promedio a corto plazo se parece a $CP_3$. Con un tamaño de planta mayor, sus costos totales promedio de obtener su producción normal serían más altos.

## PREGUNTAS DE REPASO

- ¿Qué muestra la función de producción de una empresa y cómo se relaciona con la curva de producto total?
- ¿Se aplica la ley de los rendimientos decrecientes tanto al capital como al trabajo? Explique por qué.
- ¿Qué muestra la curva del costo promedio a largo plazo de una empresa? ¿Cómo se relaciona con las curvas del costo promedio a corto plazo de la empresa?
- ¿Qué son las economías de escala y las deseconomías de escala? ¿Cómo se producen? ¿Qué implican para la forma de la curva del costo promedio a largo plazo?
- ¿Cómo se determina la escala eficiente mínima de una empresa?

◆ La *Lectura entre líneas* en las páginas 232-233 aplica lo que se ha aprendido sobre las curvas de producto y costos de una empresa. Observa las curvas de producto total y de costos de Exxon y Mobil antes y después de la fusión propuesta de estos dos gigantes productores de petróleo.

# Disminución del costo
# del petróleo

THE NEW YORK TIMES, 2 de diciembre, 1998

## *Exxon y mobil anuncian una operación de $80,000 millones para crear la mayor compañía del mundo*

POR ALLEN R. MYERSON Y AGIS SALPUKAS

Exxon, la compañía petrolera más grande de Estados Unidos, aceptó formalmente el martes comprar Mobil, la segunda más grande, por 80,000 millones de dólares en acciones, para formar la mayor corporación del mundo...

El convenio reuniría a las dos piezas más grandes de Standard Oil Trust, de John D. Rockefeller, que fue desintegrada en 1911 en el más connotado caso antimonopolio de la nación.

Las compañías expresaron el martes que ahora se enfrentan a competidores globales y a una disminución en los precios de la energía, lo que hace una necesidad volver a combinarse y obtener los ahorros resultantes. Pero mientras que las compañías dijeron que podrían ahorrar $2,800 millones

cada año, los mayores costos los pagarían los empleados. Las compañías dijeron que de sus 123,000 trabajadores actuales en todo el mundo, era probable que 9,000 de ellos fueran despedidos.

Lee Raymond, presidente y director general de Exxon, quien recibiría también el título de presidente de la compañía combinada, dijo en repetidas ocasiones que su objetivo era mayor eficiencia, no tamaño bruto. En conferencia de prensa dijo: "Éste es el caso de que el total es mayor que la suma de las partes." Después añadió: "Siempre he tenido el punto de vista de que el objetivo es ser el mejor. Si para ser el mejor también es necesario ser el más grande, está bien."

### Esencia del artículo

■ Exxon y Mobil planean fusionarse.

■ El objetivo de la fusión es ahorrar costos, y las compañías dicen que con la fusión pueden rebajar los costos en 2,800 millones de dólares al año.

■ La fuerza de trabajo de la compañía fusionada sería de 9,000 trabajadores menos que las actuales fuerzas de trabajo combinadas de las dos compañías.

## Análisis económico

- Exxon y Mobil son empresas enormes que:
    - Exploran para encontrar nuevos depósitos de petróleo y gas natural
    - Extraen materias primas
    - Transportan materias primas a las refinerías
    - Refinan y procesan materias primas
    - Transportan y venden productos refinados

- Estas empresas son grandes porque hay economías de escala en muchas de sus actividades de producción y en especial en la exploración.

- La figura 1 muestra la tecnología a la que se enfrentan estas empresas, en la forma de una curva de producto total. Exxon y Mobil operan sobre la curva de producto total $PT_0$. Mobil emplea 43,000 personas y produce 1,460 millones de barriles de petróleo al año, y Exxon emplea 80,000 personas y produce 3,000 millones de barriles de petróleo al año.*

- Si Exxon y Mobil se fusionan en una sola empresa muy grande, estarán en posibilidad de operar sobre una nueva curva de producto total. La nueva curva se puede representar como $PT_1$ en la figura 1.

---

* Los números de empleados son datos de Exxon y Mobil. Los barriles producidos fueron calculados por el autor como el equivalente, en barriles de petróleo, de las ventas totales de Exxon y Mobil. En realidad, las empresas venden varios productos diferentes.

- Se puede interpretar la afirmación de Lee Raymond de que: "Éste es el caso de que el total es mayor que la suma de las partes" como que la empresa combinada no se mueve a lo largo de la curva del producto total $PT_0$ existente, sino que salta a una nueva curva del producto total más alta, $PT_1$, y que aumenta la productividad.

- La figura 2 muestra el efecto de la fusión sobre el costo total promedio.

- La curva del costo promedio sobre la que operan las dos empresas antes de la fusión es $CP_0$. Ambas empresas tienen un nivel similar de costo promedio, pero de acuerdo con la curva del producto total supuesta en la figura 1, Mobil opera en la región de costo promedio en disminución y Exxon opera en la región del costo promedio creciente.

- Después de la fusión, la curva del costo promedio se desplaza hasta $CP_1$. La empresa fusionada es más grande y tiene mayores costos fijos que las dos empresas por separado, por lo que, a tasas de producción pequeñas, el costo total promedio es más alto en la nueva empresa que en las existentes.

- Pero a los grandes niveles de producción en los que operará la empresa combinada, el costo total promedio es inferior para la empresa fusionada que para las empresas existentes.

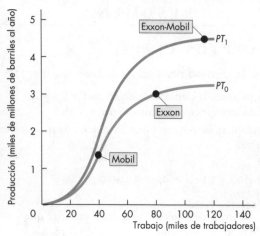

Figura 1  Producto total

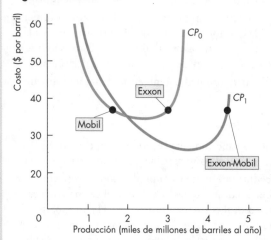

Figura 2  Costo total promedio

- Observe que la nueva empresa combinada pudiera operar sobre la parte con pendiente ascendente de su nueva curva $CP$, como en este ejemplo, a pesar de que se ha beneficiado de las economías de escala.

# RESUMEN

## CONCEPTOS CLAVE

### Marcos de tiempo para las decisiones (pág. 218)

■ A corto plazo, la cantidad de un recurso es fija y las cantidades de los otros recursos pueden variar.

■ A largo plazo, se pueden variar las cantidades de todos los recursos.

### Restricción de tecnología a corto plazo (págs. 219-222)

■ La curva del producto total muestra la cantidad que puede producir una empresa con una determinada cantidad de capital y diferentes cantidades de trabajo.

■ Inicialmente, el producto marginal del trabajo aumenta a medida que aumenta la cantidad de trabajo, pero a la larga el producto marginal disminuye. Esto es lo que se conoce como la ley de los rendimientos decrecientes.

■ El producto promedio también aumenta inicialmente y a la larga disminuye.

### Costos a corto plazo (págs. 223-227)

■ A medida que aumenta la producción, el costo fijo es constante, y el costo variable y el costo total aumentan.

■ A medida que aumenta la producción, el costo fijo promedio disminuye. Por su parte, el costo variable promedio, el costo total promedio y el costo marginal disminuyen a producciones pequeñas y aumentan con niveles de producción grandes. Estas curvas de costos tienen forma de U.

### Costos a largo plazo (págs. 228-231)

■ El costo a largo plazo es el costo de producción cuando todos los insumos (trabajo y capital) se han ajustado a sus niveles económicamente eficientes.

■ Existe un grupo de curvas de costos a corto plazo para cada tamaño de planta. Para cada nivel de producción, hay un tamaño de planta del menor costo. Cuanto mayor sea la producción, mayor será el tamaño de la planta que minimizará el costo total promedio.

■ La curva del costo promedio a largo plazo indica el costo total promedio alcanzable más bajo a cada nivel de producción, cuando se pueden variar los insumos tanto de capital como de trabajo.

■ Con economías de escala, la curva del costo promedio a largo plazo tiene pendiente descendente. Con deseconomías de escala, la curva del costo promedio a largo plazo tiene pendiente ascendente.

## FIGURAS Y CUADROS CLAVE

## TÉRMINOS CLAVE

# PROBLEMAS

*1. El plan de producto total de la empresa Botas de Hule es:

| Trabajo (trabajadores por semana) | Producción (botas por semana) |
|---|---|
| 1 | 1 |
| 2 | 3 |
| 3 | 6 |
| 4 | 10 |
| 5 | 15 |
| 6 | 21 |
| 7 | 26 |
| 8 | 30 |
| 9 | 33 |
| 10 | 35 |

a. Dibuje la curva del producto total.

b. Calcule el producto promedio del trabajo y dibuje la curva correspondiente.

c. Calcule el producto marginal del trabajo y dibuje la curva correspondiente.

d. ¿Cuál es la relación entre el producto promedio y el producto marginal cuando Botas de Hule produce (i) menos de 30 botas a la semana y (ii) más de 30 botas a la semana?

2. El plan de producto total de Chocolates Carla es:

| Trabajo (trabajadores por día) | Producción (cajas por día) |
|---|---|
| 1 | 12 |
| 2 | 24 |
| 3 | 48 |
| 4 | 84 |
| 5 | 132 |
| 6 | 192 |
| 7 | 240 |
| 8 | 276 |
| 9 | 300 |
| 10 | 312 |

a. Dibuje la curva del producto total.

b. Calcule el producto promedio del trabajo y dibuje la curva correspondiente.

c. Calcule el producto marginal del trabajo y dibuje la curva correspondiente.

d. ¿Cuál es la relación entre el producto promedio y el producto marginal cuando Chocolates Carla produce (i) menos de 276 cajas al día y (ii) más de 276 cajas al día?

*3. En el problema 1, suponga que el precio del trabajo es $400 a la semana y que el costo fijo total es $1,000 a la semana.

a. Calcule el costo total, el costo variable total y el costo fijo total para cada producción, y dibuje las curvas del costo total a corto plazo.

b. Calcule el costo total promedio, el costo fijo promedio, el costo variable promedio y el costo marginal de cada nivel de producción, y dibuje las curvas del costo promedio a corto plazo y del costo marginal.

4. En el problema 2, el precio del trabajo es $50 por día y los costos fijos totales son $50 por día.

a. Calcule el costo total, el costo variable total y los costos fijos totales para cada nivel de producción, y dibuje las curvas del costo total a corto plazo.

b. Calcule el costo total promedio, el costo fijo promedio, el costo variable promedio y el costo marginal de cada nivel de producción, y dibuje las curvas del costo promedio a corto plazo y del costo marginal.

*5. En el problema 3, suponga que el costo fijo total de Botas de Hule aumenta hasta $1,100 a la semana. Explique qué cambios ocurren a las curvas del costo promedio a corto plazo y del costo marginal.

6. En el problema 4, suponga que el precio del trabajo aumenta hasta $70 por día. Explique qué cambios ocurren a las curvas del costo promedio a corto plazo y del costo marginal.

*7. En el problema 3, Botas de Hule compra una segunda planta y ahora el producto total de cada cantidad de trabajo se duplica. El costo fijo total de operar cada planta es $1,000 a la semana. La tasa salarial es $400 a la semana.

a. Especifique el plan de costo total promedio cuando Botas de Hule opera dos plantas.

b. Dibuje la curva del costo promedio a largo plazo.

c. ¿En qué rangos de producción es eficiente operar una y dos plantas?

8. En el problema 4, Chocolates Carla compra una segunda planta y ahora el producto total de cada cantidad de trabajo se duplica. El costo fijo total de operar cada planta es $50 al día. La tasa de salarios es $50 al día.

a. Determine la curva del costo total promedio cuando Carla opera dos plantas.

b. Dibuje la curva del costo promedio a largo plazo.

c. ¿En qué rangos de producción es eficiente operar una y dos plantas?

*9. La tabla muestra la función de producción de Paseos en Globo Roberta:

| Trabajo (trabajadores por día) | Producción (paseos por día) | | | |
|---|---|---|---|---|
| | Planta 1 | Planta 2 | Planta 3 | Planta 4 |
| 1 | 4 | 10 | 13 | 15 |
| 2 | 10 | 15 | 18 | 21 |
| 3 | 13 | 18 | 22 | 24 |
| 4 | 15 | 20 | 24 | 26 |
| 5 | 16 | 21 | 25 | 27 |
| Globos (número) | 1 | 2 | 3 | 4 |

Roberta tiene que pagar $500 al día por cada globo que alquila y $250 al día por cada operador de globos que contrata.

a. Determine y presente en forma gráfica la curva del costo total promedio para cada tamaño de planta.

b. Dibuje la curva del costo promedio a largo plazo de Roberta.

c. ¿Cuál es la escala eficiente mínima de Roberta?

d. Explique cómo utiliza Roberta su curva del costo promedio a largo plazo, para decidir cuántos globos alquilar.

10. La tabla muestra la función de producción de Pizzas a domicilio Mario:

| Trabajo (trabajadores por día) | Producción (pizzas por día) | | | |
|---|---|---|---|---|
| | Planta 1 | Planta 2 | Planta 3 | Planta 4 |
| 1 | 4 | 8 | 11 | 13 |
| 2 | 8 | 12 | 15 | 17 |
| 3 | 11 | 15 | 18 | 20 |
| 4 | 13 | 17 | 20 | 22 |
| Hornos (número) | 1 | 2 | 3 | 4 |

Mario tiene que pagar $100 al día por cada horno que alquila y $75 por cada ayudante de cocina que contrata.

a. Determine y presente en forma gráfica la curva del costo total promedio para cada tamaño de planta.

b. Dibuje la curva del costo promedio a largo plazo de Mario.

c. ¿En qué rangos de producción experimenta Mario economías de escala?

d. Explique cómo usa Mario su curva del costo promedio a largo plazo, para decidir cuántos hornos alquilar.

## PENSAMIENTO CRÍTICO

 1. Estudie la sección *Lectura entre líneas* en las páginas 232-233 y después:

a. Dibuje la curva del producto promedio y la curva del producto marginal que corresponden a la curva del producto total $PT_0$.

b. Dibuje la curva del producto promedio y la curva del producto marginal que corresponden a la curva del producto total $PT_1$.

c. ¿Por qué en la figura 2 se muestra a Mobil operando sobre la porción con pendiente descendente de la curva $CP$ y a Exxon operando sobre la parte con pendiente ascendente?

d. Utilice los enlaces de la página de Internet de este libro para obtener información sobre la fuerza de trabajo, el ingreso y el costo de otras grandes compañías petroleras.

e. Con la información sobre el tamaño de la fuerza de trabajo y el costo total, conteste cómo se compara la empresa fusionada Exxon-Mobil con las otras grandes compañías petroleras.

f. ¿Cuál de las grandes compañías petroleras piensa usted que es la más eficiente y por qué?

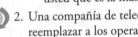 2. Una compañía de telecomunicaciones está estudiando reemplazar a los operadores telefónicos con computadoras. Este cambio aumentará el costo fijo total y disminuirá el costo variable total. Utilice la hoja de cálculo de la página de Internet de este libro, o cree su propio ejemplo, y dibuje:

a. Las curvas del costo total para la tecnología original que utiliza a personas como operadores.

b. Las curvas del costo promedio para la tecnología original que utiliza a personas como operadores.

c. Las curvas del costo marginal para la tecnología original que utiliza a personas como operadores.

d. Las curvas del costo total para la nueva tecnología que utiliza computadoras.

e. Las curvas del costo promedio para la nueva tecnología que utiliza computadoras.

f. Las curvas del costo marginal para la nueva tecnología que utiliza computadoras.

 3. Una hoja de cálculo electrónico en la página de Internet de este libro proporciona información sobre el costo de operar un cajero automático. Utilice la información para determinar las curvas del costo promedio para un cajero automático. ¿Bajo qué condiciones el banco quizá *no* instale un cajero automático y por el contrario utilice un cajero humano?

# Capítulo 12

# Competencia perfecta

En 1998, los estadounidenses gastaron más de 10,000 millones de dólares en helados. La competencia en los helados es feroz: marcas nacionales como Baskin-Robbins, Häagen-Dazs y Ben and Jerry's compiten con cientos de otras marcas pequeñas por un espacio en un mercado muy competido. En este mercado, todo el tiempo entran nuevas empresas a probar suerte, en tanto que otras son obligadas a abandonar el negocio. ¿Cómo afecta la competencia a los precios y los beneficios? ¿Qué ocasiona que algunas empresas entren a una industria y otras la abandonen? ¿Cuáles son los efectos sobre los beneficios y los precios de la constante entrada y salida de empresas de una industria? ◆ En un día cualquiera, muchas personas en América Latina se encuentran desempleadas por haber sido despedidas por empleadores que buscan rebajar sus costos y evitar la quiebra.

## Competencia acalorada en el mercado de helados

En 1995, los fabricantes de muchos sectores económicos en Estados Unidos despidieron a un gran número de trabajadores a pesar de que la economía se encontraba en expansión y el empleo total estaba aumentando. ¿Por qué despiden a trabajadores las empresas? ¿Cuándo cerrará temporalmente una empresa y despedirá a sus trabajadores? ◆ En los últimos años, se ha producido una drástica disminución en los precios de las computadoras personales. Por ejemplo, una computadora lenta costaba casi 4,000 dólares hace unos pocos años, en tanto que en la actualidad una computadora rápida cuesta solamente 1,000 dólares. ¿Qué sucede en una industria cuando el precio de su producción cae en forma pronunciada? ¿Qué le ocurre a los beneficios de las empresas que producen esos bienes?

◆ Los helados, las computadoras y la mayor parte de los otros bienes que consumimos, son producidos por más de una empresa. Además, estas empresas usualmente compiten entre sí por las ventas de sus productos. Para estudiar los mercados competitivos, construiremos un modelo de un mercado en el cual la competencia es tan feroz y extrema como sea posible. De hecho, la competencia será aún mayor que en los ejemplos que hemos estudiado hasta ahora. A esta situación la denominaremos "competencia perfecta".

**Después de estudiar este capítulo, usted será capaz de:**

- Definir la competencia perfecta
- Explicar cómo se determinan el precio y la producción en una industria competitiva
- Explicar por qué las empresas en ocasiones cierran temporalmente y despiden a trabajadores
- Explicar por qué las empresas entran y salen de una industria
- Predecir los efectos de un cambio en la demanda y de un avance tecnológico
- Explicar por qué la competencia perfecta es eficiente

# Competencia

LAS EMPRESAS QUE ESTUDIAREMOS EN ESTE CAPÍTULO SE enfrentan a la fuerza de la competencia más pura. A esta forma extrema de competencia la denominamos competencia perfecta. La **competencia perfecta** se presenta en una industria en la que:

- Muchas empresas venden productos idénticos a muchos compradores.
- No hay restricciones para entrar a la industria.
- Las empresas establecidas no tienen ventajas sobre las nuevas.
- Los vendedores y los compradores están bien informados sobre los precios.

La agricultura, la pesca, la fabricación de vasos de cartón, la fabricación de bolsas de plástico, la venta al menudeo de alimentos, los servicios de plomería y pintura, el revelado de fotografías, las papelerías y la prestación de servicios de lavandería son todos ejemplos de industrias altamente competitivas.

## Cómo surge la competencia perfecta

La competencia perfecta surge si la escala eficiente mínima de un solo productor es pequeña con relación a la demanda del bien o servicio (véase el capítulo 11, pág. 231). La **escala eficiente mínima** de una empresa es la cantidad más pequeña de producción en la que el costo promedio a largo plazo llega a su nivel más bajo. En aquellas situaciones en las que la escala eficiente mínima de una empresa es pequeña con relación a la demanda total del bien o servicio, hay lugar para muchas empresas en una industria.

Segundo, la competencia perfecta surge si se percibe que cada empresa produce un bien o servicio que no tiene características únicas o especiales, por lo que a los consumidores no les importa a qué empresa comprar.

## Tomadores de precios

Las empresas en competencia perfecta tienen que tomar muchas decisiones. Pero una cosa que *no* deciden es el precio al cual vender su producción. Por esta razón, se dice que las empresas en competencia perfecta son tomadoras de precios. Un **tomador de precios** es una empresa que no puede influir sobre el precio de un bien o servicio.

La razón clave por la que una empresa perfectamente competitiva es una tomadora de precios, es que elabora una proporción diminuta de la producción total de un bien en particular y los compradores están bien informados sobre los precios de otras empresas.

Imagine que usted cosecha trigo en alguna provincia de Argentina y que tiene cien hectáreas en cultivo (lo que parece ser mucho). Pero cuando recorre otras provincias del país, se encuentra con grandes extensiones de trigo que abarcan decenas de miles de hectáreas. Y sabe que en Canadá, Estados Unidos, Australia y Ucrania hay paisajes similares. Sus cien hectáreas son como una gota en el océano. Nada hace que su trigo sea mejor que el de los otros agricultores y todos los compradores de trigo conocen el precio con el que pueden hacer operaciones.

Si todos los demás venden su trigo a 100 dólares por tonelada y usted quiere vender su trigo a 105 dólares, ¿por qué la gente le compraría a usted? Los compradores simplemente irán al siguiente agricultor, y luego a otro, y a otro, y así hasta que hayan comprado todo lo que necesitan a un precio de 100 dólares por tonelada. Ese precio queda determinado en el mercado para el trigo y usted es un *tomador de precios.*

La demanda del *mercado* de trigo no es perfectamente elástica. La curva de demanda del mercado tiene pendiente descendente y su elasticidad depende de cómo se pueda sustituir el trigo por otros cereales como la cebada, el centeno, el maíz y el arroz. Pero la demanda de trigo de la granja *A* es perfectamente elástica porque el trigo de la granja *B* es un *sustituto perfecto* del trigo de la granja *A*. El tomador de precios se enfrenta a una curva de demanda perfectamente elástica.

## Beneficio económico e ingreso

El objetivo de una empresa es maximizar su **beneficio económico**, lo que es igual al ingreso total menos el costo total. El costo total es el *costo de oportunidad* de la producción, lo que incluye el **beneficio normal** de la empresa, es decir, el rendimiento que puede obtener el dueño de la empresa en el mejor negocio alternativo.

El **ingreso total** de una empresa es igual al precio de su producción multiplicado por el número de unidades de producción vendidas (precio × cantidad). El **ingreso marginal** es el cambio en el ingreso total como resultado del aumento de una unidad en la cantidad vendida. El ingreso marginal se calcula dividiendo el cambio en el ingreso total entre el cambio en la cantidad vendida.

La figura 12.1 muestra estos conceptos del ingreso. Camisas Carlitos es una de miles de empresas pequeñas similares. En la figura 12.1(a), la demanda y la oferta en el mercado de camisas determina el precio de equilibrio que es de $25 por camisa. Carlitos, el dueño de la empresa, tiene que tomar este precio. No puede influir sobre él cambiando la cantidad de camisas que produce.

La tabla muestra tres cantidades diferentes de camisas producidas. Según varía la cantidad, el precio permanece constante (en este ejemplo, en $25 por camisa). El ingreso total es igual al precio multiplicado por la cantidad vendida. Por ejemplo, si Carlitos vende ocho camisas, su ingreso total es 8 × $25, lo que es igual a $200.

## FIGURA 12.1

### Demanda, precio e ingresos en competencia perfecta

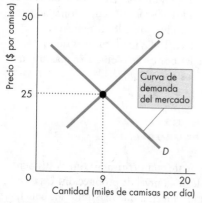

**(a) Mercado de camisas**

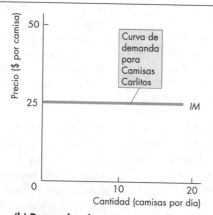

**(b) Demanda e ingreso marginal de Camisas Carlitos**

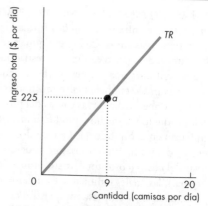

**(c) Ingreso total de Camisas Carlitos**

La demanda y la oferta de mercado determinan el precio. En la sección (a), el precio de mercado es $25 por camisa y se compran y venden 9,000 de ellas. Camisas Carlitos se enfrenta a una demanda perfectamente elástica al precio de mercado de $25 por camisa, sección (b). La tabla calcula el ingreso total y el ingreso marginal de la empresa. La sección (b) muestra la curva de demanda para Camisas Carlitos, que también es su curva de ingreso marginal (*IM*). La sección (c) muestra la curva de ingreso total (*IT*) de Carlitos. El punto *a* corresponde al segundo renglón de la tabla.

| Cantidad vendida (Q) (camisas por día) | Precio (P) ($ por camisa) | Ingreso total (IT = P × Q) ($) | Ingreso marginal (IM = ΔIT/ΔQ) ($ por camisa adicional) |
|---|---|---|---|
| 8 | 25 | 200 | |
| | | | ..............25 |
| 9 | 25 | 225 | |
| | | | ...........25 |
| 10 | 25 | 250 | |

El ingreso marginal es el cambio en el ingreso total que resulta del cambio en una unidad de la cantidad vendida. Por ejemplo, cuando la cantidad vendida aumenta de ocho a nueve, el ingreso total aumenta de $200 a $225, por lo que el ingreso marginal es de $25 por camisa. (Observe que en la tabla que acompaña a la figura, el ingreso marginal aparece *entre* los renglones de las cantidades vendidas para recordarle que el ingreso marginal es el resultado del *cambio* en la cantidad vendida.)

Debido a que el precio permanece constante cuando cambia la cantidad vendida, el cambio en el ingreso total que resulta del aumento de una unidad en la cantidad vendida es igual al precio. Por tanto, en la competencia perfecta, el ingreso marginal es igual al precio.

La figura 12.1(b) muestra la curva del ingreso marginal de Carlitos (*IM*). Esta curva expresa el cambio en el ingreso total como resultado de vender una camisa más. Esta curva también es la curva de demanda de la empresa. La empresa, al ser una tomadora de precios, puede vender cualquier cantidad que decida a este precio. Por tanto, la empresa se enfrenta a una demanda por su producción perfectamente elástica.

La curva del ingreso total (*IT*) en la sección (*c*) muestra el ingreso total a cada cantidad vendida. Por ejemplo, si Carlitos vende nueve camisas, el ingreso total es $225 (punto *a*). Debido a que cada camisa adicional vendida proporciona una cantidad constante ($25), la curva del ingreso total es una línea recta con pendiente ascendente.

## PREGUNTAS DE REPASO

■ Explique por qué una empresa en competencia perfecta es una tomadora de precios.

■ En competencia perfecta, ¿cuál es la relación entre la curva de demanda de una empresa y la curva de demanda del mercado?

■ En competencia perfecta, ¿por qué la curva de demanda de una empresa es también su curva del ingreso marginal?

■ En competencia perfecta, ¿por qué la curva del ingreso total es una línea recta con pendiente ascendente?

# Las decisiones de la empresa en competencia perfecta

LAS EMPRESAS EN UNA INDUSTRIA PERFECTAMENTE competitiva se enfrentan a un determinado precio de mercado y tienen las curvas de ingreso que ya se han estudiado. Estas curvas de ingreso resumen la restricción de mercado a la que se enfrenta una empresa perfectamente competitiva.

Las empresas también tienen una restricción de tecnología, que se describe mediante las curvas del producto (producto total, producto promedio y producto marginal), las cuales se estudiaron en el capítulo 11. La tecnología de que dispone la empresa determina sus costos, que se describen mediante las curvas del costo (costo total, costo promedio y costo marginal), las cuales también se estudiaron en el capítulo 11.

La tarea de la empresa competitiva es obtener el máximo beneficio económico posible, tomando en consideración las restricciones a las que se enfrenta. Para lograr este objetivo, la empresa tiene que tomar cuatro decisiones fundamentales: dos a corto plazo y dos a largo plazo.

**Decisiones a corto plazo**   El corto plazo es un marco de tiempo en el que cada empresa tiene un tamaño de planta determinado y el número de empresas en la industria es fijo. Pero a corto plazo son muchas las cosas que pueden cambiar y la empresa tiene que reaccionar a esos cambios. Por ejemplo, el precio al que la empresa puede vender su producción, quizá tenga una fluctuación estacional o quizá esté fluctuando de acuerdo con las fluctuaciones generales de la economía. La empresa tiene que reaccionar a esas fluctuaciones a corto plazo en el precio y decidir:

1. Si producir o cerrar
2. Si la decisión es producir, ¿qué cantidad producir?

**Decisiones a largo plazo**   El largo plazo es un marco de tiempo en el que cada empresa puede cambiar el tamaño de su planta y decidir si abandona o no la industria. En este marco de tiempo, también otras empresas pueden decidir si entran o no a la industria. Por tanto, en el largo plazo, es posible que tanto el tamaño de la planta de cada empresa como el número de empresas en la industria cambien. También, en el largo plazo, las restricciones a que se enfrentan las empresas pueden cambiar. Por ejemplo, la demanda de un bien quizá caiga permanentemente, o un avance tecnológico tal vez cambie los costos de la industria. La empresa tiene que reaccionar a esos cambios a largo plazo y decidir:

1. Si aumenta o disminuye el tamaño de su planta
2. Si permanece en la industria o si la abandona

**La empresa y la industria en el corto y en el largo plazos**   Para estudiar una industria competitiva, se comienza por observar las decisiones a corto plazo de una empresa individual. Luego se ve cómo las decisiones a corto plazo de todas las empresas en una industria competitiva se combinan para determinar el precio, la producción y los beneficios económicos de la industria. Después se observa el largo plazo y se estudian los efectos de las decisiones a largo plazo sobre el precio, la producción y los beneficios económicos de la industria. Todas las decisiones que se estudian están impulsadas por un solo objetivo: maximizar los beneficios económicos.

## Producción que maximiza los beneficios económicos

Una empresa perfectamente competitiva maximiza sus beneficios económicos al elegir su nivel de producción. Una forma de encontrar la producción que maximice los beneficios es estudiar los ingresos y los costos totales de una empresa y encontrar el nivel de producción en el cual el ingreso total excede al costo total en la mayor cantidad posible. La figura 12.2 muestra cómo hacer esto en el caso de la empresa Camisas Carlitos. La tabla relaciona el ingreso total y los costos totales de la empresa a diferentes niveles de producción. En la sección (a) de la figura se muestran las curvas del ingreso total y el costo total de Camisas Carlitos. Estas curvas corresponden a figuras de las cifras que aparecen en las tres primeras columnas de la tabla que acompaña a la figura. La curva del ingreso total (*IT*) es la misma que aparece en la figura 12.1(c). La curva del costo total (*CT*) es similar a la que se observó en el capítulo 11. Según aumenta la producción, también lo hace el costo total.

El beneficio económico es igual al ingreso total menos el costo total. La cuarta columna de la tabla de la figura 12.2 muestra el beneficio económico de Camisas Carlitos, y en la parte (b) de la figura se representan estas cifras como la curva de beneficios de la empresa. Esta curva indica que Camisas Carlitos obtiene un beneficio económico cuando su producción fluctúa entre cuatro y 12 camisas al día. Cuando la producción es inferior a cuatro camisas al día, la empresa incurre en una pérdida económica. En forma similar, Camisas Carlitos también incurre en una pérdida económica si su producción excede las 12 camisas por día. Cuando la producción es exactamente de cuatro o 12 camisas al día, el costo total es igual al ingreso total y el beneficio económico de Camisas Carlitos es cero. Una producción en la que el costo total es igual al ingreso total, se conoce como *punto de beneficio (o ganancia) normal*. El beneficio económico de la empresa es cero, pero debido a que el beneficio normal es parte del costo total, la empresa obtiene un beneficio normal en dicho punto. Es decir, en el punto de beneficio normal, el empresario obtiene un ingreso igual al mejor rendimiento alternativo desaprovechado.

**FIGURA 12.2**

# Ingreso total, costo total y beneficio económico

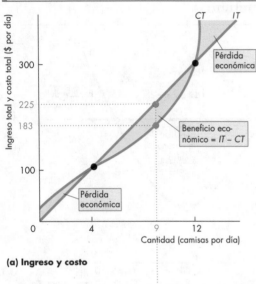

**(a) Ingreso y costo**

**(b) Beneficio y pérdida económica**

| Cantidad (Q) (camisas por día) | Ingreso total (IT) ($) | Costo total (CT) ($) | Beneficio económico (IT - CT) ($) |
|---|---|---|---|
| 0 | 0 | 22 | −22 |
| 1 | 25 | 45 | −20 |
| 2 | 50 | 66 | −16 |
| 3 | 75 | 85 | −10 |
| 4 | 100 | 100 | 0 |
| 5 | 125 | 114 | 11 |
| 6 | 150 | 126 | 24 |
| 7 | 175 | 141 | 34 |
| 8 | 200 | 160 | 40 |
| 9 | 225 | 183 | 42 |
| 10 | 250 | 210 | 40 |
| 11 | 275 | 245 | 30 |
| 12 | 300 | 300 | 0 |
| 13 | 325 | 360 | −35 |

La tabla relaciona el ingreso total, el costo total y el beneficio económico de Camisas Carlitos. En la sección (a) se presentan en forma de gráfica las curvas de ingresos y costos totales. El beneficio económico, en la sección (a), es la altura del área azul entre las curvas de costo total e ingreso total. Camisas Carlitos obtiene el beneficio económico máximo, $42 por día ($225 − $183), cuando produce nueve camisas (la producción en la cual la distancia vertical entre las curvas de ingreso total y costo total es más alta). Cuando se producen ya sea cuatro o 12 camisas al día, Camisas Carlitos obtiene un beneficio económico nulo (punto de beneficios o ganancias normales). Cuando la producción es inferior a cuatro o mayor que 12 camisas al día, la empresa incurre en una pérdida económica. En la sección (b) se muestra la curva de beneficios de la empresa. La curva de beneficio está en su punto más alto cuando el beneficio económico está al máximo. La curva del beneficio cruza el eje horizontal en los puntos de beneficios normales.

Observe la relación entre las curvas de ingreso total, costo total y beneficios. Los beneficios económicos se miden como la distancia vertical entre las curvas de ingreso total y costo total. Cuando la curva del ingreso total en la sección (a) está por encima de la curva del costo total (con un nivel de producción de entre cuatro y 12 camisas), la empresa obtiene beneficios económicos y la curva de beneficios en la sección (b) está por encima del eje horizontal. En el punto de beneficio normal, donde las curvas del costo total e ingreso total se cruzan, la curva de beneficios cruza el eje horizontal. La curva de beneficios está en su punto máximo cuando IT excede a CT por la mayor cantidad posible. En este ejemplo, la maximización de beneficios ocurre con una producción de nueve camisas al día. A este nivel de producción, el beneficio económico de Camisas Carlitos es de $42 al día.

## Análisis marginal

Otra forma de encontrar la producción que maximiza los beneficios económicos es con el *análisis marginal*, en el cual se compara el ingreso marginal (*IM*) con el costo marginal (*CM*). Según aumenta la producción, el ingreso marginal permanece constante, pero el costo marginal cambia. A niveles bajos de producción, el costo marginal disminuye, pero llega un momento en el que empieza a aumentar. Por tanto, donde la curva del costo marginal cruza la curva del ingreso marginal, el costo marginal se eleva.

Si el ingreso marginal excede al costo marginal (es decir, si *IM* > *CM*), entonces el ingreso adicional proveniente de vender una unidad más excede al costo adicional en el que se incurrió al producirla. La empresa obtiene un beneficio económico sobre la unidad marginal, por lo que su beneficio económico aumentará si la producción aumenta.

Si el ingreso marginal es inferior al costo marginal (*IM* < *CM*), entonces el ingreso marginal de vender una unidad más es menor que el costo adicional en que se incurre para producirla. La empresa incurre en una pérdida económica sobre la unidad marginal, por lo que su beneficio económico disminuye si la producción aumenta, y su beneficio económico aumenta si la producción *disminuye*.

Si el ingreso marginal es igual al costo marginal (*IM* = *CM*), se está maximizando el beneficio económico. La regla *IM* = *CM* es un ejemplo excelente del análisis marginal. Regresemos al caso de la empresa Camisas Carlitos para verificar que esta regla del análisis marginal sí funciona para encontrar la producción que maximiza los beneficios económicos de una empresa.

Observe la figura 12.3. La tabla registra los ingresos y costos marginales de Camisas Carlitos. El ingreso marginal es una cantidad constante de $25 por camisa. En el rango de producción que aparece en la tabla, el costo marginal aumenta de $19 por camisa a $35 por camisa.

Centre su atención en los renglones resaltados de la tabla. Si Camisas Carlitos aumenta su producción de ocho a nueve camisas, el ingreso marginal es de $25 y el costo marginal es de $23. Debido a que el ingreso marginal excede al costo marginal, el beneficio económico aumenta. La última columna de la tabla indica que el beneficio económico aumenta desde $40 hasta $42, un aumento de $2. El área azul de la figura muestra este beneficio económico proveniente de la novena camisa.

Si Carlitos aumenta la producción de nueve a 10 camisas, el ingreso marginal sigue siendo $25, pero el costo marginal es $27. Debido a que el ingreso marginal es inferior al costo marginal, el beneficio económico disminuye. La última columna de la tabla indica que el beneficio económico disminuye de $42 a $40. El área roja en la figura muestra esta pérdida proveniente de la décima camisa.

Carlitos maximiza el beneficio económico al producir nueve camisas al día, que es la cantidad en la que el ingreso marginal iguala al costo marginal.

**FIGURA 12.3**

## Producción que maximiza el beneficio

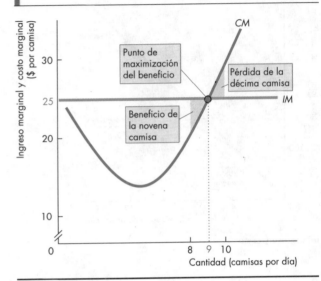

| Cantidad (Q) (camisas por día) | Ingreso total (IT) ($) | Ingreso marginal (IM) ($ por camisa adicional) | Costo total (CT) ($) | Costo marginal (CM) ($ por camisa adicional) | Beneficio económico (IT - CT) ($) |
|---|---|---|---|---|---|
| 7 | 175 | | 141 | | 34 |
| | | ......25 | | ......19 | |
| 8 | 200 | | 160 | | 40 |
| | | ......25 | | ......23 | |
| 9 | 225 | | 183 | | 42 |
| | | ......25 | | ......27 | |
| 10 | 250 | | 210 | | 40 |
| | | ......25 | | ......35 | |
| 11 | 275 | | 245 | | 30 |

Otra forma de encontrar la producción que maximiza el beneficio, es determinar la producción en la cual el ingreso marginal es igual al costo marginal. La tabla muestra que si la producción aumenta de ocho a nueve camisas, el costo marginal es $23, que es inferior al ingreso marginal de $25. Si la producción aumenta de nueve a 10 camisas, el costo marginal es $27, el cual excede al ingreso marginal de $25. La figura muestra que el costo marginal y el ingreso marginal son iguales cuando Camisas Carlitos produce nueve camisas al día. Si el ingreso marginal excede al costo marginal, un aumento en la producción incrementa el beneficio económico. Si el ingreso marginal es inferior al costo marginal, un incremento en la producción disminuye el beneficio económico. Si el ingreso marginal es igual al costo marginal, el beneficio económico se maximiza.

## La curva de oferta de la empresa a corto plazo

La curva de oferta a corto plazo de una empresa perfectamente competitiva muestra cómo varía la producción que maximiza los beneficios de la empresa según varía el precio de mercado, si las demás cosas permanecen igual. La figura 12.4 muestra cómo derivar la curva de oferta de Camisas Carlitos. En la sección (a) se muestran las curvas de costo marginal y de costo variable promedio, y en la parte (b) se muestra la curva de oferta de Camisas Carlitos. Hay un vínculo directo entre las curvas de costo marginal y de costo variable promedio y la curva de oferta. Veamos cuál es ese vínculo.

**Cierre temporal de la planta** A corto plazo, una empresa no puede evitar incurrir en sus costos fijos. Pero la empresa puede evitar los costos variables despidiendo temporalmente a sus trabajadores y cerrando la planta. Si una empresa cierra, no produce nada e incurre en una pérdida igual al costo fijo total. Esta pérdida es la mayor en la que tendría que incurrir una empresa. A una empresa le conviene cerrar si el precio cae por debajo del mínimo del costo variable promedio. El **punto de cierre** es el nivel de la producción y el precio al que la empresa apenas cubre su costo variable total, el punto $c$ en la figura 12.4(a). Si el precio es $17, la curva del ingreso marginal es $IM_0$ y la producción que maximiza el beneficio es de siete camisas al día en el punto $c$. En este punto, tanto el precio como el costo variable promedio son iguales a $17, por lo que Camisas Carlitos no obtiene beneficio económico alguno al producir estas siete camisas. Su pérdida económica es igual a su costo fijo total. A un precio por debajo de $17, sin importar la cantidad que produzca Camisas Carlitos, el costo *variable* promedio excederá al precio y la pérdida económica excederá al costo fijo total. Por tanto, a un precio por debajo de $17, Camisas Carlitos debe cerrar.

**La curva de oferta a corto plazo** Si el precio está por encima del costo variable promedio mínimo, Camisas Carlitos maximiza sus beneficios produciendo una cantidad en la cual el costo marginal es igual al ingreso marginal y, por tanto, igual al precio. La cantidad producida a cada precio puede determinarse a partir de la curva del costo marginal. A un precio de $25, la curva del ingreso marginal es $IM_1$ y Camisas Carlitos maximiza sus beneficios produciendo nueve camisas. A un precio de $31, la curva del ingreso marginal es $IM_2$ y la empresa produce 10 camisas.

La curva de oferta a corto plazo de Camisas Carlitos, que se muestra en la figura 12.4(b), se compone de dos partes: primero, a los precios que excedan al costo variable promedio mínimo, la curva de oferta es idéntica a la curva del costo marginal, en la sección en la que éste se encuentra por encima del punto de cierre ($c$). Segundo, a precios por debajo del costo variable promedio mínimo, Camisas Carlitos cierra y no tiene producción alguna. Su curva de oferta se desplaza a lo largo del eje vertical. A un precio de

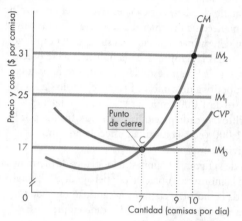

**FIGURA 12.4**

## Curva de oferta de una empresa

**(a) Costo marginal y costo variable promedio**

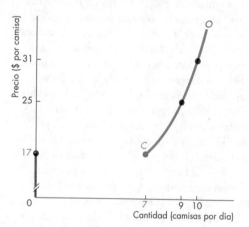

**(b) Curva de oferta de Camisas Carlitos**

En la sección (a) se muestra la producción que maximiza el beneficio de Camisas Carlitos a distintos precios del mercado. A $25 la camisa, la empresa produce nueve camisas. A $17 la camisa, Camisas Carlitos produce siete camisas al día. A cualquier precio por debajo de $17 por camisa, la empresa no produce. El punto de cierre de Camisas Carlitos es $c$. En la sección (b) se muestra la curva de oferta de la empresa, es decir, el número de camisas que la empresa producirá a cada precio. Está compuesto por la curva del costo marginal (sección a) en todos los puntos que están por encima del mínimo de la curva del costo variable promedio, y por el eje vertical a todos los precios por debajo del costo variable promedio mínimo.

$17, a Carlitos le resulta indiferente entre cerrar y producir siete camisas al día. De todas formas, incurre en una pérdida de $22 al día.

## Curva de oferta de la industria a corto plazo

La **curva de oferta de la industria a corto plazo** muestra la cantidad ofrecida por la industria a cada precio, cuando el tamaño de planta de cada empresa y el número de empresas permanecen constantes. La cantidad ofrecida por la industria a un determinado precio es la suma de las cantidades ofrecidas por todas las empresas en la industria a ese precio.

En la figura 12.5 se muestra la curva de oferta para la industria competitiva de camisas. En este ejemplo, la industria consiste de 1,000 empresas exactamente iguales a Camisas Carlitos. A cada precio, la cantidad ofrecida por la industria es 1,000 veces la cantidad ofrecida por una empresa individual.

La tabla de la figura 12.5 muestra los planes de oferta de la empresa y de la industria. A precios por debajo de $17, todas las empresas de la industria cierran y la cantidad ofrecida por la industria es nula. A un precio de $17, cada empresa es indiferente entre cerrar y no producir, u operar y producir siete camisas al día. Algunas empresas cerrarán y otras ofrecerán siete camisas al día. La cantidad ofrecida por cada empresa es de cero o siete camisas, pero la cantidad ofrecida por la industria se encuentra *entre* cero (todas las empresas cierran) y 7,000 (todas las empresas producen siete camisas al día cada una).

Para elaborar la curva de oferta de la industria, se suman las cantidades ofrecidas por las empresas individuales. Cada una de las 1,000 empresas en la industria tiene un programa de oferta como el de Camisas Carlitos. A precios por debajo de $17, la curva de oferta de la industria se desplaza a lo largo del eje del precio. A un precio de $17, la curva de oferta de la industria es horizontal, y por tanto, la oferta es perfectamente elástica. A medida que el precio se eleva por encima de $17, cada empresa aumenta la cantidad que ofrece y la cantidad ofrecida por la industria aumenta en 1,000 veces el aumento de la oferta de cada empresa.

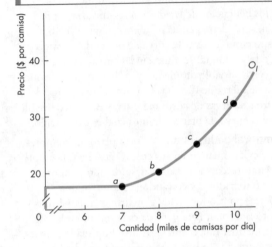

**FIGURA 12.5**

## Curva de oferta de la industria

|   | Precio ($ por camisa) | Cantidad ofrecida por Camisas Carlitos (camisas por día) | Cantidad ofrecida por la industria (camisas por día) |
|---|---|---|---|
| a | 17 | 0 o 7 | 0 a 7,000 |
| b | 20 | 8 | 8,000 |
| c | 25 | 9 | 9,000 |
| d | 31 | 10 | 10,000 |

El plan de oferta de la industria es la suma de los planes de oferta de todas las empresas individuales. Una industria integrada por 1,000 empresas idénticas tiene un plan de oferta similar al de la empresa individual, pero la cantidad ofrecida por la industria es 1,000 veces mayor que la de la empresa individual (véase la tabla). La curva de oferta de la industria es $O_I$. Los puntos $a$, $b$, $c$ y $d$ corresponden a los renglones de la tabla. En el precio de cierre de $17, cada empresa produce cero o siete camisas por día, por lo que la curva de oferta de la industria es perfectamente elástica al precio de cierre.

---

## PREGUNTAS DE REPASO

- ¿Por qué una empresa en competencia perfecta produce la cantidad en la cual el costo marginal es igual al precio?
- ¿Cuál es el precio más bajo al que una empresa está dispuesta a producir? Explique por qué.
- ¿Cuál es la mayor pérdida económica en la que incurre una empresa a corto plazo y por qué?
- ¿Cuál es la relación entre la curva de oferta de una empresa, su curva del costo marginal y su curva del costo variable promedio?
- ¿Cómo se deriva una curva de oferta de la industria?

Hasta ahora hemos estudiado a una sola empresa en un ambiente de aislamiento. Se ha visto que las acciones maximizadoras de los beneficios de la empresa dependen del precio del mercado, el cual la empresa toma como dado. Pero, ¿cómo se determina el precio del mercado? Veamos cómo.

# Producción, precio y beneficios en competencia perfecta

PARA DETERMINAR EL PRECIO Y LA CANTIDAD COMPRADA y vendida en un mercado perfectamente competitivo, es necesario estudiar cómo interactúan la demanda y la oferta del mercado. Se comienza este proceso estudiando un mercado perfectamente competitivo en el corto plazo, cuando el número de las empresas es fijo y cuando cada empresa tiene un determinado tamaño de planta.

## Equilibrio de corto plazo

La demanda y la oferta de la industria determinan el precio de mercado y la producción de la industria. La figura 12.6(a) muestra un equilibrio a corto plazo. La curva de oferta $O$ es la misma que $O_I$ en la figura 12.5.

Si la demanda está dada por la curva $D_1$, el precio de equilibrio es $20. Aunque la demanda y la oferta del mercado determinan este precio, cada empresa toma el precio tal como está y elabora la producción que maximice sus beneficios, que es de ocho camisas al día. Debido a que

la industria tiene 1,000 empresas, la producción de la industria es de 8,000 camisas al día.

## Un cambio en la demanda

Los cambios en la demanda ocasionan cambios en el equilibrio de la industria a corto plazo. La figura 12.6(b) muestra estos cambios.

Si la demanda aumenta, la curva de demanda se desplaza hacia la derecha, hasta $D_2$, y el precio de mercado se eleva a $25. A este precio, cada empresa maximiza sus beneficios aumentando la producción. El nuevo nivel de producción es de nueve camisas al día para cada empresa y de 9,000 camisas al día para la industria en su conjunto.

Si disminuye la demanda, la curva de demanda se desplaza hacia la izquierda, hasta $D_3$. Ahora el precio baja a $17 y a este precio cada empresa maximiza sus beneficios disminuyendo su producción. El nuevo nivel de producción es de siete camisas al día para cada empresa y de 7,000 camisas al día para la industria.

Si la curva de demanda se desplaza aún más hacia la izquierda, es decir, más allá de $D_3$, el precio permanece constante en $17, porque la curva de oferta de la industria es horizontal a ese precio. Algunas empresas continúan produciendo siete camisas al día y otras cierran temporalmente.

---

**FIGURA 12.6**

## Equilibrio a corto plazo

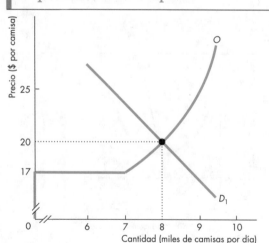

**(a) Equilibrio**

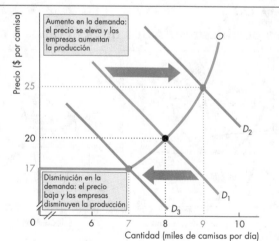

**(b) Cambio en el equilibrio**

En la sección (a), la curva de oferta de la industria es $O$. La demanda es $D_1$ y el precio es $20. A este precio, cada empresa produce ocho camisas al día y la industria produce 8,000 camisas al día. En la sección (b), cuando la demanda aumenta hasta $D_2$, el precio se eleva a $25 y cada empresa aumenta su producción a nueve camisas por día. La producción de la industria es de 9,000 camisas al día. Cuando la demanda disminuye hasta $D_3$, el precio baja a $17 y cada empresa disminuye su producción a sólo siete camisas al día. La producción de la industria es de 7,000 camisas al día.

A las empresas les resulta indiferente entre estas dos actividades y, con cualquiera de ellas que elijan, incurren en una pérdida económica igual al costo fijo total. El número de empresas que continúan produciendo es justo lo suficiente para satisfacer la demanda de mercado a un precio de $17.

Observemos ahora los beneficios que obtienen las empresas y las pérdidas en que pueden incurrir en un equilibrio a corto plazo.

## Beneficios y pérdidas a corto plazo

En el equilibrio a corto plazo, aunque la empresa produce en el punto en el que maximiza sus beneficios, no necesariamente obtiene un beneficio económico. Pudiera hacerlo, pero también podría situarse en el punto de beneficio o ganancia normal, o incluso podría incurrir en una pérdida económica. Para determinar cuál de estos resultados ocurre, comparemos los ingresos y los costos totales de la empresa, o en forma equivalente, comparemos el precio con el costo promedio. Si el precio es igual al costo promedio, la empresa está en el punto de beneficio normal. Si el precio excede al costo promedio, la empresa obtiene un beneficio económico. Si el precio es inferior al costo promedio, la empresa incurre en una pérdida económica. La figura 12.7 muestra estos tres posibles resultados de beneficios económicos a corto plazo.

**Tres posibles resultados de beneficios**   En la sección (a), el precio de una camisa es $20 y Camisas Carlitos produce ocho camisas al día. El costo promedio también es $20 por camisa, por lo que la empresa obtiene un beneficio normal y cero beneficios económicos.

En la sección (b), el precio de una camisa es $25. Los beneficios se maximizan cuando la producción es de nueve camisas al día. Aquí, el precio excede al costo promedio (CP), por lo que Camisas Carlitos obtiene un beneficio económico. Este beneficio económico es de $42 al día. Está integrado por $4.67 por camisa ($25.00 − $20.33) multiplicado por el número de camisas ($4.67 × 9 = $42). El rectángulo azul muestra este beneficio económico. La altura de ese rectángulo es el beneficio por camisa, $4.67, y el largo es la cantidad de camisas producidas, nueve al día, por lo que el área del rectángulo mide el beneficio económico de Camisas Carlitos de $42 al día.

En la sección (c), el precio de una camisa es $17. En este caso, el precio es inferior al costo promedio y Camisas Carlitos incurre en una pérdida económica. El precio y el ingreso marginal son $17 por camisa y la producción que maximiza los beneficios (en este caso, que minimiza las pérdidas) es de siete camisas al día. El ingreso total de Carlitos es $119 al día (7 × $17). El costo promedio es $20.14 por camisa, por lo que la pérdida económica es de $3.14 por camisa ($20.14 − $17.00). Esta pérdida por camisa multiplicada por el número de camisas producidas es de $22

---

**FIGURA 12.7**

## Tres posibles resultados de beneficios a corto plazo

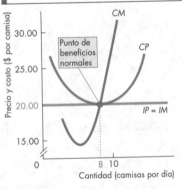

**(a) Beneficio normal**

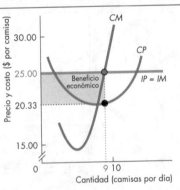

**(b) Beneficio económico**

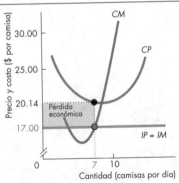

**(c) Pérdida económica**

A corto plazo, las empresas pudieran llegar al punto de beneficio normal (cero beneficios económicos), pueden obtener un beneficio económico, o pueden incurrir en una pérdida económica. Si el precio es igual al costo promedio mínimo, la empresa queda en el punto de beneficio normal y no obtiene beneficios económicos (sección a). Si el precio excede al costo promedio de elaborar la producción que maximiza el beneficio, la empresa obtiene un beneficio económico (el rectángulo azul en la sección b). Si el precio es inferior al costo promedio mínimo, la empresa incurre en una pérdida económica (el rectángulo rojo en la sección c).

($3.14 × 7 = $22). El rectángulo rojo muestra esta pérdida económica. La altura de este rectángulo es la pérdida económica por camisa, $3.14, y el largo es la cantidad de camisas producidas, siete al día, por lo que el área del rectángulo mide la pérdida económica de la empresa por día.

## Ajustes a largo plazo

En el equilibrio a corto plazo, la empresa puede obtener un beneficio económico, incurrir en una pérdida económica, o quedar en el punto de beneficio normal. Aunque cada una de estas tres situaciones es un equilibrio a corto plazo, sólo una de ellas es un equilibrio a largo plazo. Para ver por qué, es necesario examinar las fuerzas que operan en una industria competitiva a largo plazo.

A largo plazo, una industria se ajusta en dos formas:

■ Entrada y salida de empresas

■ Cambios en el tamaño de la planta

Veamos primero la entrada y salida de empresas.

## Entrada y salida

A largo plazo, las empresas responden a los beneficios o pérdidas económicas, entrando o saliendo de una industria. Las empresas tienden a entrar a industrias en las que las empresas participantes están obteniendo un beneficio económico, y se retiran de aquellas industrias en las que las empresas participantes están incurriendo en pérdidas económicas. El beneficio económico temporal o la pérdida económica temporal, al igual que ganar o perder en un casino, no ocasiona la entrada o la salida. Sin embargo, la posibilidad de un beneficio o pérdida económica persistente sí lo hace.

La entrada y la salida influyen sobre el precio, la cantidad producida y los beneficios económicos. El efecto inmediato de estas decisiones es desplazar la curva de oferta de la industria. Si más empresas entran a una industria, la oferta aumenta y la curva de oferta de la industria se desplaza hacia la derecha. Si las empresas abandonan una industria, la oferta disminuye y la curva de oferta de la industria se desplaza hacia la izquierda.

Veamos qué sucede cuando entran nuevas empresas a una industria.

**Los efectos de la entrada de empresas** La figura 12.8 muestra los efectos de la entrada de empresas a una industria. Suponga que todas las empresas en la industria de las camisas tienen curvas de costos como las de Camisas Carlitos de la figura 12.7. A cualquier precio superior a $20, las empresas obtienen un beneficio económico. A cualquier precio inferior a $20, las empresas incurren en una pérdida económica. Y a un precio de $20, las empresas obtienen cero beneficios económicos. Suponga también que la curva de demanda por camisas es $D$. Si la curva de la oferta de la industria es $O_1$, las camisas se venden en $23 y se producen 7,000 al día. Las

empresas en la industria obtienen un beneficio económico. Este beneficio económico es una señal para que nuevas empresas entren a la industria. A medida que esto ocurre, la oferta aumenta y la curva de oferta de la industria se desplaza hacia la derecha, a $O_0$. Con una mayor oferta y sin cambios en la demanda, el precio del mercado baja desde $23 hasta $20 por camisa y la cantidad producida por la industria aumenta de 7,000 a 8,000 camisas por día.

La producción de la industria aumenta, pero ¡la producción de Camisas Carlitos y de las otras empresas que ya participaban en la industria disminuye! A medida que baja el precio de mercado, cada empresa se desplaza hacia abajo por su curva de oferta y produce menos. Sin embargo, debido a que el número de empresas en la industria aumenta, la producción de la industria en su conjunto también aumenta. Debido a que el precio de mercado baja, los beneficios económicos de cada empresa disminuyen. Cuando el precio baja hasta $20, el beneficio económico desaparece y cada empresa obtiene un beneficio normal.

Usted acaba de descubrir una proposición clave:

A medida que entran nuevas empresas a una industria, el precio cae y los beneficios económicos de cada empresa existente disminuyen.

**FIGURA 12.8**

## Entrada y salida de empresas

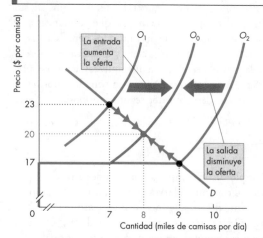

Cuando entran nuevas empresas a la industria de la camisa, la curva de oferta de la industria se desplaza hacia la derecha, de $O_1$ a $O_0$. El precio de equilibrio baja de $23 a $20 y la cantidad producida aumenta de 7,000 a 8,000 camisas. Cuando las empresas abandonan la industria de la camisa, la curva de oferta de la industria se desplaza hacia la izquierda, desde $O_2$ hasta $O_0$. El precio de equilibrio se eleva de $17 a $20 y la cantidad producida disminuye de 9,000 a 8,000 camisas.

En la década de 1980 ocurrió un ejemplo de este proceso en la industria de las computadoras personales. Cuando IBM presentó su primera PC, había poca competencia y el precio de una PC proporcionó a IBM grandes beneficios económicos. Sin embargo, entraron a la industria nuevas empresas como Compaq, NEC y Dell, entre otras, con máquinas tecnológicamente idénticas a las de IBM. De hecho, fueron tan similares que se les denominó "clones" (copias). La enorme ola de entradas a la industria de computadoras personales desplazó la curva de oferta hacia la derecha y bajó el precio y los beneficios económicos para todas las empresas.

Observemos ahora el efecto de la salida de empresas de una industria.

**Los efectos de la salida de empresas**   La figura 12.8 muestra los efectos de la salida de empresas de una industria. Suponga que los costos y la demanda del mercado de las empresas son los mismos que antes, pero ahora suponga que la curva de oferta es $O_2$. El precio de mercado es $17 y se producen 9,000 camisas al día. Ahora las empresas incurren en una pérdida económica. Esta pérdida económica es una señal para que algunas empresas abandonen la industria. A medida que se retiran algunas empresas de la industria, la curva de oferta se desplaza hacia la izquierda, hasta $O_0$. Con la disminución en la oferta, la producción de la industria disminuye de 9,000 a 8,000 camisas y el precio aumenta de $17 a $20.

A medida que aumenta el precio, Camisas Carlitos, al igual que todas las demás empresas en la industria, se desplaza hacia arriba a lo largo de su curva de oferta y aumenta su producción. Es decir, para cada empresa que permanece en la industria, la producción que maximiza los beneficios es mayor. Debido a que el precio se eleva y a que cada empresa vende más, la pérdida económica disminuye. Cuando el precio llega a $20, cada empresa obtiene un beneficio normal.

Usted acaba de descubrir una segunda proposición clave:

A medida que las empresas abandonan una industria, el precio se eleva y la pérdida económica de cada empresa que permanece dentro de la industria tiende a disminuir.

Un ejemplo de una empresa que abandona una industria es International Harvester, fabricante de equipo agrícola. Durante décadas, las personas asociaron el nombre "International Harvester" con tractores, segadoras, trilladoras y otros equipos agrícolas. Pero International Harvester no era el único fabricante de equipo agrícola. La industria se volvió intensamente competitiva y la empresa comenzó a perder dinero.

International Harvester se retiró porque estaba incurriendo en una pérdida económica. Su salida disminuyó la oferta e hizo posible que las empresas restantes en la industria alcanzaran el punto de beneficios normales.

Ya hemos visto cómo los beneficios económicos inducen la entrada de empresas, lo que a su vez reduce los beneficios económicos. Asimismo, ya hemos visto cómo las pérdidas económicas inducen la salida de empresas, lo que a su vez elimina las pérdidas. Observemos ahora el efecto de los cambios en el tamaño de planta.

## Cambios en el tamaño de la planta

Una empresa cambia el tamaño de su planta si, al hacerlo, puede disminuir sus costos y aumentar su beneficio económico. Es probable que usted pueda pensar en muchos ejemplos de empresas que cambian su tamaño de planta.

Un ejemplo de ello es el incremento en el número de establecimientos de McDonald's o de Burger King que se ha observado en muchas ciudades de América Latina. Otro ejemplo es el número creciente de metros cuadrados que se dedican a la venta al menudeo de equipo de cómputo y de telefonía celular. Éstos son ejemplos de empresas que aumentan su tamaño de planta en busca de mayores beneficios.

También hay muchos ejemplos de empresas que disminuyen su tamaño de planta para evitar pérdidas económicas. Uno de éstos es Schwinn, el fabricante de bicicletas de Chicago. Al hacerse cada vez más difícil la competencia por parte de los fabricantes de bicicletas asiáticos, Schwinn rebajó su tamaño. Muchas empresas han disminuido sus operaciones (un proceso denominado *reducción de tamaño* o *down-sizing*) en los años recientes.

La figura 12.9 muestra una situación en la que Camisas Carlitos puede aumentar su beneficio al incrementar el tamaño de su planta. Con su planta actual, la curva del costo marginal de la empresa Carlitos es $CM_0$ y su curva de costo promedio a corto plazo es $CPCP_0$. El precio del mercado es $25 por camisa, por lo que la curva del ingreso marginal de Camisas Carlitos es $IM_0$. La empresa maximiza sus beneficios al producir seis camisas al día.

La curva del costo promedio a largo plazo de Camisas Carlitos está dada por la curva $CPLP$. Al aumentar el tamaño de su planta (con la instalación de más máquinas de coser, por ejemplo), la empresa puede desplazarse a lo largo de su curva de costo promedio a largo plazo. A medida que Camisas Carlitos aumenta el tamaño de su planta, la curva del costo marginal a corto plazo se desplaza hacia la derecha.

Recuerde que la curva de oferta a corto plazo de una empresa está vinculada con su curva de costo marginal. A medida que la curva del costo marginal de Camisas Carlitos se desplaza hacia la derecha, también lo hace su curva de oferta. Si Camisas Carlitos y las demás empresas en la industria aumentan el tamaño de sus plantas, la curva de oferta a corto plazo de la industria se desplaza hacia la derecha y el precio del mercado baja. La disminución en el precio del mercado limita el grado hasta el que Carlitos puede beneficiarse de aumentar el tamaño de la planta.

En la figura 12.9 también se muestra a Camisas Carlitos en un equilibrio competitivo a largo plazo. Esta situación se

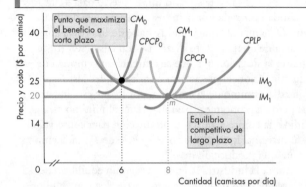

**FIGURA 12.9**

## Tamaño de planta y equilibrio de largo plazo

Inicialmente, la planta de Camisas Carlitos tenía una curva de costo marginal $CM_0$ y una curva de costo promedio a corto plazo $CPCP_0$. El precio del mercado es $25 por camisa y el ingreso marginal de la empresa es $IM_0$. La cantidad que maximiza el beneficio a corto plazo es de seis camisas por día. Carlitos puede aumentar sus beneficios incrementando el tamaño de la planta. Si todas las empresas en la industria de la camisa aumentan sus tamaños de planta, la oferta de la industria a corto plazo aumenta y el precio del mercado baja. En el equilibrio de largo plazo, una empresa opera con el tamaño de planta que minimiza su costo promedio. Aquí, Camisas Carlitos opera la planta con un costo marginal a corto plazo $CM_1$ y un costo promedio a corto plazo $CPCP_1$. Camisas Carlitos también se encuentra sobre la curva del costo promedio a largo plazo $CPLP$ y produce en el punto $m$. La producción es de ocho camisas al día y el costo promedio es igual al precio de una camisa ($20).

produce cuando el precio del mercado ha disminuido a $20 por camisa. El ingreso marginal es $IM_1$ y Camisas Carlitos maximiza su beneficio al producir ocho camisas al día. En esta situación, la empresa no puede aumentar sus beneficios cambiando el tamaño de la planta. Carlitos está produciendo al costo promedio mínimo a largo plazo (punto $m$ sobre $CPLP$).

Debido a que Camisas Carlitos está produciendo al costo promedio mínimo a largo plazo, no tiene incentivos para cambiar el tamaño de su planta. Tanto una planta mayor como una menor tienen un costo promedio a largo plazo más alto. Si la figura 12.9 describe la situación de todas las empresas en la industria de camisas, la industria se encuentra en un equilibrio a largo plazo. Ninguna empresa tiene incentivos para cambiar el tamaño de su planta. Además, debido a que cada empresa está obteniendo un beneficio económico nulo (beneficio normal), ninguna empresa tiene incentivos para entrar o salir de la industria.

## Equilibrio de largo plazo

El equilibrio de largo plazo en una industria competitiva ocurre cuando el beneficio económico es nulo (es decir, cuando las empresas obtienen un beneficio normal). Si las empresas en una industria competitiva están obteniendo un beneficio económico, nuevas empresas desearán entrar a la industria. Si alguna empresa puede rebajar sus costos incrementando el tamaño de su planta, deseará expandirse. Cada una de estas acciones aumenta la oferta de la industria, desplaza la curva de oferta de la industria hacia la derecha, baja el precio, y los beneficios económicos disminuyen.

En tanto que las empresas en la industria estén obteniendo beneficios económicos positivos, las empresas continuarán entrando y el beneficio económico continuará disminuyendo. Cuando el beneficio económico haya sido eliminado, las empresas dejarán de entrar a la industria. Y cuando las empresas estén operando con el tamaño de planta de menor costo, éstas dejarán de expandirse.

Si las empresas en una industria competitiva están incurriendo en una pérdida económica, algunas de ellas abandonarán la industria. Si las empresas pueden rebajar sus costos disminuyendo el tamaño de su planta, lo harán. Cada una de estas acciones disminuye la oferta de la industria, desplaza la curva de oferta de la industria hacia la izquierda, el precio aumenta y los beneficios económicos aumentan (o, en este caso, las pérdidas económicas disminuyen).

En tanto que las empresas en la industria estén incurriendo en pérdidas económicas, las empresas continuarán abandonando la industria y la pérdida económica seguirá disminuyendo. Una vez que se haya eliminado la pérdida económica, las empresas dejarán de abandonar la industria. Y cuando las empresas estén operando con el tamaño de planta del menor costo, dejarán de disminuir su tamaño.

Por tanto, en el equilibrio de largo plazo en una industria competitiva, las empresas ni entran ni abandonan la industria, y ni amplían ni reducen su tamaño. Cada empresa obtiene un beneficio normal.

## PREGUNTAS DE REPASO

- Cuando una empresa en competencia perfecta produce la cantidad que maximiza sus beneficios, ¿cuál es la relación entre el costo marginal, el ingreso marginal y el precio de la empresa?
- Si las empresas en una industria competitiva obtienen beneficios económicos, ¿qué le ocurre a la oferta de la industria, al precio de mercado, a la producción total y a los beneficios económicos?
- Si las empresas en una industria competitiva incurren en pérdidas económicas, ¿qué le ocurre a la oferta de la industria, al precio de mercado, a la producción total y a los beneficios económicos?

Ya se ha visto cómo una industria competitiva se ajusta hacia su equilibrio de largo plazo. Pero es poco común que una industria competitiva se encuentre *en* un estado de equilibrio de largo plazo. En general, las industrias están evolucionando en forma constante e incansable hacia tal equilibrio. Las restricciones a las que se enfrentan las empresas cambian en forma constante. Las dos fuentes más persistentes de cambio son las preferencias y la tecnología. Ahora veamos cómo una industria competitiva reacciona a ese tipo de cambios.

# Preferencias cambiantes y avances en la tecnología

UNA MAYOR CONCIENTIZACIÓN SOBRE LOS EFECTOS nocivos de fumar ha ocasionado una disminución en la demanda de tabaco y cigarros en Estados Unidos. La reducción en el precio del transporte por automóvil y avión ha ocasionado una enorme disminución en la demanda de trenes y autobuses de larga distancia. La electrónica de transistores ha ocasionado una gran disminución en la demanda de reparaciones de aparatos de radio y TV. El desarrollo de ropa económica y de buena calidad ha disminuido la demanda de máquinas de coser de uso doméstico. ¿Qué ocurre en una industria competitiva cuando hay una disminución permanente en la demanda de sus productos?

El desarrollo de hornos de microondas ha producido un aumento enorme en la demanda de utensilios de cocina de papel, vidrio y plásticos, así como de envolturas plásticas. El amplio uso de la computadora personal ha ocasionado un enorme aumento en la demanda de disquetes. ¿Qué ocurre en una industria competitiva cuando aumenta la demanda de sus productos?

Los avances en la tecnología están disminuyendo en forma constante los costos de producción. Las nuevas biotecnologías han disminuido drásticamente los costos de producir muchos productos alimenticios y farmacéuticos. Las nuevas tecnologías electrónicas han disminuido el costo de producir prácticamente cualquier bien o servicio. ¿Qué ocurre en una industria competitiva cuando el cambio tecnológico disminuye sus costos de producción?

Utilicemos la teoría de la competencia perfecta para contestar a estas preguntas.

## Un cambio permanente en la demanda

La figura 12.10(a) muestra una industria competitiva que inicialmente está en su equilibrio de largo plazo. La curva de demanda es $D_0$, la curva de oferta es $O_0$, el precio de mercado es $P_0$ y la producción de la industria es $Q_0$. La figura 12.10(b) muestra una empresa individual en este

equilibrio inicial de largo plazo. La empresa produce $q_0$ y obtiene el beneficio normal (es decir, no obtiene beneficios económicos).

Suponga ahora que la demanda disminuye y que la curva de demanda se desplaza hacia la izquierda, hasta $D_1$, como se muestra en la sección (a). El precio baja hasta $P_1$ y la cantidad ofrecida por la industria disminuye desde $Q_0$ hasta $Q_1$, a medida que la industria se desliza hacia abajo por su curva de oferta a corto plazo, $O_0$. En la sección (b) se muestra la situación a la que se enfrenta una empresa de esta industria. Ahora el precio está por debajo del costo promedio mínimo de la empresa, por lo que ésta incurre en una pérdida económica. Para mantener al mínimo esta pérdida, la empresa ajusta su producción para conservar el costo marginal igual al precio. Al precio de $P_1$, cada empresa elabora una producción de $q_1$.

Ahora la industria se encuentra en un equilibrio de corto plazo, pero no en el de largo plazo. Está en equilibrio de corto plazo porque cada empresa maximiza sus beneficios, pero no está en equilibrio de largo plazo porque cada empresa incurre en una pérdida económica (el costo promedio excede al precio).

La pérdida económica es una señal para que algunas empresas abandonen la industria. A medida que lo hacen, la oferta de la industria a corto plazo disminuye gradualmente y la curva de oferta se desplaza gradualmente hacia la izquierda. A medida que la oferta de la industria disminuye, el precio de mercado aumenta. A un precio más alto, la producción que maximiza los beneficios de una empresa es mayor, por lo que las empresas que permanecen en la industria aumentan su producción. Cada empresa asciende por su curva del costo marginal o curva de oferta (sección b). Es decir, a medida que algunas empresas abandonan la industria, la producción en la industria disminuye, pero la producción de las empresas que permanecen aumenta. Al final, suficientes empresas abandonan la industria para que la curva de oferta de la industria se desplace hasta $O_1$ (sección a). En este momento, el precio regresa a su nivel original $P_0$. A este precio, las empresas que permanecen en la industria producen $q_0$, la misma cantidad que producían antes de la disminución en la demanda. Debido a que ahora las empresas obtienen beneficios normales (beneficios económicos nulos), ninguna empresa quiere entrar o salir de la industria. La curva de oferta de la industria permanece en $O_1$ y la producción de la industria es $Q_2$. De nuevo, la industria se encuentra en su equilibrio de largo plazo.

La diferencia entre el equilibrio inicial de largo plazo y el equilibrio final de largo plazo es el número de empresas en la industria. Una disminución permanente en la demanda reduce el número de empresas en la industria. Cada empresa que permanece dentro de la industria produce la misma cantidad que antes y obtiene beneficios económicos nulos. En el proceso de desplazarse del equilibrio inicial al nuevo, las empresas incurren en pérdidas económicas.

**FIGURA 12.10**

## Una disminución en la demanda

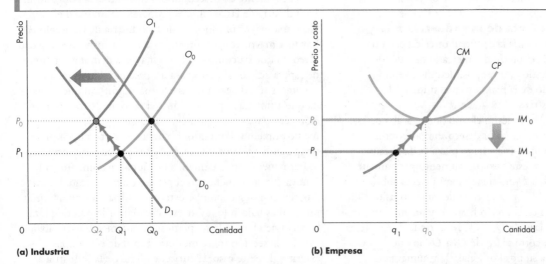

**(a) Industria**

**(b) Empresa**

Una industria se encuentra en su equilibrio competitivo de largo plazo. En la sección (a) se muestra la curva de demanda de la industria $D_0$, la curva de oferta de la industria $O_0$, la cantidad de equilibrio $Q_0$ y el precio del mercado $P_0$. Cada empresa vende su producción al precio $P_0$, por lo que su curva del ingreso marginal es $IM_0$ en la sección (b). Cada empresa produce $q_0$ y obtiene un beneficio normal. La demanda disminuye permanentemente de $D_0$ a $D_1$ (sección a). El precio de equilibrio baja a $P_1$, cada empresa disminuye su producción a $q_1$ (sección b) y la producción de la industria disminuye a $Q_1$ (sección a).

En esta nueva situación, las empresas incurren en pérdidas económicas y algunas abandonan la industria. Al hacerlo, la curva de oferta de la industria se desplaza gradualmente hacia la izquierda, desde $O_0$ hasta $O_1$. Este desplazamiento eleva gradualmente el precio del mercado de $P_1$ de regreso a $P_0$. Mientras que el precio esté por debajo de $P_0$, las empresas incurren en pérdidas económicas y algunas abandonan la industria. Una vez que el precio regresa a $P_0$, todas las empresas obtienen un beneficio normal. Las empresas no tienen incentivos adicionales para dejar la industria. Cada empresa produce $q_0$ y la producción de la industria es $Q_2$.

Se acaba de determinar cómo responde una industria competitiva a una *disminución* permanente en la demanda. Un aumento permanente en la demanda ocasiona una respuesta similar, pero en la dirección opuesta. El aumento en la demanda ocasiona un precio más alto, beneficios económicos positivos y entradas de empresas a la industria. Las entradas aumentan la oferta de la industria y con el tiempo baja el precio hasta su nivel original.

La demanda de viajes en avión en Estados Unidos ha aumentado en forma permanente en los años recientes, y la eliminación de regulaciones en las aerolíneas ha permitido que nuevas empresas busquen oportunidades de beneficios en esta industria. El resultado ha sido una gran tasa de entrada de nuevas aerolíneas. El proceso de competencia y cambio en la industria de las aerolíneas es similar al que se acaba de estudiar (pero con un aumento en la demanda, en lugar de una disminución de la misma).

Hemos estudiado los efectos de un cambio permanente en la demanda de un bien. Para estudiar estos efectos, se comenzó y se terminó en un equilibrio de largo plazo y se

examinó el proceso que lleva a un mercado de un equilibrio a otro. Es este proceso, y no los puntos del equilibrio, lo que describe mejor al mundo real.

Una característica de las predicciones que se acaban de hacer parece extraña: a largo plazo, con independencia de si la demanda aumenta o disminuye, el precio regresa a su nivel original. ¿Es inevitable este resultado? De hecho, no lo es. Es posible que el precio de equilibrio de largo plazo permanezca igual, se eleve, o baje.

### Economías y deseconomías externas

El cambio en el precio de equilibrio de largo plazo depende de las economías externas y de las deseconomías externas. Las **economías externas** son factores más allá del control de una empresa individual, que reducen sus costos a medida que aumenta la producción de la *industria*. Las **deseconomías externas** son factores fuera del control de una empresa, que elevan los costos de ésta a medida que se incrementa la producción de la industria. Si no existen economías o deseconomías externas, los costos de la empresa permanecen constantes cuando cambia la producción de la industria.

La figura 12.11 muestra estos tres casos y se introduce un nuevo concepto de oferta: la curva de oferta de la industria a largo plazo.

La **curva de oferta de la industria a largo plazo** muestra cómo varía la cantidad ofrecida por una industria, según varía el precio del mercado después de que se han realizado todos los ajustes posibles, incluyendo cambios en el tamaño de la planta y en el número de empresas en la industria.

En la sección (a) se muestra el caso que se acaba de estudiar, es decir, sin economías ni deseconomías externas. La curva de oferta de la industria a largo plazo ($OLP_A$) es perfectamente elástica. En este caso, un aumento permanente en la demanda de $D_0$ a $D_1$ no tiene ningún efecto sobre el precio a largo plazo. El aumento en la demanda ocasiona un incremento temporal en el precio hasta $P_S$ y un aumento en la cantidad a corto plazo de $Q_0$ a $Q_S$. La entrada de empresas aumenta la oferta de corto plazo de $O_0$ a $O_1$, lo que disminuye el precio a su nivel original $P_0$, y aumenta la cantidad hasta $Q_1$.

En la sección (b) se muestra el caso de las deseconomías externas. La curva de oferta a largo plazo de la industria ($OLP_B$) se inclina en forma ascendente. Un incremento permanente en la demanda de $D_0$ a $D_1$ aumenta el precio tanto a corto como a largo plazos. Al igual que en el caso anterior, el aumento en la demanda ocasiona un aumento temporal en el precio hasta $P_S$ y un aumento de la cantidad

a corto plazo de $Q_0$ a $Q_S$. Las entradas aumentan la oferta a corto plazo de $O_0$ a $O_2$, lo que disminuye el precio hasta $P_2$ y aumenta la cantidad hasta $Q_2$.

Una fuente de deseconomías externas es la congestión. La industria de las aerolíneas proporciona un buen ejemplo. Con una mayor producción de la industria de las aerolíneas, hay una mayor congestión en los aeropuertos y en el espacio aéreo, lo que da como resultado mayores demoras y tiempo de espera adicional tanto para los pasajeros como para los aviones. Estas deseconomías externas significan que a medida que aumenta la producción y el servicio de transportación aérea (si no existen mejorías tecnológicas), el costo promedio aumenta. Por tanto, la curva de oferta a largo plazo tiene pendiente ascendente. Por consiguiente, un incremento permanente en la demanda ocasiona un aumento en la cantidad y un aumento en el precio. (Sin embargo, las industrias con deseconomías externas podrían terminar con un precio más bajo si los avances tecnológicos logran desplazar a la curva de oferta a largo plazo suficientemente hacia abajo.)

En la sección (c) se muestra el caso de economías externas. En este caso, la curva de oferta de la industria a largo plazo ($OLP_C$) tiene pendiente descendente. Un incremento permanente en la demanda de $D_0$ a $D_1$ aumenta el precio a corto plazo y lo disminuye a largo plazo. De nuevo, el aumento en la demanda ocasiona un incremento temporal en el precio hasta $P_S$ y un aumento en la cantidad a corto plazo desde $Q_0$ hasta $Q_S$. La entrada aumenta la oferta a corto plazo desde $O_0$ hasta $O_3$, lo que disminuye el precio hasta $P_3$ y aumenta la cantidad a $Q_3$.

**FIGURA 12.11**

## Cambios a largo plazo en precio y cantidad

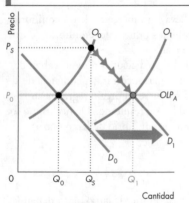

(a) Industria con costos constantes

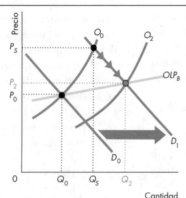

(b) Industria con costos crecientes

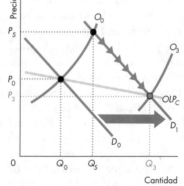

(c) Industria con costos decrecientes

A largo plazo ocurren tres posibles cambios en precio y cantidad. Cuando la demanda aumenta de $D_0$ a $D_1$, ocurren entradas de empresas y la curva de oferta de la industria se desplaza de $O_0$ a $O_1$. En la sección (a), la curva de oferta a largo plazo, $OLP_A$, es horizontal. La cantidad aumenta de $Q_0$ a $Q_1$, y el precio permanece constante en $P_0$. En la sección (b), la curva de oferta a largo plazo es $OLP_B$; el precio se eleva a $P_2$ y la cantidad aumenta a $Q_2$. Este caso ocurre en industrias con deseconomías externas. En la sección (c), la curva de oferta a largo plazo es $OLP_C$; el precio baja a $P_3$ y la cantidad aumenta a $Q_3$. Este caso ocurre en una industria con economías externas.

Uno de los mejores ejemplos de economías externas es el crecimiento de servicios de apoyo especializados para una industria en expansión. Cuando se incrementó la producción agrícola en el siglo XIX y a principios del siglo XX, los servicios con que contaban los agricultores se ampliaron, y los costos promedio agrícolas bajaron. Por ejemplo, empresas nuevas se especializaron en el desarrollo y la comercialización de maquinaria y fertilizantes. Como resultado, los costos promedio agrícolas bajaron. Las granjas disfrutaron de los beneficios de las economías externas. En consecuencia, a medida que aumentó la demanda de productos agrícolas, la producción aumentó, pero el precio disminuyó.

A largo plazo, los precios de muchos bienes y servicios han disminuido, no por economías externas sino por el cambio tecnológico. A continuación se estudia esta influencia sobre un mercado competitivo.

### Cambio tecnológico

Las industrias están descubriendo continuamente técnicas de producción de menor costo. Sin embargo, la mayor parte de las técnicas de producción que ahorran costos no se pueden poner en práctica sin invertir en nuevas plantas y equipos. Como consecuencia, se necesita tiempo para que una mejoría tecnológica se difunda en una industria. Algunas empresas cuyas plantas están a punto de ser reemplazadas, adoptarán con rapidez la nueva tecnología, en tanto que otras empresas cuyas plantas han sido reemplazadas recientemente, continuarán operando con una tecnología antigua hasta que ya no puedan cubrir su costo variable promedio. Una vez que no pueda cubrir el costo variable promedio, la empresa desechará una planta, aunque sea relativamente nueva (con una tecnología antigua), para cambiarla por otra con una nueva tecnología.

La nueva tecnología permite a las empresas producir con un costo inferior. Como resultado, a medida que las empresas adoptan una nueva tecnología, sus curvas de costos descienden. Con costos más bajos, las empresas están dispuestas a ofrecer una determinada cantidad a un precio menor, o, en forma equivalente, están dispuestas a ofrecer una cantidad mayor a un precio determinado. En otras palabras, la oferta de la industria aumenta y la curva de oferta de la industria se desplaza hacia la derecha. Con una demanda dada, la cantidad producida aumenta y el precio baja.

Dos fuerzas operan en una industria que está sufriendo un cambio tecnológico. Las empresas que adoptan la nueva tecnología obtienen beneficios económicos, por lo que entran empresas con nuevas tecnologías. Las empresas que mantienen la tecnología antigua incurren en pérdidas económicas: o abandonan la industria o cambian a la nueva tecnología.

A medida que desaparecen las empresas con tecnologías antiguas y entran empresas con nuevas tecnologías, el precio baja y la cantidad producida aumenta. Con el tiempo, la industria llega a un equilibrio de largo plazo, en el cual todas las empresas usan la nueva tecnología y su beneficio económico es nulo (a beneficios normales). Debido a que a largo plazo la competencia elimina el beneficio económico, el cambio tecnológico sólo produce ganancias temporales a los productores. Sin embargo, los precios inferiores y los productos mejores que proporcionan las mejorías en la tecnología, son ganancias permanentes para los consumidores.

El proceso que se acaba de describir es uno en el cual algunas empresas experimentan beneficios económicos y otras sufren pérdidas económicas. Es un período de cambio dinámico para una industria. A algunas empresas les va bien y a otras mal. Con frecuencia, el proceso tiene una dimensión geográfica: las empresas en expansión con nuevas tecnologías traen prosperidad a lo que antes eran zonas desoladas, en tanto que las regiones industriales tradicionales tienden a declinar. En ocasiones, las empresas con nuevas tecnologías se encuentran en otro país, mientras que las empresas con tecnología antigua están en la economía nacional. La revolución en la información de la década de 1990 ha producido muchos ejemplos de cambios como éstos. La banca comercial estadounidense, que tradicionalmente estaba concentrada en Nueva York, San Francisco y otras grandes ciudades, ahora florece en Charlotte, Carolina del Norte, la cual se ha convertido en la tercera ciudad de banca comercial en la nación. Los espectáculos en televisión y las películas, que tradicionalmente se producían en Los Ángeles y Nueva York, ahora muchos se hacen en Orlando, Florida. Los avances tecnológicos no están limitados a la industria de la información y del entretenimiento. Incluso la producción de leche está sufriendo un importante cambio tecnológico debido a la ingeniería genética.

## PREGUNTAS DE REPASO

- Describa el curso de los acontecimientos en una industria competitiva que resultan de una disminución en la demanda. ¿Qué ocurre a la producción de la industria, al precio de mercado y al beneficio económico de las empresas a corto y largo plazos?

- Describa el curso de los acontecimientos en una industria competitiva que resultan de un aumento en la demanda. ¿Qué ocurre a la producción de la industria, al precio de mercado y al beneficio económico de las empresas a corto y largo plazos?

- Describa el curso de los acontecimientos en una industria competitiva que resultan de la adopción de una nueva tecnología. ¿Qué ocurre a la producción de la industria, al precio de mercado y al beneficio económico de las empresas a corto y largo plazos?

# Competencia y eficiencia

UNA INDUSTRIA COMPETITIVA PUEDE LOGRAR UN USO eficiente de los recursos. En el capítulo 6 se estudió la eficiencia utilizando sólo los conceptos de demanda, oferta, excedente del consumidor y excedente del productor. Pero ahora que ya ha aprendido lo que se encuentra detrás de las curvas de demanda y de oferta de un mercado competitivo, se puede obtener una comprensión más profunda de cómo se obtiene la eficiencia del mercado competitivo.

## Uso eficiente de los recursos

Recuerde que el uso de los recursos es eficiente cuando se producen los bienes y servicios que son más valorados por las personas (véase el capítulo 6, págs. 102-103). Si alguien puede mejorar su situación sin empeorar la situación de alguien más, los recursos no se están usando en forma eficiente. Por ejemplo, suponga que se produce una computadora que nadie usa y que nadie usará nunca. Imagine también que algunas personas están exigiendo más teléfonos celulares. Si se produce una computadora menos y se reasignan los recursos no utilizados a producir más teléfonos celulares, algunas personas estarán en mejor situación y ninguna estará peor.

En el lenguaje más técnico que usted ha aprendido, el uso de los recursos es eficiente cuando el beneficio marginal es igual al costo marginal. En el ejemplo que acabamos de mencionar, el beneficio marginal de los teléfonos celulares excede a su costo marginal. Y el costo marginal de una computadora excede a su beneficio marginal. Por tanto, al producir menos computadoras y más teléfonos celulares se desplazan los recursos hacia un uso de mayor valor.

## Decisiones, equilibrio y eficiencia

Se puede utilizar lo que se ha aprendido sobre el equilibrio del mercado y sobre las decisiones tomadas por los consumidores y las empresas competitivas, para describir el uso eficiente de los recursos.

**Decisiones**    Los consumidores asignan sus presupuestos para obtener de ellos el mayor valor posible. Nosotros derivamos la curva de demanda de un consumidor determinando cómo cambia la mejor asignación presupuestal a medida que cambia el precio de un bien. Por tanto, los consumidores obtienen el mayor valor de sus recursos en todos los puntos a lo largo de sus curvas de demanda, que también son sus curvas de beneficio marginal.

Las empresas competitivas producen la cantidad que maximiza el beneficio. Nosotros derivamos la curva de oferta de la empresa determinando la cantidad que maximiza sus beneficios a cada precio. Por tanto, las empresas obtienen el mayor valor de sus recursos en todos los puntos a lo largo de sus curvas de oferta, que también son sus curvas de costo marginal. Sobre sus curvas de oferta, las empresas son *tecnológicamente eficientes* (obtienen la máxima producción posible con los insumos dados) y *económicamente eficientes* (combinan sus recursos para minimizar costos). (Véase el capítulo 10, págs. 197-198.)

**Equilibrio**    En equilibrio competitivo, la cantidad demandada es igual a la ofrecida. Por tanto, el precio es igual al beneficio marginal del consumidor y al costo marginal del productor. En esta situación, se maximizan las ganancias provenientes del comercio entre los consumidores y los productores. Estas ganancias provenientes del comercio son el excedente del consumidor más el excedente del productor.

Las ganancias provenientes del comercio para los consumidores se miden mediante el *excedente del consumidor*, que es el área entre la curva de demanda y el precio pagado. (Véase el capítulo 6, pág. 105.) Las ganancias provenientes del comercio para los productores se miden mediante el *excedente del productor*, que es el área entre la curva del costo marginal y el precio recibido. Las ganancias totales provenientes del comercio son la suma del excedente del consumidor y el excedente del productor.

**Eficiencia**    Si las personas que consumen y producen un bien o servicio son las únicas afectadas por éste, y si el mercado para dicho bien está en equilibrio, entonces los recursos se están utilizando en forma eficiente. No se pueden reasignar para aumentar su valor.

En este tipo de situación no hay ni *beneficios externos* ni *costos externos*. Los **beneficios externos** son beneficios que reciben otras personas distintas al comprador de un bien. Por ejemplo, usted podría beneficiarse del gasto que hace su vecina en su jardín. Ella compra las plantas o flores que la hacen sentirse lo mejor posible, sin tomar en consideración el efecto que esa decisión tenga en usted.

Si no existen beneficios externos, la curva de demanda de mercado mide el beneficio marginal *social*; es decir, el valor que *todos* asignan a una unidad más de un bien o servicio.

Los **costos externos** son costos que no recaen sobre el productor de un bien o servicio, sino sobre alguien más. Por ejemplo, una empresa podría rebajar sus costos si contaminara. El costo de la contaminación es un costo externo. Las empresas obtienen el nivel de producción que maximiza sus propios beneficios y no toman en cuenta el costo de la contaminación como algo que afecte sus beneficios.

Si no existen costos externos, la curva de oferta del mercado mide el costo marginal *social*; es decir, el costo marginal total que recae sobre *cualquiera* que produzca una unidad más de un bien o servicio.

**Una asignación eficiente** La figura 12.12 muestra una asignación eficiente. Los consumidores son eficientes en todos los puntos sobre la curva de demanda $D$ (que también es la curva del beneficio marginal $BM$). Los productores son eficientes en todos los puntos sobre la curva de oferta $O$ (que es también la curva del costo marginal $CM$). Los recursos se utilizan con eficiencia en la cantidad $Q^*$ y al precio $P^*$. El beneficio marginal es igual al costo marginal, y la suma del excedente del productor (área azul) y el excedente del consumidor (área verde) se maximiza.

Si la producción es $Q_0$, el costo marginal es $C_0$ y el beneficio marginal es $B_0$. Los productores pueden ofrecer más del bien a un costo inferior que el precio que están dispuestos a pagar los consumidores, y todos ganan al aumentar la cantidad producida. Si la producción es mayor que $Q^*$, el costo marginal excede al beneficio marginal. Cuesta más a los productores ofrecer el bien, que el precio que están dispuestos a pagar los consumidores, y así todos ganan al disminuir la cantidad producida.

**FIGURA 12.12**

## Eficiencia de la competencia

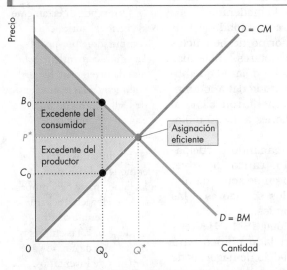

El uso eficiente de los recursos requiere: que los consumidores sean eficientes, lo que ocurre cuando se encuentran sobre sus curvas de demanda; que las empresas sean eficientes, lo que ocurre cuando están sobre sus curvas de oferta; y que el mercado esté en equilibrio sin beneficios ni costos externos. Los recursos se utilizan con eficiencia en la cantidad $Q^*$ y al precio $P^*$. Si no hay beneficios o costos externos, la competencia perfecta logra un uso eficiente de los recursos. Si la producción es $Q_0$, el costo de producir una unidad más, $C_0$, es menor que su beneficio marginal, $B_0$, y los recursos no se usan en forma eficiente.

## Eficiencia de la competencia perfecta

La competencia perfecta logra eficiencia si no hay ni beneficios ni costos externos. En este caso, los beneficios recaen sobre los compradores del bien y los costos sobre el productor. En la figura 12.12, la cantidad de equilibrio $Q^*$ al precio $P^*$ es eficiente.

Hay tres principales obstáculos a la eficiencia:

1. Monopolio
2. Bienes públicos
3. Costos externos y beneficios externos

**Monopolio** El monopolio (capítulo 13) restringe la producción por debajo de su nivel competitivo, para elevar el precio y aumentar los beneficios. Existe una serie de políticas gubernamentales que tratan de limitar el uso del poder monopólico (capítulo 19).

**Bienes públicos** Los bienes como la defensa nacional, el cumplimiento de la ley y el orden, el proveer agua potable limpia, y la eliminación de las aguas negras y la basura, son ejemplos de bienes públicos. Si se dejan a los mercados competitivos, la cantidad de ellos que se produciría sería demasiado pequeña. Las instituciones y las políticas gubernamentales (capítulo 18) ayudan a superar el problema de proporcionar una cantidad eficiente de bienes públicos.

**Costos externos y beneficios externos** La producción de acero y de productos químicos puede ocasionar contaminación del aire y el agua, y es probable que la competencia perfecta induzca a producir una cantidad demasiado grande de estos bienes. Algunas políticas gubernamentales (capítulo 20) intentan hacer frente a los costos y beneficios externos.

◆ Ahora que usted ha terminado su estudio de la competencia perfecta, la sección *Lectura entre líneas* de las páginas siguientes le da la oportunidad de utilizar lo que ha aprendido para comprender acontecimientos recientes en el mercado altamente competitivo de computadoras personales.

Aunque muchos mercados se aproximan al modelo de la competencia perfecta, muchos no lo hacen. Su siguiente tarea consistirá en estudiar mercados en el extremo opuesto al que acaba de estudiar: es decir, el monopolio. Después, en el capítulo 14 se estudiarán los mercados que se encuentran entre la competencia perfecta y el monopolio: la competencia monopolística (competencia con elementos de monopolio) y el oligopolio (competencia entre unos pocos productores). Cuando haya terminado este estudio, tendrá un grupo de herramientas que le permitirán comprender la variedad de los mercados en el mundo real.

# Competencia en la industria de las PC

THE NEW YORK TIMES, 13 de noviembre, 1998

## Dell anuncia beneficios e ingresos para el tercer trimestre nunca antes alcanzados

POR: LAWRENCE M. FISHER

Este jueves, Dell Computer Corp. anunció ingresos y beneficios para el tercer trimestre nunca antes alcanzados, mientras continuaba creciendo en varias veces la tasa de la industria de las computadoras personales en conjunto.

Como siempre, los funcionarios de Dell dieron el crédito a la fortaleza de su modelo de ventas directas, en el cual la compañía pasa por alto a los distribuidores y comerciantes y fabrica cada computadora por pedido. Debido a que la compañía mantiene muy pocas existencias, aprovecha costos más bajos de los componentes y siempre está vendiendo un producto más fresco, lo que le permite tener un margen de beneficio más alto. Dell informó que, por primera vez durante el trimestre, obtuvo ventas en su sitio de la World Wide Web por encima de los 10 millones de dólares por día, lo cual es tres veces el nivel de ventas que tuvieron en el mismo trimestre del año anterior.

Los competidores han intentado imitar el modelo de Dell, pero hasta ahora su éxito ha sido moderado...

Para el trimestre terminado el 1 de noviembre, Dell informó de beneficios por 384 millones de dólares... 55% más de los 248 millones de dólares que obtuvo en el mismo período del año anterior. Las ventas aumentaron 51%, al pasar de 3,190 millones a 4,820 millones de dólares...

Dell ha estado ganando participación de mercado tanto a nivel internacional como en sectores de alto crecimiento, como los servidores y las computadoras portátiles...

... aunque Compaq, IBM y Hewlett-Packard han anunciado planes para imitar partes del modelo de negocios de Dell, con diversos planes de construcción a la medida, todas han tenido dificultad en lograr la transición. La mayoría se está desplazando hacia una meta de nivel de inventarios de cuatro semanas, en tanto que Dell mantiene tan sólo ocho días de existencias, lo que le permite tener una rotación de sus inventarios de 46 veces al año.

### Esencia del artículo

■ Dell Computer Corporation es una empresa de computadoras personales y servidores que se caracteriza por ser eficiente, tener costos bajos y ser muy rentable.

■ Dell vende directamente al cliente y fabrica cada computadora por pedido. La empresa mantiene ocho días de inventario. El volumen de las operaciones de Dell a través de Internet está en crecimiento.

■ Los intentos por copiar el modelo de negocios de Dell, por parte de Compaq, IBM y Hewlett-Packard, sólo han tenido éxito moderado. Estas empresas tienen más de cuatro semanas de inventarios.

■ La industria de las computadoras personales es altamente competitiva. Supondremos que es perfectamente competitiva porque la PC de un proveedor es un sustituto muy cercano de la PC de otro proveedor.

■ La industria está en equilibrio a corto plazo, pero no a largo plazo. Muchas empresas están obteniendo un beneficio económico; y éste está estimulando la entrada de nuevas empresas y la ampliación de las ya existentes.

■ La figura 1 muestra el mercado para las computadoras personales hace cinco años y los efectos de la entrada de nuevas empresas sobre los precios y la cantidad de las mismas.

■ La curva de demanda de la industria es $D$. Hace cinco años, la curva de oferta de la industria era $O_0$. El precio era de 5,000 dólares por PC (piense en esto como el promedio de una PC) y la cantidad producida por la industria era de 25 millones al año.

■ Después, la oferta aumenta debido a la entradas de nuevas empresas. La curva de oferta se desplaza hacia la derecha, hasta $O_1$. (Se supondrá que la demanda no cambió. De hecho la demanda sí aumentó, pero en mucho menos que el aumento en la oferta.)

■ El precio bajó hasta 3,000 dólares por computadora y la cantidad producida por la industria aumentó a 35 millones al año.

■ La figura 2 muestra la situación a la que se enfrenta un productor de computadoras personales que no ha adoptado la tecnología más moderna y de menor costo para fabricarlas.

■ La curva del costo marginal es $CM_0$ y la curva del costo promedio es $CP_0$. A 5,000 dólares por unidad, la curva del ingreso marginal es $IM_0$. La empresa maximiza los beneficios al producir un millón de computadoras personales al año. El beneficio económico es de 500 millones de dólares al año.

■ Cuando el precio baja hasta 3,000 dólares por PC, la curva del ingreso marginal es $IM_1$. Si la empresa se mantiene con la tecnología existente incurre en una pérdida económica.

■ La figura 3 muestra cómo la empresa exitosa adopta una nueva tecnología para rebajar costos. La tecnología de fabricar "por pedido" de Dell es un ejemplo, porque disminuye el costo de mantener existencias.

■ Cuando bajan los costos, la curva del costo promedio se desplaza hacia abajo, hasta $CP_1$, y la curva del costo marginal se desplaza hacia abajo, hasta $CM_1$. La empresa amplía la producción (en este ejemplo, a tres millones de computadoras personales al año). Se recuperan los beneficios económicos y, en este ejemplo, aumentan a 1,500 millones de dólares al año.

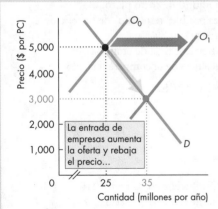

**Figura 1  Industria de computadoras personales**

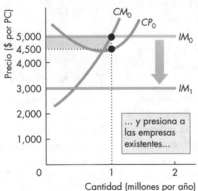

**Figura 2  Una empresa de computadoras personales**

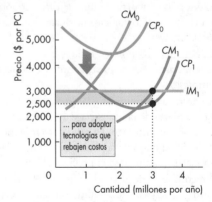

**Figura 3  Tecnología que reduce costos**

# RESUMEN

## CONCEPTOS CLAVE

### Competencia (págs. 238-239)

- Se produce competencia perfecta cuando la demanda es grande en relación con la escala eficiente mínima de producción y cuando las empresas elaboran productos idénticos.
- Una empresa perfectamente competitiva toma los precios como dados.

### Las decisiones de la empresa en competencia perfecta (págs. 240-244)

- La empresa elabora la producción a la cual el ingreso marginal (precio) es igual al costo marginal.
- Si el precio es inferior al costo variable promedio mínimo, la empresa cierra temporalmente.
- La curva de oferta de una empresa es la parte con pendiente ascendente de su curva de costo marginal, que se encuentra por encima del costo variable promedio mínimo.
- La curva de oferta de una industria muestra la suma de las cantidades ofrecidas por cada empresa a diferentes niveles de precio.

### Producción, precio y beneficios en competencia perfecta (págs. 245-250)

- La demanda y la oferta del mercado determinan el precio de mercado.
- La empresa produce en el punto en el que el precio es igual al costo marginal.
- A corto plazo, una empresa puede obtener un beneficio económico, incurrir en una pérdida económica, o quedar en el punto de beneficios normales (sin beneficios económicos).
- El beneficio económico induce la entrada de empresas a una industria. La pérdida económica induce la salida de empresas.
- La entrada de empresas y la expansión de la planta aumentan la oferta de la industria y disminuyen el precio y el beneficio económico. La salida de empresas y la reducción del tamaño de la planta disminuyen la oferta de la industria y aumentan el precio y el beneficio económico.
- En equilibrio de largo plazo, el beneficio económico es cero. No hay entradas, salidas, o cambios en el tamaño de la planta.

### Preferencias cambiantes y avances en la tecnología (págs. 250-253)

- Una disminución permanente en la demanda conduce a una producción menor de la industria y a un menor número de empresas en la industria.

- Un aumento permanente en la demanda conduce a una mayor producción de la industria y a un mayor número de empresas en la industria.
- El efecto a largo plazo de un cambio en la demanda sobre el precio depende de si hay economías externas (disminuciones de precios cuando aumenta la producción de la industria), o deseconomías externas (aumentos de precios cuando aumenta la producción de la industria), o ninguna de las dos (el precio permanece constante cuando cambia la producción de la industria).
- Las nuevas tecnologías aumentan la oferta y en el largo plazo disminuyen el precio y aumentan la cantidad de equilibrio.

### Competencia y eficiencia (págs. 254-255)

- Los recursos se utilizan en forma eficiente cuando se producen los bienes y servicios en las cantidades que más valoran las personas.
- Cuando no hay beneficios externos ni costos externos, la competencia perfecta logra una asignación eficiente. El beneficio marginal es igual al costo marginal, y la suma del excedente del consumidor y el excedente del productor se maximiza.
- La existencia de monopolio, bienes públicos y costos y beneficios externos son obstáculos a la eficiencia.

## FIGURAS CLAVE

## TÉRMINOS CLAVE

# PROBLEMAS

*1. Copias Rápidas es una de las muchas empresas de copiado cerca de una universidad. En la figura se muestran las curvas de costo de Copias Rápidas.

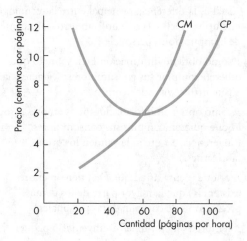

a. Si el precio de mercado de copiar una página es $0.10, ¿cuál es la producción que maximiza los beneficios de Copias Rápidas?

b. Calcule los beneficios de Copias Rápidas.

c. Si no hay cambios en la demanda o la tecnología, ¿cómo cambiará el precio a largo plazo?

2. El puesto de Roberto es uno de los muchos puestos de hamburguesas a lo largo de una playa. En la figura se muestran las curvas de costo de Roberto.

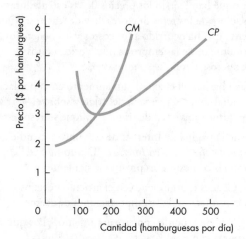

a. Si el precio de mercado de una hamburguesa es $4, ¿cuál es la producción que maximiza los beneficios de Roberto?

b. Calcule el beneficio que obtiene Roberto.

c. Si no hay cambios en la demanda o la tecnología, ¿cómo cambiará el precio a largo plazo?

*3. La empresa Pizzas Patricia es tomadora de precios. El costo para esta empresa de producir una pizza es:

| Producción (pizzas por hora) | Costo total ($ por hora) |
|---|---|
| 0 | 10 |
| 1 | 21 |
| 2 | 30 |
| 3 | 41 |
| 4 | 54 |
| 5 | 69 |

a. Si la pizza se vende en $14, ¿cuál es la producción que maximiza los beneficios por hora de Patricia? ¿Cuál es el monto del beneficio económico que obtiene Patricia?

b. ¿Cuál es el punto de cierre de Pizzas Patricia?

c. Derive la curva de oferta de Pizzas Patricia.

d. ¿En qué rango de precios abandonará Patricia la industria de las pizzas?

e. ¿En qué rango de precios otras empresas con costos idénticos a los de Patricia entrarán al mercado?

f. ¿Cuál es el precio de una pizza a largo plazo?

4. La empresa Lasañas Lucía es tomadora de precios. El costo para Lucía de producir lasañas es:

| Producción (lasañas por hora) | Costo total ($ por hora) |
|---|---|
| 0 | 5 |
| 1 | 20 |
| 2 | 26 |
| 3 | 35 |
| 4 | 46 |
| 5 | 59 |

a. Si la lasaña se vende en $7.50 el plato, ¿cuál es la producción que maximiza los beneficios de Lucía?

b. ¿Cuál es el punto de cierre de Lucía?

c. ¿En qué rango de precios abandonará Lucía la industria de lasañas?

d. ¿En qué rango de precios otras empresas con costos idénticos a los de Lucía entrarán a la industria?

e. ¿Cuál es el precio de la lasaña a largo plazo?

*5. La demanda de casetes está dada por:

| Precio ($ por casetes) | Cantidad demandada (miles de casetes por semana) |
|---|---|
| 3.65 | 500 |
| 5.20 | 450 |
| 6.80 | 400 |
| 8.40 | 350 |
| 10.00 | 300 |
| 11.60 | 250 |
| 13.20 | 200 |
| 14.80 | 150 |

El mercado es perfectamente competitivo y cada empresa tiene la siguiente estructura de costos:

| Producción (casetes por semana) | Costo marginal ($ por casete adicional) | Costo variable promedio | Costo promedio |
|---|---|---|---|
| | | ($ por casete) | |
| 150 | 6.00 | 8.80 | 15.47 |
| 200 | 6.40 | 7.80 | 12.80 |
| 250 | 7.00 | 7.00 | 11.00 |
| 300 | 7.65 | 7.10 | 10.43 |
| 350 | 8.40 | 7.20 | 10.06 |
| 400 | 10.00 | 7.50 | 10.00 |
| 450 | 12.40 | 8.00 | 10.22 |
| 500 | 12.70 | 9.00 | 11.00 |

Hay 1,000 empresas en la industria.

a. ¿Cuál es el precio del mercado?

b. ¿Cuál es la producción de la industria?

c. ¿Cuál es la producción elaborada por cada empresa?

d. ¿Cuál es el beneficio económico que obtiene cada empresa?

e. ¿Entran o salen las empresas de la industria?

f. ¿Cuál es el número de empresas a largo plazo?

6. Suponga que prevalecen las mismas condiciones de demanda del problema 5, que hay 1,000 empresas en la industria, pero que los costos fijos totales aumentan en $980, ¿cuáles son ahora sus respuestas a las preguntas en el problema anterior?

*7. En el problema 5, una disminución en el precio de los discos compactos reduce la demanda de casetes, y la nueva demanda está dada por:

| Precio ($ por casete) | Cantidad demanda (miles de casetes por semana) |
|---|---|
| 2.95 | 500 |
| 4.13 | 450 |
| 5.30 | 400 |
| 6.48 | 350 |
| 7.65 | 300 |
| 8.83 | 250 |
| 10.00 | 200 |
| 11.18 | 150 |

¿Cuáles son ahora sus respuestas a las preguntas en el problema 5?

8. En el problema 6, una disminución en el precio de un disco compacto reduce la demanda de casetes, y la demanda de casetes se convierte en la que se proporciona en el problema 7, ¿cuáles son ahora sus respuestas a las preguntas en el problema 6?

# PENSAMIENTO CRÍTICO

1. Después de estudiar la sección *Lectura entre líneas* en las páginas 256 y 257, conteste a las siguientes preguntas.

a. ¿Cuál es la diferencia principal entre la tecnología que utiliza Dell y la que utilizan otros fabricantes de computadoras personales?

b. ¿Cómo obtiene información Dell sobre lo que quieren comprar sus consumidores? (Sugerencia: Visite http://www.dell.com)

c. ¿Cómo obtienen información otras empresas sobre lo que quieren comprar sus consumidores? (Sugerencia: ¿A quién le venden los otros fabricantes?)

d. ¿Por qué piensa usted que Dell tiene menores existencias que la mayor parte de los demás productores de computadoras personales?

e. ¿Siempre es mejor tener un inventario pequeño? Si es así, ¿por qué no rebaja Dell sus inventarios a dos días o a un día?

f. Suponga que la tecnología de las computadoras personales deja de mejorar y que la industria se establece en un equilibrio de largo plazo. Describa ese equilibrio y muéstrelo en una gráfica.

g. Suponga que el avance en la tecnología de las computadoras personales no se detiene. Describa la evolución de la industria.

2. ¿Por qué han bajado los precios de las calculadoras de bolsillo y de los reproductores de videocasetes? ¿Qué piensa que ha ocurrido a los costos y los beneficios económicos de las empresas que fabrican estos productos? Explique su respuesta.

3. ¿Cuál ha sido el efecto de un aumento en la población mundial sobre el mercado del trigo y sobre el agricultor individual de trigo? Explique su respuesta.

4. Visite la página de Internet de este libro y estudie la *Lectura entre líneas en Internet*: "Dumping Steel". Después conteste a las preguntas siguientes:

a. ¿Cuál es el argumento en el artículo noticioso sobre la limitación de las importaciones de acero?

b. ¿Está de acuerdo con este argumento? ¿Por qué sí o por qué no?

c. ¿Por qué afirma Estados Unidos que el acero extranjero se está vendiendo ahí a precios de "dumping"? (Utilice los vínculos de la *Lectura entre líneas en Internet* para contestar a esta pregunta.)

# Monopolio

En este libro, usted ha leído mucho sobre empresas que quieren maximizar sus beneficios. Sin embargo, quizá ha estado observando algunos de los negocios que frecuenta y se habrá preguntado si en realidad están tan interesados en los beneficios. Después de todo, existen muchos lugares en los que se otorgan descuentos especiales a los estudiantes. Tal es el caso de algunos cines y museos. ¿Qué decir de las aerolíneas que proporcionan descuentos por comprar un pasaje con un cierto período de anticipación? El dueño del cine, los operadores del museo y de las aerolíneas, ¿son tan sólo personas generosas a quienes no se aplica el modelo de las empresas maximizadoras de beneficios? ¿No están simplemente desperdiciando sus beneficios al rebajar los precios de los pasajes y ofrecer descuentos? ◆ Al comprar energía eléctrica, usted no busca precios. Compra a su compañía de servicios públicos de energía eléctrica, que usualmente es el único proveedor disponible. En muchas ciudades hay un único proveedor del servicio de TV por cable. Éstos son ejemplos

## Los beneficios de la generosidad

de un productor único de un bien o servicio, el cual controla la oferta total de dicho bien. Es obvio que esas empresas no son como las industrias perfectamente competitivas. No se enfrentan a un precio determinado por el mercado. Pueden elegir su propio precio. ¿Cómo se comportan esas empresas? ¿Cómo deciden la cantidad a producir y el precio al que venderán? ¿Cómo se compara su comportamiento con empresas en industrias perfectamente competitivas? ¿Cobran esas empresas precios demasiado altos en perjuicio de los intereses de los consumidores? ¿Se obtiene algún beneficio de la existencia de este tipo de empresas?

◆ En este capítulo se estudian mercados en los que una empresa individual puede influir tanto en la cantidad de bienes ofrecidos como en el precio de mercado. También se compara el desempeño de una empresa en esos mercados con una situada en un mercado competitivo, y se examina si el monopolio es tan eficiente como la competencia perfecta.

**Después de estudiar este capítulo, usted será capaz de:**

■ Explicar cómo surge el monopolio y distinguir entre el monopolio de precio único y el monopolio discriminador de precios

■ Explicar cómo un monopolio de precio único determina la producción y el precio

■ Comparar el desempeño y la eficiencia del monopolio de precio único y la competencia perfecta

■ Definir la búsqueda de rentas y explicar por qué se presenta

■ Explicar cómo la discriminación de precios aumenta los beneficios

■ Explicar cómo la regulación del monopolio influye sobre la producción, el precio, los beneficios económicos y la eficiencia

# Poder de mercado

EL PODER DE MERCADO Y LA COMPETENCIA SON LAS dos fuerzas que operan en la mayor parte de los mercados. El **poder de mercado** es la capacidad de influir sobre el mercado y, en particular, sobre el precio del mercado, a través de la influencia que se tiene sobre la cantidad total que se ofrece para la venta.

Las empresas en competencia perfecta que se estudiaron en el capítulo 12 no tienen poder de mercado. Se enfrentan a la fuerza de la competencia y son tomadoras de precios. Las empresas que se estudian en este capítulo operan en el extremo opuesto. No se enfrentan a competencia y ejercen un poder de mercado total. A este extremo se le denomina *monopolio*. Un **monopolio** es una industria que produce un bien o servicio para el cual no existe sustituto y en el que hay un proveedor que está protegido de la competencia por barreras que evitan la entrada de nuevas empresas a la industria.

Entre los ejemplos de monopolio se encuentran usualmente las compañías telefónicas locales, los proveedores de gas, electricidad y agua, así como DeBeers, el productor de diamantes de Sudáfrica, y Microsoft, el creador del *software* del sistema operativo de su computadora.

## Cómo surge el monopolio

El monopolio tiene dos características clave:

- No hay sustituto cercano
- Barreras a la entrada

**No hay sustituto cercano** Suponga que un bien es producido por una sola empresa, pero que el bien tiene varios sustitutos cercanos. Ser la única empresa productora del bien no garantiza el monopolio a dicha empresa. Esto se debe a que la empresa se enfrenta a una competencia eficiente por parte de los productores de los sustitutos. El agua que proporciona una empresa de servicios públicos local, es un ejemplo de un bien que no tiene sustitutos cercanos. Aunque tiene un sustituto cercano para beber (el agua mineral embotellada), no tiene sustitutos eficientes para darse una ducha o para lavar un automóvil.

Los monopolios sufren constantes ataques de nuevos productos e ideas que sustituyen a los bienes producidos por los monopolios. Por ejemplo: empresas como Federal Express y UPS, o inventos como la máquina facsímil (fax) y el correo electrónico, han debilitado el monopolio de los servicio postales administrados por empresas públicas. En forma similar, la antena de disco para satélites ha debilitado el monopolio de las compañías de televisión por cable.

Pero los nuevos productos también crean constantemente monopolios. Un ejemplo es el monopolio de Microsoft del sistema operativo DOS durante la década de 1980 y del sistema operativo Windows en la actualidad.

**Barreras a la entrada** Las restricciones legales o naturales que protegen a una empresa de competidores potenciales son las **barreras a la entrada**. En ocasiones, una empresa puede crear su propia barrera a la entrada al adquirir una parte importante de un recurso clave. Por ejemplo, DeBeers controla más de 80% de la oferta mundial de diamantes naturales. Pero la mayor parte de los monopolios provienen de otros dos tipos de barreras: barreras legales y barreras naturales.

*Barreras legales a la entrada* Las barreras legales a la entrada crean un monopolio legal. Un **monopolio legal** es un mercado en el cual la competencia y la entrada están restringidas por la concesión de una franquicia pública, licencia gubernamental, patente, o derechos de autor.

Una *franquicia pública* es un derecho exclusivo otorgado a una empresa para proporcionar un bien o servicio. Un ejemplo es el de algunas compañías de telefonía local, que tienen el derecho exclusivo de manejar las llamadas telefónicas dentro de una cierta zona. Una *licencia gubernamental* controla la entrada a ocupaciones, profesiones e industrias en particular. Ejemplos de este tipo de barreras a la entrada son las certificaciones públicas que se hacen de algunas profesiones (abogados, médicos, notarios, etc.). La concesión de licencias no siempre crea monopolios, pero sí restringe la competencia.

Una *patente* es un derecho exclusivo otorgado al inventor de un producto o servicio. El *derecho de autor* es el derecho exclusivo otorgado al autor o compositor de una obra literaria, musical, dramática o artística. Las patentes y los derechos de autor son válidos por un tiempo limitado que varía de un país a otro. En México y en Estados Unidos, una patente es válida hasta por 20 años. Las patentes estimulan la *invención* de nuevos productos y métodos de producción. También estimulan la *innovación*; es decir, el uso de nuevos inventos, al estimular a los inventores a dar a conocer sus descubrimientos para ser usados bajo licencia. Las patentes han estimulado innovaciones en áreas tan diversas como las semillas de soya, los productos farmacéuticos y equipo electrónico.

*Barreras naturales a la entrada* Las barreras naturales a la entrada crean un **monopolio natural**, que es una industria en la que una empresa puede abastecer todo el mercado a un precio inferior al que pueden hacerlo dos o más empresas.

La figura 13.1 muestra un monopolio natural en la distribución de energía eléctrica. En este caso, la curva de demanda de energía eléctrica es $D$ y la curva del costo promedio es $CP$. Debido a que el costo promedio disminuye a medida que aumenta la producción, las economías de escala prevalecen a todo lo largo de la curva $CP$. Una empresa puede producir cuatro millones de kilovatios-hora a $0.05 el kilovatio-hora. A este precio, la cantidad demandada es de cuatro millones de kilovatios-hora. Por tanto, si el precio fuera $0.05, una empresa podría abastecer todo el mercado. Si dos empresas idénticas compartieran el mercado y cada una de ellas produjera dos millones de kilovatios-hora, el costo promedio al que producirían esta cantidad sería $0.10 el kilovatio-hora. Si cuatro empresas compartieran el mercado, a cada una de ellas le costaría $0.15 el kilovatio-hora para poder producir el millón de kilovatios-hora que le correspondería. Por tanto, en condiciones como las que se muestran en la figura 13.1, una empresa puede abastecer todo el mercado a un costo inferior a lo que pueden hacerlo dos o más empresas. La distribución de la energía eléctrica es un ejemplo de un monopolio natural. Con frecuencia, éste también es el caso de la distribución de otros servicios públicos, como el agua y el gas.

La mayor parte de los monopolios están regulados en alguna forma por agencias gubernamentales. Al final de este capítulo se estudiarán dichas regulaciones. Antes de ello, estudiaremos el monopolio no regulado. Existen dos razones para proceder de esta manera. Primero, porque se pueden comprender mejor las razones por las cuales los gobiernos regulan los monopolios, y los efectos de dicha regulación, si se conoce cómo se comporta un monopolio no regulado. Segundo, incluso en industrias con más de un productor, algunas empresas tienen un cierto grado de poder monopóli-co y la teoría del monopolio proporciona información sobre el comportamiento de esas empresas e industrias.

Una diferencia importante entre el monopolio y la competencia es que el monopolio establece su propio precio. Pero al hacerlo, se enfrenta a una restricción del mercado. Veamos cómo el mercado limita las posibilidades de fijación de precios de un monopolio.

### Estrategias de fijación de precios de un monopolio

Todos los monopolios se enfrentan a un dilema debido a la relación inversa que existe entre el precio y la cantidad vendida. Esto se debe a que, para vender una cantidad mayor, el monopolista tiene que cobrar un precio inferior y viceversa. En general, hay dos situaciones de monopolio que crean diferentes tipos de dilema. Estas situaciones son:

- Discriminación de precios
- Precio único

**Discriminación de precios** Muchas empresas discriminan en los precios y la mayor parte de ellas *no* son monopolios. Las aerolíneas ofrecen una asombrosa gama de precios distintos para un mismo vuelo. Los productores de pizzas cobran un cierto precio por una pizza individual, en tanto que la segunda pizza casi se la regalan. Estos son ejemplos de *discriminación de precios*. La **discriminación de precios** es la práctica de vender diferentes unidades de un bien o servicio a precios diferentes. Distintos consumidores quizá paguen precios diferentes (como los pasajeros de las aerolíneas), o un consumidor quizá pague precios diferentes por diferentes cantidades compradas (como el precio de ganga para una segunda pizza).

Cuando una empresa utiliza la discriminación de precios, parece como si hiciera un favor a sus clientes. De hecho, carga el precio más alto posible por cada unidad vendida y obtiene el mayor beneficio posible.

No todos los monopolios pueden aplicar la discriminación de precios. El principal obstáculo a la discriminación de precios es la reventa por parte de los consumidores que compran a un precio bajo. Debido a las posibilidades de reventa, la discriminación de precios está limitada a monopolios que venden servicios que no se pueden revender.

**Precio único** DeBeers vende diamantes de cierto tamaño y calidad al mismo precio a todos sus clientes. Si intentara vender a un precio bajo a algunos de los clientes y a un precio más alto a otros, sólo los clientes de precios bajos le comprarían a DeBeers. Los demás comprarían a los clientes que le compran a DeBeers a precios bajos.

DeBeers es un monopolio de *precio único*. Un **monopolio de precio único** es una empresa que tiene que vender cada unidad de su producción al mismo precio a todos sus clientes.

Primero veremos el caso del monopolio de precio único.

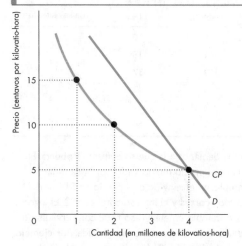

**FIGURA 13.1**

## Monopolio natural

La curva de demanda de energía eléctrica es *D* y la curva del costo promedio es *CP*. Existen economías de escala a lo largo de toda la curva *CP*. Una empresa puede distribuir cuatro millones de kilovatios-hora con un costo de $0.05 por kilovatio-hora. Esta misma producción total cuesta $0.10 por kilovatio-hora con dos empresas y $0.15 por kilovatio-hora con cuatro empresas. Por tanto, una empresa puede satisfacer la demanda del mercado a un costo inferior de lo que pueden hacerlo dos o más empresas. Este mercado es un monopolio natural.

# Decisión de producción y precio de un monopolio de precio único

PARA COMPRENDER CÓMO TOMA SUS DECISIONES DE producción y precio un monopolio de precio único, primero es necesario estudiar el vínculo entre el precio y el ingreso marginal.

## Precio e ingreso marginal

Debido a que en un monopolio sólo hay una empresa, la curva de demanda de la empresa es la curva de demanda del mercado. Observemos el caso de la Peluquería de Roberta, la única proveedora de cortes de cabello en una pequeña localidad. La tabla de la figura 13.2 muestra la demanda a la que se enfrenta Roberta. A un precio de $20, nadie desea cortarse el cabello. Cuanto más bajo sea el precio, más cortes de cabello por hora puede vender Roberta. Por ejemplo, a $12, los consumidores demandan cuatro cortes por hora (renglón *e*).

El *ingreso total* (*IT*) es el precio (*P*) multiplicado por la cantidad vendida (*Q*). Por ejemplo, en el renglón *d*, Roberta vende tres cortes de cabello a $14 cada uno, por lo que el ingreso total es $42. El *ingreso marginal* (*IM*) es el cambio en el ingreso total (*IT*) que resulta del aumento de una unidad en la cantidad vendida. Por ejemplo, si el precio baja de $16 (renglón *c*) a $14 (renglón *d*), la cantidad vendida aumenta de dos a tres cortes de cabello. El ingreso total se eleva de $32 a $42, por lo que el cambio en el ingreso total es $10. Debido a que la cantidad vendida aumenta en un corte de cabello, el ingreso marginal es igual al cambio en el ingreso total, es decir $10. El ingreso marginal se coloca entre los dos renglones para resaltar que el ingreso marginal se relaciona con el *cambio* en la cantidad vendida.

La figura 13.2 muestra la curva de demanda de Roberta (*D*), la curva del ingreso marginal (*IM*) y el cálculo que se acaba de hacer. Observe que a cada nivel de producción, el ingreso marginal es menor que el precio. Por tanto, la curva del ingreso marginal se encuentra por debajo de la curva de demanda. ¿Por qué el ingreso marginal es menor que el precio? La razón es que cuando se rebaja el precio para vender una unidad más, dos fuerzas opuestas afectan el ingreso total. El precio más bajo da lugar a una pérdida de ingresos, en tanto que la mayor cantidad vendida da como resultado un aumento en los ingresos. Por ejemplo, a un precio de $16, Roberta vende dos cortes de cabello (punto *c*). Si baja el precio hasta $14, vende tres cortes de cabello y tiene una ganancia en ingresos de $14 sobre el tercer corte. Pero ahora sólo recibe $14 por los dos primeros cortes. Como resultado, Roberta pierde $2 en cada uno de los primeros dos cortes de cabello. Para calcular el ingreso marginal, se tiene que deducir

FIGURA 13.2

## Demanda e ingreso marginal

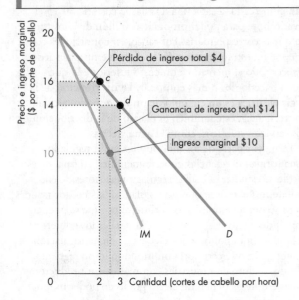

La tabla muestra la demanda a la que se enfrenta Roberta. El ingreso total (*IT*) es el precio multiplicado por la cantidad vendida. Por ejemplo, en el renglón *c*, el precio es $16 por corte, se venden dos cortes y el ingreso total es $32. El ingreso marginal (*IM*) es el cambio en el ingreso total como resultado del aumento de una unidad en la cantidad vendida. Por ejemplo, cuando el precio baja de $16 a $14 por corte de cabello, la cantidad vendida aumenta en un corte y el ingreso total aumenta en $10. El ingreso marginal es entonces $10. La curva de demanda, *D*, y la curva del ingreso marginal, *IM*, se basan en las cifras de la tabla y muestran el cálculo del ingreso marginal cuando el precio baja de $16 a $14.

|  | Precio (P) ($ por corte de cabello) | Cantidad demandada (Q) (cortes de cabello por hora) | Ingreso total (IT = P × Q) ($) | Ingreso marginal (IM = ΔIT/ΔQ) ($ por corte de cabello adicional) |
|---|---|---|---|---|
| a | 20 | 0 | 0 | |
| b | 18 | 1 | 18 | 18 |
| c | **16** | **2** | **32** | 14 |
| d | **14** | **3** | **42** | 10 |
| e | 12 | 4 | 48 | 6 |
| f | 10 | 5 | 50 | 2 |

esta cantidad de la ganancia en ingresos de $14. Por tanto, su ingreso marginal es $10, que es menor que el precio.

## Ingreso marginal y elasticidad

El ingreso marginal del monopolio de precio único está relacionado con la *elasticidad de la demanda* por su bien. La demanda por un bien puede ser *elástica* (la elasticidad de la demanda es mayor que uno), *inelástica* (la elasticidad de la demanda es inferior a uno), o *con elasticidad unitaria* (la elasticidad de la demanda es igual a uno). La demanda es *elástica* si la disminución de 1% en el precio ocasiona un aumento mayor que el 1% en la cantidad demandada. La demanda es *inelástica* si la disminución de 1% en el precio ocasiona un aumento inferior al 1% en la cantidad demandada. Y la demanda tiene *elasticidad unitaria* si una disminución de 1% en el precio ocasiona un aumento de 1% en la cantidad demandada.

Si la demanda es elástica, una disminución en el precio ocasiona un aumento en el ingreso total, y el ingreso marginal es positivo. Es decir, el aumento en el ingreso proveniente del incremento en la cantidad vendida supera la disminución en ingresos que resulta de vender a un precio más bajo. Si la demanda es inelástica, una disminución en el precio ocasiona una disminución en el ingreso total, y el ingreso marginal es negativo. Esto se debe a que el aumento en el ingreso proveniente del incremento en la cantidad vendida es más que compensado por la disminución en el ingreso que resulta de vender a un precio más bajo. Si la demanda tiene elasticidad unitaria, el ingreso total no cambia y el ingreso marginal es cero. Es decir, el aumento en el ingreso proveniente del incremento en la cantidad vendida compensa exactamente la disminución en el ingreso que resulta de vender a un precio más bajo. (En el capítulo 5, págs. 86-87, se explica con más detalle la relación entre el ingreso total y la elasticidad.)

La figura 13.3 muestra la relación entre el ingreso marginal, el ingreso total y la elasticidad. A medida que disminuye gradualmente el precio de un corte de cabello desde $20 hasta $10, la cantidad de cortes de cabello demandada aumenta desde cero hasta cinco por hora. En este rango de producción, el ingreso marginal es positivo (sección a), el ingreso total aumenta (sección b) y la demanda de cortes de cabello es elástica. A medida que disminuye el precio de $10 a $0 por corte de cabello, la cantidad demandada de cortes de cabello por hora aumenta de cinco a 10. En este rango de producción, el ingreso marginal es negativo (sección a), el ingreso total disminuye (sección b) y la demanda de cortes de cabello es inelástica. Cuando el precio es $10 por corte de cabello, el ingreso marginal es cero, el ingreso total se encuentra al máximo y la demanda de cortes de cabello tiene elasticidad unitaria.

### La demanda para un monopolio es necesariamente elástica

La relación entre el ingreso marginal y la elasticidad que se acaba de descubrir, implica que un monopolio maximizador del beneficio nunca produce en el rango inelástico de su curva de demanda. Si lo hiciera, podría cobrar un precio más alto, producir una cantidad menor y

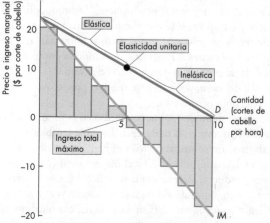

**FIGURA 13.3**

## Ingreso marginal y elasticidad

**(a)  Curvas de demanda y del ingreso marginal**

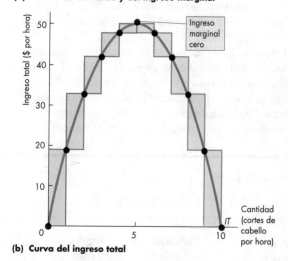

**(b)  Curva del ingreso total**

La curva de demanda (*D*) y la curva del ingreso marginal (*IM*) de Roberta aparecen en la sección (a) y la curva del ingreso total (*IT*) se muestra en la sección (b). En el rango que va desde cero hasta cinco cortes de cabello por hora, una rebaja en el precio aumenta el ingreso total, por lo que el ingreso marginal es positivo, tal como se muestra mediante las barras azules. En este rango, la demanda es elástica. En el rango de cinco a 10 cortes de cabello por hora, una disminución en el precio disminuye el ingreso total, por lo que el ingreso marginal es negativo, tal como se muestra mediante las barras rojas. En este rango, la demanda es inelástica. A cinco cortes de cabello por hora, el ingreso total se maximiza y el ingreso marginal es cero. La demanda tiene elasticidad unitaria.

aumentar su beneficio. Ahora observe con más detalle la decisión del precio y la producción de un monopolio.

## Decisión de producción y precio

Para determinar el nivel de producción y el precio que
maximizan el beneficio de un monopolio, es necesario
estudiar el comportamiento tanto del ingreso como de los
costos, a medida que varía la producción. Un monopolio y
una empresa competitiva se enfrentan a los mismos tipos de
restricciones de tecnología y costos, pero se enfrentan a
diferentes restricciones del mercado. La empresa competitiva
es tomadora de precios, en tanto que la decisión de
producción del monopolio influye sobre el precio que
recibe. Vea cómo ocurre esto.

El ingreso de Roberta, que se estudió en la figura 13.2,
se muestra de nuevo en la tabla 13.1. La tabla también contiene información sobre los costos y el beneficio económico
de Roberta. El costo total (*CT*) y el ingreso total (*IT*) se elevan a medida que se incrementa la producción. Los beneficios económicos equivalen al ingreso total menos el costo
total. Como se puede ver en la tabla, el beneficio máximo
($12) se presenta cuando Roberta vende tres cortes de ca-
bello a $14 cada uno. Si vende dos cortes de cabello por $16
cada uno, o cuatro cortes por $12 cada uno, su beneficio
económico será de sólo $8.

Usted puede ver por qué la producción que maximiza el
beneficio de Roberta es de tres cortes de cabello, si observa
las columnas del ingreso y los costos marginales. Cuando
Roberta aumenta la producción de dos a tres cortes de
cabello, su ingreso marginal es $10 y su costo marginal es
$6. El beneficio aumenta en $4 por hora. Si Roberta

aumenta la producción aún más, de tres a cuatro cortes de
cabello, su ingreso marginal es $6 y su costo marginal es $10.
En este caso, el costo marginal excede al ingreso marginal
por $4, por lo que el beneficio disminuye en $4 por hora.
Cuando el ingreso marginal excede al costo marginal, el beneficio aumenta si se incrementa la producción. Cuando el
costo marginal excede al ingreso marginal, el beneficio aumenta si disminuye la producción. Cuando el costo marginal y el
ingreso marginal son iguales, se maximiza el beneficio.

La información de la tabla 13.1 se ilustra en la figura
13.4. En la sección (a) se muestra la curva del ingreso total
(*IT*) y la curva del costo total (*CT*) de Roberta. El beneficio
económico es la distancia vertical entre *IT* y *CT*. Roberta
maximiza su utilidad en tres cortes de cabello por hora, el
beneficio económico es $42 menos $30, o sea, $12.

El monopolio, al igual que una empresa competitiva,
maximiza el beneficio al producir en el punto en el que el
costo marginal es igual al ingreso marginal. La figura 13.4(b)
muestra las curvas de demanda (*D*) y del ingreso marginal (*IM*) de Roberta, junto con sus curvas de costo marginal
(*CM*) y de costo promedio (*CP*). Roberta maximiza su
beneficio al realizar tres cortes de cabello por hora. Pero,
¿qué precio cobra por un corte? Para establecer el precio, el
monopolista usa la curva de demanda y encuentra el precio
más alto al que puede vender la producción que maximiza el
beneficio. En el caso de Roberta, el precio más alto al que
ella puede vender tres cortes de cabello por hora es $14.

Todas las empresas maximizan sus beneficios al
producir, cuando el ingreso marginal es igual al costo

**TABLA 13.1**

## Decisión de producción y precio de un monopolio

| Precio (P) ($ por de cabello) | Cantidad demandada (Q) (cortes de cabello por hora) | Ingreso total (IT = P × Q) ($) | Ingreso marginal (IM = ΔIT/ΔQ) ($ por corte de cabello adicional) | Costo total (CT) ($) | Costo marginal (CM = ΔCT/ΔQ) ($ por corte de cabello adicional) | Beneficio (IT − CT) ($) |
|---|---|---|---|---|---|---|
| 20 | 0 | 0 | | 20 | | −20 |
| | | | 18 | | 1 | |
| 18 | 1 | 18 | | 21 | | −3 |
| | | | 14 | | 3 | |
| 16 | 2 | 32 | | 24 | | +8 |
| | | | 10 | | 6 | |
| 14 | 3 | 42 | | 30 | | +12 |
| | | | 6 | | 10 | |
| 12 | 4 | 48 | | 40 | | +8 |
| | | | 2 | | 15 | |
| 10 | 5 | 50 | | 55 | | −5 |

Esta tabla proporciona la información necesaria para determinar
la producción y el precio que maximizan el beneficio. El ingreso
total (*IT*) es igual al precio multiplicado por la cantidad vendida.
El beneficio es igual al ingreso total menos el costo total (*CT*). El

beneficio se maximiza cuando el precio es $14 y se venden tres
cortes de cabello. El costo total es $30 y el beneficio
económico es $12 ($42 − $30).

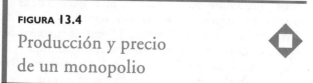

**FIGURA 13.4**

## Producción y precio de un monopolio

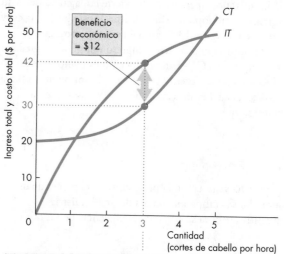

**(a)  Curvas del ingreso total y del costo total**

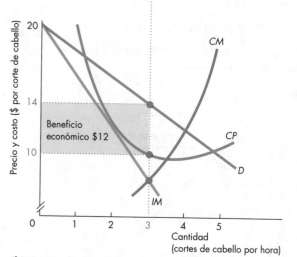

**(b)  Curvas de demanda, ingreso marginal y costo marginal**

En la sección (a), el beneficio económico es igual al ingreso total (*IT*) menos el costo total (*CT*) y se maximiza a tres cortes de cabello por hora. En la sección (b), el beneficio económico se maximiza cuando el costo marginal (*CM*) es igual al ingreso marginal (*IM*). El precio se determina mediante la curva de demanda (*D*) y es igual a $14. El beneficio económico, el rectángulo azul, es $12. Esta cantidad se obtiene multiplicando el beneficio por corte de cabello ($4), por la cantidad de cortes de cabello que maximiza los beneficios (tres).

marginal. Para una empresa competitiva, el precio es igual al ingreso marginal, por lo que el precio también es igual al costo marginal. Para un monopolio, el precio excede al ingreso marginal, por lo que el precio también excede al costo marginal.

Un monopolio cobra un precio que excede al costo marginal, pero, ¿obtiene siempre un beneficio económico? En el caso de Roberta, cuando produce tres cortes de cabello por hora, su costo promedio es $10 (tomado de la curva *CP*) y su precio es $14 (tomado de la curva *D*). El beneficio por corte de cabello es $4 ($14 menos $10). El beneficio económico de Roberta se muestra mediante el rectángulo azul, que es igual al beneficio por corte de cabello ($4) multiplicado por el número de cortes (tres), lo que da un total de $12.

Si las empresas en una industria perfectamente competitiva obtienen un beneficio económico positivo, entran nuevas empresas a la industria. Esto no ocurre en una industria monopolista. Las barreras a la entrada evitan que entren nuevas empresas. Por tanto, en una industria monopolista, una empresa puede obtener un beneficio económico positivo y continuar haciéndolo indefinidamente. En ocasiones, esa utilidad es grande, como en el negocio internacional de diamantes.

En el caso de Roberta, ella obtiene un beneficio económico positivo. Suponga que el propietario del espacio que alquila Roberta para su negocio, decide aumentar el alquiler. Si Roberta paga $12 más por hora, su costo fijo aumenta en $12 por hora. Su costo marginal y su ingreso marginal no cambian, por lo que su producción maximizadora de beneficios sigue siendo de tres cortes de cabello por hora. Sus beneficios disminuyen en $12 por hora hasta llegar a cero. Si Roberta paga más de $12 adicionales por hora por el alquiler de su local, incurrirá en una pérdida económica. Si esta situación fuera permanente, Roberta tendría que dejar de operar. Pero los empresarios son usualmente un grupo resistente y Roberta podría encontrar otro lugar en el que el alquiler sea menor.

## PREGUNTAS DE REPASO

- ¿Cuál es la relación entre el costo marginal y el ingreso marginal cuando un monopolio de precio único maximiza sus beneficios?

- ¿Cómo determina un monopolio de precio único el precio que cobrará a sus clientes?

- ¿Cuál es la relación entre precio, ingreso marginal y costo marginal cuando un monopolio de precio único maximiza sus beneficios?

- ¿Por qué un monopolio puede obtener beneficios económicos positivos, incluso a largo plazo?

## Comparación entre el monopolio de precio único y la competencia perfecta

IMAGINE UNA INDUSTRIA QUE ESTÁ INTEGRADA POR muchas empresas pequeñas operando en competencia perfecta. Después, imagine que una empresa individual compra a todas las otras empresas pequeñas y crea un monopolio.

¿Qué ocurrirá en esta industria? ¿Aumentarán o bajarán los precios? ¿Aumentará o disminuirá la cantidad producida? ¿Aumentará o disminuirá el beneficio económico? ¿Será eficiente la situación original competitiva o la nueva situación de monopolio?

Éstas son las preguntas que vamos a contestar. Primero, analizaremos los efectos del monopolio sobre el precio y la cantidad producida. Después se contestará a las preguntas sobre la eficiencia.

### Comparación de la producción y el precio

La figura 13.5 muestra el mercado que vamos a estudiar. La curva de demanda del mercado es $D$. La curva de demanda es la misma independientemente de cómo está organizada la industria, pero el lado de la oferta y el equilibrio son diferentes en el monopolio y en la competencia. Primero, observemos el caso de la competencia perfecta.

**Competencia perfecta**   Inicialmente, con muchas pequeñas empresas perfectamente competitivas en el mercado, la curva de oferta de mercado es $O$. Esta curva de oferta se obtiene sumando las curvas de oferta de todas las empresas individuales en el mercado.

En competencia perfecta, el equilibrio ocurre donde se cruzan la curva de oferta y la curva de demanda. La cantidad producida por la industria es $Q_C$ y el precio es $P_C$. Cada empresa toma el precio $P_C$ como dado y maximiza su beneficio produciendo en el punto en el que su propio costo marginal es igual al precio. Debido a que cada empresa es una parte pequeña de la industria total, no hay incentivos para que ninguna de las empresas intente manipular el precio variando su producción.

**Monopolio**   Suponga ahora que una sola empresa compra toda esa industria. Los consumidores no cambian, por lo que la curva de demanda sigue siendo la misma que en el caso de la competencia perfecta. Pero ahora el monopolio reconoce que la curva de demanda actúa como una restricción a sus ventas y que su ingreso marginal ahora está dado por la curva $IM$.

El monopolio maximiza el beneficio al producir la cantidad a la cual el ingreso marginal es igual al costo marginal. Para determinar la curva del costo marginal del monopolio, primero recuerde que la curva de oferta de la industria en competencia perfecta es la suma de las curvas de oferta de las empresas en la industria. Recuerde también que la curva de oferta de cada empresa es su curva del costo marginal (véase el capítulo 12, pág. 243). Por tanto, cuando una sola empresa compra toda la industria, la curva de oferta de la industria competitiva se convierte en la curva del costo marginal del monopolio. Para recordarle este hecho, la curva de oferta en la figura 13.5 también se le denomina $CM$.

La producción a la cual el ingreso marginal es igual al costo marginal es $Q_M$. Esta producción es menor que la producción competitiva $Q_C$. Además, el monopolio cobra el precio $P_M$, el cual es más alto que $P_C$. Por tanto, se ha establecido que:

> En comparación con una industria perfectamente competitiva, el monopolio de precio único restringe su producción y cobra un precio más alto.

Ya se ha visto cómo la producción y el precio de un monopolio se comparan con los de una industria competitiva. Ahora se compara la eficiencia de los dos tipos de mercados.

---

**FIGURA 13.5**

## Menor producción y mayor precio en el monopolio

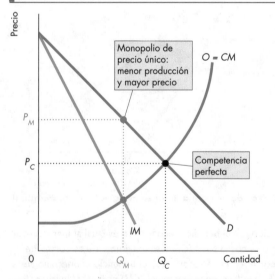

Una empresa competitiva produce la cantidad $Q_C$ al precio $P_C$. Un monopolio de precio único produce la cantidad $Q_M$ (en la que el ingreso marginal es igual al costo marginal) y vende esa cantidad al precio $P_M$. En comparación con la competencia perfecta, el monopolio de precio único restringe la producción y eleva el precio.

## Comparación de la eficiencia

Cuando se estudió la eficiencia en la competencia perfecta (véase el capítulo 12, págs. 254-255), se mencionó que si no hay costos y beneficios externos, la competencia perfecta da como resultado el uso eficiente de los recursos. A lo largo de la curva de demanda, los consumidores son eficientes. A lo largo de la curva de oferta, los productores son eficientes. Y el punto en el que se cruzan las curvas (el equilibrio competitivo), tanto los consumidores como los productores son eficientes. El precio es igual al costo marginal y la suma de los excedentes del consumidor y del productor se maximiza.

El monopolio restringe la producción por debajo del nivel competitivo y es ineficiente. Si un monopolio aumenta su producción en una unidad, el beneficio marginal excede al costo marginal y los recursos se usan en forma más eficiente.

La figura 13.6 muestra la ineficiencia del monopolio y la pérdida de los excedentes del consumidor y del productor una situación de monopolio. En la competencia perfecta (sección a), los consumidores pagan $P_C$ por cada unidad. El beneficio marginal para los consumidores se muestra mediante la curva de demanda ($D = BM$). Este precio mide el valor del bien para el consumidor. El valor menos el precio es igual al *excedente del consumidor* (véase el capítulo 6, pág. 105). En la figura 13.6(a), el excedente del consumidor se muestra mediante el triángulo verde.

El costo marginal de producción (costo de oportunidad) en la competencia perfecta se muestra mediante la curva de oferta ($O = CM$). La cantidad recibida por el productor en exceso de su costo marginal es el *excedente del productor*. En la figura 13.6(a), el área azul muestra el excedente del productor.

En equilibrio competitivo, el beneficio marginal es igual al costo marginal y la suma del excedente del consumidor y del excedente del productor se maximiza. El uso de los recursos es eficiente.

Un monopolio (sección b) restringe la producción a $Q_M$ y vende esa producción a un precio $P_M$. El excedente del consumidor disminuye hasta el triángulo verde más pequeño. Los consumidores pierden en parte al tener que pagar más por el bien y en parte al obtener menos del mismo. Parte del excedente del productor original también se pierde. La pérdida total resultante de la menor producción de monopolio ($Q_M$) es el triángulo gris en la figura 13.6(b). La parte del triángulo gris por encima de $P_C$ es la pérdida del excedente del consumidor, en tanto que la parte del triángulo por debajo de $P_C$ es la pérdida del excedente del productor. El triángulo gris completo mide la suma de las pérdidas de ambos excedentes. A esta pérdida se le denomina *pérdida irrecuperable*. La producción más pequeña y el precio más alto introducen una cuña entre el beneficio marginal y el costo marginal, y eliminan los excedentes del productor y del consumidor de aquella parte de la producción que habría sido generada por una industria competitiva, pero que no tiene lugar en condiciones de monopolio.

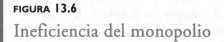

**FIGURA 13.6**

## Ineficiencia del monopolio

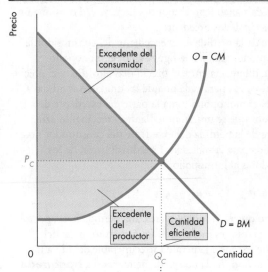

**(a) Competencia perfecta**

**(b) Monopolio**

En competencia perfecta (sección a), la cantidad $Q_C$ se vende al precio $P_C$. El excedente del consumidor se muestra mediante el triángulo verde. En el equilibrio a largo plazo, los beneficios económicos de la empresa son cero y el excedente del consumidor es el máximo posible. Un monopolio de precio único (sección b) restringe la producción hasta $Q_M$ y aumenta el precio hasta $P_M$. El excedente del consumidor es el triángulo verde más pequeño. El monopolio se queda con el área del rectángulo azul en forma de beneficios y crea una pérdida irrecuperable (el triángulo gris).

## La redistribución de los excedentes

Se ha visto que el monopolio es ineficiente. La suma del excedente del consumidor y el excedente del productor es más pequeña en el monopolio que en la competencia. Hay una pérdida social. Pero el monopolio también ocasiona una *redistribución* de los excedentes.

Parte de la pérdida en el excedente del consumidor la recibe el monopolio. En la figura 13.6, el monopolio obtiene la diferencia entre el precio más alto, $P_M$, y el precio competitivo, $P_C$, para cada una de las unidades vendidas $Q_M$. Por tanto, el monopolio toma la parte del excedente del consumidor que se muestra mediante el rectángulo azul. Esta parte de la pérdida del excedente del consumidor no es una pérdida para la sociedad. Es redistribución de los consumidores al monopolio.

## Búsqueda de rentas

Se ha visto que el monopolio crea una pérdida irrecuperable y que, por tanto, es ineficiente. Pero el costo social del monopolio excede a la pérdida irrecuperable debido a una actividad denominada búsqueda de rentas. La **búsqueda de rentas** es el intento por capturar una parte del excedente del consumidor, del excedente del productor, o de los beneficios económicos. La actividad no está limitada al monopolio, pero el intentar capturar los beneficios económicos de un monopolio es una forma importante de búsqueda de rentas.

Se ha visto que un monopolio obtiene su beneficio económico si se queda con una parte del excedente del consumidor. Por tanto, la búsqueda de un beneficio económico por parte de un monopolio es la búsqueda de rentas. Es el intento por parte de una empresa de capturar el excedente del consumidor.

Quienes buscan obtener rentas persiguen sus metas en dos formas principales. Éstas son:

■ Compra de un monopolio
■ Creación de un monopolio

**Compra de un monopolio**   Para buscar rentas económicas mediante la compra de un monopolio, una persona busca un monopolio que esté a la venta a un precio inferior al beneficio económico del monopolio. Un ejemplo de este tipo de búsqueda de rentas es el intercambio de licencias para taxis. En algunas ciudades, los taxis están regulados. La ciudad restringe tanto las tarifas como el número de taxis que pueden operar, por lo que la operación de un taxi da como resultado un beneficio económico o renta. La persona que quiere operar un taxi tiene que comprar una licencia a alguien que ya tenga una. Este tipo de búsqueda de renta transfiere las rentas del comprador al vendedor del monopolio. La única persona que termina con una renta es la que creó el monopolio en primer lugar. Incluso así, muchas

personas dedican racionalmente su tiempo y esfuerzo a buscar negocios de monopolio rentables para comprarlos. En el proceso usan recursos escasos que de lo contrario hubieran podido utilizarse en la producción de bienes y servicios.

**Creación de un monopolio**   La búsqueda de rentas mediante la creación de un monopolio es principalmente una actividad política. Toma la forma de cabildeo e intenta influir sobre el proceso político. Esta influencia se podría buscar haciendo aportaciones a campañas electorales a cambio de respaldo legislativo, influyendo en forma indirecta sobre los resultados políticos mediante publicidad en los medios o con contactos más directos con políticos y burócratas. Un ejemplo de un derecho de monopolio creado en esta forma son las restricciones cuantitativas impuestas por algunos gobiernos a las importaciones de ciertos tipos de productos. Otra es una regulación que limita el número de naranjas o de otro tipo de productos agrícolas que se pueden vender en Estados Unidos. Éstas son regulaciones que restringen la producción y aumentan el precio.

Este tipo de búsqueda de rentas es una actividad costosa que utiliza recursos escasos. En conjunto, muchas empresas gastan mucho dinero cabildeando en el Congreso, con los legisladores estatales y los funcionarios locales, para obtener licencias y leyes que creen barreras a la entrada y establezcan derechos de monopolio. Todos tienen incentivos para buscar rentas y, debido a que no existen barreras para entrar a la actividad de búsqueda de rentas, hay una gran competencia para obtener nuevos derechos de monopolio.

## El equilibrio en la búsqueda de rentas

Las barreras a la entrada crean monopolios, pero en la búsqueda de rentas no hay barreras a la entrada. Buscar rentas es como la competencia perfecta. Si existe un beneficio económico, un nuevo buscador de renta intentará obtener parte del mismo. La competencia entre los buscadores de rentas eleva el precio que se tiene que pagar por un derecho de monopolio, hasta el punto en que sólo se puede obtener un beneficio normal como resultado de operar el monopolio. Por ejemplo, la competencia por el derecho a operar un taxi en la ciudad de Nueva York conduce a un precio de más de 100,000 dólares para una licencia de taxi, lo que es suficientemente alto para eliminar el beneficio económico para los operadores de taxis y dejarlos con una utilidad normal.

La figura 13.7 muestra un equilibrio en la búsqueda de rentas. El costo de la búsqueda de rentas es un costo fijo que se tiene que añadir a los otros costos de un monopolio. La búsqueda de rentas y sus costos aumentan hasta el punto en el que no se obtienen beneficios económicos. La curva del costo promedio, que incluye el costo fijo de la búsqueda de rentas, se desplaza hacia arriba hasta tocar la curva de

**FIGURA 13.7**

## Equilibrio en la búsqueda de rentas

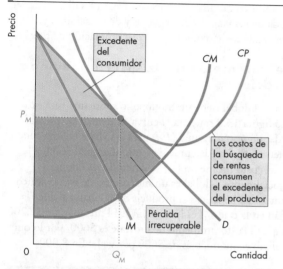

Con la búsqueda de rentas competitiva, el monopolio utiliza todo sus beneficios económicos para evitar que otra empresa se apodere de sus rentas. Los costos de búsqueda de rentas de la empresa son costos fijos. El costo fijo total y el costo promedio aumentan. La curva *CP* se desplaza hacia arriba hasta que, al precio que maximiza los beneficios, la empresa llega al punto de equilibrio.

demanda. El beneficio económico es cero. Se ha perdido en el proceso de la búsqueda de rentas. El excedente del consumidor no resulta afectado. Pero la pérdida irrecuperable del monopolio ahora incluye el triángulo de la pérdida irrecuperable original, más el beneficio económico perdido.

## PREGUNTAS DE REPASO

- ¿Por qué la producción de un monopolio de precio único es menor y por qué cobra un precio más alto de lo que resultaría si la industria fuera perfectamente competitiva?
- ¿Por qué el monopolio de precio único es ineficiente?
- ¿Qué es la búsqueda de rentas y cómo influye sobre la ineficiencia del monopolio?

Hasta ahora sólo se ha estudiado el monopolio de precio único. Pero muchos monopolios no operan con un solo precio, en lugar de ello emplean la discriminación de precios. Veamos ahora cómo opera el monopolio discriminador de precios.

# Discriminación de precios

LA DISCRIMINACIÓN DE PRECIOS (VENDER UN BIEN O servicio a diferentes precios) es muy utilizada. Se encuentra cuando viaja, va al cine, uno se corta el cabello, compra pizzas o visita un museo de arte. La mayor parte de los discriminadores de precios *no* son monopolios, pero los monopolios utilizan la discriminación de precios cuando pueden hacerlo.

Para poder discriminar los precios, el monopolio tiene que:

1. Identificar y separar los distintos tipos de compradores
2. Vender un producto que no se pueda revender

La discriminación de precios consiste en cobrar diferentes precios por un mismo bien o servicio, debido a diferencias en la disposición de los compradores a pagar, y no por diferencias en costos de producción. Por tanto, no todas las *diferencias* en precios implican *discriminación* de precios. Algunos bienes que son similares, pero no idénticos, tienen precios diferentes porque tienen distintos costos de producción. Por ejemplo, el costo de producir electricidad depende del momento del día. Si una compañía de energía eléctrica cobra un precio más alto por el consumo entre las 7:00 y las 9:00 de la mañana y entre las 4:00 y 7:00 de la tarde, que en otros momentos del día, esto no es discriminación de precios.

A primera vista parece que la discriminación de precios contradice la suposición de la maximización del beneficio. ¿Por qué un operador de cine permitiría que los niños vean películas a mitad de precio? ¿Por qué algunas empresas cobran menos a los estudiantes y a las personas de más edad? ¿No pierden beneficios estas empresas por ser amables con sus clientes?

Una investigación más profunda muestra que en lugar de perder beneficios, los discriminadores de precios obtienen un mayor beneficio de lo que sucedería en caso contrario. Por tanto, el monopolio tiene un incentivo para encontrar formas de discriminar y cobrar a cada comprador el precio más alto posible. Algunas personas pagan menos con la discriminación de precios, pero otras pagan más.

## Discriminación de precios y excedente del consumidor

La idea clave en que se apoya la discriminación de precios es en la de convertir al excedente del consumidor en beneficios económicos para la empresa. Las curvas de demanda tienen pendiente descendente porque el valor que las personas le confieren a cualquier bien disminuye a medida que aumenta la cantidad consumida del mismo. Cuando todas las unidades consumidas se venden a un precio único, los consumidores se benefician. El beneficio es el valor que obtienen los consumidores de cada unidad del bien, menos el precio que en realidad se paga por él. A este beneficio se le denomina *excedente del consumidor*. (Si necesita refrescar la comprensión del excedente del consumidor, regrese al capítulo 6, pág. 105.) La discriminación de precios es un intento por parte de un monopolio de capturar para sí mismo todo el excedente del consumidor que pueda.

Para extraer a cada comprador todo el excedente del consumidor, el monopolio tendría que ofrecer a cada cliente un plan de precios por separado que se base en su disposición individual a pagar. Es evidente que en la práctica no se puede llevar a cabo este tipo de discriminación de precios, porque la empresa no tiene información suficiente sobre la curva de demanda de cada consumidor.

Pero las empresas intentan extraer todo el excedente del consumidor posible y, para hacerlo, discriminan en dos formas básicas:

- Entre unidades de un bien
- Entre grupos de compradores

**Discriminación entre unidades de un bien**  Un método de discriminación de precios cobra a cada comprador un precio diferente sobre cada unidad de un bien comprado. Un ejemplo de este tipo de discriminación es la compra en grandes volúmenes. Cuanto mayor sea el pedido, mayor será el descuento y menor el precio. (Note que algunos descuentos por compras en grandes volúmenes provienen de costos de producción inferiores debidos a las grandes cantidades producidas. En estos casos, esos descuentos no son discriminación de precios.)

**Discriminación entre grupos de compradores**  Con frecuencia, la discriminación de precios toma la forma de discriminación entre diferentes grupos de consumidores, sobre la base de edad, situación de empleo, o alguna otra característica fácilmente distinguible. Este tipo de discriminación de precios funciona cuando cada grupo tiene, en promedio, una distinta disposición a pagar por el bien o servicio.

Por ejemplo, una reunión de negocios personal con un cliente pudiera dar como resultado un pedido grande y beneficioso. Para los vendedores y otros viajeros de negocios, el beneficio marginal de un viaje es grande y el precio que pagará este tipo de viajero por un viaje es alto. En contraste, para un viajero de vacaciones, cualesquiera de varios destinos diferentes, o incluso no salir de vacaciones, son alternativas viables. Por tanto, para los viajeros de vacaciones, el beneficio marginal de un viaje es pequeño y el precio que pagará este tipo de viajero por un viaje es bajo. Debido a que los viajeros de negocios están dispuestos a pagar más que los viajeros de vacaciones, es posible para una aerolínea beneficiarse mediante la discriminación de precios entre estos dos grupos. En forma similar, debido a que los

estudiantes tienen una menor disposición a pagar por algunos servicios, es posible que algunas empresas puedan beneficiarse mediante la discriminación de precios para este grupo de la población.

Veamos cómo una aerolínea aprovecha las diferencias en demanda de los viajeros de negocios y de vacaciones, y aumenta su beneficio mediante la discriminación de precios.

### Beneficio mediante la discriminación de precios

Aerolíneas Global tiene un monopolio sobre una ruta exótica. La figura 13.8 muestra la curva de demanda (*D*) y la curva del ingreso marginal (*IM*) para los viajes en esta ruta. También se muestra la curva del costo marginal (*CM*) y la curva del costo promedio (*CP*) de Aerolíneas Global.

Inicialmente, Global es un monopolio de precio único y maximiza su beneficio al producir 8,000 viajes al año (la cantidad en la que *IM* es igual a *CM*). El precio es de $1,200 por viaje. El costo promedio de un viaje es $600, por lo que el beneficio económico es de $600 por viaje. En 8,000

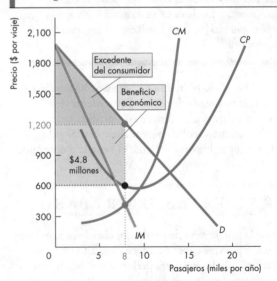

**FIGURA 13.8**

## Un precio único de los viajes aéreos

Aereolíneas Global tiene un monopolio de una ruta aérea. La empresa se enfrenta a una curva de demanda (*D*) y a una curva del ingreso marginal (*IM*). Tiene una curva del costo marginal (*CM*) y una curva del costo promedio (*CP*). Como un monopolio de precio único, Global maximiza su beneficio al vender 8,000 viajes al año a $1,200 el viaje. Su beneficio es de $4.8 millones al año, lo que se muestra mediante el rectángulo azul. Los clientes de Global disfrutan de un excedente del consumidor que se muestra mediante el triángulo verde.

viajes, el beneficio económico de Global es de $4.8 millones al año, lo que se muestra mediante el rectángulo azul. Los clientes de Global disfrutan de un excedente del consumidor que se muestra mediante el triángulo verde.

Global se ha sorprendido por el hecho de que muchos de sus clientes son viajeros de negocios, y se imagina que están dispuestos a pagar más de $1,200 por viaje. Por tanto, Global lleva a cabo una investigación de mercados que le señala que algunos viajeros de negocios están dispuestos a pagar hasta $1,800 por viaje. La empresa también sabe que estos clientes casi siempre cambian sus planes de viajes al último momento. Otro grupo de viajeros de negocios está dispuesto a pagar $1,600. Estos clientes conocen con una semana de anticipación cuándo viajarán y nunca quieren quedarse un fin de semana. Otro grupo adicional pagaría hasta $1,400 y estos viajeros conocen con dos semanas de anticipación cuándo viajarán y no quieren quedarse un fin de semana.

Por tanto, Global anuncia un nuevo programa de tarifas: sin restricciones, $1,800; compra del pasaje con siete

días de anticipación, sin derecho a cancelaciones, $1,600; compra con 14 días de anticipación, sin derecho a cancelaciones, $1,400; compra con 14 días de anticipación, sujeto a permanecer el fin de semana, $1,200.

La figura 13.9 muestra el resultado de esta nueva estructura de tarifas y muestra también por qué Global se siente satisfecho con sus nuevas tarifas. Vende 2,000 asientos de cada uno sus cuatro precios. El beneficio económico de Global aumenta de acuerdo con los escalones azules en la figura 13.9. Ahora sus beneficios económicos son sus $4.8 millones al año originales, más $2.4 millones adicionales provenientes de sus nuevas tarifas más altas. El excedente del consumidor ha disminuido y se representa ahora por una pequeña área verde.

### Discriminación de precios perfecta

Pero Global considera que puede hacerlo aún mejor. Piensa lograr la **discriminación de precios perfecta**, que es la discriminación de precios que extrae la totalidad del excedente del consumidor. Para hacerlo, Global tiene que ser creativo y presentar un grupo de tarifas de negocios adicionales que oscilen entre $1,200 y $2,000, que resulten atractivas para pequeños segmentos del mercado de negocios y que, en su conjunto, extraigan la totalidad del excedente del consumidor de los viajeros de negocios.

Una vez que Global discrimina en forma apropiada entre los diferentes clientes y obtiene de cada uno de ellos el máximo que estén dispuestos a pagar, ocurre algo especial al ingreso marginal. Recuerde que, para el monopolio de precio único, el ingreso marginal es menor que el precio. La razón es que cuando el precio disminuye para vender una cantidad mayor, el precio es inferior en todas las unidades vendidas. Pero con la discriminación de precios perfecta, Global sólo vende el asiento marginal al precio más bajo. Todos los demás clientes continúan comprando al precio más alto que estén dispuestos a pagar. Por tanto, para el discriminador de precios perfecto el ingreso marginal es igual al precio y la curva de demanda se convierte en la curva del ingreso marginal.

Con el ingreso marginal igual al precio, Global puede obtener aún más beneficios al aumentar la producción hasta el punto en que el precio (y el ingreso marginal) sea igual al costo marginal.

Por tanto, ahora Global busca viajeros adicionales que no pagarán tanto como $1,200 por viaje, pero que pagarán más del costo marginal. Se produce una fijación de precios más creativa con precios especiales para vacaciones y otras tarifas que tengan combinaciones de reservaciones por anticipado, estancia mínima y otro tipo de restricciones que hagan esas tarifas poco atractivas para sus clientes ya existentes, pero atractivas para un grupo adicional de viajeros. Con todas estas tarifas y precios especiales, Global

**FIGURA 13.9**
## Discriminación de precios

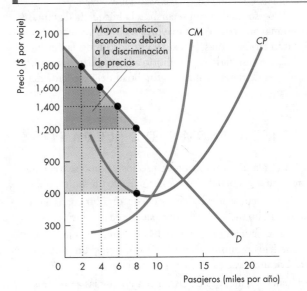

Global revisa su estructura de tarifas. Sin restricciones, a $1,800; compra con siete días de anticipación, a $1,600; compra con 14 días de anticipación, a $1,400; a $1,200 tiene que permanecer un fin de semana. Global vende 2,000 unidades de cada una de sus nuevas cuatro tarifas. Su beneficio económico aumenta en $2.4 millones al año y llega a $7.2 millones al año, lo que se muestra mediante el rectángulo azul original más los escalones azules. El excedente del consumidor de los clientes de Global disminuye.

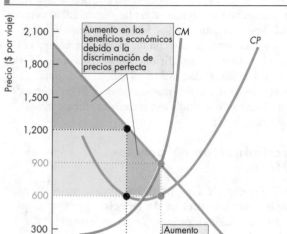

**FIGURA 13.10**

## Discriminación de precios perfecta

Docenas de tarifas altas discriminan entre muchos tipos diferentes de viajeros de negocios. Nuevas tarifas bajas con diferentes restricciones son atractivas para los viajeros de vacaciones. Con la discriminación perfecta de precios, la curva de demanda de Aerolíneas Global se convierte en su curva del ingreso marginal. Global vende 11,000 pasajes entre $900 y $2,000 cada uno y obtiene un beneficio económico de $9.35 millones al año.

aumenta las ventas, extrae la totalidad del excedente del consumidor y maximiza el beneficio económico.

La figura 13.10 muestra el resultado con la discriminación de precios perfecta. Las docenas de tarifas que pagan los viajeros originales dispuestos a pagar entre $1,200 y $2,000, ha extraído la totalidad del excedente del consumidor de este grupo y lo ha convertido en beneficio económico para la empresa.

Las nuevas tarifas de entre $900 y $1,200 han atraído a 3,000 viajeros adicionales. A todos ellos, Aerolíneas Global también les ha extraído la totalidad de su excedente del consumidor. Global obtiene un beneficio económico de más de $9 millones.

Las aerolíneas del mundo real son tan creativas como Global, como puede verlo en la sección *Lectura entre líneas*.

## Eficiencia y búsqueda de rentas con la discriminación de precios

Con la discriminación de precios perfecta, la producción aumenta hasta el punto en el que el precio es igual al costo marginal, es decir, donde la curva del costo marginal cruza a la curva de demanda. Esta producción es idéntica a la de la competencia perfecta. La discriminación de precios perfecta empuja el excedente del consumidor hasta cero, pero aumenta el excedente del productor hasta igualar la suma de los excedentes del consumidor y del productor en competencia perfecta. Con la discriminación de precios perfecta, la pérdida irrecuperable es cero. Por tanto, la discriminación de precios perfecta logra la eficiencia.

Cuanto más perfecta sea la discriminación de precios del monopolio, su producción se encontrará más cerca de la producción competitiva y el resultado será más eficiente.

Pero hay dos diferencias entre la competencia perfecta y la discriminación de precios perfecta. Primero, la distribución del excedente es diferente. En la competencia perfecta, el excedente se reparte entre los consumidores y los productores, en tanto que en la discriminación de precios perfecta, el productor es el que se queda con todo el excedente. Segundo, debido a que el productor obtiene todo el excedente, la búsqueda de rentas se vuelve redituable.

Las personas dedican recursos a la búsqueda de rentas y cuanto mayores sean éstas, mayores serán los recursos que se utilizarán en buscarlas. Al existir entrada libre a la búsqueda de rentas, el resultado de equilibrio a largo plazo es que los buscadores de rentas utilizan la totalidad del excedente del productor.

## PREGUNTAS DE REPASO

- ¿Qué es la discriminación de precios y cómo se usa para aumentar los beneficios económicos de un monopolio?
- ¿Qué le ocurre al excedente del consumidor cuando un monopolio utiliza la discriminación de precios?
- ¿Qué le ocurre al excedente del consumidor, a los beneficios económicos y a la producción si un monopolio discrimina precios en forma perfecta?
- ¿Cuáles son algunas de las formas en que las aerolíneas del mundo real utilizan la discriminación de precios?

Hemos visto que el monopolio es rentable para el monopolista, pero costoso para el resto de las personas (debido a que en general es ineficiente). Como resultado de estas características, los monopolios son muy cuestionados y se les trata de sujetar a una cierta regulación. A continuación se estudiarán los temas de política relacionados con los monopolios.

# Temas de política relacionados con los monopolios

LA COMPARACIÓN ENTRE EL MONOPOLIO Y LA COMPE-tencia perfecta hace que el monopolio se vea mal. El monopolio es ineficiente y captura el excedente del consumidor, el cual convierte ya sea en excedente del productor o en verdadero desperdicio en la forma de costos de búsqueda de rentas. Si los monopolios son tan malos, ¿por qué los toleramos? ¿Por qué no tenemos leyes que ataquen con tal fuerza a los monopolios que nunca levanten la cabeza de nuevo? Ciertamente tenemos leyes que limitan el poder de los monopolios y que regulan los precios que se les permite cobrar. Pero los monopolios también proporcionan algunos beneficios. Se comienza esta revisión de la política de monopolios con el análisis de los beneficios de éstos. Después se discute la regulación de los monopolios.

## Beneficios de la existencia de los monopolios

La razón principal por la que existe el monopolio es que tiene ventajas potenciales sobre una alternativa competitiva. Estas ventajas surgen debido a:

- Incentivos para la innovación
- Economías de escala y economías de alcance

**Incentivos para la innovación** La invención conduce a una ola de innovaciones cuando el nuevo conocimiento se aplica al proceso de producción. La innovación quizá tome la forma del desarrollo de un nuevo producto o la forma de un menor costo de hacer un producto ya existente. Se ha generado una gran controversia sobre cuáles son las empresas más innovadoras: si las grandes empresas con poder monopólico o las pequeñas empresas competitivas que carecen de ese poder. Es evidente que un cierto poder monopólico temporal surge como consecuencia de la innovación. Una empresa que desarrolla un nuevo producto o proceso y obtiene la patente del mismo, logra un derecho exclusivo sobre ese producto o proceso durante la vigencia de la patente.

Pero, ¿la concesión de un monopolio a un innovador, incluso un monopolio temporal, aumenta el ritmo de la innovación? Un punto de vista sugiere que sí lo hace. Sin protección, el innovador no estaría en posibilidad de disfrutar los beneficios de la innovación por mucho tiempo. Por tanto, se debilitaría el incentivo para innovar. Un argumento opuesto es que los monopolios pueden permitirse ser perezosos, en tanto que la empresa competitiva no puede hacerlo. Las empresas competitivas tienen que luchar por innovar y rebajar costos a pesar de que saben que no pueden aprovechar los beneficios de su innovación durante mucho tiempo. Pero ese conocimiento los estimula a una innovación mayor y más rápida.

La evidencia de si el monopolio conduce a una mayor innovación que la competencia es mixta. Las grandes empresas hacen más investigación y desarrollo que las empresas pequeñas. Pero medir la investigación y el desarrollo es medir el volumen de insumos en el proceso de innovación. Lo que importa no son los insumos, sino los resultados. Dos mediciones de los resultados de la investigación y el desarrollo son el número de patentes y la tasa de crecimiento en productividad. Con base en estas mediciones, no es clara la evidencia de que un tamaño mayor sea mejor. Pero existe un patrón claro en el proceso de difusión del conocimiento tecnológico. Después de la innovación, un nuevo proceso o producto se difunde gradualmente por toda la industria, y son las grandes empresas las que lo adoptan con más rapidez que las empresas pequeñas restantes. Por tanto, las grandes empresas aceleran el proceso de difusión de los avances tecnológicos.

**Economías de escala y de alcance** Las economías de escala y de alcance pueden conducir al monopolio natural. Como se vio al inicio del capítulo, en un *monopolio natural*, una sola empresa puede producir a un costo promedio más bajo de lo que pueden hacerlo un número mayor de empresas más pequeñas.

Una empresa experimenta *economías de escala* cuando un aumento en su producción de un bien o servicio ocasiona una disminución en el costo promedio de producirlo (véase el capítulo 11, pág. 230). Una empresa experimenta *economías de alcance* cuando un aumento en el *rango de los bienes producidos* ocasiona una disminución en el costo promedio (véase el capítulo 10, pág. 210). Las *economías de alcance* ocurren cuando diferentes bienes comparten recursos de capital especializados (y normalmente costosos). Por ejemplo, McDonald's puede producir al mismo tiempo hamburguesas y papas fritas a un costo promedio más bajo que dos empresas por separado (una empresa de hamburguesas y una empresa de papas fritas), porque las hamburguesas y las papas fritas de McDonald's comparten el uso del almacenamiento especializado de alimentos y de las instalaciones para su preparación. Una empresa que produce una amplia gama de productos, puede contratar a especialistas en programación de computación, diseño y marketing, cuyas habilidades se pueden usar para toda la gama de productos, con lo que distribuye sus costos y baja el costo promedio de producción de cada uno de los bienes.

Hay muchos ejemplos en los que se da una combinación de economías de escala y de alcance, pero no todos ellos conducen al monopolio. Algunos ejemplos son la preparación de cervezas, la fabricación de refrigeradores y otros aparatos electrodomésticos para el hogar, la fabricación de productos farmacéuticos y el refinamiento del petróleo.

Los ejemplos de industrias en las que las economías de escala son tan importantes que conducen a un monopolio natural, son cada vez menos comunes. Las empresas de servicios públicos, como el gas, la energía eléctrica, el servicio telefónico local y la recolección de basura, en una época fueron monopolios naturales, pero ahora los avances tecnológicos nos permiten separar la *producción* de energía eléctrica o de gas natural de su *distribución*. Sin embargo, el abastecimiento de agua sigue siendo un monopolio natural.

Las empresas a gran escala que ejercen el control sobre la oferta y que influyen sobre los precios (y que, por consiguiente, se comportan como la empresa de monopolio que se ha estudiado en este capítulo), pueden obtener economías de escala y de alcance. Las empresas pequeñas, competitivas, no pueden. Por tanto, hay situaciones en las que la comparación del monopolio y la competencia que se hizo antes en este capítulo no resulta válida. Recuerde que antes imaginamos la adquisición de un gran número de empresas competitivas por una empresa de monopolio. Pero también se supuso que el monopolio usaría exactamente la misma tecnología que las empresas pequeñas y tendría los mismos costos. Si una gran empresa puede aprovechar economías de escala y de alcance, su curva del costo marginal se encontrará por debajo de la curva de oferta de una industria competitiva integrada por muchas empresas pequeñas. Es posible que las economías de escala y de alcance sean tan grandes que den como resultado una mayor producción y un menor precio con el monopolio, que lo que podría lograr una industria competitiva.

Ahí donde existen importantes economías de escala y alcance, por lo general vale la pena tolerar el monopolio y regular sus precios.

## Regulación del monopolio natural

Cuando las condiciones de la demanda y el costo crean un monopolio natural, por lo general interviene una dependencia gubernamental federal, estatal, o local, para regular los precios del monopolio. Al regular un monopolio, es posible evitar algunos de los peores aspectos del mismo, o por lo menos hacerlos más moderados. Observe la regulación del precio del monopolio.

La figura 13.11 muestra la curva de demanda, *D*, la curva del ingreso marginal, *IM*, la curva del costo promedio, *CP*, y la curva del costo marginal, *CM*, para una compañía distribuidora de gas, la cual es un monopolio natural.

El costo marginal de la empresa es constante en $0.10 por pie cúbico. Sin embargo, el costo promedio disminuye al aumentar la producción. La razón es que la compañía de gas natural tiene una gran inversión en gasoductos y, por tanto, tiene altos costos fijos. Estos costos fijos son parte del costo promedio de la compañía y, por consiguiente, aparecen en la curva *CP*. La curva del costo promedio tiene pendiente descendente debido a que, a medida que aumenta el número de pies cúbicos vendidos, el costo fijo se distribuye entre un mayor número de unidades. (Si necesita recordar cómo se calcula la curva del costo promedio, vea rápidamente el capítulo 11, págs. 224-225.)

Esta empresa por sí sola puede abastecer todo el mercado a un costo inferior que lo que pueden hacerlo dos empresas separadas, porque el costo promedio disminuye aun cuando se abastece todo el mercado. (Si necesita un rápido recordatorio sobre el monopolio natural, vea de nuevo las págs. 262-263.)

**Maximización del beneficio** Primero, suponga que la compañía de gas natural no está regulada y que en lugar de ello maximiza su beneficio. La figura 13.11 muestra el resultado en este caso. La compañía produce dos millones de pies cúbicos al día, la cantidad en la que el costo marginal es igual al ingreso marginal. Fija el precio de su gas en $0.20 el pie cúbico y obtiene un beneficio económico de $0.02 por pie cúbico, o sea $40,000 diarios.

Este resultado es satisfactorio para la compañía de gas, pero es ineficiente. El precio o el beneficio marginal es $0.20 por pie cúbico cuando el costo marginal es sólo $0.10 por pie cúbico. La compañía de gas obtiene una gran utilidad. ¿Qué puede hacer la regulación para mejorar este resultado?

**La regulación eficiente** Si el regulador del monopolio quiere lograr un uso eficiente de los recursos, tiene que exigir al monopolio del gas que produzca la cantidad de gas a la que el beneficio marginal iguala al costo marginal. El beneficio marginal es lo que está dispuesto a pagar el consumidor y aparece en la curva de demanda. El costo marginal se muestra mediante la curva del costo marginal de la empresa. En la figura 13.11 se puede ver que este resultado ocurre si se fija el precio en $0.10 por pie cúbico y si se producen cuatro millones de pies cúbicos por día. La regulación que produce este resultado se conoce como la regla de fijación de precios según el costo marginal. Una **regla de fijación de precios según el costo marginal** determina un precio igual al costo marginal. Esto maximiza el excedente total en la industria regulada. En este ejemplo, este excedente corresponde únicamente al excedente del consumidor y es igual al área del triángulo por debajo de la curva de demanda y por encima de la curva del costo marginal.

La regla de fijación de precios según el costo marginal es eficiente, pero hace que el monopolio natural incurra en una pérdida económica. Debido a que el costo promedio baja a medida que se incrementa la producción, el costo marginal está por debajo del costo promedio. Y debido a que el precio es igual al costo marginal, el precio está por debajo del costo promedio. El costo promedio menos el precio es la pérdida por unidad producida. Es bastante obvio que una compañía de gas natural, a la cual se le exige utilizar una regla de fijación de precios según el costo marginal, no seguirá operando por mucho tiempo. ¿Cómo puede cubrir sus costos una compañía y al mismo tiempo obedecer una regla de fijación de precios según el costo marginal?

Una posibilidad es la discriminación de precios. La compañía quizá cobre un precio más alto a algunos clientes,

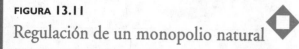

FIGURA 13.11

## Regulación de un monopolio natural

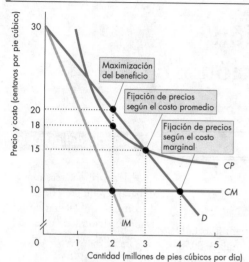

Un monopolio natural es una industria en la que el costo promedio baja incluso cuando se satisface la totalidad de la demanda del mercado. Un productor de gas natural se enfrenta a la curva de demanda *D*. El costo marginal de la empresa es constante en $0.10 por pie cúbico, tal como se muestra mediante la curva denominada *CM*. Los costos fijos son grandes y la curva del costo promedio, que incluye el costo fijo promedio, se muestra como *CP*. Una regla de fijación de precios según el costo marginal establece el precio en $0.10 por pie cúbico y se producen cuatro millones de pies cúbicos por día. La empresa incurre en una pérdida económica. Una regla de fijación de precios según el costo promedio establece el precio en $0.15 por pie cúbico y se producen tres millones de pies cúbicos por día. La empresa obtiene un beneficio normal.

en tanto que a los otros les puede cobrar el costo marginal. Otra posibilidad es usar un precio en dos partes (denominado una tarifa de dos partes). Por ejemplo, la compañía de gas podría cobrar una cantidad fija mensual que cubra su costo fijo y después cobrar por el gas consumido al costo marginal.

Pero un monopolio natural no siempre es capaz de cubrir sus costos en esta forma. Si el monopolio natural no puede cubrir su costo total a través de sus clientes, y si el gobierno quiere que siga una regla de fijación de precios según el costo marginal, el gobierno tendrá que otorgar un subsidio a la empresa. En ese caso, el gobierno obtiene los recursos para el subsidio gravando alguna otra actividad. Pero como se vio en el capítulo 7, los impuestos, por sí mismos, producen una pérdida irrecuperable. Por tanto, la pérdida irrecuperable que resulta de los impuestos adicionales se tiene que sustraer de la eficiencia ganada al forzar al monopolio natural a adoptar una regla de fijación de precios según el costo marginal.

**Fijación de precios según el costo promedio**   Los reguladores casi nunca imponen la fijación de precios eficiente, debido a sus consecuencias para los beneficios de la empresa. En lugar de ello, los reguladores suelen llegar a un acuerdo en el que se permite a la empresa que cubra todos sus costos y obtenga un beneficio normal. Recuerde que el beneficio normal es un costo de producción y se incluye junto con los otros costos fijos de la empresa en la curva del costo promedio. Por tanto, la fijación de precios que pretende cubrir los costos de producción y un beneficio normal, implica determinar un precio igual al costo promedio. Esta regla también se conoce como la **regla de fijación de precios según el costo promedio**.

La figura 13.11 muestra el resultado de la fijación de precios según el costo promedio. La compañía de gas natural cobra $0.15 por pie cúbico y vende tres millones de pies cúbicos por día. Este resultado es mejor para los consumidores que si se aplicara la maximización del beneficio sin regulaciones. El precio es menor en $0.05 y la cantidad adicional consumida es de un millón de pies cúbicos por día. Este resultado es más conveniente para el productor que si se aplicara la regla de fijación de precios según el costo marginal. En este caso, la empresa al menos obtiene un beneficio normal. El resultado es ineficiente, pero no tanto como lo que se obtendría si no hubiera ningún tipo de regulación.

## PREGUNTAS DE REPASO

- ¿Cuáles son las dos razones principales por las que vale la pena tolerar el monopolio?
- ¿Puede proporcionar algunos ejemplos de economías de escala y economías de alcance?
- ¿Por qué el incentivo para innovar podría ser mayor para un monopolio que para una pequeña empresa competitiva?
- ¿Cuál es el precio que logra un resultado eficiente para un monopolio regulado? ¿Cuál es el problema con este precio?
- Compare el excedente del consumidor, el excedente del productor y la pérdida irrecuperable que se producen con la fijación del precio según el costo promedio, en comparación con la fijación del precio según la maximización del beneficio y la fijación del precio según el costo marginal.

◆ Ya hemos estudiado la competencia perfecta y el monopolio, y se ha visto cómo la discriminación de precios puede aumentar los beneficios de la empresa. La sección *Lectura entre líneas* en las páginas siguientes revisa el caso de la discriminación de precios en la industria de las aerolíneas. En el capítulo siguiente se estudian los mercados que se encuentran entre los extremos de la competencia y el monopolio, y que mezclan elementos de ambos.

# Lectura
# entre
# líneas

## ANÁLISIS DE POLÍTICAS

# La discriminación
# de precios en acción

USA TODAY, 23 de febrero, 1999

## *Vuelos con un sobreprecio*

POR GAREY STOLLER, USA TODAY

El costo de comprar un pasaje de avión en el último momento ha enfurecido a las grandes corporaciones, se ha convertido en la pesadilla de los propietarios de negocios pequeños y ha desanimado a otros viajeros repentinos en días laborables.

Pero, ¿son justas las quejas y son los precios realmente restrictivos si se necesita viajar de inmediato? USA TODAY analizó las tarifas de viajes de ida y vuelta de nueve rutas seleccionadas al azar y encontró que, en la mayor parte de ellas, el pasaje para un vuelo al día siguiente era por lo menos el doble de la tarifa más baja, la cual con frecuencia requería de una compra por anticipado y de pasar la noche del sábado en el lugar de destino. En algunas rutas, la tarifa para el día siguiente fue más de seis veces mayor.

En la ruta Nueva York-San Francisco, los agentes de reservaciones telefónicas de American y United cotizaron un precio para asientos en clase turista de 1,902, dólares y un agente de TWA proporcionó una tarifa de 1,909 dólares. Esto representa alrededor de 1,600 dólares más que los pasajes más baratos que se compran con anticipación en cada aerolínea...

De las nueve rutas que analizó USA TODAY, el pasaje para el día siguiente de

American de 1,220 dólares para la ruta Dallas-Denver costaba más por milla —$0.94— que cualquier otra tarifa de clase turista para viajes inmediatos. El mismo asiento de clase turista se podía obtener por 194 dólares, o sea 0.15 dólares por milla, con un pasaje que se comprara por lo menos 21 días antes...

Norman Sherlock, director ejecutivo de la Agencia nacional de viajes de negocios que cuenta con 2,000 miembros y que está integrada principalmente por gerentes corporativos que viajan, dice: "Es indudable que el viajero que desea un pasaje para viajar de inmediato paga un fuerte recargo." Las estrategias de fijación de precios de las aerolíneas "están diseñadas para aprovecharse de ese hecho real".

David Fuscus, vocero de la Air Transport Association y representante de las aerolíneas, dice que los precios para los viajes inmediatos son simplemente la forma en que opera la fijación de precios de las aerolíneas. "Si un viajero hace su reservación por anticipado, sabemos que estamos obteniendo un beneficio económico. Pero también mantenemos asientos disponibles para los viajeros de último momento y corremos el riesgo de perder ese beneficio económico. Por tanto, una persona que se presenta en el último momento paga un sobreprecio."

*1999 USA TODAY*. Reproducido con autorización.
Prohibida toda reproducción adicional.

## Esencia del artículo

■ Las tarifas aéreas más baratas requieren de la compra con 21 días de anticipación y de pasar la noche del sábado en el lugar de destino.

■ El precio de un pasaje para viajar al día siguiente es más del doble de la tarifa más baja y en algunas rutas llega a costar hasta más de seis veces dicha tarifa.

■ En la ruta Nueva York-San Francisco, las compañías American, United y TWA cobran alrededor de 1,900 dólares por un pasaje para viajar al día siguiente y aproximadamente 300 dólares por el pasaje más barato con compra anticipada.

■ Norman Sherlock, representante de viajeros de negocios, dice: "El viajero que desea un pasaje para viajar de inmediato paga un fuerte recargo."

■ David Fuscus, que representa a las aerolíneas, dice que el viajero que compra en el último momento paga una prima, porque las aerolíneas mantienen asientos disponibles y corren el riesgo de no utilizarlos.

■ La disposición a pagar por un pasaje de avión de una persona que tiene que viajar para cerrar una operación de negocios, por lo general es mayor que la disposición a pagar por parte de alguien que piensa viajar para disfrutar de un fin de semana relajado.

■ En la figura 1 se muestra la disposición a pagar de 260 personas que pudieran tomar un vuelo de American Airlines entre Nueva York y San Francisco.

■ En un extremo hay 20 personas que están dispuestas a pagar 1,900 dólares o incluso más por un asiento. Al otro extremo hay 20 personas que sólo están dispuestas a pagar 125 dólares o menos.

■ Suponga que American Airlines utiliza un avión con 240 asientos.

■ Suponga que la línea ofrece todos los asientos por 269 dólares. Los "comerciantes de asientos" inteligentes saben que muchas personas, en especial los viajeros de último momento, están dispuestas a pagar mucho más que los 269 dólares en que está vendiendo sus pasajes la aerolínea. Por consiguiente, compran todos los asientos y los revenden justo antes del vuelo.

■ Imagine la escena en el aeropuerto. Los comerciantes de asientos subastando los pasajes y obteniendo los precios más altos posibles de los viajeros ansiosos.

■ Los viajeros pagan la cantidad que están dispuestos a pagar. Los comerciantes de asientos capturan el excedente del consumidor y la aerolínea apenas queda con una utilidad normal.

■ La escena que se acaba de describir no ocurre en la realidad. En lugar de ello, la aerolínea establece precios para capturar todo el excedente del consumidor que sea posible, al ofrecer asientos en condiciones específicas tales como pasar la noche del sábado en el lugar de destino y comprar los pasajes con 21 días de anticipación.

■ La figura 2 muestra el resultado cuando la aerolínea ofrece seis tarifas diferentes que oscilan desde 1,900 dólares hasta 269 dólares. El consumidor conserva una pequeña cantidad del excedente del consumidor (los triángulos verdes), pero la aerolínea se queda con la mayor parte de éste y lo convierte en un excedente del productor (el área azul).

■ Norman Sherlock no está en lo correcto. Los viajeros de negocios no pagan un recargo; pagan lo que están dispuestos a pagar.

■ David Fuscus no está en lo correcto. Las aerolíneas no mantienen asientos disponibles y corren el riesgo de no ocuparlos; venden cada asiento por la mayor cantidad que sus clientes están dispuestos a pagar por él.

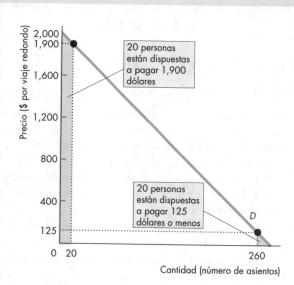

**Figura 1 Disposición a pagar**

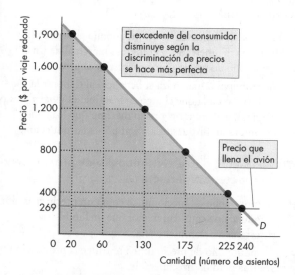

**Figura 2 Captura del excedente del consumidor**

## Usted es el votante

■ La discriminación de precios de las aerolíneas, ¿necesita de atención por parte del gobierno? ¿Por qué sí o por qué no?

■ ¿Es posible confiar en el libre mercado para producir la cantidad eficiente de viajes aéreos? ¿Por qué sí o por qué no?

■ ¿Cómo votaría usted sobre una ley que requiera que las aerolíneas vendan cada asiento por el mismo precio? ¿Por qué?

# RESUMEN

## CONCEPTOS CLAVE

### Poder de mercado (págs. 262-263)

- Un monopolio es una industria con un solo proveedor de un bien o servicio que no tiene sustitutos cercanos y en la que las barreras a la entrada evitan la competencia.

- Las barreras a la entrada quizá sean legales (franquicia pública, licencia, patentes, derechos de autor, la empresa posee el control de un recurso) o naturales (creadas por economías de escala).

- Un monopolio puede discriminar en precios cuando no hay posibilidad de reventa.

- Cuando la reventa es posible, la empresa cobra un precio único.

### Decisión de producción y precio de un monopolio de precio único (págs. 264-267)

- La curva de demanda de un monopolio es la curva de demanda del mercado, y el ingreso marginal de un monopolio de precio único es inferior al precio.

- Un monopolio maximiza el beneficio al elaborar la producción en la que el ingreso marginal es igual al costo marginal, y al cobrar el precio máximo que los consumidores están dispuestos a pagar por esa producción.

### Comparación entre el monopolio de precio único y la competencia perfecta (págs. 268-271)

- Un monopolio de precio único cobra un precio más alto y produce una cantidad menor que una industria perfectamente competitiva.

- Un monopolio de precio único restringe la producción y crea una pérdida irrecuperable.

- El monopolio impone costos, los cuales igualan a la pérdida irrecuperable más el costo de los recursos dedicados a la búsqueda de rentas.

### Discriminación de precios (págs. 271-274)

- La discriminación de precios es un intento por parte del monopolio para convertir el excedente del consumidor en un beneficio económico.

- La discriminación de precios perfecta extrae todo el excedente del consumidor. Este tipo de monopolio obtiene el precio máximo que cada consumidor está dispuesto a pagar por cada unidad comprada.

- Con la discriminación de precios perfecta, el monopolio produce la misma cantidad que una industria perfectamente competitiva.

- La búsqueda de rentas con discriminación de precios perfecta puede eliminar la totalidad de los excedentes del consumidor y del productor.

### Temas de política relacionados con los monopolios (págs. 275-277)

- Los monopolios con grandes economías de escala y de alcance pueden producir una cantidad mayor, a un precio menor, que lo que puede hacer una industria competitiva. El monopolio podría ser más innovador que la competencia.

- La regulación eficiente requiere que el monopolio cobre un precio igual al costo marginal. Sin embargo, para un monopolio natural, este tipo de precio es menor que el costo promedio.

- La fijación de precios según el costo promedio es una regla de fijación de precios que cubre los costos de la empresa y proporciona una utilidad normal, pero que no es eficiente. Sin embargo, esta situación es menos ineficiente que aquella en la que se maximizan los beneficios sin ningún tipo de regulación.

## FIGURAS Y TABLAS CLAVE

## TÉRMINOS CLAVE

# PROBLEMAS

*1. La empresa Aguas Minerales Aguirre, un monopolio de precio único, se enfrenta al siguiente plan de demanda:

| Precio ($ por botella) | Cantidad demandada (botellas) |
|---|---|
| 10 | 0 |
| 8 | 1 |
| 6 | 2 |
| 4 | 3 |
| 2 | 4 |
| 0 | 5 |

a. Calcule el ingreso total de Aguas Minerales Aguirre a diferentes niveles de precio.

b. Calcule el correspondiente ingreso marginal.

2. La empresa Minas de Diamantes Miranda, un monopolio de precio único, se enfrenta al siguiente plan de de demanda:

| Precio ($ por kilo) | Cantidad demandada (kilogramos por día) |
|---|---|
| 2,200 | 5 |
| 2,000 | 6 |
| 1,800 | 7 |
| 1,600 | 8 |
| 1,400 | 9 |
| 1,200 | 10 |

a. Calcule el ingreso total de Minas de Diamantes Miranda a distintos niveles de precio.

b. Calcule su ingreso marginal correspondiente.

*3. La empresa Aguas Minerales Aguirre en el problema 1 tiene el siguiente costo total:

| Cantidad producida (botellas) | Costo total ($) |
|---|---|
| 0 | 1 |
| 1 | 3 |
| 2 | 7 |
| 3 | 13 |
| 4 | 21 |
| 5 | 31 |

Calcule los niveles de las siguientes variables que maximizan el beneficio:

a. Producción
b. Precio
c. Costo marginal
d. Ingreso marginal
e. Beneficio económico
f. ¿Utiliza Aguas Minerales Aguirre sus recursos en forma eficiente? Explique su respuesta.

4. Minas de Diamantes Miranda en el problema 2 tiene el siguiente costo total:

| Cantidad producida (kilogramos por día) | Costo total ($) |
|---|---|
| 5 | 8,000 |
| 6 | 9,000 |
| 7 | 10,200 |
| 8 | 11,600 |
| 9 | 13,200 |
| 10 | 15,000 |

Calcule los niveles de las siguientes variables que maximizan el beneficio:

a. Producción
b. Precio
c. Costo marginal
d. Ingreso marginal
e. Beneficio económico
f. ¿Utiliza Minas de Diamantes Miranda sus recursos en forma eficiente? Explique su respuesta.

*5. La figura muestra la situación a la que se enfrenta el editor del único periódico local de una comunidad aislada.

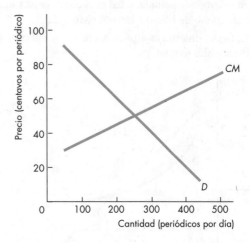

a. ¿Qué cantidad de periódicos maximizará los beneficios del editor?

b. ¿Qué precio cobrará el editor?

c. ¿Cuál es el ingreso total diario del editor?

d. Al precio que se cobra por un periódico, ¿la demanda es elástica o inelástica? ¿Por qué?

6. En el problema 5, el editor instala una nueva prensa que hace constante el costo marginal en $0.20 por ejemplar.

a. ¿Qué cantidad de periódicos maximizará los beneficios del editor?

b.  ¿Qué precio cobrará el editor?

c.  ¿Cuál es el ingreso total diario del editor?

d.  Al precio que se cobra, ¿la demanda de periódicos es elástica o inelástica? ¿Por qué?

*7. En el problema 5, ¿cuál es:

a.  La cantidad eficiente de periódicos a imprimir por día? Explique su respuesta.

b.  El excedente del consumidor?

c.  La pérdida irrecuperable creada por el monopolio del editor del periódico?

8.  En el problema 6, ¿cuál es:

a.  La cantidad eficiente de periódicos a imprimir por día? Explique su respuesta.

b.  El excedente del consumidor?

c.  La pérdida irrecuperable creada por el monopolio del editor del periódico?

*9. ¿Cuál es el valor máximo de los recursos que se utilizarán en la búsqueda de rentas para adquirir el monopolio de Aguas Minerales Aguirre? Tomando en cuenta esta pérdida, ¿cuál es el costo social total del monopolio de Aguas Minerales Aguirre?

10. ¿Cuál es el valor máximo de los recursos que se utilizarán en la búsqueda de rentas para adquirir el monopolio de Minas Minerales Miranda? Tomando en cuenta esta pérdida, ¿cuál es el costo social total del monopolio de Minas Minerales Miranda?

*11. La figura muestra la situación a la que se enfrenta un monopolio natural.

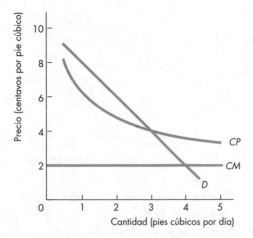

¿Qué cantidad se producirá y cuál será la pérdida irrecuperable si la empresa es:

a.  Maximizadora de beneficios y no está regulada?

b.  Regulada para obtener sólo un beneficio normal?

c.  Regulada para ser eficiente?

12. Si en el problema anterior el costo marginal baja en un 50%, ¿cuáles son las respuestas a las tres preguntas presentadas ahí?

# PENSAMIENTO CRÍTICO

 1. Estudie la sección *Lectura entre líneas* en las páginas 278-279 y después conteste a las preguntas siguientes:

a.  ¿Por qué las aerolíneas pueden aplicar la discriminación de precios?

b.  ¿Quién se beneficia de la discriminación de precios y quién paga por ella?

c.  Si la discriminación de precios por parte de las aerolíneas fuera ilegal, ¿cómo obtendrían los viajeros de último momento los asientos por los que están dispuestos a pagar?

d.  ¿La capacidad de aplicar la discriminación de precios garantiza a las aerolíneas un negocio rentable? ¿Por qué sí o por qué no? Explique su respuesta.

e.  ¿Por qué piensa que el costo por milla entre Dallas y Denver es más alto que el costo por milla en otras rutas de los Estados Unidos? (Sugerencia: Piense en la competencia en esa ruta.)

f.  Utilice los vínculos en la página de Internet de este libro para obtener las tarifas alternativas que se ofrecen el día de hoy en una ruta aérea que le resulte atractiva. Examine los criterios para las diferentes tarifas y explique cómo las diferentes tarifas capturan el excedente del consumidor.

2. Utilice los vínculos en la página de Internet de este libro para estudiar el mercado de microprocesadores ("chips") para computadoras.

a.  ¿Es correcto decir que Intel es un monopolio? ¿Por qué sí o por qué no?

b.  ¿Cómo intenta Intel levantar barreras a la entrada a este mercado?

3. Utilice los vínculos en la página de Internet de este libro para obtener información sobre Microsoft. Después conteste las preguntas siguientes:

a.  ¿Es correcto decir que Microsoft es un monopolio? ¿Por qué sí o por qué no?

b.  ¿Cómo cree que Microsoft determina el precio de Windows 2000 y decide cuántos ejemplares del programa vender?

c.  ¿Cómo afectaría a Microsoft la llegada de un sistema operativo viable, alternativo a Windows?

d.  ¿Cómo regularía usted la industria del *software* para asegurar que los recursos se usen eficientemente?

e.  "Todas las personas están en libertad de comprar acciones de Microsoft, por lo que todos están en libertad de compartir el beneficio económico de Microsoft, y cuanto mayor sea ese beneficio económico, mejor para todos." Evalúe esta afirmación.

# Capítulo 14

# Competencia monopolística y oligopolio

Todos los fines de semana aparecen en los periódicos los anuncios de diversas aerolíneas. Estas empresas intentan persuadir a los consumidores de que utilicen sus servicios, mediante la información que proporcionan sobre sus precios, destinos y características de servicio. Algunas empresas enfatizan lo económico de sus servicios. Otras enfatizan lo espacioso de sus unidades. Unas más señalan la frecuencia de sus vuelos. De vez en cuando, aparecen en los periódicos ofertas muy atractivas que dan lugar a guerras de precios entre las aerolíneas. ¿Cómo determinan las empresas que compiten en este tipo de mercados sus precios, sus productos y las cantidades que van a producir? ¿Cómo resultan afectados los beneficios de las empresas que participan en este tipo de mercados por las acciones que llevan a cabo otros miembros de la industria? ◆ Hasta 1994, una sola empresa producía los circuitos integrados (*microchips*) que operaban en todas las computadoras personales de IBM y similares: Intel Corporation. En 1994, los precios de las potentes computadoras personales que utilizaban los procesadores Pentium de Intel se desplomaron. Esto se debió a que súbitamente Intel se enfrentó a la competencia de nuevos productores de procesadores de computadora: Advanced Micro Devices Inc. (AMD) y Cyrix Corp. El precio del procesador Pentium de Intel, que era de más de 1,000 dólares cuando salió al mercado en 1993, cayó hasta menos de 200 dólares para la primavera de 1996. En la actualidad, es posible comprar una computadora tipo Pentium por alrededor de 600 dólares. ¿Cómo es posible que la competencia entre un pequeño número de fabricantes de circuitos integrados haya hecho caer con tanta rapidez los precios de los procesadores y las computadoras?

## Anuncios y juegos de guerra

◆ Las teorías del monopolio y de la competencia perfecta no predicen la clase de comportamiento que se acaba de describir. En la competencia perfecta no hay guerras de precios ni diferencias en las características de los productos, porque cada empresa elabora un producto idéntico y actúa como tomadora de precios. Además, estos casos tampoco se presentan en situaciones de monopolio, ya que la única empresa existente de monopolio posee todo el mercado. Para comprender el papel de la publicidad, las diferencias en las características y las guerras de precios, es necesario tener un modelo diferente al de la competencia perfecta o al monopolio. Eso es precisamente lo que se estudia en este capítulo.

**Después de estudiar este capítulo, usted será capaz de:**

■ Explicar cómo se determinan el precio y la producción en una industria con competencia monopolística

■ Explicar por qué los costos de publicidad son altos en una industria con competencia monopolística

■ Explicar por qué el precio puede ser rígido en una industria con pocas empresas (oligopolio)

■ Explicar cómo se determinan el precio y la producción cuando la industria tiene una empresa dominante y varias empresas pequeñas

■ Utilizar la teoría de juegos para hacer predicciones sobre las guerras de precios y la competencia entre un pequeño número de empresas

# Competencia monopolística

USTED HA ESTUDIADO DOS TIPOS DE ESTRUCTURAS DEL mercado: la competencia perfecta y el monopolio. En la competencia perfecta un gran número de empresas producen bienes idénticos, no hay barreras a la entrada y cada empresa es una tomadora de precios. A largo plazo, no hay beneficios económicos. En el monopolio, una sola empresa se protege de la competencia mediante barreras a la entrada y puede obtener un beneficio económico, incluso a largo plazo.

En muchos mercados del mundo real hay competencia, pero ésta no es tan feroz como en el modelo de la competencia perfecta. En estos mercados, las empresas poseen un cierto poder para fijar sus precios en forma similar a como lo hacen los monopolios. A este tipo de mercado se le conoce como *competencia monopolística.*

La **competencia monopolística** es una estructura de mercado en la que:

■ Compite un gran número de empresas
■ Cada empresa produce un producto diferenciado
■ Las empresas compiten sobre la base de calidad del producto, precio y marketing
■ Las empresas están en libertad de entrar y salir de la industria

## Gran número de empresas

En la competencia monopolística, al igual que en la competencia perfecta, la industria está integrada por un gran número de empresas. La presencia de un gran número de empresas tiene tres implicaciones para las empresas en la industria.

**Pequeña participación del mercado**  En la competencia monopolística, cada empresa proporciona una pequeña parte de la producción total de la industria. Por consiguiente, cada empresa sólo tiene un poder limitado para influir sobre el precio de sus productos. El precio de cada empresa sólo puede desviarse del precio promedio de otras por un monto relativamente pequeño.

**Ignorar a otras empresas**  En la competencia monopolística, una empresa tiene que ser sensible al precio promedio del mercado del producto, pero no presta atención a ningún otro competidor individual. Debido a que todas las empresas son relativamente pequeñas, ninguna de ellas puede establecer las condiciones del mercado, y las acciones de una empresa individual no afectan directamente las acciones de otras.

**Imposibilidad de colusión**  A las empresas en competencia monopolística les agradaría hacer convenios entre sí para fijar un precio más alto; es decir, les gustaría coludirse. Pero debido a que hay muchas empresas, la colusión no es posible.

## Diferenciación del producto

Una empresa pone en práctica la **diferenciación del producto** si elabora un producto que sea ligeramente diferente al de las empresas competidoras. Un producto diferenciado es un sustituto cercano, pero no un sustituto perfecto, de los productos de las demás empresas. Algunas personas estarán dispuestas a pagar más por una variedad de un producto, por lo que si su precio se eleva, la cantidad demandada baja, pero no llega (necesariamente) hasta cero. Por ejemplo, las empresas Adidas, Fila, New Balance, Nike, Puma y Reebok elaboran zapatos deportivos diferenciados. Si el precio de la marca Adidas aumenta y todas las demás cosas permanecen igual (incluyendo los precios de los otros productores de zapatos deportivos), Adidas vende menos zapatos y los otros productores venden más. Pero los zapatos marca Adidas no desaparecen del mercado a menos que el precio aumente en una cantidad suficientemente grande.

## Competencia sobre la base de calidad, precio y marketing

La diferenciación del producto permite a una empresa competir en tres áreas diferentes: calidad, precio y marketing del producto.

**Calidad**  La calidad de un producto son los atributos físicos que lo hacen diferente de los productos de otras empresas. La calidad incluye diseño, fiabilidad, el servicio que proporciona al comprador y la facilidad de acceso del comprador al producto. La calidad se puede medir en un espectro que va de alto a bajo. Algunas empresas ofrecen productos de alta calidad. Están bien diseñados, son confiables y el cliente recibe servicio rápido y eficiente. Otras empresas ofrecen productos de menor calidad. No están tan bien diseñados, quizá no trabajen perfectamente, o el comprador tiene que desplazarse una cierta distancia para obtenerlos.

**Precio**  Debido a la diferenciación del producto, una empresa en competencia monopolística se enfrenta a una curva de demanda con pendiente descendente. Por tanto, al igual que el monopolio, la empresa puede establecer tanto su precio como su producción. Pero existe una relación de intercambio entre la calidad y el precio del producto. La empresa que elabora un producto de alta calidad tiene que cobrar un precio más alto que la que fabrica un producto de baja calidad.

**Marketing**  Debido a la diferenciación del producto, la empresa en competencia monopolística tiene que comercializar su producto. El marketing tiene dos formas principales: publicidad y presentación. Una empresa que produce un producto de alta calidad, quiere venderlo a un precio apropiado. Para poder hacerlo, la empresa tiene que anunciar y presentar su producto en forma tal que convenza a los compradores de que están obteniendo una calidad más alta y que por eso están pagando un precio más alto. Por ejemplo, las compañías farmacéuticas anuncian y presentan sus medicinas con nombres registrados para persuadir a los compradores de que estos artículos son superiores a las alternativas genéricas de precios más bajos. En forma similar, un producto de baja calidad utiliza la publicidad y presetación para persuadir a los compradores de que, aunque la calidad es baja, su bajo precio compensa esta falta.

### Entrada y salida

En la competencia monopolística hay libre entrada y salida de empresas a la industria. Por consiguiente, una empresa no puede obtener un beneficio económico a largo plazo. Cuando las empresas obtienen un beneficio económico, nuevas empresas entran a la industria. Esta entrada hace bajar los precios y con el tiempo elimina el beneficio económico. Cuando incurren en pérdidas económicas, algunas empresas abandonan la industria. Esta salida aumenta los precios y los beneficios, y con el tiempo elimina la pérdida económica. En el equilibrio a largo plazo, no entran ni salen empresas de la industria y las empresas participantes obtienen un beneficio económico nulo.

### Ejemplos de competencia monopolística

La figura 14.1 muestra diez industrias que son buenos ejemplos de competencia monopolística en Estados Unidos. Estas industrias tienen un gran número de empresas (que se muestran entre paréntesis después del nombre de la industria). En la industria de alimentos enlatados, por ejemplo, las cuatro empresas más grandes realizan apenas 25% de las ventas totales y las veinte empresas más grandes generan únicamente 60% de las ventas totales. Las estaciones de venta de gasolina, las tiendas de alimentos, las tintorerías y las peluquerías también operan en competencia monopolística.

---

### PREGUNTAS DE REPASO

- ¿Cuáles son las características que distinguen a la competencia monopolística?
- ¿Cómo compiten las empresas en competencia monopolística?
- Además de las industrias que aparecen en la figura 14.1, proporcione otros ejemplos de industrias que operen en competencia monopolística.

---

**FIGURA 14.1**

## Ejemplos de competencia monopolística en Estados Unidos

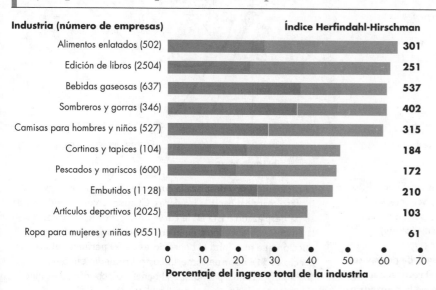

Estas industrias operan en competencia monopolística. El número de empresas de la industria se muestra después del nombre de la misma. Las barras rojas muestran el porcentaje de ventas de la industria para las cuatro empresas más grandes. Las barras verdes muestran el porcentaje de las ventas de la industria para las siguientes cuatro empresas más grandes y las barras azules muestran el porcentaje de ventas de la industria para las siguientes 12 empresas. Por tanto, la barra total muestra el porcentaje de las ventas de la industria para las 20 empresas más grandes. El Índice Herfindahl-Hirschman también aparece a la derecha.

## Precio y producción en la competencia monopolística

AHORA APRENDERÁ CÓMO SE DETERMINA LA PRO-
ducción y el precio en la competencia monopolística. Primero se supondrá que la empresa ya ha decidido la calidad y el
plan de marketing de su producto. Para un determinado
producto y una determinada cantidad de actividad de marketing, la empresa se enfrenta a costos y condiciones del
mercado dadas.

La figura 14.2 muestra cómo determina su precio y su
producción una empresa en competencia monopolística. En
la sección (a) se trata el corto plazo y en la sección (b) el largo
plazo. Primero nos concentraremos en el corto plazo.

### Corto plazo: beneficio económico

La curva de demanda $D$ muestra la demanda del producto
de la empresa. Es, por ejemplo, la curva de demanda de perfumes Carolina Herrera, no la de los perfumes en general.

La curva denominada $IM$ es la curva del ingreso marginal
que está asociada con la curva de demanda. La curva $IM$ se
deriva en la misma forma que se estudió en el capítulo 13,
página 264, para el caso de una empresa monopolista. La
figura también muestra el costo promedio ($CP$) y el costo
marginal ($CM$) de la empresa. Estas curvas son similares a las
curvas de costos que se encontraron antes en el capítulo 11.

Carolina Herrera maximiza sus beneficios al elaborar la
producción en la que el ingreso marginal es igual al costo
marginal. En la figura 14.2, esta producción es de 150 perfumes al día. Carolina Herrera cobra el precio máximo que
están dispuestos a pagar los compradores por esta cantidad,
el cual se determina mediante la curva de demanda. Este
precio es $190 por perfume. Cuando Carolina Herrera pro-
duce 150 perfumes al día, su costo promedio es $140 por
perfume, por lo que obtiene un beneficio económico en el
corto plazo de $7,500 al día ($50 por perfume multiplicado
por 150 perfumes diarios). El rectángulo azul muestra este
beneficio económico.

Hasta ahora, la empresa en competencia monopolística
se parece a cualquier monopolio de precio único. Es decir,
produce la cantidad en la que el ingreso marginal es igual al

### FIGURA 14.2

## Producción y precio en competencia monopolística

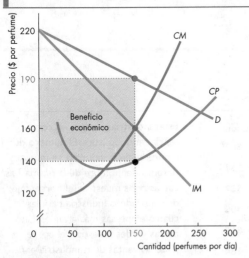

**(a) Corto plazo**

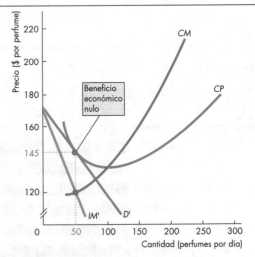

**(b) Largo plazo**

La sección (a) muestra el resultado a corto plazo. El beneficio se
maximiza al producir 150 perfumes por día y venderlos a $190
por perfume. El costo promedio es $140 por perfume y la em-
presa tiene un beneficio económico (el rectángulo azul) de
$7,500 por día.

El beneficio económico estimula la entrada de nuevas empresas a largo plazo. La sección (b) muestra el resultado a largo
plazo. La entrada de nuevas empresas disminuye la demanda pa-

ra cada empresa y desplaza la curva de demanda y la curva del
ingreso marginal hacia la izquierda. Cuando la curva de demanda
se ha desplazado hasta $D'$, la curva del ingreso marginal es $IM'$ y
la empresa se encuentra en el equilibrio a largo plazo. La producción que maximiza el beneficio es de 50 perfumes al día y el
precio es $145 por perfume. El costo promedio también es
$145 por perfume, por lo que el beneficio económico es nulo.

costo marginal y después cobra el precio más alto que estén dispuestos a pagar los compradores por dicha cantidad. Este monto se determina mediante la curva de demanda.

La diferencia clave entre el monopolio y la competencia monopolística se encuentra en lo que ocurre a continuación.

## Largo plazo: beneficio económico nulo

En la competencia monopolística no hay restricciones a la entrada, por lo que la existencia de un beneficio económico positivo induce a que nuevas empresas entren al mercado. A medida que nuevas empresas entran a la industria, la curva de demanda y la curva del ingreso marginal de la empresa comienzan a desplazarse hacia la izquierda. En cada momento, la empresa maximiza su beneficio a corto plazo produciendo la cantidad en la que el ingreso marginal sea igual al costo marginal y cobrando el precio más alto que estén dispuestos a pagar los compradores por esta cantidad. Pero conforme la curva de demanda se desplaza hacia la izquierda, la cantidad y el precio que maximizan el beneficio disminuyen.

La figura 14.2(b) muestra el equilibrio a largo plazo en esta industria. La curva de demanda de Carolina Herrera se ha desplazado hacia la izquierda hasta *D'* y su curva del ingreso marginal se ha desplazado hacia la izquierda hasta *IM'*. Carolina Herrera produce 50 perfumes al día y los vende a un precio de $145 cada uno. A este nivel de producción, el costo promedio también es $145 por perfume, por lo que Carolina Herrera obtiene un beneficio económico nulo.

Cuando todas las empresas de la industria obtienen un beneficio económico nulo, no existen incentivos para que entren nuevas empresas a la industria.

Si la demanda llega a ser tan baja como para que las empresas incurran en pérdidas económicas, algunas de ellas saldrán de la industria. A medida que algunas abandonan la industria, la demanda a la que se enfrentan las empresas restantes aumenta y sus curvas de demanda se desplazan hacia la derecha. La salida de empresas termina cuando todas las que permanecen en la industria obtienen un beneficio económico nulo.

## Competencia monopolística y eficiencia

Cuando se estudió una industria perfectamente competitiva, se descubrió que, bajo ciertas circunstancias, este tipo de industria asigna los recursos en forma eficiente. Una característica clave de la eficiencia es que el beneficio marginal sea igual al costo marginal. El precio mide el beneficio marginal, por lo que la eficiencia requiere que el precio sea igual al costo marginal. Cuando se estudió el monopolio, se concluyó que este tipo de empresa no utiliza en forma eficiente los recursos, debido a que restringe la producción a un nivel en el que el precio excede al costo marginal. En esa situación, el beneficio marginal excede al costo marginal y la producción es inferior a su nivel eficiente.

La competencia monopolística comparte estas características del monopolio. Aunque en el equilibrio a largo plazo las empresas obtienen un beneficio económico nulo, la industria con competencia monopolística produce en una situación en la que el precio es igual al costo promedio, pero excede al costo marginal. Este resultado significa que las empresas en competencia monopolística siempre tienen capacidad excesiva en el equilibrio a largo plazo.

**Capacidad excesiva** La **capacidad de producción** de una empresa es la producción en la que el costo promedio se encuentra en su punto mínimo; es decir, es la producción en la parte inferior de la curva *CP*. En la figura 14.3, esta producción es de 100 perfumes al día. Las empresas en competencia monopolística siempre tienen *capacidad excesiva* en el largo plazo. En la figura 14.3, la empresa produce 50 perfumes al día y tiene una capacidad excesiva de 50 perfumes diarios. Es decir, la empresa elabora una producción menor

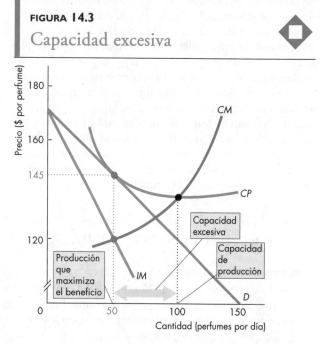

**FIGURA 14.3**

Capacidad excesiva

A largo plazo, la entrada de empresas disminuye la demanda hasta el punto en la empresa obtiene un beneficio económico nulo. Aquí, la empresa produce 50 perfumes al día. La capacidad de producción de la empresa es la producción en la que el costo promedio se encuentra en su punto mínimo. Aquí, la capacidad de producción es de 100 perfumes al día. Debido a que la curva de demanda en la competencia monopolística tiene pendiente descendente, la producción que maximiza el beneficio siempre es inferior a la capacidad de producción en el equilibrio a largo plazo. La empresa opera con capacidad excesiva en el equilibrio a largo plazo.

de la que minimiza el costo promedio. Por consiguiente, el consumidor paga un precio que excede al costo promedio mínimo. Este resultado se produce debido a que la empresa se enfrenta a una curva de demanda con pendiente descendente. La curva de demanda tiene pendiente descendente debido a la diferenciación del producto, por lo que la diferenciación del producto ocasiona capacidad excesiva.

Es muy fácil percibir la capacidad excesiva en las industrias con competencia monopolística. Los restaurantes familiares (excepto los verdaderamente destacados) casi siempre tienen algunas mesas vacías. Las pizzas se pueden entregar en menos de 30 minutos. Siempre hay abundancia de corredores de bienes raíces dispuestos a ayudarle a encontrar o vender una casa.

Todas estas industrias son ejemplos de competencia monopolística. Las empresas tienen capacidad excesiva y podrían vender más si rebajaran sus precios, pero en ese caso incurrirían en pérdidas.

Debido a que en la competencia monopolística el precio excede al costo marginal, esta estructura de mercado es, al igual que el monopolio, ineficiente. El costo marginal de elaborar una unidad más de producción es inferior al beneficio marginal del consumidor (el cual se mide por el precio que éste está dispuesto a pagar). Sin embargo, hay una diferencia importante entre el monopolio y la competencia monopolística: la falta de eficiencia de esta última es el resultado de la diferenciación del producto; es decir, de la variedad de productos. Los consumidores valoran la variedad, pero ésta sólo es alcanzable si las empresas hacen productos diferenciados. Por tanto, la pérdida en eficiencia que se produce en la competencia monopolística, se tiene que ponderar contra la ganancia de la mayor variedad de productos.

## PREGUNTAS DE REPASO

- ¿Cómo decide una empresa en competencia monopolística cuánto producir y a qué precio ofrecer su producto?
- ¿Por qué una empresa en competencia monopolística sólo puede obtener un beneficio económico en el corto plazo?
- ¿Es eficiente la competencia monopolística?
- ¿Por qué las empresas en competencia monopolística operan con capacidad excesiva?

Hasta ahora, usted ha visto cómo determina una empresa en competencia monopolística su producción y precios de corto y largo plazos, suponiendo que se mantienen constantes la calidad del producto y el marketing del mismo. Pero, ¿cómo elige una empresa la calidad y el marketing de un producto? A continuación estudiaremos estas decisiones.

# Desarrollo de productos y marketing

CUANDO SE ESTUDIÓ LA DECISIÓN DE PRODUCCIÓN Y precios de una empresa, se supuso que ésta ya había tomado sus decisiones sobre el tipo de producto y el marketing. Ahora se van a estudiar esas decisiones y su repercusión sobre la producción, el precio y el beneficio económico de la empresa.

## Innovación y desarrollo de productos

Para que una empresa en competencia monopolística pueda obtener beneficios económicos, tiene que estar desarrollando nuevos productos en forma continua. La razón es que, cada vez que se obtienen beneficios económicos positivos, surgen imitadores y crean nuevas empresas. Por tanto, para mantener sus beneficios económicos, la empresa tiene que buscar nuevos productos que le proporcionen una ventaja competitiva, aunque sea solamente en forma temporal. Una empresa que logra introducir una variedad nueva y diferenciada, tendrá un aumento temporal en la demanda de su producto, por lo que estará en posibilidad de aumentar su precio y obtener un beneficio económico temporal. Con el paso del tiempo, entrarán al mercado nuevas empresas para producir sustitutos cercanos del nuevo producto, y la mayor competencia eliminará el beneficio económico inicial. Por tanto, para volver a obtener beneficios económicos positivos, la empresa tendrá que innovar nuevamente.

La decisión de innovar se basa en el mismo cálculo de maximización de los beneficios que ya se ha estudiado. La innovación y el desarrollo de productos son actividades costosas, pero también proporcionan ingresos adicionales. En el margen, la empresa tiene que equilibrar sus costos y beneficios. Con un nivel bajo de desarrollo de productos, el ingreso marginal proveniente de un mejor producto excede a su costo marginal. El monto de recursos destinado al desarrollo de productos estará en su nivel óptimo (es decir, se estarán maximizando los beneficios) cuando una unidad monetaria adicional gastada en dicha actividad genere una unidad monetaria adicional en ingresos.

Por ejemplo, cuando una empresa que produce juegos electrónicos lanza al mercado un nuevo producto, es probable que éste no sea el mejor juego que pudiera haber creado la empresa. Más bien, es el producto que equilibra la disposición del consumidor a pagar por mejorías adicionales en los juegos, con el costo marginal de esas mejorías.

**Eficiencia e innovación de productos**   ¿Es una actividad eficiente la innovación de productos? ¿Beneficia al consumidor? Hay dos puntos de vista sobre estas preguntas. Uno de ellos es que la competencia monopolística trae al mercado muchos productos mejorados que producen mayores beneficios a los consumidores. La ropa, los equipos electro-domésticos para el hogar y la cocina, las computadoras, los programas de computación, los automóviles y muchos otros productos mejoran cada año y el consumidor se beneficia de estos mejores productos.

Sin embargo, muchas de las llamadas mejorías representan simples cambios en la apariencia de un producto. En estos casos, el beneficio objetivo para el consumidor es pequeño.

Independientemente de si la mejoría de un producto es real o imaginaria, su valor para el consumidor se mide por el beneficio marginal, que es igual a la cantidad que está dispuesto a pagar. En otras palabras, el valor de la mejoría de un producto es el aumento en el precio que el consumidor está dispuesto a pagar. El beneficio marginal para el productor es el ingreso marginal, lo que es igual al costo marginal. Debido a que en la competencia monopolística el precio excede al costo marginal, esto hace que el desarrollo de productos no alcance su nivel eficiente.

## Marketing

Es posible obtener una diferenciación del producto a través del diseño y desarrollo de productos que sean realmente diferentes de los de otras empresas. Sin embargo, algunas empresas también intentan crear en el consumidor la percepción de que existe diferenciación del producto, a pesar de que las diferencias reales sean pequeñas. La publicidad y la presentación son los medios principales que usan las empresas para lograr este fin. Una tarjeta American Express es un producto diferente a una tarjeta Visa o Mastercard, pero las diferencias reales no son las principales en las que insiste American Express en su marketing. El mensaje más profundo es que si usted utiliza una tarjeta American Express, puede ser como el golfista Tiger Woods o como alguna otra persona muy exitosa.

**Gastos de marketing**  Las empresas en competencia monopolística incurren en costos enormes para persuadir a los compradores de que aprecien y valoren las diferencias entre sus productos y los de los competidores. Por tanto, una parte importante y creciente de los precios que pagamos, cubren el costo de vender un bien. La publicidad en periódicos, revistas, radio y televisión es el principal costo de ventas. Pero no es el único costo. Los costos de ventas incluyen el costo de instalar tiendas en centros comerciales, que parecen escenarios para películas; catálogos y folletos atractivos, y los sueldos, boletos de avión y cuentas de hotel de los vendedores.

Es difícil estimar la magnitud total de los costos de ventas, pero algunos de sus componentes sí se pueden medir. Una encuesta realizada por una agencia comercial en Estados Unidos indica que alrededor de 15% del precio de los juguetes y de los artículos de limpieza se gasta en publicidad. La figura 14.4 muestra algunas estimaciones para otras industrias de Estados Unidos.

En la economía estadounidense en su conjunto, existen alrededor de 20,000 agencias de publicidad, las cuales emplean a más de 200,000 personas y tienen ingresos totales de 45,000 millones de dólares. Pero estas cifras son tan sólo una parte del costo total de la publicidad, porque las empresas tienen sus propios departamentos internos de publicidad y sus costos sólo pueden ser estimados.

Los gastos en publicidad y otros costos de ventas influyen en los beneficios de las empresas en dos formas: por una parte, aumentan los costos; por la otra, cambian la demanda. Veamos estos efectos por separado.

**Costos de ventas y costos totales**  Los costos de las ventas (por ejemplo, los gastos en publicidad) aumentan los costos de una empresa en competencia monopolística por encima de los costos de una empresa competitiva o de un monopolio. Los costos de publicidad y los otros costos de ventas son costos fijos; es decir, no varían a medida que varía la producción total. Por tanto, al igual que los costos fijos de producción, los costos de publicidad por unidad producida disminuyen conforme aumenta la producción.

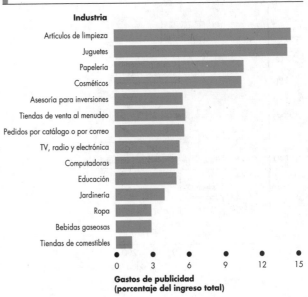

**FIGURA 14.4**
## Gastos de publicidad

Los gastos de publicidad representan un porcentaje importante del ingreso total para los productores de artículos de limpieza, juguetes, papelería y cosméticos.

*Fuente*: Schoenfeld & Associates, Lincolnwood, Illinois, presentado en http://www.toolkit.cch.com/text/p03_7006.stm.

La figura 14.5 muestra cómo influyen los costos de ventas y de publicidad en el costo promedio de una empresa. La curva azul muestra el costo promedio de producción cuando no hay publicidad. La curva roja muestra el costo promedio de producción de la empresa incluyendo la publicidad. La altura del área roja entre las dos curvas muestra el costo fijo promedio de la publicidad. El costo *total* de la publicidad es fijo, pero el costo *promedio* de la publicidad disminuye a medida que aumenta la producción.

En la figura se muestra que si la publicidad logra aumentar la cantidad vendida, es posible que el costo promedio disminuya. Por ejemplo, si la cantidad vendida pasa de 25 a 130 perfumes al día, como resultado de la publicidad, el costo promedio disminuiría de $170 a $160 por perfume. La razón es que, aunque el costo fijo *total* ha aumentado, el mayor costo fijo está distribuido entre una producción mayor, por lo que el costo total promedio disminuye.

**Costos de ventas y demanda**   La publicidad cambia la demanda de los productos de una empresa. Pero, ¿de qué manera influye la publicidad? ¿Aumenta la demanda o la disminuye? La respuesta más natural es que la publicidad aumenta la demanda. Al informar a las personas sobre la calidad de sus productos, o al tratar de persuadirlas de sustituir los productos de otras empresas, la empresa puede esperar un aumento en la demanda de sus propios productos.

Sin embargo, todas las empresas en la competencia monopolística hacen uso de la publicidad, y todas buscan persuadir a los consumidores de que ellas tienen la mejor opción. Si la publicidad permite que una empresa sobreviva, esto podría aumentar el número de empresas en la industria. En la medida en la que esto ocurra, la demanda a la que se enfrente cualquier empresa individual disminuirá.

**Eficiencia: el mensaje central**   En la medida en que los costos de ventas proporcionen servicios valiosos e información sobre la naturaleza exacta de la diferenciación de productos, estos costos serán útiles a los consumidores y les permitirán hacer una mejor elección del producto. Pero el costo de oportunidad de los recursos destinados a los costos de ventas adicionales se tiene que ponderar contra la ganancia de los consumidores.

El mensaje central del tema de la eficiencia en la competencia monopolística es ambiguo. En algunos casos, es indudable que las ganancias provenientes de la variedad adicional de productos son suficientes para compensar tanto los costos de ventas como el costo adicional que ocasiona la capacidad excesiva. Las tremendas variedades de libros y revistas, ropa, y alimentos y bebidas, son ejemplos de esas ganancias. Sin embargo, es más difícil percibir los beneficios de adquirir medicinas con marcas registradas que tienen una composición química idéntica a las de otras alternativas genéricas. A pesar de ello, algunas personas sí están dispuestas a pagar más por la alternativa de la marca registrada.

**FIGURA 14.5**
Costos de ventas y costos totales

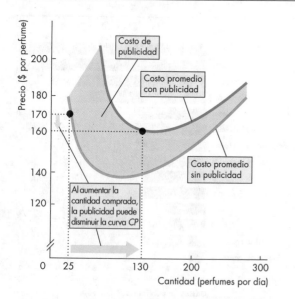

Los costos de ventas, como el costo de la publicidad, son costos fijos. Cuando se añaden al costo promedio de producción, estos costos aumentan el costo promedio (*CP*) en una cantidad menor cuanto mayor sea el nivel de producción. Si la publicidad permite que la cantidad vendida pase de 25 a 130 perfumes al día, el costo promedio disminuye de $170 a $160 por perfume.

## PREGUNTAS DE REPASO

- ¿Cuáles son las dos formas principales (además de ajustes en los precios) que utiliza una empresa en competencia monopolística para competir con otras empresas?
- ¿Por qué la innovación y el desarrollo de productos podrían ser eficientes y por qué podrían ser ineficientes?
- ¿Cómo influyen los gastos de publicidad sobre las curvas de costos de una empresa? ¿Aumentan o disminuyen el costo promedio?
- ¿Cómo influyen los gastos de publicidad sobre la curva de demanda de una empresa? ¿Aumentan o disminuyen la demanda?
- ¿Por qué es difícil determinar si la competencia monopolística es eficiente o ineficiente? ¿Cuál es su opinión sobre el mensaje central y por qué?

# Oligopolio

Otro tipo de mercado que se encuentra entre los extremos de la competencia perfecta y el monopolio es el oligopolio. El **oligopolio** es una estructura de mercado en la que compite un pequeño número de empresas.

En el oligopolio, la cantidad vendida por cualquier empresa depende de su propio precio y de los precios y cantidades vendidas por otras empresas. Para saber por qué, suponga que usted opera una de las tres farmacias que existen en una población pequeña. Si usted rebaja sus precios y sus dos competidores no lo hacen, sus ventas aumentan y las ventas de las otras dos farmacias disminuyen. Al tener menores ventas, lo más probable es que las otras farmacias también rebajen sus precios. Si lo hacen, las ventas y los beneficios de usted se desploman. Por tanto, antes de decidir rebajar el precio, usted tiene que predecir cómo reaccionarán las otras empresas e intentar calcular los efectos de esas reacciones sobre sus propios beneficios.

Se han desarrollado varios modelos para explicar los precios y las cantidades en los mercados de oligopolio. Pero no se ha encontrado una sola teoría que pueda explicar en forma simultánea todos los tipos de comportamiento diferentes que se observan en estos mercados. Los modelos caen dentro de dos amplios grupos: modelos tradicionales y modelos de teoría de juegos. Veremos ejemplos de ambos tipos; comenzaremos con dos modelos tradicionales.

## El modelo de curva de demanda quebrada

El modelo de curva de demanda quebrada del oligopolio se basa en el supuesto de que cada empresa cree que:

1. Si aumenta su precio, los demás no lo harán.
2. Si rebaja su precio, las otras empresas harán lo mismo.

La figura 14.6 muestra la curva de demanda (*D*) que cree enfrentar una empresa. La curva de demanda tiene un quiebre cuando el precio es *P* y la cantidad es igual a *Q*. Un pequeño aumento en el precio (por encima de *P*) da lugar a una gran disminución en la cantidad vendida. Las otras empresas mantienen sus precios constantes y la empresa que aumentó el precio en primer lugar, se queda con el precio del bien más alto, por lo que pierde su participación del mercado. Por otra parte, una gran rebaja en el precio por debajo de *P* apenas ocasiona un pequeño aumento en la cantidad demandada. En este caso, las otras empresas igualan la rebaja en el precio, por lo que la empresa que inició los cambios en precios no obtiene ventajas alguna sobre sus competidores.

El quiebre en la curva de demanda crea una interrupción en la curva del ingreso marginal (*IM*). Para maximizar el beneficio, la empresa produce la cantidad en la que el costo marginal es igual al ingreso marginal. Esa cantidad, *Q*,

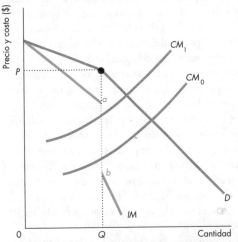

**FIGURA 14.6**

## El modelo de curva de demanda quebrada

El precio en un mercado de oligopolio es *P*. Cada empresa cree que se enfrenta a la curva de demanda *D*. Un pequeño aumento en el precio por encima de *P* ocasiona una gran disminución en la cantidad vendida, porque otras empresas no elevan sus precios. Por otra parte, una gran reducción en el precio apenas produce un pequeño aumento en la cantidad vendida, porque otras empresas también rebajan sus precios. Debido a que la curva de demanda es quebrada, la curva del ingreso marginal, *IM*, tiene una interrupción en *ab*. Los beneficios se maximizan al producir *Q*. La curva del costo marginal pasa a través del quiebre en la curva del ingreso marginal. Los cambios en los costos marginales dentro del rango *ab* dejan sin cambios al precio y la cantidad.

ocurre en donde la curva del costo marginal pasa a través de la brecha *ab*, en la curva del ingreso marginal. Si el costo marginal fluctúa entre *a* y *b* (como ocurre con las curvas de costos marginales $CM_0$ y $CM_1$), la empresa no cambia su precio o su nivel de producción. Una empresa cambiará su precio y nivel de producción únicamente cuando su costo marginal salga del rango *ab*. Por tanto, el modelo de la curva de demanda quebrada predice que el precio y la cantidad son insensibles a pequeños cambios en los costos.

Un problema con el modelo de la curva de demanda quebrada es que las creencias de la empresa sobre la curva de demanda no siempre son correctas. Por ejemplo, si el costo marginal aumenta lo suficiente como para ocasionar que una empresa aumente su precio, y si todas las empresas experimentan el mismo aumento en el costo marginal, todas aumentarán sus precios en forma simultánea. La creencia de la empresa de que las demás no se unirán al aumento en el precio es incorrecta. Una empresa que basa sus acciones en creencias que son incorrectas, no maximiza los beneficios e incluso puede terminar incurriendo en una pérdida económica.

## Oligopolio de empresa dominante

Un segundo modelo tradicional explica una situación de oligopolio con una empresa dominante. Esta situación se produce cuando una empresa, la empresa dominante, tiene una gran ventaja en costos sobre las demás y produce una parte importante de la producción de la industria. La empresa dominante establece el precio del mercado y las otras empresas son tomadoras de precios. Los oligopolios de empresa dominante predominan en mercados locales en los que existe un solo vendedor o productor importante, en tanto que el resto de la producción se divide entre pequeños productores.

Para saber cómo opera un oligopolio de empresa dominante, suponga que 11 empresas operan estaciones de venta de gasolina en una ciudad. La empresa dominante es Gran G. La figura 14.7 muestra el mercado de gasolina en esta ciudad. En la sección (a), la curva de demanda $D$ expresa la cantidad total de gasolina demandada en la ciudad para cada precio. La curva de oferta $O_{10}$ es la curva de oferta de los 10 proveedores pequeños.

La sección (b) muestra la situación a la que se enfrenta Gran G. Su curva del costo marginal es $CM$. La curva de demanda de la empresa Gran G es $XD$, y su curva del ingreso marginal es $IM$. La curva de demanda de Gran G muestra el exceso de demanda no satisfecho por las 10 empresas pequeñas. Por ejemplo, a un precio de $1 el litro, la cantidad demandada es de 20,000 litros. La cantidad ofrecida por las 10 empresas pequeñas es de 10,000 litros y hay un exceso de demanda de 10,000 litros, el cual se mide mediante la distancia $ab$ en ambas secciones de la figura.

Para maximizar sus beneficios, la empresa Gran G opera como un monopolio. Vende 10,000 litros a la semana a un precio de $1 el litro. Las 10 empresas pequeñas toman el precio de $1 el litro y se comportan justo como empresas en competencia perfecta. A $1 el litro, la cantidad demandada de gasolina de toda la ciudad es de 20,000 litros, tal como se muestra en la sección (a). De esta cantidad, Gran G vende 10,000 litros y cada una de las 10 empresas pequeñas vende 1,000 litros.

Las teorías tradicionales del oligopolio no nos permiten comprender todos los mercados del oligopolio y, en los años recientes, los economistas han desarrollado nuevos modelos con base en la teoría de juegos. Aprendamos ahora algo sobre la teoría de juegos.

### FIGURA 14.7

## Un oligopolio de empresa dominante

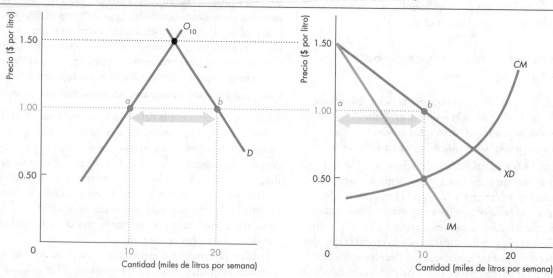

**a) Diez empresas pequeñas y la demanda del mercado**

**b) Decisión de precio y producción de Gran G**

La sección (a) muestra la curva de demanda de gasolina, $D$, en una ciudad. Hay 10 pequeñas empresas competitivas que, juntas, tienen una curva de oferta dada por $O_{10}$. Además, hay una gran empresa, Gran G, que aparece en la sección (b). Gran G se enfrenta a la curva de demanda $XD$, la cual se determina como la demanda del mercado $D_i$ menos la oferta de las 10 empresas pequeñas $(O_{10})_i$, es decir, se trata de la demanda que no queda satisfecha por las empresas pequeñas. El ingreso marginal de Gran G es $IM$ y su costo marginal es $CM$. Gran G fija su nivel de producción para maximizar el beneficio, al igualar el costo marginal, $CM$, y el ingreso marginal, $IM$. Esta producción es de 10,000 litros semanales. El precio al que Gran G puede vender esta cantidad es $1 por litro. Las otras 10 empresas toman este precio como dado y cada empresa vende 1,000 litros por semana.

# Teoría de juegos

LA HERRAMIENTA PRINCIPAL QUE USAN LOS ECONO-mistas para analizar el *comportamiento estratégico* (el comportamiento que toma en cuenta el comportamiento esperado de otros y el reconocimiento mutuo de la interdependencia), se denomina **teoría de juegos**. La teoría de juegos fue inventada por John von Neumann en 1937 y ampliada por él mismo y Oskar Morgenstern en 1944. En la actualidad, éste es uno de los principales campos de investigación en la economía.

La teoría de juegos busca comprender el oligopolio, así como otras formas de rivalidades económicas, políticas, sociales, e incluso biológicas. Para ello, se utiliza un método de análisis creado específicamente para comprender juegos de todo tipo, incluyendo juegos de la vida diaria. Se comenzará el estudio de la teoría de juegos y su aplicación al comportamiento de las empresas, pensando en juegos y problemas cotidianos.

## ¿Qué es un juego?

¿Qué es un juego? De primera intención la pregunta parece absurda. Después de todo, hay muchos juegos diferentes. Hay juegos de béisbol y juegos de salón, juegos de azar y juegos de habilidad. Pero, ¿qué tienen todas estas actividades en común que las hacen juegos? Todos los juegos comparten tres características:

- Reglas
- Estrategias
- Recompensas

Veamos cómo estas características comunes de los juegos se aplican a un juego denominado "el dilema de los prisioneros". Este juego captura algunas de las características esenciales del oligopolio y proporciona un buen ejemplo de cómo opera la teoría de juegos y de cómo produce predicciones.

## El dilema de los prisioneros

Arturo y Roberto fueron capturados *in fraganti* robando un automóvil. Al enfrentarse a un caso probado, cada uno recibirá una sentencia de dos años por el delito. Durante sus entrevistas con los dos prisioneros, el Procurador de justicia comienza a sospechar que se ha encontrado con las dos personas responsables del robo a un banco ocurrido hace unos meses. Pero esto es tan sólo una sospecha. El fiscal no tiene evidencia sobre la cual condenarlos de este delito más grave, a menos de lograr que confiesen. El Procurador decide hacer que los prisioneros jueguen un juego con las siguientes reglas.

**Reglas** Cada prisionero (jugador) se coloca en una habitación por separado y no puede comunicarse con el otro jugador. A cada uno de ellos se les dice que es sospechoso de haber realizado el robo del banco y que:

Si ambos confiesan el delito más grave, cada uno de ellos recibirá una sentencia de tres años por ambos delitos.

Si confiesa uno de ellos y su cómplice no lo hace, el que confiese recibirá una sentencia reducida de sólo un año, en tanto que el cómplice recibirá una sentencia de 10 años.

**Estrategias** En la teoría de juegos, las **estrategias** son todas las acciones posibles de cada jugador. Arturo y Roberto tienen dos posibles acciones:

- Confesar el robo del banco
- Negar haber cometido el robo del banco

**Recompensas** Debido a que hay dos jugadores, cada uno de ellos con dos estrategias, existen cuatro resultados posibles:

1. Ambos confiesan.
2. Ambos lo niegan.
3. Arturo confiesa y Roberto lo niega.
4. Roberto confiesa y Arturo lo niega.

Cada prisionero puede determinar exactamente lo que le ocurriría (es decir, su *recompensa*) en cada una de las cuatro situaciones. Se pueden tabular las cuatro posibles recompensas para cada uno de los prisioneros en lo que se conoce como una matriz de recompensas para el juego. Una **matriz de recompensas** es una tabla que muestra las recompensas para cada acción posible de cada jugador, tomando en cuenta cada acción posible de cada uno de los demás jugadores.

La tabla 14.1 muestra una matriz de recompensas para Arturo y Roberto. Las tablas muestran las recompensas para cada prisionero: el triángulo rojo en cada cuadro muestra las recompensas de Arturo y el triángulo azul, las de Roberto. Si ambos prisioneros confiesan (parte superior izquierda), cada uno recibe una condena en prisión de tres años. Si Roberto confiesa, pero Arturo lo niega (parte superior derecha), Arturo recibe una sentencia de 10 años y Roberto de un año. Si Arturo confiesa y Roberto lo niega (parte inferior izquierda), Arturo recibe una sentencia de un año y Roberto una de 10 años. Por último, si ambos lo niegan (parte inferior derecha), ninguno de ellos puede ser condenado por el cargo del robo del banco, pero a ambos se les sentencia por el robo del automóvil y cada uno recibe una sentencia de dos años.

**Equilibrio** El equilibrio de un juego ocurre cuando el jugador *A* realiza la mejor acción posible, dada la acción del jugador *B,* y cuando el jugador *B* realiza la mejor acción posible, dada la acción del jugador *A*. En el caso del dilema de los prisioneros, el equilibrio ocurre cuando Arturo hace su mejor elección, dada la elección hecha por Roberto, y cuando

Roberto hace su mejor elección, dada la elección de Arturo. Encontremos el equilibrio del juego del dilema de los prisioneros.

Primero, observe la situación desde el punto de vista de Arturo. Si Roberto confiesa, a Arturo le conviene confesar, porque en ese caso se le sentencia a tres años, en lugar de 10. Si Roberto no confiesa, a Arturo también le conviene confesar, porque en ese caso él recibe un año de sentencia, en lugar de dos. Por tanto, la mejor acción para Arturo es confesar.

Segundo, observe la situación desde el punto de vista de Roberto. Si Arturo confiesa, a Roberto le conviene confesar, porque en ese caso se le sentencia a tres años, en lugar de 10. Si Arturo no confiesa, a Roberto también le conviene confesar, porque en ese caso recibe un año de sentencia, en lugar de dos. Por tanto, la mejor acción para Roberto es confesar.

Debido a que la mejor acción para cada uno de los jugadores es confesar, cada uno de ellos confiesa y cada uno recibe una sentencia en prisión de tres años. El robo del banco ha sido solucionado y éste es el equilibrio del juego.

**Equilibrio de Nash**   El concepto de equilibrio que se ha utilizado, se conoce como **equilibrio de Nash**; se le denomina así porque fue propuesto por primera vez por John Nash de la Universidad de Princeton, quien recibió el premio Nobel de ciencias económicas en 1994.

El dilema de los prisioneros tiene una clase especial de equilibrio de Nash denominado equilibrio de estrategia dominante. Una *estrategia dominante* ocurre cuando la mejor estrategia para un jugador es la misma, independientemente de la acción que lleva a cabo el otro jugador. En otras palabras, cada jugador tiene una sola acción que es la mejor independientemente de lo que haga el otro jugador. Un **equilibrio de estrategia dominante** ocurre cuando hay una estrategia dominante para cada jugador.

**El dilema**   Ahora que ya se ha encontrado la solución al dilema de los prisioneros, es posible entender mejor el dilema. El dilema se presenta cuando cada prisionero contempla las consecuencias de negar. Cada prisionero sabe que si ninguno confiesa, recibirá sólo una sentencia de dos años por robar el automóvil; pero ninguno tiene forma de saber con certeza que su compañero no confesará. A cada uno se le presentan las preguntas siguientes: ¿debo negar y confiar en que mi cómplice no confiese para que ambos recibamos sólo dos años? ¿O debo confesar, con la esperanza de recibir una sentencia de sólo un año (siempre y cuando mi cómplice lo niegue), sabiendo que si mi cómplice confiesa, ambos recibiremos una sentencia de tres años en prisión? El dilema se resuelve encontrando el equilibrio del juego.

**Un resultado malo**   Para los prisioneros, el equilibrio del juego en el que ambos confiesan no es el mejor resultado po-

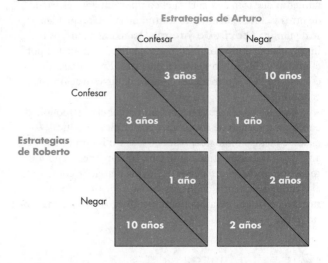

**TABLA 14.1**

## Matriz de recompensas del dilema de los prisioneros

**Estrategias de Arturo**

|  | Confesar | Negar |
|---|---|---|
| **Confesar** | 3 años / 3 años | 10 años / 1 año |
| **Negar** | 1 año / 10 años | 2 años / 2 años |

**Estrategias de Roberto**

Cada cuadro muestra las recompensas para los dos jugadores, Arturo y Roberto, para cada posible par de acciones. En cada cuadro, el triángulo rojo muestra las recompensas para Arturo y el triángulo azul muestra las de Roberto. Por ejemplo, si ambos confiesan, las recompensas aparecen en el cuadro superior izquierdo. El equilibrio del juego es que ambos jugadores confiesen y que cada uno reciba una sentencia de tres años.

sible. Si ninguno de ellos confesara, cada uno recibiría una sentencia de sólo dos años por el delito menor. ¿No hay alguna forma en la que se pueda lograr este mejor resultado? Parece que no, porque los jugadores no pueden comunicarse entre sí. Cada jugador puede colocarse en el lugar del otro y, por tanto, puede saber que existe una estrategia dominante para cada uno de ellos. Los prisioneros se encuentran ante un verdadero dilema. Cada uno sabe que puede tener una sentencia de dos años, sólo si puede confiar en que el otro lo niegue. Pero cada uno de los prisioneros también sabe que al otro no le conviene negarse. Por tanto, cada prisionero sabe que tiene que confesar, por lo que se produce un mal resultado para ambos.

Veamos ahora cómo es posible usar las ideas que se acaban de desarrollar para comprender muchas situaciones económicas, tales como la fijación de precios, las guerras de precios y otros aspectos del comportamiento de las empresas en el oligopolio.

# Un juego de fijación de precios de un oligopolio

PARA COMPRENDER CÓMO FIJAN LOS PRECIOS LOS OLIgopolios, se estudiará un caso especial de oligopolio denominado duopolio. El **duopolio** es una estructura de mercado en la que sólo dos productores compiten entre sí. Es probable que pueda encontrar en su ciudad algunos ejemplos de duopolios. Muchas ciudades sólo tienen dos proveedores de leche, dos periódicos locales, dos compañías de taxis, dos empresas de alquiler de automóviles, dos centros de copiado, o dos librerías universitarias. Sin embargo, la razón principal para estudiar el duopolio no es su realismo, sino el hecho de que captura la esencia del oligopolio y esto resulta muy revelador.

Nuestra meta es predecir los precios que cobran y las cantidades que producen las dos empresas. Para ello, estudiaremos el juego del duopolio.

Suponga que dos empresas, Treta y Engranaje, participan en un **convenio de colusión**. Un convenio de colusión es un acuerdo entre dos (o más) productores para restringir la producción, con el fin de elevar los precios y los beneficios. En muchos países, este tipo de convenio es ilegal y se realiza en secreto. Al grupo de empresas que ha establecido un convenio de colusión para restringir la producción y aumentar los precios y los beneficios, se le conoce como **cártel**. Las estrategias que pueden seguir las empresas en un cártel son:

- Cumplir
- Engañar

Cumplir significa simplemente respetar el acuerdo. Engañar significa violar el acuerdo en una forma tal que la empresa que comete el engaño obtiene un beneficio adicional.

Debido a que cada empresa tiene dos estrategias, hay cuatro combinaciones posibles:

- Ambas empresas cumplen.
- Ambas empresas engañan.
- Treta cumple y Engranaje engaña.
- Engranaje cumple y Treta engaña.

Se comenzará con la descripción de las condiciones de costos y demanda en una industria de duopolio.

## Condiciones de costos y demanda

Treta y Engranaje tienen curvas de costos idénticas. La figura 14.8(a) muestra sus curvas del costo promedio (*CP*) y del costo marginal (*CM*). La figura 14.8(b) muestra la curva de demanda del mercado para motores (*D*). Cada empresa produce un motor idéntico, por lo que el motor de una de las empresas es un sustituto perfecto del de la otra. Por tanto, el precio del producto de cada empresa es idéntico, y cuanto más alto sea el precio, menor sería la cantidad demandada.

Esta industria es un duopolio natural. Dos empresas producen este bien a un costo inferior de lo que pueden hacerlo ya sea una o tres empresas. Para cada empresa, el costo promedio se encuentra en su punto mínimo cuando la producción es de 3,000 unidades a la semana. Y cuando el precio es igual al costo promedio mínimo, la cantidad demandada total es de 6,000 unidades a la semana. Por tanto, dos empresas pueden proporcionar esa cantidad.

**FIGURA 14.8**

## Costos y demanda

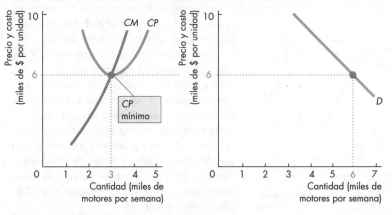

**(a) Empresa individual**    **(b) Industria**

La curva del costo total para cada empresa es *CP* y la curva del costo marginal es *CM*, sección (a). El costo promedio mínimo es $6,000 por unidad y éste ocurre a una producción de 3,000 unidades por semana. La sección (b) muestra la curva de demanda de la industria. A un precio de $6,000, la cantidad demandada es de 6,000 unidades por semana. Las dos empresas pueden elaborar esta producción al costo promedio más bajo posible. Si el mercado tuviera una sola empresa, a la otra empresa le sería rentable entrar a la industria. Si el mercado tuviera tres empresas, una debería abandonarlo. Sólo hay espacio para dos empresas en esta industria. Es un duopolio natural.

## Colusión para maximizar beneficios

Comencemos por determinar las recompensas para las dos empresas si se coludieran para obtener el beneficio máximo que podría obtener un monopolio. Los cálculos que realizan las dos empresas son exactamente los mismos que llevaría a cabo un monopolio. (Puede recordar estos cálculos viendo el capítulo 13, págs. 266-267.) La única cuestión adicional que tienen que hacer los duopolistas es ponerse de acuerdo sobre qué cantidad de la producción total producirá cada uno de ellos.

En la figura 14.9 se muestra el precio y la cantidad que maximiza la utilidad de la industria para los duopolistas. En la sección (a) indica la situación para cada empresa y en la sección (b) señala la situación para la industria en su conjunto. La curva denominada *IM* es la curva del ingreso marginal de la industria. Esta curva de ingreso marginal es exactamente igual a la de un monopolio de precio único. La curva denominada $CM_I$ es la curva del costo marginal de la industria si cada empresa produce la misma cantidad. Esa curva se obtiene sumando las producciones de las dos empresas a cada nivel del costo marginal. Es decir, a cada nivel del costo marginal, la producción de la industria es el doble que la producción de cada empresa. Por lo tanto, la curva $CM_I$ en la sección (b) se encuentra el doble más a la derecha que la curva *CM* en la sección (a).

Para maximizar la utilidad de la industria, los duopolistas acuerdan restringir la producción a la tasa que iguala el costo marginal y el ingreso marginal de la industria. Como se muestra en la sección (b), esa tasa de producción es de 4,000 motores a la semana.

El precio más alto al que se pueden vender los 4,000 motores es $9,000 cada uno. Éste es el precio que están de acuerdo en cobrar Treta y Engranaje.

Para mantener el precio en $9,000 por unidad, la producción no puede exceder de 4,000 unidades semanales. Por tanto, Treta y Engranaje tienen que llegar a un acuerdo sobre cómo van a dividirse este nivel de producción. Suponga que ambas empresas están de acuerdo en dividir el mercado en partes iguales, por lo que cada empresa produce 2,000 motores a la semana. Debido a que las empresas son idénticas, esta división es la más probable.

El costo promedio (*CP*) de producir 2,000 motores a la semana es $8,000, por lo que el beneficio por unidad es $1,000 y el beneficio económico por empresa es $2 millones (2,000 unidades × $1,000 por unidad). El beneficio económico de cada empresa está representado por el rectángulo azul en la figura 14.9(a).

Se acaba de describir un resultado posible para un juego de duopolio: las dos empresas se coluden para elaborar la producción que maximiza los beneficios de un monopolio y se dividen la producción entre ellas por partes iguales. Desde el punto de vista de la industria, esa solución es idéntica a la de un monopolio. El duopolio que opere de esta forma, no se puede distinguir de un monopolio. El beneficio económico que obtendría un monopolio es el beneficio máximo que obtienen los duopolistas cuando se coluden en la forma descrita.

Sin embargo, al ser mayor el precio que el costo marginal, cada empresa podría intentar aumentar su beneficio incumpliendo el convenio y produciendo más de la cantidad convenida. Vea qué ocurre si una de las empresas engaña en esta manera.

---

**FIGURA 14.9**

## Colusión para obtener beneficios de monopolio

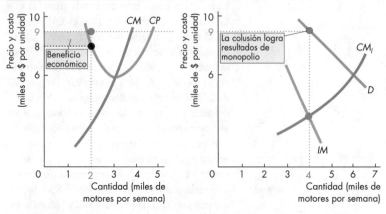

La curva del costo marginal de la industria, $CM_I$, sección (b), es la suma horizontal de las curvas del costo marginal de las dos empresas, *CM*, sección (a). La curva del ingreso marginal de la industria es *IM*. Para maximizar la utilidad, las empresas producen 4,000 unidades a la semana (la cantidad en la que el ingreso marginal es igual al costo marginal). Las empresas venden esa producción en $9,000 por unidad. Cada empresa produce 2,000 unidades a la semana. El costo promedio es $8,000 por unidad, por lo que cada empresa obtiene un beneficio económico de $2 millones (rectángulo azul).

**(a) Empresa individual**       **(b) Industria**

## Una empresa engaña en un convenio de colusión

Para poder violar el convenio establecido, la empresa Treta convence a Engranaje de que la demanda ha disminuido y que no puede vender 2,000 unidades a la semana. Treta dice a Engranaje que piensa rebajar su precio para vender las 2,000 unidades semanales convenidas. Debido a que las dos empresas elaboran el mismo producto, Engranaje iguala la reducción en precios de Treta, pero sigue produciendo únicamente 2,000 unidades a la semana.

En realidad no se ha producido ninguna disminución en la demanda. Treta piensa aumentar su producción y sabe que eso disminuirá el precio. Al convencer a Engranaje de que la demanda se ha reducido, Treta se asegura de que Engranaje mantenga su producción al nivel acordado originalmente.

La figura 14.10 muestra las consecuencias del engaño de Treta. Suponga que Treta (el que engaña) aumenta la producción a 3,000 unidades por semana, sección (b). Si Engranaje (el que cumple) respeta el convenio y produce sólo 2,000 unidades a la semana, sección (a), la producción total es de 5,000 semanales. De acuerdo con la demanda del mercado, sección (c), el precio baja hasta $7,500 por unidad.

Engranaje continúa produciendo 2,000 unidades a la semana, a un costo de $8,000 por unidad, e incurre en una pérdida de $500 por unidad, o sea $1 millón a la semana. Esta pérdida económica es el rectángulo rojo en la sección (a). Treta produce 3,000 unidades a la semana con un costo

promedio de $6,000. Con un precio de $7,500, Treta obtiene un beneficio de $1,500 por unidad y, por consiguiente, un beneficio económico de $4.5 millones. Este beneficio económico es el rectángulo azul en la sección (b).

Ahora se ha descrito un segundo resultado posible para el juego de duopolio: una de las empresas no cumple el convenio de colusión. En este caso, la producción de la industria es mayor que la producción del monopolio y el precio de la industria es inferior al precio del monopolio. El beneficio económico total de la industria es menor que el beneficio económico del monopolio. Treta (la empresa que engaña) obtiene un beneficio económico de $4.5 millones y Engranaje (la que cumple) incurre en una pérdida económica de $1 millón. La industria obtiene un beneficio económico de $3.5 millones, que es $0.5 millones menos que el beneficio económico que obtendría un monopolio. Pero el beneficio se distribuye en forma desigual. Treta obtiene un beneficio económico mayor, en tanto que Engranaje incurre en una pérdida económica.

Se produciría un resultado similar si Engranaje engañara y Treta cumpliera con el convenio. El beneficio y el precio de la industria serían los mismos, pero en este caso Engranaje (la empresa que engaña) obtendría un beneficio económico de $4.5 millones y Treta (la que cumple) incurriría en una pérdida económica de $1 millón.

Veamos a continuación lo que ocurre si ambas empresas engañan.

**FIGURA 14.10**

## Una empresa engaña

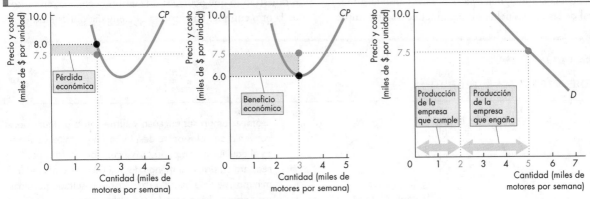

**(a) Empresa que cumple**  **(b) Empresa que engaña**  **(c) Industria**

Una empresa, la que se muestra en la sección (a), cumple con el convenio y produce 2,000 unidades. La otra empresa, que se muestra en la sección (b), engaña en el convenio y aumenta su producción hasta 3,000 unidades. Dada la curva de demanda del mercado que aparece en la sección (c), una producción total de 5,000 unidades a la semana hace que el precio baje a $7,500. A

este precio, la empresa que cumple incurre en una pérdida económica de $1 millón ($500 por unidad × 2,000 unidades), la cual se muestra mediante el rectángulo rojo. En la sección (b), la empresa que engaña obtiene un beneficio económico de $4.5 millones ($1,500 por unidad × 3,000 unidades), el cual se muestra con el rectángulo azul.

## Ambas empresas engañan

En lugar de que una empresa sea la que engaña en el convenio de colusión, suponga ahora que ambas empresas lo hacen. En particular, suponga que cada empresa se comporta en una forma exactamente igual a la de empresa que engaña en el caso anterior. Cada una dice a la otra que está en imposibilidad de vender su producción al precio actual y que piensa rebajar su precio. Pero debido a que ambas empresas engañan, cada una propondrá un precio cada vez menor. En tanto que el precio exceda al costo marginal, cada empresa tendrá un incentivo para aumentar su producción; es decir, para engañar. Sólo cuando el precio sea igual al costo marginal, ya no habrá incentivos adicionales para engañar. Esta situación se presenta cuando el precio ha llegado a $6,000. A este precio, el costo marginal es igual al precio, y el precio es igual al costo promedio mínimo. A un precio inferior a $6,000, cada empresa incurre en una pérdida económica. A un precio de $6,000, cada empresa cubre todos sus costos y obtiene un beneficio económico nulo (es decir, obtiene un beneficio normal). A este precio, cada empresa está dispuesta a producir 3,000 unidades a la semana, por lo que la producción de la industria es de 6,000 unidades semanales. De acuerdo con las condiciones de la demanda, las 6,000 unidades se pueden vender a un precio de $6,000 cada una.

La figura 14.11 muestra la situación que se acaba de describir. La sección (a) muestra que cada empresa produce 3,000 unidades a la semana y que, a este nivel de producción, el costo promedio se encuentra en su punto mínimo ($6,000 por unidad). La sección (b) muestra que el mercado en su conjunto opera en el punto en el que la curva de demanda (D) cruza la curva del costo marginal de la industria. Esta curva del costo marginal está elaborada como la suma horizontal de las curvas del costo marginal de las dos empre-

sas. Cada empresa ha rebajado su precio y ha aumentado su producción para intentar obtener una ventaja sobre la otra. Cada una ha llevado este proceso tan lejos como ha podido sin incurrir en una pérdida económica.

Se acaba de describir un tercer resultado posible de este juego del duopolio: ambas empresas engañan. Si ambas empresas engañan en un convenio de colusión, la producción de cada empresa es de 3,000 unidades a la semana y el precio es $6,000. Cada empresa obtiene un beneficio económico nulo.

## La matriz de recompensas

Ahora que se han descrito las estrategias y las recompensas en el juego del duopolio, éstas se pueden resumir en una matriz de recompensas del juego y se puede proceder a calcular el equilibrio.

La tabla 14.2 presenta la matriz de recompensas para este juego. La matriz fue elaborada en la misma forma que la matriz de recompensas para el dilema de los prisioneros de la tabla 14.1. Los cuadros muestran las recompensas para las empresas Engranaje y Treta. En este caso, las recompensas son beneficios. (En el caso del dilema de los prisioneros, todas las recompensas eran pérdidas.)

En la tabla se muestra que si ambas empresas engañan (cuadro superior izquierdo), se obtiene el resultado perfectamente competitivo, ya que cada empresa obtiene un beneficio económico nulo. Si ambas empresas cumplen (cuadro inferior derecho), la industria obtiene los beneficios de un monopolio y cada empresa gana un beneficio económico de $2 millones. Los cuadros superior derecho e inferior izquierdo muestran lo que ocurre si una empresa engaña, en tanto que la otra cumple. La empresa que engaña obtiene un

---

**FIGURA 14.11**

## Ambas empresas engañan

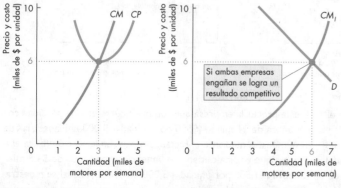

**(a) Empresa individual**          **(b) Industria**

Si ambas empresas engañan y aumentan la producción, el convenio de colusión se desploma. En el límite, se alcanza el equilibrio competitivo. Ninguna de las empresas rebajará su precio a menos de $6,000 (costo promedio mínimo), porque hacerlo daría como resultado pérdidas económicas. En la sección (a), ambas empresas producen 3,000 unidades a la semana, a un costo promedio de $6,000 por unidad. En la sección (b), con una producción total de 6,000 unidades, el precio baja hasta $6,000. Ahora cada empresa obtiene un beneficio económico nulo porque el precio es igual al costo promedio. El precio y la producción son los que prevalecerían en una industria competitiva.

**TABLA 14.2**

## Matriz de recompensas del duopolio

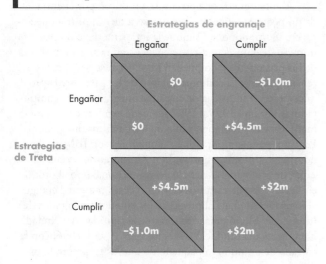

Cada cuadro muestra las recompensas provenientes de un par de acciones. Por ejemplo, si ambas empresas cumplen con el convenio de colusión, las recompensas se registran en el cuadro inferior derecho. El triángulo rojo muestra la recompensa de Engranaje y el triángulo azul las de Treta. El equilibrio es un equilibrio de Nash en el que ambas empresas engañan.

beneficio económico de $4.5 millones y la que cumple incurre en una pérdida de $1 millón.

Este juego del duopolio es como el dilema de los prisioneros que se examinó antes en este capítulo; es el dilema de los duopolistas.

### Equilibrio del dilema de los duopolistas

¿Qué hacen las empresas? ¿Cumplen o engañan? Para contestar a estas preguntas se tiene que encontrar el equilibrio del dilema del duopolio.

Veamos las cosas desde el punto de vista de Engranaje. Engranaje razona de la siguiente forma: supongo que Treta engaña. Si yo cumplo, incurriré en una pérdida económica de $1 millón. Si yo también engaño, obtendré un beneficio económico nulo. Cero es mejor que *menos* $1 millón, por lo que estaré en mejor situación si engaño. Supongo ahora que Treta cumple. Si yo engaño, obtendré una utilidad económica de $4.5 millones, y si cumplo, obtendré un beneficio económico de $2 millones. Un beneficio de $4.5 millones es mejor que uno de $2 millones, por tanto, estoy en mejor si-

tuación si engaño. Por consiguiente, independientemente de si Treta engaña o cumple, a Engranaje le conviene engañar. La estrategia dominante de Engranaje es engañar.

Treta llega a la misma conclusión que Engranaje, porque las dos empresas se enfrentan a una situación idéntica. Por tanto, ambas empresas engañan. El equilibrio del juego del duopolio es que ambas empresas engañan. Y aunque la industria sólo tiene dos empresas, el precio y la cantidad son los mismos que en una industria competitiva y cada empresa obtiene un beneficio económico nulo.

Aunque este análisis se ha hecho para sólo dos empresas, no sería diferente (aparte de tener que hacer más cálculos aritméticos) si participaran en el juego tres, cuatro, o más empresas. En otras palabras, aunque se ha analizado el duopolio, el enfoque de la teoría de juegos también se puede usar para analizar el oligopolio. El análisis del oligopolio es mucho más difícil, pero las ideas esenciales que se han aprendido aquí también, se aplican al oligopolio.

### Juegos repetidos

Los juegos que se han estudiado hasta ahora, son juegos que se juegan en una sola ocasión. En contraste, la mayor parte de los juegos del mundo real se juegan repetidamente. Este hecho sugiere que los duopolistas del mundo real podrían encontrar alguna forma de aprender a cooperar para que sus esfuerzos para coludirse fueran más eficaces.

Si un juego se juega repetidamente, un jugador tiene la oportunidad de castigar al otro por un "mal" comportamiento previo. Si Engranaje engaña esta semana, quizá Treta engañará la semana próxima. Antes de que Engranaje engañe esta semana, ¿no tomará en cuenta la posibilidad de que Treta engañe la semana próxima? ¿Cuál es el equilibrio de este juego cuando se repite indefinidamente?

En realidad hay más de un equilibrio posible. Uno de ellos es el equilibrio de Nash que se acaba de analizar. Ambos jugadores engañan y cada uno obtiene para siempre un beneficio económico nulo. En esta situación, nunca convendrá a uno de los jugadores comenzar a cumplir unilateralmente, porque hacerlo daría como resultado una pérdida para ese jugador y un beneficio para el otro. El precio y la cantidad producida permanecen para siempre en los niveles de competencia perfecta. Pero hay otro equilibrio posible: el equilibrio cooperativo. Un **equilibrio cooperativo** es un equilibrio en el cual los jugadores obtienen y comparten el beneficio de monopolio.

Es posible que ocurra un equilibrio cooperativo si cada uno de los jugadores sabe que el otro se vengará de un engaño. Hay dos castigos extremos. El menor castigo que puede imponer un jugador al otro es el que se denomina "golpe por golpe". Una *estrategia de golpe por golpe* es aquella en la que un jugador coopera en el período actual si el otro jugador cooperó en el período anterior, pero engaña en el período actual si el otro engañó en el período anterior. La forma más dura de castigo que puede imponer un jugador al otro, ocurre en lo que se denomina una estrategia detonante. Una *estrategia detonante* es una en la que un jugador coopera si el otro coopera, pero si el otro engaña, entonces el jugador juega indefinidamente la estrategia de equilibrio de Nash.

En el juego de duopolio entre Engranaje y Treta, una estrategia de golpe por golpe mantiene a ambos jugadores cooperando y obteniendo beneficios del monopolio. Veamos por qué.

Si ambas empresas cumplen el convenio de colusión en el período 1, cada una obtiene un beneficio económico de $2 millones. Suponga que Treta piensa engañar en el período 2. El engaño produce un beneficio económico inmediato de $4.5 millones y ocasiona una pérdida económica de $1 millón a Engranaje. Al sumar los beneficios de dos períodos de juego, a Treta le conviene haber engañado ($6.5 millones en comparación con $4 millones si no hubiera engañado). Al período siguiente, Engranaje castiga a Treta con una respuesta de golpe por golpe y engaña. Pero Treta tiene que cooperar para inducir a Engranaje a cooperar de nuevo en el período 4. Ahora Engranaje obtiene un beneficio económico de $4.5 millones y Treta incurre en una pérdida económica de $1 millón. Al sumar los beneficios de tres períodos de juego, Treta habría obtenido más beneficios si siempre hubiera cooperado. En ese caso, su beneficio económico hubiera sido de $6 millones en comparación con los $5.5 millones que ha obtenido al haber engañado y hacer que Engranaje le respondiera golpe por golpe.

Lo que es cierto para Treta también es cierto para Engranaje. Debido a que cada empresa obtiene un beneficio mayor si cumple el convenio de colusión, ambas empresas lo hacen y prevalece el precio, la cantidad y el beneficio del monopolio.

En realidad, el que un cártel opere como un juego de una vez, o un juego repetido, depende principalmente del número de jugadores y de la facilidad para detectar y castigar el engaño. Cuanto mayor sea el número de jugadores, más difícil será mantener un cártel.

### Juegos y guerras de precios

La teoría de la determinación del precio y la producción en un duopolio puede ayudarnos a comprender el comportamiento en el mundo real y, en particular, lo que se conoce como guerras de precios. Algunas guerras de precios se pueden interpretar como la puesta en práctica de una estrategia de golpe por golpe. Se ha visto que cuando ocurre una estrategia de golpe por golpe, las empresas tienen un incentivo para cumplir con el precio de monopolio. Pero las fluctuaciones en la demanda conducen a fluctuaciones en el precio de monopolio. En ocasiones, estos cambios en el precio podrían hacer sospechar a una de las empresas que el precio ha bajado debido a que la otra ha engañado. En este caso estallará una guerra de precios. La guerra de precios sólo

terminará cuando cada empresa se sienta convencida de que la otra está lista para cooperar de nuevo. Habrá ciclos de guerras de precios y de restablecimiento de convenios de colusión. Las fluctuaciones en el precio mundial del petróleo se pueden interpretar en esta forma.

Algunas guerras de precios se producen por la entrada de un pequeño número de empresas a una industria que antes era un monopolio. Aunque la industria tiene un pequeño número de empresas, éstas se encuentran frente a un dilema de los prisioneros y no pueden imponer castigos eficaces por rebajar precios. El comportamiento de los precios y la producción en la industria de circuitos integrados para computadoras durante 1995 y 1996 se puede explicar de esta forma. Hasta 1995, el mercado para los circuitos integrados Pentium para computadoras compatibles con IBM estaba dominado por una empresa, Intel Corporation, la cual era capaz de obtener el beneficio económico máximo al producir la cantidad de circuitos en que el costo marginal era igual al ingreso marginal. El precio de los circuitos integrados de Intel se estableció para asegurar que la cantidad demandada fuera igual a la producida. Después, en 1995 y 1996, con la entrada de un número pequeño de nuevas empresas, la industria se convirtió en un oligopolio. Si las empresas hubieran mantenido el precio de Intel y hubieran compartido el mercado, juntas habrían obtenido beneficios económicos iguales al beneficio de Intel. Pero las empresas se encontraron ante el dilema de los prisioneros, por lo que los precios se desplomaron hasta niveles competitivos.

## PREGUNTAS DE REPASO

- ¿Por qué un convenio de colusión para restringir la producción y elevar el precio crea un juego como el dilema de los prisioneros?

- ¿Qué es lo que crea un incentivo para engañar y aumentar la producción en las empresas que participan en un convenio de colusión?

- ¿Cuál es la estrategia de equilibrio para cada empresa en una situación como la del dilema de los prisioneros, y por qué las empresas no se coluden?

- Si el juego del dilema de los prisioneros se juega repetidamente, ¿qué estrategias de castigo pueden emplear los jugadores, y por qué jugar repetidamente un juego puede cambiar el equilibrio?

El enfoque de la teoría de juegos se puede aplicar para hacer frente a un rango mucho más amplio de elecciones a las que se enfrentan las empresas. Observemos algunos otros juegos de oligopolio.

# Otros juegos de oligopolio

LAS EMPRESAS TIENEN QUE DECIDIR SI INCURREN O NO en costosas campañas de publicidad; si modifican su producto; si hacen que su producto sea más confiable (por lo general, cuanto más confiable sea el producto, más caro será producirlo, pero las personas están dispuestas a pagar más por él); si aplican la discriminación de precios y, si es así, entre qué grupos de clientes y hasta qué grado; si realizan un gran esfuerzo de investigación y desarrollo (I+D) encaminado a disminuir los costos de producción; o si entran o salen de una industria. Todas estas elecciones se pueden analizar mediante la teoría de juegos. El método básico que se ha estudiado es aplicable a estos problemas si se determina la recompensa para cada una de las estrategias alternativas y después se encuentra el equilibrio del juego.

Se verán dos ejemplos: primero un juego de I+D y luego un juego para evitar la entrada de nuevas empresas a una industria.

## Un juego de I+D

Los pañales desechables se comercializaron por primera vez en 1966. Los dos líderes del mercado desde el inicio de esta industria han sido Procter & Gamble (fabricantes de Pampers) y Kimberly-Clark (fabricantes de Huggies). Procter & Gamble tiene aproximadamente 40% del mercado estadounidense y Kimberly-Clark tiene alrededor de 33%. Cuando se introdujo por primera vez el pañal desechable en 1966, este producto tenía que ser competitivo en costos con respecto a los pañales tradicionales. Un costoso esfuerzo de investigación y desarrollo dio como resultado la construcción de máquinas que pudieran hacer pañales desechables a un costo lo suficientemente bajo para obtener esa ventaja competitiva inicial. Pero al madurar la industria, un gran número de empresas ha intentado entrar a ese mercado y quitar participación del mismo a los dos líderes de la industria, y éstos han pugnado entre sí para mantener o aumentar su propia participación en el mercado.

A principios de la década de 1990, Kimberly-Clark fue la primera en introducir los cierres tipo Velcro. Y en 1996, Procter & Gamble fue la primera en introducir los pañales "con respiración" al mercado de Estados Unidos. La clave para el éxito en esta industria (o para cualquier industria) es diseñar productos que las personas valoren mucho en relación con el costo de producirlos. La empresa que desarrolle el producto con la mayor valoración y la tecnología que le permita producir ese producto al menor costo, obtendrá una ventaja competitiva que le permitirá vender al precio más bajo del mercado, aumentar su participación en el mercado e incrementar sus beneficios. Pero el esfuerzo de investigación y desarrollo que se tiene que realizar para lograr las mejorías del producto y las reducciones de costos, tiene un alto costo en sí

mismo. Este costo de investigación y desarrollo se tiene que deducir del beneficio resultante de la mayor participación en el mercado, la cual se logra con los costos más bajos. Si ninguna empresa realiza investigación y desarrollo, todas las empresas pueden estar en mejor situación, pero si una de ellas inicia la actividad de I+D, todas tienen que imitarla.

Cada empresa se encuentra en un dilema de gastar en investigación y desarrollo, similar a la situación del dilema de los prisioneros. Aunque las dos empresas juegan un juego continuo entre sí, este juego tiene más en común con el juego de una sola vez que con un juego repetido. La razón es que la investigación y el desarrollo es un proceso a largo plazo. El esfuerzo se repite, pero la recompensa es incierta y sólo ocurre de vez en cuando.

La tabla 14.3 muestra el dilema (con cifras hipotéticas) para el juego de I+D que están jugando Kimberly Clark y Procter & Gamble. Cada empresa tiene dos estrategias: gastar $25 millones al año en I+D o no hacer gasto alguno en I+D. Si ninguna de las empresas gasta en I+D, obtienen un beneficio conjunto de $100 millones: $30 millones para Kimberly-Clark y $70 millones para Procter & Gamble (cuadro inferior derecho de la matriz de recompensas). Si ca-

**TABLA 14.3**

## Pampers contra Huggies: un juego de I+D

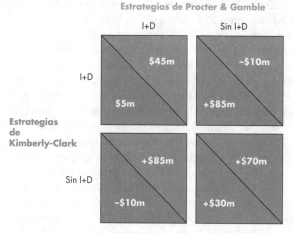

Si ambas empresas realizan I+D, sus recompensas son las que aparecen en el cuadro superior izquierdo. Si ninguna de las empresas realiza I+D, sus recompensas son las que están en el cuadro inferior derecho. Cuando una empresa realiza I+D y la otra no lo hace, sus recompensas son las que aparecen en los cuadros superior derecho e inferior izquierdo. El triángulo rojo muestra la recompensa de Procter & Gamble y el triángulo azul muestra la de Kimberly-Clark. El equilibrio de estrategia dominante para este juego es que ambas empresas realicen I+D. La estructura de este juego es la misma que la del dilema de los prisioneros.

da empresa realiza I+D, se mantienen las participaciones del mercado, pero el beneficio para cada empresa es menor por la cantidad gastada en I+D (cuadro superior izquierdo de la matriz de recompensas). Si Kimberly-Clark paga por I+D, pero Procter & Gamble no lo hace, Kimberly Clark obtiene una gran parte del mercado de Procter & Gamble. Kimberly Clark se beneficia y Procter & Gamble pierde (cuadro superior derecho de la matriz de recompensas). Por último, si Procter & Gamble realiza I+D y Kimberly Clark no lo hace, Procter & Gamble obtiene una mayor participación en el mercado y aumentan sus beneficios, en tanto que Kimberly-Clark incurre en una pérdida (cuadro inferior izquierdo).

Al enfrentarse a la matriz de recompensas de la tabla 14.3, las dos empresas calculan sus mejores estrategias. Kimberly-Clark razona en la forma siguiente: Si Procter & Gamble no realiza I+D, nosotros obtendremos $85 millones si hacemos I+D y $30 millones si no hacemos; por tanto, nos conviene realizar actividades de I+D. Si Procter & Gamble realiza I+D, perderemos $10 millones si no hacemos nosotros y obtendremos $5 millones si hacemos. De nuevo le conviene realizar I+D. Por tanto, realizar I+D es una estrategia dominante para Kimberly-Clark, ya que ésta es su mejor opción independientemente de cuál sea la decisión de Procter & Gamble.

Procter & Gamble razona en una forma similar: si Kimberly-Clark no realiza I+D, obtendremos $70 millones si tampoco gastamos en I+D y $85 millones si realizamos I+D. Por tanto, nos conviene realizar I+D. Si Kimberly-Clark lleva a cabo I+D, obtendremos $45 millones haciendo lo mismo y perderemos $10 millones si no lo hacemos. De nuevo, nos conviene realizar I+D. Por tanto, para Procter & Gamble realizar I+D es también una estrategia dominante.

Debido a que I+D es una estrategia dominante para ambos jugadores, es un equilibrio de Nash. El resultado de este juego es que ambas empresas realizan I+D y obtienen menores beneficios de lo que sucedería si pudieran coludirse para lograr el resultado cooperativo de no realizar I+D.

La situación del mundo real tiene más jugadores que Kimberly-Clark y Procter & Gamble. Hay un gran número de otras empresas que comparten una pequeña parte del mercado, y todas ellas están interesadas en quedarse con la participación en el mercado de Procter & Gamble y Kimberly-Clark. Por tanto, el esfuerzo de I+D por parte de estas dos empresas no sólo sirve para el propósito de mantener las participaciones en su propia batalla, sino que también les ayuda a mantener barreras a la entrada lo suficientemente altas para conservar su participación conjunta en el mercado.

Estudiemos ahora un juego en el que una empresa intenta evitar que otras entren a una industria. Este tipo de juego se juega en un mercado denominado "mercado disputable".

## Mercados disputables

Un **mercado disputable** es un mercado en el que opera una empresa (o un pequeño número de empresas), pero en el que tanto la entrada como la salida de la industria son libres. Por tanto, la empresa (o empresas) en el mercado se enfrentan a la *posible* competencia de empresas que podrían entrar a la industria. Ejemplos de mercados disputables son las rutas atendidas por aerolíneas y las compañías de transporte que operan en las principales vías fluviales. Estos mercados son disputables porque, aunque sólo una o unas pocas empresas operan en realidad en una ruta aérea o río en particular, otras empresas podrían entrar a esos mercados si se presentara la oportunidad de obtener beneficios económicos, y podrían salirse de esos mercados si esa oportunidad desapareciera. La posible entrada evita que la empresa o empresas existentes obtengan un beneficio económico extraordinario.

Si se usa el Índice Herfindahl-Hischman para determinar el grado de competencia, un mercado disputable parecería no ser competitivo. Pero un mercado disputable en realidad se comporta como si fuera perfectamente competitivo. Se puede ver por qué esto es así, si piensa en un juego denominado juego de "disuasión a la entrada".

### Juego de disuasión a la entrada

En el juego de disuasión a la entrada que se estudiará, hay dos jugadores. Uno de los jugadores es Aerolíneas Rápidas, la única empresa que opera una ruta en particular. El otro jugador es Aerolíneas del Oeste, una empresa que puede entrar al mercado y que obtiene un beneficio normal en su negocio actual. Las estrategias para Aerolíneas Rápidas son establecer su precio al nivel de un monopolio maximizador de beneficios, o a un nivel competitivo (beneficio económico nulo). Las estrategias para Aerolíneas del Oeste son entrar y establecer un precio justo por debajo del de Aerolíneas Rápidas, o no entrar.

La tabla 14.4 muestra las recompensas para las dos empresas. Si Aerolíneas del Oeste no entra al mercado, Aerolíneas Rápidas puede obtener un beneficio normal al establecer un precio competitivo, o puede obtener un beneficio máximo (un beneficio económico positivo) al establecer el precio de monopolio. Si Aerolíneas del Oeste entra al mercado con un precio inferior al de Aerolíneas Rápidas, ésta incurre en una pérdida económica independientemente de si fija su precio al nivel competitivo o al de monopolio. La razón es que Aerolíneas del Oeste se queda con todo el mercado debido a que su precio es inferior, en tanto que Aerolíneas Rápidas incurre en costos, pero sus ingresos son nulos. Si Aerolíneas Rápidas establece un precio competitivo, Aerolíneas del Oeste obtiene un beneficio normal si no entra, o incurre en una pérdida económica si entra y fija un precio inferior al de Aerolíneas Rápidas. Esto último se debe a que el precio sería inferior al costo promedio. Si Aerolíneas Rápidas establece el precio de monopolio, Aerolíneas del Oeste obtiene un beneficio económico positivo si entra, o un beneficio normal si no lo hace.

El equilibrio de Nash para este juego es un precio competitivo al cual Aerolíneas Rápidas obtiene un beneficio normal y Aerolíneas del Oeste no entra. Si Aerolíneas Rápidas establece el precio de monopolio, Aerolíneas del Oeste

**TABLA 14.4**

Aerolíneas Rápidas contra Aerolíneas del Oeste: un juego de disuasión a la entrada

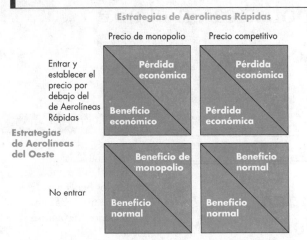

Aerolíneas Rápidas es la única empresa en un mercado disputable. Si Aerolíneas Rápidas establece el precio de monopolio, Aerolíneas del Oeste obtiene un beneficio económico al entrar y fijar precios por debajo de los de Aerolíneas Rápidas, o un beneficio normal si no entra. Por tanto, si Aerolíneas Rápidas establece el precio al nivel de monopolio, Aerolíneas del Oeste entrará. Si Aerolíneas Rápidas establece el precio competitivo, Aerolíneas del Oeste obtiene un beneficio normal si no entra, o incurre en una pérdida económica si entra. Por tanto, si Aerolíneas Rápidas establece el precio al nivel competitivo, Aerolíneas del Oeste no entrará. Si Aerolíneas del Oeste entra a la industria, Aerolíneas Rápidas incurre en una pérdida económica independientemente del precio que establezca. El equilibrio de Nash de este juego es que Aerolíneas Rápidas fije el precio competitivo y que Aerolíneas del Oeste no entre. Así, ambas empresas obtienen un beneficio normal.

entraría y, al fijar un precio inferior al de Aerolíneas Rápidas, se quedaría con todo el negocio. En esta situación, Aerolíneas Rápidas incurriría en una pérdida económica igual al costo total. Aerolíneas Rápidas evita este resultado al mantener el precio competitivo y al disuadir a Aerolíneas del Oeste de entrar al mercado.

**Fijación de precios límite** La **fijación de precios límite** es la práctica de cobrar un precio por debajo del precio de monopolio que maximiza los beneficios y producir una cantidad mayor que aquella a la que el ingreso marginal es igual al costo marginal, con el objeto de disuadir la entrada de nuevas empresas a una industria. El juego que se acaba de estudiar es un ejemplo de fijación de precios límite, pero la práctica es más general. Por ejemplo, una empresa puede

usar la fijación de precios límite para tratar de convencer a las posibles empresas que desean entrar de que sus costos son tan bajos que quienes entren a la industria sufrirán pérdidas económicas. Para ver cómo opera esto, regresemos con Aerolíneas Rápidas y Aerolíneas del Oeste.

Aerolíneas del Oeste conoce el precio actual del mercado, pero no conoce ni los costos ni los beneficios de Aerolíneas Rápidas. Sin embargo, puede inferir esos costos. Suponga que Aerolíneas del Oeste cree que el ingreso marginal es de 50% del precio. Si el precio es $100, entonces Aerolíneas del Oeste estima que el ingreso marginal es $50. Aerolíneas del Oeste podría suponer que Aerolíneas Rápidas está maximizando el beneficio al establecer el ingreso marginal igual al costo marginal. Si parte de esta suposición, Aerolíneas del Oeste estima que el costo marginal de Aerolíneas Rápidas es $50. Si el costo marginal de Aerolíneas del Oeste es mayor que $50, no puede competir con Aerolíneas Rápidas, así que desechará la idea de entrar a esta industria. Pero si su costo marginal es inferior a $50, podría entrar a la industria y también hacer que Aerolíneas Rápidas la abandone.

Al reconocer que Aerolíneas del Oeste razona en esta forma, Aerolíneas Rápidas quizá decida utilizar la fijación de precios límite para enviar una señal falsa, pero posiblemente creíble, a Aerolíneas del Oeste. Aerolíneas Rápidas podría rebajar su precio a $80 (por ejemplo), para hacer creer a Aerolíneas del Oeste que su costo marginal es de sólo $40 (50% de $80). Cuanto más bajo piense Aerolíneas del Oeste que es el costo marginal de Aerolíneas Rápidas, menos probable será que entre al mercado. El uso estratégico de la fijación de precios límite hace posible, en algunas situaciones, que una empresa (o grupo de empresas) mantenga un monopolio o oligopolio, de colusión, y que limite la entrada de nuevas empresas a una industria.

◆ Las dos estructuras de mercado que se han estudiado en este capítulo, competencia monopolística y oligopolio, son las más comunes en los mercados del mundo real. En la sección *Lectura entre líneas* de las páginas 304-305 se muestra la competencia monopolística en acción y la capacidad excesiva que crea en el caso de las aerolíneas.

Un elemento clave en el estudio de los mercados de bienes y servicios es el comportamiento de los costos de las empresas. Los costos quedan determinados por la tecnología y por los precios de los recursos o factores productivos. Hasta ahora hemos considerado fijos los precios de los recursos. En los capítulos siguientes se verá cómo se determinan los precios de los recursos; éstos interactúan en dos formas con el mercado de bienes que se acaba de estudiar. Primera, determinan los costos de producción de las empresas. Segunda, determinan los ingresos de las familias y, por consiguiente, influyen sobre la demanda de bienes y servicios. Los precios de los recursos también afectan la distribución del ingreso. En los próximos tres capítulos se estudiará cada una de estas interacciones.

# Competencia monopolística en el aire

THE DALLAS MORNING NEWS    2 de enero, 1999

## Crecimiento de la capacidad de los viajeros por avión

POR TERRY MAXON/
THE DALLAS MORNING NEWS

La prosperidad de fines de la década de 1990 quizá haya empañado la memoria a corto plazo de algunos ejecutivos de aerolíneas.

Pronto saldrán de las líneas de ensamble cientos de aviones pedidos durante los recientes años de bonanza, y añadirán miles de posibles asientos a los programas de las aerolíneas. Al mismo tiempo, según algunos analistas, la demanda de los pasajeros probablemente no crecerá con tanta rapidez.

Las aerolíneas se verán obligadas a volar con más asientos vacíos o a rebajar tarifas. De cualquier forma, los beneficios de las aerolíneas disminuirán, pero los viajeros ganarán.

Sam Buttrick, analista de aerolíneas de Paine Webber Inc., dijo: "Esto es algo que hemos estado viendo venir desde hace años, literalmente. Con este exceso de capacidad desbordándose... será necesario poner un freno" a los beneficios.

O como dijo en broma la semana anterior Donald J. Carty, presidente de American Airlines: "Es la capacidad, estúpido"...

Pero lo que es malo para los beneficios de las aerolíneas puede ser bueno para los consumidores.

A principios de la década de 1990, las aerolíneas ofrecieron frecuentes tarifas especiales con grandes rebajas para atraer a pasajeros a los aviones. Según los analistas, esto podría volver a ocurrir.

**Esencia del artículo**

■ Hace algunos años, cuando los beneficios eran altos, las aerolíneas encargaron cientos de aviones nuevos.

■ Muchos de estos aviones han sido entregados recientemente, o se entregarán en los próximos años.

■ Se predice que la demanda de viajes en avión aumentará menos que el aumento en la capacidad de las aerolíneas.

■ Las aerolíneas tendrán una mayor capacidad excesiva, o rebajarán las tarifas.

■ Los beneficios que perciben las aerolíneas bajarán.

■ Los consumidores obtendrán precios más bajos y más asientos vacíos.

■ El mercado de viajes por avión es un ejemplo de competencia monopolística.

■ La figura 1 muestra la situación a la que se enfrenta una aerolínea antes de la entrega de nuevos aviones que se describe en el artículo. La curva del costo promedio es $CP_0$, la curva del costo marginal es $CM_0$, la curva de demanda es $D$ y la curva del ingreso marginal es $IM$.

■ Para maximizar el beneficio, la aerolínea opera en donde se cruzan las curvas del ingreso marginal y del costo marginal. La empresa vende 10 millones de kilómetros de viajes al año, a un precio de $0.20 por kilómetro.

■ La aerolínea obtiene un beneficio económico que se muestra mediante el rectángulo azul.

■ La capacidad de producción ocurre donde $CP_0$ alcanza su punto mínimo. Por tanto, la aerolínea opera con capacidad excesiva.

■ A pesar de tener algo de exceso de capacidad, al enfrentarse a un beneficio económico y prever mayores incrementos en la demanda, la aerolínea encargó nuevos aviones que serían entregados en el futuro.

■ Pero cuando se entregaron los nuevos aviones, la demanda no había aumentado como se había previsto.

■ La figura 2 muestra el efecto de un mayor número de aviones, con el supuesto de que la demanda no ha cambiado.

■ Los nuevos aviones aumentan la capacidad de la aerolínea y dan lugar a nuevas curvas de costos promedio y marginal. Estas nuevas curvas son $CP_1$ y $CM_1$, respectivamente, en la figura 2.

■ Al mayor nivel de producción que preveía la aerolínea cuando encargó los nuevos aviones, el costo promedio es inferior en $CP_1$ de lo que es en $CP_0$ (hay una explicación de las curvas de costos para diferentes tamaños de plantas en las págs. 228-229).

■ Pero a los bajos niveles de producción a los que tiene que operar la aerolínea, el costo promedio es más alto en $CP_1$ que en $CP_0$.

■ Para maximizar el beneficio (en donde se cruzan las curvas de ingreso marginal y costo marginal), la aerolínea aumenta la producción a 12 millones de kilómetros al año y rebaja el precio a $0.18 por kilómetro.

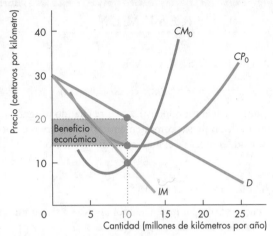

**Figura 1   Antes de la expansión**

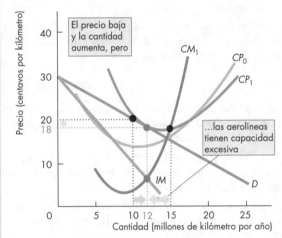

**Figura 2   Después de la expansión**

■ En este ejemplo, la aerolínea obtiene ahora un beneficio económico nulo.

■ La capacidad de producción se da en el punto en en el que $CP_1$ es mínimo, es decir, en 15 millones de kilómetros al año. Por tanto, la aerolínea opera incluso con más exceso de capacidad que antes.

■ Con el tiempo, con un aumento de la demanda, la aerolínea podría obtener de nuevo un beneficio económico positivo. Pero la entrada de nuevas empresas y la expansión de las ya existentes, puede alejar esa posibilidad.

# RESUMEN

## CONCEPTOS CLAVE

### Competencia monopolística (págs. 284-285)

■ La competencia monopolística ocurre cuando un gran número de empresas compiten entre sí en aspectos como la calidad, el precio y el marketing del producto.

### Precio y producción en la competencia monopolística (págs. 286-288)

■ Las empresas en competencia monopolística se enfrentan a curvas de demanda con pendiente descendente y producen la cantidad a la que el ingreso marginal es igual al costo marginal.

■ La entrada y salida de empresas de una industria da como resultado un beneficio económico nulo y una capacidad excesiva en el equilibrio a largo plazo.

### Desarrollo de productos y marketing (págs. 288-290)

■ Las empresas en competencia monopolística hacen innovaciones y desarrollan nuevos productos para mantener sus beneficios económicos.

■ Los gastos de publicidad aumentan el costo total, pero quizá disminuyan el costo promedio si aumentan lo suficiente la cantidad vendida.

■ Los gastos de publicidad podrían aumentar la demanda, pero también podrían disminuirla al aumentar la competencia en una industria.

■ El hecho de que la competencia monopolística sea eficiente o no, depende del valor que se le asigne a la variedad de productos.

### Oligopolio (págs. 291-292)

■ Si los rivales igualan las rebajas de precios, pero no igualan los aumentos de precios, las empresas en un oligopolio se enfrentan a una curva de demanda quebrada y sólo cambian precios si ocurren grandes cambios en los costos.

■ Si una empresa domina un mercado, puede comportarse como un monopolio. Las pequeñas empresas restantes pequeñas dan el precio por sentado y se comportan como empresas perfectamente competitivas.

### Teoría de juegos (págs. 293-294)

■ La teoría de juegos es un método para analizar el comportamiento estratégico.

■ En una situación como la del dilema de los prisioneros, dos personas que actúan en su propio interés pueden dañar a sus intereses conjuntos.

### Un juego de fijación de precios de un oligopolio (págs. 295-300)

■ Un juego de fijación de precios de un oligopolio (duopolio) es un dilema de los prisioneros.

■ En equilibrio, ambas empresas pueden coludirse, una empresa puede engañar, o ambas empresas pueden engañar.

■ En un juego que se juega una sola vez, ambas empresas engañan y la producción y el precio son los mismos que en la competencia perfecta.

■ En un juego repetido, una estrategia de castigos puede producir un equilibrio cooperativo, en el cual el precio y la producción son los mismos que en un monopolio.

### Otros juegos de oligopolio (págs. 301-303)

■ Las decisiones de una empresa sobre si entra o abandona una industria, cuánto gasta en la venta del producto, si modifica su producto, o si realiza investigación y desarrollo, son temas que se pueden estudiar mediante la teoría de juegos.

## FIGURAS Y TABLAS CLAVE

## TÉRMINOS CLAVE

# PROBLEMAS

*1. En la figura se muestra la situación a la que se enfrenta la empresa Veloz, un fabricante de zapatos para correr.

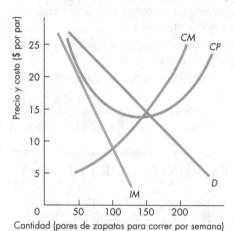

Cantidad (pares de zapatos para correr por semana)

  a. ¿Qué cantidad produce Veloz?

  b. ¿Qué precio cobra?

  c. ¿A cuánto ascienden los beneficios de la empresa?

2. En la figura se muestra la situación a la que se enfrenta Bien Cocido, un productor de aceite para cocinar.

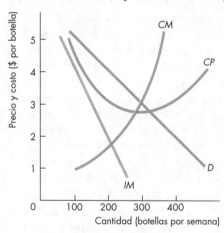

Cantidad (botellas por semana)

  a. ¿Qué cantidad produce Bien Cocido?

  b. ¿Qué precio cobra?

  c. ¿A cuánto ascienden los beneficios de la empresa?

*3. Una empresa en competencia monopolística produce zapatos para correr. Si no gasta nada en publicidad, a $100 el par no puede vender ningún par, aunque por cada rebaja de $10 en el precio, la cantidad de zapatos que puede vender aumenta en 25 pares al día. Esto implica que, a $20 el par, puede vender 200 pares diarios. El costo fijo total de la empresa es $4,000 al día. Su costo variable promedio y su costo marginal per-

manecen constantes en $20 por par. Si la empresa gasta $3,000 diarios en publicidad, puede duplicar la cantidad de zapatos vendidos a cada precio.

  a. Si la empresa no se anuncia, ¿cuál es el precio y la cantidad de pares de zapatos producidos?

  b. ¿Cuál es el beneficio o la pérdida económica de la empresa?

  c. Si la empresa se anuncia, ¿cuál es el precio y la cantidad de pares de zapatos producidos?

  d. ¿Cuál es el beneficio o la pérdida económica de la empresa?

  e. ¿Se anunciará o no la empresa? ¿Por qué?

4. Suponga que la empresa del problema 3 tiene las mismas curvas de demanda y de costos que antes, si no utiliza publicidad. Pero ahora contrata a una nueva agencia de publicidad. Si la empresa gasta $3,000 diarios en publicidad con la nueva agencia, la cantidad que están dispuestos a pagar los consumidores para cada cantidad demandada se duplica.

  a. Si la empresa contrata a la nueva agencia, ¿cuál es la cantidad de zapatos producidos y cuál es el precio por par?

  b. ¿Cuál es el beneficio o la pérdida económica de la empresa?

  c. ¿Se anunciará o no la empresa? ¿Por qué?

  d. ¿Cuál es el beneficio económico de la empresa a largo plazo?

*5. Una empresa con una curva de demanda quebrada experimenta un aumento en sus costos fijos. Explique los efectos sobre el precio, la producción y el beneficio o pérdida de la empresa.

6. Una empresa con una curva de demanda quebrada experimenta un aumento en sus costos variables. Explique los efectos sobre el precio, la producción y el beneficio o pérdida de la compañía.

*7. Una industria con una empresa muy grande y 100 empresas muy pequeñas experimenta un aumento en la demanda de su producto. Utilice el modelo de la empresa dominante para explicar los efectos sobre el precio, la producción y el beneficio económico de:

  a. La empresa grande

  b. Una empresa pequeña típica

8. Una industria con una empresa muy grande y 100 empresas muy pequeñas experimenta un aumento en el costo variable total. Utilice el modelo de la empresa dominante para explicar los efectos sobre el precio, la producción y el beneficio económico de:

  a. La empresa grande

  b. Una empresa pequeña típica

*9. Considere el juego siguiente: hay dos jugadores y a cada uno de ellos se le hace una pregunta. Los jugadores pueden contestar con sinceridad a la pregunta o pueden mentir. Si ambos contestan con sinceridad, cada uno recibe una recompensa de $100. Si uno contesta con sinceridad y el otro miente, el que miente gana a expensas del jugador sincero. En ese caso, el mentiroso recibe una recompensa de $500 y el jugador sincero no recibe nada. Si ambos mienten, entonces cada uno recibe una recompensa de $50.

   a. Describa este juego en términos de sus jugadores, estrategias y recompensas.

   b. Elabore la matriz de recompensas.

   c. ¿Cuál es el equilibrio para este juego?

10. Describa el juego conocido como el dilema de los prisioneros. Al describir el juego:

   a. Invente una historia que motive el juego.

   b. Elabore una matriz de recompensas.

   c. Describa cómo se llegó al equilibrio del juego.

*11. Jabonoso y Espumoso son los únicos productores de jabón en polvo. Se coluden y acuerdan compartir el mercado a partes iguales. Si ninguna de las empresas engaña en el convenio, cada una obtiene un beneficio económico de $1 millón. Si cualquiera de ellas engaña, la que engaña recibe un beneficio económico de $1.5 millones, en tanto que la empresa que cumple con el convenio incurre en una pérdida económica de $0.5 millones. Ninguna de las empresas puede vigilar las acciones de la otra.

   a. ¿Cuál es el beneficio económico para cada empresa si ambas engañan?

   b. Elabore la matriz de recompensas de un juego que sólo se juega en una ocasión.

   c. Describa la mejor estrategia para cada empresa en un juego que se juega una sola vez.

   d. ¿Cuál es el equilibrio si el juego se juega en una sola ocasión?

   e. Si este juego de duopolio se puede jugar en muchas ocasiones, describa algunas de las estrategias que pudieran adoptar cada empresa.

12. Más Veloz y Más Rápido son las dos únicas empresas que fabrican automóviles deportivos en una isla que no tiene contacto con el mundo exterior. Las empresas se coluden y acuerdan dividirse el mercado por partes iguales. Si ninguna de las empresas engaña en el convenio, cada empresa obtiene un beneficio económico de $3 millones. Si cualquiera de ellas engaña, la que lo hace puede aumentar su beneficio económico a $4.5 millones, en tanto que la empresa que cumple con el

convenio incurre en una pérdida económica de $1 millón. Ninguna de las empresas tiene forma de vigilar las acciones de la otra.

   a. ¿Cuál es el beneficio económico para cada empresa si ambas engañan?

   b. ¿Cuál es la matriz de recompensas de un juego que se juega tan sólo en una ocasión?

   c. Describa la mejor estrategia para cada empresa en un juego que se juega una sola vez.

   d. ¿Cuál es el equilibrio si el juego se juega en una sola ocasión?

   e. Si este juego se puede jugar en muchas ocasiones, ¿cuáles son las dos estrategias que podrían adoptarse?

# PENSAMIENTO CRÍTICO

1. Estudie la sección *Lectura entre líneas* de las páginas 304-305 y después conteste a las siguientes preguntas:

   a. ¿Por qué las aerolíneas son un ejemplo de competencia monopolística?

   b. ¿Cómo determina una aerolínea el precio por kilómetro y el número de kilómetros de viajes que debe vender?

   c. ¿Pueden obtener las aerolíneas beneficios económicos a largo plazo? ¿Por qué sí o por qué no?

   d. Además de rebajar precios, ¿que otras acciones podrían llevar a cabo las aerolíneas cuando se enfrentan a un aumento en su capacidad? (Sugerencia: piense en la publicidad y en otros esfuerzos de ventas).

   e. ¿Podrían coludirse las aerolíneas para aumentar sus beneficios? Explique las dificultades a las que se enfrentan, los beneficios que recibirían y los costos para el consumidor por ese tipo de acción.

2. ¿Por qué cree que Coca-Cola y PepsiCo gastan enormes cantidades en publicidad? ¿Se benefician? ¿Se beneficia el consumidor? Explique la respuesta.

3. Utilice los vínculos de la página de Internet de este libro para leer un artículo sobre un reciente convenio de colusión entre los países productores de petróleo.

   a. Utilice los conocimientos adquiridos en este capítulo para explicar la viabilidad de este acuerdo. Haga énfasis en los incentivos que tiene cada país para violar el convenio.

   b. Explique el comportamiento reciente de los precios del petróleo con base en este tipo de acuerdos.

# Comprensión de las empresas y los mercados

Nuestra economía está cambiando continuamente. Cada año aparecen nuevos bienes y desaparecen otros. Nacen nuevas empresas y mueren otras. Este proceso de cambio lo inician y administran las empresas que operan en los mercados. Cuando se inventa un nuevo producto, inicialmente lo venden sólo una o dos empresas. Por ejemplo, cuando se pudo disponer por primera vez de la

## Administración de los cambios

computadora personal, la opción era una Apple o una IBM. La computadora personal de IBM (IBM-PC) tenía tan sólo un sistema de operación, el DOS, fabricado por Microsoft. Una empresa, Intel, hacía el circuito integrado que operaba la IBM-PC. Éstos son ejemplos de industrias en las que el productor tiene poder de mercado para determinar el precio del producto y la cantidad producida. El caso extremo de un productor único que no puede ser retado por nuevos competidores es el *monopolio*, que se explicó en el capítulo 13. ◆ Pero no todas las industrias con un solo productor son monopolios. En muchos casos, la empresa que es la primera en producir un nuevo bien se enfrenta a una dura competencia de nuevos rivales. Una empresa que se enfrenta a una posible competencia se conoce con el nombre de *mercado disputable*. Si aumenta la demanda y se crea espacio para más de una empresa, la industria se vuelve cada vez más competitiva. Incluso con tan sólo dos rivales, la industria cambia su rostro en una forma drástica. El *duopolio*, el caso en donde sólo hay dos productores, ilustra esta situación. Las dos empresas tienen que prestar atención a la producción y los precios de la otra y tienen que predecir los efectos de sus propias acciones sobre las acciones de la otra, empresa. A esta situación se le denomina *interdependencia estratégica*.

A medida que crece el número de rivales, la industria se convierte en un *oligopolio*, un mercado en el cual un pequeño número de empresas crean estrategias y prestan atención a las estrategias de sus competidores. ◆ Con la continua llegada de nuevas empresas a una industria, el mercado se hace competitivo con el tiempo. La competencia quizá sea limitada debido a que cada empresa produce su versión o marca especial de un bien. A este caso se le denomina *competencia monopolística* porque tiene elementos tanto del monopolio como de la competencia. En el capítulo 14 se examinó el comportamiento de empresas en mercados que se encuentran en una situación intermedia entre el monopolio y la competencia perfecta. ◆ Cuando la competencia es extrema, el caso que llamamos *competencia perfecta*, el mercado cambia de nuevo en una forma drástica. Ahora la empresa está en imposibilidad de influir sobre el precio. En el capítulo 12 se explicó este caso. ◆ Con frecuencia, una industria que es competitiva, se hace menos competitiva debido a que las empresas mayores y más exitosas comienzan a absorber a las empresas más pequeñas, y las obligan a salir del mercado o adquieren sus activos. Mediante este proceso, una industria podría regresar al oligopolio o incluso al monopolio. En la actualidad se puede observar un movimiento como éste en las industrias automotriz y bancaria. ◆ Al estudiar las empresas y los mercados, se obtiene una comprensión más profunda de las fuerzas que asignan los recursos escasos, y se comienza a ver la anatomía de la mano invisible. ◆ Muchos economistas han mejorado nuestra comprensión de estas fuerzas y ahora conoceremos a dos de ellos, John von Neumann, el pionero de la teoría de juegos, y Avinash Dixit, uno de los principales estudiosos del comportamiento estratégico en la actualidad.

### El economista

**John von Neumann** *fue una de las grandes mentes del siglo XX. Nacido en Budapest, Hungría, en 1903, Johnny, como se le conocía, mostró una temprana brillantez matemática. Su primera publicación matemática fue un artículo motivado por una lección de su tutor, ¡que escribió a la edad de 18 años! Pero fue a la edad de 25 años, en 1928, cuando von Neumann publicó el artículo que inició un diluvio de investigación sobre la teoría de juegos, un diluvio que aún no ha disminuido en la actualidad. En ese artículo mostró que en un juego de suma cero, en el que lo que uno gana lo pierde el otro (como ocurre, por ejemplo, al compartir un pastel), existe una mejor estrategia para cada jugador.*

*Von Neumann inventó la computadora, construyó la primera computadora moderna práctica y trabajó en el "Proyecto Manhattan", el cual desarrolló la bomba atómica en Los Álamos, Nuevo México, durante la Segunda Guerra Mundial.*

*Von Neumann creía que las ciencias sociales sólo progresarían si se utilizaban herramientas matemáticas. Pero creía que se necesitaban herramientas diferentes a las desarrolladas por las ciencias físicas.*

> "La vida real consiste en simulación, pequeñas tácticas de engaño, en preguntarse a uno mismo qué va a pensar la otra persona de lo que yo pienso hacer."
>
> JOHN VON NEUMANN, *en conversación con Jacob Bronowski (en un taxi en Londres, publicado en* The Ascent of Man *(El ascenso del hombre)*

### Los temas

No es de sorprender que las empresas con poder de mercado cobren precios más altos que las empresas competitivas. Pero, ¿cuánto más alto?

Esta pregunta ha desconcertado a generaciones de economistas. Adam Smith dijo: "El precio de un monopolio es en todo momento el más alto que se puede obtener." Pero estaba equivocado, Antoine-Augustin Cournot (véase pág. 146) fue el primero en determinar el precio que cobraría un monopolio. No es "el más alto que se puede obtener", sino el precio que maximiza los beneficios. El trabajo de Cournot no fue apreciado sino hasta casi un siglo después, cuando Joan Robinson explicó la forma en la que un monopolio establece su precio.

Los cuestionamientos sobre el monopolio se volvieron apremiantes durante la década de 1870, cuando el rápido cambio tecnológico y la disminución en los costos de transporte permitieron que surgieran enormes monopolios en Estados Unidos. Los monopolios dominaron el petróleo, el acero, los ferrocarriles, el tabaco e incluso el azúcar. Los imperios industriales crecieron sin parar.

El éxito de los monopolios en el siglo XIX condujo a la creación de leyes antimonopolio (leyes que limitan el uso de poder de monopolio) en Estados Unidos. Estas leyes han sido utilizadas para evitar que se establezcan monopolios y para dividir a los ya existentes. Las leyes antimonopolio fueron usadas durante la década de 1960 para terminar una conspiración entre las empresas General Electric, Westinghouse y otras, cuando éstas se coludieron para fijar sus precios en lugar de competir entre sí. Las leyes se usaron durante la década de 1980 para llevar mayor competencia a las telecomunicaciones de larga distancia. Pero a pesar de las leyes antimonopolio, siguen existiendo situaciones muy parecidas a las del monopolio. Entre las situaciones más destacadas en la actualidad, se encuentran los circuitos integrados (*microchips*) y los sistemas operativos para computadoras. Al igual que sus antecesores, los (casi) monopolios actuales obtienen utilidades enormes. Pero a diferencia de la situación en el siglo XIX, el cambio tecnológico que está teniendo lugar en la actualidad fortalece las fuerzas de la competencia. Las tecnologías de la información actuales están creando sustitutos para servicios que antes no existían. La TV directa por satélite compite con la TV por cable, y nuevas compañías telefónicas compiten con los monopolios telefónicos tradicionales.

A pesar de las leyes que regulan los monopolios, éstos siguen existiendo. Uno es el monopolio de la televisión por cable. En muchas ciudades, una empresa decide cuáles canales recibirán los televidentes y el precio que pagarán por ellos. Durante la década de 1980, con la llegada de la tecnología de satélites y productores especializados de programas por cable como CNN y HBO, las compañías de cable ampliaron su repertorio. Al mismo tiempo aumentaron continuamente los precios y sus negocios se hicieron muy rentables. Pero las mismas tecnologías que hicieron rentable la televisión por cable ahora están retando su poder de mercado. Los servicios de TV directos por satélite están erosionando el monopolio del cable y están proporcionando una mayor competencia en este mercado.

## Entonces

La avaricia implacable y la explotación tanto de los trabajadores como de los clientes son las imágenes tradicionales de los monopolios y de los efectos de su poder. Estas imágenes parecen ser una descripción exacta de lo que ocurría en la década de 1880, cuando los monopolios se encontraban en la cima del poder y la influencia. Un monopolista, el viejo John D. Rockefeller, construyó una gigantesca compañía, la Standard Oil Company, que para 1879 refinaba el 90% del petróleo de Estados Unidos y controlaba la totalidad de su capacidad de oleoductos.

En la actualidad, muchos economistas que trabajan en microeconomía usan las ideas que presentó por primera vez John von Neumann. La teoría de juegos es la herramienta preferida. Un economista que ha hecho buen uso de esta herramienta (y de otras muchas) es Avinash Dixit, de la Universidad de Princeton, a quien puede conocer en las páginas siguientes.

# Conversación con

**Avinash K. Dixit** *imparte la cátedra Sherrerd de Economía en la Universidad de Princeton. Nacido en 1944 en Bombay, India, Dixit fue estudiante de licenciatura en la Universidad de Cambridge, Inglaterra, y estudiante de posgrado en el Instituto Tecnológico de Massachusetts (MIT). El profesor Dixit ha trabajado en una amplia gama de problemas económicos, pero su trabajo más conocido es su libro publicado en 1991 (con Barry J. Nalebuff),* Thinking Strategically (Pensando estratégicamente) *que se convirtió en un gran éxito de ventas a escala internacional. En este libro se explica cómo usar la teoría de juegos en los negocios, la política e incluso en situaciones sociales y familiares. El profesor Dixit también ha explicado cómo una empresa establece y*

**Avinash Dixit**

*mantiene una posición dominante en el mercado, y ha revolucionado la forma en que pensamos sobre las decisiones irreversibles (decisiones que no pueden ser revocadas, o que sólo pueden revocarse a un gran costo). Michael Parkin habló con el profesor Dixit sobre estos temas.*

### Profesor Dixit, ¿qué es la teoría de juegos y cómo la usan los economistas?

La teoría de juegos es una estructura para pensar acerca de las decisiones en una situación en la que su mejor elección depende de lo que alguien más elija y viceversa. A esa interdependencia se le conoce como interacción estratégica. Por ejemplo, un jugador de ajedrez que hace un movimiento de apertura con las piezas blancas, tiene que calcular cómo responderá su oponente con las piezas negras, sabiendo a su vez que las piezas negras están tomando en cuenta cómo responderán las blancas al siguiente movimiento, y así sucesivamente. El resultado para cada jugador depende de las acciones del otro y cada jugador toma sus propias decisiones sobre la base de su entendimiento de esta interdependencia.

Las interacciones estratégicas ocurren por una de dos razones: la primera, se produce en pequeños grupos de personas, empresas o naciones, en los que las elecciones de cada uno tiene una repercusión importante sobre los demás. El ejemplo clásico en economía es una industria con un pequeño número de empresas, como la industria automotriz. Antes de la década de 1970, existían tres empresas automotrices importantes en Estados Unidos: General Motors, Ford y Chrysler. Cada empresa tenía que decidir qué vehículos producir, cómo fijarles precios y a cuántas personas emplear. Mientras tomaba estas decisiones, la empresa también tenía que tomar en cuenta las posibles respuestas a estas decisiones por parte de las otras dos empresas. En las relaciones internacionales, la guerra o la paz entre los grandes poderes depende de cálculos similares por parte de los líderes de cada una de las naciones sobre los intereses y respuestas de los otros.

La segunda razón por la que ocurren interacciones estratégicas es si el mercado para un producto o servicio se extiende en el tiempo o si es de calidad incierta. Considere por ejemplo que alguien está interesado en construir una casa y necesita un contratista. Puede elegir entre muchos contratistas y el contratista puede elegir en forma similar entre numerosos clientes potenciales. Pero una vez que se hace la elección, el contratista y el cliente quedan vinculados por una relación bilateral. El constructor quizá se retrase o haga un trabajo de baja calidad, y el cliente podría demorarse con los pagos futuros. Para prevenir estos problemas, se negocia, se supervisa y se hace cumplir un contrato.

Con frecuencia jugamos juegos en los que el oponente no es otra persona sino nosotros mismos o, más exactamente, nuestro ser en el futuro. Su ser en el futuro va a ceder a tentaciones del momento y va a hacer cosas que usted sabe que serían realmente malas para su persona (comer más, ejercitarse menos, o estudiar con menos ahínco).

## ¿Puede proporcionar algunos ejemplos de la vida diaria sobre cómo la teoría de juegos ayuda a una persona a pensar estratégicamente y a tomar una mejor decisión?

Con frecuencia jugamos juegos en los que el oponente no es otra persona sino nosotros mismos o, más exactamente, nuestro ser en el futuro. Su ser en el futuro va a ceder a tentaciones del momento y va a hacer cosas que usted sabe que serían realmente malas para su persona (comer más, ejercitarse menos, o estudiar con menos ahínco). Usted puede derrotar a este "oponente" si lleva a cabo acciones en este momento que disminuyan la libertad de acción de su ser en el futuro. Por ejemplo, usted puede unirse a un grupo en el que otros miembros lo presionarán para que cumpla sus buenas resoluciones actuales en cuanto a dietas, ejercicios y estudio. En la teoría de juegos, a esas acciones se les denomina "compromisos". Encontrar buenos dispositivos de compromiso es una clase de estrategia muy importante que todos debemos poner en práctica en nuestra vida cotidiana.

Otra clase de juego muy importante es el de las interacciones en las que "nadie gana". Este tipo de interacciones es mejor evitarlas por completo o resolverlas mediante negociaciones previas. En la teoría de juegos, estas interacciones normalmente son juegos como los del "dilema de los prisioneros", en los que la búsqueda de una ventaja privada por cada persona puede conducir a daños mutuos. La carrera de armas nucleares entre Estados Unidos y la ex Unión Soviética fue el ejemplo más dramático. Cada país pensó que unos cientos más de cohetes le darían una ventaja decisiva. El resultado de esta forma de pensar fue un aumento muy costoso de armas; sin ventaja alguna para ninguno de los países.

## ¿Cómo usan el pensamiento estratégico empresas como Microsoft e Intel para dominar sus mercados?

Las empresas se vuelven dominantes o poderosas en sus mercados por muchas razones. Primero, una empresa puede ser mucho mejor que otras, puede elaborar un producto de más alta calidad y venderlo a un precio inferior. Segundo, una empresa puede llevar a cabo acciones estratégicas predatorias que aumenten y mantengan su propio dominio. Por ejemplo; instalar anticipadamente una capacidad de producción muy por encima de su producción actual. Esto actúa como una demostración creíble de su disposición a producir más y llevar a cabo una guerra de precios, con lo cual desanima a otras empresas a crecer o a entrar a la industria. Y tercero, un producto quizá tenga economías de escala tan fuertes que la forma más eficiente de satisfacer el mercado son con una sola empresa, pero aquella que surja en esta posición puede ser un asunto de accidente histórico. En la práctica, quizá estén presentes la totalidad de los tres factores: una empresa puede tener un toque inicial de buena suerte, después tal vez utilice una tecnología o administración superior para colocarse en una posición dominante y, por último, puede emplear prácticas predatorias para conservar esa posición.

En el caso de la industria de las computadoras, operaron los tres factores. Tanto los circuitos integrados para procesadores como los sistemas operativos tienen costos de diseño iniciales muy grandes, pero tienen bajos costos de producción o de duplicación de cada copia posterior. Por tanto, tenemos buenas razones para esperar que estos mercados sean dominados por una o pocas empresas. ¿Por cuáles?

En el caso de Microsoft e Intel, el hecho de que hayan sido elegidas por IBM para su primera computadora personal evidentemente las colocó en una posición favorable. En el verano de 1980, IBM necesitó un sistema operativo para su computadora personal original. La elección obvia era CP-M, un sistema desarrollado por Digital Research en California. Un equipo de IBM se desplazó para ver al director de Digital, Gary Kildall. Pero él olvidó la cita y salió de viaje en su pequeño avión. En su ausencia, su esposa no quiso firmar un convenio de no divulgación con IBM. El equipo de IBM partió y después fue a Seattle a ver a Bill Gates, ya que también querían utilizar su programa de lenguaje Basic. Al escuchar que IBM necesitaba un sistema operativo, Bill Gates compró un sistema denominado QDOS (*Quick and Dirty Operating System*, Sistema Operativo Sucio y Rápido) a otra compañía local, lo convirtió en el MS-DOS y se lo vendió a IBM como PC-DOS. El resto es historia. Éste fue un accidente histórico por excelencia.

Microsoft e Intel aprovecharon al máximo la ventaja que obtuvieron al hacer operaciones con IBM. Pero la razón por la que estas empresas obtuvieron un dominio casi total de la industria es un asunto de controversia. Quienes están a favor de Microsoft afirman que la mayor parte de las empresas y de los usuarios de computadoras personales se han beneficiado de un buen producto a un buen precio. Quienes odian a Microsoft alegan que hubo prácticas predatorias. Estas personas afirman que Microsoft ha utilizado estrategias desleales para hacer imposible la competencia de otros. Por ejemplo, Microsoft insiste en establecer contratos con los proveedores de computadoras personales que utilizan el sistema operativo DOS-Windows, mediante los cuales los proveedores tienen que pagar a Microsoft una regalía por cada unidad que embarquen independientemente de si éstas tienen o no un sistema operativo de Microsoft. Me imagino que hay algo de verdad en ambos lados.

### ¿Puede explicar su idea clave sobre las decisiones de inversión irreversibles?

Si una acción no se puede revocar, o si sólo se puede hacer a un costo alto, se tiene más cuidado al llevarla a cabo. Dos condiciones crean este escenario. La primera es la incertidumbre. Nunca se puede estar seguro por completo de lo que brindará el futuro, pero el transcurso del tiempo y la búsqueda activa proporcionan información adicional. La segunda es lo que se conoce como una ventana de oportunidad: la mayor parte de las decisiones se pueden diferir.

Esperar proporcionar una "opción" muy similar a una opción financiera (esto es, el derecho, pero no la obligación, de hacer algo en el futuro si las condiciones se consideran apropiadas en ese momento). Usted puede comprar o vender acciones en diversos momentos. Si el futuro proporciona nueva información que muestra que la acción será indeseable, entonces la espera le ha permitido evitar un error. Si la nueva información reafirma lo deseable de la acción, entonces usted puede seguir

adelante, y sólo habrá perdido el beneficio que hubiera obtenido en el período transcurrido entre el primer momento en el que pudo haber llevado a cabo la acción y el período en el que realmente la ejecuta.

Su elección de una licenciatura o de un área de especialización en un posgrado es una buena aplicación de este principio. En algún momento en el tiempo, es posible que la física nuclear le parezca ser una carrera atractiva, pero en otro momento quizá lo sean las finanzas o el derecho. Se pueden decir muchas cosas en favor de adquirir un amplio grupo de habilidades flexibles de gran aplicabilidad, mientras aprende más sobre sus propios intereses y sobre las perspectivas de posibles carreras, y así demorar una situación de especialización irreversible.

### ¿Cuáles son los grandes economistas del pasado cuyas ideas han sido más fructíferas en su trabajo?

He obtenido inspiración y conocimiento del trabajo de tantos grandes economistas que es muy difícil elegir a uno o dos. Pero si se me obliga, elegiría a Paul Samuelson y a Thomas Schelling. Los dos primeros libros que leí sobre economía fueron *Los fundamentos del análisis económico* y *Economía* de Samuelson. Paul Samuelson fue uno de mis maestros en el posgrado y casi toda mi investigación ha estado influida por los principios y las técnicas fundamentales de la optimización y el equilibrio que aprendí de él.

Los libros de Thomas Schelling, sobre todo *La estrategia del conflicto* y *Micromotivos y macrocomportamiento*, han tenido una influencia inmensa sobre mi pensamiento. Es posible aprender los aspectos formales de la teoría de juegos en artículos y libros matemáticos aburridos, pero, para apreciar la

importancia de la teoría de juegos para casi todos los aspectos de la vida cotidiana (interacciones familiares, grupos sociales, negocios y relaciones internacionales), es necesario leer a Schelling.

> La economía nos enseña los aspectos fundamentales de la toma de decisiones: ver con claridad los objetivos, reconocer las limitaciones y por consiguiente los costos de oportunidad, manejar la incertidumbre y saber cómo actualizar la información con base en las nuevas observaciones.

### En la actualidad, ¿cuál es el objeto de obtener un título en economía? ¿Cuáles son los beneficios de un título en economía?

En términos muy prácticos, un título en economía es una buena base para proseguir con estudios avanzados en derecho y administración de empresas. Pero quizá lo más importante es que la economía se encuentra entre el "amplio grupo de habilidades flexibles de gran aplicabilidad" que recomendé antes. La economía nos enseña los aspectos fundamentales de la toma de decisiones: ver con claridad los objetivos, reconocer las limitaciones y por consiguiente los costos de oportunidad, manejar la incertidumbre y saber cómo actualizar la información con base en las nuevas observaciones. Las técnicas que se utilizan en esos análisis (matemáticas, probabilidad y estadística), también son útiles para muchas otras aplicaciones. Estudiar la economía es comprar una opción que se puede ejecutar más adelante en muchos tipos de carreras y en muchos aspectos de la vida.

Capítulo 15

# Demanda y oferta en mercados de factores

Independientemente de si hoy es o no el día de su cumpleaños, lo más probable es que pase la mayor parte del día trabajando. Pero al final de la semana o del mes (o cuando se gradúe, si está dedicando todo su tiempo a la universidad), recibirá los *rendimientos* de su trabajo. Esos rendimientos varían mucho entre las personas. Pedro López, quien pasa el frío invierno limpiando ventanas en una pequeña caja suspendida de la parte superior de un rascacielos en Chicago, obtiene un rendimiento de 12 dólares por hora. La conductora de un programa de televisión matutino en Estados Unidos obtiene un feliz rendimiento de 7 millones de dólares al año. Millones de trabajadores en América Latina realizan tareas muy árduas todos los días y obtienen apenas unos cuantos dólares por jornada de trabajo. ¿Por qué no pagan bien *todos* los empleos? ◆ La mayoría de nosotros tenemos pocos problemas en gastar nuestros ingresos. Pero algunas de nosotros logramos ahorrar algo de lo que ganamos. ¿Qué determina la cantidad de ahorros que hacen las personas y los rendimientos que reciben sobre ellos? ¿Cómo influyen los rendimientos de nuestros ahorros en la asignación de éstos entre las muchas industrias y actividades que usan nuestros recursos de capital? ◆ Algunas personas reciben ingresos por proporcionar tierra, pero la cantidad que ganan varía enormemente con la ubicación y la calidad de la tierra. Por ejemplo, la renta de una hectárea de terreno agrícola en algunas partes del mundo es inferior a los 100 dólares al año, en tanto que la renta de una manzana en la zona comercial más importante de Chicago es de varios millones de dólares al año. ¿Que determina la renta que están dispuestas a pagar las personas por diferentes lotes de tierra? ¿Por qué son enormemente altas las rentas en las grandes ciudades y relativamente pequeñas en ciertas regiones agrícolas?

◆ En este capítulo se estudian los mercados de factores productivos (trabajo, capital, tierra y habilidades empresariales) y se aprende cómo se determinan los precios de dichos factores y los ingresos de las personas.

## Felices rendimientos

### Después de estudiar este capítulo, usted será capaz de:

■ Explicar cómo eligen las empresas las cantidades que emplean de trabajo, capital y recursos naturales

■ Explicar cómo eligen las personas las cantidades que ofrecen de trabajo, capital y recursos naturales

■ Explicar cómo se determinan los salarios, los intereses y los precios de los recursos naturales en mercados competitivos

■ Explicar el concepto de renta económica y distinguir entre renta económica y costo de oportunidad

# Precios de los factores e ingresos

LOS BIENES Y SERVICIOS SE PRODUCEN CON EL USO DE cuatro recursos o factores económicos: *trabajo, capital, tierra* y *habilidades empresariales*. (En el capítulo 3, pág. 29, se definen estos factores.) Los ingresos de las personas están determinados por los *precios de los factores* (la *tasa salarial* para el factor trabajo, la tasa de *interés* para el factor capital, la tasa de *arrendamiento* para el factor tierra y la tasa del *beneficio normal* para las habilidades empresariales) y por las cantidades utilizadas de los mismos. Además de los ingresos por el uso de los recursos, a los dueños de las empresas se les paga (o recae sobre ellos) un *beneficio económico* (o una *pérdida económica*). En una empresa pequeña, por lo general el propietario es el empresario. En el caso de una gran corporación, los propietarios son los accionistas, que son quienes proporcionan el capital.

## Una visión general de un mercado de factores competitivo

Vamos a aprender cómo determinan los mercados competitivos de factores los precios, las cantidades utilizadas y los ingresos de los factores productivos. La herramienta que se usa es el modelo de oferta y demanda. La cantidad demandada de factores productivos depende de su precio, y la ley de la demanda se aplica a los factores en la misma forma que se hace con los bienes y servicios. Cuanto más bajo sea el precio de un factor, si las demás cosas permanecen igual, mayor será la cantidad demandada de éste. La figura 15.1 muestra la curva de demanda para un factor mediante la curva *D*.

La cantidad ofrecida de un factor depende también de su precio. Con una posible excepción que se identificará más adelante en este capítulo, la ley de la oferta se aplica a todos los factores productivos. Cuanto más alto sea el precio de un factor, si las demás cosas permanecen igual, mayor será la cantidad ofrecida de éste. La figura 15.1 muestra la curva de oferta de un recurso mediante la curva *O*.

El precio de equilibrio del factor se determina en el punto en que se cruzan las curvas de oferta y demanda. En la figura 15.1, el precio es *PF* y la cantidad utilizada es *QF*.

El ingreso obtenido por el factor es su precio multiplicado por la cantidad utilizada. En la figura 15.1, el ingreso del recurso es igual al área del rectángulo azul. Este ingreso es el ingreso total recibido por el factor. Cada persona que ofrece ese factor recibe el precio del factor multiplicado por la cantidad ofrecida por esa persona. Los cambios en la oferta y la demanda cambian el precio y la cantidad de equilibrio y cambian el ingreso.

Un aumento en la demanda desplaza la curva de demanda hacia la derecha y aumenta el precio, la cantidad utilizada y el ingreso. Un aumento en la oferta desplaza la curva de oferta hacia la derecha y disminuye el precio. La cantidad utilizada aumenta y el ingreso del factor puede aumentar, disminuir o permanecer constante. El cambio en el ingreso, como resultado de un cambio en la oferta, depende de la elasticidad de la demanda del factor. Si la demanda es elástica, el ingreso aumenta; si la demanda es inelástica, el ingreso baja, y si la demanda tiene elasticidad unitaria, el ingreso permanece constante (véase el capítulo 5, págs. 86-87).

En el resto de este capítulo se examinan los determinantes de la oferta y la demanda de factores productivos. También se estudian los elementos que influyen sobre las elasticidades de la oferta y la demanda de factores. Estas elasticidades tienen efectos importantes sobre los precios, las cantidades utilizadas y los ingresos de los factores.

Se comienza con el mercado de trabajo. Sin embargo, la mayor parte de lo que se aprende sobre el mercado de trabajo se aplica también a los otros mercados de factores que se estudian más adelante en el capítulo.

**FIGURA 15.1**

## Demanda y oferta en un mercado de factores

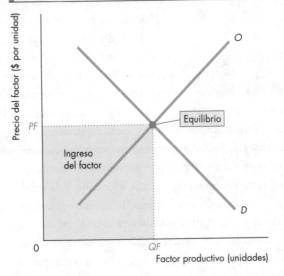

La curva de demanda para un factor productivo (*D*) tiene pendiente descendente, y la curva de oferta (*O*) tiene pendiente ascendente. Donde se cruzan las curvas de oferta y demanda, se determina el precio del factor (*PF*) y la cantidad usada del mismo (*QF*). El ingreso del factor es el producto de su precio y de la cantidad del mismo, como se representa mediante el rectángulo azul.

# Mercados de trabajo

PARA LA MAYORÍA DE NOSOTROS, EL MERCADO DE TRA-
bajo es nuestra única fuente de ingresos. En años recientes,
muchas personas han pasado por momentos difíciles en el
mercado de trabajo. Sin embargo, en muchos países, tanto
los salarios como la cantidad de trabajo han mostrado una
continua tendencia ascendente. La figura 15.2(a) muestra el
comportamiento de estas dos variables para la economía
estadounidense desde 1960. Utilizando dólares de 1992 para
eliminar los efectos de la inflación, la remuneración media
total por hora de trabajo aumentó en un 90%, al pasar de 10
dólares por hora en 1960, a más de 19 dólares en 1998. En
el mismo período, la cantidad de trabajo empleada en
Estados Unidos aumentó en un 79%, al pasar de 127,000
millones de horas en 1960, a 227,000 millones de horas en
1998.

La figura 15.2(b) muestra por qué los salarios y el empleo aumentaron en Estados Unidos durante este período.
La demanda de trabajo aumentó de $DT_{60}$ a $DT_{98}$ y este
aumento fue mucho mayor que el aumento en la oferta, el
cual pasó de $OT_{60}$ a $OT_{98}$.

Existe una gran diversidad detrás de la tasa del salario
promedio y la cantidad agregada de trabajo. Durante las
décadas de 1980 y 1990, algunos salarios crecieron con
mucha más rapidez que el promedio, y otros bajaron.

La figura 15.3 muestra un índice de las remuneraciones
medias reales (es decir, una vez eliminados los efectos de la
inflación) en once países de América Latina, para los años
1994 y 1999. La gráfica utiliza 1991 como año base, por lo
que un valor superior (inferior) a 100 indica que las
remuneraciones reales han aumentado (disminuido) con
respecto a 1991.

En ocho de los once países que se muestran en la figura
15.3, el salario real ha mostrado una tendencia ascendente
durante la década de 1990. Por su parte, México y Perú
tuvieron incrementos importantes en el salario real entre
1991 y 1994, pero dichos aumentos se revirtieron fuertemente entre 1994 y 1999. En ambos casos, el salario real de
1999 fue menor que el salario real de principios de la
década. Finalmente, el salario real en Argentina se mantuvo
relativamente estable a lo largo de la década de 1990.

Para el caso de América Latina no se muestra información sobre la evolución reciente de la cantidad de trabajo,
pero es importante mencionar que, en todos los países que
se incluyen en la figura 15.3, el número absoluto de trabajadores ha aumentado en forma considerable en la última
década. Por supuesto, esto se explica parcialmente como el
resultado del aumento en la población total de estos países.

Para comprender los cambios en el mercado de trabajo,
es necesario examinar las fuerzas que influyen sobre la
demanda y la oferta de trabajo. En este capítulo se estudian

**FIGURA 15.2**

## Tendencias del mercado de trabajo de Estados Unidos

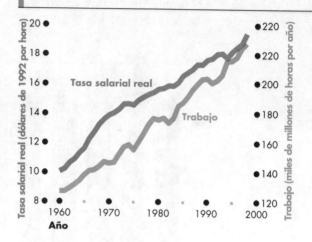

**(a) Trabajo y tasa salarial**

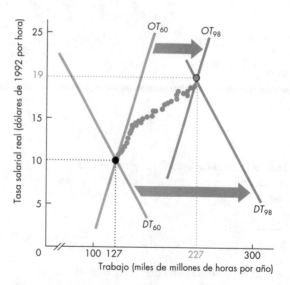

**(b) Cambios en la demanda y la oferta en el mercado de trabajo**

Entre 1960 y 1998, la tasa del salario real aumentó en 90%, y la
cantidad de trabajo empleado aumentó en 79%. La sección (a)
muestra estos aumentos. La sección (b) muestra los cambios en
la demanda y la oferta que han producido estas tendencias. La
demanda de trabajo aumentó de $DT_{60}$ a $DT_{98}$ y la oferta de
trabajo aumentó de $OT_{60}$ a $OT_{98}$. La demanda aumentó más que
la oferta, por lo que tanto la tasa salarial real como la cantidad
de trabajo empleado aumentaron.

*Fuente: Economic Report of the President, 1998 y supuestos propios.*

**FIGURA 15.3**

## Remuneraciones reales en América Latina (1991=100)

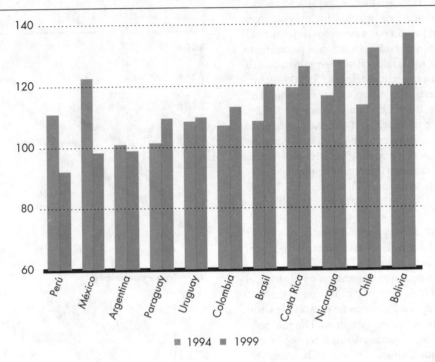

■ 1994   ■ 1999

*Fuente:* CEPAL.

estas fuerzas (y en el capítulo 16 se ven con más profundidad). Se comienza con el lado de la demanda del mercado de trabajo.

### La demanda de trabajo

La demanda de trabajo es una demanda derivada. Una **demanda derivada** es una demanda de un factor productivo, que se *deriva* de la demanda de bienes y servicios producidos por el factor. La demanda derivada de trabajo (y de los otros factores demandados por las empresas) está motivada por el objetivo de la empresa, que es la maximización de los beneficios.

En los capítulos 12, 13 y 14 se aprendió que una empresa que maximiza sus beneficios, produce la cantidad en la que el costo marginal es igual al ingreso marginal. Este principio se mantiene para todas las empresas con independencia de si operan en competencia perfecta, competencia monopólica, oligopolio o monopolio.

Una empresa que maximiza beneficios, contrata la cantidad de trabajo que puede elaborar la producción que maximiza los beneficios. ¿Cuál es esa cantidad de trabajo? ¿Y cómo cambia cuando cambia la tasa salarial? Se pueden contestar a estas preguntas comparando el ingreso *marginal* que se obtiene al contratar a un trabajador más con el costo *marginal* de ese trabajador. Observemos primero el lado del ingreso marginal de esta comparación.

### Ingreso del producto marginal

Se denomina **ingreso del producto marginal** del trabajo al cambio en el ingreso total que resulta de emplear una unidad más de trabajo. La tabla 15.1 muestra cómo calcular el ingreso del producto marginal para una empresa perfectamente competitiva.

En las primeras dos columnas de la tabla, se muestra el plan de producción total para la empresa Lavado de Automóviles Maximino. Las cifras nos señalan cómo varía el

**TABLA 15.1**

## Ingreso del producto marginal en Lavado de Automóviles Maximino

| Cantidad de trabajo (T) (trabajadores) | Producto total (PT) (lavados de automóviles por hora) | Producto marginal (PM = ΔPT/ΔT) (lavados por trabajador adicional) | Ingreso del producto marginal (IPM = IM × PM) ($ por trabajador adicional) | Ingreso total (IT = P × PT) ($) | Ingreso del producto marginal (IPM = ΔIT/ΔT) ($ por trabajador adicional) |
|---|---|---|---|---|---|
| a  0 | 0 | | | 0 | |
| | | . . . . . . . . . . . . 5 | 20 | | . . . . . . . . . . . 20 |
| b  1 | 5 | | | 20 | |
| | | . . . . . . . . . . . . 4 | 16 | | . . . . . . . . . 16 |
| c  2 | 9 | | | 36 | |
| | | . . . . . . . . . . . . 3 | 12 | | . . . . . . . . . 12 |
| d  3 | 12 | | | 48 | |
| | | . . . . . . . . . . . . 2 | 8 | | . . . . . . . . . 8 |
| e  4 | 14 | | | 56 | |
| | | . . . . . . . . . . . . 1 | 4 | | . . . . . . . . . 4 |
| f  5 | 15 | | | 60 | |

El mercado de lavado de automóviles es perfectamente competitivo y el precio es $4 por lavado. El ingreso marginal también es $4 por lavado. El ingreso del producto marginal es igual al producto marginal (columna 3) multiplicado por el ingreso marginal. Por ejemplo, el producto marginal del segundo trabajador es de cuatro lavados y el ingreso marginal es $4 por lavado. Por tanto, el ingreso del producto marginal del segundo trabajador (en la columna 4) es $16. En forma alternativa, si Maximino contrata a un trabajador (renglón b), el producto total es de cinco lavados por hora y el ingreso total es $20 (columna 5). Si contrata a dos trabajadores (renglón c), el producto total es de nueve lavados por hora y el ingreso total es $36. Al contratar al segundo trabajador, el ingreso total se eleva en $16; es decir, el ingreso del producto marginal del trabajo es $16.

número de lavados de automóviles por hora, a medida que varía la cantidad de trabajo. En la tercera columna se muestra el *producto marginal del trabajo*; es decir, el cambio en el producto total que resulta del aumento de una unidad en la cantidad de trabajo empleado. (Para un rápido repaso de estos conceptos, regrese a la página 219.)

El mercado de lavado de automóviles en el que opera Maximino es perfectamente competitivo y él puede vender todos los lavados que desee a $4 cada uno, que es el precio de mercado. Por tanto, el *ingreso marginal* de Maximino es $4 por lavado.

Con esta información ahora se puede calcular el *ingreso del producto marginal* (cuarta columna), el cual se calcula como el producto marginal multiplicado por el ingreso marginal. Por ejemplo, el producto marginal de contratar a un segundo trabajador es de cuatro lavados de automóvil por hora y, debido a que el ingreso marginal es $4 por lavado, el ingreso del producto marginal del segundo trabajador es $16 (cuatro lavados a $4 cada uno).

Las últimas dos columnas de la tabla 15.1 muestran una forma alternativa de calcular el ingreso del producto

marginal del trabajo. El ingreso total es igual al producto total multiplicado por el precio. Por ejemplo, dos trabajadores producen nueve lavados por hora para un ingreso total de total de $36 (nueve lavados a $4 cada uno). Un trabajador produce cinco lavados por hora y obtiene un ingreso total de $20 (cinco lavados a $4 cada uno). El ingreso del producto marginal, en la sexta columna, es el cambio en el ingreso total proveniente de contratar a un trabajador más. Cuando se contrata al segundo trabajador, el ingreso total aumenta de $20 a $36; es decir, un aumento de $16. Por tanto, el ingreso del producto marginal del segundo trabajador es $16, lo cual coincide con nuestro cálculo anterior.

**Ingreso del producto marginal decreciente** A medida que aumenta la cantidad de trabajo, disminuye el ingreso del producto marginal. Para una empresa en competencia perfecta, el ingreso del producto marginal disminuye porque disminuye el producto marginal. Para un monopolio (o una empresa en competencia monopolística u oligopolio), el ingreso del producto marginal disminuye por una segunda razón. Cuando se contrata más trabajo y aumenta el producto total, la empresa tiene que reducir su precio para vender el producto adicional. Por tanto, el producto marginal *y* el ingreso marginal disminuyen, y ambos ocasionan una reducción en el ingreso del producto marginal.

## La curva de demanda de trabajo

La figura 15.4 muestra cómo se deriva la curva de demanda de trabajo a partir de la *curva del ingreso del producto marginal*. Esta curva muestra en forma gráfica el ingreso del producto marginal de un factor, para cada cantidad contratada del mismo. La figura 15.4(a) muestra la curva del ingreso del producto marginal para los trabajadores empleados por Maximino. El eje horizontal mide el número de trabajadores que contrata Maximino y el eje vertical mide el ingreso del producto marginal del trabajo a medida que Maximino emplea a más trabajadores. Estas barras corresponden a los números de la tabla 15.1. La curva denominada *IPM* es la curva del ingreso del producto marginal para Maximino.

La curva del ingreso del producto marginal de una empresa es también su curva de demanda del trabajo. La figura 15.4(b) muestra la curva de demanda de trabajo de Maximino (*D*). El eje horizontal mide el número de trabajadores contratados, lo mismo que en la sección (a). El eje vertical mide la tasa de salarios en unidades monetarias por hora. En la figura 15.4(a), cuando Maximino aumenta la cantidad de trabajo empleado de dos a tres trabajadores por hora, su ingreso del producto marginal es $12 por hora. En la figura 15.4(b), a una tasa salarial $12 por hora, Maximino contrata a tres trabajadores por hora.

La curva del ingreso del producto marginal es también la curva de demanda de trabajo, porque la empresa contrata la cantidad de trabajo que maximiza los beneficios. Si la tasa salarial es inferior al ingreso del producto marginal, la empresa puede aumentar su beneficio empleando a un trabajador más. Por el contrario, si la tasa salarial es mayor que el ingreso del producto marginal, la empresa puede aumentar su beneficio empleando a un trabajador menos. Pero si la tasa salarial es igual al ingreso del producto marginal, entonces la empresa no puede aumentar su beneficio cambiando el número de trabajadores que emplea. La empresa está obteniendo el máximo beneficio posible. Por tanto, la cantidad de trabajo demandada por la empresa es tal que la tasa salarial es igual al ingreso del producto marginal del trabajo.

Debido a que la curva del ingreso del producto marginal es también la curva de demanda de trabajo, y debido a que el ingreso del producto marginal disminuye a medida que aumenta la cantidad de trabajo empleado, la curva de demanda de trabajo tiene pendiente descendente. Cuanto más baja sea la tasa salarial, si las demás cosas

**FIGURA 15.4**

## La demanda de trabajo en Lavado de Automóviles Maximino

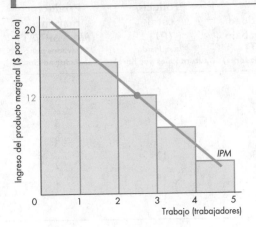

**(a) Ingreso del producto marginal**

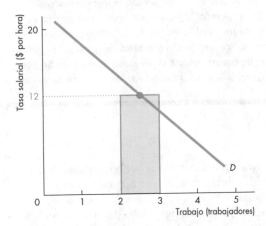

**(b) Demanda de trabajo**

Lavado de Automóviles Maximino opera en un mercado de lavado de automóviles perfectamente competitivo y puede vender cualquier cantidad de lavados a $4 por lavado. Las barras azules en la sección (a) representan el ingreso del producto marginal del trabajo de la empresa. Se basan en las cifras de la tabla 15.1. La línea de color naranja es la curva del ingreso del producto marginal del trabajo de la empresa. La sección (b) muestra la curva de demanda de trabajo de Maximino. Esta curva es idéntica a la curva del ingreso del producto marginal de Maximino. Maximino demanda la cantidad de trabajo que hace que la tasa de salarios sea igual al ingreso del producto marginal del trabajo. La curva de demanda de trabajo tiene pendiente descendente, porque el ingreso del producto marginal disminuye a medida que aumenta la cantidad de trabajo empleado.

permanecen igual, mayor será la cantidad de trabajadores que contrata una empresa.

Cuando se estudió la decisión de producción de una empresa, se descubrió que una condición para obtener el beneficio máximo es que el ingreso marginal sea igual al costo marginal. Ahora se ha descubierto otra condición para el beneficio máximo: el ingreso del producto marginal de un factor es igual al precio del factor. Estudiemos la relación entre estas dos condiciones.

## Equivalencia de dos condiciones para la maximización del beneficio

Los beneficios se maximizan cuando la cantidad de trabajo empleada es tal que el *ingreso del producto marginal* es igual a la tasa salarial, y cuando la producción es tal que el *ingreso marginal* es igual al *costo marginal*.

Estas dos condiciones para el beneficio máximo son equivalentes. La cantidad de trabajo que maximiza el beneficio, da como resultado la producción que maximiza el beneficio.

Con el fin de aprender la equivalencia de las dos condiciones para el beneficio máximo, recuerde primero que:

Ingreso del producto marginal = ingreso marginal × producto marginal

Si denominamos al ingreso del producto marginal como *IPM*, al ingreso marginal como *IM* y al producto marginal como *PM*,

$$IPM = IM \times PM$$

Si denominamos a la tasa salarial como *W*, la primera condición para la maximización de beneficios es:

$$IPM = W$$

Pero *IPM* = *IM* × *PM*, por tanto,

$$IM \times PM = W$$

Esta ecuación nos dice que cuando se maximizan los beneficios, el ingreso marginal multiplicado por el producto marginal es igual a la tasa salarial.

Divida la última ecuación entre el producto marginal, *PM*, para obtener:

$$IM = W \div PM$$

Esta ecuación indica que cuando se maximizan los beneficios, el ingreso marginal es igual a la tasa salarial dividida entre el producto marginal del trabajo.

La tasa salarial dividida entre el producto marginal del trabajo es igual al costo marginal. A la empresa le cuesta *W* contratar una hora más de trabajo. Pero el trabajo da como resultado *PM* unidades de producción. Por tanto, el costo de producir una de esas unidades de producción, que es el costo marginal, es *W* dividido entre *PM*.

Si al costo marginal lo denominamos *CM*, entonces:

$$IM = CM$$

que es la segunda condición para la maximización de beneficios.

Debido a que la primera condición para el beneficio máximo implica a la segunda, ambas son equivalentes.

En la tabla 15.2 se resumen el razonamiento y los cálculos que muestran la equivalencia entre ambas condiciones para el beneficio máximo.

**Cifras de Maximino**  Verifique las cifras de la empresa Lavado de Automóviles Maximino y confirme que se cumplan las condiciones que acaba de examinar. La decisión de Maximino para obtener el beneficio máximo consiste en contratar a tres trabajadores si la tasa salarial es $12 por hora. Cuando Maximino contrata tres horas de trabajo, el producto marginal es de tres lavados por hora. Maximino vende los tres lavados por hora con un ingreso marginal de $4 por lavado. Por tanto, el ingreso del producto marginal es de tres lavados multiplicado por $4 cada uno, lo que equivale a $12 por hora. A una tasa salarial de $12 por hora, Maximino maximiza sus beneficios.

En forma equivalente, el costo marginal de Maximino es $12 por hora dividido entre tres lavados por hora, lo que es igual a $4 por lavado. Con un ingreso marginal de $4 por lavado, Maximino maximiza sus beneficios.

Usted ha descubierto que la ley de la demanda se aplica al trabajo en la misma forma en que lo hace para los bienes y servicios. Si las demás cosas permanecen igual, cuanto más baja sea la tasa salarial (el precio del trabajo), mayor será la cantidad de trabajo demandada.

Ahora se estudiarán los factores que influyen en la demanda de trabajo y que desplazan la curva correspondiente.

## Cambios en la demanda de trabajo

La demanda de trabajo depende de tres factores:

1. El precio de la producción de la empresa
2. Los precios de otros recursos productivos
3. La tecnología

Cuanto más alto sea el precio de la producción de la empresa, mayor será su demanda de trabajo. El precio de la producción afecta la demanda de trabajo a través de su efecto sobre el ingreso del producto marginal. Un precio más

**TABLA 15.2**

## Dos condiciones para el beneficio máximo

Símbolos

| | |
|---|---|
| **Producto marginal** | **PM** |
| **Ingreso marginal** | **IM** |
| **Costo marginal** | **CM** |
| **Ingreso del producto marginal** | **IPM** |
| **Precio del factor** | **PF** |

Dos condiciones para el beneficio máximo

1.     **IM = CM**          2.          **IPM = PF**

Equivalencia de condiciones

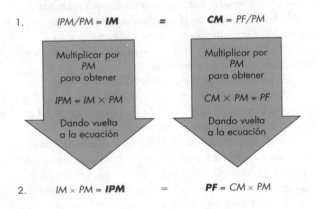

1.   $IPM/PM = IM$   =   $CM = PF/PM$

Multiplicar por PM para obtener

$IPM = IM \times PM$

Dando vuelta a la ecuación

Multiplicar por PM para obtener

$CM \times PM = PF$

Dando vuelta a la ecuación

2.   $IM \times PM = IPM$   =   $PF = CM \times PM$

Las dos condiciones para el beneficio máximo son que el ingreso marginal (*IM*) sea igual al costo marginal (*CM*); y que el ingreso del producto marginal (*IPM*) sea igual al precio del factor (*PF*). Estas dos condiciones son equivalentes porque el ingreso del producto marginal (*IPM*) es igual al ingreso marginal (*IM*) multiplicado por el producto marginal (*PM*), y el precio del factor (*PF*) es igual al costo marginal (*CM*) multiplicado por el producto marginal (*PM*).

alto para la producción de la empresa aumenta el ingreso marginal, lo que a su vez aumenta el ingreso del producto marginal del trabajo. Un cambio en el precio

de la producción de una empresa ocasiona un desplazamiento en la curva de demanda de trabajo de la empresa. Si aumenta el precio de la producción de la empresa, la demanda de trabajo aumenta y la curva de demanda de trabajo se desplaza hacia la derecha.

Los otros dos aspectos mencionados afectan la *demanda de trabajo a largo plazo*, que es la relación entre la tasa salarial y la cantidad de trabajo demandada cuando se pueden variar todos los factores. En contraste, la *demanda de trabajo a corto plazo* es la relación entre la tasa salarial y la cantidad de trabajo demandada cuando las cantidades de los otros factores son fijas y el trabajo es el único factor variable. A largo plazo, un cambio en el precio relativo de los factores productivos, como el precio relativo del trabajo y el capital, conduce a sustituir el factor cuyo precio relativo ha aumentado, por el factor cuyo precio relativo ha disminuido. Por tanto, si el precio del capital disminuye con relación al del trabajo, la empresa sustituye capital por trabajo y aumenta la cantidad de capital demandada.

Pero la demanda de trabajo podría aumentar o disminuir. Si el menor precio del capital hace que aumente lo suficiente la escala de producción, la demanda de trabajo podría aumentar. De lo contrario, la demanda de trabajo disminuiría.

Por último, una nueva tecnología que cambia el producto marginal del trabajo, cambia la demanda de trabajo. Por ejemplo, el intercambio telefónico electrónico ha disminuido la demanda de operadoras de teléfonos. Esta misma nueva tecnología ha aumentado la demanda de ingenieros en telefonía. De nuevo, estos efectos se sienten a largo plazo cuando la empresa ajusta todos sus recursos e incorpora nuevas tecnologías a su proceso de producción. En la tabla 15.3 se resumen los aspectos que influyen sobre la demanda de trabajo de una empresa.

En la figura 15.2 se vio que la demanda de trabajo en Estados Unidos ha aumentado con el transcurso del tiempo, y que la curva de demanda se ha desplazado hacia la derecha. Ahora se pueden proporcionar algunas de las razones para este aumento en la demanda. Los avances en la tecnología y la inversión en nuevo capital aumentan el producto marginal del trabajo y aumentan la demanda de trabajo.

### Demanda del mercado

Hasta ahora se ha estudiado la demanda de trabajo de una empresa individual. La demanda de trabajo del mercado es la demanda total de todas las empresas. La curva de demanda de trabajo del mercado se deriva (en forma similar a la curva de demanda del mercado para cualquier bien o servicio) sumando las cantidades demandadas por todas las empresas a cada tasa salarial. Debido a que la curva de demanda de trabajo de una empresa tiene pendiente

**TABLA 15.3**

## Demanda de trabajo de una empresa

### La ley de la demanda

**(Movimientos a lo largo de la curva de demanda de trabajo)**

La cantidad de trabajo demandada por una empresa

| Disminuye si: | Aumenta sí: |
|---|---|
| ■ Aumenta la tasa salarial | ■ Disminuye la tasa salarial |

### Cambios en la demanda

**(Desplazamientos en la curva de demanda de trabajo)**

La demanda de trabajo de una empresa

| Disminuye si: | Aumenta si: |
|---|---|
| ■ Disminuye el precio de la producción de la empresa | ■ Aumenta el precio de la producción de la empresa |
| ■ Una nueva tecnología disminuye el producto marginal del trabajo | ■ Una nueva tecnología aumenta el producto marginal del trabajo |

(Los cambios en los precios de otros recursos tienen un efecto ambiguo sobre la demanda de trabajo).

descendente, también la curva de demanda del mercado tiene pendiente negativa.

## Elasticidad de la demanda de trabajo

La elasticidad de la demanda de trabajo mide la sensibilidad de la cantidad demandada de trabajo ante cambios en la tasa salarial. Esta elasticidad es importante porque nos informa cómo cambia el ingreso laboral cuando cambia la oferta de trabajo. Un aumento en la oferta (si todas las demás cosas permanecen igual) ocasiona una tasa salarial más baja. Si la demanda es inelástica, un aumento en la oferta disminuye el ingreso del trabajo. Pero si la demanda es elástica, un aumento en la oferta da como resultado una tasa salarial más baja y aumenta el ingreso del trabajo. Y si la demanda de trabajo tiene elasticidad unitaria, un cambio en la oferta no ocasiona cambios en el ingreso del trabajo.

La demanda de trabajo es menos elástica a corto plazo, cuando sólo se puede variar el trabajo, que a largo plazo,

cuando se pueden variar el trabajo y otros recursos. La elasticidad de la demanda de trabajo depende de:

- La intensidad de uso de trabajo en el proceso de producción
- La elasticidad de la demanda del producto
- La posibilidad de sustituir capital con trabajo

**Intensidad del trabajo**   Un proceso de producción con uso intensivo de trabajo es uno que utiliza mucho trabajo y poco capital. Un ejemplo es la construcción de casas. Cuanto mayor sea el grado de intensidad del trabajo, más elástica será la demanda de trabajo. Para saber por qué, suponga primero que los salarios son el 90% del costo total. Un aumento de 10% en la tasa de salarios aumenta el costo total en un 9%. Las empresas serán sensibles a un cambio tan grande en el costo total. Por tanto, si los salarios aumentan, las empresas disminuirán la cantidad demandada de trabajo en una cantidad relativamente grande. Pero si los salarios son un 10% del costo total, un aumento de 10% en la tasa salarial aumentará el costo total en sólo 1%. Las empresas serán menos sensibles a este aumento en el costo, por lo que si en este caso los salarios aumentan, las empresas disminuirán la cantidad demandada de trabajo en una cantidad relativamente pequeña.

**La elasticidad de la demanda del producto**   Cuanto mayor sea la elasticidad de la demanda del bien, mayor será la elasticidad de la demanda de trabajo utilizado para producirlo. Un aumento en la tasa salarial incrementa el costo marginal y disminuye la oferta del bien. La disminución en la oferta del bien aumenta el precio de éste, lo cual reduce la cantidad demandada del bien y la cantidad de factores que se utilizan en su producción. Cuanto mayor sea la elasticidad de la demanda del bien, mayor será la disminución de la cantidad demandada del mismo y, por tanto, mayor será la disminución de las cantidades de los recursos productivos que se utilizan para su producción.

**La posibilidad de sustituir capital con trabajo**   Cuanto más fácil sea utilizar capital en lugar de trabajo en la producción, más elástica será la demanda de trabajo a largo plazo. Por ejemplo, es fácil utilizar robots en lugar de trabajadores en la línea de ensamble en las fábricas de automóviles. Por tanto, la demanda a largo plazo de este tipo de trabajo es más elástica. En el otro extremo, es difícil (pero posible) sustituir computadoras con reporteros en los periódicos, con analistas de crédito en los bancos o con maestros. Por tanto, la demanda a largo plazo para estos tipos de trabajos es menos elástica.

Ahora pasemos al lado de la oferta del mercado de trabajo y examinemos las decisiones que toman las personas sobre cómo asignar su tiempo entre el trabajo y otras actividades.

## La oferta de trabajo

Las personas pueden asignar su tiempo entre dos actividades generales: ofrecer trabajo y disponer de su tiempo libre. (El tiempo libre abarca varias cosas e incluye todas las actividades distintas a ofrecer trabajo.) Para la mayoría de las personas, el tiempo libre es más agradable que ofrecer trabajo. Observemos la decisión de ofrecer trabajo de Julia. Al igual que la mayoría de las personas, Julia disfruta de su tiempo libre y se sentiría contenta de no tener que dedicar sus fines de semana a trabajar como cajera en un supermercado.

Pero Julia ha decidido trabajar los fines de semana. La razón es que se le ofrece una tasa salarial que excede a su *salario de reserva*. El salario de reserva de Julia es el salario más bajo al cual está dispuesta a proporcionar trabajo. Si la tasa salarial excede a su salario de reserva, ella ofrece una cierta cantidad de trabajo. Pero, ¿cuánto trabajo ofrece? La cantidad de trabajo que ofrece Julia depende de la tasa salarial.

**Efecto sustitución**   Si todas las cosas permanecen igual, cuanto más alta sea la tasa salarial ofrecida, al menos dentro de un cierto rango, mayor será la cantidad de trabajo que Julia esté dispuesta a ofrecer. La razón es que la tasa salarial de Julia es su costo de oportunidad del tiempo libre. Si ella sale de su trabajo una hora antes para ver una película, el costo de esa hora adicional de tiempo libre es la tasa salarial a la que renuncia Julia. Cuanto más alta sea la tasa salarial, menos dispuesta estará Julia a tomar el tiempo libre adicional y renunciar al ingreso. El resultado de que una mayor tasa salarial induzca a Julia a trabajar más horas es un *efecto sustitución*.

Pero también hay un *efecto ingreso* que trabaja en la dirección opuesta al efecto sustitución.

**Efecto ingreso**   Cuanto más alta sea la tasa salarial de Julia, mayor será su ingreso. Un ingreso más alto, si todas las demás cosas permanecen igual, induce a Julia a aumentar su demanda de la mayoría de bienes. El tiempo libre es uno de esos bienes. Debido a que el aumento en el ingreso crea un incremento de la demanda de tiempo libre, también crea una disminución en la cantidad ofrecida de trabajo.

**Curva de oferta de trabajo que se dobla hacia atrás**
A medida que aumenta la tasa salarial, el efecto sustitución ocasiona un aumento en la cantidad ofrecida de trabajo, en

tanto que el efecto ingreso ocasiona una disminución en la cantidad ofrecida de trabajo. A tasas salariales bajas, el efecto sustitución es mayor que el efecto ingreso. Por ello, a medida que aumenta la tasa salarial, las personas ofrecen más trabajo. Pero conforme continúa aumentando la tasa salarial, el efecto ingreso se hace mayor que el efecto sustitución, y la cantidad de trabajo ofrecida disminuye. La curva de oferta de trabajo se *dobla hacia atrás*.

La figura 15.5(a) muestra las curvas de oferta de trabajo para Julia, Juan y Carmen. Cada curva de oferta de trabajo se dobla hacia atrás, pero las tres personas tienen diferentes tasas de salarios de reserva.

**Oferta del mercado**   La curva de oferta de trabajo del mercado es la suma de las curvas de oferta individuales. La figura 15.5(b) muestra la curva de oferta del mercado ($O_M$) derivada de las curvas de oferta de Julia, Juan y Carmen ($O_A$, $O_B$, $O_C$) en la figura 15.5(a). A tasas salariales inferiores a $1 por hora, nadie suministra trabajo. A una tasa salarial de $1 por hora, Julia trabaja, pero Juan y Carmen no. Conforme aumenta la tasa salarial y llega hasta $7 por hora, los tres trabajan. Al final, la curva de oferta de trabajo del mercado $O_M$ se dobla hacia atrás, pero tiene una sección larga con pendiente positiva.

**Cambios en la oferta de trabajo**   La oferta de trabajo cambia cuando cambian otros factores distintos a la tasa salarial. Los factores clave que cambian la oferta de trabajo y que la han incrementado con el transcurso de los años son:

- El tamaño de la población adulta
- El cambio tecnológico y la acumulación de capital en la producción de los hogares

Un aumento en la población adulta aumenta la oferta de trabajo. También, un incremento de capital en la producción de los hogares (por ejemplo, en comidas, servicios de lavandería y servicios de limpieza) aumenta la oferta de trabajo. Estos factores que han incrementado la oferta de trabajo, han desplazado la curva correspondiente hacia la derecha.

Utilicemos ahora lo que hemos aprendido sobre la oferta y la demanda de trabajo, para estudiar el equilibrio del mercado de trabajo y las tendencias en las tasas salariales y en el empleo.

## Equilibrio del mercado de trabajo

Los salarios y el empleo se determinan mediante el equilibrio en el mercado de trabajo. En las figuras 15.2 y 15.3 se vio que tanto la tasa de salarios como el empleo han

**FIGURA 15.5**

La oferta de trabajo

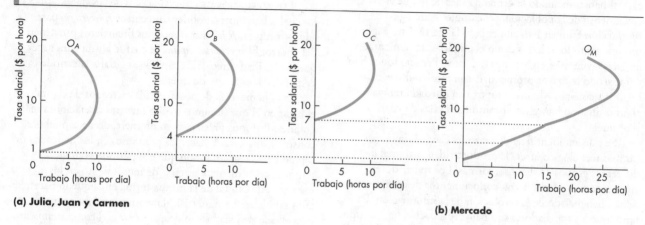

**(a) Julia, Juan y Carmen**

**(b) Mercado**

La sección (a) muestra las curvas de oferta de trabajo de Julia ($O_A$), Juan ($O_B$) y Carmen ($O_C$). Cada persona tiene un salario de reserva por debajo del cual no proporcionará trabajo. A medida que aumenta el salario, la cantidad de trabajo ofrecida aumenta hasta un máximo. Si el salario continúa aumentando, la cantidad ofrecida de trabajo comienza a disminuir. Al final, se llega a un punto en el que la curva de oferta de cada persona se dobla hacia atrás. La sección (b) muestra cómo, al sumar las cantidades de trabajo ofrecidas por cada persona a cada tasa de salarios, se deriva la curva de oferta del mercado de trabajo ($O_M$). La curva de oferta del mercado tiene una región larga con pendiente positiva antes de que empiece a doblarse hacia atrás.

aumentado recientemente en varios países. Ahora se puede explicar por qué.

**Tendencias en la demanda de trabajo**  La demanda de trabajo ha *aumentado* debido al cambio tecnológico y a la acumulación de capital. Es decir, la curva de demanda de trabajo se ha desplazado continuamente hacia la derecha.

Muchas personas están sorprendidas de que el cambio tecnológico y la acumulación de capital *aumenten* la demanda de trabajo. Ellas contemplan a las nuevas tecnologías como *destructoras de empleos*, no *creadoras* de ellos. La disminución de tamaño de las empresas se convirtió en un lema de la década de 1990, al imponerse la era de las computadoras y la información y eliminar millones de "buenos" empleos, incluyendo varios puestos de gerentes. Por tanto, ¿cómo puede ser que el cambio tecnológico *cree* empleos y aumente la demanda de trabajo?

El cambio tecnológico destruye algunos empleos y crea otros. Pero crea más de los que destruye y, *en promedio*, los nuevos empleos pagan más que los antiguos. Pero para beneficiarse de los avances en la tecnología, las personas tienen que adquirir nuevas habilidades y cambiar sus empleos. Por ejemplo, durante los últimos quince años, la demanda de mecanógrafas ha caído hasta casi cero. Pero la demanda de personas que puedan escribir (en una computadora, en lugar de hacerlo en una máquina de escribir) y hacer otras cosas también ha aumentado. Y la producción de estas personas vale más que la de una mecanógrafa. Por tanto, ha aumentado la demanda de personas con habilidades para escribir (entre otras).

**Tendencias en la oferta de trabajo**  La oferta de trabajo ha aumentado debido al crecimiento de la población, al cambio tecnológico y a la acumulación de capital en los hogares. La mecanización de la producción familiar de servicios de preparación de comidas rápidas (el congelador y el horno de microondas) y los servicios de lavandería (la lavadora y la secadora automáticas y la ropa de secado rápido) han disminuido el tiempo dedicado a las actividades que antes eran empleos de tiempo completo dentro del hogar, y han conducido a un mayor aumento de la oferta de trabajo. Como resultado, la oferta de trabajo se ha incrementado continuamente, pero a un ritmo más lento que la demanda de trabajo.

**Tendencias en el equilibrio** En Estados Unidos, y en otros países, los avances tecnológicos y la acumulación de capital han aumentado la demanda más de lo que el crecimiento de la población y el cambio tecnológico de la producción familiar han aumentado la oferta. Esto explica por qué tanto los salarios como el empleo han aumentado en estas economías en los años recientes. Pero no todos han compartido la mayor prosperidad con motivo de las tasas de salarios más altas. Algunos grupos han quedado rezagados y algunos incluso han visto disminuir sus tasas de salarios. ¿Por qué?

Se pueden identificar dos razones clave. Primera, el cambio tecnológico afecta la productividad marginal de diferentes grupos en distintas formas. Los trabajadores altamente capacitados y con conocimientos de computación se han beneficiado de la revolución de la información, en tanto que los trabajadores con baja capacitación han sufrido. La demanda de los servicios del primer grupo ha aumentado y la demanda de los servicios del segundo grupo ha disminuido. (Dibuje una figura de oferta y demanda, y verá que estos cambios amplían la diferencia de salarios entre los dos grupos.) Segunda, en países desarrollados como Estados Unidos, la competencia internacional ha disminuido el ingreso del producto marginal de los trabajadores con baja capacitación y, por tanto, ha disminuido la demanda de su trabajo. En el capítulo 16, se estudian con más detalle las diferencias en habilidades y, en el capítulo 17, las tendencias en la distribución del ingreso.

## PREGUNTAS DE REPASO

- ¿Por qué decimos que la demanda de trabajo es una *demanda derivada*? ¿De qué se deriva?

- ¿Cuál es la distinción entre el ingreso del producto marginal y el ingreso marginal? Proporcione un ejemplo que muestre la distinción.

- Cuando el ingreso del producto marginal de una empresa es igual a la tasa salarial, el ingreso marginal también es igual al costo marginal. ¿Por qué? Proporcione un ejemplo numérico diferente al que aparece en el libro.

- ¿Qué determina la cantidad de trabajo que piensan ofrecer los individuos?

- Describa y explique las tendencias en las tasas salariales y el empleo en Estados Unidos y en América Latina.

# Mercados de capital

LOS MERCADOS DE CAPITAL SON LOS CANALES MEDIANTE los cuales las empresas obtienen recursos *financieros* para adquirir capital *físico*. Estos recursos financieros provienen del ahorro. El *precio del capital*, el cual se ajusta para hacer que la cantidad ofrecida de capital sea igual a la cantidad demandada, es la tasa de interés.

Para la mayoría de nosotros, los mercados de capital son el lugar en el que llevamos a cabo nuestras operaciones más grandes. Pedimos préstamos en un mercado de capital para construir una casa. Y hacemos préstamos en los mercados de capital para crear un fondo que nos permita vivir al retirarnos. ¿Aumentan las tasas de rendimiento en los mercados de capital de la misma forma en la que lo hacen las tasas salariales? La figura 15.6(a) contesta a esta pregunta para el caso de Estados Unidos, al mostrar el comportamiento del mercado de capital a partir de 1960. Si se miden las tasas de interés en forma de tasas de interés *reales* (es decir, excluyendo el interés que sólo sirve para resarcir la pérdida de valor del dinero que ocasiona la inflación), se observa que la tasa de rendimiento ha fluctuado. En la década de 1960, la tasa de rendimiento promedió alrededor de 3% anual, se volvió negativa en la década de 1970, ascendió hasta casi 9% en 1984 y se estabilizó en alrededor de 5% en la década de 1990. Durante el mismo período, la cantidad de capital empleado aumentó en forma continua. En 1998, el capital en Estados Unidos fue de alrededor de 22 billones de dólares de 1992, lo que representa un aumento de 175% con respecto al nivel que se observó en 1960.

La figura 15.6(b) muestra por qué ocurrieron estos cambios en el mercado de capital estadounidense. La demanda aumentó desde $DK_{60}$ hasta $DK_{98}$, y este aumento fue similar al aumento en la oferta desde $OK_{60}$ hasta $OK_{98}$. Para comprender los cambios en el mercado de capital, es necesario examinar de nuevo las fuerzas de la oferta y la demanda. Muchas de las ideas que usted ya ha aprendido en su estudio de la oferta y la demanda en el mercado de trabajo, se aplican también al mercado de capital. Pero hay algunas características especiales del capital. Su principal característica especial es que en el mercado de capital las personas tienen que comparar costos *presentes* con beneficios *futuros*. Descubramos cómo se hacen estas comparaciones al estudiar la demanda de capital.

## La demanda de capital

La demanda de capital *financiero* de una empresa proviene de su demanda de capital *físico*. La cantidad que una empresa piensa tomar en préstamo en un período específico, se determina por su inversión planeada; es decir, por sus

FIGURA 15.6

## Tendencias del mercado de capital en Estados Unidos

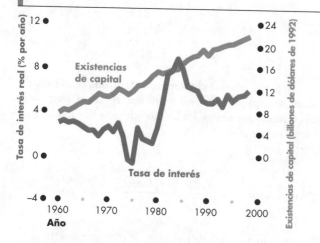

**(a) Existencias de capital y tasa de interés**

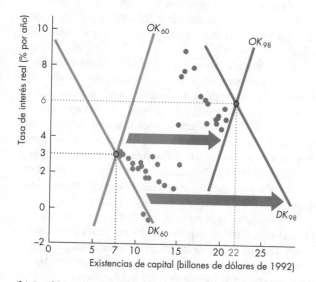

**(b) Cambios en la demanda y la oferta en el mercado de capital**

La tasa real de interés (la tasa de interés ajustada por la inflación) fluctuó entre un rendimiento negativo en 1974 y 1975 y un punto máximo de casi el 9% en 1984. Permaneció estable al 3% en la década de 1960 y al 5% en la década de 1990. Durante el mismo período, la cantidad de capital empleado aumentó en 175%. La sección (a) muestra este historial. La sección (b) muestra los cambios en la demanda y la oferta que han producido los cambios en el mercado de capital. La demanda de capital aumentó desde $DK_{60}$ hasta $DK_{98}$, y la oferta de capital aumentó desde $OK_{60}$ hasta $OK_{98}$.

compras planeadas de capital nuevo. Esta decisión está impulsada por su intento de maximizar sus beneficios. A medida que una empresa aumenta la cantidad de capital empleado, si las demás cosas permanecen igual, el ingreso del producto marginal del capital tiende a disminuir. Para maximizar el beneficio, una empresa aumenta su tamaño de planta y usa más capital si el ingreso del producto marginal del capital excede al costo del mismo. Pero el ingreso del producto marginal del capital llega en el futuro, en tanto que el capital se tiene que pagar en el presente. Por tanto, la empresa tiene que convertir a un *valor presente* los ingresos del producto marginal *futuros*, para que puedan compararse con el precio actual de una nueva pieza de equipo de capital.

Para hacer esta conversión se usa la técnica del descuento.

## Descuento y valor presente

El **descuento** es el proceso mediante el cual se convierte una cantidad futura de dinero en un valor presente. Y el **valor presente** de una cantidad de dinero futura es la cantidad que, si se invirtiera hoy, crecería para llegar a ser tan grande como esa cantidad futura cuando se tomara en cuenta el interés que ganaría.

La forma más fácil de comprender el descuento y el valor presente es comenzar con la relación entre una cantidad invertida hoy, el interés que gana y la cantidad en que se convertirá en el futuro. La cantidad futura es igual a la cantidad presente (valor presente) más el interés que se acumulará en el futuro. Es decir,

$$\text{Importe futuro} = \text{valor presente} + \text{ingreso por intereses.}$$

El ingreso por intereses es igual al valor presente multiplicado por la tasa de interés, *r*, por lo que

$$\text{Importe futuro} = \text{valor presente} + (r \times \text{valor presente})$$

o bien,

$$\text{Importe futuro} = \text{valor presente} \times (1 + r)$$

Si se tienen en la actualidad $100 y la tasa de interés es de 10% anual ($r = 0.1$), dentro de un año se tendrán $110; es decir, los $100 originales más $10 de intereses. Verifique que la fórmula anterior proporcione esa respuesta:

$$\$100 \times 1.1 = \$110.$$

La fórmula que se acaba de usar, calcula un importe futuro dentro de un año a partir del valor presente y de una tasa de interés. Para calcular el valor presente sólo es necesario trabajar hacia atrás. En lugar de multiplicar el valor actual por $(1 + r)$, se divide el importe futuro entre $(1 + r)$. Esto es,

$$\text{Valor presente} = \frac{\text{importe futuro}}{(1 + r)}$$

Se puede usar esta fórmula para calcular el valor presente. A este cálculo del valor presente se le denomina descontar. Verifiquemos que se puede usar la fórmula del valor presente calculando el valor presente de $110 dentro de un año, cuando la tasa de interés es de 10% anual. Puede adivinar que la respuesta es $100 porque acabamos de calcular que $100 invertidos hoy al 10% anual se convierten en $110 en un año. Por tanto, se desprende que el valor presente de $110 en un año es $100. Pero utilicemos la fórmula. Si se colocan las cifras en la fórmula anterior, se tiene:

$$\text{Valor presente} = \frac{\$110}{(1 + 0.1)}$$

$$= \frac{\$110}{(1.1)} = \$100$$

El cálculo del valor presente de una cantidad de dinero dentro de un año es el caso más fácil. Pero también se puede calcular el valor presente de cualquier importe dentro de un número de años en el futuro. Como ejemplo, veamos cómo se calcula el valor presente de una cantidad de dinero que estará disponible dentro de dos años.

Suponga que usted invierte hoy $100 durante dos años, a una tasa de interés de 10% anual. En el primer año el dinero ganará $10, lo que significa que para fines del primer año tendrá $110. Si se invierte el interés de $10, entonces el interés ganado en el segundo año serán otros $10 sobre los $100 originales, más $1 sobre los $10 de intereses. Por tanto, el interés total ganado en el segundo año será $11. El interés total ganado en forma global será $21 ($10 en el primer año y $11 en el segundo). Después de dos años se tendrán $121. De la definición del valor presente se deduce que el valor presente de $121 en dos años es $100. Es decir, $100 es la cantidad presente que si se invierte a una tasa de interés de 10% anual, se convertirá en $121 dentro de dos años.

Para calcular el valor presente dentro dos años, se usa la fórmula:

$$\text{Valor presente} = \frac{\text{cantidad de dinero dentro de dos años}}{(1 + r)^2}$$

Use esta fórmula para calcular el valor presente de $121 dentro de dos años, a una tasa de interés de 10% anual. Con estas cifras la fórmula proporciona:

$$\text{Valor presente} = \frac{\$121}{(1 + 0.1)^2}$$

$$= \frac{\$121}{(1.1)^2}$$

$$= \frac{\$121}{1.21}$$

$$= \$100$$

Se puede calcular el valor presente de una cantidad de dinero en cualquier número de años en el futuro, mediante una fórmula que se basa en las dos que ya se han usado. La fórmula general es:

$$\text{Valor presente} = \frac{\text{cantidad de dinero en } n \text{ años en el futuro}}{(1 + r)^n}$$

Por ejemplo, si la tasa de interés es de 10% anual, $100 a recibir dentro de diez años tienen un valor presente de $38.55. Es decir, si se invierten hoy $38.55 a una tasa de interés de 10%, se acumularán hasta llegar a $100 en diez años. (Se puede verificar ese cálculo con una calculadora de bolsillo.)

Usted ha visto cómo calcular el valor presente de una cantidad de dinero dentro de un año, dos años y $n$ años en el futuro. La mayor parte de las aplicaciones prácticas del valor presente calculan el valor presente de una serie de cantidades de dinero futuras que se extienden durante varios años. Para calcular el valor presente de una serie de importes durante varios años, se usa la fórmula que se ha aprendido y se aplica a cada año. Después se suman los valores presentes de cada año para encontrar el valor presente de la serie de importes.

Por ejemplo, suponga que una empresa espera recibir $100 al año, durante cada uno de los próximos cinco años. Y suponga que la tasa de interés es de 10% anual (0.1 por año). El valor presente ($VP$) de estos cinco pagos de $100 cada uno se calcula mediante la fórmula siguiente:

$$VP = \frac{\$100}{1.1} + \frac{\$100}{1.1^2} + \frac{\$100}{1.1^3} + \frac{\$100}{1.1^4} + \frac{\$100}{1.1^5}$$

lo que equivale a

$$VP = \$100.00 + \$90.91 + \$82.64 + \$75.13 + 68.30$$

$$= \$416.98$$

Se puede ver que la empresa recibe $500 durante cinco años. Pero debido a que el dinero se recibe en el futuro, su valor en la actualidad no es de $500. Su valor presente es de tan sólo $416.98. Y cuanto más lejos en el futuro se reciba ese dinero, menor será su valor presente. Los $100 que se recibirán dentro de un año, tienen un valor de $90.91 hoy, y los $100 a recibir dentro de cinco años sólo valen $68.30 en la actualidad.

Veamos cómo una empresa usa el concepto de valor presente para lograr un uso eficiente del capital.

**El valor presente de una computadora** Veamos cómo decide una empresa cuánto capital comprar mediante un ejemplo que calcula el valor presente de una nueva computadora.

Elena es la directora de Asesoría Fiscal, S.A., una empresa que vende asesoría a los contribuyentes. Ella está estudiando la compra de una nueva computadora que tiene un costo de $10,000. La computadora tiene una vida de dos años después de los cuales no tendrá valor alguno. Si Elena compra la computadora, pagará ahora $10,000 y espera obtener ventas que le producirán $5,900 adicionales al final de cada uno de los próximos dos años.

Para conocer el valor presente, $VP$, del ingreso del producto marginal de una nueva computadora, Elena calcula

$$VP = \frac{IPM_1}{(1 + r)} + \frac{IPM_2}{(1 + r)^2}$$

En este caso, $IPM_1$ es el ingreso del producto marginal recibido por Elena al final del primer año. Se convierte en valor presente al dividirlo entre $(1 + r)$, donde $r$ es la tasa de interés (expresada como una proporción). El término $IPM_2$ es el ingreso del producto marginal recibido al final del segundo año. Se convierte en valor presente al dividirlo entre $(1 + r)^2$.

Si Elena puede tomar préstamos, o prestar, a una tasa de interés del 4% anual, el valor presente de su ingreso del producto marginal se determina mediante

$$VP = \frac{\$5,900}{(1 + 0.04)} + \frac{\$5,900}{(1 + 0.04)^2}$$

$$VP = \$5,673 + \$5,455$$

$$VP = \$11,128$$

El valor presente ($VP$) de $5,900 dentro de un año es $5,900 dividido entre 1.04 (4% como proporción es 0.04). El valor presente de $5,900 dentro de dos años es $5,900 dividido entre $(1.04)^2$. Elena determina estos dos valores presentes y después los suma para obtener el valor presente del flujo futuro del ingreso del producto marginal de una computadora nueva, que es $11,128.

En la tabla 15.4, secciones (a) y (b), se resumen la información y los cálculos que se acaban de hacer. Revise estos cálculos y asegúrese de comprenderlos.

**Decisión de compra de Elena** Para decidir si compra o no la computadora, Elena compara el valor presente de su flujo futuro del ingreso del producto marginal, con su precio de compra. Ella realiza esta comparación al calcular el valor presente neto (*VPN*) de la computadora. El **valor presente neto** es el valor presente del flujo futuro del ingreso del producto marginal generado por el capital menos el costo del capital. Si el valor presente neto es positivo, la empresa compra capital adicional. Si es negativo, la empresa no lo compra. La tabla 15.4(c) muestra el cálculo que realiza Elena del valor presente neto de una computadora. El valor presente neto es $1,128, mayor que cero, por lo que Elena decide comprar la computadora.

---

**TABLA 15.4**

## Valor presente neto de una inversión: Asesoría Fiscal, S.A.

**(a) Información**

| | |
|---|---|
| Precio de la computadora | $10,000 |
| Vida útil de la computadora | 2 años |
| Ingreso del producto marginal | $5,900 al final de cada año |
| Tasa de interés | 4% anual |

**(b) Valor presente del flujo del ingreso del producto marginal**

$$VP = \frac{IPM_1}{(1 + r)} + \frac{IPM_2}{(1 + r)^2}$$

$$= \frac{\$5,900}{1.04} + \frac{\$5,900}{(1.04)^2}$$

$$= \$5,673 + \$5,455$$

$$= \$11,128$$

**(c) Valor presente neto de la inversión**

$VPN = VP$ del ingreso del producto marginal $-$ costo de la computadora

$$= \$11,128 - \$10,000$$

$$= \$1,128$$

Elena puede comprar cualquier cantidad de computadoras que cuesten $10,000 y que tengan una vida de dos años. Pero al igual que todos los otros factores de la producción, el capital está sujeto a rendimientos marginales decrecientes. Cuanto mayor sea la cantidad de capital empleado, menor será su ingreso del producto marginal. Por tanto, si Elena compra una segunda o una tercera computadora, obtiene ingresos del producto marginal cada vez menores por cada una de las máquinas adicionales.

En la tabla 15.5(a) se determinan los ingresos del producto marginal de Elena para una, dos y tres computadoras. El ingreso del producto marginal de una computadora (el caso que se acaba de ver) es $5,900 al año. El ingreso del producto marginal de una segunda computadora es $5,600 al año y el de una tercera computadora, $5,300 al año. La tabla 15.5(b) muestra los cálculos de los valores presentes de los ingresos del producto marginal de la primera, segunda y tercera computadoras.

Se ha visto que con una tasa de interés anual del 4%, el valor presente neto de una computadora es positivo. A una tasa de interés del 4% anual, el valor presente del ingreso del producto marginal de una segunda computadora es $10,562, lo que excede a su precio en $562. Por tanto, Elena compra una segunda computadora. Pero a una tasa de interés del 4% anual, el valor presente del ingreso del producto marginal de una tercera computadora es $9,996, que es inferior en $4 al precio de la computadora. Por tanto, Elena no compra una tercera computadora.

**Un cambio en la tasa de interés**   Se ha visto que a una tasa de interés de 4% anual, Elena compra dos computadoras, pero no tres. Suponga que la tasa de interés es de 8% anual. En este caso, el valor presente de la primera computadora es $10,521 (véase la tabla 15.5(b), por lo que Elena aún compra una computadora debido a que tiene un valor presente neto positivo. A una tasa de interés de 8% anual, el valor presente neto de la segunda computadora es $9,986 que es inferior a $10,000, el precio de la computadora. Por tanto, a una tasa de interés de 8% anual, Elena sólo compra una computadora.

Suponga que la tasa de interés es incluso más alta, digamos, 12% anual. En este caso, el valor presente del ingreso del producto marginal de una computadora es $9,971 (véase la tabla 15.5(b). A esta tasa de interés, Elena no compra ninguna computadora.

Estos cálculos determinan el plan de demanda de capital de la empresa Asesoría Fiscal. Esta demanda muestra el valor presente de las computadoras demandadas por la empresa Asesoría Fiscal, a cada tasa de interés. Si las demás cosas permanecen igual, a medida que aumenta la tasa de interés, disminuye la cantidad demandada de capital. Cuanto más alta sea la tasa de interés, menor será la cantidad demandada de capital *físico*. Pero para financiar la adquisi-

---

**TABLA 15.5**

## Decisión de inversión de Asesoría Fiscal, S.A.

### (a) Información

| | |
|---|---|
| Precio de la computadora | $10,000 |
| Vida útil de la computadora | 2 años |
| Ingreso del producto marginal: | |
| Uso de 1 computadora | $5,900 al año |
| Uso de 2 computadoras | $5,600 al año |
| Uso de 3 computadoras | $5,300 al año |

### (b) Valor presente del flujo del ingreso del producto marginal

**Si $r = 0.04$ (4% anual):**

Uso de 1 computadora:  $VP = \dfrac{\$5,900}{1.04} + \dfrac{\$5,900}{(1.04)^2} = \$11,128$

Uso de 2 computadoras:  $VP = \dfrac{\$5,600}{1.04} + \dfrac{\$5,600}{(1.04)^2} = \$10,562$

Uso de 3 computadoras:  $VP = \dfrac{\$5,300}{1.04} + \dfrac{\$5,300}{(1.04)^2} = \$9,996$

**Si $r = 0.08$ (8% anual):**

Uso de 1 computadora:  $VP = \dfrac{\$5,900}{1.08} + \dfrac{\$5,900}{(1.08)^2} = \$10,521$

Uso de 2 computadoras:  $VP = \dfrac{\$5,600}{1.08} + \dfrac{\$5,600}{(1.08)^2} = \$9,986$

**Si $r = 0.12$ (12% anual):**

Uso de 1 computadora:  $VP = \dfrac{\$5,900}{1.12} + \dfrac{\$5,900}{(1.12)^2} = \$9,971$

---

ción de capital *físico*, las empresas requieren capital *financiero*. Por tanto, cuanto más alta sea la tasa de interés, menor será la cantidad demandada de capital *financiero*.

## Curva de demanda de capital

La cantidad de capital que demanda una empresa depende del ingreso del producto marginal del capital y de la tasa de interés. La curva de demanda de una empresa muestra la relación entre la cantidad de capital demandado por la empresa y la tasa de interés, si las demás cosas permanecen igual. La curva de demanda del mercado (como la figura

15.6(b) muestra la relación entre la cantidad total de capital que se demanda y la tasa de interés, si las demás cosas permanecen igual.

**Cambios en la demanda de capital**   La figura 15.6(b) muestra que la demanda de capital en Estados Unidos ha aumentado en forma continua con el transcurso de los años. La demanda de capital cambia cuando cambian las expectativas sobre el ingreso del producto marginal del capital en el futuro. Un incremento en el ingreso del producto marginal del capital esperado aumenta la demanda de capital. Los dos factores principales que cambian el ingreso del producto marginal del capital y producen cambios en la demanda de capital son:

1. El crecimiento de la población
2. Los cambios tecnológicos

Un aumento en la población aumenta la demanda de todos los bienes y servicios y, por tanto, aumenta la demanda de capital para producirlos. Los avances en la tecnología aumentan la demanda de algunos tipos de capital y disminuyen la de otros tipos. Por ejemplo, el desarrollo de los motores diesel para el transporte por ferrocarril disminuyó la demanda de locomotoras de vapor y aumentó la demanda de locomotoras diesel. En este caso, la demanda global de la industria de los ferrocarriles no cambió mucho. El desarrollo de computadoras para escritorios aumentó la demanda de equipo de cómputo para oficinas, disminuyó la demanda de máquinas de escribir eléctricas y aumentó la demanda global de capital en la oficina.

Veamos ahora el lado de la oferta de los mercados de capital.

## La oferta de capital

La cantidad de capital ofrecido es el resultado de las decisiones de ahorro de las personas. Los principales factores que determinan el ahorro son:

- El ingreso
- El ingreso futuro estimado
- La tasa de interés

**Ingreso**   El ahorro es el acto de convertir un ingreso *actual* en un consumo *futuro*. Por lo general, cuanto más alto es el ingreso de una persona, más es lo que esa persona piensa consumir tanto en el presente como el futuro. Pero para aumentar el consumo *futuro*, la persona tiene que ahorrar. Por tanto, si las demás cosas permanecen igual, cuanto más alto es el ingreso de la persona, mayor es el monto de lo que ahorra. La relación entre el ahorro y el ingreso es notablemente estable. La mayoría de las personas ahorra una proporción constante de su ingreso.

**Ingreso futuro estimado**   Debido a que una razón importante para ahorrar es aumentar el consumo futuro, la cantidad que ahorra una persona depende no sólo de su ingreso actual, sino también de su *ingreso futuro estimado*. Si el ingreso actual de una persona es alto y el ingreso futuro estimado es bajo, tendrá un alto nivel de ahorro. Pero si el ingreso actual es bajo y el ingreso futuro estimado es alto, tendrá un nivel de ahorro bajo (quizá incluso negativo).

Los jóvenes (en particular los estudiantes) por lo general tienen ingresos actuales bajos en comparación con su ingreso futuro estimado. Para distribuir el consumo durante su vida, los jóvenes usualmente consumen más de lo que ganan e incurren en deudas. Estas personas tienen una cantidad de ahorro negativa. En su edad madura, el ingreso de la mayor parte de las personas llega a su punto más alto. En esta etapa de la vida, el ahorro se encuentra en su punto máximo. Después de la jubilación, las personas gastan parte de la riqueza que han acumulado durante su vida de trabajo.

**Tasa de interés**   Una unidad monetaria ahorrada en la actualidad se convertirá mañana en una unidad monetaria más los intereses del período. Cuanto más alta es la tasa de interés, mayor es la cantidad en que se convierte en el futuro una unidad monetaria ahorrada hoy. Por tanto, cuanto más alta es la tasa de interés, mayor es el costo de oportunidad del consumo actual. Con un costo de oportunidad del consumo actual más alto, las personas reducen su consumo y aumentan su ahorro.

## Curva de oferta de capital

La curva de oferta de capital (como la que aparece en la figura 15.6(b)) muestra la relación entre la cantidad ofrecida de capital y la tasa de interés, si las demás cosas permanecen igual. Un aumento en la tasa de interés ocasiona un aumento en la cantidad ofrecida de capital y un movimiento a lo largo de la curva de oferta. La oferta de capital es inelástica a corto plazo, pero probablemente bastante elástica a largo plazo. La razón es que, en cualquier año determinado, la cantidad total del ahorro es pequeña con relación a las existencias de capital. Por tanto, incluso un gran cambio en la cantidad del ahorro sólo ocasiona un cambio pequeño en la cantidad ofrecida de capital.

**Cambios en la oferta de capital**   Los principales factores que influyen sobre la oferta de capital son: el tamaño de la población, la distribución de edades de la población y el nivel de ingresos.

Si las demás cosas permanecen igual, un aumento en la población o un incremento en el ingreso ocasionan un aumento en la oferta de capital. También, si las demás cosas permanecen igual, cuanto mayor sea la proporción de personas de edad madura dentro de una población, más alta será la cantidad de ahorros. La razón es que las personas de edad madura generan la mayor parte del ahorro mientras crean un fondo de jubilación que les proporcione un ingreso cuando se retiren. Cualquiera de los factores que aumentan la oferta de capital, desplazan también la curva correspondiente hacia la derecha.

Ahora se usará lo que se ha aprendido sobre la oferta y la demanda de capital, y se verá cómo se determina la tasa de interés.

### La tasa de interés

Los planes de ahorro y de inversión se coordinan mediante los mercados de capital, y la tasa de interés real se ajusta para hacer compatibles estos planes.

La figura 15.7 muestra el mercado de capital. Inicialmente, la demanda de capital es $DK_0$ y la oferta es $OK_0$. La tasa de interés real de equilibrio es 6% anual y la cantidad de capital es $10 billones. Si la tasa de interés excede el 6% anual, la cantidad ofrecida de capital excede a la cantidad demandada, y la tasa de interés baja. Y si la tasa de interés es inferior al 6% anual, la cantidad demandada de capital excede a la cantidad ofrecida, y la tasa de interés se eleva.

A medida que pasa el tiempo, tanto la demanda como la oferta de capital aumentan. La curva de demanda se desplaza hacia la derecha hasta $DK_1$ y la curva de oferta también se desplaza hacia la derecha hasta $OK_1$. Ambas curvas se desplazan debido a que son las mismas fuerzas las que influyen sobre ellas. El crecimiento de la población aumenta tanto la demanda como la oferta. Los avances tecnológicos aumentan la demanda y ocasionan ingresos más altos, lo que a su vez aumenta la oferta. Debido a que tanto la demanda como la oferta aumentan con el tiempo, la cantidad de capital tiende a ascender y la tasa de interés real no tiene una tendencia definitiva.

Aunque la tasa de interés real en Estados Unidos no sigue una tendencia a aumentar o a disminuir, sí fluctúa tal y como se observa en la figura 15.6(a). La razón es que la oferta y la demanda de capital no cambian al mismo ritmo. En ocasiones, un rápido cambio tecnológico da como resultado un aumento en la demanda de capital *antes* de que ocasione mayores ingresos, que a su vez incrementen la oferta de capital. Cuando ocurre esta serie de acontecimientos, la tasa de interés real se eleva. Como se puede ver en la figura 15.6(a), la década de 1990 en Estados Unidos pareció ser de este tipo.

En otras ocasiones, la demanda de capital crece con lentitud o incluso disminuye temporalmente. En esta situación, la oferta supera a la demanda, y la tasa de interés real baja.

**FIGURA 15.7**
## Equilibrio del mercado de capital

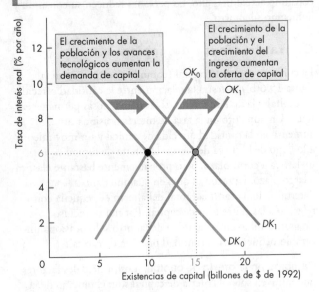

Inicialmente, la demanda de capital es $DK_0$ y la oferta de capital es $OK_0$. La tasa de interés de equilibrio es 6% anual y las existencias de capital son de $10 billones. Con el tiempo, tanto la demanda como la oferta aumentan hasta $DK_1$ y $OK_1$, respectivamente. Las existencias de capital aumentan, pero la tasa de interés real es constante. La demanda y la oferta aumentan porque reciben la influencia de factores comunes.

Las lecciones que acaba de aprender sobre los mercados de capital, se pueden usar para comprender los precios de los recursos naturales no renovables. Vea usted cómo.

# Mercados de tierra y de recursos naturales no renovables

LLAMAREMOS TIERRA A LA CANTIDAD DE RECURSOS NA-turales. A todos los recursos naturales los denominaremos *tierra* y se ubican dentro de dos categorías:

- Renovables
- No renovables

Los **recursos naturales renovables** son recursos naturales que se pueden usar repetidamente. Algunos ejemplos son la tierra (en el sentido que se le da normalmente), los ríos, los lagos y la lluvia.

Los **recursos naturales no renovables** son recursos naturales que sólo se pueden usar en una ocasión y no se pueden reemplazar una vez que ya se han utilizado. Algunos ejemplos son el carbón, el gas natural y el petróleo; es decir, los combustibles de hidrocarburos.

La demanda de un recurso natural como un insumo para la producción se basa, al igual que la demanda de traba-jo y la demanda de capital, en el principio del ingreso del producto marginal. Pero la oferta de un recurso natural es especial. Veamos primero la oferta de un recurso natural renovable.

## La oferta de tierra
### (recurso natural renovable)

La cantidad de tierra y otros recursos naturales renovables es fija. No es posible cambiar la cantidad ofrecida por decisio-nes individuales. Las personas pueden variar la cantidad de tierra que poseen, pero cuando una persona compra alguna tierra, otra persona la vende. La cantidad de tierra ofrecida de algún tipo en particular y en alguna ubicación en particu-lar es fija, con independencia de las decisiones de cualquier persona. Este hecho significa que la oferta de cada lote de tierra en particular es perfectamente inelástica. La figura 15.8 muestra este tipo de oferta. Independientemente de su precio, la cantidad de tierra suministrada en Times Square, en Nueva York, es un número fijo de metros cuadrados.

Debido a que la oferta de tierra es fija, la demanda determina el precio. Cuanto mayor sea la demanda de un lote específico de tierra, mayor será su precio.

La tierra cara puede ser usada, y se usa, en forma más intensiva que la tierra barata. Por ejemplo, los edificios de muchos pisos permiten usar la tierra en forma intensiva. Sin embargo, para usar la tierra en forma más intensiva, se tiene que combinar con otro recurso productivo: el capital. Au-

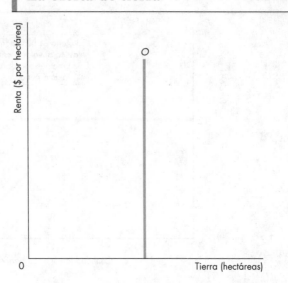

**FIGURA 15.8**

## La oferta de tierra

La oferta de un lote de tierra determinado es perfectamente inelástica. Sin importar cuál sea la renta, no se puede ofrecer más tierra que la cantidad que existe.

mentar la cantidad de capital por lote de tierra no cambia la oferta de la tierra en sí.

Aunque la oferta de cada tipo de tierra es fija y perfec-tamente inelástica, cada empresa particular que opere en mercados de tierra competitivos, se enfrenta a una oferta elástica de la tierra. Por ejemplo, la Quinta Avenida en la ciudad de Nueva York tiene una cantidad fija de tierra, pero una empresa cualquiera que quisiera expandirse podría alquilar algún espacio de Saks, la tienda de departamentos. Cualquier empresa tiene la posibilidad de alquilar la cantidad de tierra que necesite al alquiler vigente, tal como lo determina el mercado. Por tanto, siempre y cuando los mercados de tierra sean competitivos, las empresas son tomadoras de precios en este mercado, en la misma forma en que lo son en los mercados de otros recursos productivos.

## La oferta de un recurso natural no renovable

Las *existencias* de un recurso natural consisten en la cantidad con la que se cuenta en un momento determinado. Esta cantidad es fija e independiente del precio del recurso. Las existencias *conocidas* de un recurso natural consisten en la

**FIGURA 15.9**

## Un mercado de recursos naturales no renovables

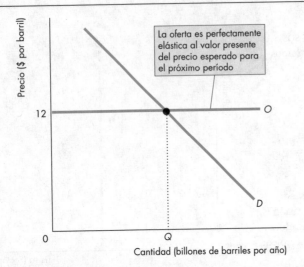

La oferta es perfectamente elástica al valor presente del precio esperado para el próximo período

La oferta de un recurso natural no renovable es perfectamente elástica al *valor presente* esperado para el próximo período. La demanda de un recurso natural no renovable se determina mediante su ingreso del producto marginal. El precio se determina por la oferta y es igual al valor presente esperado para el próximo período.

**FIGURA 15.10**

## Caída en los precios de los recursos

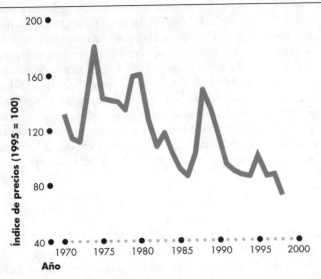

Los precios de los metales (aquí se presenta un promedio de los precios de los siguientes metales: aluminio, cobre, mineral de hierro, plomo, manganeso, níquel, plata, estaño y cinc) han tendido a disminuir con el tiempo, no a elevarse como predice el Principio de Hotelling. La razón es que los avances no previstos en la tecnología han disminuido el costo de extraer los metales y han aumentado enormemente las reservas explotables conocidas.

*Fuente: Estadísticas Financieras Internacionales,* Fondo Monetario Internacional, Washington, D.C. (varias publicaciones).

cantidad que se ha descubierto. Esta cantidad aumenta con el tiempo porque los avances en la tecnología permiten descubrir fuentes antes inaccesibles. Ambos conceptos de existencias influyen sobre el precio de un recurso natural, pero su influencia es indirecta. La influencia directa sobre el precio es la tasa a la que se suministra el recurso para su uso en la producción, lo cual se denomina *flujo* de oferta.

El flujo de oferta de un recurso natural no renovable es *perfectamente elástico* a un precio que sea igual al valor presente del precio esperado para el período siguiente.

Para saber por qué, piense en las elecciones económicas a las que se enfrenta Arabia Saudita, un país que posee grandes existencias de petróleo. Arabia Saudita puede vender mil millones de barriles de petróleo adicionales de inmediato y usar el ingreso que recibe para comprar bonos de los Estados Unidos. O puede conservar el millar de millones de barriles para venderlos al año siguiente. Si vende el petróleo y compra bonos de Estados Unidos, gana la tasa de interés sobre los bonos. Si conserva el petróleo y lo vende al año siguiente, gana el aumento en el precio o pierde la disminución en el precio entre ahora y el año próximo.

Si Arabia Saudita espera que el precio aumente en el próximo año en un porcentaje igual a la tasa de interés actual, el precio que estima para el año próximo es igual a $(1 + r)$ multiplicado por el precio de este año. Por ejemplo, si el precio de este año es $12 por barril y la tasa de interés es 5% ($r = 0.05$), entonces el precio estimado para el próximo año es $1.05 \times \$12$, lo que es igual a $12.60 por barril.

Al esperar que el precio aumente hasta $12.60 en el año próximo, a Arabia Saudita le resulta indiferente entre vender ahora en $12, o no vender y esperar hasta el año próximo y vender en $12.60. De todas formas espera obtener el mismo rendimiento. Por tanto, en esta situación, Arabia Saudita venderá cualquier cantidad que le demanden.

Pero si Arabia Saudita estima que el año próximo el precio del petróleo se elevará en un porcentaje que exceda a la tasa de interés actual, entonces obtendá un rendimiento mayor si conserva el petróleo que si lo vende ahora y compra bonos. Por tanto, conserva el petróleo y no hace venta alguna. Y si espera que el precio se eleve el año próximo en un porcentaje inferior a la tasa de interés actual, el bono le proporciona un rendimiento mayor, por lo que vende ahora todo el petróleo que pueda.

Recuerde la idea del descuento y el valor presente. El precio mínimo al que Arabia Saudita está dispuesta a vender petróleo es el valor presente del precio futuro estimado. A este precio, venderá tanto petróleo como demanden los compradores. Por tanto, su oferta es perfectamente elástica.

## El precio y el Principio de Hotelling

La figura 15.9 muestra el equilibrio en un mercado de recursos naturales no renovables. Debido a que la oferta es perfectamente elástica al valor presente del precio esperado para el período siguiente, el precio observado del recurso natural es exactamente igual a dicho monto. También, debido a que el precio actual es el valor presente del precio futuro esperado, se tiene la expectativa de que el precio del recurso se eleve a una tasa igual a la tasa de interés.

La proposición de que se espera que el precio de un recurso aumente a una tasa igual a la tasa de interés, se denomina Principio de Hotelling. El primero en comprenderlo fue Harold Hotelling, un matemático y economista de la Universidad de Columbia. Pero como se muestra en la figura 15.10, los precios *observados* de los recursos naturales no siguen la ruta de los precios *esperados* que predijo el Principio de Hotelling. ¿Por qué en ocasiones los precios de los recursos naturales bajan en lugar de seguir su ruta esperada y aumentar con el tiempo?

La razón fundamental es que el futuro es impredecible. El cambio tecnológico esperado se refleja en el precio de un recurso natural. Pero una nueva tecnología que no se esperaba y que conduzca al descubrimiento o al uso más eficiente de un recurso natural, ocasiona que caiga su precio. Con el transcurso de los años, a medida que ha avanzado la tecnología, nos hemos vuelto más eficientes en el uso de los recursos no renovables. Y no sólo nos hemos vuelto más eficientes, sino que nos hemos vuelto más eficientes de lo que esperábamos.

## PREGUNTAS DE REPASO

- ¿Por qué la oferta de un recurso natural *renovable*, como la tierra, es perfectamente inelástica?
- ¿A qué precio es perfectamente elástico el flujo de oferta de un recurso natural no renovable y por qué?
- ¿Por qué se espera que el precio de un recurso natural no renovable se eleve a una tasa igual a la tasa de interés?
- ¿Por qué los precios de los recursos no renovables no siguen la ruta que predice el Principio de Hotelling?

Las personas ofrecen recursos o factores para obtener un ingreso. Pero algunas personas obtienen ingresos enormes. ¿Son necesarias estas magnitudes de ingresos para inducir a las personas a trabajar y a ofrecer otro tipo de recursos? Contestemos ahora a esta pregunta.

# Ingreso, renta económica y costo de oportunidad

AHORA USTED YA HA VISTO CÓMO SE DETERMINAN LOS precios de los factores mediante la interacción de la oferta y la demanda. Ya ha visto que la demanda se determina mediante la productividad marginal y que la oferta se determina mediante los recursos disponibles y las elecciones que hacen las personas sobre su uso. La interacción de la oferta y la demanda determina quién recibe un gran ingreso y quién recibe uno pequeño.

## Ingresos grandes y pequeños

La presentadora de un programa de televisión matutino recibe un gran ingreso porque tiene un alto ingreso del producto marginal, lo que se refleja en la demanda de sus servicios. Además, pocas personas tienen la combinación de talentos necesarios para esta clase de trabajo, lo que se refleja en la oferta de este tipo de servicios. El equilibrio ocurre a una tasa de salarios alta y se emplea una pequeña cantidad de trabajo.

Las personas que trabajan en otros tipos de empleos obtienen una tasa de salarios baja porque tienen un ingreso del producto marginal bajo, lo que se refleja en la demanda. Además, hay muchas personas que están en posibilidad y dispuestas a ofrecer su trabajo para estos empleos. El equilibrio ocurre a una tasa de salarios baja y se emplea una gran cantidad de trabajadores.

Si aumentara la demanda de presentadoras de programas matutinos, sus ingresos tendrían un gran aumento, mientras que apenas cambiaría el número de presentadoras contratadas. Si aumentara la demanda de empleos de baja calificación, el número de personas que hacen estos trabajos tendría un gran incremento y la tasa de salarios apenas cambiaría.

Otra diferencia entre la presentadora de un programa de televisión y un empleado poco calificado es que si a la presentadora le rebajan el sueldo, probablemente ella aún seguirá ofreciendo sus servicios, en tanto que el empleado poco calificado podría renunciar si le redujeran el sueldo. Esta diferencia se produce debido a la interesante distinción entre la renta económica y el costo de oportunidad.

## Renta económica y costo de oportunidad

El ingreso total de un recurso o factor productivo está compuesto por su renta económica y por su costo de oportunidad. La **renta económica** es el ingreso que recibe el propietario de un factor por encima de la cantidad requerida para inducir a ese propietario a ofrecer el recurso

para su uso. Cualquier factor productivo puede recibir una renta económica. El ingreso que se requiere para inducir la oferta de un recurso productivo es el costo de oportunidad de utilizarlo; es decir, el valor del factor en su siguiente mejor uso.

La figura 15.11(a) muestra la forma en la que el ingreso de un recurso tiene un componente de renta económica y uno de costo de oportunidad. La figura muestra el mercado para un recurso productivo. Podría ser *cualquier* factor productivo (trabajo, capital o tierra), pero supondremos que se trata del trabajo. La curva de demanda es *D* y su curva de oferta es *O*. La tasa de salarios es *W* y la cantidad empleada es *C*. El ingreso obtenido es la suma de las áreas amarilla y verde. El área amarilla por debajo de la curva de oferta mide el costo de oportunidad, en tanto que el área verde por encima de la curva de oferta, pero por debajo del precio del recurso, mide la renta económica.

Para saber por qué el área por debajo de la curva de oferta mide el costo de oportunidad, recuerde que una curva de oferta se puede interpretar en dos formas diferentes. Muestra la cantidad ofrecida a cada precio, y muestra el precio mínimo al que se ofrece voluntariamente una determinada cantidad. Si los proveedores sólo reciben la cantidad mínima requerida para inducirlos a ofrecer cada unidad del recurso productivo, se les pagará un precio diferente por cada unidad. Los precios trazarán la curva de oferta y el ingreso recibido será puramente el costo de oportunidad (esto corresponde al área amarilla en la figura 15.11(a).

El concepto de renta económica es similar al concepto del excedente del consumidor que se estudió en el capítulo 6 (pág. 105). Recuerde que el excedente del consumidor es el precio máximo que alguien está dispuesto a pagar, tal como lo señala la curva de demanda, menos el precio pagado. En sentido paralelo, la renta económica es el precio que recibe una persona por el uso de un recurso, menos el precio mínimo al que está dispuesto a proporcionar voluntariamente una determinada cantidad del mismo.

La *renta económica* no es lo mismo que la "renta" que paga un agricultor por el uso de alguna tierra, o la "renta" que se paga por un apartamento. La "renta", en su uso cotidiano, es un precio que se paga por los servicios de la tierra o de un edificio. La *renta económica* es un componente del ingreso recibido por cualquier factor productivo.

La parte del ingreso de un factor productivo que consiste en renta económica, depende de la elasticidad de la oferta del recurso. Cuando la oferta de un recurso productivo es perfectamente inelástica, todo su ingreso es renta económica. La mayor parte del ingreso de Metallica y Pearl Jam es renta económica. También una gran parte del ingreso de un jugador de béisbol de grandes ligas es renta económica. Cuando la oferta de un recurso productivo es perfectamente elástica, nada de su ingreso es renta económica.

---

**FIGURA 15.11**

## Renta económica y costo de oportunidad

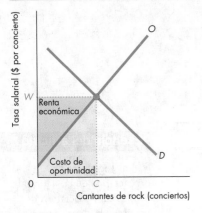

(a) **Caso general**

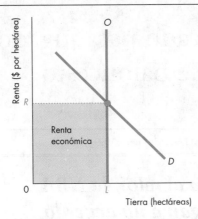

b) **Todo el ingreso es renta económica**

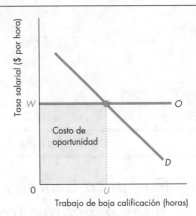

c) **Todo el ingreso es costo de oportunidad**

Cuando la curva de oferta de un recurso tiene pendiente descendente como en la sección (a) (el caso más común), parte del ingreso del recurso es renta económica (área verde) y parte es costo de oportunidad (área amarilla). Cuando la oferta de un recurso productivo es perfectamente inelástica (la curva de oferta es vertical), como en la sección (b), todo el ingreso del recurso es renta económica. Cuando la oferta del recurso productivo es perfectamente elástica, como en la sección (c), todo el ingreso del recurso es costo de oportunidad.

---

La mayor parte del ingreso de una niñera es costo de oportunidad. En general, cuando la curva de oferta no es ni perfectamente elástica ni perfectamente inelástica, como la que aparece en la figura 15.11(a), una parte del ingreso del recurso es renta económica y la otra parte es costo de oportunidad.

En la figura 15.11, en las secciones (b) y (c), se muestran las otras dos posibilidades. La sección (b) muestra el mercado para un lote de tierra en particular en la ciudad de Nueva York. La cantidad de la tierra es fija en tamaño en *L* metros cuadrados. Por tanto, la curva de oferta de la tierra es vertical, perfectamente inelástica. Suponga que la curva de demanda en la figura 15.11(b) muestra el ingreso del producto marginal de este lote de tierra. Entonces obtiene una renta de *R*. Todo el ingreso que recibe el propietario de la tierra es el área verde en la figura. Este ingreso es *renta económica*.

La figura 15.11(c) muestra el mercado para un recurso o factor productivo cuya oferta es perfectamente elástica. Un ejemplo de este tipo de mercado podría ser el del trabajo de baja calificación en cualquier país de América Latina. En muchos de estos países fluyen grandes cantidades de trabajo a las ciudades y están disponibles a la tasa de salarios en vigor (en este caso, *W*). Por tanto, en estas situaciones, la oferta de trabajo es casi perfectamente elástica. La totalidad del ingreso obtenido por este trabajo es el área amarilla. Este ingreso es *costo de oportunidad*. No reciben renta económica.

## PREGUNTAS DE REPASO

- ¿Por qué una presentadora de un programa de televisión obtiene un ingreso mayor que una niñera?

- ¿Cuál es la distinción entre la renta económica y el costo de oportunidad?

- El ingreso que le pagaron los Chicago Bulls a Michael Jordan, ¿fue una renta económica o una compensación por su costo de oportunidad?

- ¿Es más cara una hamburguesa en Manhattan que en una ciudad pequeña debido a que las rentas son más altas en Manhattan, o las rentas en Manhattan son más altas porque las personas están dispuestas a pagar más por una hamburguesa?

La sección *Lectura entre líneas* en las páginas 338-339 analiza el mercado de jugadores de baloncesto. En el capítulo siguiente se estudian los mercados de trabajo en forma más detallada y se explican las diferencias en las tasas de salarios entre trabajadores de alta calificación y de baja calificación, hombres y mujeres, y minorías raciales y étnicas. En el capítulo 17 se observa cómo la economía de mercado distribuye el ingreso, y los esfuerzos que hacen los gobiernos por redistribuir el ingreso y modificar el resultado del mercado.

# El mercado para jugadores de baloncesto

THE NEW YORK TIMES, 7 de enero, 1999

## Con poco tiempo en el reloj, la NBA y los jugadores llegan a un acuerdo

POR MIKE WISE

NUEVA YORK—El miércoles, los jugadores y propietarios de la National Basketball Association dieron fin a la disputa laboral más desastrosa y costosa en la historia de la liga, y llegaron a un acuerdo de última hora que salvó la temporada sólo un día antes de que se reunieran los propietarios para votar sobre su cancelación...

El punto crucial del desacuerdo durante los últimos seis meses ha sido sobre cómo dividir los 2,000 millones de dólares que obtiene la liga. Aunque al final ambas partes hicieron algunas concesiones, la liga logró su meta principal de contener los contratos de jugadores con sueldos altos y recibió algunas concesiones sin precedentes del sindicato.

La liga insistió y le fue concedida una cláusula sobre los sueldos máximos. Ningún otro deporte profesional tiene un límite a los sueldos individuales. También eliminó algunos de los puntos sueltos que existían sobre el tope a los sueldos, el cual había generado inestabilidad y había hecho elevarse enormemente éstos en los últimos cinco años, y se negó a acceder a la solicitud del sindicato de un porcentaje mayor de los ingresos.

Al final, el sindicato intentó mantener alguna de las condiciones que habían proporcionado a sus jugadores el sueldo promedio más alto en los deportes profesionales: 2.6 millones de dólares. También logró la prioridad que había expresado de mejorar en forma importante la situación económica de sus jugadores de clase media, aquéllos con un sueldo medio de 1.3 millones de dólares.

El sindicato recibirá el 55% del ingreso total para sueldos en los últimos tres años de la negociación. Esto fue menos de lo que habían esperado los jugadores y algunos de ellos sintieron que habían cedido demasiado a las demandas de la liga en el último momento. Sin embargo, fue mejor que la posibilidad de que se cancelara la temporada y perdieran muchos más millones de dólares en sueldos...

### EL ACUERDO

#### SUELDO MÁXIMO

Oscila desde $9 millones de dólares para jugadores con experiencia de uno a seis años, hasta 14 millones de dólares para veteranos con 10 años de experiencia. Ningún otro deporte tiene un tope a los sueldos individuales.

#### PORCENTAJE DEL INGRESO

Los jugadores recibirán el 55% de los ingresos en sus sueldos de los años cuatro, cinco y seis del contrato. No hay un porcentaje fijo para los años uno a tres.

#### AUMENTOS DE SUELDOS

El aumento máximo de sueldos será de 10%. Los agentes libres que firmen de nuevo con su propio equipo pueden recibir hasta 12%.

### Esencia del artículo

■ Los jugadores y propietarios de la National Basketball Association de Estados Unidos acordaron un nuevo contrato en enero de 1999 y terminaron seis meses de disputas.

■ El desacuerdo fue sobre cómo dividir los 2,000 millones de dólares en ingresos anuales que obtiene la liga.

■ Los jugadores recibirán el 55% en sus sueldos de los años cuatro, cinco y seis del contrato. No hay un porcentaje fijo para los años uno al tres.

■ El sueldo máximo oscilará entre 9 millones de dólares para jugadores con uno a seis años de experiencia, y 14 millones de dólares para los jugadores con 10 años de experiencia.

■ El aumento máximo en los sueldos será de 10%, excepto para los agentes libres que vuelvan a firmar con su propio equipo; ellos pueden recibir hasta 12%.

■ Los jugadores de baloncesto son un recurso productivo especial. La oferta de los servicios de los mejores jugadores es limitada porque están extraordinariamente dotados y otras personas no pueden duplicar las cosas especiales que hacen ellos.

■ La figura 1 muestra el ingreso del producto marginal de los jugadores. Los mejores jugadores tienen un ingreso del producto marginal que excede los 20 millones de dólares al año. El ingreso del producto marginal de varios jugadores excede los 10 millones de dólares al año.

■ El ingreso del producto marginal de los jugadores es la demanda de jugadores en un mercado de trabajo competitivo.

■ La figura 2 muestra cómo operaría el mercado para jugadores de baloncesto si fuera competitivo. La curva de demanda, *D*, se deriva de la curva del ingreso del producto marginal en la figura 1.

■ La oferta es *O*. La oferta es elástica (se supone que lo es) a una tasa de sueldos baja, hasta 420 jugadores, y perfectamente inelástica a 420 jugadores.

■ En esta curva de oferta se reflejan dos hechos. Primero, el costo de oportunidad de jugar baloncesto para la mayoría

de los jugadores es bajo, probablemente inferior a los 100,000 dólares al año. Segundo, el número de personas que pueden jugar este juego al nivel de habilidades que da como resultado estos altos ingresos del producto marginal, está limitado a unos pocos cientos. (En los 29 equipos de la NBA hay alrededor de 420 jugadores.)

■ Un mercado competitivo podría producir un sueldo de 1 millón de dólares al año. En este caso, la cuenta total de sueldos sería de 420 millones de dólares al año.

■ El ingreso total de la NBA es de 2,000 millones de dólares al año, por lo que el sueldo competitivo (con base en las suposiciones que se acaban de hacer) sería de 21% del ingreso total. Por tanto, la mayor parte del ingreso de los jugadores es renta económica.

■ La figura 3 muestra cómo a los jugadores les va mejor que con el resultado del mercado competitivo, y cómo obtienen una renta económica más alta negociando un convenio con los propietarios.

■ En la figura 3, los jugadores reciben 55% del ingreso total, y el jugador mejor pagado obtiene un sueldo de 14 millones de dólares al año. Los escalones verdes muestran otros niveles de sueldos.

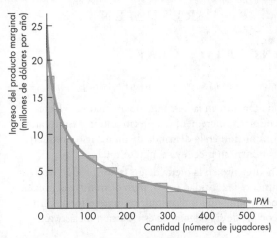

**Figura 1  Ingreso del producto marginal de los jugadores de baloncesto**

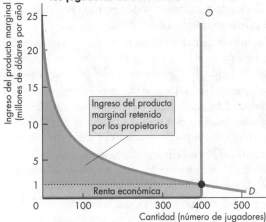

**Figura 2  Un mercado competitivo para jugadores de baloncesto**

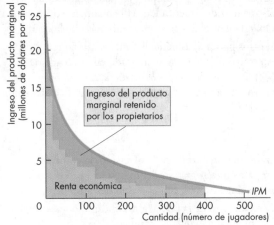

**Figura 3  Un contrato de rentas compartidas**

---

# RESUMEN

## CONCEPTOS CLAVE

### Precios de los factores e ingresos (pág. 316)

■ Un aumento en la demanda de un recurso o factor productivo incrementa su precio y su ingreso total; una disminución en la demanda de un recurso productivo disminuye su precio y su ingreso total.

■ Un aumento en la oferta de un factor productivo aumenta la cantidad usada, pero disminuye el precio, y podría aumentar o disminuir su ingreso total. Esto depende de si la demanda es elástica o inelástica.

### Mercados de trabajo (págs. 317-326)

■ La demanda de trabajo está determinada por el ingreso del producto marginal del trabajo.

■ La demanda de trabajo aumenta si se eleva el precio de la producción de la empresa o si el cambio tecnológico y la acumulación de capital aumentan el producto marginal.

■ La elasticidad de la demanda de trabajo depende de la intensidad de uso de trabajo en la producción, de la elasticidad de la demanda del producto y de la facilidad con la que se puede sustituir el trabajo con capital.

■ La cantidad ofrecida de trabajo aumenta a medida que aumenta la tasa salarial real. Pero, a tasas de salarios muy altas, la curva de oferta podría doblarse hacia atrás.

■ La oferta de trabajo aumenta con el crecimiento de la población, con el cambio tecnológico y con la acumulación de capital en la producción del hogar.

■ Los salarios reales y el empleo en Estados Unidos y en varios países de América Latina han aumentado porque la demanda de trabajo ha aumentado más que la oferta.

■ En otros países de América Latina, el salario real disminuyó o se mantuvo estancado en la década de 1990. Esto se debe a que la oferta de trabajo ha aumentado a una tasa mayor, o igual, a la de la demanda de trabajo.

### Mercados de capital (págs. 326-332)

■ Para tomar una decisión de inversión, la empresa compara el *valor presente* del ingreso del producto marginal del capital, con el precio del mismo.

■ El crecimiento de la población y el cambio tecnológico aumentan la demanda de capital.

■ Cuanto más alta sea la tasa de interés, mayor será el nivel de ahorro y mayor la cantidad de capital que se ofrezca.

■ La oferta de capital aumenta a medida que aumentan los ingresos.

■ El equilibrio en el mercado de capital determina las tasas de interés.

### Mercados de tierra y de recursos naturales no renovables (págs. 333-335)

■ La demanda de un recurso natural está determinada por su ingreso del producto marginal.

■ La oferta de tierra es inelástica.

■ La oferta de un recurso natural no renovable es perfectamente elástica a un precio igual al valor presente del precio futuro esperado.

■ Se espera que el precio de un recurso natural no renovable aumente a una tasa igual a la tasa de interés, pero en la realidad los precios de estos recursos fluctúan y en ocasiones bajan.

### Ingreso, renta económica y costo de oportunidad (págs. 336-337)

■ La renta económica es el ingreso recibido por el propietario de un recurso o factor productivo por encima del importe necesario para inducirle a ofrecer el recurso productivo para su uso.

■ El resto del ingreso de un factor es el costo de oportunidad del mismo.

■ Cuando la oferta de un factor es perfectamente inelástica, todo su ingreso es renta económica; cuando la oferta es perfectamente elástica, todo el ingreso es costo de oportunidad.

# FIGURAS Y TABLAS CLAVE

# TÉRMINOS CLAVE

# PROBLEMAS

*1. La figura muestra el mercado para los recolectores de uvas:

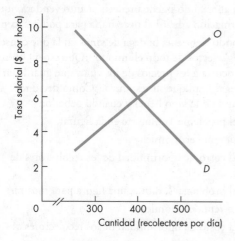

a. ¿Cuál es la tasa de salarios que se paga a los recolectores de uvas?

b. ¿Cuántos recolectores de uvas se contratan?

c. ¿Cuál es el ingreso que reciben los recolectores de uvas?

2. En el problema 1, si la demanda de recolectores de uvas aumenta en 100 al día,

a. ¿Cuál es la nueva tasa de salarios que se paga a los recolectores?

b. ¿Cuántos recolectores adicionales se contratan?

c. ¿Cuál es el ingreso total que se paga a los recolectores?

*3. Amanda es dueña de una pescadería. Emplea a estudiantes para clasificar y envasar el pescado. Los estudiantes pueden envasar las siguientes cantidades de pescado en una hora:

| Número de estudiantes | Cantidad de pescado (kilogramos) |
|---|---|
| 1 | 20 |
| 2 | 50 |
| 3 | 90 |
| 4 | 120 |
| 5 | 145 |
| 6 | 165 |
| 7 | 180 |
| 8 | 190 |

Amanda puede vender su pescado a $0.50 por kilogramos y la tasa salarial de los envasadores es $7.50 por hora.

a. Calcule el producto marginal de los estudiantes y dibuje la curva del producto marginal.

b. Calcule el ingreso del producto marginal de los estudiantes y dibuje la curva del ingreso del producto marginal.

c. Determine la curva de demanda de trabajo de Amanda.

d. ¿A cuántos estudiantes emplea Amanda?

4. Bernabé fabrica hielo para fiestas. Emplea a trabajadores para empaquetar el hielo que produce en una hora las cantidades siguientes:

| Número de trabajadores | Cantidad de hielo (bolsas) |
|---|---|
| 1 | 40 |
| 2 | 100 |
| 3 | 180 |
| 4 | 240 |
| 5 | 290 |
| 6 | 330 |
| 7 | 360 |
| 8 | 380 |

Bernabé puede vender el hielo a $0.25 la bolsa y la tasa salarial de los trabajadores es $5.00 por hora.

a. Calcule el producto marginal de los trabajadores y dibuje la curva del producto marginal.

b. Calcule el ingreso del producto marginal de los trabajadores y dibuje la curva del ingreso del producto marginal.

c. Determine la curva de demanda de trabajo de Bernabé.

d. ¿Cuánto hielo vende Bernabé?

*5 Regresando a la pescadería de Amanda que se describió en el problema 3, el precio del pescado baja hasta $0.3333 el kilogramos, pero los salarios de los envasadores de pescado siguen siendo $7.50 por hora.

a. ¿Qué ocurre al producto marginal de Amanda?

b. ¿Qué ocurre a su ingreso del producto marginal?

c. ¿Qué ocurre a su curva de demanda de trabajo?

d. ¿Qué ocurre al número de estudiantes que emplea?

6. Regresando a la fábrica de hielo para fiestas de Bernabé que se describió en el problema 4, el precio del hielo para fiestas baja hasta $0.10 la bolsa, pero los salarios de los trabajadores siguen siendo $5.00 por hora.

a. ¿Qué ocurre al producto marginal de Bernabé?

b. ¿Qué ocurre a su ingreso del producto marginal?

c. ¿Qué ocurre a su curva de demanda de trabajo?

d. ¿Qué ocurre al número de trabajadores que emplea?

*7   Regresando a la pescadería de Amanda que se describió en el problema 3, los salarios de los envasadores aumentan hasta $10 por hora, pero el precio del pescado permanece en $0.50 el kilogramo.

a.  ¿Qué ocurre al ingreso del producto marginal?

b.  ¿Qué ocurre a la curva de demanda de trabajo de Amanda?

c.  ¿A cuántos estudiantes emplea Amanda?

8.  Regresando a la fábrica de hielo para fiestas de Bernabé que se describió en el problema 4, los salarios de los trabajadores aumentan hasta $10 por hora, pero el precio del hielo sigue siendo $0.25 la bolsa.

a.  ¿Qué ocurre al ingreso del producto marginal?

b.  ¿Qué ocurre a la curva de demanda de trabajo de Bernabé?

c.  ¿A cuántos trabajadores emplea Bernabé?

*9.  Utilice la información en el problema 3 para calcular el ingreso marginal, el costo marginal y el ingreso del producto marginal de Amanda. Muestre que, cuando Amanda obtiene su beneficio máximo, el costo marginal es igual al ingreso marginal, y el ingreso del producto marginal es igual a la tasa salarial.

10.  Utilice la información en el problema 4 para calcular el ingreso marginal, el costo marginal y el ingreso del producto marginal de Bernabé. Muestre que, cuando Bernabé obtiene su beneficio máximo, el costo marginal es igual al ingreso marginal, y el ingreso del producto marginal es igual a la tasa salarial.

*11.  Venus fabrica fuegos artificiales que vende cada año en diciembre para las celebraciones del Año Nuevo. Tiene que decidir cuántas líneas de producción de fuegos artificiales instalar. Cada línea de producción cuesta $1 millón y puede funcionar únicamente por un período de dos años, después de lo cual se tiene que reemplazar. Con una línea de producción, Venus espera vender fuegos artificiales con un valor de $590,000 al año. Con dos líneas de producción, espera vender $1,150,000 cada año. Y con tres líneas de producción, espera vender fuegos artificiales por un valor de $1,680,000 al año. La tasa de interés es de 5% anual. ¿Cuántas líneas instala Venus?

12.  Viajes en globo Vulcano tiene que decidir cuántos globos operar. Cada globo cuesta $10,000 y se tiene que reemplazar después de tres años de servicio. Con un globo, Vulcano espera vender paseos por un valor de $5,900 al año. Con dos globos, espera vender $11,500 cada año, y con tres, espera vender paseos por $16,800. La tasa de interés es de 8% anual. ¿Cuántos globos opera Vulcano? Explique su respuesta.

*13.  Gregorio ha encontrado un pozo de petróleo en el traspatio de su casa. Un geólogo estima que se pueden extraer 10 millones de barriles con un costo de bombeo de un dólar por barril. El precio del petróleo es de $20 por barril. ¿Cuánto petróleo vende Gregorio cada año? Si no puede predecir cuánto venderá, ¿qué información adicional necesitaría para poder hacerlo?

14.  Orlando tiene una bodega de vinos en la que conserva vinos selectos de todo el mundo. ¿Qué espera Orlando que ocurra a los precios de los vinos que guarda en su bodega? Explique su respuesta. ¿Cómo decidirá Orlando qué vino beber y cuándo beberlo?

*15.  En el problema 1, muestre en la figura:

a.  La renta económica

b.  El costo de oportunidad de los recolectores de uvas.

16.  En el problema 2, dibuje una figura para mostrar:

a.  La renta económica

b.  El costo de oportunidad de los recolectores de uvas.

## PENSAMIENTO CRÍTICO

1.  Estudie la sección *Lectura entre líneas* en las páginas 338-339 y conteste a las preguntas siguientes:

a.  ¿Por qué fueron a la huelga los jugadores de baloncesto?

b.  ¿Por qué no firman los jugadores un acuerdo que les dé la totalidad de su ingreso del producto marginal?

c.  ¿Por qué piensa que se retiró Michael Jordan?

d.  ¿Por qué no hicieron los Toros de Chicago una oferta a Michael Jordan que no pudiera rechazar?

2.  "Estamos quedándonos sin recursos naturales y tenemos que llevar a cabo acciones urgentes para conservar nuestras preciadas reservas." "No hay una escasez de recursos a la que no le pueda hacer frente el mercado." Discuta estos dos puntos de vista. Mencione los puntos a favor y en contra de cada uno.

3.  ¿Por qué seguimos encontrando nuevas reservas de petróleo? ¿Por qué no hacemos de una vez por todas una gran revisión que catalogue las existencias totales de recursos naturales de la tierra

# 16

# Mercados de trabajo

Como usted sabe muy bien, la universidad no es pura diversión. Resolver los exámenes y las tareas requiere de mucho tiempo y esfuerzo. ¿Vale la pena el trabajo que hay que dedicarles? ¿Cuál es la recompensa? ¿Es suficiente para compensar los años de colegiaturas, alojamiento, alimentación y salarios perdidos? (Después de todo, usted podría estar trabajando por un sueldo ahora en lugar de estar sufriendo con este curso de economía.) ◆ Muchos trabajadores pertenecen a sindicatos y por lo general los trabajadores sindicalizados obtienen un salario más alto que los trabajadores no sindicalizados en empresas comparables. ¿Por qué? ¿Cómo es que los sindicatos están en posibilidad de obtener salarios más altos para sus miembros que los que se les pagan a los trabajadores no sindicalizados? ◆ Entre las diferencias más visibles y persistentes en los ingresos, se encuentran las que ocurren entre los hombres y las mujeres. En Estados Unidos existe otra diferencia salarial importante: la que existe entre las personas de raza blanca y las minorías. Los hombres de raza blanca en Estados Unidos obtienen ingresos que, en promedio, son una

## Con el sudor de nuestra frente

tercera parte más altos que los que ganan los hombres de raza negra y las mujeres de raza blanca. Los hombres de raza negra y las mujeres de raza blanca en Estados Unidos ganan más, en orden descendente, que los hombres de origen hispano, que las mujeres de raza negra y que las mujeres de origen hispano. Estas últimas sólo ganan 0.58 dólares por cada dólar que gana el hombre promedio de raza blanca. Desde luego que muchas de las personas no corresponden a los promedios. Pero, ¿por qué las mujeres ganan consistentemente menos que los hombres?, ¿por qué las minorías ganan consistentemente menos que los hombres blancos en Estados Unidos? ¿Es debido a la discriminación y la explotación? ¿O se debe a factores económicos? ¿O es una combinación de ambos? ◆ Las leyes de igual remuneración han dado como resultado programas de valor comparable que intentan asegurar que empleos de valor equivalente reciban la misma remuneración con independencia de los precios que fije el mercado. ¿Pueden los programas de valor comparable proporcionar ayuda económica a las mujeres y a las minorías? ◆ En estos días escuchamos hablar mucho sobre la inmigración hacia Estados Unidos. ¿Cómo afecta la inmigración al bienestar económico tanto de los inmigrantes como de nacionales estadounidenses?

◆ En este capítulo se contestan a preguntas como éstas al continuar el estudio de los mercados de trabajo. Se estudian los efectos de la educación y la capacitación, los sindicatos, el sexo, la raza, las leyes de valor comparable y la inmigración.

## Después de estudiar este capítulo, usted será capaz de:

- Explicar por qué las personas con títulos universitarios ganan más, en promedio, que las personas que no los tienen

- Explicar por qué los trabajadores sindicalizados obtienen salarios más altos que los no sindicalizados

- Explicar por qué los hombres ganan más, en promedio, que las mujeres

- Explicar por qué en Estados Unidos las personas de raza blanca ganan más, en promedio, que las minorías

- Predecir los efectos de un programa que paga tasas salariales iguales a trabajos que se consideran similares (también conocidos como "programas de valor comparable")

- Explicar los efectos de la inmigración sobre los salarios de los inmigrantes y de los trabajadores de la economía receptora

# Diferenciales en habilidades

TODAS LAS PERSONAS TIENEN HABILIDADES, PERO EL valor que asigna el mercado a los diferentes tipos de habilidades varía mucho. Por tanto, las diferencias en habilidades conducen a grandes diferencias en ingresos. Por ejemplo, un empleado en un despacho de abogados gana menos de una décima parte de lo que gana el abogado para quien trabaja. Un auxiliar en una sala de operaciones gana menos de una tercera parte de lo que gana el cirujano con el que trabaja. Las diferencias en habilidades se producen en parte debido a diferencias en la educación y en parte a diferencias de capacitación en el empleo. Las diferencias en ingresos entre trabajadores con distintos niveles de educación y capacitación se pueden explicar mediante un modelo de mercados competitivos de trabajo. En el mundo real, hay muchos niveles y variedades diferentes de educación y capacitación. Para mantener nuestro análisis tan claro como sea posible, se estudiará una economía modelo con dos niveles diferentes de habilidades y dos tipos de trabajo: trabajo de alta calificación y trabajo de baja calificación. Se estudiará la oferta y la demanda de estos dos tipos de trabajo, se verá por qué hay una diferencia en sus salarios y qué es lo que determina esa diferencia. Se comenzará con el estudio de la demanda de los dos tipos de trabajo.

## La demanda de trabajos de alta y baja calificación

Los trabajadores de alta calificación pueden desarrollar diversas tareas que los trabajadores de baja calificación realizarían mal, o quizá ni siquiera podrían realizarlas. Imagine una persona sin capacitación, sin experiencia, haciendo el trabajo de un cirujano o pilotando un avión. Los trabajadores de alta calificación tienen un ingreso del producto marginal más alto que los trabajadores de baja calificación. Como se aprendió en el capítulo 15, la curva de demanda de trabajo de una empresa es la misma que la curva del ingreso del producto marginal del trabajo.

La figura 16.1(a) muestra las curvas de demanda de trabajos de alta calificación ($D_A$) y de baja calificación ($D_B$). A cualquier nivel de empleo determinado, las empresas están dispuestas a pagar una tasa de salarios más alta a un trabajador de alta calificación que a uno de baja calificación. La brecha entre las dos tasas de salarios mide el ingreso del producto marginal de la habilidad. Por ejemplo, a un nivel de empleo de 2,000 horas, las empresas están dispuestas a pagar $12.50 a un trabajador de alta calificación y sólo $5 para uno de baja calificación, es decir, una diferencia de

$7.50 por hora. Por tanto, el ingreso del producto marginal de la habilidad es $7.50 por hora.

## La oferta de trabajos de alta y baja calificación

Las habilidades son costosas de adquirir. Además, por lo general un trabajador paga el costo de adquirir una habilidad antes de beneficiarse de un salario más alto. Por ejemplo, asistir a la universidad conduce a un ingreso más alto, pero éste no se obtiene sino hasta después de la graduación. Estos hechos implican que la adquisición de una habilidad es una inversión. Para insistir en la naturaleza de inversión de adquirir una habilidad, a esa actividad la denominamos una inversión en capital humano. El **capital humano** es la habilidad y el conocimiento acumulados de los seres humanos.

El costo de oportunidad de adquirir una habilidad incluye gastos directos en cosas tales como colegiatura, alojamiento y alimentación, así como un costo en forma de ingresos perdidos o reducidos durante el período en el que se adquiere la habilidad. Cuando una persona va a la escuela tiempo completo, este costo es el total de los ingresos que no se percibieron por estar dedicado a estudiar. Sin embargo, algunas personas adquieren habilidades en el empleo. A esa adquisición de habilidades se le conoce como capacitación en el trabajo. Por lo general, al trabajador que se capacita en el propio empleo, se le paga un salario inferior a otro que hace un trabajo comparable, pero que no está capacitándose. En este caso, el costo de adquirir la habilidad es la diferencia entre el salario que se paga a una persona que no se está capacitando y el que se paga a una que sí se está capacitando.

### Curvas de oferta de trabajo de alta y baja calificación

La posición de la curva de oferta de los trabajadores de alta calificación refleja el costo de adquirir la habilidad. La figura 16.1(b) muestra dos curvas de oferta: una para los trabajadores de alta calificación y la otra para los trabajadores de baja calificación. La curva de oferta para los trabajadores de alta calificación es $O_A$ y para los de baja calificación es $O_B$.

La curva de oferta de los trabajadores calificados se encuentra por encima de la curva de oferta de los trabajadores poco calificados. La distancia vertical entre las dos curvas de oferta es la compensación que requieren los trabajadores de alta calificación por el costo de adquirir la habilidad. Por ejemplo, suponga que la cantidad ofrecida de trabajo de baja calificación es de 2,000 horas a una tasa salarial de $5 por hora. Esta tasa salarial compensa a los trabajadores de baja calificación principalmente por su tiempo en el empleo. Observe a continuación la oferta de

**FIGURA 16.1**

Diferenciales en habilidades

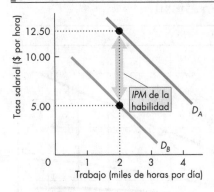

**(a) Demanda de trabajo de alta y baja calificación**

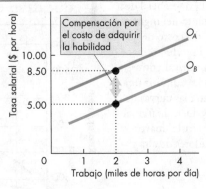

**(b) Oferta de trabajo de alta y baja calificación**

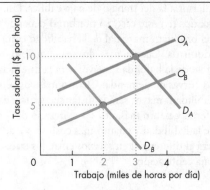

**(c) Mercados para los trabajos de alta y baja calificación**

En la sección (a) se muestra el ingreso del producto marginal de la habilidad. Los trabajadores de baja calificación tienen un ingreso del producto marginal que da lugar a la curva de demanda denominada $D_B$. Los trabajadores de alta calificación tienen un ingreso del producto marginal más alto que los de baja calificación. Por tanto, la curva de demanda para trabajadores de alta calificación $D_A$, se encuentra a la derecha de $D_B$. La distancia vertical entre estas dos curvas es el ingreso del producto marginal de la habilidad.

En la sección (b) se muestran los efectos del costo de adquirir habilidades sobre las curvas de oferta de trabajo.

La curva de oferta para trabajadores de baja calificación es $O_B$. La curva de oferta para trabajadores de alta calificación es $O_A$. La distancia vertical entre estas dos curvas es la compensación requerida por el costo de adquirir una habilidad.

La sección (c) muestra el empleo de equilibrio y el diferencial en salarios. Los trabajadores poco calificados ganan una tasa de salarios de $5 por hora y se emplean 2,000 horas de este tipo de trabajo. Los trabajadores calificados ganan una tasa salarial de $10 y se emplean 3,000 horas de este tipo de trabajo. La tasa salarial para los trabajadores calificados siempre excede a la de los trabajadores poco calificados.

trabajadores calificados. Para inducir a que ofrezcan 2,000 horas de trabajo de alta calificación, las empresas tienen que pagar una tasa salarial de $8.50 por hora. La tasa salarial para el trabajo calificado es más alta que la del trabajo de baja calificación porque es necesario compensar al trabajo calificado no sólo por el tiempo en el empleo, sino también por el tiempo y otros costos de adquirir la habilidad.

## Tasas salariales de los trabajos de alta y baja calificación

Para determinar las tasas salariales de los trabajos de alta y baja calificación, es necesario juntar los efectos de la habilidad sobre la demanda y la oferta de trabajo.

En la figura 16.1(c) se muestran las curvas de oferta y demanda de los trabajos de alta y baja calificación. Estas curvas son exactamente las mismas que las trazadas en las secciones (a) y (b). El equilibrio en el mercado de trabajo poco calificado ocurre en donde se cruzan las curvas de oferta y demanda de este tipo de trabajo. La tasa salarial de equilibrio es $5 por hora y la cantidad empleada de trabajo de baja calificación es de 2,000 horas. El equilibrio en el mercado para trabajadores de alta calificación ocurre en donde se cruzan las curvas de oferta y demanda para este tipo de trabajadores. La tasa salarial de equilibrio es $10 por hora y la cantidad empleada de trabajo de alta calificación es de 3,000 horas.

Como se puede ver en la sección (c), la tasa salarial de equilibrio del trabajo calificado es más alta que la del trabajo poco calificado. Este resultado se produce por dos razones: primera, porque el trabajo de alta calificación tiene un ingreso del producto marginal más alto que el trabajo de baja calificación, por lo que, a una determinada tasa salarial, la cantidad demandada de trabajo calificado excede a la del trabajo de baja calificación. Segunda, porque las habilidades son costosas de adquirir, por lo que, a una determinada tasa de salarios, la cantidad ofrecida de trabajo calificado es inferior a la del trabajo de baja calificación. El diferencial de salarios (en este caso $5 por hora) depende tanto del ingreso del producto marginal de la habilidad como del costo de adquirirla. Cuanto más alto sea el ingreso del producto marginal de la habilidad, mayor será la distancia vertical entre las curvas de demanda. Cuanto más costoso sea adquirir una habilidad, mayor será la distancia vertical entre las curvas de oferta. Cuanto más alto sea el ingreso del producto marginal de la habilidad y cuanto más costoso sea adquirirla, mayor será el diferencial en salarios entre los trabajadores de alta y baja calificación.

**FIGURA 16.3**

## Ingreso promedio por edad y nivel educativo en Brasil

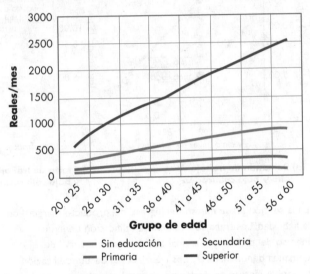

*Fuente:* BID a partir de encuestas de hogares.

**FIGURA 16.2**

## Educación e ingresos

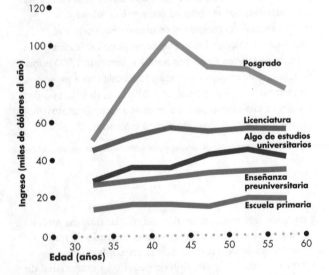

Se muestran los ingresos de empleados de sexo masculino de diversas edades y con diferentes niveles de escolaridad. Los ingresos aumentan con la escolaridad. Para los egresados de posgrados, los ingresos llegan a su punto máximo alrededor de los cuarenta y cinco años. Para otros grupos, los ingresos llegan a su punto máximo alrededor de los cincuenta y cinco. Estas diferencias muestran la importancia de la experiencia y la educación en la explicación de los diferenciales salariales por habilidades.

*Fuente: Money Income in the United States 1995,* del U.S. Bureau of the Census, y *Current Population Reports Consumer Income,* Series P-60 (1996).

## ¿Son redituables la educación y la capacitación?

Las figuras 16.2 y 16.3 muestran que hay grandes y persistentes diferencias en los ingresos de acuerdo con niveles de educación y capacitación. Esto es cierto tanto para un país desarrollado, como Estados Unidos (figura 16.2), como para un país menos desarrollado, como Brasil (figura 16.3). En estas figuras también se resalta la segunda fuente importante de diferencias en el ingreso: la edad. La edad está fuertemente correlacionada con la experiencia y el grado de capacitación en el trabajo que tenga una persona. Por tanto, conforme la persona tiene más edad, sus ingresos tienden a aumentar.

En Estados Unidos, las tasas de rendimiento de la educación preuniversitaria y universitaria se han estimado en el rango de 5 a 10% anual, después de tomar en cuenta la inflación. En América Latina, estas tasas son incluso más altas. Esto sugiere que un título universitario es una mejor inversión que casi cualquier otra que pueda llevar a cabo una persona.

La educación es una fuente importante de diferencias en el ingreso, pero hay otras; una de ellas son los sindicatos. Veamos cómo los sindicatos afectan los salarios y por qué los salarios del personal sindicalizado tienden a ser mayores que los de los no sindicalizados.

# Diferenciales en salarios de personal sindicalizado y no sindicalizado

LOS DIFERENCIALES SALARIALES PUEDEN PRODUCIRSE como resultado del poder de monopolio en el mercado de trabajo. En la misma forma que los productores en un monopolio pueden restringir la producción y elevar el precio, así el propietario monopolista de un recurso o factor productivo puede restringir su oferta y elevar el precio del factor.

La principal fuente de poder de monopolio en el mercado de trabajo es el sindicato. Un **sindicato** es un grupo de trabajadores organizados, cuyo propósito es aumentar los salarios e influir sobre otras condiciones del empleo para sus miembros. El sindicato busca restringir la competencia y, como resultado de ello, aumenta el precio al que se negocia el factor trabajo.

En América Latina y Estados Unidos existen dos tipos principales de sindicatos: los sindicatos profesionales y los sindicatos industriales. Un **sindicato profesional** es un grupo de trabajadores que tienen un rango de habilidades similares, pero que trabajan para muchas empresas diferentes, en muchas industrias y regiones distintas. Un **sindicato industrial** es un grupo de trabajadores que tienen diversas habilidades y tipos de empleo, pero trabajan para la misma industria.

La organización sindical se subdivide en secciones. Una sección es una subconjunto de un sindicato que organiza a los trabajadores individuales. En los sindicatos profesionales, la sección se basa en áreas geográficas; en los sindicatos industriales, la sección se basa en una planta o en una empresa individual.

Los sindicatos negocian con los patrones o sus representantes en un proceso denominado **negociación colectiva**. Las principales armas de que disponen el sindicato y el patrón en la negociación colectiva son la huelga, el cierre patronal y la utilización de empleados de reemplazo. Una *huelga* es una decisión de grupo de negarse a trabajar en las condiciones existentes. Un *cierre patronal* es la negativa de la empresa a operar su planta y emplear a sus trabajadores. Cada una de las partes usa la amenaza de una huelga, el cierre patronal o la utilización de empleados de reemplazo, para intentar obtener un acuerdo que les favorezca. En ocasiones, cuando las dos partes en el proceso de la negociación colectiva son incapaces de llegar a un acuerdo sobre las tasas salariales u otras condiciones de empleo, aceptan presentar su desacuerdo a un arbitraje obligatorio. El *arbitraje obligatorio* es un proceso en el cual un tercero, un árbitro, determina los salarios y otras condiciones de empleo por cuenta de las partes negociadoras. En México y en otras partes de América Latina, este trabajo recae en una institución conocida como Junta Federal de Conciliación y Arbitraje.

Aunque no son sindicatos laborales en un sentido legal, las asociaciones profesionales de algunos países actúan en forma similar a los sindicatos. Una *asociación profesional* es un grupo de trabajadores profesionales organizados, como abogados, odontólogos o médicos. Las asociaciones profesionales en Estados Unidos controlan la entrada a las profesiones y autorizan a las personas que van a trabajar en las mismas, asegurando el cumplimiento de normas de competencia mínimas. Pero también influyen sobre las remuneraciones y otras condiciones del mercado de trabajo de sus miembros.

## Objetivos y restricciones del sindicato

Un sindicato tiene tres objetivos amplios que intenta lograr para sus miembros:

1. Aumentar las remuneraciones
2. Mejorar las condiciones de trabajo
3. Ampliar las oportunidades de empleo

Cada uno de estos objetivos contiene una serie de metas más detalladas. Por ejemplo, al buscar aumentar la remuneración de sus miembros, el sindicato opera en diversos frentes: tasas salariales, prestaciones, pensiones de jubilación y otros asuntos como primas vacionales. Al buscar mejorar las condiciones de trabajo, el sindicato se preocupa por la salud y la seguridad en el empleo, así como por la calidad ambiental del lugar de trabajo. Al buscar ampliar las oportunidades de empleo, el sindicato intenta obtener mayor seguridad en el empleo para los miembros existentes del sindicato y encontrar formas de crear empleos adicionales para ellos.

La capacidad del sindicato de lograr sus objetivos está restringida por dos grupos de limitaciones: una que actúa en el lado de la oferta del mercado de trabajo y, la otra, en el lado de la demanda. En el lado de la oferta, las actividades del sindicato están limitadas por la posibilidad que tengan de evitar que los trabajadores no sindicalizados ofrezcan su trabajo en el mismo mercado en que se mueve el trabajo sindicalizado. Cuanto mayor sea la parte de la fuerza de trabajo controlada por el sindicato, más efectivo será el sindicato en este aspecto. Es difícil para los sindicatos operar en mercados donde hay una oferta abundante de trabajo no sindicalizado dispuesto a trabajar. Por ejemplo, es muy difícil organizar a un sindicato en el mercado de trabajo agrícola en el sur de California, debido al continuo flujo de trabajo no sindicalizado, y con frecuencia ilegal, proveniente de México. En el otro extremo, los sindicatos en la industria de la construcción en Estados Unidos alcanzan mejor sus metas, porque son capaces de influir sobre el número de personas que pueden obtener habilidades de electricistas, yeseros y carpinteros. Las asociaciones profesionales de odontólogos y médicos en Estados Unidos son las que pueden restringir mejor la oferta de odontólogos y médicos. Estos grupos controlan el número de trabajadores calificados al controlar los exámenes que tienen que aprobar las personas que desean entrar a la profesión, o la entrada a programas que ofrecen estos títulos profesionales.

Del lado de la demanda del mercado de trabajo, el sindicato se enfrenta a una disyuntiva que se produce debido a las decisiones de maximización de beneficios de la empresa. Debido a que las curvas de demanda de trabajo tienen pendiente descendente, cualquier cosa que haga un sindicato que conduzca a un aumento de la tasa salarial (o de cualquier otro costo del empleo), provocará una disminución en la cantidad demandada de trabajo.

A pesar de las dificultades a las que se enfrentan, los sindicatos operan en mercados de trabajo competitivos. Vea usted cómo lo hacen.

## Los sindicatos en un mercado de trabajo competitivo

Cuando un sindicato entra a operar en un mercado de trabajo competitivo, busca aumentar los salarios y otras remuneraciones, y limitar las reducciones de empleo mediante un aumento en la demanda de trabajo de sus miembros. Es decir, el sindicato intenta llevar a cabo acciones que desplacen hacia la derecha la curva de demanda de trabajo de sus miembros.

La figura 16.4 muestra un mercado de trabajo competitivo al que entra un sindicato. La curva de demanda es $D_C$ y la curva de oferta es $O_C$. Antes de que el sindicato entre al mercado, la tasa de salarios es $7 la hora y se emplean 100 horas de trabajo.

Suponga ahora que se forma un sindicato para organizar a los trabajadores en este mercado. El sindicato puede intentar aumentar los salarios en este mercado en dos formas. Intenta restringir la oferta de trabajo, o intenta estimular la demanda de trabajo. Primero, observe qué sucede si el sindicato tiene control suficiente sobre la oferta de trabajo para estar en posibilidad de restringir artificialmente esa oferta por debajo de su nivel competitivo, por ejemplo, hasta $O_S$. Si eso es todo lo que puede hacer el sindicato, el empleo baja a 85 horas de trabajo y la tasa de salarios se eleva a $8 por hora. El sindicato simplemente escoge su posición preferida a lo largo de la curva de demanda que define el intercambio al que se enfrenta entre el empleo y los salarios.

Se puede ver que si el sindicato sólo restringe la oferta de trabajo, eleva la tasa salarial, pero disminuye el número de empleos disponibles. Debido a este resultado, los sindicatos intentan aumentar la demanda de trabajo y desplazar la curva de demanda hacia la derecha. Vea qué podrían hacer para lograr este resultado.

**FIGURA 16.4**

## Un sindicato en un mercado de trabajo competitivo

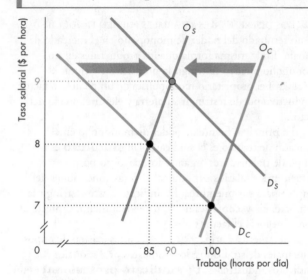

En un mercado de trabajo competitivo, la curva de demanda es $D_C$ y la oferta es $O_C$. El equilibrio competitivo ocurre a una tasa salarial de $7 por hora, con 100 horas empleadas. Al restringir el empleo por debajo del nivel competitivo, el sindicato desplaza la oferta de trabajo hasta $O_S$. Si el sindicato no puede hacer más que eso, la tasa de salarios aumentará hasta $8 por hora, pero el empleo bajará a 85 horas. Si el sindicato logra aumentar la demanda por trabajo (al aumentar la demanda del bien producido por los miembros del sindicato o al elevar el precio del trabajo sustituto) y desplaza la curva de demanda hasta $D_S$, entonces puede aumentar aún más la tasa de salarios, hasta $9 por hora, y lograr un empleo de 90 horas.

## Cómo intentan los sindicatos cambiar la demanda de trabajo

A menos que un sindicato logre llevar a cabo acciones que cambien la demanda de trabajo que representa, tiene que aceptar el hecho de que una tasa salarial más alta sólo se puede obtener a costa de un menor empleo.

El sindicato intenta operar sobre la demanda de trabajo en dos formas. Primera: intenta hacer menos elástica la demanda de trabajo sindicalizado. Segunda: intenta aumentar la demanda por trabajo sindicalizado. Al hacer menos elástica la demanda de trabajo, no se elimina el intercambio entre el empleo y los salarios, pero hace que el intercambio sea menos desfavorable. Si un sindicato logra hacer menos elástica la demanda de trabajo, aumenta la tasa salarial a un costo menor en términos de oportunidades de empleo perdidas. Pero si el sindicato logra aumentar la demanda de trabajo, incluso está en posibilidad de aumentar tanto la tasa salarial como las oportunidades de empleo para sus miembros.

Algunos de los métodos que utiliza un sindicato para aumentar la demanda de trabajo de sus miembros son:

- Aumentar el producto marginal de los miembros del sindicato
- Estimular las restricciones a las importaciones
- Respaldar las leyes de salarios mínimos
- Respaldar las restricciones a la inmigración
- Aumentar la demanda del bien producido

Los sindicatos intentan aumentar el producto marginal de sus miembros, lo que a su vez aumenta la demanda de su trabajo. Para ello, el sindicato puede organizar y patrocinar programas de capacitación, y estimular el aprendizaje y otras actividades de capacitación en el empleo, mediante la certificación profesional.

Uno de los mejores ejemplos de restricciones a las importaciones es el respaldo que otorga el sindicato estadounidense de la unión de trabajadores de la industria automotriz a las restricciones a la importación de automóviles extranjeros.

Los sindicatos respaldan las leyes de salarios mínimos para aumentar el costo de emplear trabajo de baja calificación. Un aumento en la tasa salarial del trabajo de baja calificación conduce a una disminución en la cantidad demandada de ese trabajo y a un aumento en la demanda de trabajo sindicalizado de alta calificación, el cual es un sustituto del trabajo de baja calificación.

Las leyes que restringen la inmigración, disminuyen la oferta y aumentan la tasa salarial de trabajadores de baja calificación. Como resultado, aumenta la demanda de trabajo sindicalizado de alta calificación.

Debido a que la demanda de trabajo es una demanda derivada, un aumento en la demanda del bien producido aumenta la demanda de trabajo sindicalizado. Los mejores ejemplos de este tipo de actividad por parte de los sindicatos, se encuentran en las industrias textil y automotriz de Estados Unidos. El sindicato de trabajadores de la ropa insiste en que todos los estadounidenses compren ropa hecha por personal sindicalizado y la unión de trabajadores de la industria automotriz pide comprar únicamente automóviles estadounidenses hechos por trabajadores sindicalizados.

La figura 16.4 muestra los efectos de un aumento en la demanda por trabajo de los miembros de un sindicato. Si el sindicato también puede tomar medidas que aumenten la demanda por trabajo hasta $D_S$, puede lograr un aumento aun mayor en la tasa salarial con un pequeño descenso en el empleo. Al mantener la oferta de trabajo restringida en $O_S$,

el sindicato aumenta la tasa salarial hasta $9 por hora y logra un nivel de empleo de 90 horas de trabajo.

Debido a que el sindicato restringe la oferta de trabajo en el mercado en que opera, sus acciones aumentan la oferta de trabajo en los mercados no sindicalizados. Los trabajadores que no pueden obtener empleos sindicalizados, tienen que buscar algún otro lugar para trabajar. Este aumento en la oferta en los mercados no sindicalizados disminuye la tasa de salarios en esos mercados y amplía aún más el diferencial de salarios entre el personal sindicalizado y no sindicalizado.

## La escala de los diferenciales en salarios de personal sindicalizado y no sindicalizado

Se ha visto que los sindicatos pueden influir sobre la tasa de salarios al restringir la oferta de trabajo y aumentar la demanda del mismo. ¿Cuánta diferencia representan en la práctica los sindicatos para las tasas de salarios?

En promedio, las tasas salariales del personal sindicalizado en Estados Unidos son un 30% más altas que las del personal no sindicalizado. En la minería y en los servicios financieros, los salarios de sindicalizados y no sindicalizados son similares. En los servicios, la manufactura y el transporte, el diferencial se encuentra entre 11 y 19%. En el sector comercial, el diferencial es de 28%, y en la construcción, es de 65%.

Pero estas diferencias del personal sindicalizado y no sindicalizado no proporcionan una medición exacta de los efectos de los sindicatos. En algunas industrias, los salarios del personal sindicalizado son más altos que los no sindicalizados porque los miembros del sindicato hacen trabajos que representan una mayor habilidad. Esos trabajadores recibirían un salario más alto incluso si no hubiera un sindicato. Para calcular los efectos de los sindicatos, se tienen que examinar los salarios de los trabajadores sindicalizados y no sindicalizados que hacen trabajos casi idénticos. La evidencia sugiere que después de tomar en cuenta los diferenciales en habilidades, el diferencial de salarios entre sindicalizados y no sindicalizados se encuentra entre 10 y 25%. Por ejemplo, los pilotos de aerolíneas que pertenecen a la Asociación de Pilotos en Estados Unidos, ganan alrededor de un 25% más que los pilotos no sindicalizados con el mismo nivel de habilidades.

Centremos ahora la atención en el caso en el que los patrones tienen una influencia considerable en el mercado de trabajo.

### Monopsonio

Un **monopsonio** es un mercado en el que hay un solo comprador. Este tipo de mercado es inusual, pero existe. Con el crecimiento de la producción en gran escala en el último siglo, grandes plantas industriales, como las minas de carbón, las fábricas de acero, de textiles y de automóviles, se convirtieron en el principal patrón en algunas regiones, y había lugares en los que una sola empresa empleaba casi todo el trabajo. En la actualidad, en algunos lugares de Estados Unidos, las organizaciones de servicios médicos administrados son el principal empleador de profesionales de la medicina. Estas empresas tienen poder de monopsonio.

En el monopsonio, el patrón determina la tasa salarial y paga el salario más bajo al cual puede atraer el trabajo que piensa contratar. El monopsonio obtiene una utilidad mayor que un grupo de empresas que compiten entre sí por el trabajo. Observe cómo logran este resultado.

Al igual que todas las empresas, el monopsonio tiene una curva del ingreso del producto marginal con pendiente descendente, la cual se muestra como *IPM* en la figura 16.5. Esta curva nos dice el ingreso adicional que recibe el monopsonio al vender la producción elaborada por una hora de trabajo adicional. La curva de oferta de trabajo es *O*. Esta curva nos dice cuántas horas se ofrecen a cada tasa de salarios. También nos dice el salario mínimo por el cual está dispuesto a trabajar una cantidad determinada de personal.

El monopsonio reconoce que para contratar más trabajo tiene que pagar un salario más alto; en forma equivalente, al contratar menos trabajo puede pagar un salario más bajo. Debido a que el monopsonio controla la tasa salarial, el costo marginal del trabajo excede a la tasa de salarios. El costo marginal del trabajo se muestra mediante la curva *CMT*. La relación entre la curva del costo marginal del trabajo y la curva de oferta es similar a la relación entre las curvas del costo marginal y del costo promedio que se estudiaron en el capítulo 11. La curva de oferta es como la curva del costo promedio del trabajo. En la figura 16.5, la empresa puede contratar 49 horas de trabajo por una tasa de salarios justo por debajo de $4.90 por hora. El costo total del trabajo de la empresa es $240. Pero ahora suponga que la empresa contrata 50 horas de trabajo. Puede contratar las 50 horas de trabajo por $5 la hora. El costo total del trabajo aumenta a $250 por hora. Por tanto, al contratar la hora de trabajo número 50, el costo del trabajo aumenta de $240 a $250, lo que representa un aumento de $10. El costo marginal del trabajo es $10 la hora. La curva *CMT* muestra el costo marginal de $10 de contratar la hora de trabajo número 50.

Para calcular la cantidad de trabajo que maximiza el beneficio, la empresa fija el costo marginal del trabajo igual al ingreso del producto marginal del trabajo. Es decir, la empresa quiere que el costo del último trabajador contratado sea igual al ingreso total adicional producido. En la figura 16.5, este resultado ocurre cuando el monopsonio emplea 50 horas de trabajo. ¿Cuál es la tasa salarial que paga el monopsonio? Para contratar 50 horas de trabajo, la empresa tiene que pagar $5 por hora, tal como se muestra mediante la curva de oferta del trabajo. Por tanto a cada trabajador se le paga $5 por hora.

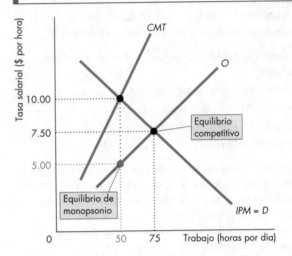

**FIGURA 16.5**

## Un mercado de trabajo de monopsonio

Un monopsonio es una estructura de mercado en la que hay un solo comprador. Un monopsonio en el mercado de trabajo tiene una curva del ingreso del producto marginal *IPM* y se enfrenta a una curva de oferta de trabajo *O*. La curva del costo marginal del trabajo es *CMT*. Al hacer que el costo marginal del trabajo sea igual al ingreso del producto marginal, se maximiza el beneficio. El monopsonio contrata 50 horas de trabajo y paga el salario más bajo al que trabajará el personal, que es $5 por hora.

Pero el ingreso del producto marginal del trabajo es $10 por hora, lo que significa que la empresa tiene un beneficio económico de $5 en la última hora de trabajo que contrata. Compare este resultado con el de un mercado de trabajo competitivo. Si el mercado de trabajo que se muestra en la figura 16.5 fuera competitivo, el equilibrio ocurriría en el punto en que se cruzan las curvas de oferta y demanda. La tasa de salarios sería $7.50 por hora y se emplearían 75 horas de trabajo al día. Por tanto, comparado con un mercado de trabajo competitivo, el monopsonio disminuye tanto la tasa de salarios como el nivel del empleo.

La capacidad de un monopsonio para disminuir la tasa de salarios y el nivel del empleo, y obtener un beneficio económico, depende de la elasticidad de la oferta de trabajo. Cuanto más elástica sea la oferta de trabajo, menor será la oportunidad que tenga el monopsonio de reducir los salarios y el empleo, y de obtener un beneficio económico.

**Tendencias del monopsonio** En la actualidad, el monopsonio es poco común. Los trabajadores pueden viajar largas distancias hasta un trabajo, por lo que la mayoría de las personas tiene más de un posible patrón. Pero las empresas que son empleadores dominantes en comunidades aisladas, se enfrentan a una oferta con pendiente ascendente de la curva del trabajo y, por tanto, tienen un costo marginal del trabajo que excede a la tasa de salarios. Pero en estas situaciones por lo general también hay un sindicato. Vea usted cómo interactúan los sindicatos y los monopsonios.

**El monopsonio y los sindicatos** Cuando se estudió el monopolio en el capítulo 13, se descubrió que un solo vendedor en un mercado está en posibilidad de determinar el precio de ese mercado. Se acaba de estudiar el monopsonio, un mercado con un solo comprador, y se descubrió que, en este tipo de mercado, el comprador está en posibilidad de determinar el precio. Suponga que un sindicato comienza a operar en un mercado de trabajo de monopsonio. El sindicato es como un monopolio. Controla la oferta del trabajo y actúa como un solo vendedor de trabajo. Si el sindicato (vendedor de monopolio) se enfrenta a un comprador de monopolio, la situación es de un **monopolio bilateral**. En el monopolio bilateral, la tasa de salarios se determina por negociaciones entre los dos lados. Estudie el proceso de negociación.

En la figura 16.5, si el monopsonio está en libertad de determinar la tasa de salarios y el nivel del empleo, contrata 50 horas de trabajo a una tasa de salarios de $5 por hora. Pero suponga que un sindicato representa a los trabajadores y, si es necesario, puede convocar a una huelga. Suponga también que el sindicato está de acuerdo con mantener el empleo en 50 horas, pero busca la tasa de salarios más alta que pueda obligar a pagar al patrón. Esa tasa de salarios es $10 por hora. Es decir, la tasa de salarios es igual al ingreso del producto marginal del trabajo. Es poco probable que el sindicato consiga el aumento de la tasa de salarios hasta $10 por hora. Pero también es poco probable que la empresa mantenga la tasa de salarios a una cantidad baja de $5 por hora. La empresa de monopsonio y el sindicato negocian sobre la tasa salarial y el resultado se encuentra entre los $10 por hora (el máximo que puede lograr el sindicato) y los $5 por hora (el mínimo que puede lograr la empresa).

El resultado real de la negociación depende de los costos que puedan infligir cada una de las partes a la otra como resultado de no llegar un acuerdo sobre la tasa de salarios. La empresa puede cerrar la planta y amenazar con usar trabajadores de reemplazo. Los trabajadores pueden cerrar la planta con una huelga. Cada una de las partes conoce la fortaleza de la otra y lo que cada una de ellas perderá si no acepta las demandas del otro. Si las dos partes son igualmente fuertes y se dan cuenta de ello, dividirán la diferencia y acordarán una tasa de salarios de $7.50 por hora. Si una de las partes es más fuerte que la otra, y ambas partes lo saben, el salario acordado favorecerá a la parte más fuerte. Por lo general, se llega a un acuerdo sin una huelga o un cierre patronal. La amenaza, es decir, el conocimiento de que pueda ocurrir un acontecimiento como éste, suele ser suficiente para hacer que las partes negociadoras lleguen a un acuerdo. Cuando llega a ocurrir la huelga o el cierre patronal, usualmente se debe a que una de las partes ha juzgado mal los costos que le puede infligir a la otra parte.

Las leyes de salarios mínimos tienen efectos interesantes en los mercados de trabajo de monopsonio. Estudie usted estos efectos.

## El monopsonio y el salario mínimo

En un mercado de trabajo competitivo, un salario mínimo que excede al salario de equilibrio, disminuye el empleo (véase el capítulo 7, págs. 127-128). En un mercado de trabajo de monopsonio, un salario mínimo puede *aumentar* tanto la tasa de salarios como el empleo. Observe cómo.

La figura 16.6 muestra un mercado de trabajo de monopsonio en el cual la tasa de salarios es $5 por hora y se emplean 50 horas de trabajo. Suponga ahora que se aprueba una ley de salarios mínimos que requiere que los patrones paguen por lo menos $7.50 la hora. Ahora el monopsonio

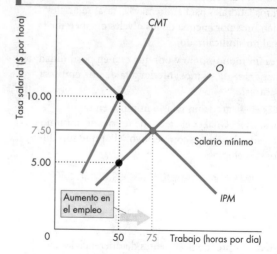

**FIGURA 16.6**

## Salario mínimo en el monopsonio

En un mercado de trabajo de monopsonio, la tasa salarial es $5 por hora y se contratan 50 horas. Si una ley de salarios mínimos aumenta la tasa salarial a $7.50 por hora, el empleo aumenta a 75 horas.

en la figura 16.6 se enfrenta a una oferta de trabajo perfectamente elástica a $7.50 la hora, hasta llegar a las 75 horas. Por encima de esta cantidad se tiene que pagar un salario más alto que $7.50 para contratar horas de trabajo adicionales. Debido a que la tasa salarial es una cantidad fija de $7.50 por hora hasta las primeras 75 horas, el costo marginal del trabajo también es constante en $7.50 hasta 75 horas. Más allá de las 75 horas, el costo marginal del trabajo se eleva por encima de $7.50 la hora. Para maximizar el beneficio, el monopsonio establece el costo marginal del trabajo igual a su ingreso del producto marginal. Es decir, el monopsonio contrata 75 horas de trabajo a $7.50 la hora. La ley de salarios mínimos ha hecho que la oferta de trabajo sea perfectamente elástica y ha hecho que el costo marginal del trabajo sea igual a la tasa de salarios hasta 75 horas. La ley no ha afectado la curva de oferta de trabajo o el costo marginal del trabajo a los niveles de empleo por encima de 75 horas. La ley de salarios mínimos ha tenido éxito en aumentar la tasa de salarios en $2.50 la hora y aumentar la cantidad de trabajo empleado en 25 horas por día.

## PREGUNTAS DE REPASO

- ¿Por qué las tasas salariales de los trabajadores calificados son mayores que las de los trabajadores poco calificados?

- ¿Cuáles son los principales métodos que utilizan los sindicatos laborales para aumentar las tasas salariales de sus miembros por encima de los niveles que percibe el personal no sindicalizado?

- ¿Qué es un monopsonio y por qué está en posibilidad de pagar una tasa de salarios inferior a la de una empresa competitiva?

- ¿Cuál es el efecto de un salario mínimo en un monopsonio? ¿Cuál es el efecto de un salario mínimo en un mercado de trabajo competitivo? ¿Por qué son diferentes los dos efectos?

Ahora usted comprende dos fuentes de diferenciales en los salarios: los diferenciales de habilidades y las acciones de los sindicatos laborales. Estas dos fuentes de diferencias en los salarios son fáciles de detectar y analizar. Una tercera fuente de diferenciales en los salarios, el sexo y la raza, es más difícil de explicar, pero es la fuente más sensible de los diferenciales en ingresos.

# Diferenciales en salarios entre sexos y razas

EL OBJETIVO DE ESTA SECCIÓN ES MOSTRARLE CÓMO usar el análisis económico para resolver un tema muy controvertido. La figura 16.7 proporciona una rápida visión de las diferencias en ingresos que existen entre los sexos y las razas en Estados Unidos, y demuestra también cómo han evolucionado estas diferencias desde 1955. Los salarios de cada grupo racial y sexual se expresan como un porcentaje de los salarios de los hombres de raza blanca. En 1997, el año más reciente del que se tiene información, estos porcentajes oscilaban desde 75 para las mujeres de raza blanca, hasta 53 para las mujeres de origen hispano.

La figura 16.8 muestra las brechas salariales entre hombres y mujeres en varios países de América Latina. Estas

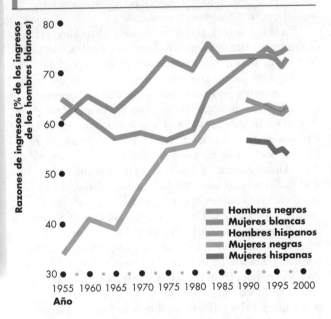

**FIGURA 16.7**

### Diferenciales salariales por sexo y raza

Razones de ingresos (% de los ingresos de los hombres blancos)

Hombres negros
Mujeres blancas
Hombres hispanos
Mujeres negras
Mujeres hispanas

Los salarios de los diferentes grupos por razas y sexos se muestran como porcentajes de los salarios de los hombres de raza blanca. Estos diferenciales han persistido durante muchos años, pero sus magnitudes han cambiado.

Fuente: *Statistical Abstract of the United States: 1998,* U.S. Bureau of the Census, edición 118.

**FIGURA 16.8**

## Brecha de ingresos por género (porcentajes)

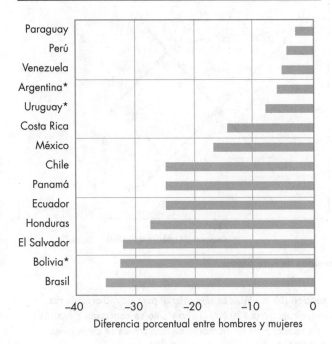

Diferencia porcentual entre hombres y mujeres

*Países con datos urbanos solamente.

Nota: Se aísla el efecto de la educación, la experiencia y la experiencia al cuadrado.

*Fuente:* BID a partir de encuestas de hogares.

brechas salariales ya excluyen cualquier diferencia posible que pueda ser atribuida a niveles de educación y experiencia. La magnitud de la brecha salarial entre sexos en América Latina fluctúa entre un 3% en Paraguay, hasta poco más del 30% en países como Bolivia, Brasil y El Salvador.

¿Por qué existen los diferenciales que se muestran en las figuras 16.7 y 16.8? ¿Se producen debido a que existe discriminación contra las mujeres y los miembros de las razas minoritarias, o hay alguna otra explicación? Estas controvertidas preguntas generan una enorme polémica. No es la intención del autor molestar a nadie; sin embargo, esto podría ocurrir como una consecuencia no intencional de esta discusión.

Examinemos cuatro posibles explicaciones para las diferencias en ingresos:

- Tipos de trabajo
- Discriminación
- Diferencias en el capital humano
- Diferencias en el grado de especialización

## Tipos de trabajo

Algunas de las diferencias en los salarios entre personas de distinto sexo se producen porque mujeres y hombres realizan trabajos diferentes y porque los trabajos que desempeñan los hombres son mejor remunerados. Pero en la actualidad cada vez más mujeres desempeñan empleos que tradicionalmente hacían los hombres, tales como conductoras de autobús, policías y trabajadoras de la construcción. La tendencia es más fuerte en profesiones como arquitectura, medicina, derecho y contabilidad. En Estados Unidos, el porcentaje de inscripciones de mujeres en cursos universitarios en estos temas ha aumentado de menos del 20% en 1970, hasta casi el 50% en la actualidad. Una tendencia similar ha empezado a ocurrir en varios países de América Latina.

Pero muchas mujeres y miembros de minorías ganan menos que los hombres de raza blanca incluso cuando hacen el mismo trabajo. Una razón posible es la discriminación. Veamos cómo la discriminación podría afectar las tasas salariales.

## Discriminación

Suponga que las mujeres de raza negra y los hombres de raza blanca tienen capacidades idénticas como asesores de inversiones. La figura 16.9 muestra la curva de oferta de mujeres de raza negra, $O_{MN}$ (en la sección a), y la de hombres de raza blanca, $O_{HB}$ (en la sección b). El ingreso del producto marginal de los asesores de inversiones, tal como se muestra mediante las dos curvas denominadas *IPM* en las secciones (a) y (b), es el mismo para ambos grupos.

Si todos están libres de prejuicios sobre raza y sexo, el mercado determina una tasa de salarios de $40,000 para ambos grupos de asesores de inversiones. Pero si los clientes de las casas de inversiones sienten prejuicio en contra de las mujeres y las minorías, esto se refleja en los salarios y el empleo.

Suponga que el ingreso del producto marginal para las mujeres de raza negra, cuando se discrimina contra ellas, es *IPM*$_{DC}$, donde *DC* representa "discriminación contra". Suponga que el ingreso del producto marginal para los hombres de raza blanca, el grupo que se favorece de la discriminación, es *IPM*$_{DF}$, donde *DF* representa "discriminación a favor de". Con estas curvas del ingreso del producto marginal, las mujeres de raza negra ganan $20,000 al año y sólo trabajarán 1,000 de ellas como asesoras de inversión. Los hombres de raza blanca ganan $60,000 al año y 3,000 de ellos trabajarán como asesores de inversiones.

**FIGURA 16.9**

# Discriminación

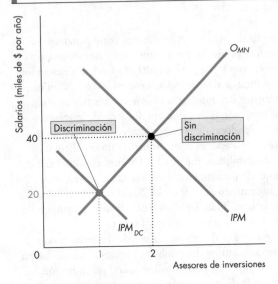

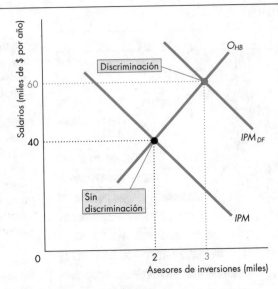

(a) Mujeres negras

(b) Hombres de raza blanca

Sin discriminación, la tasa salarial es de $40,000 al año y se contratan a 2,000 de cada grupo. Con discriminación en contra de las mujeres y de las personas de raza negra, la curva del ingreso del producto marginal en la sección (a) es IPM_DC y en la

sección (b) es $IPM_{DF}$. La tasa salarial para las mujeres de raza negra baja hasta $20,000 al año y sólo se contratan a 1,000. La tasa salarial para los hombres de raza blanca se eleva hasta $60,000 al año y se contratan a 3,000.

Los economistas están en desacuerdo sobre si el prejuicio en realidad ocasiona diferencias salariales, y una línea de razonamiento sugiere que no es así. En el ejemplo que se acaba de estudiar, los clientes que compran a hombres de raza blanca pagan un cargo por servicios más alto por asesoría en inversiones, que los clientes que compran a mujeres de raza negra. Esta diferencia en precios actúa como un incentivo para estimular a las personas que sienten prejuicios a comprar a las personas contra las que tienen dicho prejuicio. Esta fuerza podría ser tan fuerte que eliminara por completo los efectos de la discriminación. Suponga, como es cierto en el área de manufactura, que los clientes de una empresa nunca conocen a sus trabajadores. Si esa empresa discrimina a las mujeres o a las minorías, no puede competir con empresas que contraten a estos grupos, porque sus costos son más altos que los de las empresas sin prejuicios. Por tanto, sólo aquellas empresas que no discriminan, sobreviven en una industria competitiva.

Estudie usted ahora a la tercera fuente de diferencias en los salarios: diferencias en el capital humano.

## Diferencias en el capital humano

Cuanto más capital humano posee una persona, más gana, si las demás cosas permanecen igual. El capital humano se mide con tres indicadores, que son:

1. Años de estudios
2. Años de experiencia en el trabajo
3. Número de interrupciones en el empleo

En Estados Unidos, existe una proporción mayor de hombres que de mujeres que han completado cuatro años de estudios universitarios (25% y 20%, respectivamente). Y una proporción mayor de hombres de raza blanca que de personas de raza negra han obtenido un título universitario o más alto (24% y 13%, respectivamente). Estas diferencias en niveles de educación entre los sexos y las razas se están haciendo cada vez más pequeñas, pero aún no han sido eliminadas.

Cuantos más años de trabajo y menos interrupciones en sus empleos tenga una persona, más alto será su salario si las demás cosas permanecen igual. Las interrupciones en una carrera reducen la efectividad de la experiencia en el trabajo y proporcionan ingresos más bajos. Históricamente, las interrupciones en el empleo han sido más graves para las mujeres que para los hombres, porque las mujeres generalmente han interrumpido sus carreras para tener y criar hijos. Este factor es una posible fuente de salarios más bajos, en promedio, para las mujeres. Pero las licencias por maternidad y las instalaciones para cuidar a los hijos durante el día están haciendo menos comunes las interrupciones de las carreras para las mujeres.

Una fuente final de diferencias en los ingresos, el grado relativo de especialización de las mujeres y los hombres, afecta en forma adversa los ingresos de las mujeres.

## Diferencias en el grado de especialización

Las parejas tienen que elegir cómo asignar su tiempo entre trabajar por un salario y hacer trabajos en el hogar como cocinar, limpiar, ir de compras, organizar las vacaciones y, lo más importante, tener y criar hijos. Observe las elecciones de Roberto y Susana. Roberto podría especializarse en obtener un ingreso y Susana en cuidar el hogar. O Susana podría especializarse en obtener un ingreso y Roberto en atender el hogar. O ambos podrían ganar un ingreso y compartir los trabajos del hogar.

La asignación que elijan depende de sus preferencias y del potencial de obtener ingresos de cada uno de ellos. La elección de un número creciente de hogares es que cada miembro se diversifique entre obtener un ingreso y hacer algunas tareas en el hogar. Pero como sucede en la mayoría de los hogares, Roberto se especializará en obtener un ingreso y Susana obtendrá un ingreso y cuidará el hogar. Parece posible que con esta elección Roberto ganará más que

Susana. Si Susana dedica tiempo y esfuerzo a asegurar el bienestar mental y físico de Roberto, la calidad del mercado de trabajo de Roberto será más alta que si él estuviera diversificado. Si se invirtieran los papeles, Susana podría ofrecer su trabajo en el mercado y podría ganar más que Roberto.

Para comprobar si el grado de especialización explica los diferenciales en ingresos entre los sexos, los economistas han estudiado dos grupos: hombres "que nunca se han casado" y mujeres "que nunca se han casado". La evidencia disponible en Estados Unidos sugiere que, en promedio, cuando las personas tienen la misma cantidad de capital humano (medido por los años de estudios, los años de experiencia en el trabajo y las interrupciones en sus carreras), no hay una diferencia importante entre los salarios de estos dos grupos. Como indica la figura 16.8, es posible que esto no sea necesariamente cierto en todos los países de América Latina.

Debido a que los mercados de trabajo proporcionan ingresos desiguales, los gobiernos intervienen en estos mercados para modificar los salarios y los niveles de empleos que ellos determinan. Una intervención con repercusiones potencialmente altas son las leyes de valor comparable. Observe cómo operan estas leyes.

## Leyes de valor comparable

EL CONGRESO ESTADOUNIDENSE APROBÓ LA LEY DE igualdad en las remuneraciones en 1963 y la Ley de derechos civiles en 1964. Estas leyes exigen remuneración igual por trabajo igual. Son intentos por eliminar las formas más flagrantes de discriminación entre hombres y mujeres, y entre blancos y minorías. Pero muchas personas creen que estas leyes no son suficientemente completas. Según su punto de vista, pagarles el mismo salario por hacer el *mismo* trabajo es tan sólo la primera medida a tomar. Lo importante es que los trabajos *comparables,* es decir, los que requieren los mismos niveles de habilidades y responsabilidades, reciban los *mismos* salarios con independencia de si los trabajos son hechos por hombres o mujeres, o por negros o blancos. Pagar el mismo salario por trabajos diferentes que se juzguen comparables, es una medida que se conoce como el *valor comparable.*

La figura 16.10 muestra cómo operan las leyes de valor comparable. La sección (a) muestra el mercado para operadores de plataformas petroleras y la sección (b) muestra el mercado para los maestros de escuela. Se muestran las curvas del ingreso del producto marginal ($IPM_O$ y $IPM_M$) y las curvas de oferta ($O_O$ y $O_M$) para cada tipo de trabajo. La competencia produce una tasa de salarios de $W_O$ para los operadores de plataformas petroleras y $W_M$ para los maestros.

Suponga que se decide que estos dos empleos sean de valor comparable y que los tribunales hacen cumplir una tasa salarial de $W_C$ para ambos grupos. ¿Qué ocurre? Primero, hay una escasez de operadores de plataformas petroleras. Las compañías de plataformas petroleras sólo pueden contratar $O_O$ trabajadores a la tasa de salarios $W_C$. Disminuyen su producción o construyen plataformas petroleras más caras y que ahorren trabajo. También disminuye el número de maestros empleados. Pero esta disminución ocurre porque las escuelas demandan menos maestros. Al salario más alto $W_C$, las escuelas sólo demandan $D_M$ maestros. La cantidad ofrecida de maestros es $O_M$ y la diferencia entre $O_M$ y $D_M$ es el número de maestros desempleados en busca de trabajo. Lo más probable es que con el tiempo estos maestros acepten empleos no relacionados con la enseñanza (que no les

### FIGURA 16.10

## El problema con las leyes de valor comparable

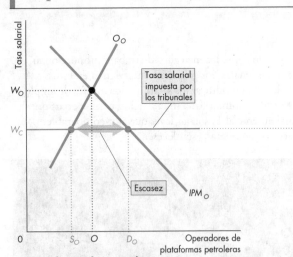

**(a) Mercado para los operadores de plataformas petroleras**

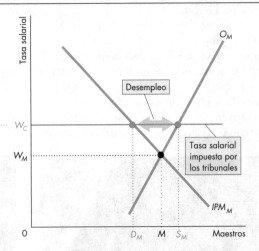

**(b) Mercado para maestros**

La sección (a) se muestra la oferta y la demanda de operadores de plataformas petroleras ($O_O$ e $IPM_O$, respectivamente). La sección (b) muestra la oferta y la demanda de maestros de escuelas ($O_M$ e $IPM_M$, respectivamente). La tasa salarial de equilibrio competitivo para los operadores de plataformas petroleras es $W_O$ y para los maestros es $W_M$. Si una evaluación de los dos empleos encuentra que tienen valor comparable y se determina que a ambos tipos de trabajadores se les tiene que pagar la tasa de salarios $W_C$, ese salario crea una escasez de operadores de plataformas petroleras y un excedente de maestros. Los productores de petróleo buscan formas de producir petróleo que ahorren trabajo (que son más caras) y los maestros buscan otros empleos (que son menos deseables para ellos y probablemente peor pagados).

agradan tanto como los empleos en la enseñanza), a una tasa de remuneración inferior que la de los maestros.

Aunque las leyes del valor comparable logran eliminar las diferencias en salarios, sólo pueden hacerlo incurriendo en costosas consecuencias no intencionales. Limitan las oportunidades de empleo y crean desempleo entre los trabajadores cuyos salarios se elevan. Además, les dificulta a los patrones la contratación de trabajadores cuyos salarios se mantienen bajos. Sólo en el caso poco común de un mercado de trabajo monopsonístico, igualar las tasas salariales no crea excedentes ni escasez permanente de habilidades. En esta situación, una ley de valor comparable opera en una forma similar a una ley de salarios mínimos.

## Políticas salariales eficaces

Ya se han examinado las principales fuentes de diferenciales en los salarios, y hay una que destaca: el nivel de educación. Las personas con títulos de maestría ganan mucho más que los graduados universitarios, que a su vez ganan mucho más que los graduados de enseñanza superior, que a su vez ganan más que las personas que no han terminado la enseñanza superior. Esta fuente de diferencias en los ingresos es la fuente principal sobre la que puede operar una política eficaz.

Al buscar la educación más eficaz disponible en la escuela primaria, la enseñanza superior y la universidad, las personas pueden equiparse con capital humano que les produzca ingresos bastante más altos. Pero en el mundo actual, sujeto a rápidos cambios, la acumulación de educación y capital humano tiene que ser una empresa continua. Los trabajadores más exitosos son aquellos que están en posibilidad de reorganizarse repetidamente y adoptar en forma activa cada nuevo avance tecnológico. Los menos exitosos son aquellos que se mantienen con una tecnología en particular y están imposibilitados o no están dispuestos a adaptarse cuando esa tecnología se vuelve obsoleta.

Por tanto, una política de salarios eficaz es aquella que insiste en la importancia de la educación y el entrenamiento continuo.

## PREGUNTAS DE REPASO

- ¿Qué es una ley de valor comparable y qué busca lograr?
- Las leyes de valor comparable, ¿eliminan las diferencias en salarios? ¿Qué otros efectos tienen las leyes de valor comparable que benefician o dañan a los trabajadores de más baja remuneración?
- ¿Cuál es la política más efectiva que puede eliminar los diferenciales en salarios entre hombres y mujeres, y entre blancos y minorías?

Ahora trataremos el tema final de este capítulo: la inmigración.

# Inmigración

SESENTA MILLONES DE PERSONAS, O SEA EL 1.2% DE LA población actual del mundo, han emigrado del país en el que nacieron. Y casi una tercera parte de estos inmigrantes viven en Estados Unidos.[1]

Se estudiarán cuatro preguntas sobre la inmigración a Estados Unidos:

- ¿Cuántas personas inmigraron a Estados Unidos, de dónde vienen y qué habilidades traen con ellos?
- ¿Cómo afecta la inmigración al empleo y a las tasas salariales de los nacidos en Estados Unidos?
- ¿Cómo se desempeñan los nuevos inmigrantes en Estados Unidos?
- ¿Cuáles son los efectos de los inmigrantes sobre el presupuesto del gobierno?

## Escala, origen y habilidades de los inmigrantes a Estados Unidos

Durante cada uno de los últimos años, han llegado a Estados Unidos casi 800,000 inmigrantes legales. Más de una cuarta parte de estos nuevos inmigrantes han llegado de México.

La escala y el patrón de la inmigración han cambiado con el transcurso de los años. La figura 16.11(a) muestra que la inmigración fue enorme a fines del siglo XIX y en los primeros 30 años del siglo XX. Disminuyó durante las décadas de 1930 y 1940, pero creció de nuevo después de la Segunda Guerra Mundial. Para la década de 1980, estaba en marcha una nueva gran ola de inmigración.

La figura 16.11(b) muestra que antes de la Segunda Guerra Mundial, la mayor parte de la inmigración provenía directamente de Europa, o indirectamente de Europa a través de Canadá. Pero poco a poco, con el transcurso de las décadas, Asia, México y otros países del continente americano reemplazaron a Europa y Canadá como los lugares de origen de los nuevos inmigrantes.

Las habilidades que traen consigo los inmigrantes varían enormemente. Pero los promedios son interesantes e importantes. Se pueden medir las habilidades de los inmigrantes en dos formas: por sus ingresos y por sus niveles de educación. Con base en los ingresos, los inmigrantes recién llegados son menos productivos, en promedio, que los nacidos en Estados Unidos. Y con el transcurso de los años se han capacitado menos en relación con los estadounidenses

---

[1] Esta sección sobre inmigración se ha basado ampliamente en "The Economics of Inmigration", de George J. Borjas, en *Journal of Economic Literature*, Vol. XXXII (diciembre de 1994), págs. 1667-1717.

FIGURA 16.11

## La escala y las fuentes de inmigración a Estados Unidos

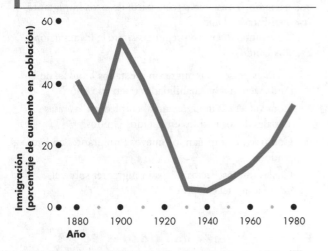

**(a) Cantidad de inmigración**

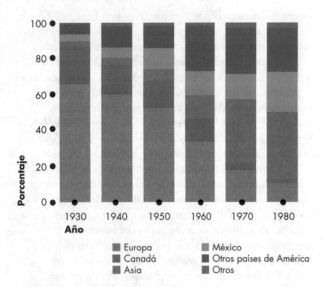

**(b) Lugar de origen de los inmigrantes**

La sección (a) muestra la escala de la inmigración a Estados Unidos, década por década, desde la de 1880. Después de una gran ola de 50 años, que duró hasta 1930, la inmigración comenzó a disminuir. Después de la Segunda Guerra Mundial, comenzó una nueva ola que continuó aumentando durante la década de 1980. Antes de 1930, la mayoría de todos los inmigrantes provenía de Europa, pero con el transcurso de los años, Asia y otros países americanos han reemplazado a Europa como la principal fuente de nuevos inmigrantes.

nativos. Los nuevos inmigrantes que llegaron durante la década de 1960, ganaban un 17% menos que los estadounidenses comparables. Aquellos que llegaron durante la década de 1970, ganaron un 28% menos que los estadounidenses. Y quienes llegaron durante la década de 1980, ganaron un 32% menos que los estadounidenses. Con base en los niveles de educación, los inmigrantes también están menos capacitados que los estadounidenses. El porcentaje de inmigrantes que no han terminado estudios preuniversitarios ha disminuido, pero sólo ligeramente, y es casi de un 40%. En contraste, la tasa de abandono de la enseñanza superior para los estadounidenses nacidos en el país ha disminuido de 40% en 1970, a menos de 15% en la actualidad.

En el otro extremo, el porcentaje de los inmigrantes que son graduados universitarios ha aumentado ligeramente, pero el porcentaje de estadounidenses graduados en universidades se ha incrementado con más rapidez.

Para resumir las características de los inmigrantes a los Estados Unidos: cada vez provienen más de Asia y América Latina, su nivel de habilidades es inferior al de los estadounidenses y ha estado disminuyendo relativamente en los últimos años.

## Los inmigrantes y el mercado de trabajo

La inmigración aumenta la oferta de trabajo y al hacer esto disminuye las tasas salariales de los trabajadores existentes. Al mismo tiempo, disminuye la oferta de trabajo y eleva las tasas de salarios en el país que están abandonando los inmigrantes. La figura 16.12 muestra estos efectos en los mercados de trabajo de Estados Unidos, sección (a) y México, sección (b). La demanda de trabajo en Estados Unidos es $DT_{EU}$ y en México es $DT_M$. Antes de que se lleve a cabo la inmigración, 125 millones de trabajadores en Estados Unidos ganan $15 por hora y 50 millones de trabajadores en México ganan $1 por hora. (Las cifras son hipotéticas.)

Con libertad de movimiento, los mexicanos entran a Estados Unidos siempre y cuando al hacerlo puedan aumentar sus ingresos. En este ejemplo, la fuerza de trabajo de Estados Unidos aumenta hasta 150 millones y la tasa de salarios baja hasta $8 por hora. En México, la fuerza de trabajo disminuye hasta 25 millones y la tasa de salarios se eleva hasta $8 por hora. Cuando las tasas de salarios son las mismas, no hay incentivos para que nadie emigre entre los dos países.

El resultado que se muestra en la figura 16.12 es poco probable que ocurra porque las personas no votarían por una ley inmigratoria que abriera las fronteras. En lugar de ello, votamos por leyes de inmigración que eviten el libre movimiento de las personas, con el fin de evitar el resultado que se muestra en la figura 16.12.

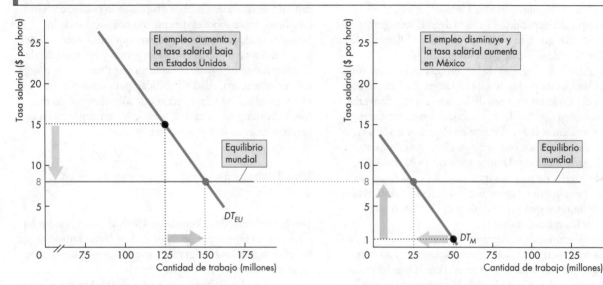

**FIGURA 16.12**

## Inmigración y el mercado de trabajo

**(a) El mercado de trabajo de los Estados Unidos**

La sección (a) muestra el mercado de trabajo en Estados Unidos. La demanda de trabajo es $DT_{EU}$ y, con 125 millones de trabajadores, la tasa de salarios es $15 por hora. La sección (b) muestra el mercado de trabajo en México. La demanda de trabajo es $DT_M$ y, con 50 millones de trabajadores, la tasa de salarios es $1 por hora. Al existir el libre movimiento de

**(b) El mercado de trabajo mexicano**

personas entre los dos países, las personas abandonan México y emigran a Estados Unidos. El empleo aumenta y la tasa salarial se reduce en Estados Unidos, y el empleo disminuye y la tasa salarial aumenta en México. Ocurre el equilibrio mundial cuando la tasa de salarios es igual en los dos países, a $8 la hora.

Pero, ¿desplaza la inmigración las tasas salariales en las direcciones que se muestran en la figura? ¿Disminuye los salarios de los trabajadores existentes? La respuesta es ambigua. Podría disminuir los salarios, pero podría elevarlos. De cualquier forma es probable que el efecto sea pequeño.

Según George Borjas, una de las principales autoridades en este tema, la inmigración podría ser en parte responsable de la disminución en los ingresos de los estadounidenses poco calificados durante la década de 1980.

Hay varias razones por las que la inmigración no tiene el efecto tan drástico sobre los salarios nacionales que se muestran en la figura 16.12. Primero, los inmigrantes no sólo traen consigo una oferta de trabajo, sino también una demanda de bienes y servicios. Por consiguiente, las empresas se expanden y aumenta la demanda de trabajo. Este aumento en la demanda de trabajo limita el grado en el que se reduce la tasa de salarios. Segundo, algunos inmigrantes traen capital con ellos. Este capital adicional se invierte en negocios y proporciona un aumento en la demanda de trabajo. Tercero,

los inmigrantes no son por necesidad *sustitutos* del trabajo nacional. Podrían ser *complementos* del mismo. Por ejemplo, una escasez de trabajo de baja calificación podría ocasionar que una empresa tuviera que cerrar y despedir a sus trabajadores de mayor calificación. La inmigración podría restaurar la capacidad de la empresa para operar en forma rentable y permitirle hacer contrataciones nuevamente.

Por estas tres razones, el efecto de la inmigración sobre las tasas salariales es menor que el efecto directo que se muestra en la figura 16.12.

A continuación se examinarán las fortunas económicas de los propios inmigrantes.

### ¿Cómo se desempeñan los nuevos inmigrantes en Estados Unidos?

Hemos visto que cuando un nuevo inmigrante llega a Estados Unidos gana, en promedio, menos que lo que obtienen los nativos del país con una calificación similar. También hemos visto que esta brecha en los ingresos se ha ido ampliando y que en la actualidad se acerca a una tercera parte. ¿Pero, qué les ocurre a los inmigrantes en los años posteriores a su llegada a Estados Unidos?

La respuesta depende de cuándo llegó el inmigrante, del número de años que han transcurrido desde su llegada, de su origen étnico y de su manejo del idioma inglés.

En general, los ingresos de los inmigrantes crecen con más rapidez que los de los estadounidenses. Es decir, existe la tendencia a que los ingresos de los inmigrantes converjan e incluso sobrepasen los de los estadounidenses similares. Pero esta tendencia fue más fuerte en el pasado que en la actualidad. Para 1990, en promedio, los inmigrantes que habían llegado a Estados Unidos antes de 1970, habían alcanzado niveles de ingresos iguales a los de los estadounidenses. Aquellos que habían llegado antes de 1950, tenían niveles de ingresos que promediaban un 26% *más* que los ingresos de los estadounidenses.

Para los grupos de inmigrantes más recientes, sigue existiendo la tendencia a que los ingresos aumenten con más rapidez que los de los no inmigrantes. Pero la brecha inicial ahora es tan amplia, y la rapidez de la convergencia, tan lenta, que muchos nuevos inmigrantes nunca ganarán tanto como sus equivalentes estadounidenses.

Esta tendencia de que el desempeño de los inmigrantes sea inferior al de los estadounidenses es más pronunciada entre los inmigrantes de origen hispano que entre los de otros grupos étnicos. Pero también existe entre los inmigrantes asiáticos.

Debido a que los grupos de inmigrantes con un desempeño inferior provienen de países en los que el inglés no es una lengua importante, las habilidades en el idioma podrían desempeñar un papel en la explicación de las diferencias salariales. Los estudios de la influencia del idioma sobre los ingresos están de acuerdo con esta sospecha. Se ha estimado que los inmigrantes que dominan el idioma inglés ganan, en promedio, un 17% más que los inmigrantes que no lo hablan bien. Este estimado, junto con el hecho de que un creciente porcentaje de los inmigrantes no hablan inglés, explica por qué los ingresos de la ola más reciente de inmigrantes convergen con los niveles de ingreso de los nativos del país a una velocidad más lenta que las primeras olas.

Si el grupo actual de inmigrantes fuera incapaz de alcanzar los ingresos de los estadounidenses, ¿cuáles son las expectativas para sus hijos? ¿Completarán el proceso de convergencia? No sabemos lo suficiente para poder contestar a esta pregunta, pero sí sabemos que hay una fuerte correlación entre los ingresos de las nuevas familias inmigrantes y los ingresos de sus hijos. Debido a esta correlación, existe la posibilidad de que la convergencia siga siendo lenta. En todo caso, la convergencia de ingresos entre inmigrantes y estadounidenses tiene como prerrequisito la convergencia en capital humano entre ambos grupos de la población. Un estudio reciente sobre el desempeño económico de los México-estadounidenses demuestra que dos terceras partes de la brecha de ingresos entre este grupo y las personas de raza blanca no hispanas, se explican por diferencias en niveles educativos, edad y habilidad para comunicarse en el idioma inglés. Por ello, es claro que sólo eliminando esta fuente de desigualdades será posible la convergencia en los ingresos de estos dos grupos de la población.

## Los inmigrantes y el presupuesto del gobierno

Desde mediados de la década de 1960, Estados Unidos ha creado una enorme red de seguridad de bienestar social. ¿Se benefician más los inmigrantes de estos programas sociales de lo que contribuyen a ellos?

Durante los últimos veinte años, los inmigrantes han tenido derecho, en números crecientes, a la ayuda de bienestar social. En 1970, un 6% de todos los hogares de estadounidenses y 5.9% de todos los hogares de inmigrantes recibieron alguna forma de bienestar social. Para 1990, estos porcentajes eran 7.4% para los hogares nacionales y el 9.1% para los hogares de inmigrantes. En parte como una reacción a esta tendencia, el Congreso aprobó una legislación que hace más difícil para los inmigrantes tener derecho al bienestar social, y esta nueva ley podría cambiar la tendencia.

Pero hay una enorme diferencia en el grado hasta el que los diferentes grupos de inmigrantes usan el bienestar social. Aquellos que se apoyan más fuertemente en el mismo son los nuevos inmigrantes provenientes de Camboya, Laos, la República Dominicana y Vietnam.

Pero los inmigrantes pagan impuestos y sus pagos totales por impuestos son mucho mayores que lo que reciben por bienestar social. La información proveniente del censo de 1990 nos dice que los inmigrantes pagan 85,000 millones de dólares en impuestos y reciben 24,000 millones de dólares en beneficios de bienestar social. Los inmigrantes también imponen al gobierno otros costos difíciles de cuantificar, por lo que no podemos decir con seguridad cuál es el costo o beneficio neto de la inmigración para el presupuesto del gobierno.

## PREGUNTAS DE REPASO

■ ¿De dónde viene la mayoría de los inmigrantes a Estados Unidos? ¿Ha aumentado o disminuido el número de inmigrantes en los años recientes?

■ ¿Cómo influye la inmigración sobre las tasas salariales? ¿Es pequeño o grande el efecto?

■ ¿Cómo se comparan las tasas salariales y las habilidades de los nuevos inmigrantes con las de las personas que han vivido en Estados Unidos durante algún tiempo?

■ ¿Se apoyan más en el bienestar social los inmigrantes recientes que las primeras olas de inmigrantes? ¿Por qué podría ser esto así?

◆ La sección *Lectura entre líneas* de las páginas 362-363 vuelve a tratar el tema de la migración y los mercados de trabajo entre México y algunos países industrializados. Asimismo, examina formas diferentes en las que un mercado de trabajo puede hacer frente a una escasez y lograr el equilibrio.

En el capítulo siguiente se examinarán las distribuciones del ingreso y la riqueza como resultado de la operación de los mercados de trabajo y los mercados para otros recursos productivos.

# Un mercado de trabajo en acción

EL FINANCIERO, 5 DE AGOSTO DE 1993

## Esencia del artículo

## Aumenta el éxodo de ingenieros al extranjero, asegura el CIME

Por: José de Jesús Guadarrama H.

El cambio en la estructura de la demanda de profesionales a nivel mundial y el desempleo generado por la desaceleración económica del país ha provocado una "leva masiva" de ingenieros hacia el extranjero, según diversos expertos.

Raúl González Apaolaza, presidente del Colegio de Ingenieros Mecánicos y Electricistas (CIME), y Mayra de la Torre, Premio Nacional de Ciencias, coincidieron que tales fenómenos explican en cierta medida el regreso masivo de científicos al país, pues muchas empresas a nivel mundial han recortado presupuestos y personal en las áreas de ciencias básicas.

Sin embargo, se ha producido un éxodo de ingenieros hacia países desarrollados en donde se registra un déficit importante de este personal, o hacia actividades diferentes a las de su formación debido al importante índice de desempleo (entre ellas la economía subterránea) o para cubrir puestos de técnicos medios.

De acuerdo con González Apaolaza, el índice de falta de empleo se profundizó recientemente como resultado del recorte de personal realizado, por ejemplo, en Petróleos Mexicanos (Pemex) y cuyo impacto lo resienten, también, los recién egresados de universidades e institutos de educación superior.

Empero, las grandes compañías internacionales, sobre todo estadounidenses y europeas, han creado una apertura para los ingenieros latinoamericanos gracias a que su característica bilingüe les permite ser enlace con América Latina; además, se ha comprobado un nivel de creatividad e ingenio superiores a los ingenieros sajones.

Por otro lado, en la estructura de la oferta mexicana de personal se observa la existencia de cinco licenciados por cada técnico medio, cuan-

do, según el experto, la pirámide debería estar invertida. En la actualidad, México observa un déficit de un millón de técnicos medios, faltante que en alguna medida se ha logrado compensar al ocupar tales puestos los profesionistas de nivel licenciatura. Con lo anterior, paulatinamente los técnicos medios han empezado a ganar aceptación y reconocimiento sociales.

Otra parte del problema, según diferentes observadores, es que los ingenieros en la nación están mal remunerados... de acuerdo con estudios conjuntos realizados por organizaciones de ingenieros de México, Estados Unidos y Canadá, los salarios para estos profesionales en nuestro país es cuatro veces inferior, en relación con las otras dos naciones.

... Según estudios del CIME, "el problema esencial radica en superar el rezago existente. En los países industrializados, la relación es de 10 ingenieros por cada mil habitantes, mientras que en México la media es actualmente de cuatro por cada mil". De ahí que se requiera, para solucionar este problema, de una tasa de crecimiento superior al ocho por ciento anual, en estas ramas del saber durante los próximos 10 años.

"En lo que respecta a las áreas de investigación científica y de desarrollo tecnológico, nuestra capacidad es sumamente reducida, tenemos cinco ingenieros investigadores por cada 10 mil habitantes; en tanto que en Estados Unidos y Japón se cuenta con 60; en Alemania con 50, y en Francia con 40. Un fenómeno digno de tomarse en cuenta -señala el documento-, es la tendencia de crecimiento negativo en el posgrado en áreas de ingeniería, que para 1990, contaba sólo con cinco mil 333 alumnos (entre especialidad, maestría y doctorado), en las áreas de ingeniería y tecnología, por lo que se requiere su fortalecimiento".

- Los cambios en la estructura de la demanda de profesionales a nivel mundial y la desaceleración económica en México han generado una migración de ingenieros mexicanos al resto del mundo.

- De acuerdo con el presidente del CIME, el desempleo ha aumentado como resultado de las reducciones de personal de la empresa Petróleos Mexicanos.

- Las grandes compañías internacionales han empezado a contratar a ingenieros latinoamericanos por sus habilidades.

- De acuerdo con estudios realizados por organizaciones de ingenieros de México, Estados Unidos y Canadá, los salarios para los ingenieros mexicanos son cuatro veces inferiores a los de los ingenieros en otros países de Norteamérica.

■ La desaceleración de la actividad económica en México, que ocurrió en 1992 y 1993, redujo la demanda de bienes finales e intermedios. Esto, a su vez, redujo la demanda de los trabajadores que producen este tipo de bienes, incluyendo a los ingenieros.

■ Esta situación, junto con el recorte de personal de una de las principales empresas que demandan este tipo de trabajadores (Petróleos Mexicanos), condujo a una reducción importante en la demanda de ingenieros.

■ La reducción en la demanda de ingenieros se muestra gráficamente en la figura. La caída en la demanda de ingenieros redujo el salario y el empleo de este tipo de trabajadores.

■ Un aumento en la demanda internacional de ingenieros mexicanos, dadas sus habilidades, se traduce en un aumento en el salario y en el empleo para este tipo de trabajadores en el resto del mundo.

■ Los dos factores anteriores implican que ha aumentado la brecha salarial para los ingenieros mexicanos en este país y en el resto del mundo. Este factor explica por qué ha aumentado la migración de este tipo de trabajadores hacia el extranjero.

■ Como es natural, estos resultados han afectado las perspectivas del mercado laboral para futuros ingenieros, lo cual se refleja en una disminución de la matrícula de posgrado en ingeniería. Esto se debe a que no hay incentivos para invertir en este tipo de conocimientos, ya que los salarios esperados para estos profesionales son bajos, lo que explica la baja demanda de ingenieros.

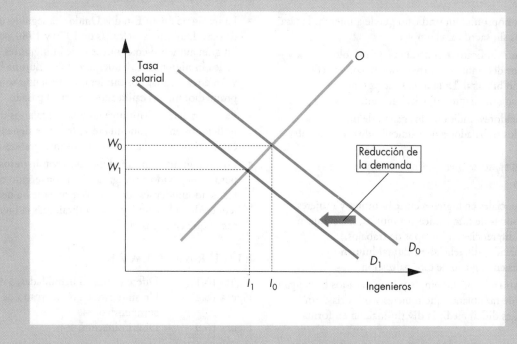

# RESUMEN

## CONCEPTOS CLAVE

### Diferenciales en habilidades (págs. 344-346)

- Los diferenciales salariales por habilidades se deben a las diferencias en el ingreso del producto marginal y a que las habilidades son costosas de adquirir.
- Las tasas salariales del trabajo de alta y baja calificación quedan determinadas por la oferta y la demanda en los correspondientes mercados de trabajo.

### Diferenciales en salarios de personal sindicalizado y no sindicalizado (págs. 347-352)

- Los sindicatos influyen sobre los salarios al controlar la oferta de trabajo.
- En los mercados de trabajo competitivos, los sindicatos obtienen salarios más altos sólo a expensas de un menor empleo, pero también intentan influir sobre la demanda de trabajo.
- En un monopsonio, un sindicato puede aumentar la tasa de salarios sin sacrificar el empleo.
- Cuando un sindicato se confronta con un solo comprador del trabajo, ocurre lo que se conoce como monopolio bilateral. La tasa de salarios queda determinada mediante negociaciones entre las dos partes.
- Los trabajadores sindicalizados ganan de un 10 a un 25% más que los trabajadores no sindicalizados comparables.

### Diferenciales en salarios entre sexos y razas (págs. 352-355)

- Los diferenciales en ingresos entre hombres y mujeres, y entre personas de raza blanca y minorías, se producen debido a diferencias en los tipos de trabajos, discriminación, diferencias en capital humano y diferencias en el grado de especialización.
- Es más probable que los empleos bien pagados los tengan hombres de raza blanca que mujeres y minorías. Sin embargo, es difícil medir la discriminación en forma objetiva.
- Históricamente, los hombres de raza blanca han tenido más capital humano que otros grupos. Las diferencias en capital humano, que se producen debido a diferencias en la escolaridad, han disminuido recientemente, pero no se han eliminado por completo.
- Los diferenciales basados en la experiencia en el trabajo han mantenido la remuneración de las mujeres por debajo de la de los hombres, debido a que tradicionalmente las carreras de las mujeres han quedado interrumpidas con más frecuencia que las de los hombres. En la actualidad, esta diferencia es menor que en el pasado.
- Es probable que los diferenciales que se producen por los diferentes grados de especialización sean importantes y podrían persistir. Tradicionalmente, en promedio, los hombres se han especializado más en la actividad del mercado que las mujeres.

### Leyes de valor comparable (págs. 356-357)

- Las leyes de valor comparable determinan los salarios utilizando características objetivas, en lugar de dejar que pague el mercado de acuerdo con su evaluación de los diferentes tipos de empleos.
- La determinación de los salarios a través del valor comparable dará como resultado una disminución en el número de personas empleadas en trabajos a los que el mercado les confiere un valor inferior al establecido, y escasez de trabajadores en los empleos que el mercado valora en forma más alta.

### Inmigración (págs. 357-361)

- La inmigración en Estados Unidos ha seguido un patrón de olas. Durante las décadas de 1970 y 1980, se produjo un gran aumento en el número de inmigrantes. El origen de los inmigrantes se ha desplazado de Europa hacia Asia y América Latina. Los inmigrantes recientes son, en promedio, menos calificados que en el pasado.
- La inmigración disminuye las tasas de salarios de los individuos en la economía receptora que tienen características similares a las de los inmigrantes.
- Los inmigrantes entran al mercado con ingresos bajos, pero en el pasado sus ingresos han convergido con los de los estadounidenses. Esta convergencia se ha hecho más lenta. Ahora los inmigrantes utilizan más el bienestar social que en el pasado.

## FIGURAS CLAVE

## TÉRMINOS CLAVE

# PROBLEMAS

*1. En la figura siguiente se proporcionan la oferta y la demanda de trabajo poco calificado:

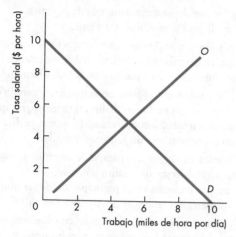

Los trabajadores pueden capacitarse para obtener una cierta habilidad, en cuyo caso su productividad marginal se duplica. (El producto marginal de cada nivel de empleo es el doble del producto marginal de un trabajador de baja calificación.) Pero el costo de adquirir la habilidad hace que aumente en $2 por hora el salario que se tiene que ofrecer para atraer trabajo de alta calificación. ¿Cuál es:

a. La tasa salarial del trabajo de baja calificación?

b. La cantidad empleada de trabajo de baja calificación?

c. La tasa salarial del trabajo de alta calificación?

d. La cantidad empleada de trabajo de alta calificación?

2. En la figura siguiente se proporcionan la oferta y la demanda de trabajo poco calificado:

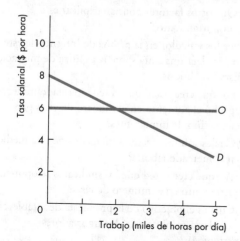

Los trabajadores pueden capacitarse para obtener una cierta habilidad, en cuyo caso su productividad marginal aumenta en $5 por hora. (El producto marginal de cada nivel de empleo es mayor en $5 que el de un trabajador de baja calificación). El costo de adquirir la habilidad hace que aumente en $3 por hora el salario que se tiene que ofrecer para atraer trabajo de alta calificación. ¿Cuál es:

a. La tasa salarial del trabajo de baja calificación?

b. La cantidad empleada de trabajo de baja calificación?

c. La tasa salarial del trabajo de alta calificación?

d. La cantidad empleada de trabajo de alta calificación?

e. ¿Por qué la tasa salarial aumenta en exactamente el costo de adquirir la habilidad?

*3. Suponga en el problema 1 que los trabajadores más calificados se sindicalizan y que el sindicato restringe la cantidad de trabajo de alta calificación a 5,000 horas. ¿Cuál es:

a. La tasa salarial de los trabajadores de alta calificación?

b. El diferencial en salarios entre los trabajadores de baja y alta calificación?

4. Suponga en el problema 2 que los trabajadores de alta calificación se sindicalizan y que el sindicato restringe la cantidad de trabajo de alta calificación a 2,000 horas. ¿Cuál es:

a. La tasa salarial de los trabajadores de alta calificación?

b. El diferencial en salarios entre los trabajadores de baja y alta calificación?

*5. En el problema 1, el gobierno implanta una tasa de salarios mínimos de $6 por hora para los trabajadores de baja calificación.

a. ¿Cuál es la tasa salarial que se paga a los trabajadores de baja calificación?

b. ¿Cuántas horas de trabajo de baja calificación se contratan cada día?

6. En el problema 2, el gobierno implanta una tasa de salarios mínimos de $8 por hora para los trabajadores de baja calificación

a. ¿Cuál es la tasa salarial que se paga a los trabajadores de baja calificación?

b. ¿Cuántas horas de trabajo de baja calificación se contratan cada día?

*7. Una empresa de monopsonio que se dedica a la minería del oro opera en una parte aislada de la cuenca amazónica. La tabla muestra las posibilidades de oferta de trabajo de la empresa (columnas 1 y 2) y su plan de producción total (columnas 2 y 3). El precio del oro es $1.40 por grano.

| Tasa salarial<br>($ por día) | Trabajadores<br>(número por día) | Cantidad<br>de oro producida<br>(granos por día) |
|---|---|---|
| 5 | 0 | 0 |
| 6 | 1 | 10 |
| 7 | 2 | 25 |
| 8 | 3 | 45 |
| 9 | 4 | 60 |
| 10 | 5 | 70 |
| 11 | 6 | 75 |

a. ¿Qué tasa salarial paga la compañía?

b. ¿Cuántos trabajadores contrata la mina de oro?

c. ¿Cuál es el ingreso del producto marginal a la cantidad de trabajo empleada?

8. Una empresa de monopsonio dedicada a la explotación forestal, opera en una parte aislada de Alaska. La tabla muestra el plan de oferta de trabajo de la empresa (columnas 1 y 2) y el plan de producción total (columnas 2 y 3). El precio de los troncos es $1.50 por tonelada.

| Tasa salarial<br>($ por día) | Trabajadores<br>(número por día) | Cantidad de<br>troncos producida<br>(toneladas por día) |
|---|---|---|
| 2.50 | 0 | 0 |
| 3.00 | 1 | 7 |
| 3.50 | 2 | 13 |
| 4.00 | 3 | 18 |
| 4.50 | 4 | 22 |
| 5.00 | 5 | 25 |
| 5.50 | 6 | 27 |

a. ¿Qué tasa salarial paga la compañía?

b. ¿Cuántos trabajadores contrata la compañía dedicada a la explotación forestal?

c. ¿Cuál es el ingreso del producto marginal a la cantidad de trabajo empleado?

*9. En él problema 7, explique los efectos sobre el empleo y el desempleo de una tasa salarial por encima de la tasa de equilibrio que es impuesta por un tribunal.

10. En el problema 8, explique los efectos de la llegada de nuevos inmigrantes sobre la demanda por trabajo, la oferta de trabajo y la tasa salarial.

# PENSAMIENTO CRÍTICO

1. Estudie la sección *Lectura entre líneas* en las páginas 362-363 y después conteste a las siguientes preguntas:

a. ¿Por qué depende la demanda de ingenieros de las condiciones económicas del país?

b. ¿Cuáles son los efectos anticipados de la migración que se describe en el artículo sobre los salarios de los ingenieros en México y en Estados Unidos?

c. ¿Cree usted que el fenómeno que se menciona en el artículo es exclusivo de los ingenieros? ¿En qué otras actividades considera usted que se podría estar presentando un fenómeno similar?

2. Utilice los vínculos en la página de Internet de este libro para observar un cuadro que resume las tendencias recientes en la participación de las mujeres en los mercados laborales de América Latina.

a. ¿Considera usted que las tendencias sugieren que los diferenciales en ingresos entre hombres y mujeres en América Latina han tendido a disminuir?

b. ¿Qué factores parecen haber contribuido más a mejorar la posición relativa de las mujeres en los mercados laborales de América Latina?

c. ¿En qué países se observa una tendencia más favorable para las mujeres?

d. ¿En qué países la evidencia es menos favorable para las mujeres?

3. Utilice los vínculos en la página de Internet de este libro y localice una gráfica con los ingresos promedio de hombres y mujeres por tipo de trabajo en América Latina.

a. ¿Considera usted que el tipo de trabajo ayuda a explicar los diferenciales en ingresos entre personas de distinto sexo?

b. ¿Qué otros factores podrían explicar este comportamiento?

4. Utilice los vínculos en la página de Internet de este libro para leer una nota sobre la política de migración en Estados Unidos.

a. ¿Por qué cree usted que el senado estadounidense aprobó el aumento en el número de visas para cierto tipo de inmigrantes?

b. ¿Cuáles son los efectos anticipados de esta medida en el mercado laboral?

c. ¿Por qué cree usted que los sindicatos se oponen al incremento en el número de visas?

d. ¿Cuál es el objetivo de la propuesta de establecer un salario mínimo para los trabajadores extranjeros?

# 17

# Desigualdad, redistribución y atención médica

En el piso cincuenta y cinco de un edificio de la ciudad de Nueva York, hay un apartamento con vista a Central Park, al río Hudson y a los rascacielos de la ciudad. ¿Su precio?, cuatro millones de dólares. Un anuncio en *The New Yorker* proclama que "ahora usted puede ser uno de los pocos envidiables que puede volar alrededor del mundo en el avión supersónico Concorde... por tan sólo 32,000 dólares por persona". No muy cerca del apartamento de cuatro millones de dólares, pero no lejos de él, está el Fort Washington Armory, un albergue temporal que fue creado en 1981 y que en la actualidad

## Riquezas
## y miserias

aloja en forma permanente a cerca de 1,000 hombres que duermen en un salón del tamaño de un campo de fútbol. Estos hombres viven en la desesperación y con el temor de contraer el SIDA u otras enfermedades mortales. Estos contrastes económicos también se observan de

manera cotidiana en las principales ciudades de América Latina. ◆ ¿Por qué algunas personas son exageradamente ricas, en tanto que otras son muy pobres y prácticamente no poseen nada? ¿Se están haciendo más ricos los ricos y más pobres los pobres? La información que tenemos sobre la desigualdad del ingreso y la riqueza, ¿proporciona una imagen exacta o una engañosa? ¿Cómo influyen los impuestos, el seguro social y los programas de bienestar social y de atención médica sobre la desigualdad económica?

◆ En este capítulo se estudia la desigualdad económica, su alcance, sus fuentes y sus posibles remedios. Se examinan los impuestos y los programas gubernamentales que redistribuyen los ingresos, y se estudian sus efectos sobre la desigualdad económica. También se estudian las diferentes formas en que se puede proporcionar la atención médica y sus efectos sobre la eficiencia económica y la igualdad. Comencemos por describir algunos aspectos de la desigualdad económica.

## Después de estudiar este capítulo, usted será capaz de:

■ **Describir la desigualdad en el ingreso en Estados Unidos y América Latina**

■ **Explicar por qué la desigualdad en la riqueza es mayor que la desigualdad en el ingreso en Estados Unidos**

■ **Explicar cómo se produce la desigualdad económica**

■ **Explicar los efectos de los impuestos y de los programas de seguridad social y bienestar social sobre la desigualdad económica**

■ **Explicar los efectos de la reforma a la atención médica sobre la desigualdad económica**

# La desigualdad económica en Estados Unidos

SE ESTUDIA LA DESIGUALDAD OBSERVANDO LA distribución del ingreso y la distribución de la riqueza. El ingreso de una familia es el importe que recibe en un período determinado. La riqueza de una familia es el valor de las cosas que posee en un punto en el tiempo.

La desigualdad en el ingreso se mide observando el porcentaje del ingreso total que recibe un determinado porcentaje de hogares. En forma similar, la desigualdad de la riqueza se puede medir observando el porcentaje de la riqueza total que posee un determinado porcentaje de familias.

En 1997, el ingreso familiar promedio en Estados Unidos, antes de impuestos y sin contar las transferencias del gobierno, se encontraba cerca de los 50,000 dólares. Pero alrededor de esa cifra había una gran desigualdad. El 20% más pobre de las familias recibía el 3.6% del ingreso total, en tanto que el 20% más rico recibía el 49.4% del ingreso total.

La distribución de la riqueza es incluso más desigual. La riqueza promedio por familia en 1992 era de 193,000 dólares. Pero el 90% más pobre de las familias recibía alrededor de una tercera parte de la riqueza total. El 9% siguiente poseía otra tercera parte de la riqueza total. Y el 1% más rico de las familias poseía la tercera parte restante de la riqueza total.

## Curvas de Lorenz

La figura 17.1 muestra la distribución del ingreso y de la riqueza. La tabla divide los hogares en cinco grupos, llamados *quintiles*, que oscilan desde el ingreso más bajo (renglón *a*) hasta el más alto (renglón *e*). Muestra los porcentajes del ingreso de cada uno de estos grupos. Por ejemplo, el renglón *a* nos dice que el quintil más bajo de las familias recibe el 3.6% del ingreso total. La tabla también muestra los porcentajes *acumulados* de los hogares y el ingreso. Por ejemplo, el renglón *b* nos dice que los dos quintiles más bajos (el 40% más bajo) de las familias reciben 12.5% del ingreso total (3.6% para el quintil más bajo y 8.9% para el siguiente más bajo). La información sobre las participaciones acumuladas del ingreso se muestra mediante una figura que se conoce como curva de Lorenz. Una **curva de Lorenz** muestra en forma gráfica el porcentaje acumulado del ingreso, contra el porcentaje acumulado de las familias.

Si los ingresos estuvieran distribuidos por igual entre todos los hogares, los porcentajes acumulados del ingreso recibidos por los porcentajes acumulados de las familias caerían dentro de la línea recta denominada "Línea de igualdad". La distribución real del ingreso se muestra mediante la curva de Lorenz con el título "Ingreso".

## FIGURA 17.1
## Curvas de Lorenz para el ingreso y la riqueza

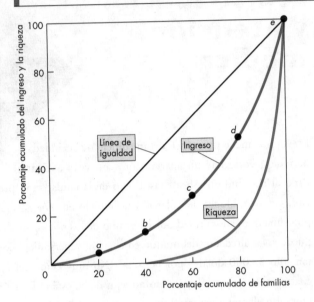

| Familias | | Ingreso | | Riqueza | |
|---|---|---|---|---|---|
| Porcentaje | Porcentaje acumulado | Porcentaje | Porcentaje acumulado | Porcentaje | Porcentaje acumulado |
| *a* 20 más bajo | 20 | 3.6 | 3.6 | 0 | 0 |
| *b* Segundo 20 | 40 | 8.9 | 12.5 | 0 | 0 |
| *c* Tercer 20 | 60 | 15.0 | 27.5 | 4 | 4 |
| *d* Cuarto 20 | 80 | 23.2 | 50.7 | 11 | 15 |
| *e* 20 más alto | 100 | 49.4 | 100.0 | 85 | 100 |

Los porcentajes acumulados del ingreso y la riqueza se presentan en forma gráfica contra el porcentaje acumulado de familias. Si el ingreso y la riqueza estuvieran distribuidos por igual, cada 20% de familias tendría el 20% del ingreso y de la riqueza; esta situación se reflejaría mediante la línea de igualdad. Los puntos *a* hasta *e* en la curva de Lorenz para el ingreso representan las líneas correspondientes de la tabla. Las curvas de Lorenz muestran que el ingreso y la riqueza están distribuidos en forma desigual y que la riqueza está distribuida en forma más desigual que el ingreso. (Observe que en la información existe una aproximación por redondeo.)

*Fuentes: Money Income in the United States (With Separate Data on Valuation of Noncash Benefits),* de la Oficina del Censo de Estados Unidos, U.S. Government Printing Office, Washington, D.C., 1998; y "Measurement of Household Saving Obtained from First Differencing Wealth Estimates", de Robert D. Avery y Arthur B. Kennickell (Washington, D.C.; Consejo de la Reserva Federal, febrero de 1990).

Cuanto más cerca se encuentre la curva de Lorenz de la línea de igualdad, más igual será la distribución.

En la figura 17.1 también se muestra la curva de Lorenz para la riqueza. Esta curva se basa en la distribución de la riqueza que se describe en la tabla. La riqueza total se divide en forma aproximadamente igual entre el 1% más rico, el 9% siguiente y el restante 90% de las familias.

En la figura 17.1 se observa que la curva de Lorenz para la riqueza se encuentra mucho más lejos de la línea de igualdad de lo que se encuentra la curva de Lorenz para el ingreso. Esto quiere decir que la distribución de la riqueza en Estados Unidos es mucho más desigual que la distribución del ingreso.

## La desigualdad a través del tiempo

La figura 17.2 muestra cómo ha cambiado la distribución del ingreso desde 1970.

- La parte del ingreso que recibe el 20% más rico de las familias ha aumentado.
- La parte del ingreso que reciben los otros cuatro grupos de hogares ha disminuido.

Los grupos de ingreso más alto han ganado, entre otras cosas, porque el rápido cambio tecnológico ha aumentado el rendimiento de la educación. Los grupos de ingreso más bajo han sufrido por diversas razones; una de ellas es la mayor movilidad y competencia internacional que mantienen bajos los salarios de las personas con poca capacitación. Las tendencias que son visibles en la figura 17.2 son reales, pero están exageradas a partir de 1989 y más aún después de 1994 por un cambio en el método de medir los ingresos más grandes.

## ¿Quiénes son los ricos y quiénes son los pobres?

Es probable que la familia de más bajo ingreso en Estados Unidos en la actualidad esté conformada por una mujer de raza negra de más de 65 años de edad, que vive sola en algún lugar en el sur y tiene menos de ocho años de educación básica. Es probable que la familia de ingreso más altos en Estados Unidos en la actualidad sea una pareja casada, de raza blanca, de entre 45 y 54 años de edad, que viven juntos y tienen dos hijos que viven en algún lugar del oeste del país.

Estos perfiles instantáneos reflejan los puntos extremos de la figura 17.3. En esa figura se muestra la importancia que tiene la educación, el tamaño de la familia, la situación marital, la edad de los miembros de las familias, la raza y la región de residencia, en la determinación del ingreso de una familia. La educación es la variable que muestra el mayor rango de variación. Como promedio, las personas que no han terminado el noveno grado de educación ganan 15,400

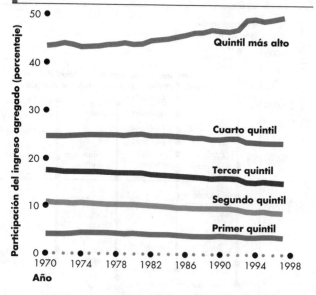

**FIGURA 17.2**

# Tendencias en la distribución del ingreso: 1950-1997

La distribución del ingreso en Estados Unidos se hizo más desigual entre 1970 y 1997. El porcentaje del ingreso obtenido por el quintil más alto aumentó en forma continua durante las décadas de 1970 y 1980, y en forma muy marcada durante la década de 1990.

*Fuente: Money Income in the United States (With Separate Data on Valuation of Noncash Benefits), de la Oficina del Censo de Estados Unidos, Current Population Reports, P-60-200, y Consumer Income, del Current Population Reports, P-60-168, U.S. Government Printing Office, Washington, D.C., 1990 y 1998.*

dólares al año, en tanto que las personas con un título universitario de carrera o posgrado ganan un promedio de 60,000 dólares al año. Las familias de cuatro personas tienen ingresos que promedian más de 51,000 dólares, en tanto que los hogares de una sola persona tienen un ingreso promedio de alrededor de 18,000 dólares. Como promedio, las mujeres solteras tienen ingresos de 16,400 dólares al año, en tanto que las parejas casadas ganan un ingreso conjunto promedio de 50,000 dólares al año. Las familias de más edad y las más jóvenes tienen ingresos inferiores a los de las familias de edad media. Las familias de raza negra tienen un ingreso promedio de 23,500 dólares, en tanto que las familias de raza blanca tienen un ingreso promedio justo por encima de los 38,000 dólares. Por último, los ingresos más bajos se encuentran en el sur, y los más altos en el noreste. Pero los ingresos en el oeste y en el medio oeste están cerca de los del noreste y son mucho más altos que los ingresos en el sur.

**FIGURA 17.3**

# La distribución del ingreso en Estados Unidos en 1997, por características seleccionadas de las familias

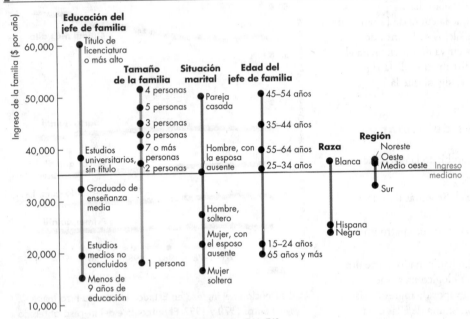

La educación es el factor individual que más afecta la distribución del ingreso de la familia, aunque el tamaño de la familia, la situación marital y la edad del jefe de familia también son importantes. También la raza y la región de residencia desempeñan un cierto papel en la distribución del ingreso.

*Fuentes: Statistical Abstract of the United States: 1998, 118th edition Table 740.*

## La pobreza

Las familias en el extremo más bajo de la distribución del ingreso son tan pobres que se considera que están viviendo en la pobreza. La **pobreza** es un estado en el que el ingreso de un hogar es demasiado bajo para comprar las cantidades de comida, alojamiento y ropa que se consideran necesarias. La pobreza es en parte un concepto relativo. Millones de personas que viven en África y Asia sobreviven con ingresos inferiores a 400 dólares al año. En Estados Unidos, la Administración de la Seguridad Social (*Social Security Administration*) calcula cada año el nivel de pobreza. En 1997, el nivel de pobreza para una familia de cuatro personas era un ingreso de 16,813 dólares al año. En ese año, 35.6 millones de estadounidenses vivían en hogares que tenían ingresos por debajo del nivel de pobreza. Muchos de estos hogares se beneficiaron de dos programas del gobierno (*Medicare* y *Medicaid*) que benefician a las familias más pobres y que elevan a algunas de ellas por encima del nivel de pobreza.

La distribución de la pobreza por razas es desigual: 11% de las familias de raza blanca, 27.1% de las familias de origen hispano y 26.5% de las familias de raza negra están por debajo del nivel de pobreza. La situación de las familias también afecta la pobreza: casi 32% de los hogares en los

que el jefe de familia es una mujer y en los que no hay un esposo presente, se encuentran por debajo del nivel de pobreza. Por otra parte, menos de 12% del resto de las familias se encuentran por debajo del nivel de pobreza. En los años recientes, las tasas de pobreza en Estados Unidos han estado disminuyendo, en particular para las familias de raza negra.

## PREGUNTAS DE REPASO

- ¿Qué está distribuido más desigualmente, el ingreso o la riqueza?
- La distribución del ingreso, ¿se ha hecho más igual o más desigual con el transcurso del tiempo?
- ¿Qué grupo de familias ha experimentado el mayor aumento en la participación en el ingreso durante los últimos 20 años?
- Los factores que influyen en el ingreso de las familias son la edad del jefe de familia, la educación de los integrantes, el tamaño de la familia, la situación marital, la raza y la región de residencia. Clasifique estas partidas en orden decreciente de importancia.

# La desigualdad económica en América Latina

ESTUDIAMOS LA DESIGUALDAD DE UNA ECONOMÍA observando la distribución del ingreso. El ingreso de un hogar corresponde a lo que puede gastar en un cierto período sin reducir su nivel de riqueza. La riqueza es el valor de los recursos que una familia posee en un momento en el tiempo. La desigualdad del ingreso la registramos mediante el porcentaje del ingreso total que recibe cierto porcentaje de la población.

En 1995, el ingreso per cápita en América Latina era de aproximadamente 2,900 dólares al año, pero este ingreso estaba distribuido muy desigualmente tanto entre países como en el interior de ellos. Así, mientras que en Argentina el ingreso promedio se acercaba a los 5,900 dólares, el de Haití era de poco más de 200 dólares.

La desigualdad en el interior de los países también es diversa. En 1995, en el país con mayor desigualdad en la región, Brasil, el 20% más pobre de la población recibía 2.5% del ingreso, en tanto que el 20% de la población más rica obtenía 63.4% del ingreso. Por otra parte, en uno de los países con menor desigualdad en la región, Costa Rica, el 20% más pobre de la población captaba 4.4%, en tanto que el 20% más rico recibía 50.6%.

Como conjunto, América Latina es una de las regiones con mayor desigualdad en el mundo. En 1995, el 20% de la población latinoamericana más pobre, sin importar el país en el que se encontrara, recibió 1.5% del ingreso, en tanto que el 20% más rico, obtuvo 60.3% del ingreso total.

## Curvas de Lorenz

La figura 17.4 muestra las distribuciones del ingreso para Brasil y Costa Rica en 1995. La tabla divide a los hogares en cinco grupos, llamados quintiles, ordenados desde el de menor ingreso (renglón *a*) hasta el de mayor ingreso (renglón *e*). En ella se muestran los porcentajes de ingreso para cada grupo. Por ejemplo, el renglón *a* nos indica que el quintil más pobre de los hogares en Brasil recibe 2.5% del ingreso total. La tabla también nos muestra los porcentajes *acumulados* del ingreso. Por ejemplo, el renglón *b* nos indica que los dos quintiles más bajos de las familias de Brasil (el 40% más pobre) reciben 8.4% del ingreso total (2.5% del quintil más bajo, más el 5.9% del siguiente quintil). La información sobre los porcentajes de ingreso acumulado se ilustra mediante una curva de Lorenz. Una **curva de Lorenz** representa gráficamente los porcentajes acumulados del ingreso contra los porcentajes acumulados de las familias.

**FIGURA 17.4**

## Curvas de Lorenz del ingreso en países de América Latina

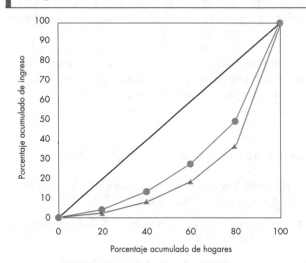

| Hogares | | Brasil | | Costa Rica | |
|---|---|---|---|---|---|
| Porcentaje | Porcentaje acumulado | Porcentaje de ingreso | Porcentaje acumulado | Porcentaje de ingreso | Porcentaje acumulado |
| a 20 más pobre | 20 | 2.5 | 2.5 | 4.4 | 4.4 |
| b segundo 20 | 40 | 5.9 | 8.4 | 9.2 | 13.6 |
| c tercer 20 | 60 | 10.2 | 18.6 | 14.0 | 27.6 |
| d cuarto 20 | 80 | 18.0 | 36.6 | 21.8 | 49.4 |
| e 20 más rico | 100 | 63.4 | 100 | 50.6 | 100 |

Cada porcentaje acumulado de ingreso se compara contra cada porcentaje acumulado de hogares. Si el ingreso se distribuyera en forma igualitaria, cada 20% de hogares tendría el 20% del ingreso. Esta distribución corresponde a la línea de igualdad. Los puntos de las curvas de Lorenz corresponden a la información de la tabla. Las curvas de Lorenz muestran que el ingreso en Brasil y Costa Rica se distribuye en forma muy desigual, pero que existe menos desigualdad en Costa Rica que en Brasil.

*Fuente:* Banco Interamericano de Desarrollo *"América Latina frente a la desigualdad. Progreso económico y social en América Latina. Informe 1998-1999", capítulo 1 "La magnitud de las desigualdades",* Banco Interamericano de Desarrollo, Washington, 1998.

Si el ingreso se distribuyera igualitariamente entre los hogares, los porcentajes acumulados del ingreso recibidos por cada porcentaje acumulado de hogares se encontrarían a lo largo de la línea recta denominada "Línea de igualdad". Cuanto más cerca se encuentre la curva de Lorenz de la línea de igualdad, más igualitaria será la distribución.

La distribución del ingreso existente en Brasil se muestra mediante la curva de Lorenz identificada con ese nombre. La figura 17.4 también muestra la curva de Lorenz para Costa Rica. Esta curva está basada en la distribución descrita en la tabla. En Costa Rica, 20% más rico de los hogares tiene más de 50% del ingreso, es decir, este grupo recibe un ingreso superior al del restante 80% de los hogares con menores ingresos.

A partir de la figura 17.4, se observa que la curva de Lorenz para Brasil está más alejada de la línea de igualdad que la curva de Lorenz para Costa Rica, por lo que este último país tiene una distribución más igualitaria que Brasil.

## La desigualdad a través del tiempo

La figura 17.5 muestra cómo ha cambiado la distribución del ingreso en América Latina desde 1970.

- La participación en el ingreso del 20% de los hogares más pobres ha disminuido.

- La participación en el ingreso del 60% intermedio (segundo, tercer y cuarto quintiles) ha aumentado.

- La participación en el ingreso del 20% más rico ha disminuido.

Los grupos con ingresos más bajos han perdido debido al cambio tecnológico que ha reducido los rendimientos de la educación para el trabajo menos calificado. También han jugado un factor importante los períodos de alta inflación, ante la cual son más vulnerables los hogares pobres. Los estratos medios se han beneficiado del mayor grado de competencia en la economía, que es el resultado de la mayor apertura de los mercados al comercio exterior.

## Quiénes son los ricos y quiénes son los pobres

Los hogares más pobres en América Latina se caracterizan por tener más de seis miembros, la mayor parte de estos hogares se encuentran en las zonas rurales de Brasil y México, donde la mujer adulta no trabaja, no tiene escolaridad y el jefe de familia tiene entre 20 y 25 años. En los hogares más ricos por lo regular hay cuatro miembros, la mujer trabaja, el jefe de familia tiene más de 50 años de edad, más de 11 años de educación y trabaja como directivo o profesional en zonas urbanas.

Estos perfiles son casos extremos de la región, que pueden ser examinados más detalladamente para un país en particular. La figura 17.6 muestra la importancia de la participación de la mujer en el mercado de trabajo, la

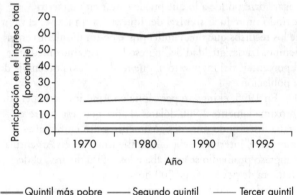

**FIGURA 17.5**

### Tendencias de la distribución del ingreso en América Latina: 1970-1995

La distribución del ingreso en América Latina ha favorecido a los estratos medios entre 1990 y 1995. Los hogares más pobres han reducido su participación en el ingreso desde 1980 hasta 1995. Los grupos más ricos redujeron su participación en el ingreso entre 1970 y 1995.

*Fuente:* Juan Luis Londoño y Miguel Szekely, "Persistent poverty and excess inequality: Latin America, 1970-1995", Banco Interamericano de Desarrollo, Documento de trabajo No. 357, octubre, 1997.

educación, el tamaño del hogar, el número de menores y la región de residencia, sobre el nivel del ingreso en Chile.

La variación del número de mujeres entre 25 y 45 años que trabajan, es la mayor entre los distintos quintiles. En promedio, en los estratos más ricos, 75% de las mujeres participa en el mercado laboral, en tanto que en los estratos más pobres sólo lo hace 20%. La educación promedio de los hogares con mayores ingresos rebasa la educación media superior completa, en tanto que los hogares con menos ingresos apenas tienen educación primaria. El tamaño del hogar es mayor en los hogares más pobres, y el número de personas por debajo de 15 años es también mayor. Además, el ingreso medio urbano supera al ingreso medio rural en cerca de 40%.

**FIGURA 17.6**

## Características socioeconómicas y distribución del ingreso en Chile, en 1994

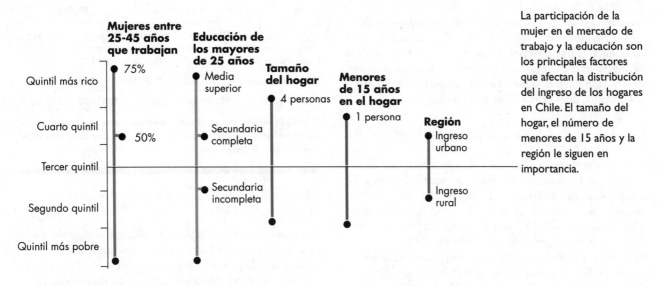

La participación de la mujer en el mercado de trabajo y la educación son los principales factores que afectan la distribución del ingreso de los hogares en Chile. El tamaño del hogar, el número de menores de 15 años y la región le siguen en importancia.

*Fuente:* Banco Interamericano de Desarrollo *"América Latina frente a la desigualdad. Progreso económico y social en América Latina. Informe 1998-1999", capítulo 1 "La magnitud de las desigualdades",* Banco Interamericano de Desarrollo, Washington, 1998.

## La pobreza

Los hogares de menores ingresos son tan pobres que se considera que viven en una situación de pobreza. La pobreza es un estado en el cual el ingreso de los hogares es tan bajo que les impide comprar los alimentos, la vivienda y el vestido considerados como necesarios. La pobreza es en parte un concepto relativo. Millones de personas en África y Asia sobreviven con ingresos menores que 400 dólares al año, en tanto que en Estados Unidos se considera como pobre a un hogar de cuatro personas que obtiene menos de 16,813 dólares anuales. Para América Latina, los países no definen un ingreso único que establezca la situación de pobreza. De acuerdo con la Comisión Económica para América Latina y el Caribe, los ingresos definidos en la situación de pobreza incluían niveles de 1,776 dólares al año para Argentina y de hasta 513 dólares para El Salvador. En 1997, existían 204 millones de latinoamericanos con ingresos menores a sus respectivos niveles de pobreza.

La distribución de la pobreza es desigual. El 30% de los hogares urbanos es pobre, en tanto que esta cifra es de 54% en el caso de hogares rurales.

Casi 15% de los hogares carecen de lo suficiente para satisfacer los requerimientos nutricionales mínimos, en tanto

que 21%, aunque atiende sus necesidades de alimentación, se encuentra imposibilitado para satisfacer otros requerimientos.

En América Latina, el porcentaje de personas pobres ha disminuido desde 1980, principalmente en las zonas urbanas.

## PREGUNTAS DE REPASO

- ¿En qué país se distribuye el ingreso con más desigualdad: en Brasil o en Costa Rica?
- ¿Qué grupo de hogares ha reducido en América Latina su participación en el ingreso?
- ¿Qué grupo de hogares ha aumentado su porcentaje de ingreso en América Latina?
- Los factores asociados a la distribución del ingreso de los hogares en Chile son la participación de la mujer en el mercado de trabajo, la educación, el tamaño del hogar, el número de menores y la región. Clasifíquelos en orden decreciente de importancia.

## Comparación de iguales con iguales

PARA DETERMINAR EL GRADO DE DESIGUALDAD, SE compara la situación económica de una persona con la de otra. ¿Pero cuál es la medición correcta de la situación económica de una persona? ¿Es su ingreso o su riqueza? ¿Y es su ingreso *anual*, la medición que hemos usado hasta ahora en este capítulo, o el ingreso durante un período más largo, por ejemplo, durante la vida de una familia?

### La riqueza frente al ingreso

La riqueza es el acervo de activos y el ingreso es el flujo de recursos que proviene de la existencia de riqueza. Suponga que una persona posee activos con un valor de $1 millón, es decir, que tiene una riqueza de $1 millón. Si la tasa de rendimiento sobre los activos es de 5% anual, entonces esta persona recibe de esos activos un ingreso de $50,000 al año. Se puede describir la condición económica de esta persona utilizando la riqueza de $1 millón o el ingreso de $50,000. Cuando la tasa de rendimiento es de 5% anual, $1 millón de riqueza es igual a $50,000 de ingresos a perpetuidad. La riqueza y el ingreso son simplemente formas diferentes de mirar la misma cosa.

Sin embargo, en la figura 17.1 se muestra que la distribución de la riqueza es mucho más desigual que la distribución del ingreso. ¿Por qué? Esto se debe a que la información de la riqueza mide únicamente el valor de activos tangibles y excluye el valor del capital humano, en tanto que la información del ingreso mide el producto tanto de los activos tangibles como del capital humano.

La tabla 17.1 muestra la consecuencia de omitir el capital humano en la medición de la riqueza. Leonardo tiene el doble de riqueza y el doble de ingresos de Pedro. Sin embargo, el capital humano de Leonardo es menor que el de Pedro, $200,000 en comparación con $499,000. Y el ingreso de Leonardo proveniente del capital humano ($10,000) es inferior al ingreso de Pedro que proviene del capital humano ($24,950). El capital no humano de Leonardo es mayor que el de Pedro, $800,000 en comparación con $1,000. Y el ingreso de Leonardo que proviene del capital no humano ($40,000) es mayor que el ingreso de Pedro proveniente del capital no humano ($50).

Las encuestas nacionales sobre la riqueza y el ingreso registran sus ingresos de $50,000 y $25,000, respectivamente, lo que señala que Leonardo percibe el doble de ingresos que Pedro. Las encuestas también registran los activos tangibles de $800,000 y $1,000, respectivamente, lo que señala que Leonardo es 800 veces más rico que Pedro. Debido a que la encuesta nacional de la riqueza excluye al capital humano, la distribución del ingreso es una medición más exacta de la desigualdad económica que la distribución de la riqueza.

### TABLA 17.1
### Capital, riqueza e ingresos

|  | Leonardo | | Pedro | |
|---|---|---|---|---|
|  | **Riqueza** | **Ingreso** | **Riqueza** | **Ingreso** |
| Capital humano | 200,000 | 10,000 | 499,000 | 24,950 |
| Capital no humano | 800,000 | 40,000 | 1,000 | 50 |
| Total | $1,000,000 | $50,000 | $500,000 | $25,000 |

Cuando la riqueza incluye el valor tanto del capital humano como del capital no humano, la distribución del ingreso y de la riqueza muestran el mismo grado de desigualdad.

### Riqueza e ingreso anual y durante el ciclo de vida

El ingreso de una familia típica cambia con el tiempo. Inicia a un nivel bajo, crece hasta un punto máximo cuando los trabajadores de la familia llegan a la edad de la jubilación, y empieza a descender después del retiro. La riqueza de una familia típica también cambia con el tiempo. Al igual que el ingreso, comienza a un nivel bajo, crece hasta un punto máximo en el momento de la jubilación, y desciende después de ésta.

Suponga que observamos a tres familias que tienen ingresos idénticos a lo largo del ciclo de vida. Una familia es joven, una es de edad media y la otra está jubilada. La familia de edad media tiene el ingreso y la riqueza más altos, la familia retirada tiene el ingreso y la riqueza más bajos, y la familia joven cae en medio de ambas. La distribución del ingreso y de la riqueza anual en un año determinado son desiguales, pero la distribución de la riqueza y del ingreso durante el ciclo de vida son iguales. Por tanto, una parte de la desigualdad medida se produce debido al hecho de que diferentes familias están en diferentes etapas del ciclo de vida. La desigualdad de los ingresos anuales exagera el grado de desigualdad en los ingresos a lo largo de la vida.

### PREGUNTAS DE REPASO

- ¿Cuál es el indicador más exacto del grado de desigualdad, la distribución del ingreso o la distribución de la riqueza? ¿Por qué una medida es más apropiada que la otra?
- ¿Cuál es el indicador más exacto del grado de desigualdad, la distribución del ingreso anual o la distribución del ingreso a lo largo de la vida? ¿Por qué una medida es más apropiada que la otra?

Observemos las fuentes de la desigualdad económica.

# Precios y dotaciones de los recursos, y decisiones

EL INGRESO DE UNA FAMILIA DEPENDE DE TRES ASPECTOS:

- Precios de los recursos
- Dotaciones de recursos
- Decisiones

La distribución del ingreso depende de la distribución de estos tres factores entre la población. Los dos primeros están fuera de nuestro control individual y quedan determinados por el mercado y la historia. Desde el punto de vista de cada uno de nosotros, ambos factores parecen estar determinados por la suerte. El último factor está bajo el control individual. Hacemos elecciones y tomamos decisiones que influyen sobre nuestros ingresos. Observemos cada uno de los tres factores que influyen sobre los ingresos.

## Precios de los recursos

En los mercados de capitales, todos se enfrentan a las mismas tasas de interés, pero, en el mercado de trabajo, las personas se enfrentan a diferentes tasas salariales. Y el mercado de trabajo es la mayor fuente individual de ingresos para la mayoría de las personas. ¿Hasta qué grado las variaciones en las tasas salariales explican la desigual distribución del ingreso? La respuesta es que hasta cierto grado sí lo hacen, pero las diferencias salariales no son capaces de explicar toda la desigualdad. Los trabajadores con alta capacitación ganan aproximadamente 3.5 veces más que los poco capacitados. Los profesionales altamente remunerados ganan alrededor de tres veces más que los trabajadores altamente capacitados. Por tanto, los profesionales de más alta remuneración perciben aproximadamente 10 veces más que los poco capacitados.

## Dotaciones de recursos

Hay una gran variedad en las dotaciones de capital y habilidades humanas entre las familias. Las diferencias en capital contribuyen en forma importante a las diferencias en los ingresos, pero también las diferencias en habilidades contribuyen a explicar la desigualdad.

Las habilidades físicas y mentales (algunas heredadas, algunas aprendidas) tienen una distribución normal (o en forma de campana), similar a la distribución de las estaturas. La distribución de habilidades entre las personas es una fuente importante de desigualdades en el ingreso y la riqueza, pero no es la única fuente. Si fuera así, las distribuciones del ingreso y la riqueza tendrían la apariencia de la curva en forma de campana, que describe la distribución de las estaturas. De hecho, estas distribuciones están sesgadas hacia los ingresos bajos y tienen la apariencia de la curva en la figura 17.7. Esta figura muestra el ingreso sobre el eje

horizontal y el porcentaje de las familias que reciben cada ingreso sobre el eje vertical. En 1997, la mediana del ingreso de las familias en Estados Unidos (es decir, el ingreso que separa a las familias en dos grupos de igual tamaño) fue de 37,000 dólares. El ingreso más común, es decir, la moda del ingreso, es menor que la mediana del ingreso. El ingreso medio (o promedio) en Estados Unidos es mayor que la mediana y en 1997 fue de 50,000 dólares. Una distribución sesgada, como la que aparece en la figura 17.7, indica que muchas más familias tienen ingresos por debajo del promedio que por encima de él, esto es, un gran número de familias tiene ingresos relativamente bajos y un pequeño número de ellas tiene ingresos altos. La distribución de la riqueza (no humana) tiene una forma similar a la distribución del ingreso, pero es incluso más sesgada.

La distribución sesgada del ingreso no puede ser explicada por la distribución en forma de campana de las habilidades individuales. Más bien, la distribución sesgada es el resultado de las elecciones que hacen las personas.

## Las decisiones

Mientras que muchas familias pobres se sienten atrapadas y no parecen tener muchas opciones disponibles, el ingreso

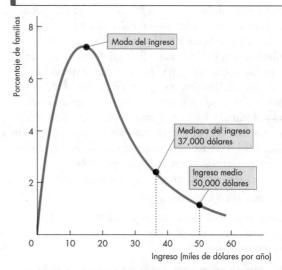

**FIGURA 17.7**

## La distribución del ingreso

La distribución del ingreso es desigual y no es simétrica alrededor del ingreso medio. Hay muchas más familias con ingresos por debajo del ingreso medio que por encima del mismo. También, la distribución tiene una cola superior larga, delgada, que representa un pequeño número de familias que tienen ingresos muy grandes.

y la riqueza de una familia dependen en parte de las decisiones que toman sus miembros. Veamos la forma en que las elecciones que hacen las personas exacerban las diferencias entre ellas, y de qué manera influyen éstas para que la distribución del ingreso sea sesgada y más desigual que la distribución de las habilidades.

**Salarios y oferta de trabajo**   Si las demás cosas permanecen igual, por lo general la cantidad de trabajo que ofrece una persona aumenta a medida que aumenta su tasa salarial. Esto implica que una persona con una tasa salarial baja elige trabajar menos horas que una persona con una tasa salarial alta.

Debido a que la cantidad ofrecida de trabajo aumenta a medida que incrementa la tasa salarial, la distribución del ingreso es más desigual que la distribución del salario por hora, y su distribución está sesgada en una forma parecida a la de la figura 17.7. Las personas cuyas tasas salariales están por debajo del promedio, tienden a trabajar menos horas que el promedio y, por tanto, sus ingresos se aglutinan por debajo del promedio.

Las personas cuyas tasas salariales están por encima del promedio, tienden a trabajar más horas que el promedio y sus ingresos sobrepasan al ingreso promedio.

**Ahorro y legados (herencias)**   Otra elección que produce una distribución desigual del ingreso y de la riqueza, es la decisión de ahorrar y hacer legados. Un *legado* o una *herencia* es un regalo de una generación a la siguiente. Cuanto más alto sea el ingreso de una familia, mayor es su tendencia a ahorrar y a acumular riquezas a través de las generaciones.

El ahorro y los legados no son inevitablemente una fuente de mayor desigualdad. Si una familia ahorra para redistribuir su ingreso irregular a lo largo del ciclo de vida, para permitir que su consumo sea constante, entonces la acción de ahorrar disminuye el grado de desigualdad. Si una generación afortunada que tiene un ingreso muy alto ahorra una gran cantidad y hace un legado a una generación con poca suerte, este acto de ahorrar también disminuye el grado de desigualdad. Pero hay dos características de los legados que hacen que las transferencias de la riqueza entre generaciones sean una fuente de mayor desigualdad:

■   Las deudas no se pueden legar

■   Existe una tendencia a que los matrimonios se den entre miembros de una misma clase o grupo socioeconómico.

**Las deudas no se pueden legar**   Aunque es posible que una persona muera con deudas que excedan sus activos (es decir, con una riqueza negativa), no se puede obligar a los miembros de su familia a que hagan frente a esas deudas. Debido a que una herencia de cero es la herencia más pequeña que alguien pueda recibir, los legados sólo pueden aumentar la riqueza y el potencial de ingresos de las generaciones futuras, y no reducirlos.

La mayoría de las personas no heredan nada o, si lo hacen, se trata usualmente de cantidades muy pequeñas. Por otra parte, unas pocas personas heredan enormes fortunas. Como resultado, los legados hacen que la distribución del ingreso sea persistentemente más desigual que la distribución de la capacidad y de las habilidades en el trabajo. Una familia que es pobre en una generación, es más probable que sea pobre en la siguiente. Una familia que es rica en una generación, es probable que lo siga siendo en la siguiente. En varios países existe una tendencia a que, como promedio, el ingreso y la riqueza converjan entre generaciones. Aunque puede haber largos períodos de buena suerte o de mala suerte, o de buenas o malas decisiones, esos largos períodos no son comunes entre las generaciones. Sin embargo, una característica del comportamiento humano hace más lenta la convergencia de la riqueza con el promedio y hace que persistan las desigualdades sociales: el matrimonio entre gente de la misma clase socioeconómica.

**Matrimonio entre gente de la misma clase**   El *matrimonio entre personas de la misma clase* es la tendencia de las personas a casarse dentro de su propia clase o grupo socioeconómico. Como dice la expresión popular: "dinero llama dinero". Aunque existe la leyenda de que "los polos opuestos se atraen", quizá los cuentos como 'La Cenicienta' nos resultan atractivos por ser tan poco comunes en la vida real. En los matrimonios, las parejas tienden a tener características socioeconómicas similares. Las personas ricas buscan parejas ricas. La consecuencia de los matrimonios entre personas de la misma clase es que la distribución de la riqueza heredada se hace aún más desigual.

## PREGUNTAS DE REPASO

■   ¿Qué papel desempeñan las tasas salariales, las dotaciones y las decisiones en la creación de la desigualdad en el ingreso?

■   ¿Cuál es la razón principal de que las tasas salariales sean desiguales?

■   Si la distribución de las dotaciones tiene forma de campana, ¿qué hace que la distribución de los ingresos sea sesgada?

■   ¿Qué decisiones tomadas por las personas hacen que la distribución del ingreso sea sesgada?

■   ¿Por qué los legados y el matrimonio entre miembros de la misma clase hacen que la distribución de la riqueza sea más desigual y sesgada?

Ya se ha examinado por qué existe la desigualdad. A continuación se verá cómo los impuestos y los programas del gobierno redistribuyen el ingreso y la riqueza.

# Redistribución del ingreso

LAS TRES FORMAS PRINCIPALES EN QUE UN GOBIERNO redistribuye el ingreso son:

- Impuestos sobre la renta
- Programas de sostenimiento del ingreso
- Servicios subsidiados

## Impuestos sobre la renta

Los impuestos sobre la renta pueden ser progresivos, regresivos o proporcionales. Un **impuesto progresivo sobre la renta** es el que grava el ingreso a una tasa marginal que aumenta con el nivel del ingreso. El término "marginal", aplicado a las tasas del impuesto sobre la renta, se refiere a la fracción del último peso o unidad monetaria ganada que se paga en impuestos. Un **impuesto regresivo sobre la renta** es el que grava el ingreso a una tasa marginal que disminuye con el nivel del ingreso. Un **impuesto proporcional sobre la renta** (denominado también un *impuesto de tasa fija*) es el que grava el ingreso a una tasa constante, con independencia del nivel del ingreso.

En la mayor parte de los países de América Latina, los impuestos sobre la renta son progresivos y se aplican únicamente a nivel nacional. Las tasas del impuesto que se aplican en Estados Unidos están integradas en dos partes: impuestos federales e impuestos estatales. Algunas ciudades, como la ciudad de Nueva York, también tienen un impuesto sobre la renta. Hay variedad en los detalles de los dispositivos de impuestos en los estados individuales, pero el sistema fiscal, tanto a nivel federal como estatal, es progresivo. En Estados Unidos, los hogares de los trabajadores más pobres reciben dinero del gobierno mediante un crédito fiscal al ingreso ganado. Los hogares de ingresos medios pagan 15% de cada dólar adicional que ganan y los hogares cada vez más ricos pagan el 28 y el 31% de cada dólar adicional ganado. En América Latina, las tasas de impuesto sobre la renta fluctúan ampliamente entre países. Quizá el ejemplo extremo sea Chile, en el que las tasas impositivas fluctúan del 5% en los niveles de ingreso más bajo, al 45% a niveles de ingresos muy altos. En la mayor parte de los otros países de la región, las tasas fluctúan entre 10% y 30%.

## Programas de sostenimiento del ingreso en Estados Unidos

En Estados Unidos existen tres programas principales que redistribuyen el ingreso mediante pagos directos (en efectivo, en servicios, o mediante vales) a personas en la sección más baja de la distribución del ingreso. Estos programas son:

- Programas de seguridad social
- Compensación por desempleo
- Programas de bienestar social

**Programas de seguridad social** El principal programa de seguridad social en Estados Unidos es el Seguro por vejez, supervivencia, incapacidad y atención médica (OASDHI, por sus siglas en inglés). Los pagos mensuales en efectivo a los trabajadores jubilados o incapacitados, o a sus esposas e hijos sobrevivientes, se pagan mediante impuestos sobre la nómina, los cuales son obligatorios tanto para los patrones como para los empleados. En 1998, el gasto por seguridad social en Estados Unidos fue superior a 350,000 millones de dólares y 41 millones de personas recibieron un cheque mensual promedio de 721 dólares por concepto de seguridad social.

El otro elemento del seguro social en Estados Unidos es el programa *Medicare*, el cual proporciona seguro de hospital y atención médica a las personas incapacitadas y de edad avanzada.

**Compensación por desempleo** Para proporcionar un ingreso a los trabajadores desempleados, cada estado de EUA ha establecido un programa de compensación por desempleo. Con estos programas se paga un impuesto sobre la base del ingreso de cada trabajador amparado por el programa y ese trabajador recibe un beneficio cuando queda desempleado. Los detalles de los beneficios varían de un estado a otro.

**Programas de bienestar social** El propósito del bienestar social consiste en proporcionar ingresos a personas que no califican para el seguro social o para la compensación por desempleo. Estos programas son

1. Programa de ingreso complementario (SSI, por sus siglas en inglés), creado para ayudar a las personas más necesitadas de edad avanzada, incapacitadas o ciegas.
2. Programa de asistencia temporal para hogares necesitados (TANF, por sus siglas en inglés), creado para ayudar a los hogares que tienen escasos recursos financieros.
3. Programa de cupones para alimentos (Food Stamps Program), creado para ayudar a que los hogares más pobres obtengan una dieta básica.
4. *Medicaid*, creado para cubrir los costos de atención médica para los hogares que reciben ayuda bajo los programas SSI y TANF.

## Programas de sostenimiento del ingreso en América Latina

En América Latina también existe una gran variedad de programas destinados a redistribuir el ingreso. El programa más común en toda la región es el de la Seguridad Social, el cual proporciona ayuda económica y acceso a servicios de salud a personas pensionadas, jubiladas, incapacitadas y sobrevivientes de guerra. Estos sistemas usualmente son manejados por el Estado, aunque en fechas recientes se han llevado a cabo reformas importantes en varios países de América Latina, con el objeto de promover una participación más activa del sector privado en la provisión de este tipo de servicios. Un problema común en este tipo de programas en América Latina es su escasa cobertura de la fuerza laboral.

Por otra parte, en casi todos los países de América Latina existe una legislación laboral que obliga a compensar económicamente a las personas que quedan desempleadas (indemnización). Sin embargo, por lo general la compensación económica se otorga por una sola vez, y una parte importante de la fuerza laboral no se encuentra cubierta por dicha regulación. En general, se puede decir que en América Latina no existen programas de compensación económica a los desempleados, y que en aquellos casos en los que existe una legislación al respecto, ésta tiende a ser sumamente restrictiva. Por otra parte, en los últimos años se ha puesto especial atención en el desarrollo de servicios de información, capacitación y de empleos temporales, para ayudar a la población desempleada en varios países de la región. Algunos de los países que han introducido recientemente políticas de este tipo son Argentina, Brasil, México, Perú y Uruguay.

Los programas de bienestar social en América Latina son aún relativamente pequeños, aunque últimamente han crecido en importancia y se han enfocado a sectores cada vez más específicos de la población. En México, por ejemplo, recientemente se ha implementado el Programa de educación, salud y alimentación (Progresa), el cual proporciona apoyo económico a las familias de escasos recursos, y ayuda a satisfacer una serie de requisitos específicos en términos de asistencia escolar y atención médica. Otros países de la región están llevando a cabo programas similares.

## Servicios subsidiados

Una parte importante de la redistribución en Estados Unidos se realiza a través de la provisión de servicios subsidiados; es decir, servicios que proporciona el gobierno a precios muy por debajo del costo de producción. Los contribuyentes que consumen estos bienes y servicios reciben una transferencia en especie de los contribuyentes que no los consumen. Las dos áreas más importantes en las que se realiza esta forma de redistribución, son la atención médica y la educación (desde los jardines de infancia hasta la universidad).

En 1998-99, los estudiantes inscritos en el sistema de la Universidad de California en Estados Unidos pagaron colegiaturas anuales por 3,766 dólares. El costo anual de proporcionar una educación en la Universidad de California, en Berkeley, o en San Diego, en 1998-99, era de 15,000 dólares. Por tanto, los hogares con un miembro inscrito en estas instituciones recibieron un beneficio del gobierno de más de 11,000 dólares anuales.

Los servicios de atención médica que proporciona el gobierno, han crecido hasta llegar a igualar la escala de los servicios prestados por el sector privado. Los programas como *Medicaid* y *Medicare* proporcionan atención médica de alta calidad y alto costo a millones de personas que ganan demasiado poco para adquirir esos servicios por sí mismos.

En varios países de América Latina, también se da un proceso de redistribución a través de una serie de servicios subsidiados. El ejemplo más común es el de la educación pública, aunque también se subsidian algunos alimentos básicos (por ejemplo: en México, la leche, las tortillas, etc.), el transporte y la atención médica.

## La magnitud de la redistribución del ingreso

El ingreso de un hogar cuando no existe redistribución del gobierno se conoce como *ingreso de mercado*. Se puede medir la magnitud de la redistribución del ingreso mediante el cálculo del porcentaje del ingreso de mercado que se paga en impuestos y el porcentaje que se recibe en beneficios para cada nivel de ingreso. La información disponible para Estados Unidos incluye la redistribución que se da a través de los impuestos y de los beneficios en efectivo y en especie que reciben los participantes en los programas de bienestar social. Los datos disponibles no incluyen el valor de los servicios subsidiados (por ejemplo: el subsidio de las universidades), lo cual podría subestimar el monto total de la redistribución de los ricos a los pobres.

La figura 17.8 muestra la magnitud de la redistribución del ingreso en Estados Unidos. La curva de Lorenz azul describe la distribución del ingreso del mercado. Esta curva es la misma que la de la figura 17.1. La curva de Lorenz roja muestra la distribución del ingreso después de considerar el efecto de los impuestos y los beneficios (incluyendo los beneficios de *Medicaid* y *Medicare*). La distribución después de impuestos y beneficios es mucho menos desigual que la distribución del ingreso del mercado. El 20% inferior de los hogares sólo recibe 3.6% del ingreso del mercado, pero recibe 13% del ingreso después de impuestos y beneficios. El 20% más alto de los hogares recibe 49.4% del ingreso del mercado, pero sólo 31% del ingreso después de impuestos. La redistribución aumenta la participación del ingreso total que recibe el 60% de los hogares con menores ingresos y disminuye la participación del ingreso total que recibe el 40% de los hogares con ingresos más altos.

**FIGURA 17.8**
# Redistribución del ingreso

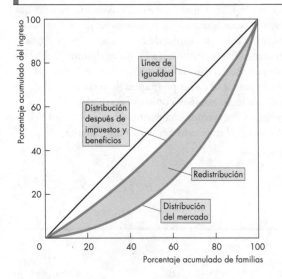

Los impuestos y los programas de sostenimiento del ingreso reducen el grado de desigualdad que produce el mercado. En 1997, el 20% de las familias con los ingresos más bajos recibieron beneficios netos que aumentaron su participación del ingreso total desde 3.6% hasta 13%. El 20% de las familias con los ingresos más altos pagaron impuestos que disminuyeron su participación del ingreso total desde 49.4% hasta 31% del ingreso total.

*Fuentes: Money Income in the United States (With Separate Data on Valuation of Noncash Benefits),* de la Oficina del Censo de Estados Unidos, Current Population Reports, P-60-193, U.S. Govenrment Printing Office, Washington, D.C. 1998 y cálculos propios.

## El gran intercambio

La redistribución del ingreso crea lo que se conoce como el **gran intercambio**, un intercambio entre la equidad y la eficiencia. El gran intercambio se produce debido a que la redistribución usa recursos escasos y debilita los incentivos económicos.

Un peso cobrado a una persona rica no se convierte en un peso recibido por una pobre. Parte de él se utiliza en el proceso de redistribución. Las agencias recaudadoras de impuestos (Servicios de administración tributaria) y las agencias que administran el bienestar social (así como los contadores fiscales y los abogados) utilizan trabajo calificado, computadoras y otros recursos escasos para hacer su trabajo.

Cuanto mayor es la escala de la redistribución, mayor es el costo de oportunidad de administrarla.

Pero el costo de cobrar impuestos y de hacer pagos de bienestar social es tan sólo una pequeña parte del costo total de la redistribución. Se produce un mayor costo debido a la pérdida irrecuperable de eficiencia de los impuestos y los beneficios. Sólo se puede lograr una mayor igualdad gravando actividades productivas tales como el trabajo y el ahorro. Al gravar los ingresos que provienen del trabajo y de los ahorros, disminuye el ingreso neto percibido por las personas. Este ingreso más bajo hace que las personas trabajen y ahorren menos, lo que a su vez da como resultado una menor producción y un menor consumo. Esto es cierto no tan sólo para los ricos que pagan los impuestos, sino también para los pobres que reciben los beneficios.

No son sólo los contribuyentes los únicos que se enfrentan a incentivos más débiles para trabajar. Quienes reciben los beneficios también se enfrentan a incentivos más débiles. De hecho, con los mecanismos de bienestar social que prevalecían en Estados Unidos antes de las reformas de 1996, las familias que se beneficiaban del bienestar social eran las que menos incentivos tenían para trabajar. Esto se debe a que cuando un beneficiario de los programas de bienestar social obtenía un trabajo, se le retiraban los beneficios y terminaba su elegibilidad para programas como *Medicaid*. Esto implicaba que la familia pagaba en ocasiones un impuesto de más de 100% sobre sus ingresos, por lo que este dispositivo encerraba a las familias pobres en una trampa del bienestar social.

Por tanto, la magnitud y los métodos de redistribución del ingreso tienen que prestar una atención estrecha a los efectos de los impuestos y los beneficios sobre los incentivos. Observemos ahora la forma en que los legisladores estadounidenses enfrentan la disyuntiva entre equidad y eficiencia.

## Un importante reto del bienestar social

Las familias más pobres en Estados Unidos (véanse las págs. 369-370) están compuestas por mujeres jóvenes que no terminaron estudios de bachillerato (preuniversitarios), que tienen un hijo (o varios), que viven sin pareja y que lo más probable es que sean de raza negra o de origen hispano. Estas mujeres jóvenes y sus hijos representan un reto muy importante a los programas de bienestar social por varias razones. En primer lugar, porque son muchas. En 1992 (el año más reciente para cual se dispone de información censal), había 10 millones de familias de madres solteras en Estados Unidos. Esta cifra es casi el 30% de las familias con hijos menores de 21 años que nunca se han casado. En 1991 (de nuevo el año más reciente en que se tiene información del censo), a estas familias se les debían 18,000 millones de dólares en ayuda para los hijos. De esta cantidad, 6,000 millones de dólares no se pagaron y una cuarta parte de las mujeres no recibieron ayuda de sus parejas ausentes.

La solución de largo plazo al problema de pobreza al que se enfrentan estas personas, es la educación y la capacitación en el trabajo; es decir, la adquisición de capital humano. La solución a corto plazo es el bienestar social. Pero el bienestar social se tiene que diseñar de tal manera que minimice la eliminación de incentivos que permitan buscar la meta a largo plazo. Esto es lo que intenta hacer el programa de bienestar social actual en Estados Unidos.

En 1996 se aprobó la Ley de Reconciliación de la responsabilidad personal y de las oportunidades de trabajo,

la cual creó el programa de ayuda temporal a familias necesitadas (TANF). Este programa consiste en un donativo en bloque que se paga a los estados para que administren los pagos a las personas. No se trata de un programa que da derechos sin límites. Un miembro adulto de una familia que recibe ayuda tiene que trabajar o realizar servicios a la comunidad, y existe un límite de cinco años para la ayuda.

Estas medidas contribuyen a eliminar algunos problemas graves de pobreza, al mismo tiempo que son sensibles a la ineficiencia potencial de los programas de bienestar social. Sin embargo, no llegan tan lejos como quisieran algunos economistas. Observemos una reforma más radical del bienestar social: el impuesto negativo sobre la renta.

---

**FIGURA 17.9**

# Comparación de los programas tradicionales con un programa de impuesto negativo sobre la renta

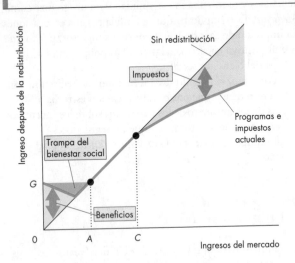

**(a) Mecanismos actuales de redistribución**

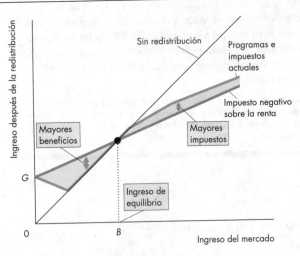

**(b) Un impuesto negativo sobre la renta**

En la sección (a) se muestran los mecanismos tradicionales de redistribución (curva azul). A las personas sin ingresos se les otorgan beneficios iguales a *G*. A medida que aumentan los ingresos (desde cero hasta *A*), los beneficios disminuyen, por lo que el ingreso después de la redistribución *disminuye* por debajo de *G* y crea una trampa del bienestar social (el triángulo gris). A medida que aumentan los ingresos de *A* a *C*, no hay redistribución. Conforme aumentan los ingresos por encima de *C*, los impuestos sobre la renta se pagan a tasas cada vez más altas.

En la sección (b), un impuesto negativo sobre la renta proporciona un ingreso anual garantizado de *G* y disminuye los beneficios a la misma tasa que la tasa del impuesto sobre los ingresos. La línea roja muestra cómo los ingresos del mercado se convierten en ingresos después de la redistribución. Las familias con ingresos de mercado por debajo de *B* reciben beneficios netos. Aquellos con ingresos del mercado por encima de *B* pagan impuestos netos.

## Impuesto negativo sobre la renta

Un impuesto negativo sobre la renta *no* se encuentra en la agenda política, pero es popular entre los economistas y es el tema de varios experimentos en el mundo real.

El **impuesto negativo sobre la renta** proporciona a cada familia un *ingreso anual mínimo garantizado* y grava *todos* los ingresos a una tasa *marginal fija*. Suponga que el ingreso anual mínimo garantizado es de $10,000 y que la tasa del impuesto marginal es de 25%. Una familia sin ingresos de mercado recibe del gobierno el ingreso mínimo garantizado de $10,000. Esta familia "paga" un impuesto sobre la renta de *menos* $10,000, de ahí proviene el nombre de impuesto *negativo* sobre la renta. Una familia con un ingreso de mercado de $40,000 tiene que pagar $10,000 en impuestos (el 25% de su ingreso de mercado), pero también tiene derecho a recibir del gobierno el ingreso mínimo garantizado de $10,000. Por tanto, esta familia no paga impuesto sobre la renta. Tiene el ingreso del punto de equilibrio. Las familias con un ingreso del mercado entre cero y $40,000 "pagan" un impuesto negativo sobre la renta, ya que reciben más de lo que pagan. Una familia con un ingreso de mercado de $60,000 recibe del gobierno el ingreso mínimo garantizado de $10,000, pero paga $15,000 en impuestos (el 25% de su ingreso de mercado). Por tanto, esta familia tiene que pagar un impuesto sobre la renta de $5,000. Todas las familias con ingresos que excedan $40,000, pagan impuesto sobre la renta al gobierno.

La figura 17.9 muestra un impuesto negativo sobre la renta y se compara con los sistemas existentes antes de 1996 en Estados Unidos. En ambas partes de la figura, el eje horizontal mide el *ingreso del mercado* y el eje vertical mide el ingreso *después* de que se pagan los impuestos y se reciben los beneficios. La línea de 45º muestra el caso hipotético de "no redistribución".

En la sección (a), se muestran los sistemas tradicionales de redistribución mediante la curva azul. Se pagan beneficios por un monto igual a *G* a aquellos que no tienen ingresos. A medida que los ingresos aumentan, los beneficios comienzan a disminuir. Este sistema crea una *trampa del bienestar social*, la cual se muestra mediante el triángulo gris. A una persona no le conviene trabajar si el ingreso que puede obtener es menor que *A*. En el rango de ingreso que va desde *A* hasta *C*, cada dólar adicional de ingreso del mercado aumenta el ingreso efectivo en la misma magnitud. A niveles de ingreso superiores a *C*, se pagan impuestos sobre la renta a tasas cada vez más altas, por lo que el ingreso después de impuestos es menor que el ingreso del mercado.

En la sección (b), se muestra el impuesto negativo sobre la renta. El ingreso anual garantizado es *G* y el ingreso del punto de equilibrio (en el que no se pagan ni se reciben impuestos sobre la renta) es *B*. Las familias con ingresos del mercado inferiores a *B* reciben un beneficio neto adicional (área azul), y aquellas con ingresos por encima de *B* pagan impuestos adicionales (área roja). El impuesto negativo sobre la renta elimina la trampa del bienestar social y proporciona un mayor estímulo a las familias de bajos ingresos para buscar empleo, incluso si el salario es bajo. Este mecanismo también supera algunos de los otros problemas que se presentan en los programas existentes de mantenimiento del ingreso.

## PREGUNTAS DE REPASO

- ¿Cuáles son los métodos que utilizan comúnmente los gobiernos para redistribuir el ingreso?
- ¿Cuál de esos métodos es menos común en América Latina?
- ¿Qué tan grande es la escala de la redistribución del ingreso en Estados Unidos?
- ¿Cuál es el principal reto del bienestar social y cómo se atiende este problema en Estados Unidos actualmente?
- ¿Qué problema se resolvería con la aplicación de un impuesto negativo sobre la renta? ¿Por qué no se ha aplicado un impuesto negativo sobre la renta?

La salud y el costo de la atención médica son fuentes importantes de la desigualdad. Ahora estudiaremos la economía de la atención médica en Estados Unidos y las propuestas para reformarla.

# Reforma a la atención médica

EL GASTO POR PERSONA PARA LA ATENCIÓN MÉDICA ES mayor en Estados Unidos que en cualquier otro país. Asimismo, el porcentaje del ingreso total que se gasta en atención médica en Estados Unidos excede al de cualquier otro país. Un estadounidense que tiene un buen empleo y un seguro médico amplio, disfruta de un alto grado de seguridad y recibe la atención médica de la más alta calidad. Observemos la escala de los gastos en atención médica y quiénes hacen el gasto.

En 1998, el gasto total en atención médica en Estados Unidos fue de 14% del ingreso total. Si la tendencia actual continuase, éste llegaría a 20% del ingreso total para principios del siglo XXI. La parte del costo total de los gastos médicos en Estados Unidos, que es absorbida por el gobierno, ha aumentado de 25% en 1965, a 47% en 1996. Este comportamiento se muestra en la figura 17.10. La participación del gobierno en el costo está compuesta por sus gastos en los programas *Medicare* y *Medicaid* ($356,000

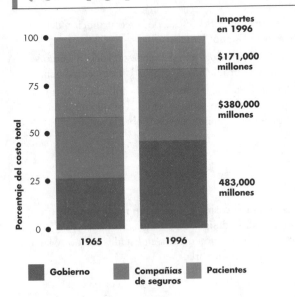

**FIGURA 17.10**

## ¿Quién paga por la atención médica?

En 1996, el gobierno pagó un 47% del costo total de la atención médica. En 1965, este porcentaje era de únicamente 26%. Los pagos directos por los pacientes disminuyeron de 42% del total en 1965, hasta 17% en 1996.

*Fuente: Statistical Abstract of the United States: 1998,* Oficina del Censo de Estados Unidos, edición 118, tabla 164.

millones en 1996) y por las primas que paga a las compañías de seguros privadas de gastos médicos para empleados gubernamentales. El otro 53% del costo de la atención médica lo absorben los seguros privados de gastos médicos (que han aumentado de 25% de los pagos totales en 1965, a 37% en 1996) y los pagos directos de los pacientes (que han *descendido* de 42% de los pagos totales en 1965, a 17% en 1996).

A pesar de la alta calidad de la atención médica en Estados Unidos y de la gran cantidad de recursos que se le destinan, muchas personas perciben que la atención médica en ese país está en crisis. ¿Por qué? Hay dos áreas de problemas principales:

1. Los costos de los gastos médicos parecen estar fuera de control.
2. Los seguros privados de gastos médicos no cubren a toda la población.

Observemos con más detalle estos problemas.

## Problemas de los costos de la atención médica

En promedio, los costos de los gastos médicos han aumentado con más rapidez que los precios al consumidor, como muestra la figura 17.11. Hay dos factores distintos que explican la brecha entre la tasa de crecimiento en los costos de los gastos médicos y los aumentos promedio en los precios. Esta brecha se conoce con el nombre de la brecha del costo de la atención médica.

Primero, la atención médica es un servicio personal que usa una gran cantidad de trabajo con posibilidades limitadas de adaptar cambios tecnológicos que permitan ahorrar trabajo. Además, los costos de trabajo de la atención médica (las tasas salariales de todos los trabajadores médicos, desde los cirujanos hasta los conserjes) por lo general aumentan a una tasa más rápida que los precios promedio. Por tanto, debido a la limitación para incorporar cambios tecnológicos que ahorren trabajo, los costos de trabajo más altos se reflejan en costos más altos del producto final de la atención médica.

Segundo, el efecto principal del cambio tecnológico que sí se realiza en la atención médica, se traduce en una mejor calidad del producto. Por ejemplo, las aplicaciones de la tecnología de la computación y los avances en las medicinas han ampliado el rango de enfermedades que se pueden tratar. Pero el costo de utilizar las nuevas tecnologías para tratar afecciones que antes eran imposibles de tratar, se eleva en forma continua. Se puede anticipar que persistan ambas fuentes de la brecha del costo de la atención médica.

La figura 17.12 muestra el mercado para la atención médica. Inicialmente (por ejemplo en 1980), la curva de demanda era $D_0$, la curva de oferta era $O_0$, la cantidad era $Q_0$ y el precio era $P_0$. Los ingresos más elevados, la mayor duración de la vida y el aumento en las afecciones que pueden ser tratadas, incrementan la demanda por servicios

## FIGURA 17.11

# El costo creciente de la atención médica

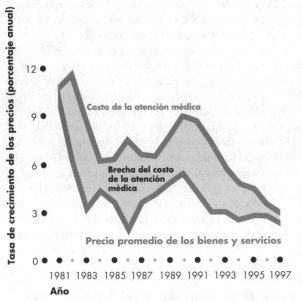

El costo de la atención médica ha aumentado con mucha más rapidez que el precio promedio de otros bienes y servicios. Las razones son que la atención médica es una industria que utiliza mucho trabajo (es una industria de servicios personales), por lo que los costos del trabajo aumentan y las mejorías en la calidad cambian la naturaleza del producto y aumentan su costo.

*Fuente: Statistical Abstract of the United States, 1998, edición 118, tabla 179.*

## FIGURA 17.12

# El mercado para la atención médica

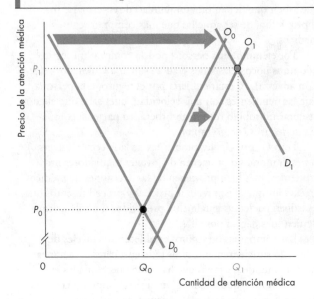

Inicialmente (por ejemplo en 1980), la curva de demanda era $D_0$, la oferta era $O_0$, la cantidad $Q_0$ y el precio $P_0$. Los crecientes ingresos y los avances tecnológicos que amplían el rango de afecciones que se pueden tratar, aumentan la demanda y desplazan la curva de demanda hacia la derecha a $D_1$. La mejor tecnología también aumenta la oferta, pero los salarios crecientes y los equipos y medicinas más costosos contrarrestan este aumento en la oferta. El resultado neto es que la curva de oferta se desplaza hacia la derecha hasta $O_1$. La cantidad de equilibrio aumenta en una cantidad moderada, hasta $Q_1$, y el precio aumenta en forma pronunciada, hasta $P_1$.

de atención médica, y la curva de demanda se desplaza hacia la derecha de $D_0$ a $D_1$. Los avances tecnológicos en la atención médica también han aumentado la oferta de servicios médicos. Pero el aumento en la oferta es más pequeño que el aumento en la demanda, porque algunos factores han provocado una disminución de la oferta. Uno de estos factores es la creciente tasa salarial de los trabajadores de la atención médica; otro es el creciente costo de las tecnologías de atención médica que son cada vez más complejas. El efecto neto de las influencias positivas y negativas sobre la oferta es un desplazamiento hacia la derecha de la curva de oferta hasta $O_1$. La cantidad de atención médica ha aumentado a $Q_1$ y el precio se ha elevado hasta $P_1$, un aumento relativamente grande.

Las fuerzas en operación que producen los cambios que se muestran en la figura 17.12, no parecen ser temporales y se puede esperar que ocasionen cambios similares en el futuro.

## Seguro de gastos médicos

Más de 50% de los gastos en atención médica son ejercidos por menos de 10% de la población. Otro 30% de los gastos corresponde a un 20% de la población. El gasto de atención médica del 70% restante, es decir, de las personas más saludables, es menor que el 20% del gasto total en atención médica.

Debido a que los costos son altos y a que la frecuencia de uso es baja, la mayoría de las personas elige financiar su atención médica mediante un seguro. Pero el seguro de gastos médicos, como todos los tipos de seguros, se enfrenta a dos problemas: el *riesgo moral* y la *selección adversa*.[1] El riesgo moral en el seguro médico es la tendencia de las

---

[1] Estos problemas, al igual que otros aspectos de los seguros, se explican con más detalle en el capítulo 21, páginas 467-469.

personas que están cubiertas por un seguro a utilizar más sus servicios o a ser menos cuidadosas en evitar riesgos a la salud, de lo que lo harían de otra manera. La selección adversa en el seguro médico es la tendencia de las personas que saben que tienen una posibilidad de enfermarse mayor al promedio, de ser aquellas que más compran seguros médicos.

Por ejemplo, una persona podría comprar un seguro sólo unos pocos días antes de ir a esquiar a Colorado (selección adversa). Al estar cubierta por el seguro, esta persona baja las pendientes con más velocidad, pues sabe que el costo de curar un tobillo roto lo absorberá, en parte, la compañía de seguros (riesgo moral).

Pero los principales problemas de la selección adversa y el riesgo moral no provienen de jóvenes esquiadores imprudentes, más bien provienen de las decisiones de médicos precavidos que eligen realizar pruebas y procedimientos que les exigen pacientes igualmente precavidos tan sólo porque alguien más pagará por ellos.

Las compañías de seguros establecen sus niveles de primas lo suficientemente altos para cubrir reclamaciones provenientes de personas que han sido seleccionadas en forma adversa y que se enfrentan al riesgo moral. Pero para atraer a negocios rentables de clientes de bajo riesgo, las compañías de seguros dan preferencia a las personas saludables y que se encuentran empleadas. También limitan la cobertura de condiciones de preexistencia y las reclamaciones que se producen con motivo de enfermedades importantes. El resultado es que mucha gente no está asegurada, o bien está asegurada contra problemas de poca importancia, pero no lo está para enfermedades más serias.

## Propuestas de reforma

La reforma a la atención médica es un tema político importante. Cuando algunos aspectos de la economía no funcionan en la forma deseada, algunas personas llegan a la conclusión de que el gobierno tiene que intervenir para hacer frente al problema, en tanto que otras llegan a la conclusión opuesta e identifican la intervención existente del gobierno como la fuente del problema. Así sucede con la atención médica. Terminaremos nuestro breve estudio de la economía de la atención médica examinando una gama de propuestas alternativas para mejorar el desempeño del sector de la atención a la salud en Estados Unidos.

**¿Un papel más activo del gobierno?**   El mundo está lleno de ejemplos de sistemas de atención médica en los que el gobierno desempeña un papel importante. El ejemplo más completo es Canadá.

Cada provincia de Canadá administra un programa amplio de seguro médico. Los recursos que utiliza el sector de la atención médica se pagan mediante impuestos. Algunos de estos impuestos se conocen con el nombre de

Contribuciones para el seguro a la salud, pero los fondos del impuesto sobre la renta general también se utilizan para pagar las cuentas de atención médica.

El gobierno canadiense es el único proveedor de servicios de atención médica. Maneja los hospitales, le paga a los médicos y a otros profesionales de la atención a la salud, y compra las medicinas para las personas con bajos ingresos. Las personas eligen su médico familiar, pero éste asigna a las personas a especialistas y hospitales.

La atención médica privada es ilegal en Canadá. A nadie se le permite ofrecer sus servicios fuera del programa del gobierno y ningún proveedor de servicios médicos puede cobrar un honorario mayor que el estipulado por el gobierno. Los médicos racionan los procedimientos para los que hay un exceso de demanda, alargando las filas de espera.

Los canadienses más ricos evitan el sistema del gobierno y compran servicios de gastos médicos en Estados Unidos (y en ocasiones en Europa). Otros canadienses se quejan, pero soportan servicios que cada vez resultan más inadecuados.

Gran Bretaña y Australia son otros dos países muy conocidos por sus sistemas de atención médica operados por el gobierno. En cada uno de estos países, el gobierno proporciona atención médica a un precio de cero (o a un precio muy bajo) a cualquiera que la solicite. Los servicios médicos se financian mediante impuestos, y los aseguradores, médicos y hospitales privados compiten con el sector gubernamental. En Australia, se les proporciona a las personas un incentivo fiscal para que compren seguros privados y, de hecho, se salgan del programa estatal.

Si los gastos médicos están operados como una rama del gobierno y se financian con impuestos, es necesario elevar continuamente las tasas impositivas para pagar la atención médica que exigen las personas. Hay dos razones por las que los impuestos tienen que seguir aumentando. Primero, a medida que aumentan nuestros ingresos, elegimos gastar una mayor parte del ingreso en atención a la salud, es decir, la atención médica tiene una alta *elasticidad ingreso*. Segundo, los avances en la tecnología de la atención a la salud continúan ampliando el rango de tratamientos viables. Pero el costo de las nuevas tecnologías no baja con tanta rapidez como se eleva nuestra demanda para utilizarlos. La combinación de estos factores significa que si el gobierno es el único proveedor de servicios de gastos médicos, los impuestos tendrán que continuar aumentando en forma permanente.

**¿Hacer que trabaje mejor el mercado de atención médica privada?**   Muchos militantes del Partido Republicano de Estados Unidos quieren disminuir la aportación de fondos del gobierno federal para los servicios de gastos médicos. Se han hecho propuestas para reducir el aumento proyectado de 270,000 millones de dólares del programa *Medicare*, durante un período de siete años. La gente que pueda permitirse comprar su propia atención médica ya no será elegible para *Medicare*, y se proporcionarán incentivos a las personas para que cambien de proveedores de servicios por honorarios de costos altos, hacia proveedores de atención médica administrada de costos bajos.

La esperanza es que al rebajar la escala del gasto público, los costos de la atención médica se elevarán con menos rapidez. Existe evidencia de que ésta es una esperanza realista. Una vez eliminados los efectos de la inflación, los costos de los programas de *Medicaid* y *Medicare* han aumentado más de cuatro veces desde 1970, en tanto que el costo de la atención médica privada ha aumentado menos de 100%.

Al proporcionar incentivos fiscales que estimulan a los patrones a comprar un seguro médico, el gobierno ha hecho menos eficiente la parte privada de la atención médica. Aunque los patrones compren los seguros médicos, son los *empleados* quienes pagan por ellos. El paquete de compensación, el cual consiste de salarios más seguros médicos, queda determinado por las fuerzas de la oferta y la demanda. El importe que los patrones pagan por la adquisición de los seguros médicos se sustrae de la compensación total para determinar la cantidad a pagar en forma de salarios.

Sin embargo, las leyes del impuesto sobre la renta interactúan con el seguro médico proporcionado por los patrones, para crear un gran problema. Los empleados pagan el impuesto sobre la renta sobre sus salarios, pero no sobre el valor de su seguro médico. Por tanto, suponga que una empresa y sus trabajadores negocian un nuevo paquete de remuneración. ¿Se elevarán los salarios en $100 por empleado, o se elevarán las primas de seguros médicos en $100 por empleado, para mejorar la calidad del seguro médico? (El mejor seguro médico podría tomar la forma de un menor deducible o de una mayor cobertura.)

Si el costo del trabajo de una empresa va a aumentar en $100 por empleado, a la empresa no le importa si paga los $100 en salarios más altos o en un mejor seguro médico. Pero al empleado sí le interesa. Debido a que los salarios están gravados, $100 adicionales en salarios se convierten en alrededor de $60 en ingreso disponible. Por tanto, los empleados tienen que comparar el valor de un mejor seguro médico que cueste $100 más, con un ingreso disponible adicional de $60. Si el valor que asignan los empleados a un seguro médico que cuesta $100 adicionales es superior a $60, entonces optarán por el seguro en lugar de los salarios más altos. Si a los patrones no se les permitiera proteger los beneficios provenientes del impuesto sobre la renta en esta forma, los salarios serían más altos y las personas decidirían por sí mismas cuánta cobertura de seguro médico comprar.

En ese caso, habría un mayor incentivo para comprar seguros a un costo más bajo, con un deducible más alto y un rango de cobertura más pequeño. Con un deducible más alto, las personas tendrían un incentivo más fuerte para economizar en tratamientos médicos y disminuirían los problemas de riesgo moral y de selección adversa.

Pero el problema fundamental es que los crecientes costos de la atención médica provienen de fuerzas que van a mantenerse. Se puede esperar que los avances en la tecnología de la atención médica hagan que cada vez sea mayor la demanda de atención médica. El costo creciente de aplicar las nuevas tecnologías médicas y el continuo crecimiento de las tasas salariales de los trabajadores capacitados de atención médica, hacen esperar que la oferta siga creciendo con más lentitud que la demanda. El resultado: el precio que equilibra las cantidades demandadas y ofrecidas continuará aumentando con más rapidez que el aumento promedio en los precios.

## PREGUNTAS DE REPASO

- ¿Cuáles son los principales problemas con la atención médica en Estados Unidos?

- ¿Por qué aumentan los costos de la atención médica con más rapidez que los precios promedio?

- ¿En qué consisten los problemas de *riesgo moral* y *selección adversa* al que se enfrentan los proveedores de seguros médicos? Proporcione algunos ejemplos de cada uno.

- ¿Cómo resuelven otros países el asunto de la provisión de atención médica? ¿Le ofrecen lecciones a Estados Unidos?

- ¿Qué se podría hacer para que operara mejor el mercado para la atención médica en Estados Unidos?

◆ Se ha examinado la desigualdad económica en Estados Unidos y en Latinoamérica, y se ha visto que existe una gran desigualdad entre familias y personas. Una parte de esa desigualdad proviene de comparar familias en diferentes etapas en el ciclo de vida. Pero incluso si se tomara una perspectiva que abarque todo el ciclo vital, sigue existiendo desigualdad. Una parte de esa desigualdad proviene de diferencias en las tasas salariales. Además, algunas elecciones económicas acentúan esas diferencias.

También se ha visto que la desigualdad ha estado creciendo. En la sección *Lectura entre líneas* en las páginas 386-387, se observa la creciente brecha entre los ricos y los pobres en Estados Unidos en la actualidad. Asimismo, en la sección *Lectura entre líneas* en las páginas 388-389, se observa el aumento en la desigualdad del ingreso en México.

Se ha visto que ciertas acciones de política redistribuyen el ingreso para aliviar los peores aspectos de la pobreza. Nuestra siguiente tarea es observar con más detalle la forma en que las acciones del gobierno modifican los resultados de la economía de mercado. Se observan las fuentes de las fallas de mercado y las formas en que las acciones del gobierno intentan superarlas. También se observa lo que se conoce como el mercado político y la posibilidad de que éste también falle.

# La cambiante distribución del ingreso en Estados Unidos

THE NEW YORK TIMES, 2 de diciembre, 1998

## ...*Problemas que deslucen una economía vigorosa*

POR MICHAEL M. WEINSTEIN

Podría parecer de mal gusto encontrar defectos en una economía que ha sido la mejor en toda una generación. Las tasas de desempleo e inflación están a los niveles más bajos nunca antes vistos y, por primera vez en décadas, los trabajadores de baja remuneración reciben aumentos de salarios que superan los aumentos en los precios. Pero a pesar de los beneficios de una economía temporalmente floreciente, siguen existiendo problemas muy enraizados.

Frank Levy, un economista del Massachusetts Institute of Technology, observa que el mejor momento para hacer frente a los problemas es cuando la economía se encuentra en crecimiento. En su nuevo libro "The New Dollars and Dreams" (Russell Sage Foundation, 1998), Levy señala la creciente desigualdad en una época de salarios estancados. Tomando una frase del senador Daniel Patrick Moynihan, demócrata por Nueva York, Levy previene contra "definir las desviaciones a la baja, aceptar como normales resultados económicos en la actualidad que 10 o 20 años antes hubieran sido considerados como patológicos"....

Un estudio realizado por Sheldon Danziger de la Universidad de Michigan muestra que de 1969 a 1997, cuando los ingresos de los graduados universitarios se elevaron fuertemente, los ingresos medios, ajustados por la inflación, de los hombres blancos de 25 a 34 años de edad, graduados de enseñanza pre-

universitaria, disminuyeron en casi un 30%. Una economía que se suponía que elevaría a todos hasta nuevas alturas de ingresos y consumo, rebajó en vez de ello los niveles de los trabajadores menos capacitados.

Danziger señala una estadística sorprendente: los ingresos de estos trabajadores blancos menos capacitados disminuyeron tanto que en 1997 ganaban menos de lo que ganaban hace casi 30 años sus contrapartes de raza negra, un grupo de notorios ingresos bajos. Y los hombres de raza negra graduados de la enseñanza preuniversitaria obtuvieron resultados casi igual de malos. De 1969 a 1997, sus ingresos, ajustados por la inflación, bajaron en un 25%.

La información de Levy muestra que la mitad del 1% de los contribuyentes estadounidenses más ricos representa aproximadamente el 11% del ingreso total, y que aproximadamente el 5% de las familias reciben el 20% del ingreso total. La parte del ingreso obtenido por el 60% inferior de los hogares está disminuyendo. Sólo los graduados universitarios, alrededor de una cuarta parte de la fuerza de trabajo, están obteniendo importantes ganancias en sus salarios.

Hay una evidencia importante de que la naturaleza de la tecnología en una era de gran utilización de la información favorece a los trabajadores con habilidades verbales y matemáticas a nivel universitario. Eso deja atrás por lo menos a la mitad de la fuerza de trabajo.

## Esencia del artículo

■ Sheldon Danziger, de la Universidad de Michigan, dice que los ingresos de los graduados universitarios entre 1969 y 1997 se elevaron con rapidez, pero que los ingresos en 1997, ajustados por la inflación, de los hombres de raza blanca que terminaron sus estudios preuniversitarios fueron menores que los ingresos de los hombres de raza negra graduados de ese mismo nivel en 1969.

■ Frank Levy de MIT dice que el 0.5% más rico de los contribuyentes estadounidenses gana el 11% del ingreso total, el 5% de las familias gana el 20% del ingreso total y que la participación del ingreso del 60% de las familias con menores ingresos está bajando.

■ Sólo las personas con títulos universitarios están experimentando importantes aumentos en sus sueldos.

■ La tecnología en la era del uso intensivo de la información favorece a los trabajadores con habilidades verbales y matemáticas a nivel universitario.

La figura 1 muestra la curva de Lorenz sugerida por el artículo (y por otra información de la figura 17.1 en la pág. 368). La curva muestra gran desigualdad, incluso entre los ricos.

La figura 2 muestra por qué han disminuido los ingresos de los graduados de enseñanza preuniversitaria. En 1969, la curva de oferta era $O_{69}$ y la curva de demanda $D_{69}$. El mercado se encontraba en equilibrio en la cantidad $Q_0$ y el salario anual era de 10,000 dólares.

Entre 1969 y 1997, un aumento en la población incrementó la oferta de trabajo para graduados de enseñanza preuniversitaria. La curva de oferta se desplazó hacia la derecha hasta $O_{97}$.

La demanda por trabajo de graduados de enseñanza secundaria también aumentó, pero en una cantidad relativamente pequeña. El aumento en la demanda fue pequeño debido a que los avances en la tecnología desplazaron con máquinas las labores que desempeñaban este tipo de trabajadores. La curva de demanda se desplazó hacia la derecha hasta $D_{97}$.

En 1997, el mercado para trabajo de graduados de enseñanza preuniversitaria se encontraba en equilibrio a un salario de 7,000 dólares anuales (ajustado por la inflación).

La figura 3 muestra por qué los ingresos de los graduados universitarios aumentaron en los años recientes.

Los avances tecnológicos que han disminuido la demanda de trabajo de graduados de enseñanza preuniversitaria, han incrementado la demanda de graduados universitarios. La curva de demanda se desplazó hacia la derecha desde $D_{69}$ hasta $D_{97}$.

El aumento en la población y el incremento en el número de personas que terminaron sus estudios universitarios, han aumentado la oferta de graduados universitarios. Pero el aumento en la oferta fue menor que el aumento en la demanda. La curva de oferta se desplazó hacia la derecha de $O_{69}$ a $O_{97}$.

La tasa salarial de equilibrio de los graduados universitarios aumentó de 50,000 hasta 70,000 dólares anuales (ajustado por la inflación).

La brecha de salarios entre los dos grupos comenzará a estrecharse si los graduados de enseñanza preuniversitaria adquieren más habilidades, y si el cambio tecnológico adicional aumenta la demanda de graduados de enseñanza preuniversitaria.

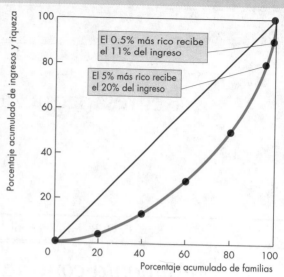

Figura 1. Gran desigualdad, incluso entre los ricos

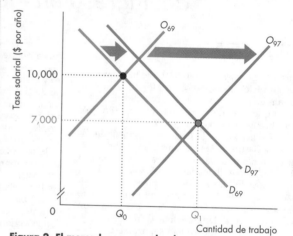

Figura 2. El mercado para graduados de enseñanza preuniversitaria

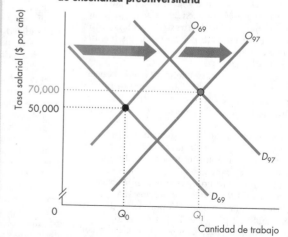

Figura 3. El mercado para graduados universitarios

# Regresa riqueza a niveles de 1994

R E F O R M A,   Abril 21, 2000

## Aumenta concentración del ingreso en México

Por Laura Carrillo

Durante el presente sexenio, aumentó el nivel de concentración del ingreso en México, y hoy de las familias con más ingresos, participa con 38.1 de la riqueza total del país, mientras que en 1996 tenía 36.6 por ciento.

De acuerdo con la Encuesta Nacional de Ingresos y Gastos de los Hogares para medir la distribución del ingreso, se divide a la población en 10 partes iguales llamadas déciles, y se les ordena en función del ingreso que perciben. En una situación ideal de desarrollo económico, cada uno de estos grupos de hogares, debe participar con la décima parte del ingreso total de una nación.

Pero la realidad puede separarse radicalmente del estado ideal y en México los seis primeros déciles, 60 por ciento de los hogares con más bajo ingreso, obtienen 25.5 por ciento de los ingresos nacionales; los tres déciles siguientes 36.4 por ciento y el 10 por ciento de los hogares con mayor ingreso, se quedan con 38.1 por ciento del ingreso global.

Con estos datos, se confirma que la concentración del ingreso en México regresó a niveles que se tenían antes de la crisis de 1995, reforzando una tendencia que parecía haberse revertido en 1996.

De hecho, desde que comenzaron a publicarse las encuestas del Instituto cada año se reportó una mayor participación del estrato de hogares más ricos en el ingreso total.

El primer estudio de este tipo en México reportó que en 1984 al décil de hogares más pobres le correspondía tan sólo 1.58 por ciento de la riqueza total del país, y el 10 por ciento de la población con mayores ingresos participaba con 34.1 por ciento.

Una década después, al final del sexenio salinista donde la economía había crecido hasta el 5 por ciento anual, la riqueza nacional se concentró y el décil con más ingreso contó con 38.42 por ciento del ingreso total. En este fenómeno, los hogares que se encontraban en los estratos medios fueron cediendo terreno en favor de los grupos de mayores ingresos.

No obstante, en 1996 se registró un retroceso en la tendencia concentradora y la población de menores ingresos ganó espacio en la repartición del pastel de modo que el décil más alto retrocedió hasta el 36.6 por ciento.

Al parecer el efecto desconcentrador duró muy poco tiempo, y según la última medición dada a conocer por el Instituto se ha retornado el camino a la concentración del ingreso que se interrumpió ligeramente a mediados del presente sexenio.

El fenómeno es totalmente congruente con otros indicadores de pobreza, como el acceso a la educación, que también dio a conocer la Encuesta Nacional de Ingresos y Gastos de los Hogares.

Si bien el promedio de escolaridad en México es de 7.7 años, para los dos primeros déciles (20 por ciento de los hogares más pobres) alcanza 5 años; ni siquiera la primaria terminada.

Del tercero al séptimo décil, los años de escolaridad están entre los 7 y 8.6 años, o sea máximo hasta la secundaria terminada. El octavo décil de los hogares llega hasta los 9.2 años de escolaridad y el noveno a 10.4 años.

Mientras tanto, el promedio de escolaridad para los hogares que se encuentran en el décil con mayor nivel de vida está en 12.4 años, equivalente al primer año de educación profesional y más del doble del nivel de instrucción de la población más pobre.

## Esencia del artículo

■ La Encuesta Nacional de Ingresos y Gastos de los Hogares indica que la concentración del ingreso en México aumentó de 1996 a 1998, regresando a una situación de desigualdad similar a la de 1994.

■ En 1998, el 10% de los hogares más ricos recibió el 38.1% del ingreso, en tanto que el 60% de los hogares más pobres obtuvo sólo el 25.5% del ingreso total.

■ Cuando la economía creció un 5% en promedio, los grupos más ricos aumentaron su participación en el ingreso, pero esta tendencia se revirtió durante el período de crisis económica.

■ El 20% más pobre de los hogares tiene una escolaridad promedio de cinco años, en tanto que el 10% más rico tiene más de 12 años de educación.

■ Los hogares con el mayor nivel educativo están incrementando su participación en el ingreso total.

■ La figura 1 muestra las curvas de Lorenz para la distribución del ingreso en México en 1996 y 1998. Las curvas efectivamente muestran una mayor desigualdad para 1998.

■ Para explicar los cambios en la distribución del ingreso en México, debe considerarse que cerca de la mitad de los ingresos de los hogares provienen del trabajo, casi todo en la forma de sueldos y salarios, y que éstos aumentaron aproximadamente de 3 a 3.5 dólares por hora-hombre entre 1996 y 1998.

■ La figura 2 muestra por qué los ingresos de los hogares con bajo nivel educativo (con trabajo no calificado) no se han incrementado tanto como los de otros grupos. En 1996, la curva de oferta era $O_{96}$ y la de demanda, $D_{96}$. El mercado se encontraba en equilibrio a un salario de 1.03 dólares por hora.

■ Entre 1996 y 1998, el incremento en la población aumentó en gran medida la oferta de trabajo no calificado. La oferta se desplazó a la derecha a $O_{98}$.

■ La demanda del trabajo no calificado aumentó apenas un poco más que su oferta. El aumento en la demanda fue así porque, desde que la economía mexicana permitió una mayor competencia en los mercados, el cambio

tecnológico ha ido sustituyendo trabajo no calificado por trabajo calificado. La curva de demanda se desplazó a la derecha a $D_{98}$.

■ Hacia 1998, el mercado de trabajo no calificado se equilibró a un salario de 1.08 dólares por hora.

■ La figura 3 muestra por qué el ingreso de los trabajadores capacitados aumentó.

■ El cambio tecnológico ha incrementado en mayor medida la demanda de trabajo calificado. La curva de demanda se desplazó de $D_{96}$ a $D_{98}$.

■ El aumento en la población y en el número de personas con mayor preparación ha incrementado la oferta de trabajo calificado. Sin embargo, el incremento en la oferta ha sido mucho menor que el de la demanda. La oferta aumentó de $O_{96}$ a $O_{98}$.

■ El salario de equilibrio para el trabajo calificado aumentó de 8.70 a 9.03 dólares por hora.

■ La brecha de salarios comenzará a reducirse entre los dos grupos si el trabajo no calificado aumenta sus habilidades y si un nuevo cambio tecnológico aumenta la demanda de trabajo con bajo nivel educativo.

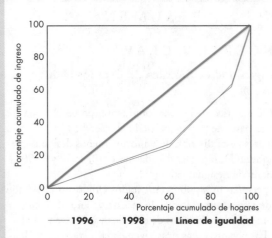

**Figura 1. Mayor desigualdad en 1998 que en 1996**

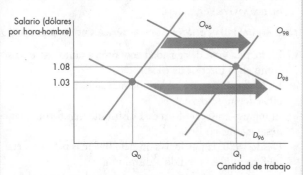

**Figura 2. El mercado de trabajo no calificado**

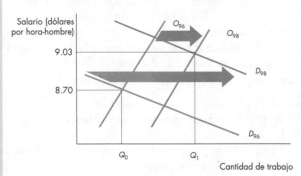

**Figura 3. El mercado de trabajo calificado**

# RESUMEN

## CONCEPTOS CLAVE

### La desigualdad económica en Estados Unidos
(págs. 368-370)

■ El 1% más rico de los estadounidenses posee casi una tercera parte de la riqueza total del país.

■ El ingreso está distribuido en forma menos desigual que la riqueza. Durante las décadas de 1970, 1980 y 1990, aumentó la desigualdad.

■ Las personas más pobres en Estados Unidos son las mujeres de raza negra, solteras, de más de 65 años de edad, con menos de ocho años de estudios y que viven en el sur. Las personas más ricas viven en el oeste, son graduados universitarios, de edad media; son familias de raza blanca y viven en pareja.

### La desigualdad económica en América Latina (págs. 371-373)

■ Existe una gran desigualdad económica tanto entre países como en el interior de ellos.

■ El 20% más rico de los latinoamericanos posee más de 60% del ingreso total.

■ El ingreso en Costa Rica está distribuido en forma menos desigual que en Brasil.

■ Desde 1970, la participación del 20% más pobre en el ingreso total ha tendido a disminuir.

■ Las variables más importantes en la explicación de la desigualdad del ingreso en Chile son la participación femenina en la fuerza laboral y el nivel de educación. Otras variables importantes en la explicación de la distribución del ingreso son el número de menores en el hogar, el tamaño del hogar y la región de residencia.

### Comparación de iguales con iguales (pág. 374)

■ La distribución de la riqueza exagera el grado de desigualdad porque excluye el capital humano.

■ Las distribuciones del ingreso y la riqueza anuales exageran la desigualdad debido a que no toman en cuenta el ciclo de vida de las familias.

### Precios y dotaciones de los recursos, y decisiones
(págs. 375-376)

■ Las diferencias en el ingreso y la riqueza se producen por diferencias en los precios de los recursos, en las dotaciones y en las decisiones económicas.

■ Por lo general, las personas que tienen altas tasas salariales trabajan más que aquellas con tasas de salarios más bajas, por lo que la distribución del ingreso se hace más desigual y más sesgada que la distribución de las tasas salariales.

### Redistribución del ingreso (págs. 377-381)

■ Los gobiernos redistribuyen el ingreso mediante impuestos sobre la renta, programas de sostenimiento del ingreso y proporcionando servicios subsidiados.

■ Los impuestos sobre la renta son progresivos.

■ La redistribución crea un "gran intercambio" entre la igualdad y la eficiencia, el cual se produce debido a que el proceso de redistribución utiliza recursos escasos y debilita los incentivos para trabajar y ahorrar.

■ Los programas tradicionales de sostenimiento del ingreso crean una trampa del bienestar social que desanima a trabajadores potenciales, por lo que la pobreza es persistente. Las reformas buscan disminuir la gravedad de la trampa del bienestar social. Una reforma fiscal más radical que incluyera un impuesto negativo sobre la renta, estimularía a encontrar trabajo a las personas acogidas a los programas de bienestar social.

### Reforma a la atención médica (págs. 382-385)

■ El gasto total en atención médica en Estados Unidos es el 14% del ingreso total (47% es por cuenta del gobierno, 37% por pagos de seguros privados y 16% por pagos directos por los pacientes).

■ Los costos de la atención médica en Estados Unidos han aumentado con más rapidez que los precios al consumidor.

■ El seguro médico se enfrenta al riesgo moral (la tendencia de las personas aseguradas a incurrir en mayores riesgos) y a la selección adversa (la tendencia de las personas con mayores posibilidades de utilizar los servicios médicos de ser quienes más compran los seguros médicos).

■ Algunas personas sugieren que la reforma a los gastos médicos requiere una mayor intervención del gobierno, como en Canadá, Gran Bretaña y Australia; otras dicen que se necesita fortalecer las fuerzas del mercado.

## FIGURAS CLAVE

## TÉRMINOS CLAVE

# PROBLEMAS

*1. Se proporciona la información siguiente sobre las participaciones del ingreso en una economía:

| Porcentaje de familias | Participaciones del ingreso (porcentaje) |
|---|---|
| El 20% más bajo | 5 |
| El segundo 20% | 11 |
| El tercer 20% | 17 |
| El cuarto 20% | 24 |
| El 20% más alto | 43 |

a. Dibuje la curva de Lorenz para el ingreso en esta economía.
b. Compare la distribución del ingreso en esta economía con la de Estados Unidos. ¿En cuál de las dos economías se distribuye el ingreso en una forma más equitativa?
c. Compare la distribución del ingreso en esta economía con la de Brasil. ¿En cuál de las dos economías se distribuye el ingreso en una forma más equitativa?

2. Se proporciona la información siguiente sobre las participaciones de la riqueza en una economía:

| Porcentaje de familias | Participaciones de la riqueza (porcentaje) |
|---|---|
| El 20% más bajo | 0 |
| El segundo 20% | 1 |
| El tercer 20% | 3 |
| El cuarto 20% | 11 |
| El 20% más alto | 85 |

a. Dibuje la curva de Lorenz para la riqueza en esta economía.
b. Compare la distribución de la riqueza en esta economía con la de Estados Unidos. ¿En cuál de las dos economías se distribuye la riqueza en una forma más equitativa?
c. Diga qué variable, si el ingreso en el problema 1 o la riqueza en el problema 2, está distribuida en una forma más desigual.

*3. Imagine una economía con cinco personas que sean idénticas en todos los aspectos. Cada una vive 70 años. Durante sus primeros 14 años nadie percibe ingresos. Durante los 35 años siguientes, todas las personas trabajan y obtienen $30,000 al año por su trabajo. En los años restantes se jubilan y no perciben ingresos provenientes del trabajo. Para facilitar los cálculos aritméticos, suponga que la tasa de interés en esta economía es de cero; las personas consumen todos

sus ingresos durante su vida a una tasa anual constante. ¿Cuáles son las distribuciones del ingreso y la riqueza en esta economía si las personas tienen las edades siguientes:
a. Todas tienen 45 años
b. 25, 35, 45, 55, 65. ¿Tiene mayor desigualdad el caso (a) que el caso (b)?

4. En la economía que se describe en el problema 3, hay un problema de explosión demográfica. Dos personas nacieron en el mismo año y ambos tienen ahora 25 años de edad. Una persona tiene 35, una 45, una 55 y una 65. ¿Cuáles son las distribuciones del ingreso y la riqueza:
a. ¿En este año?
b. ¿Dentro de 10 años?
c. ¿Dentro de 20 años?
d. ¿Dentro de 30 años?
e. ¿Dentro de 40 años?
f. Comente y explique los cambios en las distribuciones del ingreso y la riqueza en esta economía.

*5. Una economía está integrada por 10 personas, cada una de las cuales tiene el siguiente plan de oferta de trabajo:

| Tasa salarial ($ por hora) | Horas trabajadas por día |
|---|---|
| 1 | 1 |
| 2 | 2 |
| 3 | 4 |
| 4 | 6 |
| 5 | 8 |

Las personas difieren en capacidad y tienen diferentes tasas salariales. La distribución de las tasas salariales es la siguiente.

| Tasa salarial ($ por hora) | Número de personas |
|---|---|
| 1 | 1 |
| 2 | 2 |
| 3 | 4 |
| 4 | 2 |
| 5 | 1 |

a. Calcule la tasa salarial promedio.
b. Calcule la razón de la tasa salarial más alta a la más baja.
c. Calcule el ingreso promedio diario.
d. Calcule la razón del ingreso diario más alto al más bajo.
e. Dibuje la distribución de las tasas salariales por hora.
f. Dibuje la distribución de los ingresos diarios.

g. ¿Qué lección importante se demuestra con este problema?

6. En la economía que se describe en el problema 5, la productividad del trabajo menos calificado disminuye, y aumenta la del trabajo más calificado. Por consiguiente, la distribución de las tasas salariales cambia de la siguiente forma:

| Tasa salarial ($ por hora) | Número de personas |
|---|---|
| 0 | 1 |
| 1 | 2 |
| 3 | 4 |
| 5 | 2 |
| 6 | 1 |

El plan de oferta de trabajo es el mismo que en el problema 5. Para esta situación:

a. Calcule la tasa salarial promedio.
b. Calcule la razón de la tasa salarial más alta a la más baja.
c. Calcule el ingreso promedio diario.
d. Calcule la razón del ingreso diario más alto al más bajo.
e. Dibuje la distribución de las tasas salariales por hora.
f. Dibuje la distribución de los ingresos diarios.
g. ¿Qué lección importante se demuestra al comparar la economía en este problema con la del problema 5?

*7. La siguiente tabla muestra la distribución del ingreso del mercado en una economía.

| Porcentaje de familias | Ingresos (millones de $) |
|---|---|
| El 20% más bajo | 5 |
| El segundo 20% | 10 |
| El tercer 20% | 18 |
| El cuarto 20% | 28 |
| El 20% más alto | 39 |

El gobierno redistribuye el ingreso al cobrar impuestos sobre la renta y pagar los beneficios que aparecen en la tabla siguiente:

| Porcentaje de familias | Impuesto sobre la renta (porcentaje del ingreso) | Beneficios (millones de $) |
|---|---|---|
| El 20% más bajo | 0 | 10 |
| El segundo 20% | 10 | 8 |
| El tercer 20% | 15 | 3 |
| El cuarto 20% | 20 | 0 |
| El 20% más alto | 30 | 0 |

a. Dibuje la curva de Lorenz para esta economía después de impuestos y beneficios.
b. La escala de redistribución del ingreso en esta economía, ¿es mayor o menor que la de Estados Unidos?

8. En la economía que se describe en el problema 7, el gobierno reemplaza sus impuestos y beneficios existentes con un impuesto negativo sobre la renta. ¿Qué cambios se espera que ocurran en la economía?

## PENSAMIENTO CRÍTICO

1. Estudie la sección *Lectura entre líneas* en las páginas 386-387 y después:
   a. Describa los principales hechos sobre la distribución del ingreso que se presentan en el artículo noticioso.
   b. Explique de qué manera afectan el sistema fiscal y los beneficios sociales a la situación descrita en el artículo noticioso.
   c. Utilice el vínculo en la página de Internet de este libro para visitar la *Employment Policy Foundation* y leer el artículo sobre "Seguimiento de 'las mismas familias' en el transcurso del tiempo". ¿De qué manera cambia su interpretación del artículo como resultado de lo que aprendió en este capítulo?

2. Utilice los vínculos en la página de Internet de este libro para obtener información estadística sobre la desigualdad en la distribución del ingreso en varios países. Obtenga información sobre la distribución del ingreso de un país de su interés y:
   a. Describa las principales características de la distribución del ingreso en ese país.
   b. Si tiene información para más de un período, describa la evolución en la desigualdad del ingreso del país seleccionado.
   c. Compare la situación en el país seleccionado, con la situación de otro país de su interés.

3. Utilice los vínculos en la página de Internet de este libro para leer una tabla que describe las características de los hogares que viven en la pobreza en algunos países de América Latina. Identifique el perfil de quiénes son los pobres en algún país de su interés y compare sus resultados con los descritos en el caso de Estados Unidos en este capítulo.

# Compresión de los mercados de factores

Durante los últimos 35 años, los ricos han estado haciéndose más ricos y los pobres más pobres. Esta tendencia es nueva. Desde fines de la Segunda Guerra Mundial y hasta 1965, el ingreso de los pobres en Estados Unidos había crecido a una tasa más rápida que el ingreso de los ricos, y la brecha entre ricos y pobres se estrechó un poco.

## ¿Para quién?

¿Cuáles son las fuerzas que producen estas tendencias? Son las fuerzas de la oferta y la demanda en los mercados de recursos. Estas fuerzas determinan los salarios, las tasas de interés y los precios de la tierra y de los recursos naturales. Estas fuerzas también determinan los ingresos de las personas. ◆ Las tres categorías de recursos son: humanos, de capital y naturales. Los recursos humanos incluyen el trabajo, el capital humano y las habilidades empresariales. El ingreso del trabajo y del capital humano depende de las tasas de salarios y de los niveles de empleo, que están determinados por los mercados de trabajo. El ingreso proveniente del capital depende de las tasas de interés y de la cantidad de capital, que se determinan en los mercados de capital. El ingreso proveniente de los recursos naturales depende de los precios y de las cantidades que se determinan en los mercados de recursos naturales. El rendimiento para las habilidades empresariales no se determina directamente en un mercado. Ese rendimiento es la tasa de beneficio normal más el beneficio económico y depende de qué tan exitoso sea cada empresario en la empresa que dirige. ◆ Los capítulos de esta parte estudian las fuerzas que actúan en los mercados de factores o recursos y explican cómo esas fuerzas han conducido a cambios en la distribución del ingreso. ◆ La revisión general de los mercados de factores del capítulo 15 explicó cómo la demanda de factores es el resultado de las decisiones de las empresas de maximizar sus beneficios. Usted estudió estas decisiones desde un ángulo diferente en los capítulos 10 a 14, en los que aprendió cómo eligen las empresas la producción y el precio que maximizan sus beneficios. En el capítulo 15 se explicó cómo se toman las decisiones de oferta de recursos y cómo el equilibrio en los mercados de recursos determina los precios de éstos, así como los ingresos de los propietarios de los recursos. ◆ Una parte de los mayores ingresos que obtienen las superestrellas es un excedente que nosotros denominamos *renta económica*. ◆ El capítulo 15 utilizó el trabajo y el mercado de trabajo como principal ejemplo, pero también se observaron algunas características especiales de los mercados de capital y de los mercados de recursos naturales. ◆ En el capítulo 16 se observó más estrechamente el mercado de trabajo y se estudiaron las principales fuentes de diferencias entre los salarios de las personas. ◆ En el capítulo 17 se estudió la distribución del ingreso. Este capítulo le hizo regresar a los aspectos fundamentales de la economía y contestó a una de las grandes preguntas económicas: ¿quién consume los bienes y servicios que se producen? ◆ Muchos economistas notables han mejorado nuestra comprensión de los mercados de factores y el papel que éstos desempeñan en la solución del conflicto entre las demandas de los seres humanos y los recursos disponibles. Uno de ellos es Thomas Robert Malthus, a quien conocerá en las páginas siguientes. También puede aprender de los conocimientos de Claudia Goldin, profesora de economía de la Universidad de Harvard y prominente economista laboral contemporánea.

## El economista

### Thomas Robert Malthus

*(1766-1834), clérigo inglés y economista, fue un científico social extremadamente influyente. En su difundido libro* Ensayo sobre el principio de población (Essay on the Principle of Population), *publicado en 1798, Malthus predijo que el crecimiento de la población superaría a la producción de alimentos, y dijo que eran inevitables las guerras, el hambre y las enfermedades, a menos que se mantuviera controlado el crecimiento de la población mediante lo que él denominó "moderación moral". Por "moderación moral", Malthus se refirió a casarse a una edad madura y vivir una vida de celibato. Malthus se casó a la edad de 38 años, con una esposa de 27, edades para el matrimonio que él recomendó para los demás. Las ideas de Malthus fueron consideradas en su época como demasiado radicales y condujeron a Thomas Carlyle, un pensador contemporáneo, a considerar la economía como "la ciencia de la depresión". Pero las ideas de Malthus tuvieron una influencia profunda sobre Charles Darwin, quien al leer el* Ensayo sobre el principio de población *obtuvo la idea fundamental que le condujo a la teoría de la selección natural. David Ricardo y los economistas clásicos recibieron una fuerte influencia de las ideas de Malthus.*

"La pasión entre los sexos parece ser tan aproximadamente igual a cualquier edad, que quizá pueda considerarse, en lenguaje algebraico, como una cantidad dada."

THOMAS ROBERT MALTHUS
*Ensayo sobre el principio de población*

## Los temas

¿Hay un límite al crecimiento económico, o se puede ampliar la producción y la población sin un límite efectivo? Thomas Malthus proporcionó en 1798 una de las respuestas más influyentes que se han dado a estas preguntas. Malthus razonó que la población, sin control, crecería a una tasa geométrica (1, 2, 4, 8, 16...), en tanto que el suministro de alimentos crecería a una tasa aritmética (1, 2, 3, 4, 5...). Para evitar que la población agote el suministro existente de alimentos, se producirían guerras, hambres y plagas periódicas. Según el punto de vista de Malthus, sólo lo que él llamó "moderación moral" podría evitar esos desastres periódicos.

Al avanzar la industrialización durante el siglo XIX, la idea de Malthus se aplicó a todos los recursos naturales, en especial a los no renovables.

Los seguidores de Malthus en la actualidad creen que su idea básica es correcta y que se aplica no sólo a los alimentos, sino también a todos los recursos naturales. Según creen estos profetas del desastre, con el tiempo quedaremos reducidos al nivel de subsistencia que predijo Malthus. En este sentido, Malthus habría estado desfasado en sus predicciones por unos cuantos siglos, pero no estaría completamente equivocado.

Un seguidor actual de Malthus es el ecologista Paul Ehrlich, quien cree que estamos sentados sobre una "bomba poblacional". Según Ehrlich, los gobiernos deben limitar cada año tanto el crecimiento de la población como el de los recursos.

En 1931, Harold Hotelling desarrolló una teoría de los recursos naturales con predicciones diferentes a las de Malthus. El principio de Hotelling es que el precio relativo de los recursos naturales no renovables se elevará continuamente, ocasionará una disminución en la cantidad utilizada y un aumento del uso de recursos sustitutos. Julian Simon (que murió en 1998) puso en duda tanto el pesimismo de Malthus como el principio de Hotelling. Él creía que las personas son el "recurso último" y predijo que una población creciente disminuiría la presión sobre los recursos naturales. Esto se debe a que una mayor población proporciona un mayor número de personas ingeniosas que pueden encontrar formas más eficientes de usar los recursos escasos. A medida que se encuentran estas soluciones, los precios de los recursos no renovables deberán empezar a bajar. Para demostrar su punto, en 1980 Simon apostó a Ehrlich que los precios de cinco metales (cobre, plomo, níquel, estaño y tungsteno) bajarían durante la década de 1980. ¡Simon ganó la apuesta!

## Ahora

La presión sobre el espacio es tan grande en Tokio que, en algunos vecindarios residenciales, un lugar para estacionamiento cuesta 1,700 dólares mensuales. Para economizar en este espacio tan caro (y para disminuir el costo de poseer un automóvil y, por consiguiente, estimular la venta de nuevos automóviles), Honda, Nissan y Toyota, tres de los grandes fabricantes de automóviles de Japón, han desarrollado una máquina de estacionamiento que permite a dos automóviles ocupar el espacio de uno. La máquina más sencilla de este tipo cuesta únicamente 10,000 dólares, es decir, menos de lo que cuestan seis meses de estacionamiento.

## Entonces

Sin importar si se trata de una tierra agrícola, un recurso natural no renovable, o el espacio en el centro de Chicago, y sin importar si es el año 2000 o, como se muestra aquí, 1892, existe un límite a lo que está disponible y continuamente presionamos contra ese límite. Los economistas consideran al congestionamiento urbano como una consecuencia del valor de hacer negocios en el centro de la ciudad con relación a su costo. Ven el mecanismo de precios, que proporciona rentas y precios de materias primas cada vez más altos, como los medios de asignar y racionar los recursos naturales escasos. En contraste, los seguidores de Malthus explican el congestionamiento como la consecuencia de la presión poblacional y consideran que el control de la población es la solución.

Malthus desarrolló sus ideas sobre el crecimiento de la población en un mundo en el que las mujeres desempeñaban un papel limitado en la economía. Malthus no tomó en cuenta el costo de oportunidad del tiempo de las mujeres como un factor a considerar al predecir las tendencias en las tasas de nacimiento y el crecimiento de la población. Pero en la actualidad, el costo de oportunidad del tiempo de las mujeres es un factor crucial porque las mujeres desempeñan un papel cada vez mayor en la fuerza de trabajo. Una mujer que ha hecho importantes contribuciones a nuestro conocimiento de los mercados de trabajo y del papel de las mujeres en esos mercados es Claudia Goldin. En las páginas siguientes usted puede conocer a la profesora Goldin.

**Claudia Goldin**, *nacida en la ciudad de Nueva York, estudió la licenciatura en la Universidad de Cornell y obtuvo el Doctorado en Economía en 1972 en la Universidad de Chicago. Actualmente, Claudia Goldin es profesora de economía en la Universidad de Harvard y Directora de un programa de investigación en la Oficina Nacional para la Investigación Económica de Estados Unidos* (National Bureau of Economic Research). *La doctora Goldin es una de las economistas académicas más prominentes a nivel mundial. Su trabajo combina la historia económica y la economía del trabajo, y ha investigado una amplia gama de problemas importantes tales como la esclavitud en el sur de Estados Unidos, los factores estratégicos en el desarrollo de la economía estadounidense durante el siglo XIX y la evolución de los mercados de trabajo durante el siglo XX.*

**Claudia Goldin**

*También ha estudiado los efectos del cambio tecnológico y el papel de las mujeres en el mercado de trabajo. Claudia Goldin no sólo es una brillante investigadora en economía, sino que también ha recibido honores por su labor como profesora de estudiantes de licenciatura.*

*Michael Parkin habló con la profesora Goldin sobre su investigación y sobre las tendencias en los mercados de trabajo en Estados Unidos.*

### Profesora Goldin, ¿por qué y cómo entró a la economía?

Llegué a la Universidad de Cornell con la idea de convertirme en una microbióloga, pero primero quería adquirir una sólida educación en ciencias sociales y humanidades. La economía me atrajo debido a su rigor, su consistencia interna y, sobre todo, su importancia. Pero fue después de estudiar economía con Fred Kahn (quien más tarde sería el Director de la Junta de Aeronáutica Civil y quien desreguló la industria de las aerolíneas) cuando decidí especializarme en el tema. Cambié el laboratorio de los científicos por el de la científica social. Debo añadir que el nuestro es más retador, porque tenemos que diseñar experimentos controlados con base en información ya existente.

### En 1896, el 18% de las mujeres estadounidenses participaba en la fuerza laboral; para 1996, este porcentaje ya había aumentado al 58%. ¿Cuál o cuáles han sido las fuerzas impulsoras de este cambio tan importante?

En 1896, la mayor parte de ese 18% de las mujeres que participaba en la fuerza laboral, eran jóvenes, solteras, extranjeras y mujeres de raza negra. Por lo general, las mujeres sólo trabajaban por un sueldo antes de casarse, aunque las mujeres de raza negra y las pobres trabajaban independientemente de su situación marital o de su edad. En 1896, menos de 5% de todas las mujeres casadas participaba en la fuerza laboral. Por tanto, la pregunta es por qué las mujeres casadas y adultas han entrado a la fuerza laboral en números tan grandes en los últimos 100 años. En contra de la opinión popular, el primer gran aumento en el empleo de mujeres casadas no ocurrió durante el resurgimiento del feminismo a fines de la década de 1960, ni entre los grupos de edades más jóvenes. El gran movimiento inicial de entrada de las mujeres casadas a la fuerza laboral ocurrió durante las décadas de 1940 y 1950 entre las mujeres mayores de 40 años. Hay un gran número de factores de largo plazo que han operado para reducir el tiempo que las mujeres requieren pasar en sus hogares. Entre éstos se incluyen la notable reducción en la tasa de nacimientos y la aparición de bienes de mercado que sustituyen a la producción que se elabora dentro del hogar, por ejemplo: el pan y la ropa elaborados en fábricas.

## ¿Cómo explica el momento y el grado de la explosión en el empleo de las mujeres?

Esta situación está enraizada en dos cambios que ocurrieron a principios del siglo. Entre 1915 y 1930 aumentó en forma importante la proporción de mujeres estadounidenses que terminaron estudios preuniversitarios. Al mismo tiempo, hubo un aumento en la demanda de trabajo de gente capacitada para ocupar posiciones como empleados de oficina y de ventas, que en ese entonces se encontraban en auge. Las mujeres jóvenes entraban a estos empleos en grandes cantidades en la década de 1920, pero por lo general se retiraban al

casarse. Después de la Segunda Guerra Mundial, los salarios más altos y la creciente demanda de trabajo hizo que estas mujeres regresaran a la fuerza de trabajo. Mientras tanto, las mujeres casadas más jóvenes criaban a los niños nacidos durante la explosión demográfica de la década de 1950 y estaban menos dispuestas a cambiar el hogar por el mercado. El cambio de empleos manufactureros hacia trabajos de oficina y de ventas, que ocurrió de 1920 a 1950, fue un factor importante que permitió a las mujeres adultas y casadas trabajar por una remuneración. Además, la generación de mujeres maduras en la década de 1950 ya tenía el nivel educativo necesario para este tipo de empleos y estaba lista para este monumental

cambio en el empleo. Ellas, y no las mujeres jóvenes de su época, fueron las verdaderas pioneras del empleo femenino. Pero estas precursoras no contemplaron estos cambios como parte de un movimiento social más grande.

En las décadas de 1970 y 1980, las mujeres más jóvenes aumentaron en forma importante su participación en la fuerza laboral. En la década de 1980, incluso las mujeres con hijos aumentaron su participación laboral. En resumen, los crecientes salarios reales, la disminución de los precios relativos de los sustitutos del mercado para bienes producidos en el hogar, la menor demanda de bienes dentro del hogar y un cambio de los empleos de fábricas a oficinas, condujo a las mujeres a entrar a la fuerza de trabajo. Pero el momento en que ocurrieron estos cambios indica que se tenían que romper varias normas y rigideces institucionales para que operaran las fuerzas a largo plazo. Esto se logró primero durante las décadas de 1940 y 1950.

## ¿Qué hemos aprendido de su trabajo y del trabajo de otros economistas laborales sobre las fuentes de las persistentes diferencias salariales entre hombres y mujeres?

Desde mediados de la década de 1950 y hasta 1980, el cociente de los ingresos semanales (medios) de mujeres a hombres, de tiempo completo, se mantuvo constante en alrededor de 60%. Las mujeres como grupo progresaron poco, en una forma apenas perceptible, con relación a los hombres. Pero desde 1981 hasta la actualidad, ese cociente aumentó en aproximadamente 16 puntos porcentuales y ya ha alcanzado el 76%. Un análisis del período estable y del período en el que se redujo la brecha salarial, revela mucho sobre las fuentes de diferencias en ingresos entre los sexos. Los factores que los economistas agrupan bajo el título de "capital humano" son los más importantes. Cuando la experiencia y el nivel académico en el empleo de las

mujeres que trabajan se situaran por encima de los de los hombres, sus ingresos relativos aumentaron, y cuando estos factores permanecieron constantes en comparación con los de los hombres, los ingresos relativos de las mujeres fueron estables. Las aspiraciones y las expectativas de las jóvenes adolescentes son otro factor. Estas mujeres jóvenes se hicieron expectativas mucho más realistas en la década de 1970 que en la de 1960, cuando subestimaron gravemente su participación futura en la fuerza laboral. En la actualidad, las mujeres jóvenes están mucho mejor preparadas para realizar un trabajo de por vida que sus predecesoras. También se sabe que en la década de 1980 los rendimientos del nivel educativo y la experiencia en el empleo aumentaron para las mujeres en relación con los de los hombres. No estamos seguros de por qué esto ha sido así. Una parte del aumento podría deberse a una mejor educación o a una mayor disposición de las mujeres a aceptar empleos más exigentes. Pero no podemos desechar la idea de que el mercado de trabajo se hizo más neutral a los sexos en la década de 1980, y tampoco podemos desechar el papel de las intervenciones de políticas públicas para lograrlo.

## ¿Qué tendencia se observa en las diferencias salariales entre personas de distintas razas?

En el largo plazo han operado fuerzas similares a las anteriores para disminuir las diferencias en ingresos entre hombres blancos y negros, y entre mujeres blancas y negras. En 1940, la razón de los ingresos de los hombres de raza negra a los hombres de raza blanca era asombrosamente baja (0.43), pero, para 1980, esta razón ya era de 0.73. Entre los hombres con títulos universitarios y con edad de 35 años, el aumento fue aún mayor: de 0.45 en 1940 a 0.81 en 1980. En promedio, las mujeres de raza negra han hecho mayores progresos con relación a las mujeres de raza blanca, que en el caso de los hombres de raza negra con relación a los hombres de raza blanca.

## ¿Qué ocasionó estos extraordinarios cambios?

Hubo dos factores fundamentales: los cambios educativos, incluyendo los avances en la calidad de la educación de los estadounidenses negros, y el movimiento migratorio de las personas de raza negra, que se desplazaron de la zona sur de bajos salarios hacia el norte de salarios más altos. Pero hubo momentos críticos en esta historia. Dos de ellos ocurrieron durante las dos guerras mundiales, las cuales condujeron a una mayor integración de las personas de raza negra en el sector industrial (que hasta entonces era dominado por los blancos) y a una enorme emigración hacia el norte. El tercer momento crítico ocurrió a mediados de la década de 1960, cuando la Ley de Derechos Civiles condujo a una mayor entrada de las personas de raza negra al sector industrial, que pagaba salarios más altos. Lamentablemente, algunas de las ganancias obtenidas a partir de la Primera Guerra Mundial se revirtieron en la década de 1980. No quiero decir que hayamos retrocedido con relación a la educación y el prejuicio, sino que la década de 1980 fue un período en el que se amplió la desigualdad y en el que los menos educados, en el sector industrial en particular, sufrieron una tremenda disminución en importancia, y los estadounidenses de raza negra aún siguen estando desproporcionadamente representados en estos dos grupos.

## ¿Cuáles han sido los principales efectos de los programas de acción afirmativa? ¿Han ayudado o demorado el progreso de las mujeres y las minorías?

La acción afirmativa es una doctrina compleja mediante la cual los contratistas federales, es decir, las empresas que venden bienes o servicios al gobierno federal, tienen niveles establecidos para la contratación y los ascensos de las mujeres y las minorías. Los programas de acción afirmativa tienen efectos directos y, posiblemente, indirectos. La mayor parte de los estudios se ha centrado sobre los efectos directos y ha encontrado que los programas de acción afirmativa han aumentado el empleo y los ingresos de las minorías. Sin embargo, existe poca evidencia de que los programas hayan servido para aumentar el empleo y los ingresos de las mujeres. Los efectos indirectos son más difíciles de cuantificar.

Observemos por ejemplo la profesión de economía. En relación con los hombres, son muchas menos las mujeres que se especializan en economía. Por ello, no es de sorprender que las mujeres estén ampliamente subrepresentadas como maestras e investigadoras en este campo. Si queremos conocer si el tener más mujeres como profesoras de economía estimularía a más mujeres estudiantes de licenciatura a especializarse en economía (es decir, si existe un "efecto de modelo a seguir"), podríamos probar si las inscripciones de las mujeres en este campo aumentan cuando son mujeres las que enseñan los cursos básicos de economía. Si es así, podemos estimar que la acción afirmativa es un medio de aumentar el agrupamiento de candidatas para un campo y, de esta forma, aumentar el empleo futuro del grupo, incluso si ya no existiera la acción afirmativa. Otro posible efecto indirecto ha sido un tema de gran controversia y forma la base del ataque conservador a los programas. Es el hecho de que las mujeres y las minorías son contratadas o ascendidas debido a la acción afirmativa cuando en realidad no debieron haberlo sido. Esas acciones reforzarán entonces los puntos de vista discriminatorios hacia las mujeres y las minorías, en el sentido de que son incompetentes en empleos determinantes y, además, pueden hacer que ambos grupos sean más complacientes y menos competitivos. No conozco de una evidencia contundente que apoye esas afirmaciones.

## ¿Cuáles son los problemas del mercado de trabajo más importantes que aún no comprendemos y en los que trabajará (y posiblemente solucionará) la siguiente generación de economistas?

Un problema apremiante en la actualidad es por qué la estructura de salarios y la distribución de los ingresos se amplió en forma tan importante en los últimos 10 o 15 años. Necesitamos conocer más sobre la interacción entre la educación, la habilidad inherente y las nuevas tecnologías, por ejemplo: la revolución de las computadoras. ¿Qué hace que algunas personas sean más capaces de adaptarse, mientras otras se quedan retrasadas? ¿Qué tipos de intervenciones educativas y de entrenamiento ayudarán a los trabajadores a lograr la transición?

> El mercado del trabajo aún no está estructurado o listo para la familia igualitaria.

Volviendo a las diferencias entre sexos en el lugar de trabajo, y conociendo la estructura de los empleos y la división del trabajo en el hogar, me pregunto si se podrá eliminar alguna vez la brecha en los ingresos. Si aún se espera de las mujeres que críen a los hijos y que hagan una parte desproporcionada del trabajo del hogar, no avanzarán con respecto a los hombres en el mercado del trabajo. Incluso si esposos y esposas en lo individual quisieran crear el hogar igualitario, es probable que el esposo se enfrente a grandes problemas si solicita de su patrón permisos para atender a la familia, menos horas de trabajo, o un programa flexible. Esto ocurriría incluso en el caso de que se le pagara mucho menos. El mercado del trabajo aún no está estructurado o listo para la familia igualitaria. Veo esta reestructuración del lugar de trabajo como un tema importante al que se enfrentará la siguiente generación de economistas laborales.

# Fallas de mercado y elección pública

## El gobierno, ¿solución o problema?

En 1997, los ingresos y egresos de los gobiernos de países de ingresos bajos fueron de alrededor de 11% de la producción total. En los países de ingresos altos, esta participación fue de alrededor de 30%. ¿Necesitamos un gobierno tan grande? ¿Es el gobierno demasiado grande en algunos países, como sugieren en ocasiones los conservadores? ¿Es el gobierno "el problema"? ¿O, a pesar de su magnitud, es el gobierno aún demasiado pequeño para hacer frente a todas las cuestiones que tiene que atender? ¿Es cierto que los gobiernos de algunos países no contribuyen de manera suficiente a la vida económica? ◆ El gobierno se relaciona con muchos aspectos de nuestras vidas. Está presente en nuestro nacimiento, respaldando a los hospitales en los que nacemos, y ayudando a capacitar a los médicos y las enfermeras que nos reciben. Está presente en nuestra educación, respaldando a las escuelas y universidades, y capacitar a entrenar a nuestros profesores. Está presente a lo largo de nuestras vidas de trabajo: grava nuestros ingresos, regula nuestro ambiente de trabajo y, en algunos países, paga los beneficios del seguro de desempleo cuando alguien ha perdido su fuente de trabajo. El gobierno también está presente en nuestra jubilación: nos paga un pequeño ingreso, y, cuando morimos, grava nuestro legado. Además, el gobierno hace cumplir la ley, mantiene el orden y proporciona el servicio de defensa nacional. Pero el gobierno no toma todas nuestras decisiones. Nosotros decidimos qué trabajo hacer, cuánto ahorrar y en qué gastar nuestro ingreso. ¿Por qué el gobierno participa en algunos aspectos de nuestras vidas, pero no en otros? ◆ Casi todo el mundo, desde la madre soltera de escasos recursos hasta el contribuyente más rico, se quejan de los servicios del gobierno. ¿Por qué es tan impopular la burocracia? ¿Qué determina la escala en la que se proporcionan los servicios públicos?

◆ Comenzaremos el estudio del gobierno y el mercado describiendo el sector gubernamental y explicando por qué a veces su presencia es importante para que la economía de mercado logre obtener una asignación eficiente de los recursos. También se explica cómo se determina la escala del gobierno.

**Después de estudiar este capítulo, usted será capaz de:**

- Explicar cómo surge el papel económico del gobierno como resultado de las fallas de mercado y de la desigualdad
- Distinguir entre los bienes públicos y privados, y explicar el problema del parásito (*free-rider*)
- Explicar cómo se determina la cantidad de bienes públicos
- Explicar por qué una parte importante de los ingresos del gobierno provienen de los impuestos sobre la renta y por qué los impuestos sobre la renta son progresivos
- Explicar por qué algunos bienes se gravan a una tasa mucho más alta que otros

# La teoría económica del gobierno

LA TEORÍA ECONÓMICA DEL GOBIERNO BUSCA PREDECIR las acciones económicas que realizan los gobiernos y sus consecuencias. Los gobiernos existen para ayudar a las personas a hacer frente a la escasez, y proporcionan un mecanismo diferente al del mercado para asignar los recursos escasos. Los gobiernos ayudan a las personas a enfrentar cuatro tipos de problemas económicos:

■ Los bienes públicos
■ El monopolio
■ Las externalidades
■ La desigualdad económica

## Los bienes públicos

Algunos bienes y servicios son consumidos ya sea por todos o por nadie. Algunos ejemplos de este tipo son la defensa nacional, la aplicación de la ley y el orden, los servicios de alcantarillado y la eliminación de desperdicios. Los sistemas de defensa nacional no pueden aislar a personas individuales y negarse a protegerlas. Las enfermedades que flotan en el ambiente debido a las aguas negras sin tratar, no favorecen a ciertas personas y atacan a otras. Un bien o servicio que es consumido por todos, o por nadie, se conoce como un **bien público**.

La economía de mercado no produce la cantidad eficiente de bienes públicos debido al problema del parásito (*free-rider*). Todos intentan aprovecharse de todos los demás, puesto que un bien público está disponible para todas las personas independientemente de si pagaron por el bien o no. En este capítulo se estudiarán los bienes públicos y el problema del parásito.

## El monopolio

El *monopolio* y la *búsqueda de rentas* evitan la asignación eficiente de los recursos. Todas las empresas intentan maximizar sus beneficios. Cuando existe un monopolio, la empresa monopolista puede aumentar sus beneficios restringiendo la producción y aumentando el precio. Por ejemplo, hasta hace bastante poco, la empresa AT&T tenía un monopolio sobre los servicios telefónicos de larga distancia en Estados Unidos. No por casualidad, la cantidad de servicios de larga distancia era mucho menor y el precio mucho más alto de lo que son en la actualidad. Desde que se dividió a la empresa y se acabó con su monopolio, la cantidad de llamadas de larga distancia en Estados Unidos se ha disparado.

Algunos monopolios son el resultado de *barreras legales a la entrada*, es decir, resultan de barreras a la entrada creadas por los gobiernos. Sin embargo, una actividad importante del gobierno consiste en regular los monopolios y hacer cumplir las leyes que evitan los cárteles y otro tipo de actos que restringen la competencia. En el capítulo 19 se estudian este tipo de leyes y regulaciones.

## Las externalidades

Una **externalidad** es un costo o beneficio que proviene de una transacción económica y que recae sobre personas que no participan en esa transacción. Por ejemplo, cuando una fábrica de productos químicos descarga (legalmente) sus desperdicios en un río y mata a los peces, impone un costo externo a los miembros de un club de pesca que acostumbran pescar río abajo. Por lo general, las personas cuyas acciones crean los costos y beneficios externos, no toman en cuenta estos efectos en sus decisiones. Por ejemplo, cuando la fábrica de productos químicos decide descargar sus desperdicios en el río, no toma en cuenta los puntos de vista del club de pesca. Cuando la propietaria de una casa llena su jardín de flores para la primavera, crea un beneficio externo para todos los que pasan junto a su jardín. Al decidir cuánto gastar en una exhibición que resulta agradable a la vista, la propietaria sólo toma en cuenta los beneficios que recibe ella misma. En el capítulo 20 se estudian las externalidades.

Estos tres problemas dan origen a la actividad económica del gobierno, porque crean un uso *ineficiente* de los recursos, una situación que se conoce como **falla de mercado**. Cuando ocurre una falla de mercado, se produce demasiado de algunos bienes y servicios, y muy poco de otros. En estos casos, el costo de producir un bien no es igual al valor que las personas le asignan. Al reasignar los recursos, es posible que algunas personas queden en mejor situación, sin que otras estén peor. Por tanto, algunas actividades del gobierno reflejan un intento por modificar un resultado, con el fin de moderar los efectos negativos de las fallas de mercado.

## La desigualdad económica

La actividad económica del gobierno también se produce debido a que una economía de mercado no regulada produce lo que la mayoría de las personas considera como una injusta distribución del ingreso. Para disminuir el grado de desigualdad, los gobiernos gravan a ciertas personas y les transfieren recursos a otras. En el capítulo 17 se estudiaron la desigualdad y la redistribución. En este capítulo se observan con más detalle los impuestos y se intenta explicar por qué el impuesto sobre la renta es progresivo y por qué algunos bienes son gravados con tasas extremadamente altas.

Antes de iniciar el estudio de los problemas que explican la presencia del gobierno en la actividad económica, veamos el ambiente en el que operan los gobiernos: el "mercado político".

## La elección pública y el mercado político

El gobierno es una organización compleja integrada por millones de personas; cada una de ellas tiene su *propio* objetivo económico. La política del gobierno es el resultado de las elecciones hechas por estas personas. Para analizar estas elecciones, los economistas han desarrollado una *teoría de la elección pública* del mercado político. Los actores en el mercado político son:

- Votantes
- Políticos
- Burócratas

En la figura 18.1 se muestran las elecciones y las interacciones de estos actores. Veamos a cada uno de ellos por separado.

**Votantes**   Los votantes son los consumidores en el mercado político. En los mercados de bienes y servicios, las personas expresan sus preferencias mediante su disposición a pagar. En el mercado político, las personas expresan sus preferencias mediante votos, contribuciones a las campañas políticas y actividades de cabildeo. La teoría de la elección pública supone que las personas apoyarán a las políticas que crean que los dejarán en una mejor situación y que se opondrán a las políticas que crean que los dejarán en una peor situación. Las *percepciones* de los votantes, y no la realidad, son las que guían sus elecciones.

**Políticos**   Los políticos son los empresarios del mercado político. La teoría de la elección pública supone que el objetivo de un político es ser elegido y permanecer en su cargo. Los votos para un político son como los beneficios económicos para una empresa. Para obtener los votos suficientes, los políticos proponen medidas de política que esperan que sean atractivas para una mayoría de votantes.

**Burócratas**   Los burócratas son los funcionarios contratados en los distintos departamentos (o áreas) del gobierno. Ellos son los gerentes de las empresas en el mercado político. La teoría de la elección pública supone que la meta de los burócratas es maximizar su utilidad propia y, para lograr este objetivo, intentan maximizar el presupuesto de su departamento.

Cuanto mayor sea el presupuesto de un departamento, mayor será el prestigio de su jefe, y mayor será la oportunidad de ascender para el personal que se encuentra en las zonas inferiores de la escalera burocrática. Por tanto, todos los miembros de un departamento tienen interés en maximizar el presupuesto del mismo. Para maximizar sus presupuestos, los burócratas crean programas que esperan que sean atractivos para los políticos y ayudan a éstos a explicar sus programas a los votantes.

**FIGURA 18.1**

## El mercado político

Los votantes expresan sus demandas de políticas mediante la votación, las contribuciones a las campañas y el cabildeo. Los políticos proponen políticas que resulten atractivas para una mayoría de votantes. Los burócratas intentan maximizar los presupuestos de sus departamentos. De estas consideraciones surge un equilibrio político en el cual ningún grupo puede mejorar su posición haciendo una elección diferente.

## Equilibrio político

Los votantes, los políticos y los burócratas hacen elecciones para satisfacer de la mejor manera posible sus objetivos propios. Sin embargo, cada grupo está restringido por las preferencias de los otros grupos y por lo que es técnicamente viable. El resultado que se obtiene de las decisiones de los votantes, los políticos y los burócratas, es un **equilibrio político**. El equilibrio político es una situación en la que todas las decisiones son compatibles y en la que ningún grupo puede mejorar su posición haciendo una elección diferente. Veamos cómo interactúan los votantes, los políticos y los burócratas, para determinar la cantidad de bienes públicos.

## Bienes públicos y el problema del parásito

¿POR QUÉ EL GOBIERNO PROPORCIONA ALGUNOS BIENES y servicios como la defensa nacional y la salud pública? ¿Por qué no compramos nuestra defensa nacional a una empresa privada que compita en el mercado por nuestro dinero, en la misma forma en que lo hacen McDonald's y Coca-Cola? La respuesta a esta pregunta se encuentra en el problema del parásito creado por los bienes públicos. Examinemos este problema. Comencemos por observar la naturaleza de un bien público.

### Bienes públicos

Un *bien público* es un bien o servicio que se puede consumir en forma simultánea por todos y del que no se puede excluir a nadie. La primera característica de un bien público se denomina ausencia de rivalidad. Existe *ausencia de rivalidad* en un bien si el consumo de una persona no disminuye el consumo de otra. Un ejemplo de ello, es observar un programa de televisión. Lo opuesto a la ausencia de rivalidad es, obviamente, la rivalidad. Un bien es *rival* si el consumo de una persona disminuye el consumo de otra. Un ejemplo de ello es el comer una hamburguesa.

La segunda característica de un bien público es que no es excluible. Un bien *no es excluible* si es imposible, o si resulta muy costoso, evitar que alguien más se beneficie de él. Un ejemplo es la defensa nacional. Sería difícil excluir a alguien de ser defendido. Lo opuesto de no excluible es excluible. Un bien es *excluible* si es posible evitar que una persona disfrute de los beneficios de ese bien. Un ejemplo de ello es la televisión por cable. Las compañías de cable pueden asegurarse de que sólo aquellas personas que han pagado su cuota reciban los programas.

En la figura 18.2 se clasifican los bienes de acuerdo con estos dos criterios y se proporcionan ejemplos de bienes en cada categoría. La defensa nacional es un bien público puro. El consumo de una persona de la seguridad que proporciona el sistema de defensa nacional, no disminuye la seguridad de alguien más. La defensa nacional es un bien con ausencia de rivalidad. Además, los militares no pueden seleccionar a aquellos a quienes protegerán y a aquellos a quienes dejarán expuestos a las amenazas; es decir, la defensa nacional es un bien no excluible.

Muchos bienes tienen un elemento público, pero no son bienes públicos puros. Un ejemplo es una carretera. Una carretera es un bien con ausencia de rivalidad, mientras no se encuentre congestionada. Un automóvil adicional en una carretera con mucho espacio disponible no reduce el consumo de servicios de transporte de alguna otra persona. Pero una vez que la carretera queda congestionada, un vehículo adicional disminuye la calidad del servicio disponible para todos los demás. La carretera se convierte entonces en un bien rival, al igual que cualquier otro bien privado. En forma similar, las casetas de cobro de peaje pueden excluir a los usuarios.

**FIGURA 18.2**
**Bienes públicos y bienes privados**

| | Rivales | No rivales |
|---|---|---|
| **Excluibles** | **Bienes privados puros**<br>Alimentos<br>Automóviles<br>Casas | **Excluibles y no rivales**<br>Televisión por cable<br>Puentes<br>Carreteras |
| **No excluibles** | **No excluibles y rivales**<br>Peces en el océano<br>Aire | **Bienes públicos puros**<br>Faros<br>Defensa nacional |

Un bien público puro (parte inferior derecha) es aquel para el cual no existe rivalidad en el consumo y del que resulta imposible excluir a un consumidor. Los bienes públicos puros presentan un problema del parásito. Un bien privado puro (parte superior izquierda) es aquel en el que el consumo es rival y del que se puede excluir a otros consumidores. Algunos bienes son no excluibles, pero son rivales (parte inferior izquierda), y algunos bienes son no rivales, pero son excluibles (parte superior derecha).

*Fuente*: Adaptado e inspirado por *Privatizing the Public Sector*, de E. S. Savas, Chatham House Publishers, Inc., Chatham, NJ, 1982, p. 34.

Un caso distinto es el de los peces en el océano. Los peces en el océano son bienes rivales porque un pez capturado por una persona no está disponible para nadie más. Sin embargo, los peces en el océano son bienes no excluibles porque es muy difícil evitar que cualquier persona salga a tratar de pescarlos.

### El problema del parásito (*free-rider*)

Los bienes públicos crean el problema del parásito. Un **parásito**, en la jerga económica, es una persona que consume un bien sin pagar por él. Los bienes públicos crean el *problema del parásito* porque la cantidad del bien que puede consumir una persona no depende del monto que la persona paga por él. Por tanto, nadie tiene un incentivo para pagar por un bien público. Observemos con más detalle el problema del parásito, mediante un ejemplo.

## El beneficio de un bien público

Suponga que para su defensa un país tiene que lanzar al espacio varios satélites de vigilancia. El beneficio que proporciona un satélite es el *valor* de sus servicios. El valor de un bien *privado* es la cantidad máxima que una *persona* está dispuesta a pagar por una unidad más, lo cual se muestra mediante la curva de demanda de la persona. El valor de un bien *público* es la cantidad máxima que *todas* las personas están dispuestas a pagar por una unidad más del mismo.

Para calcular el valor que se le asigna a un bien público, se utilizan los conceptos de beneficio total y beneficio marginal. El *beneficio total* es el valor en unidades monetarias que asigna una persona a un determinado nivel de prestación de un bien público. Cuanto mayor sea la cantidad de un bien público, mayor será el beneficio total de una persona. El *beneficio marginal* es el aumento en el beneficio total, como resultado del aumento de una unidad en la cantidad de un bien público.

La figura 18.3 muestra el beneficio marginal que producen los satélites de defensa para una sociedad con tan sólo dos miembros, Elisa y Máximo. Los beneficios marginales de Elisa y Máximo se presentan en forma gráfica como $BM_E$ y $BM_M$, respectivamente, en las secciones (a) y (b) de la figura. El beneficio marginal de un bien público es similar al beneficio marginal de un bien privado: su magnitud disminuye a medida que aumenta la cantidad del bien. Para Elisa, el beneficio marginal del primer satélite es de $80 y del segundo es de $60. Para cuando están en órbita cuatro satélites, el beneficio marginal de Elisa es cero. Para Máximo, el beneficio marginal del primer satélite es de $50 y del segundo es de $40. Cuando ya están en órbita cuatro satélites, la percepción que tiene Máximo del valor del beneficio marginal es de sólo $10.

En la sección (c) se muestra la curva del beneficio marginal de la economía, *BM*. La curva del beneficio marginal de una persona para un bien público es similar a la curva de demanda de una persona para un bien privado. Pero la curva del beneficio marginal de la economía para un bien público es diferente de la curva de demanda del mercado para un bien privado. Para obtener la curva de demanda del mercado para un bien privado, se suman las cantidades demandadas individuales (véase el capítulo 8, pág. 161). Pero para encontrar la curva del beneficio marginal de la economía para un bien público, se suman los beneficios marginales de cada persona para cada cantidad; es decir, se suman *verticalmente* las curvas del beneficio marginal individuales. El beneficio marginal para la economía integrada por Elisa y Máximo es la curva del beneficio marginal de la economía que se presenta en forma gráfica en la sección (c), la curva *BM*. El beneficio marginal que deriva Elisa del primer satélite se suma al beneficio marginal que deriva Máximo del mismo satélite, porque *ambos* disfrutan de la seguridad que les proporciona el satélite.

**FIGURA 18.3**
## Beneficios de un bien público

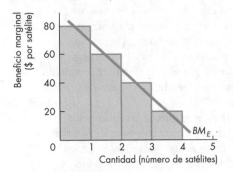

**(a) Beneficio marginal de Elisa**

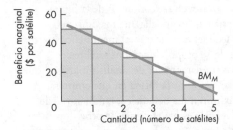

**(b) Beneficio marginal de Máximo**

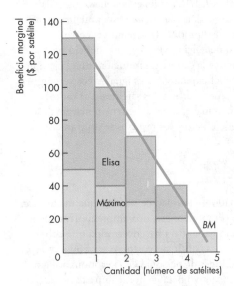

**(c) Beneficio marginal de la economía**

El beneficio marginal para la economía de la cantidad provista de un bien público es la suma de los beneficios marginales de todos los individuos. Las curvas del beneficio marginal son $BM_E$ para Elisa, $BM_M$ para Máximo y $BM$ para la economía.

## La cantidad eficiente de un bien público

Una economía con dos personas no compraría satélite alguno porque el beneficio total sería mucho menor al costo. Pero una economía con 250 millones de personas podría hacerlo. Para determinar la cantidad eficiente, es necesario tomar en cuenta tanto el costo como el beneficio.

El costo de un satélite se basa en la tecnología y en los precios de los recursos que se utilizaron para producirlo (ésta es la misma forma en que se obtuvo el costo de producir camisas en el capítulo 11).

En la figura 18.4 se establecen los costos y los beneficios. La segunda y tercera columnas de la tabla muestran los beneficios totales y marginales. En las siguientes dos columnas se muestran el costo total y marginal de producir satélites. La columna final muestra el beneficio neto. El beneficio total, *BT*, y el costo total, *CT*, aparecen en forma gráfica en la sección (a) de la figura.

La cantidad eficiente es aquella que maximiza el *beneficio neto*, es decir, el beneficio total menos el costo total, y esto ocurre cuando se proporcionan dos satélites.

Los principios fundamentales del análisis marginal que se han utilizado para explicar la forma en que empresas y consumidores maximizan sus beneficios, también puede utilizarse para calcular la escala eficiente de provisión de un bien público. En la figura 18.4 (b) se muestra este enfoque alternativo. La curva del beneficio marginal es *BM* y la curva del costo marginal es *CM*. Cuando el beneficio marginal excede al costo marginal, el beneficio neto aumenta si incrementa la cantidad producida. Cuando el costo marginal excede al beneficio marginal, el beneficio neto aumenta si disminuye la cantidad producida. En el ejemplo mencionado, el beneficio marginal es igual al costo marginal cuando se han puesto en órbita dos satélites. Por tanto, cuando el costo marginal es igual al beneficio marginal, se maximiza el beneficio neto y los recursos se utilizan en forma eficiente.

## Provisión privada

Ya se ha determinado la cantidad de satélites que maximizan el beneficio neto. ¿Proporcionaría una empresa privada esa cantidad? No, no lo haría. Para hacerlo tendría que cobrar $15,000 millones para cubrir sus costos, o sea $60 a cada una de los 250 millones de personas en la economía. Pero nadie tendría un incentivo para comprar su parte del sistema de satélites. Todos razonarían en la siguiente forma: el número de satélites que proporciona una empresa privada no resulta afectado por mis $60, pero mi propio consumo privado es mayor si actúo como un parásito y no pago mi parte del costo del sistema de satélites. Si yo no pago, disfruto del mismo nivel de seguridad que todos los demás y puedo comprar más bienes privados. Por tanto, gastaré mis $60 en

otros bienes y puedo aprovecharme de que alguien más financiará el bien público. Éste es el problema del parásito.

Si todos razonaran de la misma forma, la empresa privada que provee el bien público no tendría ingresos y, por tanto, no proporcionaría los satélites. Debido a que el nivel eficiente es de dos satélites, la provisión privada es ineficiente.

## Provisión pública

Suponga que hay dos partidos políticos, los Halcones y las Palomas, los cuales están de acuerdo entre sí en todos los temas, excepto sobre la cantidad de satélites. Los Halcones quisieran proporcionar cuatro satélites a un costo de $50,000 millones, lo que proporcionaría beneficios de $50,000 millones y, por tanto, un beneficio neto de cero. Esta situación se representa en la figura 18.4. Las Palomas quisieran proporcionar un satélite a un costo de $5,000 millones, un beneficio de $20,000 millones y un beneficio neto de $15,000 millones (véase la figura 18.4).

Antes de decidir sobre sus propuestas de política, los dos partidos políticos hacen un análisis hipotético del tipo "qué sucede si". Cada partido razona de la siguiente forma. Si cada partido ofrece el programa de satélites que quiere, esto es: cuatro satélites los Halcones y un satélite las Palomas, los votantes verán que obtendrán un beneficio neto de $15,000 con la propuesta de las Palomas y un beneficio neto de cero con la propuesta de los Halcones. Por tanto, las Palomas ganarán la elección.

Al observar este resultado, los Halcones comprenden que su partido es demasiado violento para resultar electo. Piensan que tienen que reducir su propuesta a dos satélites. A este nivel de provisión, el costo total es de $15,000 millones, el beneficio total es de $35,000 millones y el beneficio neto es de $20,000 millones. Si las Palomas insisten en tener un solo satélite, los Halcones ganarán la elección.

Pero al contemplar este resultado, las Palomas comprenden que tienen que igualar a los Halcones. El partido de las Palomas también propone suministrar dos satélites en exactamente las mismas condiciones que los Halcones. Si los dos partidos ofrecen el mismo número de satélites, a los votantes les resultan indiferentes ambos partidos. Lanzan monedas para decidir sus votos y cada partido recibe aproximadamente el 50% de los votos.

Como resultado del análisis hipotético que realizan los políticos, cada partido ofrece dos satélites. Por ello, independientemente de quien gane la elección, ésta es la cantidad de satélites que se pone en órbita. Esta cantidad es eficiente, ya que maximiza el beneficio neto percibido por los votantes. Por tanto, en este ejemplo, la competencia en el mercado político da como resultado la provisión eficiente de un bien público. Pero, para que ocurra este resultado, los votantes tienen que estar bien informados y evaluar las alternativas. Sin embargo, como se verá a continuación, no siempre tienen un incentivo para lograr este resultado.

**FIGURA 18.4**

## La cantidad eficiente de un bien público

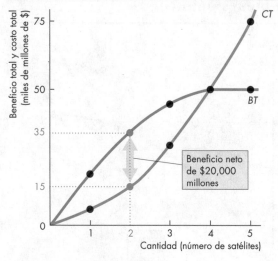

**(a) Beneficio total y costo total**

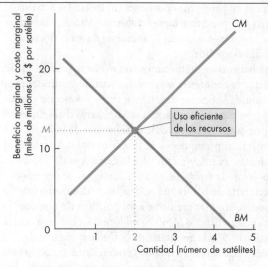

**(b) Beneficio marginal y costo marginal**

| Cantidad (número de satélites) | Beneficio total (miles de millones de $) | Beneficio marginal (miles de millones de $ por satélite) | Costo total (miles de millones de $) | Costo marginal (miles de millones de $ por satélite) | Beneficio neto (miles de millones de $) |
|---|---|---|---|---|---|
| 0 | 0 | | 0 | | 0 |
| | | 20 | | 5 | |
| 1 | 20 | | 5 | | 15 |
| | | 15 | | 10 | |
| 2 | 35 | | 15 | | 20 |
| | | 10 | | 15 | |
| 3 | 45 | | 30 | | 15 |
| | | 5 | | 20 | |
| 4 | 50 | | 50 | | 0 |
| | | 0 | | 25 | |
| 5 | 50 | | 75 | | −25 |

El beneficio neto, la distancia vertical entre el beneficio total (*BT*) y el costo total (*CT*), se maximiza cuando se ponen en órbita dos satélites (sección a) y donde el beneficio marginal *BM* es igual al costo marginal *CM* (sección b). A las Palomas les agradaría proporcionar un satélite y los Halcones quisieran proporcionar cuatro. Pero cada parte reconoce que su única posibilidad de ser elegidos es proporcionar dos satélites, la cantidad que maximiza el beneficio neto y que no deja lugar para que el otro partido mejore su posición.

**El principio de la diferenciación mínima** En el ejemplo que se acaba de estudiar, ambos partidos proponen políticas idénticas. Esta tendencia hacia políticas idénticas es un ejemplo del **principio de la diferenciación mínima**, que es la tendencia de que los competidores busquen ser idénticos para atraer al mayor número de clientes o votantes. Este principio no sólo describe el comportamiento de los partidos políticos, sino que también

explica por qué los restaurantes de comida rápida se agrupan en la misma calle, e incluso por qué los automóviles nuevos tienden a parecerse. Si McDonald's abre un restaurante en una nueva ubicación, es probable que Burger King abra otro justo a su lado, en lugar de hacerlo a dos kilómetros de distancia. Si Chrysler diseña una nueva camioneta con una puerta deslizante del lado del conductor, lo más probable es que Ford también lo haga.

## El papel de los burócratas

Hemos analizado el comportamiento de los políticos, pero no el de los burócratas, quienes convierten las elecciones de los políticos en programas y quienes controlan las actividades diarias que producen bienes públicos. Ahora estudiemos cómo influyen las elecciones económicas de los burócratas en el equilibrio político.

Para hacerlo, continuaremos con el ejemplo anterior. Se ha visto que la competencia entre dos partidos políticos produce la cantidad eficiente de satélites. Pero, ¿cooperará y aceptará este resultado la Secretaría o el Ministerio de la Defensa?

Suponga que el objetivo de la Secretaría de la Defensa es maximizar su presupuesto. Al proporcionar dos satélites al costo mínimo, el presupuesto para la defensa es de $15,000 millones (véase la figura 18.4). Para aumentar su presupuesto, la Secretaría de la Defensa podría hacer dos cosas. Primero, podría intentar persuadir a los políticos de que dos satélites cuestan más de $15,000 millones. Como se muestra en la figura 18.5, a la Secretaría de la Defensa le gustaría convencer al Congreso de que dos satélites cuestan $35,000 millones, es decir, el monto del beneficio total. Segundo, la Secretaría de la Defensa podría endurecer aún más su posición y solicitar más satélites. Por ejemplo, podría presionar para que se provean cuatro satélites a un presupuesto de $50,000 millones. En esta situación, el beneficio total y el costo total son iguales y el beneficio neto es de cero.

La Secretaría de la Defensa quiere maximizar su presupuesto, pero ¿no lo evitarán los políticos porque el resultado preferido por los militares les cuesta votos? Lo harán sólo si los votantes están bien informados y conocen qué es lo mejor para ellos. Pero los votantes pudieran ser racionalmente ignorantes. En este caso, los grupos de intereses bien informados podrían permitir que los militares logren su objetivo.

## Ignorancia racional

Un principio de la teoría de la elección pública es que para un votante es racional ser ignorante sobre un tema, a menos que éste afecte su nivel del ingreso. La **ignorancia racional** es la decisión de *no* adquirir información porque el costo de hacerlo excede al beneficio esperado. Por ejemplo, cada votante conoce que para la política de defensa nacional de su gobierno, él o ella no representa diferencia alguna. Cada votante también conoce que necesitaría una enorme cantidad de esfuerzo y dinero para estar apenas moderadamente bien informado sobre tecnologías de defensa alternativas. Por tanto, los votantes permanecen relativamente desinformados sobre los aspectos técnicos de los temas de la defensa. (Aunque estamos utilizando la política de la defensa como un ejemplo, lo mismo se aplica a todos los aspectos de la actividad económica del gobierno.)

**FIGURA 18.5**

## Burocracia y provisión excesiva de bienes públicos

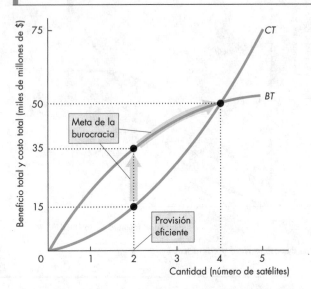

La meta de la burocracia es maximizar su presupuesto. Una burocracia que maximice su presupuesto buscará aumentarlo en forma tal que su costo total sea igual al beneficio total. Después utilizará su presupuesto para ampliar la producción y el gasto. En este caso, la Secretaría de la Defensa Nacional intentará obtener $35,000 millones para proporcionar dos satélites. Los militares quisieran aumentar la cantidad de satélites a cuatro, con un presupuesto de $50,000 millones.

Todos los votantes son consumidores de la defensa nacional, pero no todos son productores de este bien. Sólo un pequeño número de ellos se encuentra en esta última categoría. Los votantes que poseen o que trabajan para empresas que producen satélites, tienen un interés personal directo en la defensa nacional porque afecta sus ingresos. Estos votantes tienen un incentivo para estar bien informados sobre los temas de la defensa y participar en un cabildeo político dirigido a mejorar sus propios intereses. En colaboración con la burocracia de la defensa, estos votantes ejercen una influencia mayor que los votantes relativamente desinformados que sólo consumen este bien público.

Cuando se toma en cuenta la racionalidad del votante desinformado y los grupos de intereses especiales, el equilibrio político proporciona bienes públicos en exceso de la cantidad eficiente. Por tanto, en el ejemplo de los satélites, se podrían colocar en órbita tres o cuatro satélites, en lugar de la cantidad eficiente, que es de dos.

## Dos tipos de equilibrio político

Hemos visto que hay dos tipos posibles de equilibrio político: eficiente e ineficiente. Estos dos tipos de equilibrio político corresponden a dos teorías de gobierno:

- Teoría del interés público
- Teoría de la elección pública

**Teoría del interés público**   La teoría del interés público predice que los gobiernos hacen elecciones que logran la eficiencia. Este resultado ocurre en un sistema político perfecto en el que los votantes están completamente informados sobre los efectos de las políticas y se niegan a votar por resultados que pueden ser perfectibles.

**Teoría de la elección pública**   La teoría de la elección pública predice que los gobiernos hacen elecciones que producen resultados ineficientes. Este resultado ocurre en los mercados políticos en los que los votantes son racionalmente ignorantes y basan sus votos sólo sobre temas que conocen que afectan su propio beneficio neto. Los votantes prestan más atención a sus intereses como productores que a sus intereses como consumidores, y los funcionarios públicos también actúan de acuerdo con sus mejores intereses. El resultado es la *falla del gobierno* que va en forma paralela a la falla del mercado.

## Por qué el gobierno es grande y crece

Ahora que se conoce cómo se determina la cantidad de los bienes públicos, se puede explicar parte de la razón del crecimiento del gobierno. El gobierno crece, en parte, debido a que la demanda de algunos bienes públicos aumenta a una tasa más rápida que la demanda de bienes privados. Hay dos razones posibles para este crecimiento:

- Preferencias de los votantes
- Provisión excesiva ineficiente

**Preferencias de los votantes**   El crecimiento del gobierno se puede explicar por las preferencias de los votantes, de la siguiente manera. A medida que aumentan los ingresos de los votantes, la demanda de muchos bienes públicos aumenta con más rapidez que el ingreso. (Técnicamente, la *elasticidad ingreso de la demanda* de muchos bienes públicos es mayor que uno, véase el capítulo 5, páginas 90-91). Muchos bienes públicos (y entre ellos, los más caros) se encuentran en esta categoría. Aquí se incluyen a los sistemas de transporte como carreteras, aeropuertos y sistemas de control del tránsito aéreo; la salud pública; la educación y la defensa nacional. Si los políticos no respaldaran los aumentos en los gastos de estas partidas, no serían elegidos.

**Provisión excesiva ineficiente**   La provisión excesiva ineficiente también podría explicar el tamaño del gobierno, pero no su *tasa de crecimiento*. Explica (posiblemente) por

qué el gobierno es mayor que su escala eficiente, pero no explica por qué los gobiernos usan una proporción creciente de los recursos totales.

## Los votantes responden

Si el gobierno crece demasiado con respecto a lo que están dispuestos a aceptar los votantes, podría producirse una reacción violenta de los votantes en contra de los programas del gobierno y de una gran burocracia. Un ejemplo de ello ocurrió en la década de 1980, cuando una buena parte de los votantes latinoamericanos eligieron a políticos que ofrecían una menor intervención del gobierno en la economía. En forma similar, durante las elecciones a nivel estatal y federal en Estados Unidos, en la década de 1990, los políticos de todos los partidos propusieron un gobierno más pequeño, más "delgado" y más eficiente como parte de su plataforma.

Otra forma en que los votantes y los políticos pueden intentar contrarrestar la tendencia de los burócratas a incrementar sus presupuestos, es por medio de la privatización de la *producción* de los bienes públicos. La *provisión* de un bien público por el gobierno no implica automáticamente que una oficina operada por el gobierno tiene que *producir* el bien. Es cada vez más común que la recolección de la basura (un bien público) la realice una empresa privada, y en algunas partes del mundo ya se están realizando experimentos con departamentos de bomberos privados e incluso con prisiones privadas.

### PREGUNTAS DE REPASO

- ¿Cuál es el problema del parásito y por qué este problema hace que la provisión privada de un bien público sea ineficiente?
- ¿Bajo qué condiciones la competencia por votos entre los políticos da como resultado una cantidad eficiente de un bien público?
- ¿Cómo evitan los votantes racionalmente ignorantes y los burócratas maximizadores de presupuestos que la competencia en el mercado político produzca la cantidad eficiente de un bien público? ¿Da esto como resultado una provisión excesiva o insuficiente de los bienes públicos?

Ya hemos visto cómo los votantes, los políticos y los burócratas interactúan para determinar la cantidad de un bien público. Pero los bienes públicos se pagan con impuestos y los impuestos también redistribuyen el ingreso. ¿Cómo determina el mercado político la escala y la variedad de los impuestos que pagamos?

## Impuestos

LOS IMPUESTOS PRODUCEN LOS RECURSOS FINANCIEROS que usan los gobiernos para proporcionar bienes públicos y otros beneficios a los votantes. Hay varios tipos de impuestos y su uso varía de país a país. En general, se utilizan los siguientes siete tipos de impuestos básicos:

- Impuestos sobre la renta
- Impuestos para el seguro social
- Impuestos sobre las ventas
- Impuestos al valor agregado
- Impuestos a las propiedades
- Impuestos al consumo
- Impuestos al comercio internacional

La figura 18.6 muestra las cantidades relativas obtenidas por algunos de estos impuestos en Estados Unidos en 1998. Los impuestos sobre la renta son la mayor fuente fiscal y en 1998 produjeron alrededor de 50% de los ingresos fiscales. Los impuestos para el seguro social son la siguiente fuente de ingresos más grande y proporcionaron alrededor de una cuarta parte de los impuestos totales en 1998. Los impuestos estatales sobre las ventas y los impuestos a la propiedad de los gobiernos locales obtienen alrededor de 10% de los impuestos totales. Por último, los impuestos al consumo producen una cantidad pequeña del ingreso del gobierno.

A pesar de ello, los impuestos al consumo tienen una gran repercusión sobre algunos mercados específicos, como se verá más adelante en este capítulo. Finalmente, es importante mencionar que en Estados Unidos no se aplica el impuesto al valor agregado.

La figura 18.7 muestra la estructura de los impuestos recaudados por dos gobiernos latinoamericanos en 1997, Argentina y Chile. La figura muestra claramente que, a diferencia de lo que ocurre en Estados Unidos, la mayor fuente de ingresos de los gobiernos de estos países proviene de los impuestos a bienes y servicios. En ambos casos, esto se debe a la presencia del impuesto al valor agregado. Los impuestos para el seguro social y los impuestos sobre la renta son la segunda fuente de ingresos fiscales en Argentina y Chile, respectivamente. La baja recaudación de impuestos para el seguro social en Chile se explica porque el sistema de pensiones en ese país fue privatizado hace varios años. Otra característica de la recaudación fiscal en estos dos países es que los impuestos al comercio internacional representan el 10% de los impuestos totales.

A continuación se observará con más detenimiento cada tipo de impuesto.

### Impuestos sobre la renta

Los impuestos sobre la renta se pagan sobre los ingresos personales y sobre las utilidades de las corporaciones. En 1998, el impuesto sobre la renta personal en Estados Unidos

---

**FIGURA 18.6**

## Ingresos fiscales del gobierno estadounidense

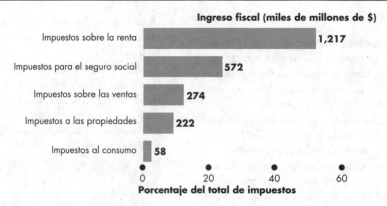

Casi la mitad de los ingresos del gobierno estadounidense proviene de los impuestos sobre la renta. Casi una cuarta parte proviene de los impuestos para el seguro social. Los impuestos al consumo producen una cantidad de ingresos pequeña, pero

estos impuestos tienen efectos importantes sobre un pequeño número de mercados.

*Fuente:* Federal Budget Historical Table 2.1 y *Economic Report of the President,* 1999.

Estructura de los impuestos recaudados por el gobierno. Argentina y Chile, 1997

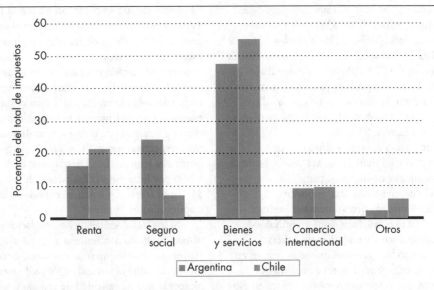

produjo 829,000 millones de dólares al gobierno federal y otros 160,000 millones de dólares para los gobiernos estatales y locales. Los impuestos sobre las utilidades de las corporaciones produjeron 190,000 millones de dólares para el gobierno federal y 30,000 millones de dólares para los gobiernos estatales. Primero se observarán los efectos de los impuestos sobre la renta personal y después los impuestos sobre los beneficios corporativos.

**Impuestos sobre la renta personal**   La cantidad del impuesto sobre la renta que paga una persona depende de su *ingreso gravable*. En general, este ingreso es igual al ingreso total menos una *exención personal* y una *deducción estándar* u otras deducciones permitidas. Considere, como ejemplo, el caso de Estados Unidos. Note que los cálculos que se presentan son parecidos a los de cualquier otro país, aunque las tasas marginales y los límites inferior y superior de los grupos de ingreso gravables difieren de un país a otro.

En 1998, la exención personal en Estados Unidos fue de 2,700 dólares y la deducción estándar fue de 4,250 dólares para una persona individual. Por tanto, para este tipo de persona, el ingreso gravable es igual al ingreso total menos 6,950 dólares.

La *tasa impositiva* (en porcentaje) depende del nivel de ingresos. Para una persona individual, la tasa impositiva aumenta de acuerdo con su ingreso, de la siguiente forma:

| | |
|---|---|
| $0 hasta 25,350 dólares | 15% |
| $25,351 hasta 61,400 dólares | 28% |
| $61,401 hasta 128,100 dólares | 31% |
| $128,101 hasta 278,450 dólares | 36% |
| Más de 278,450 dólares | 39.6% |

Los porcentajes en esta relación son tasas marginales de impuestos. La **tasa marginal de impuestos** es el porcentaje de una unidad adicional de ingresos que se paga en impuestos. Por ejemplo, si el ingreso gravable de una persona pasa de $25,000 a $25,001, el impuesto adicional pagado es de $0.15 y la tasa marginal del impuesto es de 15%. Si el ingreso aumenta de $278,450 a $278,451, el impuesto adicional pagado es de $0.396 y la tasa marginal del impuesto es de 39.6%.

La **tasa impositiva promedio** es el porcentaje del ingreso que se paga en impuestos. La tasa impositiva promedio es menor que la tasa marginal del impuesto. Por ejemplo, suponga que una persona individual gana $50,000 al año. El impuesto pagado es de cero sobre los primeros $6,950, de $3,803 por los siguientes $25,350 (es decir, una tasa de 15%), y de $4,956 adicionales por los $17,700 restantes (es decir, una tasa marginal de 28%). El total de los impuestos es igual a $8,759, que es el 17.5% de $50,000. Por tanto, la tasa impositiva promedio es 17.5%.

Si la tasa impositiva promedio aumenta a medida que incrementa el ingreso, se dice que se trata de un *impuesto progresivo.* Por ende, el impuesto personal sobre la renta en Estados Unidos (y en casi todos los países) es un impuesto progresivo. Para ver esta característica del impuesto sobre la renta, calculemos la tasa impositiva promedio para alguien cuyo ingreso anual es de $100,000. El impuesto pagado es de cero sobre los primeros $6,950, de $3,803 (15%) sobre los $25,350 siguientes, de $10,094 (28%) sobre los $36,050 siguientes y de $9,182 (31%) sobre los $31,650 restantes. El total del impuesto es igual a $23,708, lo que es igual al 23.7% de $100,000. La tasa impositiva promedio para esta persona es 23.7%. Es decir, la tasa impositiva promedio es más alta para una persona que gana $100,000 que para una persona cuyo ingreso es de sólo $50,000.

Un impuesto progresivo contrasta tanto con un impuesto *proporcional*, el cual tiene la misma tasa impositiva promedio a todos los niveles de ingresos, como con un impuesto *regresivo*, el cual tiene una tasa impositiva promedio que decrece a medida que aumenta el ingreso.

La figura 18.8 indica las máximas tasas marginales de impuestos que se aplicaron en varios países de América Latina en 1999. En casi todos los países que se muestran en la figura, las tasas marginales son mayores a medida que crece el ingreso, por lo que el impuesto sobre la renta en esos lugares es de tipo progresivo. En Bolivia, el impuesto sobre

la renta es proporcional, ya que la tasa impositiva es la misma para todos los niveles del ingreso. El país con la tasa marginal más alta es Chile, con una tasa de 45%.

**El efecto de los impuestos sobre la renta**   La figura 18.9 muestra la forma en que afecta el impuesto sobre la renta a los mercados de trabajo. La sección (a) muestra el mercado para trabajadores de bajos salarios y la sección (b) muestra el mercado para trabajadores de salarios altos. Estos mercados de trabajo son competitivos y, cuando no existe el impuesto sobre la renta, funcionan como cualquier otro mercado competitivo que se haya estudiado. Las curvas de oferta y demanda de trabajo en ambas secciones de la figura son, respectivamente, *OL* y *DL*. Cada grupo trabaja 40 horas a la semana. Los trabajadores de bajos salarios ganan $9.50 por hora y los trabajadores de salarios altos ganan $175 por hora. ¿Qué ocurre cuando se establece un impuesto sobre la renta?

Si los trabajadores de bajos salarios están dispuestos a ofrecer 40 horas a la semana a un salario de $9.50 por hora cuando no hay impuestos, entonces, cuando existe un impuesto sobre la renta de 15%, sólo estarán dispuestos a ofrecer la misma cantidad de trabajo si el salario aumenta hasta $11.18 por hora. Es decir, ellos quieren obtener los

---

**FIGURA 18.8**

## Tasas del impuesto sobre la renta en países de Latinoamérica, 1999

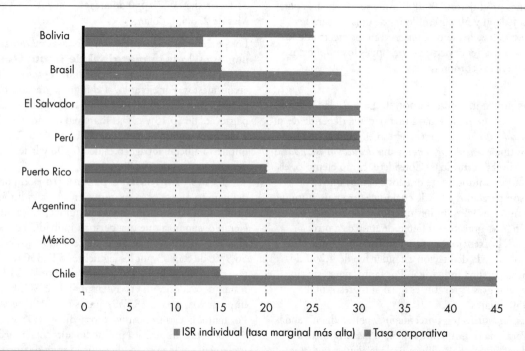

■ ISR individual (tasa marginal más alta)   ■ Tasa corporativa

**FIGURA 18.9**

## Los efectos de los impuestos sobre la renta

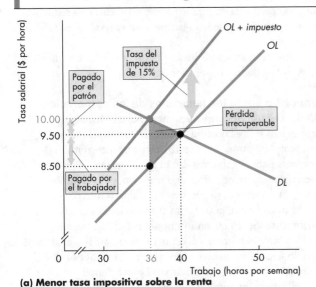

**(a) Menor tasa impositiva sobre la renta**

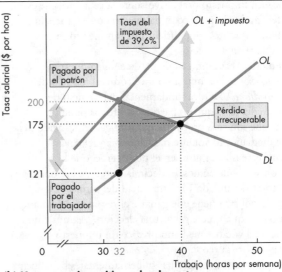

**(b) Mayor tasa impositiva sobre la renta**

La demanda de trabajo es DL y, al no haber impuestos sobre la renta, la oferta de trabajo es OL (en ambas secciones). En la sección (a), los trabajadores de bajos salarios ganan $9.50 por hora y cada uno trabaja 40 horas a la semana. En la sección (b), los trabajadores de salarios altos ganan $175 por hora y cada uno trabaja 40 horas a la semana. Un impuesto sobre la renta disminuye la oferta de trabajo y desplaza la curva correspondiente hacia la izquierda. Para los trabajadores de bajos salarios en la sección (a), cuya tasa marginal del impuesto es de 15%, la

oferta disminuye hasta OL + impuesto. El empleo disminuye a 36 horas a la semana. Para trabajadores de salarios altos en la sección (b), cuya tasa marginal del impuesto es de 39.6%, la oferta disminuye hasta OL + impuesto. El empleo baja a 32 horas a la semana. La pérdida irrecuperable que proviene de la elevada tasa marginal del impuesto a los trabajadores de salarios altos, es mucho mayor que la proveniente de la baja tasa marginal del impuesto a los trabajadores de bajos salarios.

$9.50 por hora que recibían antes del impuesto, más el importe correspondiente al impuesto de 15% que ahora tienen que pagar al gobierno. Por tanto, la oferta de trabajo disminuye porque el importe que recibe el trabajo disminuye en un monto similar al del impuesto sobre la renta pagado. La tasa salarial aceptable para cada nivel de empleo se incrementa en el monto del impuesto que ahora se tiene que pagar. Para trabajadores de bajos salarios que se enfrentan a una tasa impositiva de 15%, la curva de oferta se desplaza hasta OL + *impuesto*. La tasa salarial de equilibrio se eleva hasta $10 la hora, pero la tasa salarial neta, es decir, después de impuestos, baja a $8.50 por hora. El empleo de equilibrio disminuye a 36 horas por semana.

Para trabajadores de salarios altos que se enfrentan a una tasa impositiva de 39.6%, la curva de oferta en la parte (b) de la figura se desplaza hasta OL + *impuesto*. La tasa salarial de equilibrio se eleva hasta $200 por hora y la tasa salarial después de impuestos baja a $121 por hora. El

empleo de equilibrio para este tipo de trabajadores disminuye a 32 horas por semana. La disminución en el empleo de los trabajadores de salarios altos es mayor que en el caso de los trabajadores de bajos salarios, debido a las diferencias en las tasas marginales del impuesto a las que se enfrenta cada uno de ellos.

Note que el impuesto sobre la renta lo pagan tanto el patrón como el trabajador. En el caso de los trabajadores de bajos salarios, el patrón paga $0.50 adicionales por hora y el trabajador paga $1 por hora. En el caso de trabajadores de salarios altos, los patrones pagan $25 adicionales por hora y los trabajadores pagan $54 por hora. La forma exacta en la que se distribuye el pago del impuesto depende de las elasticidades de la oferta y la demanda.

Observe también la diferencia en la *pérdida irrecuperable* de eficiencia para ambos grupos. (Si necesita refrescar el concepto de pérdida irrecuperable, revise el capítulo 6, págs. 110-111.) La pérdida irrecuperable es mucho mayor para los trabajadores de salarios altos que para los trabajadores de bajos salarios.

### ¿Por qué es progresivo el impuesto sobre la renta?

Tenemos un impuesto progresivo sobre la renta porque es parte del equilibrio político. Una mayoría de votantes lo respaldan, por tanto, los políticos que también lo respaldan son los que resultan electos.

El modelo económico que predice los impuestos progresivos sobre la renta, se conoce como el modelo del *votante mediano*.[1] La idea fundamental del modelo del votante mediano es que los partidos políticos siguen las políticas que son más probables que atraigan el respaldo del votante mediano. El votante mediano es aquel cuyas preferencias se ubican justo en el punto en el que la población se divide en dos; es decir, la mitad de la población se encuentra de un lado y la otra mitad del otro. Por tanto, un partido político tiene que ganarse el respaldo del votante mediano si es que quiere ganar una elección. Veamos cómo el modelo del votante mediano predice un impuesto progresivo sobre la renta.

Imagine que los programas gubernamentales benefician a todos en forma igual y que se pagan mediante un impuesto proporcional sobre la renta. Todos pagan el mismo porcentaje de sus ingresos. En esta situación, hay una redistribución de los votantes de ingresos altos hacia los votantes de bajos ingresos. Todos se benefician por igual, pero debido a que los votantes de ingresos altos tienen mayores ingresos, ellos pagan mayores impuestos.

¿Es ésta la mejor situación posible para el votante mediano? No, no lo es. Suponga que en lugar de utilizar un impuesto proporcional se reduce la tasa marginal del impuesto para los votantes de bajos ingresos y se aumenta para los de ingresos altos, es decir, se aplica un impuesto progresivo. Ahora los votantes de bajos ingresos están en mejor situación y los de altos ingresos están peor. Los votantes de bajos ingresos respaldarán este cambio y los de altos ingresos se opondrán a él. Pero hay muchos más votantes con ingresos bajos que con ingresos altos, por lo que las preferencias de los primeros prevalecerán.

El votante mediano es un votante de bajos ingresos. De hecho, debido a que la distribución del ingreso es sesgada, el votante mediano tiene un ingreso menor que el ingreso promedio (véase la figura 17.4, pág. 371). Este hecho plantea una pregunta interesante: ¿por qué el votante mediano no respalda impuestos que retengan todos los ingresos por encima del promedio y los redistribuyan a todos los que se encuentran por debajo del ingreso promedio? Este impuesto sería tan

progresivo que daría como resultado ingresos iguales después de pagar los impuestos y recibir las transferencias.

La respuesta es que un impuesto tan alto desanimaría el esfuerzo y el ahorro hasta el punto en que el votante mediano se encontraría en una situación peor, con una redistribución tan radical, que bajo la forma que prevalece en la actualidad.

Ahora observemos los impuestos sobre las utilidades (o beneficios) de las corporaciones.

### Impuesto sobre los beneficios de las corporaciones

En las discusiones populares sobre política fiscal, los impuestos sobre las utilidades de las corporaciones se contemplan como una fuente prácticamente gratuita de ingresos para el gobierno. En esta perspectiva, el gravar a las personas se percibe como algo negativo, pero el gravar a las corporaciones se percibe como algo positivo.

Sin embargo, gravar a las corporaciones es muy ineficiente. Se utiliza un impuesto ineficiente porque redistribuye el ingreso a favor del votante mediano, al igual que lo hace el impuesto sobre la renta. Veamos por qué el gravar los beneficios corporativos es ineficiente.

Primero, el nombre del impuesto es incorrecto. Este impuesto es sólo en parte un impuesto sobre los beneficios económicos. Se trata principalmente de un impuesto sobre el ingreso proveniente del capital. El gravamen al ingreso proveniente del capital opera en forma parecida al del impuesto al ingreso del trabajo, excepto por dos diferencias críticas: la oferta de capital es altamente elástica (quizá perfectamente elástica) y la cantidad de capital influye sobre la productividad del trabajo y sobre el ingreso salarial. Debido a que la oferta de capital es en extremo elástica, el impuesto lo absorben por completo las empresas, y esto disminuye la cantidad de capital. Con un acervo de capital menor del que se tendría si no se gravaran las utilidades, la productividad del trabajo y los ingresos son inferiores a lo que debieran ser. Si regresamos a la figura 18.8, veremos las tasas de impuestos a las corporaciones en varios países de América Latina. La tasa corporativa en estos países fluctúa entre un 15%, en Brasil y Chile, y un 35%, en Argentina y México. En casi todos los casos, la tasa corporativa es menor o igual a la máxima tasa marginal del impuesto que se aplica sobre la renta individual. Chile tiene la brecha más grande entre ambos tipos de tasas.

### Impuestos para la seguridad social

Los impuestos para la seguridad social son las contribuciones que pagan los patrones y los empleados, y sirven para proporcionar beneficios de seguridad social, beneficios médicos y de incapacidad a los trabajadores (véase el capítulo 17, pág. 377). En algunos países, estos recursos

---

[1] No debe confundirse al votante mediano con el votante medio. La figura 17.4 muestra un ejemplo de la diferencia que existe entre los conceptos de media y mediana.

también sirven para pagar compensaciones por desempleo.

Los sindicatos cabildean para lograr que los patrones paguen una parte mayor de estos impuestos, y las organizaciones de los patrones cabildean para conseguir que los trabajadores sean quienes paguen una porción mayor. Pero este esfuerzo de cabildeo no tiene mucho sentido porque quien paga *realmente* estos impuestos no depende en forma alguna de quien extiende los cheques. Depende, en última instancia, de las elasticidades de la oferta y la demanda de trabajo.

La figura 18.10 muestra por qué esto es así. En ambas partes de la figura, las curva de oferta y demanda de trabajo (*OL* y *DL*, respectivamente) son idénticas. Si no existe el impuesto para la seguridad social, la cantidad de trabajo empleado es $QL^*$ y la tasa de salarios es $W^*$.

Suponga que ahora se aplica un impuesto para el seguro social. En la figura 18.10 (a), el empleado paga el impuesto; en la figura 18.10 (b), el patrón es el que paga. Cuando el empleado paga, la oferta disminuye y la curva de oferta de trabajo se desplaza hacia la izquierda hasta *OL + impuesto*. La distancia vertical entre la curva de oferta inicial (*OL*) y la nueva curva de oferta de trabajo (*OL + impuesto*) es el importe del impuesto. La tasa salarial se eleva hasta *WC*, la tasa salarial después de impuestos baja a *WT* y el empleo disminuye hasta $QL_0$.

Cuando paga el patrón (en la figura 18.10 (b), la demanda disminuye y la curva de demanda de trabajo se desplaza hacia la izquierda hasta *DL impuesto*. La distancia vertical entre la curva de demanda inicial (*DL*) y la nueva curva de demanda de trabajo (*DL – impuesto*) representa el importe del impuesto. La tasa salarial baja a *WT*, pero el costo del trabajo se eleva a *WC* y el empleo disminuye hasta $QL_0$.

Por tanto, independientemente de cuál sea el lado del mercado que se grava, el resultado es idéntico. Si la demanda por trabajo es perfectamente inelástica o si la oferta de trabajo es perfectamente elástica, el patrón paga la totalidad del impuesto. Si la demanda de trabajo es perfectamente elástica o si la oferta de trabajo es perfectamente inelástica, el empleado paga la totalidad del impuesto. Estos casos son iguales a los del impuesto sobre las ventas que se estudió en el capítulo 7 en las páginas 129-134.

## Impuestos sobre las ventas

Los impuestos sobre las ventas son los impuestos aplicados por algunos gobiernos estatales sobre una amplia gama de bienes y servicios. En el capítulo 7 se estudiaron los efectos de este tipo de impuestos. Sin embargo, hay una característica de estos impuestos que es necesario comentar. Son *regresivos*. La razón de que sean regresivos es que el ahorro aumenta con el ingreso, y los impuestos sobre las ventas sólo se pagan sobre la parte del ingreso que se gasta.

**FIGURA 18.10**

## Impuestos para el seguro social

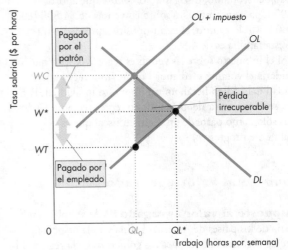

**(a) Impuesto a los empleados**

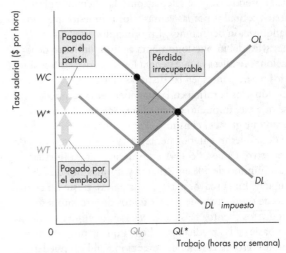

**(b) Impuesto a los patrones**

La curva de demanda de trabajo es *DL* y la curva de oferta es *OL*. Al no haber impuestos para el seguro social, la cantidad de trabajo empleada es $QL^*$ y la tasa salarial es $W^*$ (en ambas secciones). En la sección (a), los empleados pagan el impuesto para el seguro social. La oferta disminuye y la curva de oferta de trabajo se desplaza hacia la izquierda hasta *OL + impuesto*. La tasa salarial se eleva hasta *WC*, la tasa salarial después de impuestos baja hasta *WT* y el empleo disminuye a $QL_0$. En la sección (b), los patrones pagan el impuesto para el seguro social. La demanda disminuye y la curva de demanda de trabajo se desplaza hacia la izquierda hasta *DL – impuesto*. La tasa salarial baja a *WT*, pero el costo del trabajo aumenta a *WC* y el empleo disminuye hasta $QL_0$. El resultado es idéntico en ambos casos.

Suponga, por ejemplo, que el impuesto sobre las ventas es de 8%. Una familia con un ingreso de $20,000, que gasta todo su ingreso, paga $1,600 en impuestos sobre las ventas. Su tasa impositiva promedio es de 8%. Una familia con un ingreso de $100,000, que gasta $60,000 y que ahorra $40,000, paga un impuesto sobre las ventas de $4,800 (8% de $60,000). Por tanto, la tasa impositiva promedio que paga esta familia es de 4.8%.

Si el impuesto sobre las ventas es regresivo, ¿por qué lo respaldaría el votante mediano? Lo que importa es la totalidad del código fiscal, no un impuesto individual. Por tanto, se vota a favor de un impuesto regresivo sobre las ventas sólo como parte de un régimen fiscal que es globalmente progresivo.

## Impuesto al valor agregado

El **impuesto al valor agregado** (IVA) se aplica en la mayoría de los países de América Latina y es la principal fuente de ingresos fiscales para los gobiernos de la región. El IVA es un impuesto que se aplica en las diferentes etapas de la cadena productiva y se calcula como la diferencia entre los impuestos cobrados por las ventas y los impuestos pagados en la adquisición de insumos. En principio, esta característica del impuesto fomenta el cumplimiento de las obligaciones fiscales, ya que genera los incentivos adecuados entre los participantes, en las distintas etapas de la producción. Por la forma en la que opera el IVA, puede decirse que este impuesto es, en última instancia, un impuesto que grava el consumo. Por razones similares a las que se describieron anteriormente, el IVA es un impuesto de tipo regresivo. La tasa del IVA en América Latina fluctúa entre un mínimo de 5% en Panamá y un máximo de 22% en Uruguay. En la mayor parte de los países, existe un cierto número de productos que están exentos de este impuesto. Los productos exentos más comunes son los alimentos de la canasta básica y las medicinas. Al igual que la progresividad del impuesto sobre la renta, las exenciones al IVA pueden explicarse mediante el modelo del votante mediano.

## Impuestos a las propiedades

Los impuestos a las propiedades los cobran los gobiernos locales y, en general, se utilizan para proporcionar bienes públicos locales. Un **bien público local** es un bien público que lo consumen todas las personas que viven en una zona en particular. Ejemplos de bienes públicos locales son: los parques, los museos y los vecindarios seguros.

Existe una relación mucho más estrecha entre los impuestos a las propiedades pagados y los beneficios que se reciben, que en el caso de los impuestos federales y estatales.

Esta relación estrecha hace que los impuestos a las propiedades sean similares a un precio por servicios locales. Debido a esta relación, los impuestos sobre las propiedades cambian tanto la demanda como la oferta de propiedades en un vecindario. Un mayor impuesto a las propiedades disminuye la oferta, pero la mejoría en los bienes públicos locales aumenta la demanda de propiedades en la localidad. Por tanto, algunos vecindarios tienen impuestos altos y servicios públicos de alta calidad y otros tienen impuestos bajos y servicios de baja calidad. Ambos pueden existir en un equilibrio político.

## Impuestos al consumo

Un **impuesto al consumo** es un impuesto sobre la venta de una mercancía en particular. La cantidad total que se obtiene mediante estos impuestos es pequeña, pero tienen una gran repercusión sobre algunos mercados. Estudiemos los efectos de un impuesto al consumo con el ejemplo del impuesto a la gasolina que se muestra en la figura 18.11. La curva de demanda de gasolina es $D$ y la curva de oferta es $O$. Si no hay impuesto a la gasolina, su precio es de $0.60 por litro, y cada día se compran y venden 400 millones de litros de gasolina.

Ahora suponga que se aplica un impuesto a la gasolina a una tasa de $0.60 por litro. Como resultado del impuesto, la oferta de gasolina disminuye y su curva se desplaza hacia la izquierda. La magnitud del desplazamiento es tal que la distancia vertical entre la curva de oferta original y la nueva curva es el importe del impuesto. La nueva curva de oferta es la curva roja, $O + impuesto$. La nueva curva de oferta cruza a la curva de demanda en 300 millones de litros al día, a un precio de $1.10 por litro. Esta situación es el nuevo equilibrio después de la aplicación del impuesto.

El impuesto al consumo crea una pérdida irrecuperable compuesta por la pérdida del excedente del consumidor y la pérdida del excedente del productor. El importe de esa pérdida es de $30 millones diarios. Debido a que cada día se venden 300 millones de litros de gasolina y que el impuesto es de $0.60 por litro, el ingreso total proveniente del impuesto a la gasolina es de $180 millones diarios (300 millones de litros × $0.60 por litro). Por tanto, para recaudar un ingreso fiscal de $180 millones al día con un impuesto a la gasolina, se incurre en una pérdida irrecuperable de $30 millones diarios, es decir, un sexto del ingreso fiscal.

Un factor importante que explica la pérdida irrecuperable que se produce por el impuesto al consumo, es la elasticidad de la demanda de las mercancías. La demanda de gasolina es bastante inelástica. Como consecuencia de ello, cuando se aplica un impuesto al consumo, la cantidad demandada baja en un porcentaje menor que el aumento porcentual del precio.

**FIGURA 18.11**

## Un impuesto al consumo

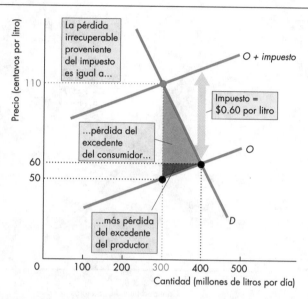

La curva de demanda de gasolina es *D* y la curva de oferta es *O*. Al no existir impuesto alguno, la gasolina se venderá en $0.60 por litro y cada día se comprarán y venderán 400 millones de litros. Cuando se aplica un impuesto de $0.60 por litro, la curva de oferta se desplaza hacia la izquierda para convertirse en la curva *O + impuesto*. El nuevo precio de equilibrio es $1.10 por litro y cada día se compran y venden 300 millones de litros. El impuesto al consumo crea una pérdida irrecuperable representada por el triángulo gris. El ingreso fiscal cobrado es de $0.60 por litro sobre 300 millones de litros, lo que representa $180 millones diarios. La pérdida irrecuperable proveniente del impuesto es de $30 millones diarios. Es decir, para obtener el ingreso fiscal de $180 millones diarios, se incurre en una pérdida irrecuperable de $30 millones diarios.

---

Para ver la importancia de la elasticidad de la demanda, observemos una mercancía diferente: el jugo de naranja. Para hacer una comparación rápida y directa, supongamos que el mercado para el jugo de naranja es exactamente tan grande como el mercado para la gasolina. La figura 18.12 muestra este mercado. La curva de demanda es *D* y la curva de oferta es *O*. El jugo de naranja no está gravado y, por tanto, su precio es de $0.60 por litro en el punto en el que se cruzan la oferta y la demanda. La cantidad de jugo de naranja es de 400 millones de litros al día.

Suponga ahora que el gobierno estudia eliminar el impuesto a la gasolina y, en lugar de ello, decide gravar el jugo de naranja. La demanda de jugo de naranja es más elástica que la demanda de gasolina. El jugo de naranja tiene muy buenos sustitutos en la forma de otros jugos de frutas. Suponga también que el gobierno quiere obtener $180 millones diarios de forma tal que su ingreso total no resulte afectado por este cambio en impuestos. Los economistas del gobierno, que cuentan con estimaciones estadísticas de las curvas de oferta y demanda del jugo de naranja que aparecen en la figura 18.12, determinan que es necesario un impuesto de $0.90 por litro. Con este impuesto, la curva de oferta se desplaza hacia la izquierda para convertirse en la curva denominada *O + impuesto*. Esta nueva curva de oferta cruza la curva de demanda a un precio de $1.30 por litro y a una cantidad de 200 millones de litros al día. El precio al que los proveedores están dispuestos a producir 200 millones de litros al día es $0.40 por litro. El gobierno cobra un impuesto de $0.90 por litro sobre 200 millones de litros diarios, por lo que cobra un ingreso total de $180 millones diarios, exactamente la cantidad requerida.

Pero, ¿cuál es la pérdida irrecuperable en este caso? La respuesta se puede ver al observar el triángulo gris en la figura 18.12. La magnitud de esa pérdida irrecuperable es de $90 millones. Note que es mucho mayor la pérdida irrecuperable al gravar el jugo de naranja que al gravar la

**FIGURA 18.12**

## Por qué no se grava el jugo de naranja

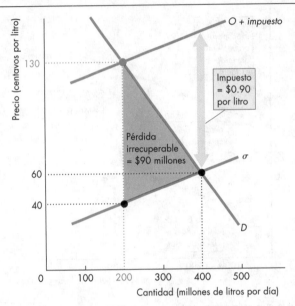

La curva de demanda de jugo de naranja es *D* y la curva de oferta es *O*. El precio de equilibrio es $0.60 por litro y cada día se negocian 400 millones de litros de jugo. Para obtener ingresos fiscales por $180 millones, se tendrá que aplicar un impuesto de $0.90 por litro. La aplicación de este impuesto desplaza la curva de oferta hasta *O + impuesto*. El precio se eleva hasta $1.30 por litro y la cantidad comprada y vendida disminuye a 200 millones de litros por día. La pérdida irrecuperable está representada por el triángulo gris y es igual a $90 millones diarios. La pérdida irrecuperable que proviene de gravar el jugo de naranja es mucho mayor que la de gravar la gasolina (figura 18.11), porque la demanda de jugo de naranja es mucho más elástica que la demanda de gasolina. Los artículos que tienen una baja elasticidad de la demanda, se gravan más fuertemente que aquellos con una alta elasticidad de la demanda.

gasolina. En el caso del jugo de naranja, la pérdida irrecuperable es la mitad del ingreso obtenido, en tanto que en el caso de la gasolina, la pérdida es de tan sólo una sexta parte del ingreso obtenido. ¿Qué explica esta diferencia? Las curvas de oferta son idénticas en cada caso y los ejemplos también se prepararon para asegurar que los precios y las cantidades iniciales sin impuestos fueran idénticos. La diferencia entre los dos casos es la elasticidad de la demanda: en el caso de la gasolina, la cantidad demandada disminuye en sólo 25%, cuando el precio casi se duplica. En el caso del jugo de naranja, la cantidad demandada disminuye en 50%, cuando el precio sólo aumenta ligeramente más que el doble.

Se puede ver por qué el gravar el jugo de naranja no se encuentra en la agenda política de ninguno de los principales partidos políticos. Para ganar votos, los políticos buscan impuestos que beneficien al votante mediano. Si las demás cosas permanecen igual, esto significa que intentan minimizar la pérdida irrecuperable de captar una determinada cantidad de ingreso. En forma equivalente, gravan más fuertemente artículos con pocos sustitutos que aquellos artículos con sustitutos cercanos.

### Impuestos al comercio internacional

El **impuesto al comercio internacional** se aplica a las importaciones y exportaciones que realiza un país. Los efectos económicos de este tipo de impuestos se analizan con detalle en el capítulo 22 de este libro.

Durante muchos años, este tipo de impuestos fueron una fuente muy importante de recursos para los gobiernos latinoamericanos. En algunos casos, la idea de gravar a las importaciones tenía como objetivo incentivar el consumo de productos domésticos y reducir la demanda de productos extranjeros. En otros casos, el objetivo era aprovechar la baja elasticidad de la demanda de productos importados, lo que permitía recaudar ingresos de una manera relativamente eficiente. En cualquier caso, las reformas estructurales y los procesos de apertura económica que se generalizaron en América Latina a partir de la década de 1980, han llevado a que este tipo de impuestos pierdan importancia como fuente de ingresos fiscales en toda la región.

## PREGUNTAS DE REPASO

■ ¿Cuál es el efecto del impuesto sobre la renta en el empleo y la eficiencia? ¿Por qué son progresivos los impuestos sobre la renta?

■ ¿Pueda hacer el Congreso que los patrones paguen una participación mayor del impuesto para el seguro social?

■ ¿Por qué algunos vecindarios tienen impuestos altos y servicios de alta calidad, y otros tienen bajos impuestos y servicios de baja calidad?

■ ¿Por qué el impuesto al valor agregado fomenta el cumplimiento de las obligaciones fiscales?

■ ¿Por qué aplica el gobierno impuestos al consumo con tasas altas a mercancías que tienen una baja elasticidad de la demanda?

■ ¿Cuál es la fuente más importante de ingresos fiscales en Estados Unidos? ¿Ocurre lo mismo en Argentina y Chile?

◆ En la sección *Lectura entre líneas* en las páginas 418-419, se estudia el problema de la provisión de un bien público en la Ciudad de México. Se muestra cómo es posible aumentar la provisión de este bien, mediante el uso de un incentivo económico que reduce el costo de proveer el bien público en forma privada. En los siguientes dos capítulos se observarán las acciones económicas del gobierno ante los monopolios y las externalidades.

# Incentivos económicos para la provisión de bienes públicos

LA JORNADA DEL CAMPO, 26 de mayo de 1999

## *Un balance a mitad de camino:*
### Revalorar lo rural en el Distrito Federal

POR VÍCTOR SUÁREZ CARRERA

En un contexto nacional e internacional en que lo rural pierde visibilidad y valoración, sobresale el intento desde el Gobierno del D.F. y diversos actores sociales de la metrópoli de construir una nueva relación de interdependencia campo-ciudad, de reconocer el carácter multifuncional de los modos campesinos de gestión de los espacios rurales, y de explicitar y valorar la contribución vital de los bienes y servicios ambientales rurales para la sobrevivencia y viabilidad de la ciudad y para mejorar la calidad de vida de todos sus habitantes.

Destaca que este esfuerzo se desarrolle en la ciudad más grande e industrializada del país, y con la superficie rural más pequeña en comparación con todas las entidades federativas.

### Principales logros

*Plan de gobierno y valoración de lo rural.-* Incorporación al plan de gobierno del GDF de la dimensión rural como aspecto central del mejoramiento de la calidad de vida de los todos los habitantes de la ciudad, y reconocimiento de su contribución vital —agua, aire, regulación climática, estabilidad del subsuelo urbano, biodiversidad, recreación, empleo e ingreso rural, freno a la expansión de la mancha urbana, etc.— para la sobrevivencia y viabilidad a largo plazo de la ciudad.

*Sistema de incentivos por servicios ambientales.* A partir de una nueva valoración de lo rural, se ha establecido por primera vez en el país, si bien de manera embrionaria, un sistema de incentivos que reconoce explícitamente y retribuye económicamente las contribuciones por servicios ambientales de los modos campesinos de gestión de sus espacios y recursos, valorando el uso rural del territorio, coadyuvando a su preservación como espacio rural y a una mayor eficiencia en la inversión de recursos. Así, no solamente las comunidades realizan la reforestación, sino que se incentiva la calidad y sobrevivencia de la misma en un lapso de cinco años. Por cada árbol que sobrevive después del primer año de plantado, la comunidad recibe —previa evaluación y verificación— un peso por cada año. Esto valora e incentiva las tareas comunitarias de prevención y combate de incendios, control del pastoreo, podas, combate de plagas, vigilancia. Para este fin, en 1999 y los próximos cuatro años se tiene asignado un fondo de 6.5 millones de pesos* anuales. En este caso, a efecto de mantener el valor de los incentivos, habrá que asegurar que se trate de pesos constantes y no corrientes.

* Un dólar equivale aproximadamente a 10 pesos mexicanos

## Esencia del artículo

■ En México, el gobierno del Distrito Federal está interesado en mejorar la calidad de vida de los habitantes de la ciudad.

■ El proceso de urbanización ha eliminado prácticamente los espacios rurales en la ciudad.

■ Los espacios rurales proporcionan a la ciudad agua, aire, regulación climática, estabilidad del subsuelo urbano, biodiversidad, recreación y freno a la expansión de la mancha urbana. Estos servicios constituyen un bien público, ya que proporcionan una mejor calidad ambiental para todos los habitantes de la ciudad.

■ El gobierno del D.F. ha puesto en marcha un programa de incentivos que premia explícitamente la provisión de servicios ambientales, a través de una retribución económica. Con este proyecto también se pretende lograr una mayor transparencia en la asignación de los recursos.

■ Se ha asignado un fondo de 6.5 millones de pesos anuales para este proyecto, entre 1999 y 2003.

■ La provisión de servicios ambientales en la Ciudad de México es muy baja. Esto se debe a que los costos de proveer este tipo de servicios son privados, en tanto que los beneficios son públicos. A este tipo de bienes se les conoce como "bienes públicos". Sus dos características principales son la no exclusión y la ausencia de rivalidad en el consumo.

■ Una mejor calidad ambiental genera externalidades positivas que incrementan el bienestar social.

■ La cantidad ofrecida de este tipo de bienes públicos es insuficiente (subóptima), ya que los individuos no consideran en su decisión el efecto positivo de un ambiente de mejor calidad en el resto de los habitantes. Por tanto, el beneficio social de un mejor medio ambiente no es igual al beneficio privado.

■ Los beneficios sociales relacionados con este tipo de bienes justifican la intervención del gobierno en la provisión de bienes públicos.

■ Una posible solución para incrementar la oferta del bien consiste en otorgar un subsidio a la provisión del bien. El subsidio intenta compensar a quienes plantan árboles, ya que los árboles constituyen un bien público. El subsidio que se propone en el artículo, reduce el costo privado por unidad, lo cual permite incrementar la oferta del bien. La compensación recibida hará que la cantidad de árboles plantados sea mayor que en ausencia del incentivo.

■ El subsidio reduce los costos de reforestación. El subsidio consiste en una transferencia de 1 peso anual por cada año, a partir del primero de supervivencia de un árbol.

■ Para mantener el valor real del subsidio, será necesario ajustar su monto de acuerdo con el aumento en el nivel general de precios.

### Análisis gráfico

■ Figura 1. Supongamos que el beneficio marginal privado y el beneficio marginal social de la oferta de árboles están dados por $BM$ y $BMS$, respectivamente. La decisión individual lleva a producir $Qa_0$, en tanto que el óptimo sería $Qa_1$. Este nivel óptimo se puede inducir mediante la aplicación del subsidio, de manera que la curva de oferta de árboles pase de $CM$ a $[CM\ \text{subsidio}]$. El subsidio ocasiona que el costo marginal se reduzca. Gráficamente esto implica un desplazamiento a la derecha de la curva de oferta, incrementándose así la cantidad óptima de árboles sembrados.

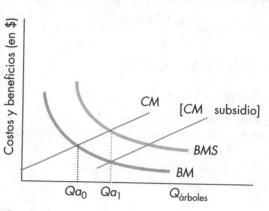

**Figura 1**

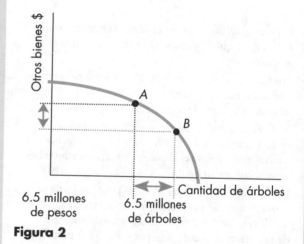

**Figura 2**

■ Figura 2. La provisión de bienes ambientales (en este caso la reforestación), tiene un costo de oportunidad que se puede determinar a través de los otros bienes que se dejaron de producir en la economía. El movimiento de A a B representa 6.5 millones de pesos en términos de otros bienes que se podrían haber producido. Es importante mencionar que un mejor medio ambiente podría aumentar la productividad y tener un costo de oportunidad neto menor, pero ese efecto no se considera en la frontera de posibilidades de producción de la figura 2.

# RESUMEN

## CONCEPTOS CLAVE

### La teoría económica del gobierno (págs. 400-401)

- El gobierno existe para proporcionar bienes públicos, regular los monopolios, hacer frente a las externalidades y reducir la desigualdad económica.
- La teoría de la elección pública explica cómo interactúan los votantes, los políticos y los burócratas en un mercado político.

### Bienes públicos y el problema del parásito (págs. 402-407)

- Un bien público es un bien o servicio que consumen todos, en el que hay *ausencia de rivalidad* y que es *no excluible*.
- Los bienes públicos dan lugar al problema del *parásito*, ya que nadie tiene un incentivo para pagar su parte del costo de proporcionar el bien público.
- El nivel eficiente de provisión de un bien público es aquel en el que se maximiza el beneficio neto. En forma equivalente, es el nivel al cual el beneficio marginal es igual al costo marginal.
- La competencia entre los partidos políticos, cada uno de ellos intentando atraer al máximo número de votantes, puede conducir a que se alcance la escala eficiente de provisión de bienes públicos y a que dos partidos propongan las mismas políticas (esto último se conoce como el principio de la diferenciación mínima).
- La burocracia intenta maximizar su presupuesto. Si los votantes son racionalmente ignorantes, los intereses de los productores pueden inducir a situaciones en las que se proveen bienes públicos en cantidades que exceden a las que maximizan el beneficio neto.

### Impuestos (págs. 408-417)

- El ingreso del gobierno proviene del impuesto sobre la renta, el impuesto para el seguro social, los impuestos sobre las ventas, los impuestos a propiedades, el impuesto al valor agregado, los impuestos al consumo y los impuestos al comercio internacional.
- Los impuestos sobre la renta disminuyen el nivel del empleo y crean una pérdida irrecuperable.
- Los impuestos pueden ser progresivos (la tasa impositiva promedio se eleva con el ingreso), proporcionales (la tasa impositiva promedio es constante) o regresivos (la tasa impositiva promedio disminuye con el ingreso).

- El impuesto sobre la renta es progresivo porque este dispositivo actúa en beneficio del votante mediano.
- Los impuestos para el seguro social los pagan el patrón y el empleado (y los impuestos sobre la venta los pagan el comprador y el vendedor), en cantidades que dependen de las elasticidades de la oferta y la demanda.
- Los impuestos a las propiedades cambian tanto la demanda como la oferta de propiedades y pueden dar como resultado comunidades con altos impuestos y servicios de alta calidad, y comunidades con bajos impuestos y servicios de baja calidad.
- Los impuestos a las ventas y al valor agregado son regresivos ya que sólo operan sobre el ingreso gastado.
- Tasas impositivas altas sobre el consumo de mercancías con baja elasticidad de la demanda (por ejemplo, la gasolina) crean una pérdida irrecuperable menor de lo que sucedería con impuestos sobre mercancías con demandas más elásticas (por ejemplo, el jugo de naranja).

## FIGURAS CLAVE

## TÉRMINOS CLAVE

# PROBLEMS

*1. Una ciudad de un millón de habitantes planea instalar un sistema de eliminación de aguas negras. Se le proporciona la siguiente información:

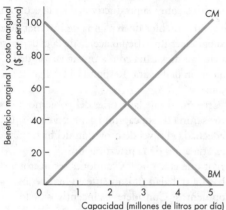

a. ¿Cuál es la capacidad que logra el beneficio neto máximo?

b. ¿Cuánto tendrá que pagar cada persona en impuestos para pagar el nivel de capacidad eficiente?

c. ¿Cuál es el equilibrio político si los votantes están bien informados?

d. ¿Cuál es el equilibrio político si los votantes son racionalmente ignorantes y los burócratas logran el presupuesto más alto posible?

2. Se le proporciona la siguiente información sobre un programa para el control de mosquitos:

| Cantidad (kilómetros cuadrados rociados por día) | Costo marginal ($ por día) | Beneficio marginal ($ por día) |
|---|---|---|
| 0 | 0 | 0 |
| 1 | 1,000 | 5,000 |
| 2 | 2,000 | 4,000 |
| 3 | 3,000 | 3,000 |
| 4 | 4,000 | 2,000 |
| 5 | 5,000 | 1,000 |

a. ¿Cuál es la cantidad de insecticida que se debe rociar para lograr el beneficio neto máximo?

b. ¿Cuál es el ingreso fiscal total que se necesita para pagar la cantidad eficiente de rociado de insecticida?

c. ¿Cuál es el equilibrio político si los votantes están bien informados?

d. ¿Cuál es el equilibrio político si los votantes son racionalmente ignorantes y los burócratas obtienen el presupuesto más alto posible?

*3. Una economía tiene dos grupos de personas, A y B. La población consiste de un 80% de los tipos A y un 20% de los tipos B. Los tipos A tienen una oferta de trabajo perfectamente elástica, a una tasa salarial de $10 por hora. Los tipos B tienen una oferta de trabajo perfectamente inelástica y su salario de equilibrio es de $100 por hora.

a. ¿Qué tipo de arreglos fiscales cree usted que adoptará esta economía?

b. Analice el mercado de trabajo en esta economía y explique lo que ocurrirá a las tasas salariales y a los niveles de empleo de cada uno de los dos grupos, cuando se establezcan los impuestos que predice en su respuesta a la sección (a).

4. Suponga que en la economía que se describe en el problema 3, la proporción de los tipos A es de 20% y la de los tipos B es de 80%. Todo lo demás permanece igual.

a. Ahora ¿qué clase de dispositivos fiscales cree usted que adoptará la economía?

b. Analice el mercado de trabajo en esta economía y explique qué ocurrirá a las tasas salariales y a los niveles de empleo de cada uno de los grupos, cuando se pongan en práctica los impuestos que predice en su respuesta a la sección (a).

c. Compare la economía en el problema 3 con la economía en este problema. ¿Qué economía se parece más a la de su país?

*5. Una economía tiene un mercado de trabajo competitivo, que se describe mediante el siguiente programa de demanda y oferta:

| Tasa salarial ($ por hora) | Cantidad demandada (horas por semana) | Cantidad ofrecida (horas por semana) |
|---|---|---|
| 20 | 0 | 50 |
| 16 | 15 | 40 |
| 12 | 30 | 30 |
| 8 | 45 | 20 |
| 4 | 60 | 10 |
| 0 | 75 | 0 |

a. Encuentre la tasa salarial de equilibrio y las horas de trabajo realizado.

b. Si se aplica a los patrones un impuesto para el seguro social de $4 por hora:
  i) ¿Cuál es la nueva tasa salarial?
  ii) ¿Cuál es el nuevo número de horas trabajadas?
  iii) ¿Cuál es la tasa salarial después de impuestos?
  iv) ¿Cuál es el ingreso fiscal?
  v) ¿Cuál es la magnitud de la pérdida irrecuperable?

6. En la economía que se describe en el problema 5, suponga que se elimina el impuesto para el seguro social a los patrones y que se establece un nuevo impuesto para el seguro social de $4 a los empleados.

a. ¿Cuál es la nueva tasa salarial?

b. ¿Cuál es el nuevo número de horas trabajadas?

c. ¿Cuál es la tasa salarial después de impuestos?

d. ¿Cuál es el ingreso fiscal?

e. ¿Cuál es la magnitud de la pérdida irrecuperable?

f. Compare la situación en el problema 5 con la de este problema, y explique las similitudes y diferencias en las dos situaciones.

*7. En un mercado competitivo para galletas se tiene el siguiente programa de oferta y demanda:

| Precio ($ por kilogramos) | Cantidad demandada (kilogramos por mes) | Cantidad ofrecida (kilogramos por mes) |
|---|---|---|
| 10 | 0 | 28 |
| 8 | 4 | 24 |
| 6 | 8 | 20 |
| 4 | 12 | 16 |
| 2 | 16 | 12 |

a. Determine el precio de equilibrio y la cantidad de equilibrio.

b. Si las galletas se gravan con un impuesto de $2 por kilo:

i) ¿Cuál es el nuevo precio de las galletas?

ii) ¿Cuál es la nueva cantidad comprada?

iii) ¿Cuál es el ingreso fiscal?

iv) ¿Cuál es la magnitud de la pérdida irrecuperable?

8. En el mercado competitivo para galletas del problema 7, el gobierno quiere cambiar el impuesto por uno que le proporcione la mayor cantidad de ingresos posible.

a. ¿Cuál es esa tasa de impuestos?

b. ¿Cuál es el nuevo precio de las galletas?

c. ¿Cuál es la nueva cantidad comprada?

d. ¿Cuál es el ingreso fiscal?

e. ¿Cuál es la pérdida irrecuperable?

## PENSAMIENTO CRÍTICO

1. Después de leer la *Lectura entre líneas* de las páginas 418-419, responda a las siguientes preguntas:

a. ¿Cómo cree usted que se podría mejorar el incentivo propuesto en el artículo?

b. ¿Qué otros instrumentos económicos podrían utilizarse para solucionar el problema de la escasa provisión de bienes y servicios públicos?

c. ¿Qué efecto espera que tengan sus respuestas a las preguntas anteriores sobre la oferta total de árboles? ¿Cómo difiere esto del esquema propuesto en el artículo?

d. ¿Cómo cambiaría la figura 2 si se considera que un medio ambiente con más árboles tiene un efecto positivo sobre la productividad en la economía?

2. Utilice los vínculos de la página de Internet de este libro para leer un artículo acerca de la experiencia de una ciudad mexicana con la privatización de la recolección de basura. Responda a las siguientes preguntas:

a. ¿Cree usted que las teorías del gobierno que se revisaron en este capítulo explican en forma adecuada el nivel de provisión del bien público que existía antes de la privatización?

b. ¿Por qué cree que los camiones recolectores de basura trabajan únicamente en los barrios opulentos? Considere los incentivos de los trabajadores.

c. ¿Por qué cree que en este caso la provisión privada de un bien público parece haber alcanzado un nivel de eficiencia?

d. ¿Cuáles son los problemas asociados al servicio privado de recolección de basura que se estableció en la ciudad?

e. ¿Considera usted que otorgar un monopolio a una empresa privada resolvería los problemas que menciona en su respuesta anterior?

f. ¿Qué factor cree usted que explicaría lo que ocurrió al monopolio privado en la ciudad de Puebla?

3. Suponga que un gobierno local estima que la instalación de computadoras para controlar las señales de tránsito puede mejorar la velocidad del flujo de vehículos. Cuanto más grande sea la computadora que compre el gobierno local, mejor será el trabajo que pueda realizar. Los funcionarios que están trabajando en la propuesta, quieren determinar la escala del sistema que les dará más votos. Los burócratas de la ciudad quieren maximizar su presupuesto. Suponga que usted es un economista que analiza esta elección pública. Su trabajo es calcular la cantidad de este bien público que utilice con eficiencia los recursos.

a. ¿Qué información necesitaría para llegar a sus propias conclusiones?

b. ¿Qué predice la teoría de la elección pública sobre la cantidad elegida?

c. ¿Cómo podría usted, como un votante informado, intentar influir sobre la elección?

d. ¿Qué predice la teoría del interés público sobre la cantidad elegida?

# 19

# Regulación y legislación antimonopolio

Cuando una persona consume agua o servicios telefónicos locales, por lo general está comprando a un monopolio regulado. ¿Por qué están reguladas las industrias que producen estos artículos? ¿Cómo se regulan? ¿Favorecen las regulaciones al interés público (los intereses de todos los consumidores y productores) o a intereses especiales (los intereses de grupos de consumidores y productores en particular)? ◆ La TV por cable en Estados Unidos ha estado en una especie de montaña rusa reguladora. Por otra parte, varios países de América Latina han pasado recientemente de una situación con una regulación excesiva, a una situación con desregulación, a una nueva etapa en la que la regulación económica desempeña un papel importante en la regulación de algunos monopolios naturales. Este último fenómeno ha estado asociado con el proceso de privatización que también ha caracterizado a los países de la región. ¿Por qué se dan estos cambios en el marco regulatorio de una economía? ◆ En el pasado, varias empresas grandes han intentado fusionarse con otras. En algunas ocasiones, los gobiernos de distintos países han impedido estas fusiones con base en la aplicación de sus legislaciones antimonopolio. La aplicación de estas leyes también ha llevado a que algunos gobiernos castiguen a empresas por fijación ilegal de precios o por realizar otro tipo de actividades que afectan la competencia económica. Un ejemplo de ello ocurrió cuando el gobierno de Estados Unidos utilizó estas leyes para dividir a la empresa AT&T (American Telephone and Telegraph Company) en varias empresas más pequeñas. Esta acción introdujo la competencia en el mercado del servicio telefónico de larga distancia en Estados Unidos y permitió que empresas que antes luchaban por sobrevivir, como MCI y Sprint, se expandieran y florecieran. Estas mismas leyes han determinado recientemente que Microsoft actúo en forma anticompetitiva en los mercados para sistemas operativos de computadoras y de navegadores de Internet. ¿Qué son las leyes antimonopolio? ¿Cómo han evolucionado con el transcurso de los años? ¿Cómo se usan en la actualidad? ¿Benefician al interés público o a los intereses especiales de los productores?

## ¿Interés público o intereses especiales?

◆ En este capítulo se estudia la regulación gubernamental. Se utilizan los conocimientos adquiridos sobre la forma en la que operan los mercados y los conceptos del excedente del consumidor y del productor. Se muestra de qué manera se distribuyen las ganancias del comercio entre consumidores y productores en el mercado político, y se identifica quién gana y quién pierde por la regulación gubernamental.

## Después de estudiar este capítulo, usted será capaz de:

- Definir la regulación y la legislación antimonopolio

- Distinguir entre las teorías de la regulación basadas en el interés público y en la cooptación

- Explicar cómo afecta la regulación a los precios, la producción, los beneficios y la distribución entre consumidores y productores de las ganancias provenientes del comercio

- Explicar cómo se ha aplicado la legislación antimonopolio en varios casos que han sentado precedentes

- Explicar cómo se utiliza en la actualidad la legislación antimonopolio en un país desarrollado como Estados Unidos y en un país menos desarrollado como México

# Intervención en el mercado

EL GOBIERNO INTERVIENE EN LOS MERCADOS MONOPO-
lísticos y oligopolísticos para influir sobre los precios, las
cantidades producidas y la distribución de las ganancias provenientes de la actividad económica. El gobierno interviene
en dos formas principales:

■ Regulación

■ Leyes antimonopolio

## Regulación

La **regulación** consiste en reglas administradas por un
organismo gubernamental, que tienen por objetivo influir
sobre la actividad económica a través de la determinación de
precios, normas, tipos de productos y las condiciones bajo las
cuales pueden entrar nuevas empresas a una industria. Para
poner en práctica estas medidas, los gobiernos establecen organismos que supervisan y que se aseguran del cumplimiento
de las regulaciones. La primera agencia reguladora que se creó
en Estados Unidos fue la Comisión de Comercio Interestatal
(ICC, por sus siglas en inglés), la cual se estableció en 1887.
Con el transcurso de los años, la regulación de la economía
estadounidense creció hasta llegar a su punto máximo en
1970. En ese año, casi una cuarta parte de la producción estadounidense se llevaba a cabo en industrias reguladas. La regulación se aplicaba a la banca y los servicios financieros, las
telecomunicaciones, la provisión de gas y electricidad, los ferrocarriles, el transporte de carga, las aerolíneas y los autobuses, muchos productos agrícolas e inclusive los cortes de cabello y la elaboración de trenzas. Desde fines de la década de
1970, ha habido una tendencia a eliminar las regulaciones en
la economía de Estados Unidos. En muchos países de América Latina, que tenían una regulación económica excesiva, se
presentó una tendencia similar a partir de mediados de la década de 1980. A este proceso de eliminación de las regulaciones se le conoce como "desregulación de la economía".

La *desregulación* es el proceso de eliminar restricciones a
los precios, normas, tipos de productos y condiciones a la
entrada. En los años recientes, la desregulación en Estados
Unidos se ha dado en áreas como el transporte aéreo nacional, el servicio telefónico, el transporte interestatal por
camiones y los servicios de banca y financieros. En 1984 se
desreguló la TV por cable, se reguló de nuevo en 1992 y
se desreguló otra vez en 1996. En algunos países de América
Latina, la desregulación económica se ha dado en muchos
sectores de la economía cuyo comportamiento se asemeja al
de una industria competitiva. Otros sectores, como son la
provisión de servicios públicos y los servicios telefónicos, se
han regulado más estrictamente como medida complemen-
taria a los procesos de privatización que se han dado en toda
la región.

## Leyes antimonopolio

Una **ley antimonopolio** es una ley que regula y prohíbe
ciertas clases de comportamiento en el mercado, por ejemplo: la fijación ilegal de precios y las prácticas monopolísticas. Usualmente, el Congreso es quien aprueba las leyes
antimonopolio, y el sistema judicial es el encargado de
hacerlas cumplir. Por lo general, tanto los organismos del
gobierno como las partes afectadas pueden presentar las
demandas antimonopolio.

El objetivo principal de las leyes antimonopolio es la
prohibición de las prácticas de monopolio que pretenden
restringir la producción y obtener precios y beneficios más
altos. La primera ley antimonopolio en Estados Unidos fue
la Ley Sherman, la cual fue aprobada en 1890. Leyes y enmiendas posteriores han fortalecido y mejorado el grupo de
leyes antimonopolio. La ley antimonopolio (al igual que
todas las leyes) depende tanto de las decisiones de los tribunales y de la Suprema Corte como de los reglamentos
aprobados por el Congreso. Durante los 100 años trans-
curridos desde la aprobación de la Ley Sherman, se han producido algunos cambios interesantes en la interpretación de
la ley por parte de los tribunales y en qué tan enérgicamente
se ha hecho cumplir la ley. Más adelante en este capítulo se
estudiarán algunos de estos aspectos.

Recientemente, varios países de América Latina han
creado instituciones cuyo objetivo consiste en aplicar legislaciones antimonopolio y fomentar la competencia económica. Más adelante, veremos un ejemplo reciente de esta
tendencia en la región.

Para comprender por qué el gobierno interviene en los
mercados de bienes y servicios y para determinar los efectos
de sus intervenciones, es necesario identificar las ganancias y
las pérdidas que pueden crear las acciones del gobierno. Estas ganancias y pérdidas son los excedentes del consumidor
y del productor relacionados con diferentes precios y niveles
de producción. Primero se estudiará la economía de la regulación.

# Teoría económica de la regulación

LA TEORÍA ECONÓMICA DE LA REGULACIÓN FORMA
parte de la teoría de la elección pública que se explicó en el
capítulo 18. En este capítulo se aplica la teoría de la elección
pública al problema de la regulación.

Se examinará la demanda de intervenciones del gobierno, la oferta de este tipo de acciones y el equilibrio político que surge.

## Demanda de regulación

Usualmente, las personas y las empresas demandan regulaciones que las coloquen en una situación más favorable. Los agentes económicos expresan esta demanda a través de la actividad política; es decir, a través de la votación, el cabildeo y las contribuciones a las campañas políticas. Pero participar en la actividad política es costoso, de manera que las personas sólo demandarán una acción política si el beneficio que reciban individualmente de esa acción excede a los costos individuales en los que incurren durante su participación. Los cuatro factores principales que afectan la demanda de regulación son los siguientes:

1. Excedente del consumidor por comprador
2. Número de compradores
3. Excedente del productor por empresa
4. Número de empresas

Cuanto mayor sea el excedente del consumidor por comprador que resulte de la regulación, mayor será la demanda por regulación por parte de los compradores. En igual forma, a medida que aumenta el número de compradores, también lo hace la demanda de regulación. Pero un grupo más grande no necesariamente se convierte por sí solo en una fuerza política eficaz. Cuanto mayor sea el número de compradores, mayor será el costo de organizarlos, por lo que la demanda de regulación no aumenta en forma proporcional al número de compradores.

Cuanto mayor sea el excedente del productor por empresa que se genere como resultado de una regulación en particular, mayor será la demanda de las empresas por esa regulación. Asimismo, a medida que aumenta el número de empresas que podrían beneficiarse de alguna regulación, también lo hace la demanda de esa regulación. Al igual que antes, un grupo más numeroso no necesariamente significa que se trate de una fuerza política eficaz. Esto se debe a que cuanto mayor sea el número de empresas, mayor será el costo de organizarlas.

Para un determinado excedente del consumidor o del productor, cuanto menor sea el número de hogares o empresas que lo comparten, mayor será la demanda de la regulación que genera dicho excedente.

## Oferta de regulación

Los políticos y los burócratas ofrecen regulación. Según la teoría de la elección pública, los políticos eligen políticas que resulten atractivas para una mayoría de votantes, lo que les permite lograr y mantener su puesto. Por su parte, los burócratas respaldan las políticas que maximizan sus presupuestos (véase el capítulo 18, pág. 398). Al conocer estos objetivos de los políticos y los burócratas, la oferta de regulación depende de los siguientes tres factores:

1. El excedente del consumidor por comprador
2. El excedente del productor por empresa
3. El número de votantes beneficiados

Cuanto mayores sean el excedente del consumidor por comprador, el excedente del productor por empresa, o el número de personas afectadas por una regulación, mayor será la tendencia de los políticos a ofrecer esa regulación. Si la regulación beneficia a un gran número de personas en una forma tal que sus resultados sean percibidos, y si es posible que quienes reciben los beneficios conozcan la fuente de los mismos, esa regulación resulta atractiva para los políticos y ellos están dispuestos a ofrecerla. Si la regulación beneficia a un número *pequeño* de personas en una gran cantidad por persona, esa regulación también resulta atractiva para los políticos, siempre y cuando los costos se distribuyan ampliamente y pasen desapercibidos para la mayoría de las personas. Si la regulación beneficia a un gran número de personas, pero en una cantidad demasiado pequeña por persona como para ser observada, esa regulación no es atractiva para los políticos y no la ofrecen.

## Equilibrio político

En equilibrio, la regulación existente es tal que a ningún grupo de interés le conviene utilizar recursos adicionales para promover cambios, y a ningún grupo político le conviene ofrecer regulaciones diferentes. Estar en un equilibrio político no significa que todos estén de acuerdo. Los grupos de cabildeo dedicarán recursos para intentar cambiar las regulaciones existentes. Otros dedicarán recursos a mantener las regulaciones existentes. Pero a nadie le convendrá *aumentar* los recursos que se están dedicando a esas actividades. De igual manera, los partidos políticos quizá no estén de acuerdo entre sí. Algunos respaldan las regulaciones existentes y otros proponen regulaciones diferentes. En equilibrio, nadie quiere cambiar las propuestas que están haciendo.

¿Cuál será la apariencia de un equilibrio político? La respuesta depende de si la regulación beneficia al interés público o al interés del productor. Observemos estas dos posibilidades.

**Teoría del interés público** La **teoría del interés público** considera que las regulaciones se ofrecen con el objeto de satisfacer la demanda de los consumidores y de maximizar el excedente total de los productores; es decir, para lograr la eficiencia en la asignación de los recursos. La teoría del interés público implica que el proceso político busca eliminar las pérdidas irrecuperables de eficiencia y que para ello introduce regulaciones que permiten alcanzar este objetivo. Por ejemplo, ahí donde existan prácticas de monopolio, el proceso político introducirá regulaciones a los precios para asegurar que aumente la producción y bajen los precios hasta sus niveles competitivos.

**Teoría de la cooptación**    La **teoría de la cooptación** considera que las regulaciones se ofrecen para satisfacer la demanda de los productores por maximizar su excedente; es decir, para maximizar su beneficio económico. La idea fundamental de la teoría de la cooptación es que el costo de la regulación es alto y que el proceso político sólo ofrece aquellas regulaciones que logran aumentar el excedente de grupos pequeños, que son fácilmente identificables y tienen bajos costos de organización. Esas regulaciones se ofrecen incluso si imponen costos a otros, siempre y cuando la distribución de los costos sea lo suficientemente amplia y dispersa como para no disminuir el número de votos.

Las predicciones de la teoría de la cooptación son menos definidas que las de la teoría del interés público. La teoría de la cooptación predice que las regulaciones proporcionan beneficios grandes y visibles a grupos de interés cohesionados e imponen costos pequeños a todos los demás. También se predice que esos costos por persona son tan pequeños que a nadie le conviene incurrir en el costo de organizar un grupo de interés para evitarlos.

Independientemente de cuál de las dos versiones de la regulación es la correcta, la teoría de la elección pública sugiere que el sistema político produce la cantidad y el tipo de regulación que incrementa las posibilidades de éxito electoral de los políticos. Debido a que las regulaciones orientadas hacia el productor y hacia el consumidor se oponen entre sí, el proceso político no puede satisfacer a ambos grupos en cualquier industria en particular. Sólo un grupo puede ganar. Esto hace que las acciones reguladoras del gobierno se parezcan un poco a un producto único, algo similar a una pintura de Da Vinci. Sólo hay un original y se venderá a un sólo comprador. Normalmente, un bien único se vende en subasta y el licitador más alto se lleva el premio. El equilibrio en el proceso de regulación es similar: los proveedores satisfacen las demandas del licitador más alto. Si la demanda de los productores ya ofrece un mayor rendimiento a los políticos, sea en forma directa mediante votos, o en forma indirecta mediante contribuciones a las campañas, entonces se satisfarán los intereses de los productores. Si la demanda de los consumidores se convierte en un mayor número de votos, entonces la regulación satisfará los intereses de los consumidores.

Hemos terminado el estudio de la *teoría* de la regulación en el mercado. Ahora centraremos la atención en las regulaciones que existen en la actualidad en nuestra economía. ¿Qué teoría de la regulación explica mejor estas regulaciones del mundo real? ¿Qué regulaciones benefician el interés público y cuáles benefician el interés de los productores?

## Regulación y desregulación

EN LOS ÚLTIMOS 20 AÑOS SE HAN VISTO CAMBIOS DRÁSTICOS en la forma en la que los gobiernos de varios países regulan sus economías. A continuación se examinan algunos de los cambios que han ocurrido recientemente en Estados Unidos. Para comenzar, se observará lo que está regulado y cuál es el alcance de la regulación. Después se verá el proceso de regulación y se examinará la forma en la que los reguladores controlan los precios y otros aspectos del comportamiento del mercado. Por último, se presentarán las preguntas más difíciles y controvertidas: ¿por qué se regulan algunas cosas y otras no? ¿Quién se beneficia de las regulaciones existentes en Estados Unidos, los consumidores o los productores?

### El alcance de la regulación

La primera agencia reguladora federal en Estados Unidos, la Comisión de Comercio Interestatal (ICC, por sus siglas en inglés), se estableció en 1887 para controlar los precios, las rutas y la calidad del servicio de los ferrocarriles interestatales. Más tarde, las medidas regulatorias de esta agencia abarcaron las líneas de transporte de carga, los autobuses, el transporte fluvial y, en años más recientes, los oleoductos.

Después de la creación de la ICC, la regulación federal permaneció estática hasta los años de la Gran depresión. En la década de 1930, se establecieron más agencias en Estados Unidos: la Comisión Federal de Energía, la Comisión Federal de Comunicaciones, la Comisión de Valores, la Comisión Federal Marítima, la Corporación Federal del Seguro de Depósitos y, en 1938, la Agencia Civil Aeronáutica, la cual fue reemplazada en 1940 por el Consejo Aeronáutico Civil. Hubo un período adicional de calma hasta que durante la década de 1970 se establecieron el Tribunal de las Regalías por Derechos de Autor y la Comisión Federal Reguladora de Energía. Además de éstas, existen muchas comisiones reguladoras estatales y municipales.

A mediados de la década de 1970, casi una cuarta parte de la economía estaba sujeta a algún tipo de regulación. Las industrias fuertemente reguladas, aquellas que estaban sujetas tanto a la regulación en los precios como a la regulación de la entrada de nuevas empresas, fueron la electricidad, el gas natural, los teléfonos, las aerolíneas, los servicios de carga por carretera y los ferrocarriles.

Durante las décadas de 1980 y 1990, un proceso de desregulación estimuló la competencia en la transmisión por radio, las telecomunicaciones, la banca y las finanzas, y en todo tipo de transporte (aéreo, por ferrocarril y por carretera, de pasajeros y de carga).

En América Latina, la regulación de la economía ha seguido un patrón ligeramente diferente. Hasta mediados de la década de 1980, la mayor parte de estas economías tenía una regulación excesiva. Sin embargo, no se aplicaba casi ninguna regulación a sectores que pudieran considerarse como monopolios naturales, sino que tendían a aplicarse a industrias que podrían considerarse como competitivas. Los sectores que podrían considerarse como monopolios naturales, como las telecomunicaciones y la provisión de servicios de agua y electricidad, por lo general estaban bajo el control directo del gobierno y no necesitaban un marco regulatorio específico.

A mediados de la década de 1980, se inició un amplio proceso de desregulación y privatización de la economía en varios países de América Latina. Como parte de este proceso, las industrias competitivas fueron desreguladas. Sin embargo, la privatización de sectores que antes estaban bajo el control directo del gobierno condujo a la necesidad de crear un marco regulatorio apropiado para las industrias que podrían funcionar como monopolios naturales. Así, en muchos países de América Latina, se han creado recientemente organismos o agencias que supervisan el comportamiento de estos sectores. Las nuevas agencias reguladoras de energía o de telefonía local y de larga distancia se han sumado a las agencias reguladoras tradicionales en América Latina (por ejemplo, las que se encargan de supervisar al sector financiero y de valores).

¿Qué hacen exactamente las agencias reguladoras? ¿Cómo regulan?

## El proceso regulatorio

Las agencias reguladoras varían en tamaño, alcance y en aspectos específicos de la vida económica que controlan. A pesar de ello, todos estos organismos tienen características comunes.

Primero, los principales tomadores de decisiones en una agencia reguladora, los burócratas, son nombrados por la Administración, por el Congreso, o por los gobiernos estatales y municipales. Además, las agencias por lo general tienen una burocracia permanente integrada por expertos en la industria, la cual está siendo regulada, y usualmente cuentan con recursos financieros aprobados por el Congreso para cubrir los costos de sus operaciones.

Segundo, cada agencia adopta un grupo de prácticas o reglas de operación para controlar los precios y otros aspectos del desempeño económico. Estas reglas y prácticas se basan en procedimientos contables físicos y financieros bien definidos, pero que en la práctica son extremadamente complicados y difíciles de administrar.

Por lo general, en una industria regulada, las empresas individuales están en libertad de determinar la tecnología que usarán en la producción, pero no están en libertad de determinar los precios a los que venderán su producción, las cantidades que venderán, o los mercados que atenderán. Por lo general, el organismo regulador otorga la certificación a una compañía para atender un mercado en particular y con una línea de productos en particular, al determinar el nivel y la estructura de precios que cobrará. En algunos casos, el organismo también determina la cantidad que pueden producir las empresas.

Para analizar la forma en la que opera la regulación, es conveniente distinguir entre la regulación del monopolio natural y la regulación de los cárteles. Comencemos con la regulación del monopolio natural.

## Monopolio natural

En el capítulo 13 (pág. 262) se definió el *monopolio natural* como una industria en la que una empresa puede abastecer a todo el mercado a un costo inferior al que pueden hacerlo dos o más empresas. Entre los ejemplos de monopolios naturales se incluyen la distribución local de las señales de televisión por cable, la electricidad y el gas, y los servicios del ferrocarril subterráneo en las ciudades. En este tipo de actividades, la mayor parte de los costos son fijos, y cuanto mayor sea la producción, menor será el costo promedio. Es mucho más caro tener dos o más redes de cables, tuberías y líneas de trenes subterráneos que den servicio a cada comunidad, que tener una sola red. (Si una industria es o no un monopolio natural, es algo que cambia con el tiempo a medida que cambia la tecnología.) Con la introducción de los cables de fibra óptica, las compañías telefónicas y las compañías de televisión por cable pueden competir entre sí en ambos mercados, y lo que antes era un monopolio natural, gradualmente se convierte en una industria más competitiva. La TV directa por satélite también está comenzando a romper el monopolio de la TV por cable).

Observemos el ejemplo de la TV por cable que se presenta en la figura 19.1. La curva de demanda de TV por cable es *D*. La curva del costo marginal de la compañía de TV por cable es *CM*. Esta curva del costo marginal (se supone que) es horizontal a $10 por hogar por mes; es decir, el

costo de proporcionar a cada hogar adicional un mes de programación por cable es $10. La compañía de cable tiene una fuerte inversión en discos receptores de satélites, cables y equipos de control. Por tanto, la empresa tiene costos fijos muy altos. Estos costos fijos son parte de la curva del costo promedio total de la compañía, que se muestra como *CP*. La curva del costo promedio tiene pendiente descendente porque a medida que aumenta el número de hogares a los que se les da servicio, el costo fijo se distribuye entre un número mayor de hogares. (Para recordar sobre la curva del costo promedio total, repase rápidamente el capítulo 11, pág. 224.)

**Regulación para el interés público**   ¿Cómo se regulará la TV por cable de acuerdo con la teoría del interés público? En la teoría del interés público, la regulación maximiza el excedente total, lo que ocurre si el costo marginal es igual al precio. Como se puede observar en la figura 19.1, ese resultado se produce si se regula el precio en $10 por hogar por mes y si se da servicio a ocho millones de hogares. A este tipo de regulación se le conoce como la regla de fijación de precios por el costo marginal. La **regla de fijación del precio por el costo marginal** establece el precio igual al costo marginal, con lo que se maximiza el excedente total en la industria regulada.

Un monopolio natural que está regulado para establecer el precio igual al costo marginal, incurre necesariamente en una pérdida económica. Debido a que su curva del costo promedio baja el costo marginal es inferior al costo promedio. Además, debido a que el precio es igual al costo marginal, el precio se encuentra por debajo del costo promedio. La diferencia entre el costo promedio y el precio unitario es la pérdida por unidad producida. Es obvio que si a una compañía de TV por cable se le exige utilizar la regla de fijación del precio por el costo marginal, esta empresa no permanecerá operando por mucho tiempo. ¿Cómo puede una empresa cubrir sus costos y al mismo tiempo obedecer la regla de fijación de precios por el costo marginal?

Una posibilidad es la discriminación de precios (véase el capítulo 13, págs. 271-274). Otra posibilidad es utilizar un precio en dos partes (conocido como una *tarifa de dos partes*). Por ejemplo, las compañías telefónicas locales pueden cobrar a los consumidores una tarifa mensual por estar conectados al sistema telefónico y después cobrar un precio igual al costo marginal por cada llamada local. Un operador de TV por cable puede cobrar un honorario de conexión por una sola vez que abarque su costo fijo y después cobrar una tarifa mensual igual a su costo marginal.

Si un monopolio natural no puede cubrir sus costos totales a partir de sus clientes, y si el gobierno quiere que siga una regla de fijación de precios por el costo marginal, entonces el gobierno tiene que otorgar un subsidio a la empresa. En este caso, el gobierno obtiene el ingreso para el subsidio

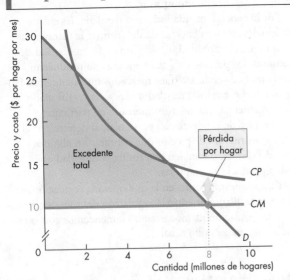

**FIGURA 19.1**

## Monopolio natural: fijación de precios por el costo marginal

Un monopolio natural es una empresa que puede abastecer a todo el mercado a un precio inferior de lo que pueden hacerlo dos o más empresas. Un operador de TV por cable se enfrenta a la curva de demanda *D*. El costo marginal de la empresa es constante en $10 por hogar por mes, tal como se muestra con la curva denominada *CM*. Los costos fijos son grandes y la curva del costo total promedio, que incluye el costo fijo promedio, se muestra como *CP*. Una regla de fijación de precios por el costo marginal que maximiza el excedente total, establece el precio en $10 por mes, al dar servicio a ocho millones de hogares. El excedente del consumidor resultante se muestra en el área verde. La empresa incurre en una pérdida por hogar, la cual se indica por la flecha roja. Para continuar operando, la empresa tiene que usar la discriminación de precios, una tarifa en dos partes, o recibir un subsidio.

gravando alguna otra actividad. Pero como se vio en el capítulo 18, los impuestos por sí mismos ocasionan una pérdida irrecuperable de eficiencia. Por tanto, la pérdida irrecuperable, que resulta de los impuestos adicionales, tiene que restarse de la eficiencia que se obtuvo al obligar al monopolio natural a adoptar una regla de fijación de precios por el costo marginal.

Es posible que la pérdida de eficiencia sea menor si se permite al monopolio natural cobrar un precio por encima de su costo marginal, en lugar de gravar a algún otro sector de la economía para subsidiar al monopolio natural. Este dispositivo de fijación de precios se conoce como la regla de fijación de precios por el costo promedio. Una **regla de fijación de precios por el costo promedio** establece el precio igual al costo promedio total. La figura 19.2 muestra la solución por el método de fijación de precios por el

costo promedio. El operador de TV por cable cobra $15 al mes y da servicio a seis millones de hogares. Con esta regulación, se produce una pérdida irrecuperable de eficiencia, la cual se muestra mediante el triángulo gris en la figura.

**Cooptación del regulador**   ¿Qué predice la teoría de la cooptación sobre la regulación de esta industria? De acuerdo con la teoría de la cooptación, la regulación sirve a los intereses del productor. Esto significa que el regulador establece el precio igual al precio que fijaría el monopolio no regulado. Para determinar el precio que satisface este objetivo, es necesario observar la relación entre el ingreso marginal y el costo marginal. Un monopolio maximiza sus beneficios produciendo en el punto en el que el ingreso marginal se iguala al costo marginal. La curva del ingreso marginal del monopolio en la figura 19.3 es la curva *IM*. El ingreso marginal es

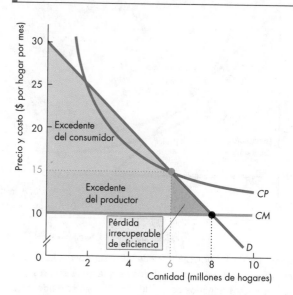

**FIGURA 19.2**

## Monopolio natural: fijación de precios por el costo promedio

La fijación de precios por el costo promedio establece el precio igual al costo promedio. El operador de TV por cable cobra $15 por mes y da servicio a seis millones de hogares. En esta situación, la empresa no obtiene ni ganancias ni pérdidas, ya que el costo promedio es igual al precio. Se produce una pérdida irrecuperable de eficiencia, la cual se muestra mediante el triángulo gris. El excedente del consumidor se reduce al área verde.

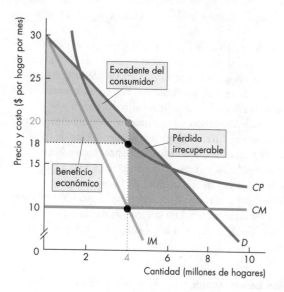

**FIGURA 19.3**

## Monopolio natural: maximización del beneficio

El operador de TV por cable desea maximizar sus beneficios. Para ello, iguala el ingreso marginal (*IM*) al costo marginal (*CM*). A un precio de $20 por mes, cuatro millones de hogares compran servicio de cable. El excedente del consumidor se reduce al triángulo verde. La pérdida irrecuperable de eficiencia aumenta hasta el triángulo gris. El monopolio obtiene el beneficio que se muestra mediante el rectángulo azul. Si el productor logra cooptar al regulador, ésta será la situación que prevalecerá.

igual al costo marginal cuando la producción es para cuatro millones de hogares. El monopolio cobra el precio de $20 al mes y obtiene la utilidad que se muestra mediante el área azul. Por tanto, una regulación que sirve al interés del productor establecerá el precio a este nivel.

Pero, ¿cómo es posible obtener una regulación que produce el resultado que maximiza los beneficios del monopolio? Para contestar a esta pregunta, es necesario observar la forma en la que las agencias determinan un precio regulado. Un método que se utiliza con cierta frecuencia es aquel que trata de regular la tasa de rendimiento.

**Regulación de la tasa de rendimiento**   El método de la **regulación de la tasa de rendimiento** determina un precio regulado, el cual se fija a un nivel que permita obtener a la empresa regulada un rendimiento porcentual, especificado de antemano, sobre su capital total. La tasa de rendimiento establecida como meta se determina con referencia a lo que es normal en las industrias competitivas. Esta tasa de rendimiento es parte del costo de oportunidad del monopolista natural y se incluye en el costo promedio de la empresa. Al examinar el costo total de la empresa, incluyendo la tasa de rendimiento normal sobre el capital, el regulador intenta determinar el precio al cual se cubre el costo promedio total. Por tanto, la regulación de la tasa de rendimiento es equivalente a la fijación del precio por el costo promedio.

En la figura 19.2, la fijación del precio por el costo promedio da como resultado un precio regulado de $15 al mes, con el cual se da servicio a seis millones de hogares. Así, la regulación de la tasa de rendimiento, basada en la evaluación correcta de la curva del costo promedio del productor, da como resultado un precio que favorece al consumidor y que no permite al productor maximizar sus beneficios de monopolio. El grupo de interés especial habrá fracasado en cooptar al regulador y el resultado se acercará más a lo que predice la teoría del interés público de la regulación.

Sin embargo, hay una característica del mundo real que el análisis anterior no toma en consideración: la capacidad del monopolio de engañar al regulador sobre sus costos verdaderos.

**Inflación de los costos**   Los gerentes de una compañía pueden inflar los costos de la empresa al gastar parte de los ingresos de ésta en insumos que no son estrictamente requeridos para la producción del bien. De esta forma, los costos aparentes de la empresa exceden a los verdaderos. Lujos tales como oficinas suntuosas, automóviles costosos, boletos gratis para eventos deportivos (disfrazados como gastos de relaciones públicas), aviones privados, lujosos viajes al extranjero y diversiones, son formas en las que los gerentes pueden inflar los costos.

Si el operador de la TV por cable infla sus costos y logra persuadir al regulador de que su curva del costo promedio real es la que aparece como *CP (inflada)* en la figura 19.4, entonces el regulador, aplicando el principio de la tasa de rendimiento normal, regulará el precio en $20 al mes. En este ejemplo, el precio y la cantidad serán los mismos que con el monopolio no regulado. Podría ser imposible para las empresas inflar sus costos tanto como la cifra que aparece en la figura. Pero en la medida en la que sea posible inflar los costos, la curva del costo promedio aparente se encontrará en algún lugar entre las curvas *CP* verdadera y *CP (inflada)*. Cuanto mayor sea la capacidad de la empresa de aumentar sus costos en esta forma, mayor será la probabilidad de que su beneficio (medido en términos económicos) se aproxime al máximo posible. Los accionistas del monopolio no reciben ningún beneficio económico adicional, porque éste se utiliza

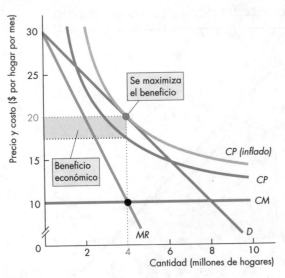

**FIGURA 19.4**

## Monopolio natural: inflación de costos

Si el operador de TV por cable puede inflar sus costos hasta *CP (inflado)* y logra convencer al regulador de que éstos son sus verdaderos costos mínimos de producción, la regulación de la tasa de rendimiento da como resultado un precio de $20 por mes. Éste es el precio que maximiza los beneficios. En la medida en que el productor pueda inflar los costos por encima del costo total promedio, el precio se elevará, la producción bajará y la pérdida irrecuperable de eficiencia aumentará. Los gerentes capturan el beneficio, no así los accionistas (propietarios) de la empresa.

en boletos para eventos deportivos, oficinas lujosas, y en las otras acciones que llevan a cabo los gerentes de la empresa para inflar los costos de la compañía.

En parte debido a las razones que se acaban de examinar, la regulación de la tasa de rendimiento está siendo reemplazada cada vez más frecuentemente por esquemas de regulación de incentivos. Un **esquema de regulación de incentivos** es un tipo de regulación que proporciona a la empresa un incentivo para operar en forma eficiente y mantener los costos controlados. En la actualidad, en varios estados de EUA se han adoptado esquemas de regulación de incentivos para las telecomunicaciones, en lugar de la regulación tradicional basada en el control de la tasa de rendimiento. Estos nuevos programas toman dos formas principales: precios tope y planes de beneficios compartidos. Con una regulación de precios tope, los reguladores establecen el precio máximo que se puede cobrar y mantienen ese tope (ajustado por la inflación) durante varios años. Si se considera que los beneficios son demasiado altos, se disminuirá el precio tope. Con la regulación de beneficios compartidos, si los beneficios se elevan por encima de un cierto nivel, éstos se tienen que compartir con los clientes de la empresa. Existe cierta evidencia de que, con estos tipos de regulaciones, las compañías telefónicas locales están intentando reducir sus costos.

En ocasiones, ocurre un cambio tecnológico que destruye un monopolio natural. Cuando esto sucede, es posible que haya un proceso de desregulación económica y que se permita la competencia económica. Un ejemplo de ello son las tecnologías que permiten a muchas empresas productoras de gas y electricidad compartir una red de distribución común.

## ¿Interés público o cooptación?

No resulta claro si la regulación existente produce precios y cantidades que correspondan en forma más estrecha a las predicciones de la teoría de la cooptación o a la teoría del interés público. Sin embargo, una cosa es clara: la regulación de precios no requiere que los monopolios naturales utilicen la regla de fijación de precios por el costo marginal. Si así fuese, la mayor parte de los monopolios naturales tendrían pérdidas y recibirían fuertes subsidios gubernamentales que les permitieran continuar operando. Pero incluso hay excepciones a esta conclusión. Por ejemplo, muchas compañías telefónicas en Estados Unidos parecen estar utilizando la fijación de precios por el costo marginal para las llamadas telefónicas locales. Estas empresas cubren su costo total cobrando una tarifa uniforme mensual por permitir la conexión a su sistema telefónico, pero después permiten que cada llamada se haga a su costo marginal (a un costo nulo o casi nulo).

Una forma de saber si la regulación del monopolio natural es para el beneficio público o para beneficio de los productores, consiste en examinar las tasas de rendimiento obtenidas por los monopolios naturales regulados. Si esas tasas de rendimiento son mucho más altas que las del resto de la economía, entonces, hasta cierto grado, el regulador podría haber sido cooptado por el productor. Si las tasas de rendimiento en las industrias de monopolio regulado son similares a las del resto de la economía, entonces no se puede decir con seguridad si el regulador ha sido cooptado o no, porque no es posible saber hasta qué grado han inflado los costos los gerentes de las empresas reguladas.

La tabla 19.1 muestra las tasas de rendimiento de algunos monopolios naturales regulados, así como la tasa de rendimiento promedio para el caso de la economía de Estados Unidos. En la década de 1960, las tasas de rendimiento de los monopolios naturales regulados se encontraban ligeramente por debajo del promedio de la economía; en la década de 1970, esos rendimientos excedieron el promedio de la economía. En general, las tasas de rendimiento logradas por los monopolios naturales regulados no fueron muy diferentes de las del resto de la economía. Con base en esta información, se puede llegar a la conclusión de que, hasta cierto grado, la regulación del monopolio natural beneficia el interés público, o bien, que los gerentes del monopolio natural inflan sus costos en cantidades lo suficientemente grandes para disfrazar el hecho de que han cooptado al regulador y que en realidad no se está beneficiando el interés público.

Una prueba final para ver si la regulación del monopolio natural es para beneficio público o para beneficio de los productores, consiste en estudiar los cambios en los excedentes del consumidor y del productor que ocurren después de una desregulación. Los microeconomistas han investigado

**TABLA 19.1**

## Tasas de rendimiento en monopolios regulados

| Industria | Años | |
|---|---|---|
| | 1962–69 | 1970–77 |
| Electricidad | 3.2 | 6.1 |
| Gas | 3.3 | 8.2 |
| Ferrocarriles | 5.1 | 7.2 |
| Promedio de estas industrias | 3.9 | 7.2 |
| Promedio de la economía | 6.6 | 5.1 |

Fuente: The Regulated Industries and the Economy, de Paul W. MacAvoy (Nueva York: W.W. Norton, 1979), págs. 49-60.

---

**TABLA 19.2**

## Ganancias por la desregulación de los monopolios naturales

| Industria | Excedente del consumidor | Excedente del producto | Total |
|---|---|---|---|
| | (miles de millones de dólares de 1990) | | |
| Ferrocarriles | 8.5 | 3.2 | 11.7 |
| Telecomunicaciones | 1.2 | 0.0 | 1.2 |
| Televisión por cable | 0.8 | 0.0 | 0.8 |
| Total | 10.5 | 3.2 | 13.7 |

*Fuente:* Clifford Winston, "Economic Deregulation: Days of Reckoning for Microeconomists", *Journal of Economic Literature*, XXXI, Septiembre de 1993, págs. 1263–1289, y cálculos propios.

---

este tema para el caso de Estados Unidos y, en la tabla 19.2, se resumen sus conclusiones. En el caso de la desregulación de los ferrocarriles, que ocurrió durante la década de 1980, tanto los consumidores como los productores obtuvieron ganancias importantes como resultado de la desregulación. Las ganancias provenientes de la desregulación de las telecomunicaciones y de la TV por cable fueron menores y sólo beneficiaron a los consumidores. Estos hallazgos sugieren que la regulación de los ferrocarriles daña a todos, en tanto que la regulación de las telecomunicaciones y de la TV por cable daña sólo a los consumidores.

Ahora ya se ha examinado la regulación del monopolio natural. A continuación se examina la regulación en las industrias oligopolísticas; es decir, la regulación de los cárteles.

### Regulación de los cárteles

Un *cártel* es un convenio en el cual se coluden varias empresas para restringir la producción y lograr un beneficio más alto para los miembros del cártel. En muchos países, los cárteles son ilegales. Sin embargo, hay algunos cárteles internacionales que operan en forma legal, como es el caso del cártel internacional de productores de petróleo conocido como OPEP (Organización de Países Exportadores de Petróleo).

En industrias oligopolísticas pueden surgir cárteles ilegales. Un oligopolio es una estructura de mercado en la que un número pequeño de empresas compite entre sí. Esta estructura de mercado se estudió en el capítulo 14 (allí también se vio el caso del duopolio, situación en la que sólo

hay dos empresas compitiendo por un mercado). En ese capítulo se aprendió que si las empresas logran coludirse y comportarse como un monopolio, pueden fijar el precio y la cantidad en el mismo nivel en que lo haría una empresa monopolista. Sin embargo, en ese capítulo también se mencionó que, en una situación así, cada empresa se verá tentada a engañar para tratar de aumentar su propia producción y sus beneficios a expensas de las otras empresas. Un posible resultado del engaño en un convenio de colusión es la desaparición del equilibrio de monopolio, y el surgimiento de una producción competitiva, con un beneficio económico de cero para los productores. Este resultado beneficia a los consumidores a expensas de los productores.

¿Cómo se regula el oligopolio? ¿La regulación evita o estimula las prácticas monopolísticas?

De acuerdo con la teoría del interés público, el oligopolio se regula para asegurar un resultado competitivo. Considere, por ejemplo, el mercado de transporte de carga, tal como se muestra en la figura 19.5. La curva de demanda del mercado de viajes es $D$. La curva del costo marginal de la industria, es decir, la curva de oferta competitiva, es $CM$. La regulación con base en el interés público regulará el precio de un viaje en \$20 y se producirán 300 viajes a la semana.

¿Cómo se regularía esta industria de acuerdo con la teoría de la cooptación? La regulación que favorece al productor busca maximizar los beneficios de la empresa. Para encontrar el resultado de esta situación, es necesario determinar el precio y la cantidad en las que se igualan el costo marginal y el ingreso marginal. La curva del ingreso marginal es $IM$. Por tanto, el costo marginal es igual al ingreso marginal, a 200 viajes por semana. El precio de un viaje es \$30.

Una forma de obtener este resultado es establecer un límite a la producción para cada empresa en la industria. Si hay 10 compañías de transporte de carga, un límite de 20 viajes por compañía a la semana asegura que el número total de viajes en una semana sea de 200. Se pueden imponer castigos para asegurar que ningún productor individual exceda su límite de producción.

Todas las empresas en la industria respaldarían este tipo de regulación, porque ayudaría a evitar el engaño y a mantener un resultado de monopolio. Todas las empresas sabrían que si las cuotas de producción no se hicieran cumplir con eficacia, cada una de ellas tendría un incentivo para aumentar su producción. (Para cada empresa, el precio excede al costo marginal, por lo que una mayor producción le proporciona mayores beneficios.) Por tanto, cada empresa prefiere un método de evitar que la producción aumente por encima del nivel que maximiza los beneficios de la industria, lo cual se puede lograr con una regulación de cuotas por empresa. Con este tipo de regulación de cártel, el regulador permitiría operar legalmente al cártel y le permitiría obtener los mayores beneficios.

**FIGURA 19.5**

# Oligopolio coludido

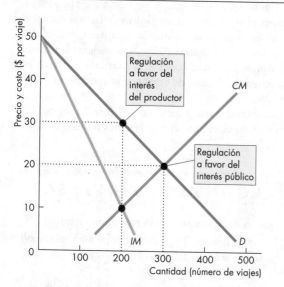

Hay 10 empresas de transporte de carga en una región. La curva de demanda es *D* y la curva del costo marginal de la industria es *CM*. Si la industria es competitiva, el precio de un viaje será $20 y cada semana se harán 300 viajes. Los productores demandarán una regulación que restrinja la entrada a la industria y que limite la producción a 200 viajes a la semana. En ese nivel de producción, el ingreso marginal de la industria (*IM*) es igual al costo marginal (*CM*). Esta regulación eleva el precio hasta $30 por viaje y da como resultado que cada productor obtenga el beneficio máximo (como si fuera un monopolio).

¿Qué hace en la práctica la regulación de los cárteles? Algunas regulaciones han beneficiado al productor. Cuando la Comisión de Comercio Interestatal (ICC) de Estados Unidos reguló el transporte de carga, los productores obtuvieron beneficios económicos en forma consistente. Asimismo, al crear un sindicato fuerte, los conductores de camiones capturaron una gran parte del excedente del productor.

Algunas regulaciones han beneficiado tanto al productor como al consumidor. Cuando el Consejo Aeronáutico Civil de Estados Unidos reguló las aerolíneas, éstas obtuvieron beneficios económicos como resultado de la regulación. Sin embargo, las empresas compitieron entre sí ofreciendo servicios adicionales que beneficiaron a los consumidores y con el tiempo erosionaron los beneficios.

La tabla 19.3 proporciona evidencia que respalda la conclusión de que la regulación aumentó los beneficios de las compañías de transporte de carga y de las aerolíneas. Si la regulación asegurara un resultado competitivo, las tasas de rendimiento en los oligopolios regulados no serían más altas que las de la economía en general. Como muestran las cifras de la tabla 19.3, las tasas de rendimiento en las aerolíneas y en las compañías de transporte de carga estuvieron cerca del doble de la tasa de rendimiento promedio de la economía estadounidense en la década de 1960. En la década de 1970, la tasa de rendimiento en el transporte de carga permaneció más alta que el promedio de la economía (aunque por un margen más pequeño que el que había prevalecido en la década de 1960). Las tasas de rendimiento de las aerolíneas en la década de 1970 disminuyeron por debajo del promedio de la economía. La imagen general que surge de examinar la información sobre las tasas de rendimiento es mixta. La regulación de los oligopolios no siempre da como resultado un beneficio más alto, pero hay muchas situaciones en que sí lo hace.

Se puede obtener evidencia adicional sobre la regulación de los oligopolios a través del comportamiento de los precios y los beneficios en los períodos posteriores a la desregulación. Si los precios y los beneficios bajan después de la desregulación se puede decir que, hasta cierto grado, la regulación había estado beneficiando el interés del productor.

En contraste, si los precios y los beneficios permanecen constantes, o aumentan, después de la desregulación, se puede suponer que la regulación había estado beneficiando el interés público. Debido a que en los años recientes ha habido un importante proceso de desregulación en Estados Unidos, se puede usar esta prueba para ver cuál de las dos teorías de la regulación de los oligopolios se adapta mejor a los hechos.

La evidencia es mixta, pero en los casos de las aerolíneas y el transporte de carga (los dos principales oligopolios que

**TABLA 19.3**

## Tasas de rendimiento en oligopolios regulados

| Industria | Años | |
|---|---|---|
| | 1962–69 | 1970–77 |
| Aerolíneas | 12.8 | 3.0 |
| Transporte de carga | 13.6 | 8.1 |
| Promedio de la economía | 6.6 | 5.1 |

*Fuente:* Paul W. MacAvoy, *The Regulated Industries and the Economy* (New York: W.W. Norton, 1979), págs. 49-60.

han sido desregulados), los precios bajaron y el volumen de negocios aumentó en forma importante. En la tabla 19.4 se resumen los efectos estimados de la desregulación de las aerolíneas y de las compañías de transporte de carga sobre el excedente del consumidor, el excedente del productor y el excedente total. La mayor parte de las ganancias se produjeron en el excedente del consumidor. En el caso de las aerolíneas, también hubo una ganancia en el excedente del productor.

La tabla muestra que el excedente del productor en la industria del transporte de carga disminuyó en casi 5,000 millones de dólares al año. Este resultado implica que la regulación existente beneficiaba al productor al restringir la competencia y permitir que los precios excedieran sus niveles competitivos.

## Formulación de predicciones

La mayor parte de las industrias tienen unos cuantos productores y muchos consumidores. En esta situación, la teoría de la elección pública predice que la regulación protege los intereses del productor y que a los políticos se les recompensa con contribuciones a sus campañas, en lugar de votos. Pero hay situaciones en las que ha prevalecido el interés del consumidor. También existen casos en los que el equilibrio se ha desplazado del interés del productor al del consumidor, tal como ocurrió en el proceso de desregulación que se inició a fines de la década de 1970 en Estados Unidos.

El proceso de desregulación ha ocurrido por tres razones principales. Primera: los economistas se han sentido más seguros en sus predicciones sobre las ganancias provenientes de la desregulación y lo han expresado abiertamente. Segunda: un gran aumento en los precios de la energía en la década de 1970 aumentó el costo de la regulación que recaía sobre los consumidores. Los aumentos en precios hicieron

que la regulación de rutas en el transporte de carga fuera extremadamente costosa y cambió el equilibrio a favor de los consumidores en el equilibrio político. Tercera: el cambio tecnológico terminó con algunos monopolios naturales. Por ejemplo, las nuevas tecnologías permitieron a los pequeños productores ofrecer servicios telefónicos de larga distancia a bajo costo. Estos productores querían una participación de los beneficios del monopolio. Además, al mejorar la tecnología de la comunicación, el costo de la comunicación baja y también se reduce el costo de organizar grupos de consumidores más grandes.

Si esta línea de razonamiento es correcta, habrá más regulación y desregulación a favor del interés público en el futuro.

## PREGUNTAS DE REPASO

- ¿Por qué es necesario regular el monopolio natural?
- ¿Qué regla de fijación de precios permite a un monopolio natural operar a favor del interés público y por qué es difícil de poner en práctica esa regla?
- ¿Qué regla de fijación de precios se utiliza normalmente para regular un monopolio natural y qué problemas crea?
- ¿Qué es la regulación de incentivos y cómo opera?
- ¿Cómo podrían regularse los cárteles a favor del interés público?

Dejemos ahora la regulación y pasemos a otro método de intervención pública en los mercados: la ley antimonopolio.

### TABLA 19.4
## Ganancias por la desregulación de oligopolios

| Industria | Excedente del consumidor | Excedente del productor (miles de millones de dólares de 1990) | Excedente total |
|---|---|---|---|
| Aerolíneas | 11.8 | 4.9 | 16.7 |
| Transporte de carga | 15.4 | −4.8 | 10.6 |
| Total | 27.2 | 0.1 | 27.3 |

Fuente: Clifford Winston, "Economic Deregulation: Days of Reckoning for Microeconomists", Journal of Economic Literature, XXXI, Septiembre de 1993, págs. 1263-1289, y cálculos propios.

## Ley antimonopolio

LA LEY ANTIMONOPOLIO PROPORCIONA UNA FORMA alternativa en la que el gobierno puede influir sobre el mercado. Al igual que en el caso de la regulación, la ley antimonopolio se puede formular en el interés público (para maximizar el excedente total) o en el interés privado (para maximizar los excedentes de grupos de intereses especiales en particular, por ejemplo: los de productores).

### Las leyes antimonopolio

Las leyes antimonopolio son fáciles de resumir. La primera ley antimonopolio en Estados Unidos, la Ley Sherman, fue aprobada en 1890 en un ambiente de furia y molestia por las acciones y las prácticas de J.P. Morgan, John Rockefeller y V.H. Vanderbilt, a quienes se denominaba "los barones bandidos". Irónicamente, las historias más sensacionalistas sobre las acciones de estos grandes capitalistas estadounidenses no se refieren a su monopolización y explotación de los consumidores, sino a las prácticas violentas utilizadas entre sí. Como resultado de ello, surgieron grandes monopolios, como en el caso de la industria del petróleo, la cual tuvo un control espectacular por parte de John D. Rockefeller.

Una ola de fusiones a finales del siglo XIX produjo leyes antimonopolio aún más estrictas. La Ley Clayton de 1914 complementó la Ley Sherman y se creó la Comisión Federal de Comercio, un organismo encargado de hacer cumplir las leyes antimonopolio en Estados Unidos.

La tabla 19.5 resume las dos principales disposiciones de la Ley Sherman. La sección 1 de la ley es precisa. Conspirar con otros para restringir la competencia es ilegal. Pero la sección 2 es general y poco precisa. ¿Qué es exactamente un "intento de monopolizar"? La Ley Clayton y sus dos enmiendas, la Ley Robinson-Patman de 1930 y la Ley Celler-Kefauver de 1950 legislan prácticas específicas y proporcionan una mayor precisión. En la tabla 19.6 se describen estas prácticas y se resumen las disposiciones principales de estas tres leyes.

### La legislación antimonopolio en México: la creación de la Comisión Federal de Competencia

En 1993, se estableció en México la Comisión Federal de Competencia. Dicha comisión se creó con base en las disposiciones del artículo 28 de la Constitución Política de los Estados Unidos Mexicanos y de la Ley Federal de Competencia, aprobada por el Congreso mexicano en 1992. Poste-

**TABLA 19.5**

## La Ley Sherman de 1890

**Sección 1:**

Por la presente se declaran ilegales todo tipo de contratos o convenios que restrinjan el comercio entre los diversos estados, o con otras naciones.

**Sección 2:**

Cualquier persona que monopolice o intente monopolizar, o que se combine o conspire con cualquier otra persona o personas para monopolizar cualquier parte del comercio entre los diversos estados, o con otras naciones, será considerado culpable de un delito.

**TABLA 19.6**

## La Ley Clayton y sus enmiendas

| | |
|---|---|
| **Ley Clayton** | 1914 |
| **Ley Robinson-Patman** | 1936 |
| **Ley Celler-Kefauver** | 1950 |

Estas leyes prohíben las siguientes prácticas *sólo* si disminuyen en forma importante la competencia, o si crean un monopolio:

1. Discriminación en precios

2. Contratos que requieren que se compren otros bienes a la misma empresa (denominados "convenios de vinculación")

3. Contratos que obligan a una empresa a que compre todo lo que necesita de un artículo específico a una sola empresa (denominados "contratos de compra")

4. Contratos que evitan que una empresa venda artículos de la competencia (denominados de "distribución exclusiva")

5. Contratos que impiden a un comprador revender un producto fuera de un área especificada (denominados de "limitación territorial")

6. Adquirir acciones o activos de un competidor

7. Convertirse en director de una empresa competidora

riormente, el reglamento de dicha Ley estableció los detalles operativos del funcionamiento de la institución. El artículo mencionado de la Constitución Mexicana dice a la letra que: "En los Estados Unidos Mexicanos quedan prohibidos los monopolios, las prácticas monopólicas, los estancos y las exenciones de impuestos en los términos y condiciones que fijan las leyes." A pesar de la existencia del artículo 28 desde el origen mismo de la Constitución, no se había establecido en México una oficina encargada exclusivamente de la defensa de la competencia, sino hasta 1993.

La política de competencia en México se basa en el principio de que se debe castigar el uso del poder de mercado, no el poder de mercado en sí mismo. Es decir, se hace énfasis en la conducta más que en la estructura de mercado, si bien la estructura de mercado permite analizar la existencia de poder monopólico potencial. Las prácticas monopólicas se dividen, en la ley mexicana, en "prácticas monopólicas absolutas" y "prácticas monopólicas relativas". Las primeras son arreglos para el uso del poder de mercado (fijación de precios, administración de la oferta de bienes y/o servicios) entre competidores potenciales. Podrían resumirse estos últimos como acuerdos horizontales, es decir, entre oferentes del mismo tipo de bien o servicio. Las prácticas monopólicas absolutas se persiguen de oficio; es decir, no requieren que se presente una demanda de la parte afectada.

Por otro lado, las prácticas monopólicas relativas se refieren a acuerdos entre empresas en distintos niveles del proceso productivo: proveedores de insumos y sus compradores, acuerdos con distribuidores, etc. En este caso, se podría hablar de acuerdos verticales, es decir, a distintos niveles de la cadena de producción. Las prácticas relativas no se persiguen de oficio y para que sean castigadas es necesario comprobar que son efectivamente dañinas para la competencia. El principio que hay detrás de esta medida es que existe una gran variedad de acuerdos verticales que pueden, de hecho, ser positivos para la eficiencia, la innovación y la competencia, y que, como resultado, son favorables para los consumidores.

La Comisión Federal de Competencia también tiene a su cargo la aprobación de fusiones y adquisiciones entre empresas, las cuales son rechazadas cuando la operación pueda afectar el proceso competitivo. El criterio utilizado en este caso (que se aplica caso por caso de acuerdo con las circunstancias específicas) consiste en evaluar si la operación otorga un poder de mercado suficiente a la(s) empresa(s) involucrada(s) y, por tanto, si puede afectar potencialmente a los consumidores.

Desde su creación, la Comisión Federal de Competencia ha tenido una actividad muy intensa. Como ejemplo, tan sólo entre 1997 y 1998 se analizaron y dictaminaron más de 400 casos de concentraciones de empresas, se revisaron y concluyeron más de 300 casos de privatizaciones y concesiones, y se concluyeron 96 casos de prácticas monopólicas, de las cuales 40 fueron iniciadas de oficio y el resto por denun-

cia.[1] Más adelante, en la sección *Lectura entre líneas* revisaremos una de las resoluciones de esta Comisión.

Sin embargo, una de las grandes debilidades de cualquier comisión de este tipo en el mundo es cuando éstas carecen de capacidad legal para ejercer acciones con carácter penal. En ciertos países, como Estados Unidos, algunos individuos responsables de empresas que han cometido prácticas monopólicas absolutas, han sido incluso privados de la libertad. En el caso de Estados Unidos, una de las instancias de defensa de la competencia está dentro del mismo departamento de Justicia. La fortaleza de cualquier institución de competencia en el mundo deberá fincarse en una actitud autónoma y en mantenerse aislada de decisiones políticas.

## Casos antimonopolio que sentaron precedente en Estados Unidos

La fuerza real de cualquier ley proviene de su interpretación. La interpretación de las leyes antimonopolio ha sido clara en la colusión para la fijación de precios (sección 1 de la Ley Sherman), pero menos clara en los intentos de monopolizar (sección 2 de la Ley Sherman y de la Ley Clayton). Los fallos que se han realizado con base en esta sección, han fluctuado entre favorecer a los productores y a los consumidores. La tabla 19.7 resume los casos que han sentado precedentes.

**Fijación ilegal de precios** Las decisiones de los tribunales han hecho que *cualquier* arreglo para fijar precios sea una violación de la sección 1 de la Ley Sherman. Quitar la vida a una persona es un delito grave, pero no siempre se considera como un asesinato. En contraste, la fijación de precios siempre es una violación de la ley antimonopolio. Los accidentes y otras causas involuntarias de muerte han sido reconocidas como razones para no condenar a alguien por asesinato. Pero si la Secretaría de Justicia de Estados Unidos puede demostrar la existencia de un arreglo para fijar precios, el acusado no puede presentar una excusa aceptable.

En 1927 hubo un caso en contra de Trenton Potteries Company y otros, en el que estableció por primera vez esta línea dura que se conoce como la interpretación de la ley *per se*. El tribunal determinó que el acuerdo entre Trenton Potteries y otros para fijar los precios de tuberías sanitarias violaba la Ley Sherman, incluso si los precios en sí mismos eran razonables. Los arreglos para fijar precios son *per se* (por sí mismos) una violación de la ley.

[1] *Fuente:* Comisión Federal de Competencia, Informe anual, 1998.

En 1961, General Electric, Westinghouse y otros fabricantes de elementos eléctricos fueron encontrados culpables de una conspiración para fijar precios. Este caso fue el primero en el que los ejecutivos, y no la compañía, fueron multados y encarcelados.

Un ejemplo reciente, y muy costoso, de esta interpretación estricta de la ley, es el de la empresa Archer Daniels Midland. En 1996, esta empresa, un importante productor de bienes agrícolas, recibió una multa de 100 millones de dólares por conspirar con productores extranjeros para fijar los precios de la lisina y el ácido cítrico, dos aditivos que se utilizan en varios productos alimenticios.

**Intentos de monopolizar** Los primeros casos antimonopolio importantes fueron los que afectaron a las empresas American Tobacco Company y Standard Oil Company. En 1911, estas dos compañías fueron encontradas culpables de violar la Ley Sherman, y se les ordenó deshacerse de grandes participaciones que tenían en otras compañías. La empresa Standard Oil Company, de John D. Rockefeller, fue dividida y esto dio como resultado la creación de las compañías petroleras que hoy son nombres conocidos en muchas partes del mundo: Amoco, Chevron, Exxon y Sohio.

Al encontrar que estas compañías violaban las estipulaciones de la Ley Sherman, la Suprema Corte enunció la "regla de la razón". Dicha regla establece que un monopolio que se crea como resultado de fusiones y convenios entre empresas, no es necesariamente ilegal. El monopolio viola la Ley Sherman sólo si existe una restricción del comercio más allá de lo razonable.

Mucha gente consideraba que la "regla de la razón" le quitaba fuerza a la propia Ley Sherman. Este punto de vista quedó reforzado en 1920, cuando la empresa U.S. Steel Company fue absuelta de violar la ley a pesar de que tenía una participación muy grande (más de 50%) en el mercado del acero en Estados Unidos. Al aplicar la "regla de la razón", el tribunal declaró que "el tamaño por sí solo no es un delito".

En 1945, hubo un caso que algunas personas interpretaron como un reto a la "regla de la razón". En ese caso, conocido como el caso *Alcoa*, se dictó un fallo en el que se consideró que la empresa Alcoa violaba la ley antimonopolio porque tenía una participación demasiado grande en el mercado de aluminio. Esta interpretación relativamente estricta de la ley continuó hasta fines de la década de 1960.

---

**TABLA 19.7**

Casos antimonopolio que sentaron precedente

| Caso | Año | Veredicto y consecuencia |
|---|---|---|
| **1. Fijación de precios** | | |
| *Trenton Potteries Company* | 1927 | *Culpable:* El convenio para fijar precios es *per se* una violación de la Ley Sherman, independientemente de si los propios precios son "razonables" o no. |
| *General Electric, Westinghouse y otros* | 1961 | *Culpable:* Conspiración para fijar precios; los ejecutivos fueron multados y encarcelados. |
| *Archer Daniels Midland* | 1996 | *Culpable:* Conspiración para fijar precios; multa de 100 millones de dólares. |
| **2. ¿Intentos de monopolizar?** | | |
| *American Tobacco Co. y Standard Oil Co.* razonables. | 1911 | *Culpable:* Se le ordenó deshacerse de grandes participaciones en otras compañías; se enunció la "regla de la razón" –según la cual sólo son culpables algunos comportamientos poco |
| *U.S. Steel Co.* | 1920 | *Inocente:* Aunque la empresa U.S. Steel tenía una participación muy grande en el mercado de acero (casi monopolio), se concluyó que "el simple hecho del tamaño no constituye delito"; se aplicó la "regla de la razón". |
| *Alcoa* | 1945 | *Culpable:* Demasiado grande –tenía una participación muy importante en el mercado. |

## Un caso de actualidad: Estados Unidos de América contra Microsoft

A Microsoft se le ha acusado de violaciones específicas de las leyes antimonopolio y, en 1998, comenzó un juicio sobre estas acusaciones.

**El caso contra Microsoft** En el caso Microsoft, las acusaciones contra la empresa son:

1. Que posee poder de monopolio en el mercado de sistemas operativos para computadoras personales.
2. Que fija precios por debajo del costo (lo que se conoce como fijación de precios predatoria) y que utiliza convenios obligatorios para obtener un monopolio en el mercado de navegadores de Internet.
3. Que usa prácticas anticompetitivas para fortalecer su monopolio en estos dos mercados.

Se acusa a Microsoft de operar bajo el escudo de barreras a la entrada que surgen de economías de escala y economías de red. El costo promedio de Microsoft disminuye a medida que aumenta su producción. Esto se debe a que los costos de desarrollar el *software* son grandes pero fijos, en tanto que el costo marginal de cada copia de Windows es pequeño (economías de escala). Además, el beneficio para los usuarios de Windows aumenta a medida que se incrementa su número, porque el rango de las aplicaciones de Windows se amplía conforme aumenta el número de usuarios (economías de red).

Cuando Microsoft entró al mercado de navegadores en Internet, con Internet Explorer (IE), lo ofreció a un precio de cero. Esto se considera como una fijación de precios predatoria; es decir, un intento por eliminar la competencia y monopolizar un mercado. Ahora Microsoft ha integrado IE con el sistema operativo Windows, lo cual significa que ningún usuario de Windows necesita un navegador de Internet adicional (como podría serlo, por ejemplo, Netscape Communicator). Los críticos de Microsoft afirman que esta práctica es una vinculación ilegal de productos.

**Respuesta de Microsoft** La empresa Microsoft reta todas estas acusaciones y afirma que, aunque efectivamente Windows domina en la actualidad, este sistema es vulnerable a la introducción de nuevos sistemas operativos. También afirma que la integración de Internet Explorer con Windows proporciona un producto de mayor valor para el consumidor. No se están vinculando productos. Es un producto.

## Reglas de las fusiones

La Comisión Federal de Comercio (FTC) de Estados Unidos usa pautas para determinar cuáles fusiones analizará con base en el Índice Herfindahl-Hirschman (IHH), que se explicó en el capítulo 10 (pág. 204). Un mercado en el que el IHH es inferior a 1,000 se considera competitivo. Un índice entre 1,000 y 1,800 señala un mercado moderadamente concentrado y la FTC examinará cualquier fusión en este mercado que implique un aumento de 100 puntos en el índice. Un índice por encima de 1,800 señala un mercado concentrado y se examinará cualquier fusión en este mercado que implique un aumento de 50 puntos en el índice. En la figura 19.6(a) se resumen estas pautas.

La FTC usó estas pautas para analizar dos fusiones recientemente propuestas en el mercado de bebidas gaseosas. En 1986, PepsiCo anunció su intención de comprar 7-Up por 380 millones de dólares. Un mes después, Coca-Cola anunció que compraría a Dr. Pepper en 470 millones de

### FIGURA 19.6
## Pautas para fusiones mediante el IHH

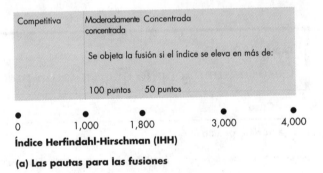

**(a) Las pautas para las fusiones**

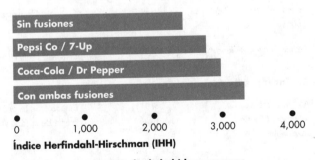

**(b) Fusiones en el mercado de bebidas gaseosas**

La FTC revisa las fusiones propuestas si el IHH excede 1,000. En 1986 se impidieron las fusiones propuestas entre productores de bebidas gaseosas mediante la aplicación de estas pautas.

dólares. El nivel de concentración del mercado depende de cómo se defina el mercado relevante. El mercado para todas las bebidas refrescantes, el cual incluye las bebidas *gaseosas* que comercializan estas cuatro compañías, más todos los *jugos de frutas* y el *agua embotellada*, tiene un IHH de 120 en Estados Unidos, por lo que es altamente competitivo. Pero el mercado para *bebidas gaseosas* está altamente concentrado. Coca-Cola tiene una participación de 39%, PepsiCo tiene el 28%, Dr. Pepper tiene 7% y 7-Up tiene 6%. Otro productor más, la empresa RJR, tiene una participación del mercado de 5%. Por tanto, las cinco principales empresas en este mercado tienen una participación en el mercado del 85%. Si se supone que el otro 15% del mercado está integrado por 15 empresas, cada una de ellas con una participación de 1%, el Índice Herfindahl-Hirschman es:

$$IHH = 39^2 + 28^2 + 7^2 + 6^2 + 5^2 + 15 = 2,430.$$

Con un IHH de esta magnitud, la FTC examina una fusión que aumenta el índice en 50 puntos. La figura 19.6(b) muestra cómo hubiera cambiado el IHH con las fusiones. La fusión de PepsiCo y 7-Up hubiera aumentado el índice en más de 300 puntos, la fusión de Coca-Cola y Dr. Pepper lo hubiera aumentado en más de 500, por lo que ambas fusiones juntas hubieran aumentado el índice en casi 800 puntos. La FTC decidió definir al mercado en forma estrecha y, con aumentos de estas magnitudes, decidió impedir las fusiones.

## ¿Interés público o interés especial?

Teniendo en mente el contexto histórico en el que ha evolucionado la ley antimonopolio, es claro que su intención ha sido proteger y buscar el interés público, así como limitar las acciones de los productores que se consideran anticompetitivas y que sólo buscan obtener beneficios extraordinarios. Pero de acuerdo con la historia y con los casos descritos anteriormente, también resulta claro que los intereses de los productores han tenido influencia sobre la forma en que se ha interpretado y aplicado la ley en algunas ocasiones. No obstante, el impulso global de la ley antimonopolio parece haber estado dirigido hacia lograr la eficiencia y, por consiguiente, a servir al interés público.

### PREGUNTAS DE REPASO

- ¿Cuándo se considera que la fijación de precios no es una violación de las leyes antimonopolio?
- ¿Qué es un intento por monopolizar una industria?
- Nombre tres casos antimonopolio en Estados Unidos que incluyeron acuerdos para fijación de precios. ¿Qué decidió el tribunal?

◆ Se han revisado las teorías del interés público y de la cooptación de la intervención del gobierno. Y se ha visto que en ocasiones los reguladores son cooptados por los regulados y trabajan en contra del interés de los consumidores. Pero este resultado no ocurre siempre.

En la sección *Lectura entre líneas* páginas 440-441, se puede estudiar un ejemplo reciente del uso de la ley antimonopolio en México para objetar una fusión de dos compañías en el mercado de bebidas gaseosas.

# Aplicación de leyes antimonopolio

EXCÉLSIOR — VIERNES 21 DE MAYO DE 1999

## Coca-Cola hubiera desplazado a varias embotelladoras. Adecuada posición de la CFC

Embotelladoras independientes de México aseguran que el plan de Coca-Cola para adquirir las marcas de Cadbury Schweppes, rechazado por la autoridad antimonopolios del país, podría haber provocado la desaparición de varias de ellas.

A principios de mayo, la Comisión Federal de Competencia (CFC) en México rechazó la propuesta de Coca-Cola para adquirir las marcas de Cadbury, bajo el argumento de que concentraría 71% del mercado de refrescos y bebidas carbonatadas. El acuerdo con Cadbury habría permitido a Coca-Cola vender en México las marcas Orange Crush, Peñafiel, Etiqueta Azul, Peñafiel Tonic, Canada Dry Soda Water, Schweppes Tonic, Canada Dry, Ginger Ale y Quinac.

Según cifras de la autoridad antimonopolios, Coca-Cola cuenta en México con una participación de 64.6% en el mercado de refrescos mientras que Cadbury detenta 4.3 por ciento. Directivos de empresas de refrescos entrevistados comentaron que la operación de Coca-Cola también habría afectado a los cerca de 1,500 distribuidores independientes de Cadbury en México, pues la gigante refresquera planeaba integrar las marcas de Cadbury en su línea de distribución que cubre 95% del mercado. Tanto Mundet como Aga, junto con más de 40 embotelladoras, publicaron el miércoles un aviso para aplaudir la decisión de la CFC. Los embotelladores se refirieron a las "prácticas monopólicas" de comercialización que realiza Coca-Cola, pero dijeron que son difíciles de demostrar.

Los empresarios señalaron que debido a la expansión de Coca-Cola en el mercado mexicano, la participación de los embotelladores independientes ha caído de más de 20% a menos de 11% en 10 años.

### Esencia del artículo

■ La Comisión Federal de Competencia Económica en México decidió objetar la concentración de las dos compañías, y argumentó que dicha transacción implicaba riesgos para el proceso de competencia en el mercado relevante (aguas carbonatadas).

■ Coca-Cola Company intentaba adquirir las marcas propiedad de Cadbury, que incluyen algunas con presencia importante en el mercado, como Orange Crush, Peñafiel, Schweppes tonic, Canada Dry y Ginger Ale, entre otras.

■ En el momento del estudio, Coca-Cola contaba ya con 64.6% de dicho mercado en México, en términos de sus ventas.

■ La concentración en el mercado relevante previa a la investigación ya era muy alta. Las dos empresas más importantes mantenían el 83% del mismo.

Según la línea de argumentación, la posibilidad para Coca-Cola de ejercer su poder de mercado se basaba en su porcentaje de control del mercado final, su control de redes de distribución, su importante presencia publicitaria y su capacidad para establecer acuerdos de exclusividad en distintas zonas del país.

La adquisición de Cadbury por parte de Coca-Cola le otorgaría la capacidad de desplazar a sus competidores potenciales y ejercer su poder de mercado en detrimento del proceso competitivo.

La razón principal de objetar la concentración se basa en que ésta otorgaba la capacidad a Coca-Cola de ejercer poder monopólico en el mercado relevante.

El índice de concentración presentado nos dice que, de llevarse a cabo la concentración, Coca-Cola tendría más de 70% del mercado. Éste es solamente un criterio que permite tomar la decisión, pero no la razón única para dicha decisión.

El concepto económico detrás de la decisión es la reducción en el nivel de impugnabilidad (es decir, competencia potencial) en el mercado, al establecer barreras potenciales a la entrada, pero no el nivel de concentración del mercado en sí mismo.

Lo que esta decisión previene es la conducta potencial, dado el esquema analítico de "estructura, conducta y desempeño". La concentración es uno de los elementos que pueden otorgar a una empresa la capacidad de ejercer poder monopólico. (Véase la figura 1.)

El segundo elemento importante en el análisis, en muchos casos el más polémico, es la definición del mercado relevante. En este caso específico, se considera dentro de éste solamente a las bebidas carbonatadas, incluyendo refrescos, aguas minerales y bebidas denominadas "mezcladores".

Si se consideran dentro del mercado relevante bebidas como leche, cerveza u otras, la participación en el mercado y, por tanto, el potencial para ejercer prácticas monopolísticas, se reduce sustancialmente. Ésta era la forma en la que la parte interesada, The Coca-Cola Company, intentaba convencer a la autoridad de la inexistencia de poder de mercado: con la modificación de la definición del mercado relevante.

El mercado relevante se define con base en el nivel de sustitución entre productos para los consumidores. Para ello, el concepto de "elasticidad-precio cruzada" es fundamental.

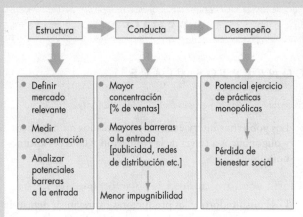

Figura 1  Esquema analítico

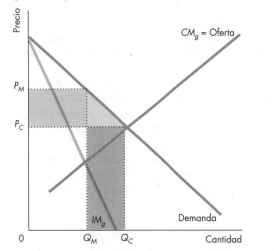

Figura 2  Efecto del monopolio sobre el bienestar

Por último, al analizar concentraciones, se pretende prevenir las condiciones para el uso del poder monopólico, debido a que las resoluciones de separación de dos empresas "ex-post" (es decir, una vez que la fusión se ha consumado) son técnicamente más complejas y socialmente costosas cuando se comparan con el escenario de prevención.

La pérdida de bienestar en el caso de poder monopólico se ilustra en la figura 2. En condiciones de competencia, la oferta es igual al costo marginal ($O = CM_g$). La empresa con poder de mercado reduce la cantidad producida (de $Q_c$ a $Q_m$) y aumenta el precio (de $P_c$ a $P_m$), siguiendo la regla de optimización estándar, según la cual se debe producir en donde el costo marginal sea igual al ingreso marginal ($IM_g$ en la figura 2).

La pérdida de bienestar se ilustra como el área verde más el área azul en la figura 2. El excedente del consumidor se reduce en el monto equivalente al área gris más el área azul.

# RESUMEN

## CONCEPTOS CLAVE

**Intervención en el mercado** (pág. 424)

- Los gobiernos intervienen en los mercados monopólicos y oligopólicos a través de la regulación y las leyes antimonopolio.

**Teoría económica de la regulación** (págs. 424-426)

- Los consumidores y los productores expresan su demanda de regulación mediante la votación, el cabildeo y las contribuciones económicas a las campañas.
- Cuanto mayor sea el excedente por persona producido por una regulación, mayor el número de personas que ganan y menor el número de quienes pierden, mayor será la demanda de regulación.
- Los políticos en busca de votos y los burócratas en busca de grandes presupuestos ofrecen la regulación.
- Cuanto mayor sean el excedente por persona producido y el número de personas afectadas por el mismo, mayor será la oferta de regulación.
- La teoría del interés público predice que la regulación maximiza el excedente total. La teoría de la cooptación predice que la regulación maximiza el excedente del productor.

**Regulación y desregulación** (págs. 426-434)

- La regulación federal en Estados Unidos comenzó en 1887 (con la creación de la Comisión de Comercio Interestatal) y se amplió hasta mediados de la década de 1970. A partir de entonces ha ocurrido una gran cantidad de desregulación.
- La regulación la realizan agencias controladas por burócratas nombrados por los gobiernos y usualmente cuentan con un equipo permanente de expertos.
- Con frecuencia, la regulación ha tenido poco efecto sobre los beneficios. Por su parte, la desregulación frecuentemente ha generado ganancias tanto para consumidores como para productores.

**Ley antimonopolio** (págs. 435-439)

- La ley antimonopolio es una forma alternativa en la que el gobierno puede controlar las prácticas monopolísticas.
- La primera ley antimonopolio en Estados Unidos, la Ley Sherman, fue aprobada en 1890 y fue fortalecida en 1914 cuando se aprobó la Ley Clayton y se creó la Comisión Federal de Comercio.
- Todos los convenios para fijar precios son violaciones de la Ley Sherman y no existe ninguna excusa aceptable.

- Los primeros casos que sentaron precedentes (en contra de las empresas American Tobacco Company y Standard Oil Company) establecieron la "regla de la razón", que mantenía que el intento por monopolizar es ilegal, pero que el monopolio en sí mismo no lo es.
- La Comisión Federal de Comercio de Estados Unidos utiliza el Índice Herfindhal-Hirschman como pauta para determinar cuáles fusiones examinar y cuáles impedir.
- La intención de la ley antimonopolio es proteger el interés público. La mayor parte del tiempo se ha cumplido con esta intención, pero en ocasiones el interés del productor ha influido sobre la forma en que se ha interpretado y aplicado la ley.
- En 1993, se creó en México la Comisión Federal de Competencia. Esta agencia tiene como objetivo combatir las prácticas anticompetitivas.
- La política de competencia en México se basa en el principio de que debe castigarse el uso del poder de mercado, no el poder de mercado en sí mismo.
- Las prácticas monopólicas absolutas (por ejemplo, la fijación de precios) son actividades que se persiguen sin necesidad de que haya una demanda por parte de una empresa afectada.
- Las prácticas monopólicas relativas (por ejemplo, acuerdos con proveedores) no se persiguen de oficio y, para ser castigadas, es necesario comprobar que son efectivamente dañinas para la competencia.

## FIGURAS Y TABLAS CLAVE

## TÉRMINOS CLAVE

# PROBLEMAS

*1. Manantiales Elixir, S.A., es un monopolio natural no regulado que embotella Elixir, un producto para la salud que no tiene sustitutos. El costo total fijo en que incurre Manantiales Elixir es $150,000 y su costo marginal es $0.10 por botella. La figura muestra la demanda de Elixir.

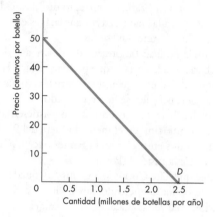

a. ¿Cuál es el precio de una botella de Elixir?
b. ¿Cuántas botellas vende Manantiales Elixir?
c. ¿Maximiza Manantiales Elixir el excedente total o el excedente del productor?

2. Manantiales Cascada, S.A., es un monopolio natural que embotella agua de un manantial situado en las alturas de una montaña. El costo fijo total en que incurre es $120,000 y su costo marginal es $0.20 por botella. La figura muestra la demanda por el agua embotellada de esta empresa.

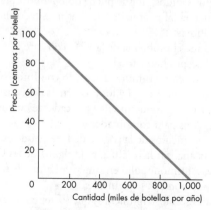

a. ¿Cuál es el precio del agua de Manantiales Cascada?
b. ¿Cuántas botellas vende Manantiales Cascada?
c. ¿Maximiza Manantiales Cascada el excedente total o el excedente del productor?

*3. El gobierno regula a Manantiales Elixir en el problema 1 al imponerle una regla de fijación de precios por el costo marginal.

a. ¿Cuál es el precio de una botella de Elixir?
b. ¿Cuántas botellas vende Manantiales Elixir?
c. ¿Cuál es el beneficio económico de Manantiales Elixir?
d. ¿Cuál es el excedente del consumidor?
e. ¿Beneficia la regulación al interés público? Explíque su respuesta.

4. El gobierno regula a Manantiales Cascada en el problema 2 al imponerle una regla de fijación de precios por el costo marginal.

a. ¿Cuál es el precio del agua de Manantiales Cascada?
b. ¿Cuántas botellas vende Manantiales Cascada?
c. ¿Cuál es el beneficio económico?
d. ¿Cuál es el excedente del consumidor?
e. ¿Beneficia la regulación al interés público? Explíque su respuesta.

*5. El gobierno regula a Manantiales Elixir en el problema 1 al imponerle una regla de fijación de precios por el costo promedio.

a. ¿Cuál es el precio de una botella de Elixir?
b. ¿Cuántas botellas vende Manantiales Elixir?
c. ¿Cuál es el beneficio económico de Manantiales Elixir?
d. ¿Cuál es el excedente del consumidor?
e. ¿Beneficia la regulación al interés público? Explíque su respuesta.

6. El gobierno regula a Manantiales Cascada en el problema 2 al imponerle una regla de fijación de precios por el costo promedio.

a. ¿Cuál es el precio del agua de Manantiales Cascada?
b. ¿Cuántas botellas vende Manantiales Cascada?
c. ¿Cuál es el beneficio económico?
d. ¿Cuál es el excedente del consumidor?
e. ¿Beneficia la regulación al interés público? Explíque su respuesta.

*7. Dos aerolíneas comparten una ruta internacional.

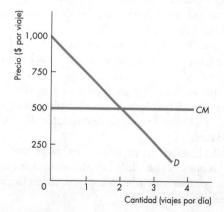

La figura muestra la curva de demanda del mercado para viajes en esta ruta, y la curva del costo marginal a la que se enfrenta cada empresa. Esta ruta aérea está regulada.

a. ¿Cuál es el precio de un viaje y cuál es el número de viajes por día si la regulación es a favor del interés público?

b. ¿Cuál es el precio de un viaje y cuál es el número de viajes por día si las aerolíneas cooptan al regulador?

c. ¿Cuál es la pérdida irrecuperable de eficiencia en la sección (b)?

d. ¿Qué es necesario saber para predecir si la regulación es a favor del interés público o a favor del interés del productor?

8. Dos compañías telefónicas ofrecen llamadas locales en un área. La figura muestra la curva de demanda del mercado para llamadas en el área y las curvas de los costos marginales de cada empresa. Estas empresas están reguladas.

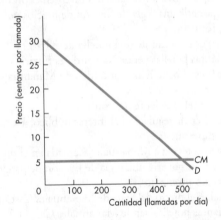

a. ¿Cuál es el precio de una llamada y cuál es el número de llamadas por día si la regulación es a favor del interés público?

b. ¿Cuál es el precio de una llamada y cuál es el número de llamadas por día si las compañías telefónicas cooptan al regulador?

c. ¿Cuál es la pérdida irrecuperable de eficiencia en la sección (b)?

d. ¿Qué se necesita saber para predecir si la regulación es a favor del interés público o a favor del interés del productor?

*9. Explique la diferencia entre regulación y ley antimonopolio. ¿A qué tipos de situaciones se aplica cada una de ellas? Proporcione un ejemplo del uso de cada una.

10. Describa la diferencia en la forma en que se han aplicado las dos secciones de la Ley Sherman. ¿Por qué piensa que una sección se ha interpretado en forma más estricta que la otra?

# PENSAMIENTO CRÍTICO

1. Revise una vez más la *Lectura entre líneas*, en las páginas. 440-441, en la que se analiza el caso de la fusión de The Coca-Cola Company y Cadbury. Suponga que usted es el encargado de tomar la decisión por parte de la Comisión Federal de Competencia. Responda a las siguientes preguntas:

   (i) Diga cómo utilizaría el concepto de "elasticidad-precio cruzada" para determinar cuál es el mercado relevante en ese caso.

   (ii) Según la explicación presentada, describa el tipo de barreras a la entrada que podrían reducir la impugnabilidad en el mercado de aguas carbonatadas si la concentración se hubiese llevado a cabo.

   (iii) Si dichas barreras a la entrada no existiesen, pero la concentración en el mercado fuera del 90% para las dos empresas más grandes, ¿aceptaría u objetaría la fusión? ¿Por qué?

   (iv) ¿Cree que The Coca-Cola Company puede utilizar su poder de mercado aun sin llevar a cabo la fusión analizada? ¿Cuál es, entonces, el papel de la Comisión de Competencia en esos casos?

2. ¿Por qué se preocupó la Secretaría de Justicia de E.U. por las prácticas de Microsoft? ¿Cuál de las disposiciones de las leyes antimonopolio se afirma que ha violado Microsoft? ¿Cuál es la respuesta de Microsoft?

3. ¿Qué problemas de regulación, si es que existe alguno, crean las nuevas tecnologías que permiten a las personas conectarse a Internet y hacer llamadas de larga distancia por ese medio?

4. Utilice el vínculo en la página de Internet de este libro para visitar la Comisión Federal de Comercio (FTC) de Estados Unidos, donde puede obtener información sobre Intel, el fabricante de circuitos integrados para computadoras.

   a. ¿Cuál fue el problema de la FTC con Intel?

   b. ¿Qué aceptó hacer Intel?

   c. Explique cómo influirá el acuerdo con Intel sobre el precio, la cantidad y los excedentes del consumidor y del productor en el mercado de circuitos integrados para computadoras.

5. Utilice los vínculos de la página de Internet de este libro para analizar la resolución de alguna de las Comisiones Antimonopolio en América Latina. Estudie el caso y responda a lo siguiente:

   a. ¿Cuáles son los argumentos que sustentan la decisión?

   b. ¿Qué argumentos presentó o pudo haber presentado la empresa involucrada?

   c. ¿Cómo se compara esta resolución con algunos de los casos que han sentado precedente en Estados Unidos?

# 20

# Las externalidades, el medio ambiente y el conocimiento

Quemamos enormes cantidades de combustibles fósiles (carbón, gas natural y petróleo) que ocasionan la lluvia ácida y posiblemente el calentamiento global. El uso persistente y en gran escala de clorofluorocarbonos (CFC) quizá haya ocasionado un daño irreparable a la capa de ozono de la tierra, lo que nos expone a rayos ultravioleta adicionales, los cuales aumentan la incidencia del cáncer de la piel. Lanzamos desperdicios tóxicos a los ríos, lagos y océanos. Estos temas ambientales son al mismo tiempo el problema de todos y el problema de nadie. ¿Qué puede hacer el gobierno, si es que puede hacer algo, para proteger nuestro medio ambiente? ¿Cómo puede ayudarnos la acción del gobierno para tomar en cuenta el daño que ocasionamos a otros cada vez que encendemos nuestros sistemas de calefacción o de aire acondicionado? ◆ Casi todos los días oímos sobre un nuevo descubrimiento, ya sea en medicina, ingeniería, química, física, o incluso en economía. El avance del conocimiento parece no tener límites, y cada vez más personas aprenden más de lo que ya se conoce. El acervo del conocimiento, lo que se conoce y el número de personas que lo conocen está aumentando, aparentemente sin límites. En algún sentido, nos estamos volviendo más inteligentes. Pero, ¿avanza con la suficiente rapidez nuestro acervo del conocimiento? ¿Estamos gastando lo suficiente en investigación y desarrollo? ¿Gastamos lo suficiente en educación? ¿Permanece en las escuelas un número adecuado de personas durante el tiempo suficiente? ¿Estaríamos en mejor situación si gastáramos más en investigación y en educación?

## Más ecológico y más inteligente

◆ En este capítulo se estudian los problemas que se producen debido a que muchas de nuestras acciones crean externalidades. Nuestras acciones afectan a otras personas, para bien o para mal, en formas que normalmente no consideramos al hacer nuestras propias elecciones económicas. Se estudian dos grandes áreas en las que son especialmente importantes estos problemas: el medio ambiente y la acumulación de conocimientos. Las externalidades son una fuente importante de *fallas del mercado*. Cuando ocurre una falla del mercado, tenemos que acostumbrarnos a la ineficiencia que ésta crea, o podemos intentar alcanzar una mayor eficiencia tomando algunas *decisiones públicas*. En este capítulo se estudian estas decisiones. Se inicia con el estudio de los costos externos que afectan al medio ambiente.

**Después de estudiar este capítulo, usted será capaz de:**

- Explicar por qué en algunas ocasiones los derechos de propiedad superan las externalidades

- Explicar cómo se pueden usar los cargos por emisiones, los permisos negociables y los impuestos, para lograr una mayor eficiencia a pesar de que existan costos externos

- Explicar cómo se pueden usar los subsidios para lograr una mayor eficiencia a pesar de que existan beneficios externos

- Explicar de qué manera las becas, las colegiaturas por debajo del costo y los donativos para la investigación hacen más eficiente la cantidad de educación e invención en una economía

- Explicar cómo las patentes aumentan la eficiencia

# La economía del medio ambiente

LOS PROBLEMAS AMBIENTALES NO SON NUEVOS Y NO están restringidos a los países industriales ricos. Los pueblos y ciudades preindustriales en Europa tuvieron graves problemas para eliminar las aguas negras, lo que creó epidemias de cólera y plagas que mataron decenas de millones de personas. Tampoco es nuevo el deseo de encontrar soluciones a los problemas ambientales. El desarrollo en el siglo XIV de suministros de agua pura y de eliminación de la basura y las aguas negras son ejemplos de contribuciones tempranas a la mejoría de la calidad del ambiente.

Por lo general, las discusiones populares sobre el medio ambiente prestan poca atención a la economía. Se centran en los aspectos físicos del medio ambiente, y no en los costos y beneficios. Una suposición común es que si las acciones de las personas ocasionan *alguna* degradación ambiental, esas acciones deben detenerse. En contraste, un estudio económico del medio ambiente insiste en los costos y beneficios. Un economista habla sobre la cantidad eficiente de contaminación o de daño ambiental. Esta insistencia en los costos y beneficios no significa que los economistas, como ciudadanos, no compartan las mismas metas que otros y que no valoren un medio ambiente sano. Tampoco significa que los economistas tengan las respuestas correctas y que todos los demás tengan las incorrectas (o viceversa). La economía proporciona un grupo de herramientas y principios que aclaran los temas, aunque no proporciona una lista de soluciones con la que todos estén de acuerdo. El punto inicial para un análisis económico del medio ambiente es la demanda de un ambiente sano.

## La demanda de calidad ambiental

La demanda de un ambiente limpio y saludable es mayor en la actualidad que nunca antes. Expresamos nuestra demanda de un mejor ambiente en varias formas. Nos unimos a organizaciones que cabildean para obtener regulaciones y políticas ambientales. Votamos por políticos que respaldan las políticas ambientales que queremos ver puestas en práctica. (En la actualidad, todos los políticos hablan del medio ambiente.) Compramos productos "verdes" y evitamos productos peligrosos, incluso si pagamos un poco más por hacerlo. Pagamos costos de transporte y costos de vivienda más altos para vivir en vecindarios más agradables.

La demanda de un ambiente más limpio ha crecido por dos razones principales. Primero, al aumentar nuestros ingresos, demandamos un rango mayor de bienes y servicios, y uno de estos "bienes" es un medio ambiente de alta calidad. Valoramos el aire limpio, los escenarios naturales intactos y la vida silvestre. Además, estamos dispuestos y en posibilidad de pagar por estos "bienes".

Segundo, a medida que crece nuestro conocimiento de los efectos de nuestras acciones sobre el medio ambiente, estamos en posibilidad de poner en práctica medidas que mejoren el medio ambiente. Por ejemplo, ahora que sabemos que el bióxido de azufre ocasiona la lluvia ácida y que talar los bosques tropicales destruye los almacenes naturales de bióxido de carbono, estamos en posibilidad, en principio, de diseñar medidas que limiten estos problemas.

Observemos el rango de problemas ambientales que se han identificado y las acciones que crean esos problemas.

## Las fuentes de problemas ambientales

Los problemas ambientales surgen de la contaminación del aire, el agua y la tierra, y estas fuentes individuales de contaminación interactúan a través del *ecosistema*.

**Contaminación del aire** La figura 20.1(a) muestra las cinco actividades económicas que crean la mayor parte de la contaminación del aire en Estados Unidos. También se muestran las contribuciones relativas de cada actividad. Más de dos terceras partes de la contaminación del aire provienen del transporte terrestre y de los procesos industriales. Sólo una sexta parte proviene de la producción de energía eléctrica. Estas cifras no son muy diferentes de lo que ocurre en algunos países de ingresos medios. En Argentina, por ejemplo, la mitad de la contaminación del aire proviene del transporte y de la industria, en tanto que el 18% está asociado a la producción de energía eléctrica.

Una creencia común es que la contaminación del aire está empeorando en todo el mundo. En muchos frentes, como se verá más adelante en este capítulo, la contaminación *global* del aire *está* empeorando. Sin embargo, la contaminación del aire en Estados Unidos es menos grave para la mayor parte de las sustancias. La figura 20.1(b) muestra la tendencia en la concentración de seis contaminantes del aire. Así, mientras que el plomo ha sido casi eliminado por completo de nuestro aire, el bióxido de azufre, el monóxido de carbón y las partículas suspendidas se han reducido en forma importante, los niveles de otros contaminantes han permanecido relativamente más estables.

A pesar de que no hay discrepancias sobre las fuentes y las tendencias en la contaminación del aire, existe un gran desacuerdo entre los científicos sobre los *efectos* de la contaminación del aire. El problema menos discutible es la *lluvia ácida*, que es ocasionada por las emisiones de bióxido de azufre y de óxido de nitrógeno, los cuales provienen de los generadores que queman carbón y petróleo en las empresas que proveen servicios de electricidad. La lluvia ácida comienza con la contaminación del aire, conduce a la contaminación del agua y daña la vegetación.

Las partículas suspendidas en el aire, como el plomo que proviene de un cierto tipo de gasolina, son más polémicas. Algunos científicos creen que concentraciones suficientemente grandes de estas sustancias (de las cuales ya

**FIGURA 20.1**

## Contaminación del aire

| | |
|---|---|
| 4% | Eliminación de desechos sólidos |
| 12% | Combustión de otros productos |
| 16% | Generación de electricidad |
| 25% | Procesos industriales |
| 43% | Transporte terrestre |

**(a) Fuentes de emisión**

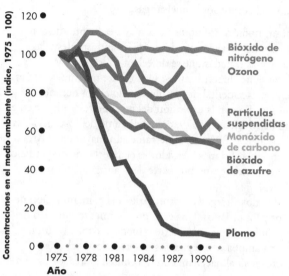

**(b) Concentraciones en el medio ambiente**

En la sección (a) se muestra que el transporte terrestre es la mayor fuente de contaminación del aire, seguido por los procesos industriales y por la producción de electricidad. En la sección (b) se muestra que el plomo ha sido casi eliminado y que las concentraciones de monóxido de carbono, bióxido de azufre y partículas suspendidas han disminuido en el aire de Estados Unidos. Pero el bióxido de nitrógeno y los niveles de ozono se han mantenido cerca de sus niveles de 1975.

*Fuente: National Air Quality and Emissions Trends Report, 1996, de la U.S. Environmental Protection Agency.*

---

se han identificado 189) ocasionan cáncer y otras condiciones que podrían ser mortales.

Más polémico aún es el tema del *calentamiento global*, que algunos científicos creen que es el resultado de las emisiones de bióxido de carbono las cuales resultan del transporte terrestre y de las empresas que proveen servicios de electricidad, del metano creado por las vacas y otros ganados, de las emisiones de óxido nitroso de las instalaciones de empresas generadoras de electricidad y de los fertilizantes. La temperatura promedio de la tierra ha aumentado en los últimos 100 años, pero la mayor parte del aumento ocurrió *antes* de 1940. Determinar *qué* ocasiona los cambios en la temperatura de la tierra y separar el efecto del bióxido de carbono de otros factores está resultando muy difícil.

Igualmente polémico es el problema del *agotamiento de la capa de ozono*, que algunos científicos creen que es el resultado de los clorofluorocarbonos (CFC), y de los equipos de refrigeración y (en el pasado) de los aerosoles. No hay duda de que existe un hueco en la capa de ozono sobre la Antártida, y que la capa de ozono nos protege de los rayos ultravioleta del sol, los cuales son productores de cáncer. Pero de qué manera influye nuestra actividad industrial

sobre la capa de ozono, es algo que simplemente aún no se comprende en estos momentos.

Hay un problema de contaminación del aire que ha sido casi eliminado: el plomo en la gasolina. En parte, esto se debió a que no resultó ser tan costoso vivir sin gasolina con plomo. Sin embargo, el bióxido de azufre y los gases conocidos como de invernadero son un problema mucho más difícil de resolver. Sus alternativas son costosas o tienen problemas ambientales en sí mismas. Las principales fuentes de estos contaminantes son los vehículos de motor y las empresas generadoras de servicios de electricidad. Los vehículos de motor se pueden hacer "más ecológicos" en diversas formas. Una es con nuevos combustibles; algunas alternativas que se están investigando son el alcohol, el gas natural, el gas propano, el gas butano y el hidrógeno. Otra forma de hacer que los automóviles y los camiones sean "más ecológicos" es cambiar la química de la gasolina. Los refinadores están trabajando en reformulaciones de gasolina que eliminan las emisiones por el tubo de escape. En forma similar, la energía eléctrica se puede producir más limpiamente si se utiliza la energía solar, la energía del mar, o la energía geotérmica. Aunque son técnicamente posibles, estos métodos son más costosos que los generadores tradicionales alimentados con combustibles fósiles. Otra alternativa es la energía nuclear. Este método es bueno para la contaminación del aire, pero malo para la contaminación de la tierra y el agua, porque no se conoce un método seguro de eliminar el combustible nuclear gastado.

**Contaminación del agua**   Las mayores fuentes de contaminación del agua son los desperdicios industriales y las aguas negras tratadas que se desechan en los lagos y ríos, y el escurrimiento de fertilizantes. Una fuente más dramática es el derrame accidental de petróleo crudo en los océanos, como sucedió con la explosión del pozo petrolero Ixtoc en el Golfo de México en 1979, con el derrame del Exxon Valdez en Alaska en 1989 y con el derrame aún mayor en el Ártico ruso en 1994. Lo más aterrador es el desecho de desperdicios nucleares en el océano por parte de la antigua Unión Soviética.

Hay dos alternativas principales a la contaminación de los ríos y los océanos. Una es el procesamiento químico del desperdicio para hacerlo inerte o biodegradable. La otra, utilizada ampliamente para los desperdicios nucleares, consiste en su almacenamiento en contenedores seguros en ubicaciones remotas.

**Contaminación de la tierra**   La contaminación de la tierra se produce al tirar productos con residuos tóxicos. La basura normal de los hogares no representa un problema de contaminación a menos que se escurra y alcance al suministro de aguas. Esta posibilidad aumenta conforme se utilizan lugares de relleno sanitario menos apropiados. Se estima que el 80% de los rellenos sanitarios existentes estará lleno para el año 2010. Algunos estados de Estados Unidos (Nueva York, Nueva Jersey y otros de la costa este) y algunos países (Japón y Holanda) están buscando alternativas al relleno sanitario que sean menos costosas, como el reciclaje y la incineración. El reciclaje es una alternativa aparentemente atractiva, pero requiere de una inversión en nuevas tecnologías para ser efectivo. La incineración es una alternativa al relleno sanitario de alto costo y produce contaminación del aire. Estas alternativas no son gratis y sólo se vuelven eficientes cuando el costo de utilizar el relleno sanitario es alto.

Se ha visto que ha crecido la demanda de un medio ambiente de alta calidad y se ha descrito la gama de problemas ambientales. Observemos ahora las formas en que se pueden manejar estos problemas. Se comenzará analizando los derechos de propiedad y cómo éstos se relacionan con las externalidades ambientales.

## Ausencia de derechos de propiedad y externalidades ambientales

Las externalidades se producen debido a la *ausencia* de derechos de propiedad. Los **derechos de propiedad** son dispositivos sociales que rigen la propiedad, el uso y la eliminación de recursos, bienes y servicios. En las sociedades modernas, un derecho de propiedad es un título legalmente establecido que se puede hacer cumplir en los tribunales.

No existen derechos de propiedad cuando se presentan externalidades. Nadie posee el aire, los ríos y los océanos. Por tanto, no es asunto privado asegurarse de que estos recursos se usen en forma eficiente. De hecho, existe el incentivo para usarlos en mayor medida que si hubiera derechos de propiedad.

La figura 20.2 muestra una externalidad ambiental al no existir derechos de propiedad. Una fábrica de productos químicos, ubicada río arriba de un club de pesca, tiene que decidir cómo eliminar sus desperdicios.

La curva del beneficio marginal de la fábrica, *BM*, nos dice el beneficio para la fábrica de una tonelada adicional de desperdicios lanzada al río. La curva *BM* también es la curva de demanda de la empresa para el uso del río, que es un recurso productivo. La demanda de un recurso tiene pendiente descendente debido a la ley de los rendimientos decrecientes (véase el capítulo 15, págs. 319-320).

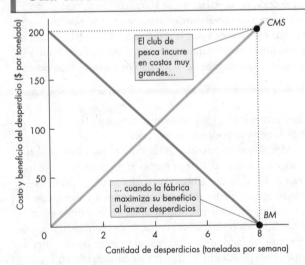

**FIGURA 20.2**

## Una externalidad

El beneficio marginal de la fábrica de productos químicos por lanzar sus desperdicios al río es *BM*. El costo marginal para el club de pesca de que el río tenga desperdicios es *CMS*. Al no existir derechos de propiedad, la fábrica maximiza el beneficio total lanzando ocho toneladas a la semana, la cantidad a la que el beneficio marginal del lanzamiento es igual a su costo marginal (cero). Con esta cantidad de desperdicios, el club de pesca incurre en un costo marginal de $200 por tonelada. Este resultado es ineficiente, porque el costo marginal social excede al beneficio marginal.

El **costo marginal social** es el costo marginal en que incurre el productor de un bien (costo marginal privado), más el costo marginal impuesto a otros (el costo externo). La fábrica no absorbe costo alguno por tirar sus desechos al río. Todos los costos los absorbe el club de pesca. La curva del costo marginal social, *CMS*, nos dice el costo que absorbe el club cuando se lanza al río una tonelada adicional de desperdicios. El costo marginal aumenta a medida que aumenta la cantidad lanzada.

Si nadie posee el río, la fábrica lanza la cantidad de desperdicios que maximiza *su propio* beneficio total. Su costo marginal es cero (a lo largo del eje *x*), por lo que lanza ocho toneladas a la semana, la cantidad que hace que el beneficio marginal sea cero. El costo marginal social del desperdicio, que absorbe el club de pesca, es de $200 por tonelada. El costo marginal excede al beneficio marginal, por lo que el resultado es ineficiente.

## Derechos de propiedad y el teorema de Coase

En ocasiones es posible corregir una externalidad mediante el establecimiento de un derecho de propiedad cuando éste no existe. Por ejemplo, suponga que la fábrica de productos químicos posee el río. El club de pesca tiene que pagar a la fábrica por el derecho de pescar en el río. Pero el precio que está dispuesto a pagar el club depende del número y la calidad de los peces, lo que a su vez depende de cuánto desperdicio lanza al río la fábrica. Cuanto mayor sea la cantidad de contaminación, menor será la cantidad que esté dispuesto a pagar el club de pesca por el derecho a pescar. La fábrica de productos químicos ahora se enfrenta al costo de su decisión de contaminar. La empresa puede seguir contaminando, pero si lo hace, se enfrenta al costo de oportunidad de sus acciones; es decir, el ingreso perdido que ya no recibiría del club de pesca.

En forma alternativa, suponga que el club de pesca posee el río. Ahora la fábrica tiene que pagar un honorario al club de pesca por el derecho a lanzar sus desperdicios. Cuantos más desperdicios lance (en forma equivalente, cuantos más peces mate), más tendrá que pagar. De nuevo, la fábrica se enfrenta a un costo de oportunidad por la contaminación que crea.

¿Tiene importancia la forma en la que se asignan los derechos de propiedad? ¿Tiene importancia si es el contaminador o la víctima de la contaminación quien posee el recurso que se puede contaminar? A primera vista, la propiedad parece ser algo crucial. Y hasta 1960 eso era lo que todos pensaban, incluyendo a los economistas que habían pensado en el problema más de unos cuantos minutos. Pero en 1960, Ronald Coase llegó a un descubrimiento notable, denominado ahora el teorema de Coase. El **teorema de Coase** es la proposición de que si los derechos de propiedad existen y si los costos de las transacciones son bajos, las transacciones privadas son eficientes. En forma equivalente, con derechos de propiedad y bajos costos de transacción, no hay externalidades. Las partes que realizan las transacciones toman en cuenta todos los costos y beneficios. Por tanto, no importa cómo se asignen los derechos de propiedad.

La figura 20.3 muestra el teorema de Coase. Al igual que antes, la curva de demanda para lanzar desperdicios al río es la curva del beneficio marginal de la fábrica, *BM*. Esta curva nos dice lo que está dispuesta a pagar la fábrica por lanzar los desperdicios al río. Al existir derechos de propiedad, la curva *CMS* es la curva de oferta del club de pesca para utilizar el río. Nos dice lo que se tiene que pagar a los miembros del club para que estén de acuerdo con una pesca de inferior calidad y ofrezcan a la empresa un permiso para lanzar desperdicios.

El nivel eficiente del desperdicio es de cuatro toneladas a la semana. A este nivel, el club absorbe un costo

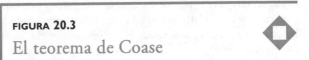

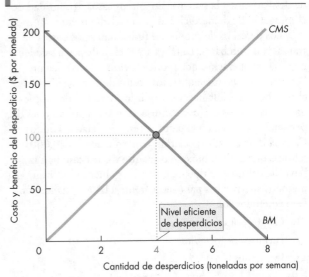

La contaminación de un río impone un costo marginal social a la víctima (*CMS*) y proporciona un beneficio marginal al contaminador (*BM*). La cantidad eficiente de contaminación es la cantidad que hace que el beneficio marginal sea igual al costo marginal social; en este ejemplo, cuatro toneladas por semana. Si el contaminador posee el río, la víctima pagará $400 a la semana ($100 por tonelada x 4 toneladas a la semana) al contaminador, por la seguridad de que la contaminación no excederá de cuatro toneladas a la semana. Si la víctima posee el río, el contaminador pagará $400 por derechos de contaminación para lanzar cuatro toneladas a la semana.

de $100 por la última tonelada lanzada al río y la fábrica obtiene un beneficio por ese importe. Si el lanzamiento de desperdicios se restringe por debajo de cuatro toneladas a la semana, un aumento en el lanzamiento de desperdicios beneficia a la fábrica más de lo que cuesta al club. La fábrica puede pagar al club para que acepte que se deposite una mayor cantidad de desperdicios en el río, y tanto el club como la fábrica pueden ganar. Si la eliminación de desperdicios excede las cuatro toneladas a la semana, un aumento en el lanzamiento de desperdicios cuesta al club más de lo que beneficia a la fábrica. Ahora el club puede pagar a la fábrica para que disminuya su eliminación de desperdicios y de nuevo, tanto el club como la fábrica, ganan. Sólo cuando el nivel de lanzamiento de desperdicios es de cuatro toneladas a la semana, ninguna de las partes puede estar mejor. Éste es el nivel eficiente de la eliminación de desperdicios.

La cantidad de eliminación de desperdicios es la misma con independencia de quién posea el río. Si lo posee la fábrica, el club paga $400 por los derechos de pesca y por un convenio de que el lanzamiento de desperdicios no excederá las cuatro toneladas por semana. Si el club posee el río, la fábrica paga $400 por el derecho a lanzar cuatro toneladas de desperdicios a la semana. En ambos casos, la cantidad de eliminación de desperdicios es la cantidad eficiente.

Los derechos de propiedad funcionan si los costos de transacción son bajos. La fábrica y el club de pesca pueden negociar la operación que produzca el resultado eficiente. Pero en muchas situaciones, los costos de transacción son altos y no es posible hacer cumplir los derechos de propiedad. ¡Imagine los costos de transacción si los 50 millones de personas que viven en la parte noreste de Estados Unidos y Canadá intentaran negociar un convenio con las 20,000 fábricas que emiten bióxido de azufre y que ocasionan la lluvia ácida! En este tipo de casos, los gobiernos utilizan métodos alternativos para hacer frente a las externalidades. Estos métodos son:

1. Cargos por emisiones
2. Permisos negociables
3. Impuestos

En Estados Unidos, el gobierno federal ha establecido un organismo, la Agencia para la Protección del Medio Ambiente (EPA, por sus siglas en inglés), para coordinar y administrar las políticas ambientales de la nación. Observe las herramientas de que dispone la EPA y vea cómo operan.

## Cargos por emisiones

Los cargos por emisiones son un método que utiliza al mercado para lograr la eficiencia, incluso en presencia de externalidades. El gobierno (o el organismo regulador establecido por el gobierno) establece los cargos por emisiones que, en realidad, son un precio por unidad de contaminación. Cuanta más contaminación crea una empresa, más paga por cargos por emisiones. Este método de hacer frente a las externalidades ambientales sólo ha sido usado moderadamente en Estados Unidos, pero es común en Europa. Por ejemplo, en Francia, Alemania y Holanda, quienes contaminan el agua pagan un cargo por eliminación de desperdicios.

Para decidir el cargo por emisiones que logre la eficiencia, el regulador tiene que determinar el costo marginal social y el beneficio marginal *social* de la contaminación. El **beneficio marginal social** es el beneficio marginal que recibe el comprador de un bien (beneficio marginal privado), más el beneficio marginal para otros (el beneficio externo). Para lograr la eficiencia, el precio por unidad de contaminación se tiene que establecer de tal manera que iguale el costo marginal social de la contaminación con el beneficio marginal social.

La figura 20.4 muestra un cargo eficiente por emisiones. El beneficio marginal de la contaminación es *BM* y lo absorben los contaminadores (no hay beneficio *externo*).

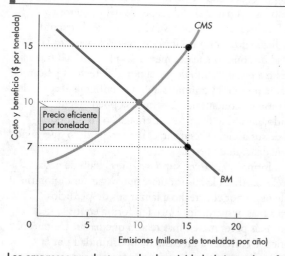

**FIGURA 20.4**

## Cargos por emisiones

Las empresas productoras de electricidad obtienen beneficios marginales de las emisiones de bióxido de azufre por *BM*. Todos los demás incurren en un costo marginal social de *CMS*. El nivel eficiente de contaminación, 10 millones de toneladas al año, se logra imponiendo un cargo por emisión de $10 por tonelada a las empresas productoras de electricidad. Si el cargo por emisiones se establece demasiado bajo, en $7 por tonelada por ejemplo, la cantidad de contaminación resultante, 15 millones de toneladas al año, es mayor que la cantidad eficiente. En este caso, el costo marginal social es $15 por tonelada y excede al beneficio marginal de $7 por tonelada.

El costo marginal social de la contaminación es *CMS* y es un costo externo puro. El nivel eficiente de las emisiones de bióxido de azufre es de 10 millones de toneladas al año, lo que se logra con un cargo por emisión de $10 por tonelada. A este precio, a los contaminadores no les conviene comprar el permiso para contaminar más allá de las 10 millones de toneladas al año.

En la práctica es difícil determinar el beneficio marginal de la contaminación. Además, las personas que están mejor informadas sobre el beneficio marginal, los contaminadores, tienen un incentivo para engañar a los reguladores sobre el beneficio. Por ello, si se utiliza una cuota por contaminación, el resultado más probable es que el precio se establezca demasiado bajo. Por ejemplo, en la figura 20.4, el precio se podría establecer en $7 por tonelada. A este precio, a los contaminadores les conviene pagar por 15 millones de toneladas al año. A este nivel de contaminación, el costo marginal social es de $15 por tonelada y la cantidad de contaminación excede al nivel eficiente.

Una forma de superar el problema de la contaminación excesiva es imponerle un límite cuantitativo. La forma más sofisticada de hacerlo es con límites cuantitativos que las empresas pueden comprar y vender. Este mecanismo se conoce con el nombre de permisos negociables. Observe esta alternativa.

## Permisos negociables

En lugar de imponer cargos por emisiones a los contaminadores, se podrían imponer límites de contaminación a cada posible contaminante. Para obtener un resultado eficiente, se tienen que evaluar los beneficios y los costos marginales de la misma manera que en el caso de los cargos por emisiones. Si estos cálculos de costo-beneficio son correctos, entonces se puede lograr el mismo resultado eficiente con los límites cuantitativos que con los cargos por emisiones. Pero en el caso de los límites cuantitativos, se tiene que establecer un tope para cada contaminador. Para establecer estos topes a sus niveles eficientes, es necesario evaluar el beneficio marginal de *cada* uno de los productores. Si la empresa *H* tiene un beneficio marginal más alto que la empresa *L*, es posible lograr una ganancia en eficiencia si se disminuye el tope de la empresa *L* y se aumenta el de la empresa *H*. Es virtualmente imposible determinar los beneficios marginales de cada empresa, por lo que en la práctica no se pueden asignar restricciones cuantitativas a cada productor en una forma eficiente.

Los permisos negociables son una forma inteligente de superar la necesidad de que el regulador conozca los beneficios marginales de cada empresa. A cada empresa se le puede asignar un permiso para emitir una cierta cantidad de contaminación, y las empresas pueden comprar y vender esos permisos. Las compañías que obtienen beneficios marginales bajos de las emisiones de bióxido de azufre estarán dispuestas a vender sus permisos a empresas que tengan un beneficio marginal alto. Si el mercado de permisos es competitivo, el precio al que las compañías negocian los permisos hace que el beneficio marginal de la contaminación sea igual para todas las empresas. Si se asignó el número correcto de permisos, el resultado puede ser eficiente.

**El mercado para emisiones en Estados Unidos** Los mercados para permisos de emisiones han operado en Estados Unidos desde que la EPA puso en práctica programas de calidad del aire, después de que fue aprobada la Ley para el Aire Limpio (*Clean Air Act*) en 1970.

El comercio de permisos para contaminación de plomo se hizo algo común durante la década de 1980 y este programa de permisos negociables ha sido calificado como un éxito. Permitió que el plomo quedara virtualmente eliminado de la atmósfera de Estados Unidos (véase la figura 20.1(b). Pero este éxito quizá no se pueda trasladar con facilidad a otras situaciones, porque la contaminación por plomo tiene algunas características especiales. Primero, la mayor parte de la contaminación por plomo provenía de una sola fuente, la gasolina con plomo. Segundo, el plomo en la gasolina se puede supervisar con facilidad. Tercero, el objetivo del programa era claro: eliminar el plomo en la gasolina.

Ahora, la EPA está estudiando el uso de permisos negociables para fomentar la eficiencia en el control de los clorofluorocarbonos, gases que se cree dañan la capa de ozono.

## Impuestos y costos externos

Los impuestos se pueden usar para proporcionar incentivos, a fin de que los productores o los consumidores disminuyan una actividad que crea costos externos. Para ver cómo operan los impuestos, considere el caso del mercado para los servicios de transporte.

Los costos que recaen sobre los productores de servicios de transporte no son los únicos costos. Se producen costos externos de las partículas en el aire y de los gases de invernadero ocasionados por las emisiones de los vehículos. Además, la decisión de una persona de utilizar una carretera impone costos de congestión del tránsito a otras personas. Estos costos también son costos externos. Cuando se suman los costos marginales externos al costo marginal al que se enfrenta el productor, se obtiene el costo marginal social del transporte.

La figura 20.5 muestra el mercado para los servicios de transporte. La curva de demanda, *D*, es también la curva del beneficio marginal, *BM*. Esta curva nos dice cuánto valoran los consumidores las diferentes cantidades de servicios de transporte. La curva *CM* mide el costo marginal *privado* de producir servicios de transporte, los costos en los que

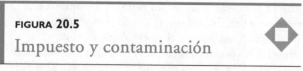

**FIGURA 20.5**

## Impuesto y contaminación

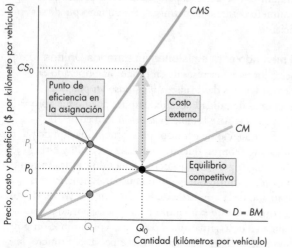

La curva de demanda para los servicios de transporte terrestre es también la curva del beneficio marginal ($D = BM$). La curva del costo marginal privado es $CM$. Si el mercado no está regulado, la producción es $Q_0$ kilómetros por vehículo y el precio es $P_0$ por kilómetro por vehículo. El costo marginal social es $CS_0$ por kilómetro por vehículo. Debido a la congestión del tránsito y a la contaminación, el costo marginal social excede al costo marginal privado. El costo marginal social se muestra mediante la curva $CMS$. Si el gobierno aplica un impuesto en forma tal que los productores de servicios de transporte tengan que pagar el costo marginal social, la curva $CMS$ se vuelve la curva del costo marginal importante para las decisiones de los proveedores. El precio aumenta hasta $P_1$ el kilómetro por vehículo y la cantidad disminuye hasta $Q_1$ kilómetros por vehículo. Se logra la eficiencia en la asignación.

incurren directamente los productores de estos servicios. La curva $CMS$ mide el costo marginal *social*, el cual suma los costos externos y los costos privados.

Si el mercado del transporte es competitivo y no está regulado, el equilibrio se encontrará al precio $P_0$ y a la cantidad $Q_0$. Los usuarios de las carreteras equilibrarán su propio costo marginal, $CM$, contra su propio beneficio marginal, $BM$, y viajarán $Q_0$ kilómetros por vehículo a un precio (y costo) de $P_0$ por kilómetro. A esta escala de los servicios de transporte, el costo marginal social es $CS_0$. El costo marginal social menos el costo marginal privado, $CS_0 - P_0$, es el costo marginal impuesto a otros, es decir, el costo marginal externo.

Suponga que el gobierno grava el transporte terrestre y establece un impuesto igual al costo marginal externo.

Al aplicar este tipo de impuesto, el gobierno hace que los proveedores de servicios de transporte incurran en un costo marginal igual al costo marginal social. Es decir, el costo marginal privado más el impuesto es igual al costo marginal social. La curva de oferta del mercado es ahora la misma que la curva $CMS$. El precio se eleva hasta $P_1$ por kilómetro por vehículo. A este precio las personas viajan $Q_1$ kilómetros por vehículo. El costo marginal de los recursos utilizados en producir $Q_1$ kilómetros por vehículo es $C_1$, y el costo marginal externo es $P_1$ menos $C_1$. Ese costo marginal externo lo paga el consumidor mediante el impuesto.

La situación al precio $P_1$ y la cantidad $Q_1$ es eficiente. A una cantidad superior a $Q_1$, el costo marginal social excede al beneficio marginal, por lo que el beneficio neto se incrementa si se disminuye la cantidad de servicios de transporte. A una cantidad inferior a $Q_1$, el beneficio marginal excede al costo marginal social, por lo que el beneficio neto aumenta al incrementarse la cantidad de servicios de transporte.

**¿Un impuesto al combustible fósil?**   Se puede aplicar un impuesto a cualquier actividad que cree costos externos. Por ejemplo, podríamos gravar *todas* las actividades que contaminan el aire. Si los combustibles fósiles que utilizamos para dar potencia a nuestros vehículos y para producir nuestra energía eléctrica son una fuente importante de contaminación, ¿por qué no tenemos un impuesto sobre todas las actividades que queman combustibles fósiles, el cual se puede fijar a una tasa lo suficientemente alta como para obtener una gran reducción en las emisiones de carbono?

El problema se hace aún más apremiante cuando se consideran no sólo los niveles actuales de gases de invernadero, sino también sus niveles proyectados futuros. En 1995, las emisiones anuales de carbono en todo el mundo alcanzaron la sorprendente cantidad de 6,800 millones de toneladas. Con las políticas actuales, se predice que para el año 2050 ese total anual será de 24,000 millones de toneladas.

**Incertidumbre sobre el calentamiento global**   Parte de la razón por la que no tenemos un impuesto alto, de base amplia, a los combustibles fósiles, es que la evidencia científica de que las emisiones de carbono producen el calentamiento global no son aceptadas por todos. Los climatólogos están inseguros sobre la forma en la que las emisiones de carbono se convierten en concentraciones atmosféricas, es decir, sobre cómo el *flujo* de emisiones se convierte en un *acervo* de contaminación. La causa principal de la incertidumbre es que el carbono se desprende de la atmósfera pasando a los océanos y la vegetación a una tasa que no se comprende bien. Los climatólogos también están inseguros sobre la relación entre la concentración de carbono y la temperatura. Además, los economistas están inseguros sobre la forma en la que un aumento en la temperatura se convierte en costos y beneficios económicos. Algunos economistas creen que los costos y beneficios son casi nulos, en tanto que otros creen que un aumento en la temperatura de 3° centígrados para el año 2050, reducirá la producción total de bienes y servicios en un 20%.

**Costo actual y beneficios futuros**  Otro factor a ponderar al pensar en un cambio importante en el uso de los combustibles es que los costos se soportarían ahora, en tanto que los beneficios, si es que existen, se producirían dentro de muchos años en el futuro. Para comparar los beneficios futuros con los costos actuales, se tiene que utilizar una tasa de interés. Si la tasa de interés es de 1% anual, $1 hoy se convertirá en $2.70 dentro de 100 años. Si la tasa de interés es de 5% anual, $1 hoy se convierte en más de $131.5 en 100 años. Por tanto, a una tasa de interés de 1% anual, vale la pena gastar $1 millón en el control de la contaminación en 1997, si se evitan daños ambientales por $2.7 millones en el año 2097. Sin embargo, a una tasa de interés de 5% anual, sólo vale la pena gastar $1 millón en la actualidad si este gasto evita un daño ambiental de $131.5 millones en el año 2097. Debido a que se necesitan grandes beneficios futuros (los cuales además son inciertos) para justificar pequeños costos actuales, un impuesto general sobre los combustibles fósiles no tiene una prioridad muy alta en la agenda política.

**Factores internacionales**  Un último factor en contra de un cambio importante en la forma de uso de los combustibles es el patrón internacional del uso de los combustibles fósiles. En estos momentos, la contaminación por carbono proviene, en dosis iguales, de los países industriales y de los países en desarrollo. Pero para el año 2050, tres cuartas partes de la contaminación por carbono provendrá de los países en desarrollo (si se mantienen las tendencias).

Una razón para la alta tasa de contaminación de algunos países en desarrollo (notablemente China, Rusia y los otros países de Europa Oriental) es que sus gobiernos *subsidian* el uso del carbón o petróleo. Estos subsidios disminuyen los costos marginales de los productores y estimulan el uso de combustibles. El resultado es que la cantidad de combustibles fósiles consumidos excede, y por mucho, a la cantidad eficiente. Se estima que para el año 2050 estos subsidios inducirán emisiones globales de carbono en alrededor de 10,000 millones de toneladas, aproximadamente dos quintas partes de las emisiones totales. Si se eliminaran los subsidios, las emisiones globales en el año 2050 disminuirían en 10,000 millones de toneladas al año.

## El dilema del calentamiento global

Con una alta tasa de producción de gases de invernadero en el mundo en desarrollo, los países desarrollados se enfrentan al dilema de calentamiento global (parecido al dilema de los prisioneros del capítulo 14, págs. 292-293). Disminuir la contaminación es costoso y podría producir beneficios. Pero los beneficios dependen de las acciones que tomen todos los países para limitar la contaminación. Si un país actúa solo, éste absorbe el costo de limitar la contaminación y casi no obtiene beneficios. Por tanto, sólo conviene tomar medidas para limitar la contaminación global si todas las naciones actúan juntas.

La tabla 20.1 muestra el dilema del calentamiento global al que se enfrentan los países desarrollados y los países en desarrollo. Las cifras son hipotéticas y, para simplificar, se supone que sólo hay un país desarrollado y uno subdesarrollado. Cada país tiene dos posibles políticas: controlar las emisiones de carbono o contaminar. Si cada país contamina, recibe un rendimiento neto de cero (por suposición), que se muestra en el cuadro izquierdo superior de la tabla. Si ambos países controlan las emisiones, cada uno paga el costo y obtiene el beneficio. Su rendimiento neto es de $25,000 millones, tal como se muestra en el cuadro inferior derecho de la tabla. Si el país desarrollado controla las emisiones, pero el país en desarrollo no lo hace, el país desarrollado absorbe todo el costo y los dos países disfrutan de un nivel de contaminación inferior. En este ejemplo, el país desarrollado paga $50,000 millones más de lo que se beneficia y el país en desarrollo se beneficia en

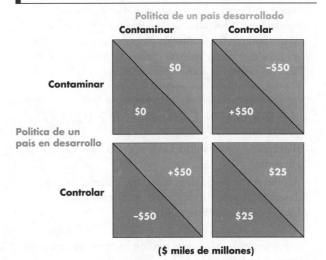

**TABLA 20.1**

## El dilema del calentamiento global

|  | Política de un país desarrollado | |
|---|---|---|
|  | **Contaminar** | **Controlar** |
| **Política de un país en desarrollo** **Contaminar** | $0 / $0 | −$50 / +$50 |
| **Controlar** | +$50 / −$50 | $25 / $25 |

**($ miles de millones)**

Si tanto el país desarrollado como el país en desarrollo contaminan, el cuadro superior izquierdo muestra sus rendimientos. Si ambos países controlan la contaminación, el cuadro inferior derecho muestra sus rendimientos. Cuando un país contamina y el otro no, los cuadros superior derecho e inferior izquierdo muestran sus rendimientos. El resultado de este juego es que ambos países contaminan. La estructura de este juego es igual a la del dilema de los prisioneros.

$50,000 millones más de lo que paga, tal como se muestra en la esquina superior derecha de la tabla. Por último, si el país en desarrollo controla las emisiones y el país desarrollado no lo hace, el país en desarrollo absorbe el costo y el país desarrollado comparte las ganancias. El país en desarrollo pierde $50,000 millones y el país desarrollado gana esta cantidad, como se muestra en la esquina inferior izquierda de la tabla.

Al enfrentarse a estos posibles rendimientos, los dos países deciden sus políticas. Cada país razona en la forma siguiente: si el otro país no controla las emisiones, no se pierde ni se gana nada si contaminamos; sin embargo, perderemos $50,000 millones si controlamos nuestras emisiones. Conclusión: cada país está en mejor situación, individualmente, contaminando. Por tanto, nadie controla las emisiones y la contaminación continúa sin disminuir.

### Tratados y convenios internacionales

Para resolver el dilema, se podrían negociar convenios o tratados internacionales. Pero esos tratados necesitan tener incentivos para que los países cumplan con sus acuerdos. De lo contrario, incluso con un tratado, la situación permanece tal como se acaba de describir y mostrar en la tabla 20.1.

Un convenio internacional de este tipo es el *Convenio sobre el clima* que entró en vigor el 21 de marzo de 1994. Este convenio es un acuerdo entre 60 países para limitar su producción de gases de invernadero. Sin embargo, el convenio no tiene aspectos económicos que obliguen a su cumplimiento. A los países más pobres simplemente se les pidió que listaran sus fuentes de gases de invernadero. Los países ricos tienen que mostrar cómo regresarían, en el año 2000, a los niveles de emisiones que tenían en 1990.

## PREGUNTAS DE REPASO

- ¿Por qué las externalidades evitan que los mercados sean eficientes?
- ¿Cómo se puede eliminar una externalidad al asignar derechos de propiedad? ¿Cómo opera este método de hacer frente a una externalidad?
- ¿Cómo operan los cargos por emisiones y los límites a la contaminación para hacer frente a las externalidades? ¿Se prefiere uno al otro?
- ¿Cómo ayudan los impuestos a hacer frente a las externalidades? ¿A qué nivel se tiene que fijar un impuesto a la contaminación para que induzca a las empresas a producir la cantidad eficiente de contaminación?
- ¿Cuáles son los problemas que se presentan cuando una externalidad va más allá del alcance de un país?

# La economía del conocimiento

EL CONOCIMIENTO, LAS COSAS QUE LAS PERSONAS SABEN y comprenden, tiene un efecto profundo sobre las economías. La economía del conocimiento es un intento por comprender ese efecto. También es un intento por comprender el proceso de acumulación de conocimientos y los incentivos a que se enfrentan las personas para descubrir, aprender y transmitir lo que saben a otros. Es un análisis económico de los procesos científicos y de ingeniería que conducen al descubrimiento y al desarrollo de nuevas tecnologías. Y es un estudio del proceso educativo de enseñanza y aprendizaje.

Se puede pensar en el conocimiento como algo que es al mismo tiempo un bien de consumo y un factor de la producción. La demanda de conocimientos, la disposición a pagar para adquirir conocimientos, depende del beneficio marginal que proporciona a su poseedor. Como un bien de consumo, el conocimiento proporciona utilidad y ésta es una fuente de su beneficio marginal. Como un factor de la producción, es decir, como parte de las existencias de capital, el conocimiento aumenta la productividad y esto aumenta su beneficio marginal.

El conocimiento crea claramente beneficios para su poseedor. También podría crear beneficios externos. Cuando los niños aprenden los fundamentos de la lectura, la escritura y los números en la escuela elemental, se están equipando para ser mejores ciudadanos y estar en mejor posibilidad de comunicarse e interactuar entre sí. El proceso continúa a través de la enseñanza preuniversitaria y la universidad. Pero cuando las personas toman decisiones sobre cuántos estudios realizar, subestiman los beneficios externos que se crean.

Los beneficios externos también se producen a partir de las actividades de investigación y desarrollo que conducen a la creación de nuevos conocimientos. Una vez que alguien ha determinado cómo hacer algo, otros pueden copiar la idea básica. Tienen que trabajar para copiar una idea, así que se enfrentan a un costo de oportunidad. Pero, por lo general, no tienen que pagar a la persona que hizo el descubrimiento para usarlo. Cuando Isaac Newton determinó las fórmulas para calcular la tasa de respuesta de una variable a otra, el cálculo, todos estuvieron en libertad de utilizar su método. Cuando se inventó un programa de hoja de cálculo electrónico denominado *VisiCalc*, otros tuvieron la libertad de copiar la idea básica. Lotus Corporation desarrolló su programa *1-2-3* y más tarde Microsoft creó *Excel*, y ambos fueron en extremo exitosos, pero no tuvieron que pagar por la idea fundamental que fue utilizada primero en *VisiCalc*. Cuando se construyó el primer centro comercial y se supo que era una forma exitosa de organizar las ventas al menudeo, todos estuvieron en libertad de copiar la idea y los centros comerciales se extendieron como hongos.

Cuando las personas toman decisiones sobre la cantidad de educación que van a recibir o sobre la cantidad de investigación y desarrollo que van a realizar, equilibran los costos marginales *privados* contra los beneficios marginales privados. Subestiman los beneficios externos y, como resultado, si se dejara la educación y la investigación y el desarrollo a las fuerzas del mercado sin ninguna regulación, obtendríamos demasiado poco de esas actividades. Para producirlas en cantidades eficientes, se toman decisiones públicas a través de los gobiernos para modificar el resultado del mercado.

Existen tres dispositivos que pueden utilizar los gobiernos para lograr una asignación eficiente de los recursos, cuando existen beneficios externos provenientes de la educación y la investigación y el desarrollo. Éstos son:

- Subsidios
- Provisión por debajo del costo
- Patentes y derechos de autor

## Subsidios

Un **subsidio** es un pago del gobierno a los productores, que depende del nivel de la producción. Al subsidiar las actividades privadas, el gobierno en principio estimula a que las decisiones privadas se tomen considerando el interés público. Sin embargo, un programa de subsidio gubernamental también puede permitir que los productores privados capturen recursos para ellos mismos. Aunque no se puede garantizar que los subsidios operen con éxito, se estudiará un ejemplo en el que sí se logra la meta deseada.

La figura 20.6 muestra cómo un subsidio a la educación aumenta la cantidad de educación recibida y logra una asignación eficiente. Suponga que el costo marginal de producir un año de educación universitaria para un estudiante es una cantidad fija de $20,000. Se supone que todos estos costos los absorben las universidades y que no hay costos externos. El costo marginal social es el mismo que el costo marginal de la universidad y se muestra mediante la curva *CM*. El precio máximo que los estudiantes (o los padres) están dispuestos a pagar por un año adicional de universidad, determina la curva del beneficio marginal privado y la curva de demanda de educación. Esa curva es *D = BM*. En este ejemplo, un mercado competitivo en educación universitaria privada da como resultado la inscripción de 20 millones de estudiantes en la universidad con colegiaturas de $20,000 anuales.

Suponga que el beneficio externo, es decir, el beneficio derivado por personas distintas a las que reciben la educación, da como resultado los beneficios marginales sociales descritos mediante la curva *BMS*. Ocurre una asignación eficiente cuando el costo marginal social es igual al beneficio marginal social. En el ejemplo de la figura 20.6, esta igualdad ocurre cuando se inscriben 40 millones de

estudiantes en la universidad. Una forma de obtener 40 millones de estudiantes en la universidad es subsidiar a las universidades privadas. En el ejemplo, un subsidio de $15,000 anuales por estudiante resuelve este problema. Con un subsidio de $15,000 y un costo marginal de $20,000, las universidades obtienen una utilidad económica si la colegiatura anual excede los $5,000. La competencia entre las universidades hará bajar la colegiatura hasta $5,000 y a este precio se inscribirán en la universidad 40 millones de estudiantes. Por tanto, el subsidio puede lograr un resultado eficiente.

Las lecciones de este ejemplo se pueden aplicar para estimular la tasa de crecimiento en el acervo de

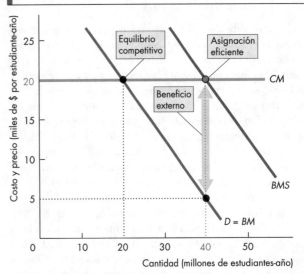

**FIGURA 20.6**
## La cantidad eficiente de educación

La curva de demanda de educación mide el beneficio marginal privado de la educación (*D = BM*). La curva *CM* muestra el costo marginal de la educación, en este ejemplo, $20,000 por estudiante-año. Si se proporciona la educación en un mercado competitivo, la colegiatura es $20,000 por año y se inscriben 20 millones de estudiantes. La educación produce un beneficio externo y al sumar el beneficio externo al beneficio marginal privado se obtiene el beneficio marginal social, *BMS*. La educación no tiene costos externos, por lo que *CM* es también el costo marginal social de la educación. Se obtiene un resultado eficiente si el gobierno proporciona servicios de educación a 40 millones de estudiantes al año, lo que se logra subsidiando a las universidades privadas o proporcionando educación por debajo del costo en universidades públicas. En este ejemplo, los estudiantes pagan una colegiatura anual de $5,000 y el gobierno paga un subsidio de $15,000.

conocimientos a través de la investigación y el desarrollo. Al subsidiar estas actividades, el gobierno puede desplazar la asignación de recursos hacia un resultado más eficiente. El mecanismo que usa el gobierno para este propósito es una donación para investigación y desarrollo. En 1997, el gobierno de Estados Unidos hizo donaciones por más de 2,500 millones de dólares para investigación y desarrollo en las universidades y centros de investigación a través de la Fundación Nacional de la Ciencia (NSF, por sus siglas en inglés). En forma similar, muchos países de América Latina han establecido organismos oficiales que estimulan el desarrollo de la ciencia y la tecnología a través de un financiamiento parcial para obtener educación superior y de posgrado, y para actividades de investigación y desarrollo.

Otra forma de lograr una cantidad eficiente de educación o de investigación y desarrollo es mediante la provisión pública por debajo del costo.

## Provisión por debajo del costo

En lugar de subsidiar a las universidades privadas, el gobierno puede establecer sus propias universidades (universidades públicas) para que proporcionen la educación por debajo del costo. Y en lugar de subsidiar la investigación y el desarrollo en la industria y en las universidades, el gobierno puede establecer sus propias instalaciones de investigación y poner a disposición de otros los descubrimientos. Veamos cómo opera este enfoque regresando al ejemplo en la figura 20.6.

Al establecer universidades públicas con lugares para 40 millones de estudiantes, el gobierno ofrece la cantidad eficiente de educación universitaria. Para asegurar que se ocupe este número de lugares, las universidades públicas deberían cobrar, en este ejemplo, una colegiatura de $5,000 por estudiante por año. El gobierno proporciona esta colegiatura por debajo de su costo marginal que es de $20,000 por estudiante por año. A este precio, el número de personas que eligen asistir a la universidad hace que el beneficio marginal social de la educación sea igual a su costo marginal social.

Ya se han observado dos ejemplos de cómo la acción del gobierno ayuda a que las decisiones de los agentes económicos consideren los beneficios externos que se derivan de la educación, para lograr un resultado diferente al de un mercado privado no regulado. En realidad, muchos gobiernos utilizan ambos métodos para estimular una cantidad de educación eficiente. Subsidian a las universidades privadas y operan sus propias instituciones y venden sus servicios por debajo del costo. Pero, en general, la participación del sector público en la educación es mucho más grande que la del sector privado, sobre todo a niveles de educación básica. En cuanto a la investigación y el desarrollo, la participación directa del gobierno tiende a ser menor. De hecho, en algunos países desarrollados, como en Estados Unidos, los subsidios al sector privado son mucho mayores que la provisión directa por parte del gobierno.

## Patentes y derechos de autor

El conocimiento quizá sea el único recurso productivo que no muestra una *productividad marginal decreciente*. Tener más conocimientos (sobre las cosas correctas) hace que las personas sean más productivas. Y no parece existir una tendencia de que la productividad marginal disminuya a medida que uno aprende más.

Por ejemplo, en tan sólo 15 años, los avances en el conocimiento sobre los microprocesadores nos han dado una serie de circuitos integrados para procesadores que han hecho cada vez más potentes nuestras computadoras personales. Cada avance en el conocimiento sobre cómo diseñar y fabricar un circuito integrado para procesador, ha producido aumentos aparentemente cada vez mayores en el desempeño y la productividad. En forma similar, cada avance en el conocimiento sobre cómo diseñar y construir un avión, ha producido aumentos aparentemente cada vez mayores en su desempeño: el avión "Flyer 1" de los hermanos Orville y Willbur Wright tenía un solo asiento y recorría a saltos el campo de un agricultor. El modelo "Constellation" de la empresa Lockheed fue un avión que volaba con 120 pasajeros desde Nueva York hasta Londres, pero con dos paradas para cargar combustible (una en la isla de Terranova y otra en Irlanda). La última versión del Boeing 747 lleva a 400 personas sin escalas desde Los Ángeles hasta Sidney, o desde México hasta Madrid (vuelos de más de 10,000 kilómetros, en menos de 13 horas). Una y otra vez se pueden encontrar ejemplos similares en campos tan diversos como la agricultura, la biogenética, las comunicaciones, la ingeniería, la diversión, la medicina y las publicaciones.

Una razón fundamental por la que aumenta la existencia de conocimientos sin disminuir los rendimientos, es el gran número de técnicas diferentes que, en principio, pueden utilizarse. El economista Paul Romer explica este hecho con un ejemplo sorprendente. Suponga, dice Romer,

> que para hacer un producto terminado se tienen que colocar 20 piezas diferentes en un marco, una por una. Un trabajador podría hacerlo en orden, colocando primero la pieza uno, después la dos.... O el trabajador podría hacerlo en otro orden, comenzando con la pieza 10 y después añadiendo la número siete.... Con 20 piezas, un cálculo estándar (pero increíble) muestra que hay aproximadamente $10^{18}$ secuencias diferentes que pueden usarse para ensamblar el bien final. Este número es mayor que el número total de segundos que han transcurrido desde que la Gran Explosión creó el universo, así que podemos estar seguros de que en todas las actividades sólo se ha intentado una fracción muy pequeña de todas las posibles secuencias[1].

---

[1]Tomado de "Ideas and Things", en *The Future Surveyed*, de Paul Romer, en el suplemento de *The Economist*, del 11 de septiembre, 1993, págs. 71-72. El "cálculo estándar" al que se refiere Romer es el número de formas de seleccionar y colocar en orden 20 objetos de un total de 20 (lo que se denomina también como el número de permutaciones de 20 objetos

Piense en todos los procesos, en todos los productos y en todos los diferentes pedazos y piezas que integran cada uno de ellos, y podrá ver que sólo se han comenzado a explorar algunos cuantos procesos posibles.

Debido a que el conocimiento es productivo y crea beneficios externos, es necesario utilizar políticas públicas para asegurar que quienes desarrollen nuevas ideas se enfrenten a incentivos que estimulen un nivel de esfuerzo eficiente. La forma principal de crear los incentivos correctos es proporcionar a los creadores de conocimientos derechos de propiedad sobre sus descubrimientos. Éstos se conocen como **derechos sobre la propiedad intelectual**. El dispositivo legal para crear los derechos sobre la propiedad intelectual es la patente o el derecho de autor. Una **patente** o **derecho de autor** es un derecho exclusivo, sancionado por el gobierno, que se otorga al inventor de un bien, servicio o proceso productivo para producir, usar y vender el invento durante un número determinado de años. La patente permite a quien desarrolla una nueva idea evitar, durante un número limitado de años, que otros se beneficien libremente de su invento. Pero para obtener la protección de la ley, el inventor tiene que hacer público el conocimiento del invento.

Aunque las patentes estimulan la invención y la innovación, éstas implican un cierto costo económico. Mientras la patente está en vigor, su propietario es un monopolista. Y el monopolio es otro tipo de falla de mercado. Para maximizar el beneficio, el monopolio (el propietario de la patente) produce la cantidad a la que el costo marginal es igual al ingreso marginal. El monopolio establece el precio por encima del costo marginal e igual al precio más alto al que se puede vender la cantidad que maximiza los beneficios. En esta situación, los consumidores valoran el bien por encima del costo marginal de producirlo (están dispuestos a pagar más por una unidad más del mismo). Por tanto, la cantidad disponible del bien es menor que la cantidad eficiente.

Sin embargo, si no hubiera patente disminuiría el esfuerzo por desarrollar nuevos bienes, servicios, o procesos, y se haría más lento el flujo de nuevos inventos. Por tanto, el resultado eficiente es un situación que equilibra los beneficios de un mayor número de inventos contra el costo del poder monopólico temporal en las actividades recientemente inventadas.

---

tomados de 20 en 20). Este número es el *factorial* de 20 o 20 = 20 × 19 × 18 × ... × 2 × 1 = $10^{18.4}$. Una teoría estándar (cuestionada por observaciones hechas por el telescopio espacial Hubble en 1994) es que una gran explosión inició el universo hace 15,000 millones de años, o sea hace $10^{17.7}$ segundos. Aunque $10^{18.4}$ y $10^{17.7}$ parecen similares, $10^{18.4}$ es *cinco* veces mayor que $10^{17.7}$, por lo que si se hubieran comenzado a intentar secuencias alternativas al momento de la gran explosión y se necesitara sólo un segundo para cada prueba, apenas se habría intentado una quinta parte de todas las secuencias posibles. ¿Sorprendente, no?

## PREGUNTAS DE REPASO

- ¿Qué tiene de especial el conocimiento, como bien de consumo y como recurso productivo, que crea beneficios externos?
- ¿Cuáles son los beneficios externos que provienen de la educación y de la investigación y el desarrollo?
- ¿Cómo podrían usar los gobiernos los subsidios, la provisión por debajo del costo y las patentes y derechos de autor para lograr una cantidad eficiente de investigación y desarrollo?
- ¿Cómo podrían usar los gobiernos los subsidios o la provisión por debajo del costo para producir una cantidad eficiente de educación?
- ¿Por qué podría ser especial el conocimiento como para *no* mostrar rendimientos decrecientes?
- Si las patentes y los derechos de autor pueden estimular la investigación, ¿por qué no otorgamos patentes y derechos de autor ilimitados a los inventores y a otros creadores de nuevos conocimientos?

◆ En la sección *Lectura entre líneas* de las páginas 458-459 se observa el reto que presentan las tecnologías de información digital a los derechos de propiedad intelectual. Al estudiar este problema, intente reflexionar sobre todos los temas que ha aprendido en su estudio de la microeconomía. Usted ha aprendido cómo todos los problemas económicos provienen de la escasez, que la escasez obliga a elecciones y que la elección implica un costo: el costo de oportunidad. Los precios (precios relativos) son costos de oportunidad y están determinados por las interacciones entre los compradores y vendedores en los mercados. Las personas eligen qué comprar y qué recursos vender para maximizar la utilidad. Las empresas eligen qué vender y qué recursos comprar para maximizar el beneficio. Las personas y las empresas interactúan en los mercados. Pero el equilibrio resultante podría ser ineficiente y podría ser visto como que crea demasiada desigualdad. Al proporcionar bienes públicos, redistribuir el ingreso, restringir el poder de monopolio y hacer frente a las externalidades, la elección pública modifica el resultado del mercado.

En el capítulo siguiente se estudian algunos problemas para la economía de mercado, que se producen debido a la incertidumbre y la información incompleta. Pero a diferencia de los casos que se han estudiado aquí, el mercado realiza un buen trabajo en hacer frente a estos problemas, como usted lo descubrirá muy pronto.

# Protección de los derechos de propiedad intelectual

THE NEW YORK TIMES, 2 de diciembre, 1996

## *160 naciones ponderan revisiones de las leyes internacionales de derechos de autor*

POR PETER H. LEWIS

Las leyes de derechos de autor están bajo asedio tecnológico. Las leyes actuales, cuya intención era asegurar tanto un rendimiento financiero para quienes crean todo, desde poesía hasta *software* para computadoras, como un acceso razonable del público a esos materiales, quizá no sean adecuadas para la tarea.

Las copias de la última canción de Madonna, de una hoja de cálculo para computadora o de un directorio telefónico se pueden duplicar y distribuir en Internet con sólo oprimir el "ratón" de una computadora, a menudo sin preocuparse por los derechos legales de los propietarios de derechos de autor.

Ahora, por primera vez en la era de las computadoras personales y de Internet, los expertos en derechos de autor de 160 países están reunidos en Suiza hoy para comenzar a redactar nuevos tratados internacionales que protejan la propiedad intelectual en la edad digital...

Delegados a la conferencia diplomática de la Organización Mundial para la Propiedad Intelectual en Ginebra... confían en llegar a un acuerdo sobre uno o más pactos globales para actualizar las leyes de derechos de autor, para una era en la que cualquier cosa que se proteja con derechos de autor se puede digitar, y cualquier cosa que se digite se puede distribuir en forma casi instantánea en todo el mundo.

Quienes respaldan las propuestas estadounidenses dicen... que son necesarios cambios en la ley internacional de derechos de autor para detener la creciente tendencia internacional a piratear propiedades intelectuales con un valor de miles de millones de dólares. Ellos afirman que sin protecciones más fuertes no habrá incentivos para desarrollar nuevos materiales que sacien el apetito de la infraestructura de información global que está surgiendo....

Richard B. Hovey, director del grupo de tecnología y estrategia de Digital Equipment Corporation, dice: "La premisa central de la Administración es que los creadores de propiedad intelectual desconfían del mercado electrónico, a menos que la ley les ofrezca protección, pero yo estaría en desacuerdo."

El señor Hovey dijo que su compañía y otras ya están desarrollando equipos y *software* para evitar la duplicación, transmisión, o reproducción no autorizada de materiales protegidos por derechos de autor, incluyendo no sólo textos y gráficas, sino también vídeo, sonido y multimedia....

■ Las leyes de derechos de autor son difíciles de hacer cumplir en la era de la información digital, porque la música y otros materiales pueden duplicarse y distribuirse a través de Internet.

■ Se requieren cambios en la ley internacional de derechos de autor para detener la creciente piratería internacional de la propiedad intelectual.

■ Sin una protección más fuerte no habrá incentivos para desarrollar nuevos materiales.

■ Los expertos en derechos de autor están redactando nuevos tratados internacionales que protegen la propiedad intelectual.

■ La empresa Digital Equipment Corporation (DEC) está intentando usar las nuevas tecnologías para evitar la duplicación no autorizada y proteger a los inventores y autores sin un cambio en la ley.

■ El derecho de autor proporciona al inventor de un bien, servicio, o proceso productivo, el derecho exclusivo para producir, usar y vender el invento durante un determinado número de años.

■ Durante la vida del derecho de autor, el inventor es un monopolista.

■ La figura 1 muestra lo que ocurre cuando se viola la ley de derechos de autor. Se utiliza el ejemplo de la grabación de una canción de Madonna. La demanda de una copia de la canción se muestra mediante la curva de demanda, $D$.

■ El costo marginal de hacer una copia más de la canción de Madonna es constante y se muestra mediante la curva del costo marginal, $CM$.

■ Si las personas pudieran copiar libremente la canción de Madonna, la curva del costo marginal se convertiría en la curva de oferta en un mercado competitivo.

■ El número de copias hechas es $Q_C$ y el precio es $P_C$, lo que es igual al costo marginal.

■ Este resultado parece ser eficiente. El costo marginal es igual al beneficio marginal y se maximizan las ganancias provenientes del comercio.

■ Pero este resultado no es eficiente. De hecho, ni siquiera es viable, porque Madonna no tiene incentivos para grabar sus canciones. Sin Madonna no hay nada que copiar. La cantidad es cero y el excedente del consumidor es cero.

■ Una ley de derechos de autor que se haga cumplir, puede mejorar esta situación. La figura 2 muestra esta situación. De nuevo, la curva de demanda es $D$ y la curva del costo marginal es $CM$.

■ Al concederle un derecho de autor sobre su canción, Madonna se convierte en una monopolista. La curva del ingreso marginal de Madonna es $IM$ y ella maximiza el beneficio al autorizar $Q_{DA}$ copias, que se venden por $P_{DA}$.

■ El mercado parece ser ineficiente porque se crea una pérdida irrecuperable, el área gris en la figura 2.

■ Esta pérdida irrecuperable es inevitable. Pero, a largo plazo, desaparece cuando termina la vigencia del derecho de autor y el mercado se vuelve competitivo.

■ El área azul de la figura 2 muestra el beneficio económico de Madonna durante la vigencia de su derecho de autor. Este beneficio es lo que la anima a cantar y crear el material que vale la pena copiar.

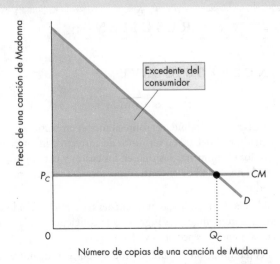

**Figura 1  Cuando se viola la ley de derechos de autor**

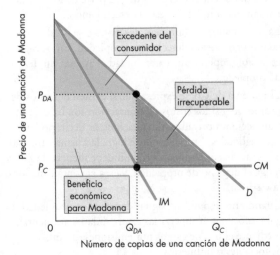

**Figura 2  Cómo opera un derecho de autor**

## Usted es el votante

■ ¿Cómo redactaría usted la ley de derechos de autor?

■ ¿Cuántos años de protección daría usted al inventor o creador de un nuevo bien o servicio, como en el caso de una canción de Madonna?

■ ¿Cómo sugeriría usted que se castigara a los violadores de la ley de derechos de autor? Para desarrollar sus respuestas, utilice un razonamiento económico y el concepto de eficiencia.

# RESUMEN

## CONCEPTOS CLAVE

### La economía del medio ambiente (págs. 446-454)

- Las discusiones populares sobre el medio ambiente encuadran el debate en términos de correcto e incorrecto, pero los economistas insisten en los costos y beneficios, y en la necesidad de encontrar una forma de equilibrar los dos.

- La demanda de políticas ambientales ha crecido debido a que han aumentado los ingresos y la conciencia de la relación entre las acciones y el ambiente.

- La contaminación del aire se produce por el transporte terrestre, por las empresas que proveen servicios de electricidad y por los procesos industriales. En Estados Unidos, las tendencias en la mayor parte de los tipos de contaminación del aire están descendiendo.

- Las externalidades (ambientales y otras) se producen cuando no existen derechos de propiedad. En ocasiones es posible superar una externalidad al asignar un derecho de propiedad.

- El teorema de Coase expresa que si existen derechos de propiedad y si los costos de transacción son bajos, las transacciones privadas son eficientes; es decir, no hay externalidades. En este caso, se logra la misma cantidad eficiente de contaminación con independencia de *quién* tenga el derecho de propiedad, ya sea el contaminador o la víctima.

- Cuando no se pueden asignar derechos de propiedad, los gobiernos logran superar las externalidades ambientales mediante el uso de cargos por emisiones, permisos negociables o impuestos.

- Los permisos negociables se utilizaron con éxito para prácticamente eliminar el plomo del aire de Estados Unidos.

- Las externalidades globales, por ejemplo los gases de invernadero y las sustancias que agotan la capa de ozono de la Tierra, sólo se pueden superar mediante una acción internacional. Si cada país actúa por sí solo, no tiene los incentivos suficientes para obrar en el interés del mundo en general. Pero existe una gran cantidad de incertidumbre y desacuerdo científico sobre los efectos de los gases de invernadero y del agotamiento del ozono y, ante esta incertidumbre, los incentivos para actuar a nivel internacional son débiles.

- El mundo está atrapado en una especie de dilema de los prisioneros, en el cual el interés de cada país es dejar que los otros países financien los costos de las políticas ambientales.

### La economía del conocimiento (págs. 454-457)

- El conocimiento es al mismo tiempo un bien de consumo y un recurso productivo que crea beneficios externos.

- Los beneficios externos que provienen de la educación (el traspasar el conocimiento existente a otros), se producen debido a que las habilidades básicas de lectura, escritura y numérica equipan a las personas para interactuar y comunicarse en forma más efectiva.

- Los beneficios externos provenientes de la investigación y el desarrollo (crear y aplicar nuevos conocimientos) se producen debido a que una vez que alguien ha determinado cómo hacer algo, otros pueden copiar la idea básica.

- Para permitir que ocurra una cantidad eficiente de educación e innovación, se toman decisiones públicas a través de los gobiernos a fin de modificar el resultado del mercado.

- Los gobiernos disponen de tres dispositivos para ello: los subsidios, la provisión por debajo del costo y las patentes y los derechos de autor.

- Los subsidios a las escuelas privadas, o la provisión de educación pública por debajo del costo, pueden lograr una provisión eficiente de educación.

- Las patentes y los derechos de autor crean derechos de propiedad intelectual y aumentan el incentivo para innovar. Pero lo hacen creando un monopolio temporal, cuyo costo se tiene que ponderar contra el beneficio de más actividad de invención.

## FIGURAS CLAVE

## TÉRMINOS CLAVE

# PROBLEMS

*1  Un fabricante de insecticidas puede lanzar desperdicios a un lago, o llevarlos en camión a un lugar de almacenamiento seguro. El costo marginal del transporte en camión es de $100 por tonelada. Una empresa de cría de truchas utiliza el lago; y en la tabla se muestra la forma en la que su beneficio depende de la cantidad de desperdicios lanzados.

| Cantidad de desperdicios (toneladas por semana) | Beneficio del criadero de truchas ($ por semana) |
|---|---|
| 0 | 1,000 |
| 1 | 950 |
| 2 | 875 |
| 3 | 775 |
| 4 | 650 |
| 5 | 500 |
| 6 | 325 |
| 7 | 125 |

a.  ¿Cuál es la cantidad eficiente de desperdicios lanzados al lago?

b.  Si la empresa de cría de truchas posee el lago, ¿cuántos desperdicios se lanzan y cuánto tiene que pagar el fabricante de insecticidas a la empresa por tonelada?

c.  Si el fabricante de insecticidas es el dueño del lago, ¿cuántos desperdicios se lanzan y cuánto tiene que pagar la empresa de cría de truchas a la fábrica, como alquiler por el uso del lago?

2.  Un fundidor de acero está ubicado al borde de un área residencial. En la tabla se muestra el costo de rebajar la contaminación del fundidor. También se muestran los impuestos a la propiedad (o impuestos prediales) que están dispuestos a pagar las personas a diferentes niveles de contaminación.

| Disminución de la contaminación (porcentaje) | Impuestos sobre propiedad pagados voluntariamente ($ por día) | Costo total de la disminución de la contaminación ($ por día) |
|---|---|---|
| 0 | 0 | 0 |
| 10 | 150 | 10 |
| 20 | 285 | 25 |
| 30 | 405 | 45 |
| 40 | 510 | 70 |
| 50 | 600 | 100 |
| 60 | 675 | 135 |
| 70 | 735 | 175 |
| 80 | 780 | 220 |
| 90 | 810 | 270 |
| 100 | 825 | 325 |

Suponga que el aumento en el monto de impuestos que la gente está dispuesta a pagar mide el cambio en el beneficio de tener un aire más limpio, que resultaría de un cambio en la disminución porcentual de contaminación.

a.  ¿Cuál es la disminución eficiente, en porcentaje, de la contaminación?

b.  Si no existe regulación de la contaminación, ¿cuánta contaminación habrá?

c.  Si la fundición es propiedad de la ciudad, ¿cuánta contaminación habrá?

d.  Si la ciudad es propiedad del fundidor de acero, ¿cuánta contaminación habrá?

*3  Volviendo a la planta de insecticidas y el criadero de truchas que se describieron en el problema 1, suponga que nadie posee el lago y que el gobierno implanta un impuesto a la contaminación.

a.  ¿Cuál es el impuesto por tonelada de desperdicios lanzados que logrará un resultado eficiente?

b.  Explique la relación entre la respuesta a este problema y la respuesta al problema 1.

4.  Volviendo a la ciudad con una fundidora de acero del problema 2, suponga que el gobierno de la ciudad implanta un impuesto a la contaminación.

a.  ¿Cuál es el impuesto por porcentaje de desperdicios lanzados que logrará un resultado eficiente?

b.  Explique la relación entre la respuesta a este problema y la respuesta al problema 2.

*5.  Con la información proporcionada en el problema 1, suponga que nadie posee el lago y que el gobierno emitió permisos negociables de contaminación para la empresa del criadero de truchas y para la fábrica. Cada uno puede lanzar la misma cantidad de desperdicios al lago y el total que se puede lanzar es la cantidad eficiente.

a.  ¿Cuál es la cantidad que se puede lanzar al lago?

b.  ¿Cuál es el precio de mercado de un permiso? ¿Quién compra y quién vende?

c.  ¿Cuál es la relación entre la respuesta a este problema y las respuestas a los problemas 1 y 3?

6.  Con la información proporcionada en el problema 2, suponga que el gobierno de la ciudad emite permisos negociables de contaminación para los ciudadanos y para el fundidor. Cada uno puede contaminar el aire en el mismo porcentaje y el total es la cantidad eficiente.

a.  ¿Cuál es el porcentaje de contaminación?

b.  ¿Cuál es el precio de mercado de un permiso? ¿Quién compra y quién vende?

c.  ¿Cuál es la relación entre la respuesta a este problema y las respuestas a los problemas 2 y 4?

*7.  El costo marginal de educar a un estudiante es $4,000 al año y es constante. La figura muestra la curva del beneficio marginal privado.

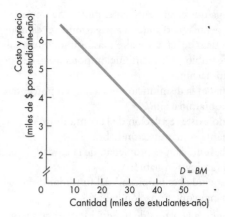

a. Si no hay participación del gobierno y si las escuelas son competitivas, ¿cuántos estudiantes se inscriben y cuál es el monto de la colegiatura?

b. El beneficio externo proveniente de la educación es $2,000 por año por estudiante y es constante. Si el gobierno proporciona la cantidad de educación eficiente; ¿cuántos lugares debe ofrece en las escuelas y cuál debe ser el monto de la colegiatura?

8. Un avance tecnológico reduce el costo marginal de educar a un estudiante a $2,000 por año y es constante. El beneficio marginal privado es el mismo del problema 7. El beneficio externo de la educación aumenta $4,000 por año por estudiante y es constante.

a. Si no hay participación del gobierno y si las escuelas son competitivas, ¿cuántos estudiantes se inscriben y cuál es el monto de la colegiatura?

b. Si el gobierno proporciona la cantidad de educación eficiente, ¿cuántos lugares debe ofrecer en las escuelas y cuál es el monto de la colegiatura?

c. Compare los resultados del problema 8 con los del 7. Explique las diferencias entre ambas situaciones.

## PENSAMIENTO CRÍTICO

1. Después de estudiar la *Lectura entre líneas* de las páginas 458-459, conteste a las siguientes preguntas:

a. ¿Crean las leyes sobre derechos de autor un resultado eficiente o uno ineficiente?

b. ¿Cuáles son las ventajas y desventajas de un período largo de derechos de autor?

c. ¿Cómo cambiaría la ley de derechos de autor si un avance tecnológico adicional volviera imposible realizar copias no autorizadas? ¿Quién necesitaría protegerse de alguien en esta situación?

2. Utilice los vínculos en la página de Internet de este libro para obtener dos puntos de vista sobre el calentamiento global. Después conteste a estas preguntas:

a. ¿Cuáles son los beneficios y los costos de las emisiones de gases de invernadero?

b. ¿Piensa que los ambientalistas están en lo correcto en el punto de vista de que se tienen que eliminar las emisiones de gases de invernadero, o piensa que los costos de reducir las emisiones de gases de invernadero exceden a los beneficios?

c. Si se tienen que reducir las emisiones de gases de invernadero, ¿se deben lograr las reducciones mediante la asignación de cuotas o utilizando el mecanismo de precios?

3. Para disminuir la pesca excesiva en sus aguas territoriales, los gobiernos de Islandia y Nueva Zelanda han creado derechos de propiedad privada con una asignación de Cuotas individuales transferibles (ITQ, por sus siglas en inglés). Para verificar los efectos de este sistema, utilice el vínculo en la página de Internet de este libro para visitar el Instituto Fraser en Vancouver. Después conteste a las preguntas siguientes:

a. ¿Piensa que la introducción de las ITQ ayudarán a reponer las existencias de peces en esos países?

b. Explique por qué las ITQ proporcionan un incentivo para no pescar exageradamente.

c. ¿Quién se opondría a las ITQ y por qué?

4. Utilice los vínculos en la página de Internet de este libro para leer una nota sobre los convenios internacionales para la reducción de la emisión de contaminantes. Después de leer la nota responda a las siguientes preguntas.

a. ¿Por qué cree que los países desarrollados se preocupan por controlar la emisión de contaminantes?

b. ¿Le parece racional que los países menos desarrollados no se comprometan a reducir sus emisiones?

c. ¿Cómo explicaría usted que los países desarrollados hayan aceptado un convenio internacional en el que sólo ellos se comprometieron a reducir las emisiones? Piense en términos de la tabla 20.1 y en los beneficios obtenidos por esta acción.

d. Estados Unidos ha propuesto un mecanismo de compraventa de permisos de emisiones entre países. ¿Qué opina de los comentarios del representante del Sierra Club?

5. Utilice los vínculos en la página de Internet de este libro para leer una nota sobre la demanda que presentó el grupo *Metallica* por violación de los derechos de autor en contra de una empresa productora del *software* que facilita la distribución de archivos de audio en Internet.

a. ¿Por qué cree que este grupo está interesado en proteger sus derechos de autor? Evalúe la explicación del baterista. ¿Cree que está en lo correcto?

b. ¿Cuál sería el efecto a largo plazo si no se regula la distribución de archivos de audio en Internet?

# 21

# Incertidumbre e información

La vida es como una lotería. Se trabaja duro en la escuela, pero, ¿cuál será el beneficio? ¿Se obtendrá al final un empleo interesante y muy bien remunerado o un empleo desagradable y mal pagado? Usted establece un pequeño negocio durante el verano y trabaja duro en él, pero, ¿obtendrá el ingreso suficiente para mantenerse en la escuela el año próximo o lo perderá todo? ¿Cómo toman decisiones las personas cuando no conocen las consecuencias? ◆ Cuando usted cruza una intersección con luz verde, voltea a la izquierda y ve un automóvil que aún se está moviendo. ¿Se detendrá el automóvil o se pasará la luz roja? La gente compra seguros para protegerse de ese riesgo y las compañías de seguros obtienen una ganancia de ese negocio. ¿Por qué estamos dispuestos a comprar seguros a precios que dejan una ganancia a las compañías de seguros? ◆ Comprar un automóvil nuevo o usado es divertido, pero también un poco preocupante. El automóvil que uno compra puede resultar defectuoso, y esto ocurre no sólo con los automóviles: prácticamente cualquier producto complicado que se compre podría salir defectuoso. ¿Cómo nos inducen los distribuidores y vendedores de automóviles a comprar algo que quizá esté defectuoso? ◆ Las personas guardan parte de su riqueza en el banco, parte en sociedades de inversión, parte en bonos y algo en acciones. Algunas de estas formas de conservar la riqueza tienen un alto rendimiento y algunas tienen un rendimiento bajo. ¿Por qué las personas no colocan toda su riqueza en el lugar que tiene el rendimiento más alto? ¿Por qué vale la pena diversificar los activos?

## Loterías y autos defectuosos

◆ En este capítulo se contesta a preguntas como las anteriores. Se comenzará explicando cómo toman decisiones las personas cuando no están seguras de las consecuencias de sus acciones. Se verá que vale la pena comprar un seguro, a pesar de que el precio que uno paga permite a la compañía aseguradora obtener un beneficio. Se explicará por qué utilizamos recursos escasos para producir y difundir información. Se observarán las transacciones en diversos mercados en los que la incertidumbre y el costo de adquirir la información desempeñan un papel importante. ◆ Un tema de la economía que se repite a menudo, es que los mercados ayudan a las personas a utilizar en forma eficiente sus recursos escasos. La existencia de incertidumbre e información incompleta podrían explicar por qué los mercados no siempre alcanzan resultados eficientes. Pero los mercados se enfrentan sorprendentemente bien a estos problemas.

**Después de estudiar este capítulo, usted será capaz de:**

- Explicar cómo toman decisiones las personas cuando están inseguras sobre las consecuencias de sus acciones

- Explicar por qué las personas compran seguros y cómo las compañías de seguros obtienen un beneficio

- Explicar por qué los compradores hacen búsquedas y por qué los vendedores se anuncian

- Explicar cómo se las arreglan los mercados cuando hay información privada

- Explicar cómo utilizan las personas a los mercados financieros para disminuir el riesgo

# Incertidumbre y riesgo

AUNQUE VIVIMOS EN UN MUNDO INCIERTO, ES RARO que preguntemos qué es la incertidumbre. Sin embargo, para explicar cómo tomamos decisiones y cómo hacemos negocios unos con otros en un mundo incierto, es necesario pensar con más profundidad sobre la incertidumbre. ¿Qué es exactamente la incertidumbre? También vivimos en un mundo con riesgo. ¿Es lo mismo el riesgo que la incertidumbre? Comencemos por definir la incertidumbre y el riesgo, para poder distinguir el uno del otro.

La **incertidumbre** es una situación en la que puede ocurrir más de un acontecimiento, pero no conocemos cuál. Por ejemplo, cuando los agricultores siembran sus cosechas, están inciertos sobre el clima durante la temporada de cultivo.

En el lenguaje cotidiano, el riesgo es la probabilidad de incurrir en una pérdida (o algún otro infortunio). En economía, el **riesgo** es una situación en la que puede ocurrir más de un resultado y en la que se puede estimar la *probabilidad* de cada posible resultado. Una *probabilidad* es un número entre cero y 1, que mide la posibilidad de que ocurra algún posible acontecimiento. Una probabilidad de cero significa que el acontecimiento no ocurrirá. Una probabilidad de 1 significa que el acontecimiento ocurrirá con toda seguridad, es decir, con certeza. Una probabilidad de 0.5 significa que existe la misma posibilidad de que ocurra el acontecimiento o de que no ocurra. Un ejemplo de ello es la probabilidad de que al lanzar una moneda caiga cara. En un gran número de lanzamientos, alrededor de la mitad de ellos serán caras y la otra mitad serán cruces.

En ocasiones se pueden medir las probabilidades. Por ejemplo, la probabilidad de que se lance una moneda y caiga cara se basa en el hecho de que, en un gran número de lanzamientos, la mitad son caras y la mitad, cruces; la probabilidad de que un automóvil en San Juan de Puerto Rico participe en un accidente en un año determinado, se puede estimar utilizando los historiales de accidentes que mantienen la policía y las compañías de seguros; la probabilidad de que usted gane la lotería se puede estimar dividiendo el número de boletos que ha comprado entre el número total de boletos vendidos.

Algunas situaciones no se pueden describir utilizando probabilidades que se basan en acontecimientos observados en el pasado. Estas situaciones quizá sean acontecimientos únicos, como la introducción de un producto nuevo. ¿Cuántos se venderán y a qué precio? Debido a que el producto es nuevo, no hay una experiencia previa sobre la cual basar una probabilidad. Pero es posible contestar a estas preguntas observando las experiencias pasadas de productos nuevos

similares y apoyándose en algunos criterios adicionales. Esos criterios se denominan *probabilidades subjetivas*.

Independientemente de si la probabilidad de que ocurra un acontecimiento se basa en información real o en algún juicio subjetivo (incluso en una conjetura), se puede utilizar la probabilidad para estudiar la forma en que las personas toman decisiones al enfrentarse a la incertidumbre. El primer paso para hacer esto es describir la forma en que las personas evalúan el costo del riesgo.

## Medición del costo del riesgo

Algunas personas están más dispuestas a correr riesgos que otras, pero, si las demás cosas permanecen igual, casi todos prefieren menos riesgo que más. Medimos las actitudes de las personas hacia el riesgo, utilizando las curvas y programas de utilidad de la riqueza. La **utilidad de la riqueza** es la cantidad de utilidad que asigna una persona a una determinada cantidad de riqueza. Cuanto mayor sea la riqueza de una persona, si las demás cosas permanecen igual, más alta es la utilidad total de la persona. Una mayor riqueza proporciona una utilidad total más alta, pero a medida que aumenta la riqueza, cada unidad adicional de riqueza aumenta la utilidad total en una cantidad cada vez más pequeña. Es decir, la *utilidad marginal de la riqueza es decreciente*.

En la figura 21.1 se establece el programa y la curva de utilidad de la riqueza de Tania. Cada punto, desde *a* hasta *e* en la curva de utilidad de la riqueza de Tania, corresponde a la línea de la tabla identificada por la misma letra. Se puede observar que conforme aumenta su riqueza, también lo hace su utilidad total de la riqueza. También se observa que su utilidad marginal de la riqueza disminuye. Cuando la riqueza aumenta de $3,000 a $6,000, la utilidad total aumenta en 20 unidades, pero cuando la riqueza aumenta en otros $3,000 y llega a $9,000, la utilidad total sólo aumenta en 10 unidades.

Es posible utilizar la curva de utilidad de la riqueza de Tania para medir su costo del riesgo. Veamos cómo evalúa ella dos empleos de verano que involucran diferentes niveles de riesgo.

Uno de esos empleos, trabajar como cajera, le paga lo suficiente para que ahorre $5,000 al terminar el verano. No hay incertidumbre sobre el ingreso proveniente de este empleo, y por tanto no hay riesgo. Si Tania toma este empleo al término del verano su riqueza será de $5,000. El otro empleo, trabajar como vendedora por televisión anunciando suscripciones para una revista, es riesgoso. Si acepta este empleo, al término del verano su riqueza dependerá por completo del éxito que haya tenido en la venta. Podría ser una buena vendedora o una deficiente. Una buena vendedora gana $9,000 en un verano, pero una

**FIGURA 21.1**

## La utilidad de la riqueza

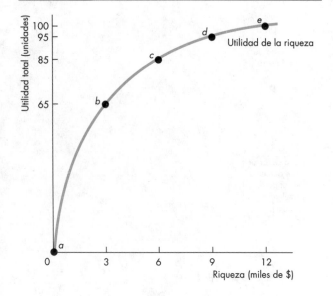

|   | Riqueza (miles de $) | Utilidad total (unidades) | Utilidad marginal (unidades) |
|---|---|---|---|
| a | 0 | 0 | |
| | | | 65 |
| b | 3 | 65 | |
| | | | 20 |
| c | 6 | 85 | |
| | | | 10 |
| d | 9 | 95 | |
| | | | 5 |
| e | 12 | 100 | |

La tabla muestra el programa de utilidad de la riqueza de Tania. La figura presenta su curva de utilidad de la riqueza. La utilidad aumenta a medida que aumenta la riqueza, pero la utilidad marginal de la riqueza disminuye.

vendedora deficiente obtiene sólo $3,000. Tania nunca ha intentado vender en televisión, por lo que no sabe qué tan exitosa será. Ella supone que tiene una posibilidad igual; es decir, una probabilidad de 0.5 de obtener $3,000 o $9,000. ¿Qué resultado prefiere Tania: $5,000 seguros del empleo de cajera o una posibilidad de 50% y 50% de obtener ya sea $3,000 o $9,000 del empleo de ventas por televisión?

Cuando existe incertidumbre, las personas no conocen la utilidad *real* que obtendrán de llevar a cabo una acción en

particular. Pero es posible calcular la utilidad que *esperan* obtener. La **utilidad esperada** es la utilidad promedio que se produce de todos los posibles resultados. Por tanto, para elegir su empleo en el verano, Tania calcula la utilidad esperada de cada empleo. La figura 21.2 muestra cómo hace esto.

Si Tania acepta el empleo de cajera, tiene $5,000 de riqueza y 80 unidades de utilidad. No hay incertidumbre, por lo que su utilidad esperada es igual a su utilidad real, 80 unidades. Pero suponga que acepta el empleo de ventas por televisión. Si gana $9,000, su utilidad es de 95 unidades, y si gana $3,000, su utilidad es de 65 unidades. El *ingreso espera-do* de Tania es el promedio de estos dos resultados, es decir, $6,000: ($9,000 × 0.5) + ($3,000 × 0.5). A este promedio se le conoce como *promedio ponderado*, siendo las ponderaciones las probabilidades de cada resultado (en este caso ambas son de 0.5). La *utilidad esperada* de Tania es el pro-

**FIGURA 21.2**

## Elección bajo incertidumbre

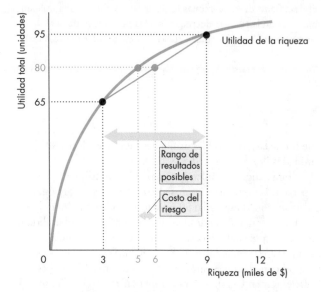

Si la riqueza de Tania es de $5,000 y no se enfrenta a riesgo alguno, su utilidad es de 80 unidades. Con igual probabilidad, ella puede tener una riqueza de $9,000 con una utilidad de 95, o de $3,000 con una utilidad de 65. Su riqueza esperada es de $6,000. Pero su utilidad esperada es de 80 unidades; es decir, igual que si ella tuviera $5,000 sin incertidumbre. A Tania le resultan indiferentes esas dos alternativas. La riqueza esperada adicional para Tania de $1,000 es apenas suficiente para compensarla por el riesgo adicional en el que incurrirá.

**FIGURA 21.3**

# Neutralidad al riesgo

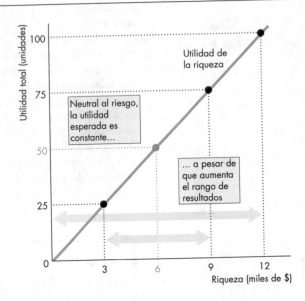

El desagrado de las personas hacia el riesgo implica una utilidad marginal de la riqueza decreciente. Una persona neutral al riesgo (hipotética) tiene una curva de utilidad de riqueza lineal y una utilidad marginal de la riqueza constante. Para una persona neutral al riesgo, la utilidad esperada no depende del rango de incertidumbre, y el costo del riesgo es cero.

---

medio de las dos posibles utilidades totales, es decir, 80 unidades (95 × 0.5) + (65 × 0.5).

Tania elige el empleo que maximiza su utilidad esperada. En este caso, las dos alternativas le proporcionan la misma utilidad esperada, 80 unidades, por lo que le resulta indiferente cualquiera de ellas. Existe la misma probabilidad de que acepte cualquiera de los empleos. La diferencia entre la riqueza esperada de $6,000 con el empleo riesgoso y de $5,000 con el empleo sin riesgos —es decir, $1,000— es lo suficientemente grande para compensar el riesgo adicional al que se enfrenta Tania.

Los cálculos que se acaban de hacer permiten medir el costo del riesgo de Tania. El costo del riesgo es la cantidad en la que tiene que aumentar la riqueza esperada para proporcionar la misma utilidad esperada que ofrece una situación sin riesgos. En el caso de Tania, el costo del riesgo que se produce por el ingreso incierto de $3,000 o $9,000, es $1,000.

Si el ingreso esperado en ambos trabajos permanece constante, pero aumenta el rango de la incertidumbre, Tania aceptará el empleo de cajera. Para ver esta conclusión, su-

ponga que las buenas vendedoras por televisión obtienen $12,000 y que las deficientes no obtienen ingreso alguno. El ingreso promedio de la venta por televisión sigue siendo de $6,000, pero el rango de incertidumbre ha aumentado. En la tabla de la figura 12.1 se muestra que Tania obtiene 100 unidades de utilidad de una riqueza de $12,000 y cero unidades de utilidad de una riqueza de cero. Por tanto, en este caso, la utilidad esperada de Tania del empleo de ventas por televisión es de sólo 50 unidades: (100 × 0.5) + (0 × 0.5). Debido a que ahora la utilidad esperada de la venta por televisión es menor que la de ser cajera, Tania elige trabajar como cajera.

## Aversión al riesgo y neutralidad al riesgo

Hay una enorme diferencia entre Bill Parcells, entrenador en jefe del equipo de fútbol americano Jets de Nueva York, quien está a favor de un juego de corridas cautelosas, y Jim

Kelly, antiguo *quarterback* de los Bills de Buffalo, a quien le agradaba un juego de pases riesgosos. Ellos tienen actitudes diferentes hacia el riesgo. Bill tiene más *aversión al riesgo* que Jim. Tania también tiene *aversión al riesgo*. La forma de la curva de utilidad de la riqueza nos da información sobre la actitud de una persona hacia el riesgo; más específicamente, nos habla del grado de *aversión al riesgo* de la persona. Cuanto más rápido disminuya la utilidad marginal de la riqueza de una persona, más aversión hacia el riesgo tiene esa persona. Se puede ver mejor este hecho considerando el caso de la *neutralidad al riesgo*. Una persona con neutralidad al riesgo sólo se preocupa por la *riqueza esperada* y no le importa cuánta incertidumbre existe.

La figura 21.3 muestra la curva de utilidad de la riqueza de una persona neutral al riesgo. Es una línea recta y la utilidad marginal de la riqueza es constante. Si esta persona tiene una riqueza esperada de $6,000, la utilidad esperada es de 50 unidades, independientemente del rango de incertidumbre alrededor de ese promedio. Una probabilidad igual de obtener $3,000 o $9,000 le proporciona la misma utilidad esperada que una opción segura que le garantice $6,000. Cuando el riesgo de Tania aumentó a este rango, ella necesitó $1,000 adicionales. Esta otra persona no los necesita. Incluso si el rango del riesgo fluctúa entre $0 y $12,000, la persona neutral al riesgo sigue obteniendo la misma utilidad esperada que le proporcionan los $6,000 seguros. La mayoría de las personas reales sienten aversión al riesgo y sus curvas de utilidad de la riqueza se parecen a la de Tania. Pero el caso de la neutralidad al riesgo muestra la importancia y las consecuencias de la forma de la curva de utilidad de la riqueza sobre el grado de aversión al riesgo de una persona.

## PREGUNTAS DE REPASO

- ¿Cómo toman decisiones las personas cuando se enfrentan a resultados inciertos? ¿Qué intentan lograr?
- ¿Cómo se puede medir el costo del riesgo?
- ¿Qué determina la cantidad que alguien estaría dispuesto a pagar para evitar el riesgo? ¿Es igual para todos el costo del riesgo?
- ¿Qué es una persona *neutral al riesgo* y cuánto pagaría este tipo de persona para evitar el riesgo?

La mayoría de las personas sienten aversión al riesgo. Ahora veamos cómo el seguro les permite reducir el riesgo al que se enfrentan.

# Seguros

UNA FORMA DE REDUCIR EL RIESGO AL QUE NOS enfrentamos es comprar seguros. ¿Cómo reduce el riesgo un seguro? ¿Por qué compran seguros las personas? ¿Y qué determina la cantidad que gastamos en seguros? Antes de contestar a estas preguntas, observemos la industria de seguros en Estados Unidos en la actualidad.

## La industria de los seguros

Los estadounidenses dedican, en promedio, cerca del 15% de su ingreso a los seguros privados. Eso es tanto como lo que gastan en vivienda y más de lo que gastan en automóviles y alimentos. Además, los estadounidenses compran seguros a través de sus impuestos en la forma de seguro social y seguro del desempleo.

Cuando se compran seguros privados, se celebra un convenio con una compañía de seguros para pagar un precio estipulado, denominado *prima*, a cambio de beneficios que se recibirán si ocurren algunos acontecimientos específicos. Las tres principales clases de seguros son:

- Seguro de vida
- Seguro de gastos médicos
- Seguros sobre propiedades y accidentes

En el caso de América Latina, la industria de seguros está aún en vías de desarrollo, aunque se tienen expectativas de un fuerte crecimiento en los próximos años. El volumen total de primas en la región es de alrededor de 30,000 millones de dólares, lo que representa poco más del 1.5% del total de primas recaudadas a escala mundial. En comparación con la población (6% del total mundial), esta cifra es relativamente baja. Entre los países más grandes de la región, el gasto en seguros en 1995, como porcentaje del gasto total, fluctuó entre el 1.5% en México y el 3.1% en Chile. Recientemente, Argentina y Venezuela fueron desplazados por Chile y Colombia como los países de la región en los que se hace un mayor uso de este tipo de servicios.

**Seguro de vida** El seguro de vida reduce el riesgo de pérdidas financieras en el caso de muerte. Casi el 80% de los hogares en Estados Unidos tienen seguros de vida, y el importe promedio de la cobertura es de $110,000 por hogar. Más de 2,400 compañías proporcionan seguro de vida, y las primas totales pagadas en un año son de más de $450,000 millones. Como se puede ver en la figura 21.4, el seguro de vida ha sido la mayor fuente de negocios de los seguros privados en los años recientes en Estados Unidos. Este resultado contrasta con el caso de América Latina, en donde

FIGURA 21.4

## La industria de los seguros

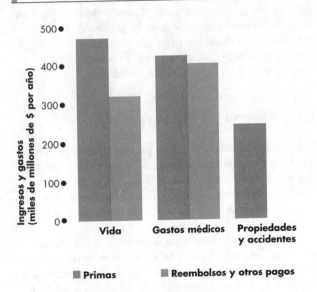

El gasto total en seguros privados en Estados Unidos es de más de un billón de dólares. La mayor parte de éstos se gastan en seguros de vida y de gastos médicos.

*Fuente: Statistical Abstract of the United States 1995, 115 edición, del U.S. Bureau of the Census (Washington, D.C. 1995), tablas 150, 840, 841 y 843-845 y supuestos y cálculos del autor.*

los seguros más demandados son los de gastos médicos y los seguros sobre propiedades (especialmente de automóviles).

**Seguro de gastos médicos**   El seguro de gastos médicos reduce el riesgo de pérdidas financieras en el caso de una enfermedad. Puede proporcionar fondos para cubrir tanto los ingresos perdidos como el costo de la atención médica. El seguro médico privado está creciendo con rapidez y es rentable. La figura 21.4 muestra que el volumen de este tipo de seguros en Estados Unidos es casi tan grande como el de los seguros de vida. Como ya se mencionó, este tipo de seguros es el más demandado en América Latina.

**Seguro sobre propiedades y accidentes**   El seguro sobre propiedades y accidentes reduce el riesgo de pérdidas financieras en el caso de un accidente que incluya daños a terceros o propiedades. Abarca el seguro de automóviles (su mayor componente en casi todos los países), compensación a trabajadores, incendios, terremotos, negligencia profesional, así como un gran número de partidas más pequeñas. La figura

21.4 muestra que, en Estados Unidos, se gastan alrededor de $250,000 millones al año en este tipo de seguros.

### Cómo opera el seguro

El seguro opera agrupando los riesgos. Es posible y rentable porque las personas sienten aversión al riesgo. La probabilidad de que alguna persona tenga un accidente de automóvil grave es pequeña, pero el costo de un accidente para la persona afectada es enorme. Para una población grande, la probabilidad de que una persona tenga un accidente es la proporción de la población que sí tiene un accidente. Debido a que es posible estimar esta probabilidad, se puede predecir el costo total de los accidentes. Una compañía de seguros puede agrupar los riesgos de una gran población y compartir los costos. Lo hace cobrando primas a todos y pagando los beneficios a quienes sufren una pérdida. Si la compañía de seguros hace sus cálculos en forma correcta, cobra en primas por lo menos tanto como paga en beneficios y costos de operación.

Para ver por qué las personas compran seguros y por qué es rentable, consideremos un ejemplo. Daniel tiene la curva de utilidad de riqueza que se muestra en la figura 21.5. Posee un automóvil con un valor de $10,000 y ésta es su única riqueza. Si no existe el riesgo de que tenga un accidente, su utilidad será de 100 unidades. Pero existe una posibilidad del 10% (una probabilidad de 0.1) de que tenga un accidente en el transcurso de un año. Suponga que Daniel no compra un seguro. Si tiene un accidente, su automóvil ya no vale nada y, al no tener seguro, no tiene ni riqueza ni utilidad. Debido a que la probabilidad del accidente es de 0.1, la probabilidad de *no* tener un accidente es de 0.9. Por tanto, la riqueza esperada de Daniel es de $9,000 ($10,000 × 0.9 + $0 × 0.1) y su utilidad esperada es de 90 unidades (100 × 0.9 + 0 × 0.1).

De acuerdo con su curva de utilidad de la riqueza, Daniel tiene 90 unidades de utilidad si su riqueza es de $7,000 y no se enfrenta a incertidumbre alguna. Es decir, la utilidad de Daniel de una riqueza garantizada de $7,000 es la misma que la utilidad que deriva de tener una riqueza de $10,000 con una probabilidad del 90% y de no tener nada con una probabilidad del 10%. Si el costo de una póliza de seguros que le pague en caso de accidente es inferior a $3,000 ($10,000–$7,000), Daniel comprará la póliza. Por tanto, Daniel tendrá una demanda positiva por un seguro de automóvil si las primas son inferiores a $3,000.

Suponga que existen muchas personas como Daniel; cada una de ellas con un automóvil de $10,000 y cada una con una posibilidad del 10% de tener un accidente en el transcurso del año. Si una compañía de seguros acepta pagar $10,000 a cada persona que tenga un accidente, la compañía pagará $10,000 a una décima parte de la población, o sea, un promedio de $1,000 por persona. Esta cantidad es la

## FIGURA 21.5

## Las ganancias del seguro

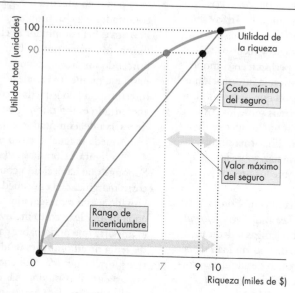

Daniel tiene un automóvil valorado en $10,000 que le da una utilidad de 100 unidades. Existe una probabilidad de 0.1 de que tenga un accidente, lo que hará que su automóvil quede sin valor alguno (riqueza y utilidad igual a cero). Al no tener seguro, su riqueza esperada es de $9,000 y su utilidad esperada es de 90 unidades. Esta utilidad es equivalente a una riqueza garantizada de $7,000. Daniel está dispuesto a pagar hasta $3,000 por el seguro. Si una compañía de seguros le puede ofrecer a Daniel un seguro en $1,000 hay una ganancia potencial proveniente del seguro tanto para Daniel como para la compañía de seguros.

prima mínima que debe cobrar la compañía de seguros para este tipo de seguros. Esta cifra es inferior al valor del seguro que Daniel está dispuesto a pagar, porque él tiene aversión al riesgo. Daniel está dispuesto a pagar algo para reducir el riesgo al que se enfrenta.

Suponga ahora que los gastos de operación de la compañía de seguros son $1,000 adicionales por persona asegurada y que ofrece el seguro en $2,000. Ahora la compañía cubre todos estos costos, tanto los importes pagados a los tenedores de pólizas por sus pérdidas, como los gastos de operación de la compañía. Daniel, y todas las demás personas como él, maximizarán su utilidad al comprar este seguro.

Gran parte de la incertidumbre a la que nos enfrentamos proviene de la ignorancia. Ciertamente no conocemos todas las cosas de las que podríamos beneficiarnos. Pero el conocimiento o la información no son gratuitos. Además, la intervención del gobierno es de poca ayuda para hacer frente a este problema. Por lo general, los gobiernos están aún menos bien informados que los compradores y vendedores de algún mercado en particular.

Al enfrentarnos a información incompleta, tenemos que tomar decisiones sobre cuánta información adquirir. Ahora estudiaremos las elecciones que se hacen sobre la obtención de información y sobre cómo los mercados hacen frente a la información incompleta.

## PREGUNTAS DE REPASO

- ¿Qué tipos de seguros compramos y qué tan grande es el porcentaje de ingresos que se gastan en ellos en Estados Unidos y en América Latina?

- ¿Cómo opera el seguro? ¿Cómo evitan las personas resultados indeseables al asegurarse contra ellos?

- ¿Cómo puede ofrecer una compañía de seguros de automóviles un arreglo que les resulte favorable a algunas personas? ¿Por qué los importes pagados por los asegurados no cubren únicamente los importes pagados por las compañías de seguros a los reclamantes?

# Información

GASTAMOS UNA CANTIDAD ENORME DE NUESTROS recursos escasos en información económica. La **información económica** incluye información sobre los precios, cantidades y calidades de bienes, servicios y recursos.

En los modelos de competencia perfecta, en el monopolio y en la competencia monopolística, la información es gratis. Todos tienen toda la información que necesitan. Los hogares están completamente informados sobre los costos de los bienes y servicios que compran y sobre los precios de los factores de la producción que venden. En forma similar, las empresas están completamente informadas sobre las preferencias de los consumidores y sobre los precios y productos de otras empresas.

En contraste, en el mundo real la información es escasa. Si no fuera así, no necesitaríamos a *The Wall Street Journal* ni a *CNN*. Y no necesitaríamos buscar gangas o dedicar tiempo a buscar un empleo. El costo de oportunidad de la información económica, es decir, el costo de adquirir información sobre precios, cantidades y calidades de bienes y servicios y recursos, se denomina **costo de la información**.

El hecho de que muchos modelos económicos no tomen en cuenta los costos de información, no hace que estos modelos sean inútiles. Nos proporcionan conocimientos de las fuerzas que producen las tendencias en los precios y las cantidades, durante períodos lo suficientemente largos como para que los límites a la información no sean importantes. Pero para comprender cómo operan los mercados hora por hora y día por día, es necesario tomar en cuenta los problemas de información. Observemos algunas de las consecuencias del costo de la información.

## Búsqueda de información de precios

Cuando muchas empresas venden el mismo bien o servicio, hay un rango de precios, y los compradores quieren encontrar el precio más bajo. Pero la búsqueda requiere de tiempo y es costosa. Por tanto, los compradores tienen que ponderar la ganancia esperada de una búsqueda adicional contra el costo de esa búsqueda adicional. Para realizar este acto de equilibrio, los compradores utilizan una regla de decisión denominada la *regla de búsqueda óptima* o la *regla de interrupción óptima*. La regla de búsqueda óptima es:

■ Buscar un precio inferior hasta que el beneficio marginal esperado de la búsqueda adicional sea igual al costo marginal de la búsqueda.

■ Cuando el beneficio marginal esperado de la búsqueda adicional es inferior o igual al costo marginal, se debe interrumpir la búsqueda y comprar.

Para poner en práctica la regla de búsqueda óptima, cada comprador elige su propio precio de reserva. El **precio de reserva** del comprador es el precio más alto que está dispuesto a pagar por un bien. El comprador continuará buscando un precio menor si el precio más bajo intentado hasta ese momento excede al precio de reserva, pero interrumpirá la búsqueda y comprará si el precio menor encontrado es inferior o igual al precio de reserva. Al precio de reserva del comprador, el beneficio marginal esperado de la búsqueda es igual al costo marginal de la misma.

La figura 21.6 muestra la regla de búsqueda óptima. Suponga que ha decidido comprar un automóvil usado. Su costo marginal de la búsqueda es $C$ por distribuidor visitado y está representado por la línea horizontal naranja en la figura. Este costo incluye el valor de su tiempo, que es el importe que pudo haber ganado en lugar de recorrer lotes de venta de automóviles usados, y la cantidad gastada en transporte y asesoría. Su beneficio marginal esperado de visitar a un distribuidor más depende del precio más bajo que ha encontrado. Cuanto más bajo sea el precio que ya haya encontrado, menor será su beneficio marginal esperado de visitar a un distribuidor más, tal como se muestra mediante la curva azul en la figura.

El precio al que el beneficio marginal esperado es igual al costo marginal, es el precio de reserva, $8,000 en la figura. Si usted encuentra un precio igual o inferior a su precio de reserva, suspende la búsqueda y compra. Si encuentra un precio que excede a su precio de reserva, continúa buscando un precio menor. Los compradores individuales difieren en su costo marginal de la búsqueda y, por tanto, tienen diferentes precios de reserva. Como resultado de esto, es posible encontrar artículos idénticos vendiéndose a una variedad de precios.

**La compra de un automóvil**   Las personas que realmente van a adquirir un automóvil se enfrentan a un problema mucho mayor que el que se acaba de estudiar. Ellos no sólo buscan un buen precio, sino que además buscan otras características del automóvil. Podrían pasarse toda la vida recopilando información sobre las alternativas. Pero en algún punto de su búsqueda deciden que ya han visto lo suficiente y toman una decisión de compra. El proceso de compra imaginario que acabamos de describir, racionaliza la decisión de la gente que realmente compra automóviles. Los compradores reales piensan: "los beneficios que espero de la búsqueda adicional son insuficientes para hacer que valga la pena seguir adelante con el proceso". No hacen los cálculos que acabamos de hacer, al menos no en forma explícita, pero sus acciones se pueden explicar mediante esos cálculos. Sin embargo, los compradores no están solos en la creación de información. Los vendedores también crean mucha información en forma de publicidad. Veamos cuáles son los efectos de la publicidad.

## Publicidad

La publicidad nos rodea constantemente: está en la televisión, la radio, las vallas publicitarias, los periódicos, las revistas. Sin embargo, la publicidad es costosa. ¿Cómo deciden las empresas cuánto gastar en publicidad? ¿Crea información la publicidad, o tan sólo nos persuade de comprar cosas que en realidad no necesitamos? ¿Cuál es el efecto de la publicidad sobre los precios?

**La publicidad para maximizar los beneficios** La decisión del monto de publicidad de una empresa es parte de su estrategia global de maximización del beneficio. Las empresas en competencia perfecta no anuncian porque todo el mundo tiene toda la información que existe. Pero las empresas que venden productos diferenciados en competencia monopolística y las empresas que luchan por sobrevivir en un oligopolio, anuncian mucho.

La cantidad de publicidad que realizan las empresas en competencia monopolística debe ser tal que el ingreso del producto marginal de la publicidad sea igual a su costo marginal. La cantidad de publicidad que realizan las empresas en el oligopolio está determinada por el juego que están jugando. Si ese juego es como el del dilema de los prisioneros, las empresas podrían gastar un monto que estaría disminuyendo sus beneficios combinados, pero no podrían evitar la publicidad sin ser eliminados por otras empresas de la industria.

**Persuasión o información** Gran parte de la publicidad está diseñada para persuadirnos de que el producto que se anuncia es el mejor en su clase. Por ejemplo, el anuncio de Pepsi nos dice que en realidad su producto es mejor que el de Coca-Cola. El anuncio de Coca-Cola nos dice que en realidad su producto es mejor que el de Pepsi. Pero la publicidad también informa. Proporciona información sobre la calidad y el precio de un bien o servicio.

¿La publicidad principalmente persuade o principalmente informa? La respuesta varía para los diferentes bienes y los diferentes tipos de mercados. Los bienes cuya calidad se puede evaluar *antes* de comprarlos, se

**FIGURA 21.6**

## Regla de búsqueda óptima

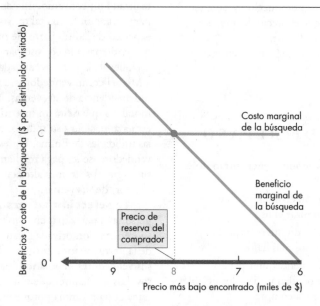

El costo marginal de la búsqueda es constante en $C. A medida que disminuye el precio más bajo encontrado (medido de derecha a izquierda sobre el eje horizontal), el beneficio marginal esperado de la búsqueda adicional disminuye. El precio

en el que se cruzan el costo marginal y el beneficio marginal esperado es el precio de reserva. La regla de búsqueda óptima es buscar hasta que se encuentre el precio de reserva y, entonces, comprar al precio más bajo encontrado.

conocen como *bienes de búsqueda*. Normalmente, la publicidad de los bienes de búsqueda está orientada a informar; por ejemplo: para dar información sobre el precio, la calidad y la ubicación de los proveedores. Ejemplos de estos bienes son: la gasolina, los alimentos básicos y los bienes para los hogares. Los bienes cuya calidad sólo se puede evaluar *después* de comprarlos, se conocen como *bienes de experiencia*. Normalmente, la publicidad de los bienes de experiencia trata de persuadir; es decir, anima al consumidor a comprar ahora y llegar a un juicio posterior sobre la calidad, con base en su experiencia con el bien. Ejemplos de estos bienes son: los cigarrillos, las bebidas alcohólicas y los perfumes.

Debido a que la mayor parte de la publicidad incluye bienes de experiencia, es probable que con mayor frecuencia la publicidad sea persuasiva que simplemente informativa. Pero la publicidad persuasiva no necesariamente daña al consumidor. De hecho, podría dar como resultado precios más bajos.

**Publicidad y precios**   ¿Aumenta la publicidad el precio del bien anunciado? Una respuesta inmediata es: "¡Por supuesto que sí!" Pero esta conclusión no siempre es correcta. La publicidad quizá disminuye los precios por dos razones diferentes. Primera, la *publicidad informativa* puede disminuir los precios porque aumenta la competencia al informar a los posibles compradores sobre la ubicación de fuentes alternativas de oferta. Segunda, si la publicidad permite a las empresas aumentar su producción y obtener economías de escala, es posible que el precio del bien sea inferior con la publicidad que sin ella, siempre y cuando exista suficiente competencia para evitar que las empresas restrinjan la producción.

## PREGUNTAS DE REPASO

- ¿Qué tipos de información económica encuentran útiles las personas?

- ¿Por qué es escasa la información económica y cómo hacen las personas para economizar el uso de ésta?

- ¿Cómo decide una persona cuándo interrumpir la búsqueda de artículos con precios más bajos?

- ¿Qué acciones llevan a cabo los vendedores para aumentar la información que pueden utilizar los posibles compradores y que los animaría a comprar?

- ¿Es cierto que la publicidad siempre eleva los costos y aumenta los precios? ¿Cómo podría la publicidad disminuir los costos y los precios?

## Información privada

HASTA AHORA HEMOS OBSERVADO SITUACIONES EN LAS que la información está disponible para todos y se puede obtener con un gasto de recursos. Pero no todas las situaciones son como ésta. Por ejemplo, alguien podría tener información privada. La **información privada** es la información que está disponible para una persona, pero que resulta demasiado costosa obtenerla para alguien más.

La información privada afecta muchas transacciones económicas. Un ejemplo de esto es el conocimiento que usted tiene sobre su forma de conducir. Usted sabe mucho más que su compañía aseguradora de automóviles sobre qué tan cuidadosa y defensivamente conduce. Otro ejemplo es su conocimiento sobre el interés que usted pone en su trabajo. Usted sabe mucho más que su patrón sobre qué tan intensamente trabaja. Otro más es su conocimiento sobre la calidad de su automóvil. Usted sabe si está defectuoso. Sin embargo, la persona a quien está a punto de vendérselo no lo conoce y no puede enterarse de ello sino hasta después de habérselo comprado.

La información privada crea dos problemas:

1. Riesgo moral

2. Selección adversa

Existe **riesgo moral** cuando, una vez que se ha realizado un convenio, una de las partes tiene un incentivo para actuar en forma tal que obtenga beneficios adicionales a expensas de la otra parte. Se produce riesgo moral debido a que es demasiado costoso para la parte dañada supervisar las acciones de la parte aventajada. Por ejemplo, Emma contrata a Miguel como vendedor y le paga un sueldo fijo con independencia de sus ventas. Miguel se enfrenta a un riesgo moral, ya que tiene un incentivo para dedicar el menor esfuerzo posible a su trabajo, beneficiándose y disminuyendo las utilidades de Emma. Por esta razón, por lo general a los vendedores se les paga mediante una fórmula que hace que sus ingresos sean más altos cuanto mayor sea el volumen (o el valor) de sus ventas.

La **selección adversa** es la tendencia de las personas a participar en convenios en los que pueden utilizar su información privada en su propio beneficio y en perjuicio de la parte menos informada. Por ejemplo, si Emma ofrece a sus vendedores un salario fijo, atraerá a vendedores perezosos. Los vendedores que trabajan intensamente preferirán *no* trabajar para Emma porque pueden ganar más trabajando para alguien que les pague de acuerdo con los resultados. Los contratos de salario fijo seleccionan en forma adversa a aquellos con información privada (conocimientos sobre sus hábitos de trabajo), quienes pueden utilizar este conocimiento para su propia ventaja y para desventaja de la otra parte.

Se ha desarrollado una variedad de mecanismos que permiten a los mercados funcionar a pesar del riesgo moral y de la selección adversa. Acabamos de ver uno, el uso de pagos de incentivos a los vendedores. Observemos algunos más y veamos también cómo el riesgo moral y la selección adversa influyen sobre tres mercados del mundo real:

- El mercado de automóviles usados
- El mercado de préstamos
- El mercado de seguros

## El mercado de automóviles usados

Cuando una persona compra un automóvil, podría resultarle defectuoso. Si el automóvil está defectuoso, vale menos para el comprador y para cualquier otra persona, de lo que valdría si no tuviera defectos. ¿Tiene el mercado de automóviles usados dos precios que reflejen estos dos valores, es decir, un precio bajo para los defectuosos y un precio más alto para los automóviles sin defectos? No es así. Para saber el porqué, observemos un mercado de automóviles usados, primero sin garantías del distribuidor y segundo, con garantías.

**Automóviles usados sin garantías**   Para mostrar los puntos con la mayor claridad posible, se harán algunas suposiciones extremas. Hay dos clases de automóviles: defectuosos y sin defectos. Un automóvil defectuoso tiene un valor de $1,000 tanto para su poseedor actual como para cualquiera que lo compre. Un automóvil sin defectos tiene un valor de $5,000 tanto para su propietario actual como para cualquier futuro propietario posible. El hecho de que un automóvil esté defectuoso es una información privada que sólo conoce el propietario actual. Los compradores de automóviles usados no pueden saber si están comprando un automóvil defectuoso sino hasta *después* de haberlo comprado y sólo hasta que lo conocen tanto como lo conoce su propietario actual. No hay garantías del distribuidor.

Debido a que los compradores no pueden saber la diferencia entre un automóvil defectuoso y uno bueno, sólo están dispuestos a pagar un precio por un automóvil usado. ¿Cuál es ese precio? ¿Están dispuestos a pagar $5,000, el valor de un buen automóvil? No es así, porque existe por lo menos alguna probabilidad de que estén comprando un automóvil defectuoso que sólo tenga un valor de $1,000. Si los compradores no están dispuestos a pagar $5,000 por un automóvil usado, ¿están dispuestos a venderlo los propietarios de buenos automóviles? No lo están, porque un buen automóvil vale para ellos $5,000, por lo que conservan sus automóviles. Sólo los propietarios de automóviles defectuosos estarán dispuestos a vender, siempre y cuando el precio sea de $1,000 o más alto. Pero, según razonan los compradores, si sólo los propietarios de automóviles defectuosos están vendiendo, todos los automóviles usados

disponibles son defectuosos, por lo que el precio máximo que vale la pena pagar por ellos es de $1,000. Por tanto, el mercado de automóviles usados es un mercado de bienes defectuosos y el precio es de $1,000.

En el mercado de automóviles existe el riesgo moral, porque los vendedores tienen un incentivo para afirmar que los automóviles defectuosos son buenos. Pero, de acuerdo con las suposiciones hechas en la descripción anterior del mercado de automóviles, nadie cree en esas afirmaciones. Existe también la selección adversa, lo que da como resultado que en realidad sólo se negocien automóviles defectuosos. El mercado para automóviles usados no está funcionando bien. Los buenos automóviles usados ni se compran ni se venden, pero las personas quieren estar en posibilidad de comprar o vender buenos automóviles usados. ¿Cómo pueden hacerlo? La respuesta es: introducir garantías al mercado.

**Automóviles usados con garantías**   Los compradores de automóviles usados no pueden diferenciar uno defectuoso de uno bueno, pero los distribuidores de automóviles en ocasiones pueden hacerlo. Por ejemplo, podrían haber dado servicios periódicamente al automóvil y, por consiguiente, conocer si están comprando un automóvil defectuoso o uno bueno, y ofrecer $1,000 por los defectuosos y $5,000 por los buenos.[1] Pero, ¿cómo pueden convencer a los compradores de que vale la pena pagar $5,000 por lo que podría resultar un automóvil defectuoso? La respuesta es ofreciendo una seguridad bajo la forma de una garantía. El distribuidor *señala* cuáles automóviles son los buenos y cuáles son los defectuosos. Una **señal** es una acción que se realiza fuera del mercado, pero que proporciona información que puede utilizar ese mercado. Hay muchos ejemplos de señales, una de las cuales son las calificaciones de los estudiantes. Sus calificaciones actúan como una *señal* para los posibles empleadores.

En el caso de los automóviles usados, los distribuidores realizan acciones en el mercado de reparaciones de automóviles, que pueden ser usadas en el mercado de automóviles. Para cada buen automóvil vendido, el distribuidor proporciona una garantía. El distribuidor conviene en pagar los costos de reparar el automóvil si resultara tener algún defecto. Los automóviles con una garantía son buenos; los que no tienen la garantía son defectuosos.

¿Por qué creen los compradores en la señal? Esto se debe a que el costo de enviar una señal falsa es alto. Un

---

[1] Para simplificar el análisis, en este ejemplo no se tomarán en cuenta los márgenes de beneficio de los distribuidores y otros costos de hacer negocios. Además, se supondrá que los distribuidores compran los automóviles al mismo precio al que los venden. Los principios serían los mismos aun si se incluyeran los márgenes de beneficio de los distribuidores.

distribuidor que proporcione una garantía de un automóvil defectuoso termina pagando el alto costo de la reparación, y se arriesga a tener una mala reputación. El distribuidor que sólo da garantías a los automóviles buenos, no tiene costos de reparación y su reputación mejora cada vez más. Le conviene enviar una señal exacta. Por tanto, resulta racional para los compradores creer en la señal. Las garantías resuelven el problema de los automóviles defectuosos y permite que el mercado de automóviles usados funcione con dos precios, uno para automóviles defectuosos y otro para automóviles sin defectos.

## El mercado de préstamos

En el mercado de préstamos, la información privada desempeña un papel crucial. Veamos cómo ocurre esto.

La cantidad de préstamos que demandan los prestatarios depende de la tasa de interés. Cuanto más baja sea la tasa de interés, mayor será la cantidad de préstamos demandada —la curva de demanda de préstamos tiene pendiente descendente. La oferta de préstamos por los bancos y otros prestamistas depende del costo de prestar. Este costo tiene dos partes. Una es el interés, y este costo de interés queda determinado en el mercado para los depósitos bancarios, el mercado en el que los bancos toman prestados los fondos que ellos a su vez prestan. La otra parte del costo del préstamo es el costo de los préstamos malos, aquellos que nunca son liquidados. Este costo se denomina "costo del incumplimiento". El costo por intereses de un préstamo es el mismo para todos los prestatarios. El costo por falta de cumplimiento de un préstamo depende de la calidad del prestatario.

Suponga que los prestatarios caen dentro de dos clases: de bajo riesgo y de alto riesgo. Los prestatarios de bajo riesgo pocas veces dejan de liquidar sus deudas y sólo por razones fuera de su control. Por ejemplo, una empresa podría tomar un préstamo para financiar un proyecto que fracasa y se ve en la imposibilidad de liquidarlo al banco. Los prestatarios de alto riesgo corren altos riesgos con el dinero que toman en préstamo, y con frecuencia dejan de pagarlos. Por ejemplo, una empresa podría tomar un préstamo para especular en una búsqueda arriesgada de minerales que tiene una probabilidad muy pequeña de ser rentable.

Si los bancos separaran a los prestamistas en categorías de riesgos, podrían proporcionar préstamos a tasas de interés bajas a los prestatarios de bajo riesgo y usar otra tasa, más alta, para los prestatarios de alto riesgo. Los bancos hacen esta separación lo mejor que pueden; sin embargo, no siempre es posible clasificar a todos los prestatarios. Los bancos no tienen una forma segura de conocer si están prestando a un prestatario de bajo riesgo o a uno de alto riesgo.

Por tanto, los bancos cobran la misma tasa de interés tanto a los prestatarios de bajo riesgo como a los de alto. Si ofrecieran préstamos a todos a la tasa de interés de bajo riesgo, los prestatarios se enfrentarían al riesgo moral y los bancos atraerían a una gran cantidad de prestatarios de alto riesgo, es decir, habría una selección adversa. La mayoría de los prestatarios incumpliría sus pagos y los bancos incurrirían en pérdidas económicas. Si los bancos ofrecieran préstamos a todos a la tasa de interés de alto riesgo, la mayoría de los prestatarios de bajo riesgo, con los que los bancos quisieran hacer negocios rentables, no estarían dispuestos a tomar préstamos.

Al enfrentarse con el riesgo moral y la selección adversa, los bancos utilizan *señales* para discriminar entre prestatarios, y *racionan* o limitan los préstamos a cantidades por debajo de las demandadas. Para restringir las cantidades que están dispuestos a prestar a los prestatarios, los bancos utilizan

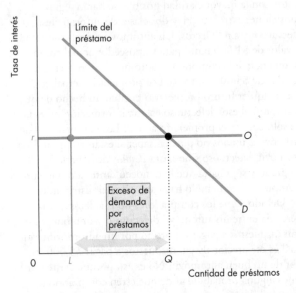

**FIGURA 21.7**

## El mercado de préstamos

Si un banco proporcionara préstamos sobre demanda a la tasa de interés en vigor *r*, la cantidad de préstamo sería de *Q*, pero la mayor parte de los préstamos los tomarían prestatarios de alto riesgo. Los bancos utilizan señales para distinguir entre prestatarios de bajo riesgo y de alto riesgo y limitan el total de préstamos a *L*. Los bancos no tienen incentivos para aumentar las tasas de interés y aumentar la cantidad de préstamos porque los préstamos adicionales serían a prestatarios de alto riesgo.

señales tales como la duración de tiempo en un empleo, la propiedad de una casa, la situación marital, la edad y el historial de negocios.

La figura 21.7 muestra cómo opera el mercado de préstamos ante el riesgo moral y la selección adversa. La demanda de préstamos es *D* y la oferta es *O*. La curva de oferta es horizontal, es decir, la oferta es perfectamente elástica porque se supone que los bancos tienen acceso a una gran cantidad de fondos que tienen un costo marginal constante de *r*. Al no existir límites a los préstamos, la tasa de interés es *r* y la cantidad de los préstamos es *Q*. Debido al riesgo moral y a la selección adversa, los bancos establecen límites de préstamos con base en las señales, y restringen los préstamos totales a *L*. A la tasa de interés *r*, hay un exceso de demanda por préstamos. Un banco no puede aumentar su beneficio otorgando más préstamos, porque no puede identificar el tipo de prestatario que está tomando los préstamos. Las señales utilizadas para distinguir a los prestatarios sugieren que son más los prestatarios de alto riesgo cuya demanda no ha sido satisfecha, que los de bajo riesgo. Por ello, es probable que préstamos adicionales estarían sesgados hacia los prestatarios de alto riesgo (y de alto costo). En este sentido, el racionamiento de préstamos ayuda a discriminar, aunque sea en forma imperfecta, entre los diferentes tipos de prestatarios.

## El mercado de seguros

Las personas que compran seguros se enfrentan a un problema de riesgo moral, y las compañías de seguros se enfrentan a un problema de selección adversa. El problema de riesgo moral es que una persona con una cobertura de seguro contra una cierta pérdida tiene menos incentivos para evitar esa pérdida que una persona no asegurada. Por ejemplo, una empresa con seguro contra incendios tiene menos incentivos para tomar precauciones contra un incendio, como por ejemplo instalar una alarma contra incendios o un sistema de rociadores, que una empresa que no tiene seguro contra incendios. El problema de selección adversa consiste en que es más probable que las personas que se enfrentan a mayores riesgos sean las que compren seguros. Por ejemplo, una persona con un historial familiar de enfermedades graves es más probable que compre un seguro para gastos médicos que una persona con un historial familiar de buena salud.

Las compañías de seguros tienen un incentivo para encontrar formas de evitar los problemas de riesgo moral y selección adversa. Al hacerlo, pueden rebajar las primas y aumentar la cantidad de negocios que hacen. Los mercados de seguros en el mundo real han desarrollado una serie de dispositivos para superar, o por lo menos moderar, estos problemas de información privada. Veamos cómo operan las señales en los mercados de seguros, observando el ejemplo del seguro de automóviles.

Una de las señales más claras que puede proporcionar una persona a una compañía de seguros de automóviles, es su historial de conducción. Suponga que Daniel es un buen conductor y que rara vez tiene un accidente. Si puede demostrar a la compañía de seguros que su historial de conducción es impecable durante un período lo suficientemente largo, entonces la compañía de seguros lo reconocerá como un buen conductor. Daniel se esforzará por establecer una reputación de buen conductor porque esto le permitirá obtener su seguro a un precio más bajo.

Si todos los conductores, tanto buenos como malos, pueden establecer buenos historiales, entonces el tener un buen historial no proporcionará información alguna. Para que la señal sea informativa, tiene que ser difícil para los malos conductores obtener un buen historial y fingir que son de bajo riesgo. Las señales utilizadas en el mercado de seguros de automóviles son los bonos que acumulan los conductores cuando no solicitan reembolsos a las compañías de seguros.

Otro dispositivo que utilizan las compañías de seguros es el monto del deducible. El deducible es el monto de una pérdida que es absorbida por la persona asegurada. Por ejemplo, la mayor parte de las pólizas de seguros de automóviles hacen que la persona asegurada absorba una parte fija (equivalente a varios cientos de dólares) del valor del daño. La prima varía inversamente con el monto del deducible, y la disminución en la prima es más que proporcional al aumento del deducible. Al ofrecer un seguro con cobertura total, sin deducible, bajo condiciones que sean atractivas sólo a las personas de más alto riesgo, y al ofrecer cobertura con un deducible, pero con primas más reducidas que resulten atractivas para otras personas, las compañías de seguros pueden hacer negocios rentables con todo tipo de personas. Las personas de alto riesgo eligen pólizas con deducibles bajos y primas altas, en tanto que las personas de bajo riesgo seleccionan pólizas con deducibles altos y primas bajas.

## PREGUNTAS DE REPASO

- ¿De qué manera la existencia de información privada da lugar al riesgo moral y a la selección adversa?
- ¿Cómo se utilizan las garantías en los mercados de automóviles para hacer frente a la información privada?
- ¿Cómo usan los mercados de seguros la información sobre las solicitudes de reembolsos de los conductores para hacer frente al problema de la información privada?

# Administración del riesgo en los mercados financieros

EL RIESGO ES UNA CARACTERÍSTICA DOMINANTE DE LOS mercados de acciones y bonos y, de hecho, de cualquier otro activo cuyo precio fluctúe. Para hacer frente a los vaivenes en los precios de los activos, las personas suelen diversificar sus tenencias de activos.

## Diversificación para rebajar el riesgo

La idea de que la diversificación reduce el riesgo es muy natural. Es lo mismo que sugiere el dicho popular sobre no colocar todos los huevos en la misma canasta. ¿Cómo es que la diversificación reduce el riesgo? La mejor forma de contestar a esta pregunta es mediante un ejemplo.

Suponga que hay dos proyectos riesgosos que pueden llevarse a cabo. Cada uno implica la inversión de $100,000. Los dos proyectos son independientes entre sí, pero ambos prometen el mismo grado de riesgo y rendimiento.

En cada proyecto, es posible obtener un beneficio de $50,000, o perder $25,000. La posibilidad de que ocurra cualquiera de estas dos situaciones es de 50%. El rendimiento esperado de cada proyecto es ($50,000 × 0.5) + (−$25,000 × 0.5), lo que es $12,500. Pero, debido a que los dos proyectos son totalmente independientes, el resultado de un proyecto no influye en forma alguna sobre el resultado del otro.

**No diversificado** Suponga que usted arriesga todo, invirtiendo los $100,000 ya sea en el proyecto 1 o en el proyecto 2. Obtendrá una utilidad de $50,000 o perderá $25,000. Debido a que la probabilidad de cada uno de estos resultados es de 50%, su rendimiento esperado es el promedio de los dos resultados, es decir, usted tiene un rendimiento esperado de $12,500. Pero en este caso, en el cual se elige un solo proyecto, en realidad usted no puede obtener un rendimiento de $12,500. Este monto es únicamente un promedio de dos posibles resultados.

**Diversificado** Suponga ahora que usted diversifica colocando el 50% de su dinero en el proyecto 1 y el 50% en el proyecto 2. (Alguien más está aportando el resto del dinero en ambos proyectos.) Debido a que los dos proyectos son independientes, se tienen cuatro posibles rendimientos:

1. Perder $12,500 en cada proyecto. En este caso el rendimiento es de −$25,000.
2. Obtener un beneficio de $25,000 en el proyecto 1 y perder $12,500 en el proyecto 2. En este caso su rendimiento es de $12,500.
3. Perder $12,500 en el proyecto 1 y obtener un beneficio de $25,000 en el proyecto 2. Su rendimiento es nuevamente de $12,500.
4. Obtener un beneficio de $25,000 en cada proyecto. En este escenario el rendimiento es de $50,000.

Cada uno de estos posibles resultados es igualmente probable. De forma más concreta, cada uno tiene una probabilidad de ocurrencia del 25%. Usted ha reducido la probabilidad de ganar $50,000, pero también ha reducido la probabilidad de perder $25,000. Además, usted ha aumentado la probabilidad de que realmente obtenga un rendimiento esperado de $12,500. Al diversificar la cartera de activos, usted ha reducido su riesgo, al mismo tiempo que mantiene un rendimiento esperado de $12,500.

Si usted siente aversión al riesgo, esto es, si su curva de utilidad de la riqueza se parece a la de la figura 21.1, usted preferirá la cartera diversificada a una que no esté diversificada. Es decir, su *utilidad esperada* con un grupo de activos diversificados es mayor.

Una forma común de diversificar es comprar acciones de diferentes corporaciones. Observemos el mercado en el que se negocian este tipo de activos.

## El mercado de acciones

Los precios de las acciones se determinan mediante la oferta y la demanda. Pero en el mercado de acciones, la oferta y la demanda están dominadas por un factor: el precio futuro esperado. Si el precio de una acción es más alto hoy que el precio esperado para mañana, las personas venderán las acciones hoy. Si el precio de una acción es inferior hoy a su precio esperado para mañana, las personas comprarán la acción hoy. Como resultado de este comercio, el precio de hoy es igual al precio esperado de mañana y, por tanto, el precio de hoy incluye toda la información pertinente de que se dispone sobre la acción. Un mercado en el que el precio real incluye toda la información pertinente que se encuentra disponible en la actualidad, se conoce como un **mercado eficiente**.

En un mercado eficiente es imposible pronosticar cambios en los precios. ¿Por qué? Si su pronóstico es que el precio aumentará mañana, entonces comprará ahora. Su acción de comprar hoy es un aumento en la demanda actual y aumenta el precio *hoy*. Es cierto que su acción, la acción de un solo comprador, no va a representar mucha diferencia en un mercado enorme como la Bolsa de Valores de algún país.

Pero si en general los compradores esperan un precio más alto para mañana y todos actúan hoy sobre la base de esa expectativa, entonces el precio de hoy se elevará. Y el precio seguirá aumentando hasta llegar al precio futuro esperado, porque sólo a ese precio los compradores no ven beneficios en comprar más acciones hoy.

Hay una aparente paradoja sobre los mercados eficientes. Los mercados son eficientes porque las personas intentan obtener un beneficio. Buscan el beneficio comprando a un precio bajo y vendiendo a uno alto, pero el mismo hecho de comprar y vender para obtener un beneficio significa que el precio del mercado se desplaza para igualar ese valor futuro esperado. Cuando lo ha hecho, nadie, ni siquiera aquellos que buscan conseguir un beneficio, pueden *previsiblemente* obtenerlo. Cada oportunidad de beneficio que perciben los compradores conduce a una acción que produce un cambio en precios, lo cual a su vez elimina la oportunidad de beneficios para otros.

Por tanto, un mercado eficiente tiene dos características:

1. Su precio es igual al precio futuro esperado e incluye toda la información disponible pertinente.

2. No existen oportunidades previsibles de obtener beneficios económicos.

El aspecto clave a comprender de un mercado eficiente, como lo es el mercado de acciones, es que si se puede prever algo, ocurrirá, y el prever un acontecimiento futuro afectará el precio *actual* de una acción.

**Volatilidad de los precios de las acciones** Si el precio de una acción es igual a su precio futuro esperado, ¿por qué es tan volátil el mercado de acciones? Es volátil porque las expectativas son volátiles. Dependen de la información disponible. A medida que se dispone de información nueva, los agentes que intercambian acciones tienen nuevas expectativas sobre la situación futura de la economía y, a su vez, nuevas expectativas de los precios futuros de las acciones. La información nueva llega en forma aleatoria, por lo que los precios cambian en forma aleatoria.

◆ Hemos visto cómo las personas hacen frente a la incertidumbre y cómo operan los mercados cuando hay problemas de información. En la sección *Lectura entre líneas* de las páginas 478-479 se observa una vez más el problema de elegir una cartera y cómo la actitud de una persona hacia el riesgo influye sobre el tipo de cartera seleccionada.

En el siguiente capítulo de este libro, se estudia la economía internacional. Se aprovecha lo que se ha aprendido en el capítulo 3 sobre la ventaja comparativa y se muestra cómo los países pueden beneficiarse de la especialización y el intercambio.

# Un intercambio entre riesgo y rendimiento

THE NEW YORK TIMES, 15 de noviembre, 1998

## Almohadas diversificadas para descansar tranquilos en las tormentas

POR JONATHAN FUERBRINGER

Benjamin Thorndike, principal administrador de carteras de la serie de fondos Scudder Pathway, dice: "No estamos tratando de dar un batazo de cuatro esquinas. Intentamos hacerlo bien y dormir bien por la noche".

Se trata de un administrador de dinero diversificado que habla sobre un estilo de inversión al que no siempre le ha ido bien en una era de ganancias anuales de dos dígitos, en el promedio industrial Dow Jones y en el índice de acciones de las 500 de Standard & Poor's....

La idea es sencilla. Si sus inversiones están repartidas —en acciones, bonos, acciones extranjeras, diferentes clases de bonos y diferentes clases de acciones— se tiene una buena posibilidad de obtener un aumento compensador en un área, en tanto que otra se desploma. Por ejemplo, en el tercer trimestre, el rendimiento de los bonos gubernamentales y corporativos fue del 4%, en tanto que los índices Dow, S&P 500 y Nasdaq disminuyeron en un 10% o más.

La diversificación no es la forma de obtener grandes rendimientos sobre las acciones, porque reduce el riesgo a cambio de rendimientos inferiores. Pero es una forma de sobrevivir los cambios volátiles del mercado de acciones, que se han hecho mucho más comunes en el último año.

Los inversionistas deben "encontrar la forma cómoda" entre el rendimiento y el riesgo, según dijo Gary Brinson, director general de Brinson Partners, que administra un fondo de acciones diversificado. Afirmó que la diversificación significa que "la ruta de ese rendimiento es mucho menos accidentada"....

Pero el decidir diversificarse no es suficiente. Los inversionistas tienen que decidir cuánto riesgo correr, lo que significa observar cuidadosamente la mezcla de inversiones en su fondo o cartera.

### Esencia del artículo

- Si las inversiones se distribuyen en diferentes clases de bonos y acciones, los rendimientos son menores, pero el riesgo también es inferior. Esto implica que hay un intercambio entre riesgo y rendimiento.

- Los inversionistas necesitan encontrar la combinación de riesgo y rendimiento que los haga sentirse cómodos.

Algunos inversionistas se sienten cómodos corriendo grandes riesgos, a cambio de la posibilidad de un gran rendimiento. Otros inversionistas sólo se sienten tranquilos si invierten en forma precavida.

En la figura 1, un inversionista precavido duerme bien. Esta persona tiene una riqueza de $100,000 y la utilidad de su riqueza es 100 (con la escala en número índice que se utiliza en la figura).

Esta persona tiene la oportunidad de invertir $10,000 en un negocio de riesgo. Hay una posibilidad del 50% de que el negocio tenga éxito y obtenga $20,000 de beneficios. También hay una posibilidad del 50% de que fracase y se pierdan los $10,000.

La riqueza esperada es de $105,000 (0.5 × $90,000 + 0.5 × $120,000). La utilidad esperada es 101 (0.5 × 91 + 0.5 × 111). La inversión aumenta la utilidad esperada. Por tanto ¡esta persona duerme bien!

En la figura 2, un inversionista precavido está más allá de la zona de tranquilidad. En este caso, la persona también tiene $100,000 y puede invertir $20,000. Hay una posibilidad del 50% de que el negocio tenga éxito y le proporcione $40,000 en beneficios económicos. Y existe una posibilidad del

50% de que el negocio fracase y se pierdan los $20,000.

La riqueza esperada de este individuo es de $110,000 (0.5 × $80,000 + 0.5 × $140,000). Pero la utilidad esperada es de sólo 98 (0.5 × 78 + 0.5 × 118). La riqueza esperada aumenta, pero la utilidad esperada disminuye. El inversionista precavido está más allá de la zona de tranquilidad y no hará esta inversión.

La figura 3 muestra el caso de un inversionista que se siente cómodo con una estrategia de inversión riesgosa.

Esta persona tiene $100,000 y puede invertir $50,000. Hay una posibilidad del 50% de que el negocio tenga éxito y reciba $100,000 como beneficio de su inversión. Y existe una posibilidad del 50% de que el negocio fracase y se pierda la totalidad de los $50,000. Esta oportunidad es más riesgosa que la rechazada por el inversionista precavido en la figura 2.

La riqueza esperada es de $125,000 (0.5 × $50,000 + 0.5 × $200,000). La utilidad esperada es 116 (0.5 × 52 + 0.5 × 180). La riqueza esperada aumenta y la utilidad esperada aumenta. Esta persona se siente mejor buscando oportunidades riesgosas que dejándolas pasar sin utilizarlas.

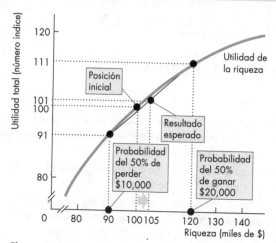

Figura 1    Un inversionista precavido duerme bien

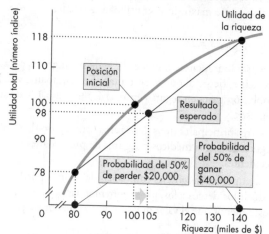

Figura 2    Más allá de la zona de tranquilidad de un inversionista precavido

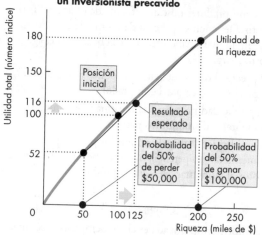

Figura 3    En la zona de tranquilidad de un inversionista de alto riesgo

# RESUMEN

## CONCEPTOS CLAVE

### Incertidumbre y riesgo (págs. 464-467)

■ La incertidumbre es una situación en la que puede ocurrir más de un acontecimiento, pero no se conoce con certeza cuál de ellos ocurrirá.

■ El riesgo es incertidumbre con probabilidades para cada uno de los resultados posibles.

■ La actitud de una persona hacia el riesgo, denominada grado de aversión al riesgo, se describe mediante un programa y una curva de utilidad de la riqueza.

■ Al enfrentarse a la incertidumbre, las personas eligen las acciones que maximicen su utilidad esperada.

### Seguros (págs. 467-469)

■ Los estadounidenses gastan el 15% de sus ingresos para reducir el riesgo al que se enfrentan. En Latinoamérica, la población gasta en seguros entre el 1.5% y el 3.1% de sus ingresos.

■ Los tres principales tipos de seguros son: seguro de vida, seguro de gastos médicos y seguros de propiedades y accidentes.

■ Al agrupar los riesgos, las compañías de seguros pueden reducir los riesgos a los que se enfrentan las personas, a un costo menor que el valor que se asigna al menor riesgo.

### Información (págs. 470-472)

■ Los compradores buscan la fuente de oferta del menor costo. Detienen su proceso de búsqueda cuando el beneficio marginal esperado de la búsqueda es igual a su costo marginal.

■ El precio al que se detiene la búsqueda es menor o igual al precio de reserva del comprador.

■ La publicidad proporciona información y puede aumentar o disminuir los precios.

■ La publicidad puede disminuir los precios porque aumenta la competencia o porque permite disminuir costos al aumentar la escala de producción.

### Información privada (págs. 472-475)

■ La información privada es el conocimiento que tiene una persona de algo y que resulta demasiado costoso descubrir a los demás.

■ La información privada crea los problemas de riesgo moral (el uso de información privada para ventaja de quien la conoce y para desventaja de quien no) y de selección adversa (la tendencia de las personas a celebrar convenios en los que puedan usar información privada para su propia ventaja y para desventaja de la parte menos informada).

■ Los dispositivos que permiten funcionar a los mercados, a pesar del riesgo moral y de la selección adversa, son los pagos que incorporan incentivos y el uso de garantías, racionamiento y señales.

### Administración del riesgo en los mercados financieros (págs. 476-477)

■ El riesgo se puede reducir al diversificar los activos que se poseen, con lo que se combinan los rendimientos sobre proyectos que son independientes entre sí.

■ Una forma común de diversificación es comprar acciones de diferentes empresas. Los precios de las acciones se determinan por el precio futuro esperado de la acción.

■ Las expectativas sobre los precios futuros de las acciones se basan en toda la información que está disponible y que se considera pertinente.

■ Un mercado en el que el precio es igual al precio esperado es un mercado eficiente.

## FIGURAS CLAVE

## TÉRMINOS CLAVE

# PROBLEMAS

*1. La figura muestra la curva de la utilidad de la riqueza de Elena.

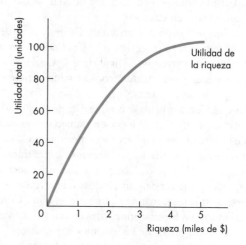

A Elena le ofrecen un empleo como vendedora, en el que existe una probabilidad de 50% de obtener $4,000 al mes y una probabilidad de 50% de no tener ingreso alguno.

a. ¿Cuál es el ingreso esperado de Elena si toma este empleo?

b. ¿Cuál es la utilidad esperada de Elena si toma este empleo?

c. Aproximadamente, ¿cuánto tendría que ofrecer otra empresa a Elena con certidumbre para convencerla de no tomar el empleo de ventas con ingresos inciertos?

2. La figura muestra la curva de utilidad de la riqueza de Catalina.

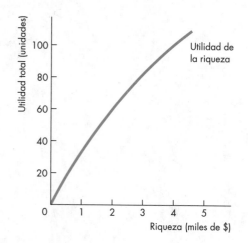

Al igual que Elena en el problema 1, a Catalina le ofrecen un empleo como vendedora, en el cual existe una probabilidad de 50% de que gane $4,000 al mes y una probabilidad de 50% de que no obtenga ingreso alguno.

a. ¿Cuál es el ingreso esperado de Catalina si toma este empleo?

b. ¿Cuál es la utilidad esperada de Catalina si toma este empleo?

c. Aproximadamente, ¿cuánto tendría que ofrecer otra empresa a Catalina con certidumbre para convencerla de no tomar el empleo de ventas con ingresos inciertos?

d. Explique quién es más probable que esté dispuesta a tomar el empleo riesgoso, ¿Elena o Catalina?

*3. Juan y Zenaida tienen los siguientes programas de utilidad de la riqueza:

| Riqueza | Utilidad de Juan | Utilidad de Zenaida |
|---|---|---|
| 0 | 0 | 0 |
| 100 | 200 | 512 |
| 200 | 300 | 640 |
| 300 | 350 | 672 |
| 400 | 375 | 678 |
| 500 | 387 | 681 |
| 600 | 393 | 683 |
| 700 | 396 | 684 |

¿Quién siente más aversión al riesgo, Juan o Zenaida?

4. Suponga que en el problema 3, Juan y Zenaida tienen cada uno $400, y que cada uno de ellos contempla un proyecto de negocios en el cual tienen que comprometer la totalidad de los $400 en el proyecto. Ellos saben que pueden recuperar $600 (con un beneficio de $200) con una probabilidad de 0.85, o $200 (una pérdida de $200) con una probabilidad de 0.15. ¿Quién acepta el proyecto y quién prefiere quedarse con los $400 iniciales?

*5. Elena, la del problema 1, ha construido una pequeña cabaña para pasar los fines de semana en la ladera de una loma pronunciada e inestable. Ella gastó toda su riqueza de $5,000 en este proyecto. Hay una probabilidad de 75% de que la casa se desplome y no tenga valor alguno. ¿Cuánto está dispuesta a pagar Elena por una póliza de seguros que le pague $5,000 si la casa se desploma?

6. Catalina, la del problema 2, ha construido una pequeña cabaña para pasar los fines de semana justo al lado de la casa de Elena (de los problemas 1 y 5). Catalina ha gastado toda su riqueza de $4,000 en este

proyecto. Existe una posibilidad de 75% de que la casa se desplome y no tenga valor alguno. ¿Cuánto está dispuesta a pagar Catalina por una póliza de seguros que le pague $4,000 si la casa se desploma?

*7. Elena, la del problema 1, desea comprar un automóvil nuevo y piensa endeudarse con un banco para pagarlo. Describa con detalle los problemas de búsqueda a los que se enfrenta Elena. ¿Qué información le es útil? ¿Cómo la obtiene? ¿Cómo toma Elena sus decisiones?

8. Elena, la del problema 1, planea comprar un automóvil nuevo y piensa solicitar un préstamo al banco para pagarlo. Describa con detalle los problemas de riesgo moral y selección adversa a los que se enfrenta Elena. ¿Qué dispositivos existen que le permiten hacer frente a estos problemas?

## PENSAMIENTO CRÍTICO

1. Estudie la sección *Lectura entre líneas* en las páginas 478-479 y después conteste a las siguientes preguntas:
   a. ¿Por qué es racional que algunas personas corran grandes riesgos y que otras sean precavidas?
   b. En promedio, ¿quién gana más dinero: el inversionista precavido o aquel que corre mayores riesgos? ¿Por qué?
   c. ¿Por qué piensa que los fondos de pensiones mantienen una mezcla de acciones y bonos?

2. Utilice los vínculos en la página de Internet de este libro para obtener información sobre los precios de tres acciones que le interesen.
   a. Describa el cambio en los precios de estas acciones durante el último mes.
   b. Si usted hubiera invertido $1,000 en cada una de estas acciones (un total de $3,000) hace un mes, ¿cuánto valdría hoy su inversión inicial?
   c. Si usted tuviera $3,000 para invertir, ¿usaría una parte de esos recursos para comprar estas acciones? ¿Cuánto colocaría en cada una de ellas? ¿Cuánto conservaría en efectivo?
   d. Forme un grupo con otros estudiantes y compare sus respuestas a la sección (c). ¿Cuál de ustedes es el que siente mayor aversión al riesgo? ¿Cuál de ustedes es el que siente menos aversión al riesgo? Explique su respuesta.

3. ¿Por qué piensa que no es posible comprar seguros contra la posibilidad de tener un trabajo desagradable y de baja remuneración? Explique por qué no funcionaría un mercado para seguros de este tipo.

4. Aunque usted no puede comprar un seguro contra el riesgo de que le vendan un producto defectuoso, el mercado sí le proporciona alguna protección. ¿Cómo? ¿Cuáles son las formas principales en que los mercados superan el problema de los artículos defectuosos?

5. En algunos países es obligatorio que todos los automovilistas cuenten con un seguro de daños a terceras personas. ¿Cuál es la lógica de esta medida? ¿Por qué se considera necesario hacer obligatorio este tipo de seguros?

6. Las calificaciones envían señales a los posibles patrones. Explique qué le conviene a usted: un profesor que es muy exigente para otorgar la máxima calificación posible, o uno que siempre garantiza que el 20% de la clase obtendrá esa calificación.

7. Suponga que una empresa farmacéutica descubre una nueva medicina que se espera que le produzca grandes utilidades. ¿Qué ocurre al precio de las acciones de esa empresa? ¿Por qué las personas no colocarían toda su riqueza en acciones de esa empresa?

# Comprensión de las fallas del mercado y el papel del gobierno

## Nosotros, el pueblo, ...

Thomas Jefferson sabía que crear un gobierno del pueblo, por el pueblo y para el pueblo, era una tarea enorme, en la cual era muy fácil que algo saliera mal. El crear una constitución que hiciera imposible el comportamiento despótico y tiránico del gobierno era relativamente fácil. Los padres fundadores de Estados Unidos hicieron lo mejor que pudieron para crear las condiciones para el sano funcionamiento de la economía. Diseñaron un sofisticado sistema de incentivos, de zanahorias y garrotes, para hacer que el gobierno fuera responsable ante la opinión pública y limitar la capacidad de algunos intereses especiales individuales para obtener ganancia a expensas de la mayoría. Pero no pudieron crear una constitución que eliminara con efectividad la capacidad de grupos de intereses especiales para capturar los excedentes del consumidor y del productor que resultan de la especialización y el intercambio. ◆ En muchas partes del mundo se han creado sistemas de gobierno para hacer frente a cuatro problemas de las economías de mercado. Primero, estas economías por sí mismas producirían una cantidad demasiado pequeña de aquellos bienes y servicios públicos que debemos consumir en forma conjunta; es el caso, por ejemplo, de la defensa nacional y el control del tránsito aéreo. Segundo, estas economías permiten que los monopolios restrinjan la producción y cobren un precio demasiado alto. Tercero, las economías de mercado producen una cantidad demasiado grande de algunos bienes y servicios, cuya producción genera contaminación del medio ambiente. Cuarto, estas economías producen una distribución del ingreso y de la riqueza que la mayoría de las personas considera demasiado desigual. Por tanto, necesitamos un gobierno que ayude a hacer frente a estos problemas económicos. Pero, como es bien sabido, cuando los gobiernos participan en la economía, las personas intentan influir en las acciones del gobierno de manera que les proporcionen ganancias personales a expensas del interés general. ◆ Los cuatro capítulos de esta parte explicaron los problemas a los que se enfrenta la economía de mercado. En el capítulo 18 se revisó el rango completo de problemas y se estudió uno de estos problemas con más profundidad: el de los bienes públicos. En el capítulo 19 se estudió la ley antimonopolio y la regulación del monopolio natural. El capítulo 20 trató el tema de las externalidades. Examinó los costos externos que impone la contaminación y los beneficios externos que provienen de la educación y la investigación. Describió algunas de las formas en las que se puede hacer frente a las externalidades y explicó que una forma de hacerlo es fortalecer el mercado y hacer que se "internalicen" las externalidades, en lugar de intervenir en el mercado. El capítulo 21 es diferente de los otros tres. Observó los problemas de la incertidumbre y de la información incompleta, y las dificultades que tienen los mercados debido a estos problemas. Pero también mostró que el mercado hace frente a estas complicaciones notablemente bien. ◆ Muchos economistas han pensado larga e intensamente sobre los problemas que se discutieron en esta parte. Pero nadie ha tenido un efecto tan profundo sobre nuestras ideas en esta área como Ronald Coase, a quien conocerá en la página siguiente. También podrá conocer a Walter Williams de la Universidad George Mason, otro importante contribuyente a nuestra comprensión de las fallas del mercado y la intervención del gobierno.

# Externalidades y derechos de propiedad

## El economista

**Ronald Coase** *(1910–), nació en Inglaterra y estudió en la London School of Economics, en la que recibió una profunda influencia tanto de su maestro, Arnold Plant, como de los temas de su juventud: la planeación central comunista en contraste con el mercado libre. El profesor Coase ha vivido en Estados Unidos desde 1951; visitó por primera vez este país cuando tenía 20 años, durante el período más intenso de la Gran Depresión. Fue en esta visita, antes de recibir su título universitario, cuando concibió las ideas que 60 años más tarde lo hicieron ganar el premio Nobel de la Ciencia Económica, en 1991. Coase descubrió y aclaró la importancia de los costos de transacción y de los derechos de propiedad para el funcionamiento de la economía, lo cual ha revolucionado nuestra forma de pensar sobre los derechos de propiedad y las externalidades, y ha abierto el creciente campo del derecho y la economía.*

"¿La cuestión está en decidir si el valor de la pesca que se pierde es mayor o menor que el valor del producto que se obtiene como resultado de la contaminación de la corriente?"

RONALD H. COASE
*The Problem of Social Cost*

## Los temas

A medida que se acumula el conocimiento, nos volvemos más sensibles a las externalidades ambientales. También estamos desarrollando métodos más sensibles para hacerles frente. Pero todos los métodos incluyen una elección pública.

La contaminación urbana, que es al mismo tiempo desagradable y peligrosa de respirar, se forma cuando la luz del sol se combina con las emisiones que salen de los tubos de escape de los automóviles. Debido a este costo externo del escape de los automóviles, se han establecido en muchos lugares impuestos a la gasolina y normas de emisión de contaminantes. Las normas de emisión aumentan el costo de un automóvil y los impuestos a la gasolina aumentan el costo del kilómetro marginal recorrido. Los costos más altos disminuyen la cantidad demandada de transporte terrestre y de esta forma disminuye la cantidad de contaminación que se crea. ¿El tener un aire urbano más limpio compensa el mayor costo del transporte? Las elecciones públicas de los votantes, los reguladores y los legisladores contestan a esta pregunta.

La lluvia ácida, que impone un costo a todos los que viven por donde cae, surge de nubes cargadas de azufre producidas por las chimeneas de las empresas productoras de electricidad. En varios lugares se está atacando este costo externo, con una solución de mercado. Esta solución es la de los permisos negociables, cuyo precio y asignación están determinados por las fuerzas de la oferta y la demanda. Las elecciones privadas determinan la demanda de servicios de contaminación, pero una elección pública determina la oferta.

A medida que los automóviles entran en torrente a las autopistas urbanas durante la hora de más tránsito por la mañana, las carreteras se congestionan y se convierten en un estacionamiento costoso. Cada viajero en la hora de mayor tránsito impone costos externos a todos los demás. En la actualidad, los usuarios de las carreteras absorben costos de congestión privados, pero no se enfrentan a una parte de los costos externos de congestión que crean. Pero una solución de mercado para este problema es ahora tecnológicamente viable. Se trata de una solución que cobra a los usuarios de las carreteras una cuota que varía con la hora del día y el grado de congestión. Al enfrentarse al costo marginal social de sus acciones, cada usuario de la carretera hace una elección, y el mercado para el espacio en las carreteras se vuelve eficiente. Aquí, una elección pública que utiliza una solución de mercado deja la decisión final sobre el grado de congestionamiento a las elecciones privadas.

## Entonces

Chester Jackson, un pescador del lago Erie, recuerda que cuando comenzó a pescar en el lago, los barcos no llevaban agua potable. Los pescadores bebían del lago. Jackson aclaró: "Eso ocurría en los años previos a la Segunda Guerra Mundial, en la actualidad no se puede hacer eso. Los productos químicos en el agua los matarían." Los agricultores utilizaron productos químicos, como el insecticida DDT, el cual llegó al lago por escurrimiento. También se lanzaron al lago grandes cantidades de desperdicios industriales y basura. Como resultado, el lago Erie llegó a estar fuertemente contaminado durante la década de 1940 y fue incapaz de albergar existencias viables de peces.

## Ahora

En la actualidad, el lago Erie respalda una industria pesquera, al igual que lo hizo en la década de 1930. Al no ser considerado ya como un depósito de basura para productos químicos, el lago está regenerando su ecosistema. Este mismo resultado se puede apreciar en la zona del lago de Xochimilco, en México, después de poner en práctica un programa de recuperación ecológica. Ahora se reconoce que los fertilizantes y los insecticidas son productos que tienen externalidades potenciales. La Agencia Protectora del Medio Ambiente de Estados Unidos evalúa sus efectos externos antes de que se difunda el uso de nuevas variedades. El lanzamiento de desperdicio industrial a los ríos y los lagos ahora está sujeto a regulaciones y sanciones mucho más estrictas. Se ha hecho frente a las externalidades del lago Erie con uno de los métodos disponibles: la regulación gubernamental.

Walter Williams, a quien usted puede conocer en las páginas siguientes, ha hecho mucho por mejorar nuestra comprensión de la política pública y de los problemas de la intervención gubernamental en la economía.

485

# Charla con

## Walter E. Williams

**Walter E. Williams** es profesor de economía en la Universidad George Mason en Fairfax, Virginia. Nació en Filadelfia, Pennsylvania, en 1936, fue estudiante de licenciatura de la Universidad Estatal de California, en Los Angeles, y estudiante de posgrado en UCLA, de donde obtuvo su doctorado (Ph.D.) en 1972. Los temas de investigación del profesor Williams son muy amplios, pero su trabajo principal es sobre mercados de trabajo, discriminación y fallas de mercado. Ha dado conferencias en todo el mundo, incluyendo la Universidad de Ciudad del Cabo en Sudáfrica, durante la década de 1980, donde aprendió de primera mano las lecciones del "apartheid".

El profesor Williams es miembro de la prestigiosa sociedad Mont Pelerin, una organización internacional de economistas de libre mercado. Entre sus miembros están seis

*Walter E. Williams*

economistas laureados con el premio Nobel: Milton Friedman, Friedrich Hayek, George Stigler, James Buchanan, Gary Becker y Ronald Coase.

Michael Parkin habló con el profesor Williams sobre su trabajo, sobre cómo se relaciona éste con las ideas de otros grandes economistas y sobre los conocimientos que nos ofrece su trabajo para hacer frente a los problemas de la actualidad.

### Profesor Williams, ¿qué lo atrajo hacia la economía?

Al igual que muchos estudiantes de licenciatura de la década de 1960, yo estaba preocupado con las políticas públicas que se centraban en el mejoramiento de la humanidad y que hacían frente a temas tales como el deterioro urbano, la pobreza, el desempleo y la discriminación. En esa época parecía que las ciencias sociales como la sociología y la psicología eran las herramientas ideales para analizar estos importantes temas sociales. Esto fue así hasta que, por casualidad, un cierto curso de sociología estaba lleno y lo tuve que sustituir por una clase de introducción a la economía. Como resultado de no ser bueno en la lógica deductiva de la economía, además de tener varias discusiones con el profesor sobre temas tales como la distribución del ingreso y la discriminación racial, terminé con una calificación muy baja. Sin embargo, estaba lo suficientemente interesado en la economía como para tomar dos clases de esta materia en el semestre siguiente. En ambos casos obtuve la calificación más alta. Al final, cambié mi especialidad a economía y obtuve mi Licenciatura en la Universidad Estatal de California, en Los Angeles, y más tarde un doctorado en economía en UCLA.

### Usted y yo nos conocimos por primera vez en Ciudad del Cabo, Sudáfrica, en 1980, cuando ambos éramos profesores invitados en la universidad de esa ciudad. ¿Cuáles son las grandes lecciones económicas que nos enseña la experiencia de Sudáfrica sobre el papel apropiado del gobierno en la vida económica?

Cuando nos conocimos por primera vez en Ciudad del Cabo, el "apartheid" estaba muy enraizado en Sudáfrica. Me sentí muy impresionado con las lecciones económicas del "apartheid", tanto que en 1992 escribí un libro titulado *South Africa's War Against Capitalism* (La guerra de Sudáfrica contra el capitalismo). La mayor lección aprendida de la experiencia de Sudáfrica es que el mercado libre no confiere privilegios con base en la raza. En lugar de ello, el libre mercado utiliza factores económicos como los precios y la productividad. Si las personas desean obtener un beneficio a partir de factores no económicos como la raza, el sexo y la nacionalidad, el libre mercado les cobra un precio. Los blancos sudafricanos sabían esto muy bien y encontraron que si querían privilegios, necesitaban el amplio aparato gubernamental de coerción y control que llegó a ser conocido como el "apartheid". Las leyes laborales, como las que reservaban ciertos empleos para los blancos, resaltan, como una evidencia nada ambigua, que el mercado no discriminaría en el empleo hasta el grado que deseaban los blancos. Si fuera así, no hubiera habido necesidad de leyes restrictivas por razas.

> La mayor lección aprendida de la experiencia de Sudáfrica es que el mercado libre no confiere privilegios con base en la raza. En lugar de ello, el libre mercado utiliza factores económicos como los precios y la productividad.

### ¿Cuáles identifica usted como las principales fuentes de fallas de mercado que necesitan de acción gubernamental en la actualidad?

Muchas de las situaciones que se denominan "fallas de mercado" son el resultado de derechos de propiedad mal definidos. Desde luego que éste es el caso relacionado con la contaminación del aire y el agua. En esas situaciones, es posible favorecer la intervención eficiente del gobierno. El gobierno puede prohibir la actividad contaminadora, asignar impuestos sobre la contaminación, o asignar derechos a contaminar que se puedan comprar y vender en el mercado. Muchos economistas están de acuerdo con que esto último es un método más eficiente de hacer frente a los costos externos de la contaminación. También debemos reconocer que los legisladores gubernamentales no tienen derechos de

propiedad sobre los recursos que controlan. Debido a que ellos no son responsables de los costos o beneficios que crean, no podemos esperar ver la clase de fuerzas, como la amenaza de quiebra, que crean la eficiencia operacional que vemos en el mercado. En otras palabras, puesto que la riqueza personal de un político no está en peligro cuando él toma decisiones, le faltará mucha más previsión que sus contrapartes del sector privado.

### ¿Han cumplido su trabajo la desregulación de las telecomunicaciones y del transporte aéreo en Estados Unidos? ¿Ha traído la desregulación problemas que no se esperaban?

Con cualquier medida objetiva, la desregulación de las industrias de las telecomunicaciones y de la transportación ha realizado su trabajo. Los consumidores pagan precios más bajos y reciben una calidad más alta y un grupo de servicios más variados que antes de la desregulación. La desregulación de las aerolíneas condujo a tarifas más baratas, lo que a su vez hizo que más estadounidenses viajaran por avión. En la medida en que las estadísticas muestran que el viaje aéreo es mucho más seguro que el viaje por las carreteras, en realidad la desregulación ha salvado miles de vidas. Con la desregulación de la industria telefónica, vemos un mayor uso de servicios como los facsímiles, los módems, las transacciones electrónicas e Internet, los cuales hubieran sido imposibles con la mano dura reguladora del gobierno. El problema que queda en estas industrias es que la desregulación no ha ido lo suficientemente lejos: en el caso del transporte, se requiere la privatización de los aeropuertos y del control del tránsito aéreo; y en el caso de las telecomunicaciones, se requiere del otorgamiento, a través de subastas, de

la totalidad de los canales de transmisión.

### ¿Tenemos un problema de monopolio en las nuevas industrias de la información? ¿Microsoft? ¿Intel? ¿Internet? ¿Por qué y qué necesitamos hacer sobre esto?

Con frecuencia un monopolio es el método de organización más eficiente. Los monopolios no son inherentemente buenos o malos. Después de todo, la institución del matrimonio es esencialmente de una estructura monopolística: confía en limitar la competencia. Es obvio que los participantes adivinan que existen algunas ganancias de la competencia limitada. Si usted lee los Diez Mandamientos, verá que los primeros dos, presumiblemente los más importantes, son: no tendrás a otro Dios más que a mí, y no adorarás otras imágenes. En otras palabras, no puede haber sustitutos de Dios. ¡Desde luego que esto es un mecanismo de monopolio!

El monopolio es un problema cuando el gobierno crea los monopolios, sean públicos o privados. Los monopolios clásicos, creados por el gobierno, son aquellos existentes en la educación, los servicios postales y los servicios de ferrocarriles, los cuales limitan las elecciones del consumidor y no están sujetos a las fuerzas correctivas del mercado cuando no sirven adecuadamente a sus clientes. Ese aislamiento no se aplica en los casos de Microsoft y de Intel.

### ¿Cuáles son las principales formas de discriminación que puede corregir la política económica y cuál es la evaluación del progreso hecho en Estados Unidos en la última década?

Primero, necesitamos tener una definición operacional y útil de la discriminación. Creo que la mejor forma en que se puede describir la discriminación es sólo como el acto de elección. La escasez implica elección. Cuando uno elige una actividad o persona, se tiene que elegir necesariamente contra alguna otra actividad o persona. Por ejemplo, cuando el estudiante elige especializarse en economía, necesariamente tiene que elegir, o discriminar, contra otras especialidades. Cuando alguien elige un cónyuge, tiene que discriminar contra otros posibles cónyuges.

Cuando uno modifica la palabra "discriminación" con la palabra "sexo" o "raza", simplemente está especificando un atributo sobre el que se hace una elección. Lo que la mayoría de las personas denomina discriminación es más apropiadamente una complacencia de sus propias preferencias. Como tal, la preferencia del vino Burgundy sobre el Bordeaux no difiere conceptualmente de la preferencia de una persona por un cónyuge blanco, un empleado blanco, o un inquilino blanco. En otras palabras, no hay criterios comúnmente aceptados para decir si la preferencia por un bien o un grupo de atributos físicos es mejor o más correcta que otra.

La complacencia por preferencias se convierte en un problema moral y económico cuando la utiliza el gobierno. Por ejemplo, cualquier principio de libertad indica que una persona tiene el derecho de vender su casa a quien desee, pero ese principio no le permite utilizar la coerción del estado para obligar a su vecino a actuar en forma igual. Cuando hay una provisión pública de un bien, como las escuelas, bibliotecas o campos de golf, ese hecho implica que cada miembro del público tiene el derecho a utilizar el bien de que se trata. Aunque la complacencia en la preferencia racial o sexual puede ser ofensiva, la verdadera prueba del compromiso de una persona con la libertad de asociación no proviene cuando permitimos a las

personas asociarse como nos parece mejor. La verdadera prueba de este compromiso se produce cuando permitimos a las personas asociarse en forma que nos parecen ofensivas.

Lo mejor que puede hacer el gobierno en el área de la discriminación racial o sexual es no subsidiarla mediante leyes que regulan los precios, como los salarios mínimos, el control de los alquileres y otras leyes reguladoras (como las leyes laborales y la concesión de licencias para negocios). Los salarios mínimos niegan a las personas el derecho de ofrecer precios más bajos por sus servicios laborales. Las leyes de control de alquileres de vivienda les niegan el derecho de ofrecer precios más altos por los servicios de alquileres. Las leyes de concesión de licencias permiten a los profesionales establecer normas de entrada a los empleos y negocios que son arbitrarias, caprichosas y de obligatoriedad legal.

El poder de ofrecer precios más bajos por lo que uno vende o precios más altos por lo que uno compra, es la forma más efectiva para que las personas consideradas como las menos preferidas (las minorías, las mujeres y los extranjeros) compitan con otros. Los controles de precios evitan esa competencia. En forma similar, el intercambio voluntario mutuamente satisfactorio permite la competencia efectiva con las personas que se consideran las más preferidas.

### ¿Cuáles son los grandes economistas del pasado que lo han inspirado más? ¿Qué idea principal ha demostrado ser crucial en su pensamiento?

Los trabajos *The Law* y *Economic Sophisms* de Frederic Bastiat han sido mis principales fuentes de inspiración. Sin embargo, los trabajos de Friedrich Hayek también han desempeñado un papel importante. Ambos compartieron la visión de que las

partes más repugnantes de la historia de la humanidad son el abuso arbitrario y el control por parte de un gobierno poderoso. Para que la libertad surja y sobreviva, el gobierno tiene que estar limitado a las funciones legítimas y morales del gobierno. En su mayor parte, esas funciones se encuentran principalmente en las áreas de protección de la persona contra la coerción por parte de otros y la protección de su propiedad, incluyendo su persona. La evidencia muestra que donde las personas tienen una mayor libertad, hay un nivel de prosperidad más alto y una mayor acumulación de riqueza. Pero la prosperidad y la riqueza se deben contemplar como un beneficio secundario de la libertad. La libertad es moralmente superior y su beneficio principal se encuentra en su respeto por la persona individual.

> La evidencia muestra que donde las personas tienen una mayor libertad, hay un nivel de prosperidad más alto y una mayor acumulación de riqueza.

### ¿Qué le dice usted a un estudiante universitario que quiere saber si le conviene especializarse en economía?

La economía es una forma de pensamiento y, como tal, una herramienta poderosa de análisis que tiene múltiples aplicaciones. La teoría económica puede ser útil en muchas discusiones en las que se tratan temas de costos y beneficios de la acción humana. Los economistas tienen una amplia gama de elecciones de empleo: trabajar en empresas, en el gobierno, en la investigación y en instituciones educativas. Además, entre los científicos sociales, existe la tendencia a que los economistas sean los mejor remunerados.

# El comercio en el mundo

Desde tiempos inmemoriales, la gente ha llevado su comercio tan lejos como lo ha permitido la tecnología. Marco Polo abrió la ruta de la seda entre Europa y China en el siglo XIII. Hoy en día, buques de contenedores cargados de automóviles y aviones abarrotados de alimentos frescos recorren el mar y el aire, transportando miles de millones de dólares de valiosos bienes. ¿Por qué la gente realiza tantos esfuerzos para comerciar con personas en otros países? ◆ México, con salarios bajos, ha celebrado un tratado de libre comercio con Canadá y Estados Unidos, de salarios altos: el Tratado de Libre Comercio de América del Norte o TLC. De acuerdo con el millonario de Texas, Ross Perot, este tratado ha causado un "gigantesco sonido de aspiradora" y ha transferido empleos de Michigan a México. ¿Tiene razón Perot? ¿Cómo puede un país

## Rutas de la seda y sonidos de aspiradora

como Estados Unidos competir con otro que paga a sus trabajadores apenas una fracción de los salarios que se pagan a los trabajadores estadounidenses? ¿Hay algunas industrias, quizá además de la industria cinematográfica de Hollywood, en las que

Estados Unidos tenga una ventaja para competir con otros países? ¿Hay algunas industrias en las cuales los países de América Latina tengan alguna ventaja para competir con otros países? ◆ En 1930, el Congreso de los Estados Unidos aprobó la Ley Smoot-Hawley, la cual impuso un arancel de 45% (que después subió a 60% en 1933) a un tercio de las importaciones de Estados Unidos. Esta medida provocó extensas represalias y una guerra de aranceles entre los principales países comerciales. Después de la Segunda Guerra Mundial, un proceso de liberalización comercial ocasionó una reducción gradual de aranceles. ¿Cuáles son los efectos de los aranceles sobre el comercio internacional? ¿Por qué no tenemos un comercio internacional sin ninguna restricción?

◆ En este capítulo aprenderá acerca del comercio internacional. Descubrirá cómo todos los países pueden ganar al especializarse en la producción de los bienes y servicios en los que tienen ventaja comparativa y al comerciar con otros países. Descubriremos que *todos* los países pueden competir, sin importar lo elevados que sean sus salarios. También explicaremos por qué los países restringen el comercio.

**Después de estudiar este capítulo, usted será capaz de:**

■ Describir los patrones del comercio internacional

■ Explicar la ventaja comparativa y explicar por qué todos los países pueden ganar con el comercio internacional

■ Explicar cómo las economías de escala y diversidad de gustos conducen a ganancias del comercio

■ Explicar por qué las restricciones al comercio reducen nuestras importaciones, exportaciones y posibilidades de consumo

■ Explicar los argumentos usados para justificar las restricciones al comercio y mostrar por qué son deficientes

■ Explicar por qué tenemos restricciones al comercio

# Patrones y tendencias del comercio internacional

LOS BIENES Y SERVICIOS QUE COMPRAMOS A LA GENTE de otros países se llaman **importaciones**. Los bienes y servicios que vendemos a la gente de otros países se llaman **exportaciones**. ¿Cuáles son las cosas más importantes que un país importa y exporta? Esto depende obviamente del país o región del que se hable. La mayoría de la gente probablemente adivinaría que un país rico como Estados Unidos importa materias primas y exporta bienes manufacturados. Aunque ésa es una característica del comercio internacional de Estados Unidos, no es la más importante. La mayor parte de sus exportaciones e importaciones son bienes manufacturados. Estados Unidos vende al resto del mundo, entre otras cosas, aviones, equipo para remover la tierra, supercomputadores y equipo científico. Estados Unidos compra al resto del mundo, entre otras cosas, televisores, videocaseteras, pantalones de mezclilla y camisetas. Asimismo, Estados Unidos es un exportador importante de productos agrícolas y materias primas. También importa y exporta un volumen inmenso de servicios.

Con respecto a América Latina, la mayoría de las personas probablemente pensaría que los países de la región importan solamente bienes manufacturados y que exportan principalmente materias primas. Esto no es del todo correcto. Si bien es cierto que la mayor parte de las importaciones de los países latinoamericanos son de bienes manufacturados (80% en 1998), no es cierto que América Latina sólo exporte materias primas. Aunque esto sucedió en el pasado reciente, las tendencias han cambiado significativamente. De hecho, 49% de las exportaciones latinoamericanas en 1998 fueron de bienes manufacturados y sólo 25% de sus exportaciones consistieron en materias primas, combustibles, metales y minerales.

A pesar de lo anterior, debe señalarse que aún existen grandes diferencias en el patrón de comercio internacional de los países de la región. Así, mientras que 85% de las exportaciones de México en 1998 fueron bienes manufacturados, la participación de este tipo de exportaciones en el total de las exportaciones de Argentina, Colombia, Bolivia, Venezuela y Chile fue de únicamente 35, 32, 30, 19 y 17%, respectivamente. Brasil es un caso intermedio, ya que 55% de sus exportaciones fue de bienes manufacturados.

## Comercio de mercancías

Los bienes manufacturados representan 50% de las exportaciones estadounidenses y 60% de sus importaciones.

Los materiales industriales (materias primas y bienes intermedios) representan 17% de las exportaciones de Estados Unidos, en tanto que los productos agrícolas representan sólo 7% de sus exportaciones y 3% de sus importaciones. Los artículos estadounidenses individuales de mayor exportación e importación son bienes de capital y automóviles.

En el caso de América Latina, los bienes manufacturados representaron en 1998 un 80% de las importaciones y 49% de las exportaciones. Este último dato contrasta notablemente con el 20% que representaban estas exportaciones en 1980. En cualquier caso, debe tenerse en cuenta la gran heterogeneidad regional antes mencionada.

Los bienes que más exportaron los países de América Latina en 1998 fueron: petróleo crudo, automóviles, café, partes para automotores, derivados del petróleo, hilos y cables con aislantes, televisores, camiones y camionetas, máquinas de estadística y cobre. Estos productos en su conjunto representaron 28% de las exportaciones totales de la región.

Pero las mercancías sólo representan 74% y 83% de las exportaciones e importaciones de Estados Unidos, respectivamente. En el caso de América Latina, este porcentaje es de aproximadamente 85% tanto en lo que se refiere a las importaciones como a las exportaciones. En ambos casos, el resto del comercio internacional consiste en la exportación e importación de servicios.

## Comercio de servicios

Quizá usted se pregunte cómo puede un país "exportar" e "importar" servicios. He aquí algunos ejemplos.

Si usted se va de vacaciones a París y viaja en un vuelo de Air France, usted está importando servicios de transporte de Francia. El dinero que usted gasta en Francia en cuentas de hotel y comidas de restaurante, también cuenta como importación de servicios que realiza su país. De manera similar, las vacaciones que un estudiante francés se toma en cualquier país de América Latina, se contabiliza como una exportación de servicios de ese país hacia Francia.

Cuando un país latinoamericano importa televisores de Corea del Sur, el propietario del buque que los transporta podría ser griego y la compañía que los asegura podría ser británica. Los pagos que se hacen para el transporte y seguro de la mercancía se consideran importaciones de servicios del país importador. De manera parecida, cuando una compañía chilena de transporte marítimo transporta vino de Chile a Tokio, el costo de transporte es una exportación chilena de un servicio a Tokio. El comercio internacional en este tipo de servicios es grande y está creciendo.

El principal servicio que exportó América Latina en 1998 fueron servicios de viaje (49%), y su principal servicio de importación fueron servicios de transportes (40%).

## Patrones geográficos

Estados Unidos tiene vínculos comerciales con todas las partes del mundo, pero Canadá y México son sus mayores socios comerciales. Estados Unidos compra un 45% de sus importaciones de Japón y otros países asiáticos como China, Hong Kong, Corea del Sur y Taiwan, y vende un porcentaje parecido de sus exportaciones a Asia, Europa, América Latina y Canadá.

En América Latina, los patrones geográficos de comercio también varían de país a país. En el caso de México, por ejemplo, su principal socio comercial es Estados Unidos, con quien sostiene más de 80% de su intercambio comercial total.

## Tendencias del volumen de comercio

En 1960, Estados Unidos exportó menos de 5% de la producción total, y 4.5% de todos los bienes y servicios comprados por los estadounidenses fueron importados. En 1998, Estados Unidos exportó 11% de la producción total, y 13% de los bienes y servicios que compraron los estadounidenses fueron importados.

Del lado de las exportaciones estadounidenses, los bienes de capital, los automóviles, los alimentos y las materias primas se han mantenido como rubros importantes y han conservado una participación aproximadamente constante de las exportaciones totales, pero la composición de las importaciones ha cambiado. Los alimentos y materias primas han bajado en forma sostenida. Las importaciones de combustibles aumentaron de manera impresionante durante la década de los setenta, pero cayeron durante la década de los ochenta. Las importaciones de maquinaria han crecido y actualmente se aproximan a 50% de las importaciones totales.

En los últimos años, también ha venido aumentando en forma consistente el porcentaje de la producción de América Latina que se comercia internacionalmente. Así, como porcentaje de la producción total de la región, las exportaciones pasaron de 12.4% a 18.9% entre 1990 y 1998.

## Balanza comercial y endeudamiento internacional

El valor de las exportaciones menos el valor de las importaciones se denomina **saldo de la balanza comercial**. En 1998, la balanza comercial de Estados Unidos fue negativa en un monto de 170,000 millones de dólares. Es decir, las importaciones fueron superiores a las exportaciones en 170,000 millones de dólares. En 1999, la balanza comercial para América Latina fue de −36,000 millones de dólares. Cuando un país o región importa más de lo que exporta, como en los casos de Estados Unidos y América Latina, el país o región está pidiendo prestado a extranjeros o les está vendiendo algunos de sus activos. Cuando se exporta más de lo que se importa, un país está haciendo préstamos a los extranjeros o les está comprando algunos de sus activos.

Usted estudiará el tema de la *balanza* comercial si toma un curso de macroeconomía. En este capítulo, nuestro objetivo no es entender qué determina el saldo de la balanza comercial, sino más bien entender los factores que influyen sobre el *volumen* y la *dirección* del comercio internacional. Las claves para entender estos factores son los conceptos de costo de oportunidad y ventaja comparativa.

# Costo de oportunidad y ventaja comparativa

LA FUERZA FUNDAMENTAL QUE DA ORIGEN AL COMERCIO internacional es la *ventaja comparativa*. La base de la ventaja comparativa es la divergencia en los *costos de oportunidad*. Usted se encontró con estas ideas en el capítulo 3, cuando aprendimos acerca de las ganancias de la especialización y el intercambio entre Tomás y Tina.

Tomás y Tina se especializan en producir un solo bien cada uno y después comercian entre ellos. La mayoría de los países no llegan al extremo de especializarse en un solo bien e importar todo lo demás. No obstante, los países pueden aumentar el consumo de todos los bienes si orientan sus recursos escasos hacia la producción de los bienes y servicios en los que tienen ventaja comparativa.

Para saber cómo se da este resultado, aplique las mismas ideas básicas que aprendió en el caso de Tomás y Tina, cuando usted estudió el comercio entre países. Empiece recordando cómo es posible utilizar la frontera de posibilidades de producción para medir el costo de oportunidad. Obseve entonces cómo los costos de oportunidad divergentes generan ventajas comparativas y ganancias del comercio para los países al igual que para los individuos, a pesar de que ningún país se especializa completamente en la producción de un solo bien.

## Costo de oportunidad de Agrolandia

Agrolandia (un país ficticio) puede producir granos y automóviles en cualquier punto dentro o a lo largo de la frontera de posibilidades de producción, *FPP*, mostrada en la figura 22.1. (Mantenemos constante la producción de todos los otros bienes que produce Agrolandia). Los "agrícolas" (la gente de Agrolandia) consumen todo el grano y los automóviles que producen, y operan en el punto *a* en la figura. Es decir, Agrolandia produce y consume 15 millones de toneladas de grano y ocho millones de automóviles cada año. ¿Cuál es el costo de oportunidad de un automóvil en Agrolandia?

Podemos contestar a esta pregunta si calculamos la pendiente de la frontera de posibilidades de producción en el punto *a*. La magnitud de la pendiente de la frontera mide el costo de oportunidad de un bien en términos del otro. Para medir la pendiente de la frontera en el punto *a*, coloque una línea recta tangente a la frontera en el punto *a* y calcule su pendiente. Recuerde que la fórmula para la pendiente de una línea es el cambio del valor de la variable medida en el eje de las *y*, dividido entre el cambio del valor de la variable medida en el eje de las *x*, conforme nos movemos a lo largo de la línea. Aquí, la variable medida en el eje de las *y* es millones de toneladas de grano y la variable medida en el eje de las *x* es millones de automóviles. Así que la pendiente es el cambio del número de toneladas de grano dividido entre el cambio del numero de automóviles.

Como se puede observar en el triángulo rojo en el punto *a* de la figura, si el número de automóviles producidos aumenta en dos millones, la producción de granos disminuye en 18 millones de toneladas. Por tanto, la magnitud de la pendiente es 18 millones dividido entre dos millones, lo que es igual a nueve. Para obtener un automóvil más, la gente de Agrolandia debe privarse de nueve toneladas de grano. Así, el costo de oportunidad de un automóvil es igual a nueve toneladas de grano. De manera equivalente, nueve toneladas de grano cuestan un auto. Para la gente de Agrolandia, estos costos de oportunidad son los precios a los que se enfrenta. El precio de un automóvil es nueve toneladas de grano y el precio de nueve toneladas de grano es un automóvil.

## Costo de oportunidad en Mobilia

La figura 22.2 muestra la frontera de posibilidades de producción de Mobilia (otro país ficticio). Al igual que los agrícolas, los "mobilianos" consumen todo el grano y los automóviles que producen. Mobilia consume 18 millones de toneladas de grano al año y cuatro millones de automóviles, en el punto *a'*.

**FIGURA 22.1**

## Costo de oportunidad en Agrolandia

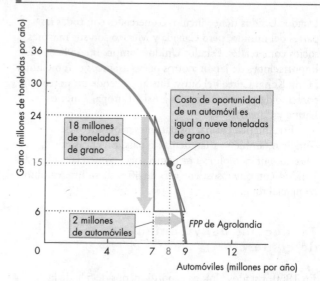

Agrolandia produce y consume 15 millones de toneladas de grano y ocho millones de automóviles al año. Es decir, produce y consume en el punto *a*, en su frontera de posibilidades de producción. El costo de oportunidad es igual a la magnitud de la pendiente de la frontera de posibilidades de producción. El triángulo rojo nos dice que, en el punto *a*, los agrícolas deben privarse de 18 millones de toneladas de grano para obtener dos millones de automóviles. Es decir, en el punto *a*, dos millones de automóviles cuestan 18 millones de toneladas de grano. De manera equivalente, un automóvil cuesta nueve toneladas de grano o nueve toneladas de grano cuestan un auto.

Calculemos los costos de oportunidad en Mobilia. En el punto *a'*, el costo de oportunidad de un automóvil es igual a la magnitud de la pendiente de la línea roja tangente a la frontera de posibilidades de producción, *FPP*. Usted puede observar en el triángulo rojo que la magnitud de la pendiente de la frontera de posibilidades de producción de Mobilia es seis millones de toneladas de grano dividido entre seis millones de automóviles, que es igual a una tonelada de grano por auto. Para obtener un automóvil más, los mobilianos deben privarse de una tonelada de grano. Así, el costo de oportunidad de un automóvil es una tonelada de grano, o, de manera equivalente, el costo de oportunidad de una tonelada de grano es un automóvil. Éstos son los precios a los que se enfrentan en Mobilia.

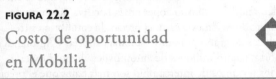

**FIGURA 22.2**

## Costo de oportunidad en Mobilia

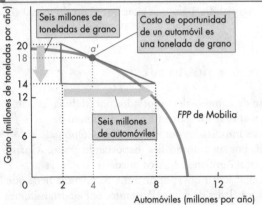

Mobilia produce y consume 18 millones de toneladas de grano y cuatro millones de automóviles al año. Es decir, produce y consume en el punto *a'*, en su frontera de posibilidades de producción. El costo de oportunidad es igual a la magnitud de la pendiente de la frontera de posibilidades de producción. El triángulo rojo nos dice que, en el punto *a'*, se deben privar de seis millones de toneladas de grano para obtener seis millones de automóviles. Es decir, en el punto *a'*, el costo de oportunidad de seis millones de automóviles es seis millones de toneladas de grano. De manera equivalente, un automóvil cuesta una tonelada de grano o una tonelada de grano cuesta un auto.

### Ventaja comparativa

Los automóviles son más baratos en Mobilia que en Agrolandia. Un automóvil cuesta nueve toneladas de grano en Agrolandia, pero sólo una tonelada de grano en Mobilia. Pero el grano es más barato en Agrolandia que en Mobilia: nueve toneladas de grano cuestan sólo un automóvil en Agrolandia, en tanto que la misma cantidad de grano cuesta nueve automóviles en Mobilia.

Mobilia tiene ventaja comparativa en la producción de automóviles, y Agrolandia tiene ventaja comparativa en la producción de granos. Un país tiene una **ventaja comparativa** en la producción de un bien si puede producir ese bien a un costo de oportunidad menor que cualquier otro país.

Observe cómo las diferencias de costos de oportunidad y la ventaja comparativa generan ganancias del comercio internacional.

## Ganancias del comercio

SI MOBILIA COMPRA GRANO AL PRECIO QUE CUESTA A Agrolandia producirlo, entonces Mobilia podría comprar nueve toneladas de grano por un automóvil. Eso es mucho más bajo que el costo de cultivar grano en Mobilia, porque ahí cuesta nueve automóviles producir nueve toneladas de grano. Si los mobilianos pueden comprar grano al bajo precio de Agrolandia, cosecharán algunas de las ganancias.

Si los agrícolas pueden comprar automóviles por lo que cuesta a Mobilia producirlos, podrán obtener un automóvil por una tonelada de grano. Como cuesta nueve toneladas de grano producir un automóvil en Agrolandia, los agrícolas ganarían con esta oportunidad.

En esta situación, tiene sentido que los mobilianos compren grano a los agrícolas y que los agrícolas compren automóviles a los mobilianos. Pero, ¿a qué precio se involucrarán Agrolandia y Mobilia en un comercio internacional mutuamente beneficioso?

### Los términos de intercambio o de comercio

La cantidad de grano que Agrolandia debe pagar a Mobilia por un automóvil son los **términos de intercambio** de Agrolandia con Mobilia. Debido a que cualquier país exporta e importa una gran variedad de bienes y servicios, los términos de intercambio en el mundo real se miden como un número índice que promedia los términos de intercambio de todos los artículos que se comercian.

Las fuerzas internacionales de oferta y demanda determinan los términos de intercambio. La figura 22.3 ilustra estas fuerzas en el mercado internacional de automóviles entre Agrolandia y Mobilia. La cantidad de automóviles *comerciados internacionalmente* se mide en el eje de las *x*. En el eje de las *y* medimos el precio de un auto. El precio se expresa en los *términos de intercambio*: en toneladas de grano por auto. Si no hay comercio internacional, el precio de un automóvil en Agrolandia es de nueve toneladas de grano, su costo de oportunidad, como se indica en el punto *a* de la figura. De nuevo, si no hay comercio, el precio de un automóvil en Mobilia es de una tonelada de grano, su costo de oportunidad, como se indica en el punto *a'* de la figura. Los puntos sin comercio *a* y *a'*, en la figura 22.3, corresponden a los puntos identificados por las mismas letras en las figuras 22.1 y 22.2. Cuanto más baja el precio de un automóvil (en términos de intercambio), mayor es la cantidad de automóviles que los agrícolas están dispuestos a importar de los mobilianos. Este hecho se ilustra con la curva de pendiente negativa que muestra la demanda de importaciones de automóviles de Agrolandia.

Los mobilianos responden en la dirección opuesta. Cuanto más alto es el precio de un automóvil (en términos de intercambio), mayor es la cantidad de automóviles que los mobilianos están dispuestos a exportar a los agrícolas. Este hecho se refleja en la oferta de exportación de automóviles de Mobilia, que es la línea de pendiente ascendente en la figura 22.3.

El mercado internacional de automóviles determina el precio de equilibrio (en términos de intercambio) y la cantidad comerciada. Este equilibrio ocurre cuando la curva de demanda de importaciones cruza la curva de oferta de exportaciones. En este caso, el precio de equilibrio es tres toneladas de grano por auto. Mobilia exporta, y Agrolandia importa, cuatro millones de automóviles al año. Advierta que los términos de intercambio son más bajos que el precio inicial en Agrolandia, pero más altos que el precio inicial en Mobilia.

## Comercio equilibrado

El número de automóviles exportados por Mobilia, cuatro millones al año, es exactamente igual al número de automóviles importados por Agrolandia. ¿Cómo paga Agrolandia por sus automóviles? Exportando grano. ¿Cuánto grano exporta Agrolandia? Usted puede encontrar la respuesta al observar que, por un auto, Agrolandia tiene que pagar tres toneladas de grano. Por tanto, por cuatro millones de automóviles, tienen que pagar 12 millones de toneladas de grano. Así, las exportaciones de grano de Agrolandia son 12 millones de toneladas al año. Mobilia importa esta misma cantidad de grano.

Mobilia intercambia cuatro millones de automóviles por 12 millones de grano cada año, y Agrolandia hace lo opuesto: intercambia 12 millones de toneladas de grano por cuatro millones de automóviles. El valor recibido por las exportaciones es igual al valor pagado por las importaciones.

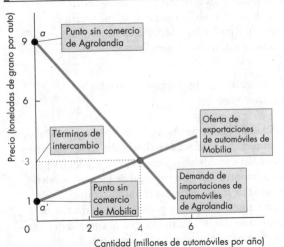

**FIGURA 22.3**

## El comercio internacional de automóviles

Conforme baja el precio de los automóviles, aumenta la cantidad de importaciones demandada por Agrolandia. Por ello, la curva de demanda de automóviles de Agrolandia tiene pendiente descendente. Conforme sube el precio de un automóvil, aumenta la cantidad de automóviles que ofrece Mobilia para su exportación. Por tanto, la curva de oferta de exportaciones de Mobilia tiene pendiente ascendente (positiva). Sin comercio internacional, el precio de un automóvil es de nueve toneladas de grano en Agrolandia (punto *a*) y de una tonelada de grano en Mobilia (punto *a'*).

Con libre comercio internacional, el precio (en términos de intercambio) se determina en donde la curva de oferta de exportaciones se cruza con la curva de demanda de importaciones; es decir, a un precio de tres toneladas de grano por auto. A ese precio, Agrolandia importa cuatro millones de automóviles y Mobilia exporta esa misma cantidad. El monto del grano exportado por Agrolandia, e importado por Mobilia, es de 12 millones de toneladas al año, la cantidad requerida para pagar por los automóviles importados.

## Cambios en la producción y el consumo

Hemos visto que el comercio internacional permite a los agrícolas comprar automóviles a un precio menor que al que les cuesta producirlos. De manera equivalente, los agrícolas pueden vender su grano a un precio mayor. El comercio internacional permite a los mobilianos vender sus automóviles a un precio mayor que al que les cuesta producirlos. De manera equivalente, los mobilianos pueden comprar grano a un precio más bajo. Así todo el mundo gana. ¿Cómo es posible que *todo el mundo* gane? ¿Cuáles son los cambios en la producción y el consumo que acompañan a estas ganancias?

Las posibilidades de producción y de consumo de una economía que no comercia son idénticas. Sin comercio, la economía puede consumir sólo lo que produce. Pero con comercio internacional, una economía tiene la posibilidad de consumir cantidades de bienes diferentes a los que produce. La frontera de posibilidades de producción describe el límite de lo que puede producir un país, pero no describe los límites de lo que puede consumir. La figura 22.4 le ayudará a ver la distinción entre posibilidades de producción y posibilidades de consumo, cuando un país comercia con otros países.

Primero que nada, advierta que la figura tiene dos partes, la parte (a) para Agrolandia y la parte (b) para Mobilia. Las fronteras de posibilidades de producción que usted vio en las figuras 22.1 y 22.2 se reproducen aquí. Las pendientes de las líneas negras de la figura representan los costos de oportunidad en los dos países cuando no hay comercio internacional. Agrolandia produce y consume en el punto *a*. Mobilia produce y consume en el punto *a'*. Un automóvil cuesta nueve toneladas de grano en Agrolandia y una tonelada de grano en Mobilia.

**Posibilidades de consumo**  La línea roja en cada parte de la figura 22.4 muestra las posibilidades de consumo de cada país cuando se permite el comercio internacional. Estas dos líneas rojas tienen la misma pendiente, y la magnitud de esa pendiente es el costo de oportunidad de un automóvil en términos de grano en el mercado mundial: tres toneladas por automóvil. La *pendiente* de la línea de posibilidades de consumo es común para ambos países porque su magnitud es igual al precio *mundial*. Pero la posición de la línea de posibilidades de consumo de un país depende de las posibilidades de producción del país. Un país no puede producir fuera de su curva de posibilidades de producción, así que su curva de posibilidades de consumo toca a esta curva de posibilidades de producción. Así, Agrolandia podría elegir consumir en el punto *b* si decide no comerciar internacionalmente, o en cualquier otro punto en su línea roja de posibilidades de consumo si participa en el comercio internacional.

**Equilibrio de libre comercio**  Con comercio internacional, los productores de automóviles en Mobilia pueden obtener un precio más alto por su producción. Como resultado, aumenta la cantidad producida de automóviles. Al mismo tiempo, los productores de grano en Mobilia obtienen un precio más bajo por el grano, y reducen entonces la producción. Los productores en Mobilia ajustan su producción moviéndose a lo largo de la frontera de posibilidades de producción, hasta que el costo de oportunidad en Mobilia sea igual al precio mundial (el costo de oportunidad en el mercado mundial). Esta situación surge cuando Mobilia está produciendo en el punto *b'* de la figura 22.4(b).

Pero los mobilianos no consumen en el punto *b'*; es decir, ellos no aumentan su consumo de automóviles y disminuyen su consumo de grano. En lugar de eso, venden parte de su producción de automóviles a Agrolandia a cambio de una parte del grano de Agrolandia. Esto significa que comercian internacionalmente. Pero, para entender cómo funciona esto, necesita primero saber qué es lo que pasa en Agrolandia.

En Agrolandia, los productores de automóviles obtienen ahora un precio más bajo y los productores de grano obtienen un precio más alto que antes. En consecuencia, los productores de Agrolandia disminuyen la producción de automóviles y aumentan la producción de granos. Ajustan sus producciones moviéndose a lo largo de la frontera de posibilidades de producción, hasta que el costo de oportunidad de un automóvil en términos de grano es igual al precio mundial (el costo de oportunidad en el mercado mundial). Esto es, se mueven al punto *b* en la parte (a). Pero los agrícolas no consumen en el punto *b*. En lugar de eso, comercian parte de su producción adicional de grano por los automóviles de Mobilia, que son ahora más baratos.

La figura nos muestra las cantidades consumidas en los dos países. En la figura 22.3 vimos que Mobilia exportaba cuatro millones de automóviles al año y que Agrolandia importaba esos mismos automóviles. También vimos que Agrolandia exportaba 12 millones de toneladas de grano y que Mobilia importaba ese grano. Así, el consumo de grano de Agrolandia es 12 millones de toneladas al año, menor de lo que produce y su consumo de automóviles es cuatro millones al año por encima de lo que produce. Agrolandia consume entonces en el punto *c* de la figura 22.4(a).

De manera similar, sabemos que Mobilia consume 12 millones de toneladas de grano más de lo que produce y cuatro millones de automóviles menos de los que produce. Así, Mobilia consume en el punto *c'* de la figura 22.4(b)

## Cálculo de las ganancias del comercio

Usted puede ahora literalmente ver las ganancias del comercio en la figura 22.4. Sin comercio, los agrícolas producen y consumen en el punto *a* (parte a), el cual es un punto en la frontera de posibilidades de producción de Agrolandia. Con comercio internacional, los agrícolas consumen en el punto *c* (parte a); es decir, en un punto *fuera* de la frontera de posibilidades de producción. En el punto *c*, los agrícolas consumen tres millones de toneladas de grano y un millón de automóviles al año por encima de lo que consumían antes de participar en el comercio internacional. Los aumentos de consumo (tanto de automóviles como de granos) que nos permiten consumir más allá de los límites de la frontera de posibilidades de producción, son las ganancias del comercio internacional. Los mobilianos también ganan. Sin comercio, consumen en el punto *a'* en la parte (b), esto es, en un punto sobre la frontera de posibilidades de producción. Con comercio internacional, ellos consumen en el punto *c'*, un punto fuera de la frontera de posibilidades de producción. Con comercio internacional, Mobilia consume tres millones de toneladas de grano y un millón de automóviles más al año que sin comercio. Éstas son las ganancias del comercio internacional para Mobilia.

**FIGURA 22.4**

## Expansión de las posibilidades de consumo

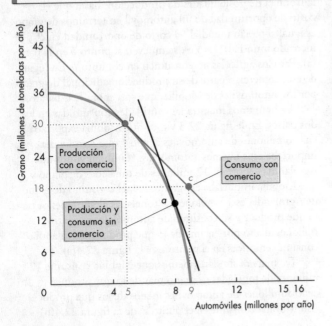

**(a) Agrolandia**

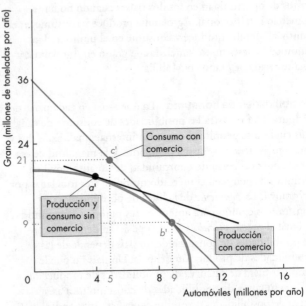

**(b) Mobilia**

Sin comercio internacional, los agrícolas producen y consumen en el punto *a*, y el costo de oportunidad de un automóvil es de nueve toneladas de grano (la pendiente de la línea negra en la parte (a). Asimismo, sin comercio internacional, los mobilianos producen y consumen en el punto *a'*, y el costo de oportunidad de una tonelada de grano es de un automóvil (la pendiente de la línea negra en la parte (b). Los bienes pueden intercambiarse internacionalmente a un precio de tres toneladas de grano por un automóvil a lo largo de la línea roja en cada parte de la figura. En la parte (a), Agrolandia disminuye su producción de

automóviles y aumenta su producción de grano, moviéndose de *a* hacia *b*. Agrolandia exporta grano e importa automóviles y consume en el punto *c*. Los agrícolas tienen más (tanto de automóviles como de grano) de lo que tendrían si produjeran sus propios bienes (punto *a*). En la parte (b), Mobilia aumenta su producción de automóviles y disminuye su producción de grano, moviéndose de *a'* hacia *b'*. Mobilia exporta automóviles e importa grano y consume en el punto *c'*. Los mobilianos tienen más (tanto de automóviles como de grano) de lo que tendrían si produjeran sus propios bienes (punto *a'*).

## Ganancias para todos

El comercio entre agrícolas y mobilianos no crea ganadores y perdedores. Todo el mundo gana. Los vendedores añaden la demanda neta de los extranjeros a su demanda interna, y así los mercados se expanden. Los compradores se enfrentan a la oferta interna más la oferta externa neta, y así tienen una mayor oferta disponible.

## PREGUNTAS DE REPASO

- ¿En qué circunstancias pueden los países ganar con el comercio internacional?
- ¿Qué determina los bienes y servicios que un país exportará? ¿Qué determina los bienes y servicios que un país importará?
- ¿Qué es la ventaja comparativa y qué papel juega en la determinación del monto y tipo de comercio internacional que se da?
- ¿Cómo es posible que todos los países ganen del comercio internacional y que no haya perdedores?

# Ganancias del comercio en la realidad

LAS GANANCIAS DEL COMERCIO EN GRANO Y AUTOMÓviles que acabamos de estudiar entre Agrolandia y Mobilia, pueden ocurrir en una economía mundial modelo como la que hemos imaginado. Pero estos mismo fenómenos ocurren todos los días en la economía global real.

## Ventaja comparativa en la economía global

Muchos países compran televisores y videocaseteras a Corea, maquinaria a Europa y productos de la industria de la moda a Hong Kong. A cambio, se venden a estos países granos, cereales, madera, petróleo; y otros bienes y servicios. Al igual que en el comercio internacional entre Agrolandia y Mobilia de nuestra economía modelo, todo este comercio internacional es generado por la ventaja comparativa. Esto ocurre incluso cuando el comercio es en bienes similares, como las herramientas y la maquinaria. A primera vista, parece desconcertante que los países intercambien bienes manufacturados. ¿Por qué no produce cada país desarrollado todos los bienes manufacturados que sus ciudadanos quieren comprar?

## Comercio de bienes similares

¿Por qué Estados Unidos produce automóviles para exportación y al mismo tiempo importa grandes cantidades de ellos de Canadá, Japón, México, Corea y Europa Occidental? ¿No tendría más sentido producir en Estados Unidos todos los automóviles que se necesitan? Después de todo, en ese país se tiene acceso a la mejor tecnología disponible para producir automóviles. Los trabajadores de la industria del automóvil en Estados Unidos son seguramente tan productivos como sus colegas trabajadores en Canadá, Europa, México y Asia. ¿Por qué tiene Estados Unidos una ventaja comparativa en algunos tipos de automóviles y Japón y México en otros?

## Diversidad de gustos y economías de escala

La primera parte de la respuesta es que la gente tiene una tremenda diversidad de gustos. Sigamos con el ejemplo de los automóviles: algunas personas prefieren un automóvil deportivo, otros prefieren una limosina, hay quien prefiere un automóvil pequeño y resistente, y otros prefieren una "minivan". Además del tamaño y tipo de auto, hay muchas otras características en las cuales varían los automóviles: bajo consumo de combustible, un mejor desempeño, tamaño más amplio y cómodo, un maletero o cajuela grande, tracción en las cuatro ruedas, tracción delantera, una parrilla de radiador que parece un templo griego y otros con forma de cuña. Las preferencias de la gente varían en relación con todas estas características. La tremenda diversidad de gustos significa que la gente valora la variedad y está dispuesta a pagar por ella en este mercado.

La segunda parte de la respuesta a este misterio son las *economías de escala*. Esto es, la tendencia del costo medio a reducirse cuanto más grande sea la escala de producción. En esa situación, las líneas de producción cada vez más grandes conducen a costos medios cada vez más bajos. Muchos bienes, incluyendo automóviles, experimentan economías de escala. Por ejemplo, si un productor de automóviles produce sólo unos cuantos cientos (o quizás unos cuantos miles) de automóviles de un tipo y diseño en particular, el productor debe usar técnicas de producción que sean más intensas en trabajo y mucho menos automatizadas que las empleadas para hacer cientos de miles de automóviles de un modelo en particular. Con líneas de producción cortas y técnicas de producción intensas en trabajo, los costos son altos. Con líneas de producción muy grandes y con ensamble automatizado, los costos de producción son mucho más bajos. Pero para obtener costos más bajos, las líneas de ensamble automatizadas tienen que producir un gran número de automóviles.

La combinación de la diversidad de gustos y las economías de escala es lo que determina los costos de oportunidad, produce las ventajas comparativas y genera un monto muy grande de comercio internacional en mercancías similares. Cuando hay comercio internacional, cada uno de los productores de automóviles puede atender a todo el mercado mundial. Cada productor se especializa en una gama limitada de productos y vender su producción a todo el mercado mundial. Este arreglo permite líneas de producción grandes de los automóviles más populares y líneas de producción redituables incluso en los automóviles que son hechos al gusto del comprador y que son demandados tan sólo por un puñado de gente en cada país.

La situación en el mercado de automóviles se presenta en muchas otras industrias, especialmente en aquellas que producen partes y equipo especializado. Por ejemplo, Estados Unidos exporta *chips* de procesadores centrales de computadora, pero importa *chips* de memoria. Estados Unidos también exporta computadoras centrales, pero importa computadoras personales. Igualmente, Estados Unidos exporta equipo especializado de vídeo, pero importa videocaseteras. Así, el intercambio internacional de productos manufacturados similares, pero ligeramente diferentes, es una actividad muy rentable.

Veamos a continuación qué sucede cuando los gobiernos restringen el comercio internacional. Veremos que el libre comercio produce los beneficios más grandes posibles. También veremos por qué, a pesar de los beneficios del libre comercio, a veces los gobiernos restringen el comercio.

# Restricciones al comercio

LOS GOBIERNOS RESTRINGEN EL COMERCIO internacional para proteger a industrias nacionales de la competencia del exterior, mediante dos instrumentos principales:

1. Aranceles
2. Barreras no arancelarias

Un **arancel** es un impuesto que establece el país importador cuando un bien importado cruza su frontera internacional. Una **barrera no arancelaria** es cualquier acción distinta a un arancel, que restringe el comercio internacional. Ejemplos de barreras no arancelarias son restricciones cuantitativas y regulaciones de licencias que limitan las importaciones. Primero, veamos los aranceles.

## Historia de los aranceles

Los aranceles de Estados Unidos actualmente son modestos comparados con sus niveles históricos. La figura 22.5 muestra la tasa arancelaria promedio: los aranceles totales como porcentaje de las importaciones totales.

Usted puede observar en esta figura que el promedio alcanzó un máximo de 20% en 1933. En ese año, tres años después de la aprobación de la Ley Smoot-Hawley, una tercera parte de la importación estaba sujeta a un arancel y, para esas importaciones, la tasa arancelaria era de 60%. (El arancel promedio en la figura 22.5 en 1933 es 60% multiplicado por 0.33, que es igual a 20%.) Actualmente, la tasa arancelaria promedio es de sólo 4%.

La reducción de aranceles que ha ocurrido a partir del fin de la Segunda Guerra Mundial se dio como resultado de la firma en 1947 del GATT (*General Agreement on Tariffs and Trade*, **Acuerdo General sobre Aranceles y Comercio**). Desde su creación, el GATT ha organizado varias rondas de negociaciones que dieron como resultado reducciones de arancel. Una de éstas, la Ronda Kennedy, que empezó a principios de la década de los sesenta, dio como resultado grandes reducciones en los aranceles a partir de 1967. Otra, la Ronda de Tokio, dio como resultado recortes adicionales de aranceles en 1979. La más reciente, la Ronda de Uruguay, que empezó en 1986 y se completó en 1994, fue la más ambiciosa y de mayor amplitud de todas las rondas. La Ronda de Uruguay también condujo a la

**FIGURA 22.5**

## Aranceles de Estados Unidos: 1930-1998

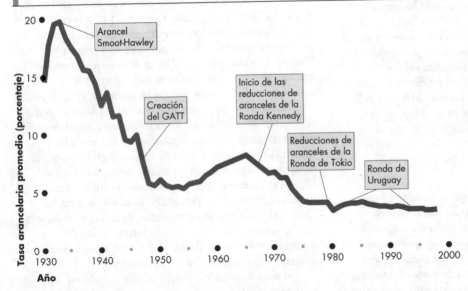

La Ley Smoot-Hawley, que se aprobó en 1930, llevó a los aranceles de Estados Unidos a una tasa promedio máxima de 20% en 1933. (Un tercio de las importaciones estaba sujeta a una tasa arancelaria de 60%.) Desde la creación del GATT en 1947, los aranceles han disminuido constantemente en una serie de rondas de negociación, de las cuales se muestran en la figura las más significativas. Los aranceles son hoy los más bajos de la historia reciente.

*Fuente:* Oficina del Censo de Estados Unidos, *Estadísticas Históricas de Estados Unidos, Tiempos Coloniales a 1970.* Edición del Bicentenario, Parte I (Washington, D.C., 1975), Series U-212: *Compendio Estadístico de Estados Unidos,* 1986, edición 106 (Washington, D.C. 1985); y *Compendio Estadístico de Estados Unidos,* 1998, edición 118 (Washington, D.C. 1998).

creación de la nueva **Organización Mundial de Comercio (OMC)**. Ser miembro de la OMC acarrea mayores obligaciones de los países para acatar las reglas del GATT.

Adicionalmente a los acuerdos del GATT y de la OMC, Estados Unidos, Mexico y Canadá son parte signataria del **Tratado de Libre Comercio de América del Norte** (**TLCAN** o **NAFTA** por sus siglas en inglés, *North American Free Trade Agreement*) que entró en vigor el 1 de enero de 1994 y con el que las barreras al comercio internacional entre Estados Unidos, Canadá y México serán virtualmente eliminadas después de un período escalonado de 15 años.

En otras partes del mundo, las barreras comerciales han sido virtualmente eliminadas entre los países miembros de la Unión Europea, la cual ha creado el mercado unificado libre de aranceles más grande del mundo. En 1994, negociaciones entre los países de APEC (*Asia-Pacific Economic group*, Grupo Económico del Pacífico y Asia) condujeron a un acuerdo inicial para trabajar hacia una zona de libre comercio que abarque China, todas las economías del Sudeste Asiático y del Pacífico del Sur, así como Estados Unidos y Canadá. Estos países incluyen a las economías que han crecido más rápidamente en los últimos años y representan la esperanza de ser el preludio de una zona global de libre comercio.

El esfuerzo para alcanzar un comercio más libre subraya el hecho de que el comercio en algunos bienes está todavía sujetos a aranceles extremadamente elevados. Los aranceles más altos a los que se enfrentan los compradores estadounidenses son los que afectan a textiles y calzado. En promedio, se impone un arancel de más del 10% a casi todas las importaciones estadounidenses de textiles y calzado. Otros bienes protegidos por aranceles en Estados Unidos son los productos agrícolas, la energía y los químicos, los minerales y los metales. Como resultado de la protección, la carne, el queso y el azúcar que usted consume cuestan significativamente más de lo que costarían con comercio internacional libre.

La tentación de los gobiernos a imponer aranceles es fuerte. Primero, los aranceles proveen de ingresos al gobierno; segundo, le permiten satisfacer a ciertos grupos de intereses en las industrias que compiten con importaciones. Pero, como veremos, el comercio internacional libre acarrea enormes beneficios que se reducen cuando se imponen aranceles. Observe cómo ocurre esto.

## Cómo funcionan los aranceles

Para analizar cómo funcionan los aranceles, regresemos al ejemplo del comercio entre Agrolandia y Mobilia. La figura 22.6 muestra el mercado internacional de automóviles en el cual estos dos países son los únicos que comercian. El volumen de comercio y el precio de un automóvil se determinan en el punto de intersección de la curva de oferta de exportación de automóviles de Mobilia y la curva de demanda de importación de automóviles de Agrolandia.

En la figura 22.6, esos dos países comercian automóviles y grano exactamente de la misma manera que vimos en la figura 22.3. Mobilia exporta automóviles y Agrolandia exporta grano. El volumen de importaciones de automóviles de Agrolandia es de cuatro millones anuales, y el precio mundial de un automóvil es de tres toneladas de grano. La figura 22.6 expresa los precios en miles de unidades monetarias, en lugar de unidades de grano, y está basada en el precio monetario del grano, de $1,000 por

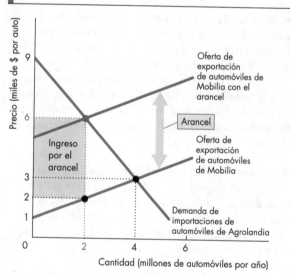

**FIGURA 22.6**

## Los efectos de un arancel

Agrolandia impone un arancel a las importaciones de automóviles de Mobilia. El arancel aumenta el precio que los agrícolas tienen que pagar por los automóviles. La curva de oferta de automóviles en Agrolandia se desplaza hacia la izquierda. La distancia vertical entre la curva de oferta original y la nueva curva es el monto de la tarifa de $4,000 por automóvil. El precio de los automóviles en Agrolandia aumenta y la cantidad de automóviles importados en Agrolandia disminuye. El gobierno de Agrolandia recauda un ingreso por arancel de $4,000 por auto; es decir, un total de $8,000 millones por los dos millones de automóviles importados. Las exportaciones de grano de Agrolandia disminuyen debido a que Mobilia tiene ahora un ingreso menor por sus exportaciones de automóviles.

tonelada. Con el grano que cuesta $1,000 por tonelada, el precio monetario de un automóvil es $3,000.

Suponga ahora que el gobierno de Agrolandia, quizá por presión de los productores internos de automóviles, decide imponer un arancel a los automóviles importados. En particular, suponga que se impone un arancel de $4,000 por auto. (Este es un arancel inmenso, pero los productores de automóviles de Agrolandia están hartos de la competencia de Mobilia.) ¿Qué ocurre?

■ Disminuye la oferta de automóviles en Agrolandia.

■ Sube el precio de un automóvil en Agrolandia

■ Disminuye la cantidad de automóviles importados por Agrolandia.

■ El gobierno de Agrolandia recauda el ingreso del arancel.

■ El uso de los recursos es ineficiente.

■ Cambia el *valor* de las exportaciones en el mismo monto que el *valor* de las importaciones y el comercio se mantiene en equilibrio.

**Cambio de la oferta de automóviles**   Agrolandia no puede comprar automóviles al precio de oferta de exportación de Mobilia. Debe pagar el precio más el arancel de $4,000. Así que la curva de oferta de automóviles de Mobilia se desplaza hacia la izquierda. La nueva curva de oferta tiene la leyenda "Oferta de exportaciones de automóviles de Mobilia con el arancel". La distancia vertical entre la curva de oferta de exportaciones de Mobilia y la nueva curva de oferta es el arancel de $4,000 por auto.

**Alza del precio de los automóviles**   Ocurre un nuevo equilibrio en en el que la nueva curva de oferta cruza a la curva de demanda de importaciones de automóviles de Agrolandia. El equilibrio se encuentra a un precio de $6,000 por auto, un aumento de $3,000 respecto al precio en un régimen de libre comercio.

**Caída de importaciones**   Las importaciones de automóviles caen de cuatro millones a dos millones de automóviles al año. Al precio más alto de $6,000 por auto, los productores de automóviles de Agrolandia aumentan su producción. La producción de granos en Agrolandia disminuye al desplazarse recursos hacia la industria del automóvil en expansión.

**Recaudación del arancel**   El gasto total en automóviles importados por los agrícolas es de $6,000 por automóvil multiplicado por dos millones de automóviles importados ($12,000 millones). Pero no todo ese dinero llega a los mobilianos. Ellos reciben $2,000 por auto, o sea $4,000 millones por los dos millones de automóviles exportados. La diferencia, $4,000 por auto, o un total de $8,000 millones

de los dos millones de automóviles, la recauda el gobierno de Agrolandia como un ingreso por aranceles.

**Ineficiencia**   La gente de Agrolandia está dispuesta a pagar $6,000 por el automóvil marginal importado. Pero el costo de oportunidad de ese automóvil en Mobilia es de $2,000. Así que hay una ganancia por comerciar un automóvil extra. De hecho, hay ganancias en los siguientes dos millones de automóviles al año: la disposición a pagar por cada uno de ellos excede a su costo de oportunidad. Solamente cuando se comercian cuatro millones de automóviles, el precio máximo que un agrícola está dispuesto a pagar es igual al precio mínimo aceptable para un productor de Mobilia. Así, restringir el comercio reduce las ganancias que se pueden obtener de éste.

**El comercio se mantiene equilibrado**   Con libre comercio, Agrolandia estaba pagando $3,000 por un automóvil y comprando cuatro millones de automóviles al año de Mobilia. Así, el monto total pagado a Mobilia por las importaciones era de $12,000 millones al año. Con un arancel, las importaciones de Agrolandia se han reducido a dos millones de automóviles al año y el precio pagado a Mobilia también se ha reducido a sólo $2,000 por auto. Así, el monto total pagado a Mobilia por las importaciones se ha reducido a $4,000 millones al año. ¿No significa esto que Agrolandia tiene un superávit comercial?

No lo tiene. El precio de automóviles en Mobilia ha caído. Pero el precio del grano se mantiene en $1 la tonelada. Así que el precio relativo de automóviles ha caído y el precio relativo del grano ha subido. Con libre comercio, los mobilianos podían comprar tres toneladas de grano por un auto. Ahora pueden comprar únicamente dos toneladas por auto. Con un precio relativo del grano más alto, la cantidad demandada por los mobilianos disminuye y Mobilia importa menos grano. Pero debido a que Mobilia importa menos grano, Agrolandia exporta menos grano. De hecho, la industria de grano de Agrolandia sufre por dos causas. Primera: hay una disminución de la cantidad de grano vendida a Mobilia. Segunda: hay una competencia creciente por los insumos, ya que la industria del automóvil está en expansión. Así, el arancel conduce a una contracción en la escala de la producción de grano en Agrolandia.

Al principio parece paradójico que un país que impone un arancel a los automóviles dañe a su propia industria de exportación, al disminuir sus exportaciones de grano. Esto puede entenderse mejor si lo vemos de la siguiente manera: los mobilianos compran grano con el dinero que ganan al exportar automóviles a Agrolandia. Si exportan menos automóviles, no pueden permitirse comprar tanto grano. De hecho, en ausencia de créditos internacionales, Mobilia debe reducir sus importaciones de grano en el mismo monto que la pérdida de ingreso de la exportación de automóviles. Las importaciones de grano de Mobilia se reducen al valor de $14,000 millones, que es el monto que se puede pagar debido al menor ingreso de las exportaciones de automóviles de Mobilia. Así, el comercio todavía está equilibrado. El arancel reduce importaciones y exportaciones en la misma cantidad. El arancel no afecta al *saldo* del comercio, pero reduce el *volumen* de comercio.

El resultado que obtuvo es, quizá, uno de los aspectos menos comprendidos de la economía internacional. En innumerables ocasiones, los políticos y otros personajes solicitan aranceles para eliminar un déficit comercial, o argumentan que reducir los aranceles produciría un déficit comercial. Llegan a esta conclusión porque no calculan todas las implicaciones de un arancel.

Dediquemos ahora nuestra atención a otro instrumento para restringir el comercio: las barreras no arancelarias.

## Barreras no arancelarias

Las dos formas principales de barreras no arancelarias son:
1. Cuotas
2. Restricciones voluntarias a la exportación

Una **cuota** es una restricción cuantitativa a la importación de un bien en particular, que especifica la cantidad máxima que se puede importar de ese bien en un período dado. Una **restricción voluntaria a la exportación** (RVE) es un acuerdo entre dos gobiernos, en el cual el gobierno del país exportador acepta restringir el volumen de sus propias exportaciones.

Las cuotas son especialmente prominentes en textiles y agricultura. Las restricciones voluntarias a la exportación se usan para regular el comercio entre Japón y Estados Unidos.

## Cómo funcionan las cuotas y las RVE

Para ver cómo funciona una cuota, suponga que no hay aranceles, pero Agrolandia impone una cuota que restringe sus importaciones de automóviles a dos millones de automóviles al año. La figura 22.7 muestra los efectos de esta acción. La cuota se muestra como la línea vertical roja en dos millones de automóviles al año. Debido a que es ilegal exceder la cuota, los importadores de automóviles compran sólo esa cantidad a Mobilia, por la cual pagan $2,000 por auto. Pero debido a que la oferta de importaciones de automóviles está restringida a dos millones de automóviles al año, los habitantes de Agrolandia están dispuestos a comprar esta cantidad por un precio de $6,000 por automóvil. Por tanto, en equilibrio, éste será el precio vigente de un automóvil en Agrolandia.

**FIGURA 22.7**

## Los efectos de una cuota

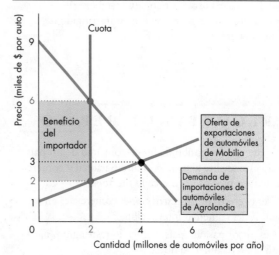

Agrolandia impone una cuota de 2 millones de automóviles por año a las importaciones de automóviles de Mobilia. Esta cantidad aparece como la línea vertical con la leyenda "Cuota". Debido a que la cantidad de automóviles ofrecida por Mobilia está restringida a 2 millones, el precio al cual se pueden comerciar esos automóviles aumenta a $6,000. Importar automóviles es rentable porque Mobilia está dispuesta a ofrecer automóviles a $2,000 cada uno. Hay competencia por administrar las cuotas de importación.

El valor de las importaciones baja a $4,000 millones (dos millones de automóviles a $ 2,000 cada uno), exactamente lo mismo que en el caso del arancel. Así que, con ingresos más bajos de las exportaciones de automóviles y con un precio relativo de grano más alto, los mobilianos reducen sus importaciones de grano exactamente de la misma forma en que lo hicieron con el arancel.

La diferencia clave entre una cuota y un arancel reside en quién recauda la brecha entre el precio pagado a los productores y el precio interno. En el caso del arancel, el recaudador es el gobierno del país importador. En el caso de la cuota, la recaudación va a la persona que tiene el derecho a importar con las regulaciones de cuotas de importación.

Una restricción voluntaria a la exportación es como un acuerdo de cuota en el que las cuotas se asignan a cada país exportador. Los efectos de las restricciones voluntarias a la exportación son similares a los de las cuotas, pero son diferentes en que la brecha entre el precio del país importador y el precio de exportación es atrapada, no por los importadores nacionales, sino por los exportadores. El gobierno del país exportador tiene que establecer procedimientos para asignar el volumen restringido de exportaciones entre sus productores.

---

## PREGUNTAS DE REPASO

- ¿Qué pasa con las posibilidades de consumo de un país cuando éste se abre al comercio internacional y comercia libremente a precios del mercado mundial?
- ¿Cuál es el efecto de las restricciones comerciales en las ganancias del comercio internacional?
- ¿Qué es mejor para un país: comercio restringido, nada de comercio o comercio libre?
- ¿Cuál es el efecto de un arancel a las importaciones sobre el volumen de importaciones y exportaciones?
- En ausencia de crédito internacional, ¿cómo influyen los aranceles y otras restricciones al comercio sobre el valor total de importaciones y de exportaciones, y sobre el saldo comercial (el valor de las exportaciones menos el valor de las importaciones)?

---

• Vea ahora algunos de las argumentos comúnmente escuchados para restringir el comercio internacional.

## El caso contra la protección

DESDE QUE LOS PAÍSES Y EL COMERCIO INTERNACIONAL han existido, la gente ha debatido si un país está mejor con comercio internacional libre o con protección de la competencia del exterior. El debate continúa, pero para la mayoría de los economistas se ha alcanzado un veredicto: el comercio libre promueve la prosperidad para todos, la protección es ineficiente. Hemos visto el caso más poderoso a favor del libre comercio en el ejemplo de cómo tanto Agrolandia como Mobilia se benefician de su ventaja comparativa. Pero hay una gama más amplia de temas en el debate de libre comercio *versus* protección. Revisemos esos temas.

Hay tres argumentos para restringir el comercio internacional, los cuales son:

- El argumento de seguridad nacional
- El argumento de la industria naciente
- El argumento del *dumping*

Veamos cada uno por turno.

## El argumento de la seguridad nacional

El argumento de seguridad nacional para la protección es que un país debe proteger las industrias que producen equipo de defensa nacional y armamentos, así como aquellas industrias que proveen materias primas y otros insumos intermedios a la industria militar. Este argumento para la protección no resiste un escrutinio cuidadoso.

Primero, es un argumento para el aislamiento internacional, porque en tiempos de guerra no hay industria que no contribuya a la defensa nacional. Segundo, si se alega impulsar la producción de una industria estratégica, es más eficiente alcanzar este resultado con un subsidio a las empresas de la industria, el cual se puede financiar con impuestos. Un subsidio así mantendría a la industria operando a la escala que se juzgara apropiada, y el libre comercio internacional mantendría los precios a los que se enfrentan los consumidores a sus niveles del mercado mundial.

## El argumento de la industria naciente

El denominado **argumento de la industria naciente** para la protección indica que es necesario proteger a una industria nueva para permitirle desarrollarse como una industria madura que sea capaz de competir en los mercados mundiales. El argumento se basa en la idea de *ventaja comparativa dinámica*, la cual puede surgir del *aprendizaje mediante la práctica* (véase el capítulo 3).

El aprendizaje mediante la práctica es un motor poderoso del crecimiento de la productividad, y la ventaja comparativa evoluciona y cambia como resultado de la experiencia en el trabajo. Pero estos hechos no necesariamente justifican la protección.

Primero, el argumento de la industria naciente es válido sólo en el caso de que los beneficios de aprendizaje mediante la práctica vayan *no solamente* a los propietarios y trabaja-dores de las empresas en la industria naciente, sino que también se *derramen* a otras industrias y partes de la econo-mía. Por ejemplo, hay inmensas ganancias de productividad por aprendizaje mediante la práctica en la manufactura de aviones. Sin embargo, casi todas estas ganancias benefician a los accionistas y a los trabajadores de Boeing y de otros empresas productoras de aviones. Debido a que las personas que toman las decisiones asumen el riesgo y realizan el trabajo, son ellas las que se benefician; ellas toman en cuenta las ganancias dinámicas cuando deciden la escala de sus actividades. En este caso, prácticamente ningún beneficio se derrama a otras partes de la economía, así que no hay necesidad de asistencia gubernamental para alcanzar el resultado eficiente.

Segundo, incluso si se justificara proteger a una industria naciente, sería más eficiente hacerlo con un subsidio a las empresas de la industria, el cual podría ser financiado mediante impuestos.

## El argumento de *dumping*

Se dice que hay ***dumping*** cuando una empresa extranjera vende sus exportaciones a un precio por debajo de su costo de producción. El *dumping* podría ser usado, por ejemplo, por una empresa que quiere obtener un monopolio global. En este caso, la empresa extranjera vende su producción a un precio por debajo de su costo para sacar del negocio a las empresas nacionales. Cuando las empresas nacionales se retiran, la empresa extranjera se aprovecha de su posición de monopolista y cobra un precio más alto por su producto. Generalmente se considera al *dumping* como una justificación para aranceles compensatorios.

Pero existen razones poderosas para resistir el argumento de *dumping* para la protección. Primero, es virtualmente imposible detectarlo porque es difícil determinar los costos de una empresa. Como resultado, la prueba usual para determinar si una empresa está incurriendo en *dumping* es a través de observar si el precio de exportación de la empresa está por debajo del precio al que vende en su mercado interno. Pero esta prueba es débil, porque puede ser racional para una empresa cobrar un precio bajo en mercados en los que la cantidad demandada es muy sensible al precio y un precio más alto en el mercado en el cual la demanda es menos sensible al precio.

Segundo, es difícil pensar en un bien producido por un monopolio natural *global*. Por tanto, incluso si todas las empresas nacionales fueran eliminadas del negocio en alguna industria, todavía sería posible encontrar varias (y generalmente muchas) fuentes extranjeras alternativas de oferta, y aún se podría comprar a los precios determinados en los mercados competitivos.

Tercero, si un bien o servicio fuera verdaderamente un monopolio natural global, la mejor forma de manejarlo sería con regulación, al igual que en el caso de los monopolios nacionales. Dicha regulación requeriría de la cooperación internacional.

Los tres argumentos para el proteccionismo que acabamos de examinar tienen un elemento de credibilidad. Los argumentos en contra son en general más poderosos, así que estos argumentos que hemos visto no necesariamente justifican la protección. Pero no son los únicos que usted podría encontrar. Muchos otros argumentos que se escuchan comúnmente están equivocados. Los más comunes de ellos son que la protección:

- Salva empleos
- Permite competir con la mano de obra extranjera barata
- Penaliza las normas ambientales laxas
- Protege la cultura nacional
- Impide a los países ricos explotar a los países en desarrollo

## Salva empleos

El argumento es: cuando algún país compra zapatos tenis a otro país como China, los trabajadores domésticos pierden sus empleos. Sin ingresos y con perspectivas pobres, estos trabajadores se convierten en una carga para la economía y gastan menos, lo cual ocasiona un efecto multiplicativo que conduce a mayores pérdidas de empleos. La solución propuesta para este problema es prohibir las importaciones de bienes extranjeros baratos y proteger los empleos domésticos. La propuesta es deficiente por las siguientes razones.

Primero, el comercio libre sí cuesta algunos empleos, pero también crea otros. Produce una racionalización global del trabajo y asigna recursos laborales a sus actividades de más alto valor. Por ejemplo, debido al comercio internacional, decenas de miles de trabajadores de la industria textil en Estados Unidos han perdido su empleos porque han cerrado sus fábricas. Sin embargo, decenas de miles de trabajadores en la frontera norte de México y en varios países de Centroamérica han obtenido empleos debido a las fábricas textiles que han abierto ahí. Y decenas de miles de trabajadores estadounidenses han obtenido empleos mejor pagados que los trabajadores textiles debido a que otras industrias de exportación se han expandido y creado más empleos de los que se destruyeron. Lo mismo ocurre en muchas otras partes del mundo en las que el comercio se ha liberalizado.

Segundo, las importaciones crean empleos. Crean empleos para los minoristas que venden bienes importados y para las empresas que dan servicio a esos bienes. También crean empleos al generar ingresos en el resto del mundo, parte de los cuales se gastan después de regreso en el país importador.

Aunque la protección salva empleos particulares, lo hace a un costo excesivo. Por ejemplo, los empleos textiles están protegidos en Estados Unidos por cuotas impuestas por un acuerdo internacional llamado Acuerdo Multifibras. La ITC (*International Trade Commission,* Comisión de Comercio Internacional) ha estimado que, debido a las cuotas, existen 72,000 empleos en textiles que de otra manera desaparecerían y que el gasto anual en ropa en Estados Unidos es 15,900 millones de dólares mayor que lo que sería si hubiera libre comercio (esto es alrededor de 160 por familia). De manera equivalente, la ITC estima que cada empleo salvado cuesta 221,000 dólares al año.

## Permite competir con mano de obra extranjera barata

Con la eliminación de los aranceles proteccionistas en el comercio de Estados Unidos con México, Ross Perot dijo que escucharíamos un "gigantesco sonido de aspiradora" y que los empleos fluirían aceleradamente hacia México. Muchas personas en México creen que algo similar podría ocurrir en ese país si se liberalizara el comercio con otras naciones de menores ingresos (por ejemplo, con países de Centroamérica). Observe por qué están equivocadas estas opiniones.

El costo laboral de una unidad de producción es igual a la tasa salarial dividida entre la productividad del trabajo. Por ejemplo, si un trabajador de la industria automotriz en Estados Unidos gana $30 la hora y produce 15 unidades de producción por hora, el costo laboral promedio de una unidad de producción es $2. Si un trabajador de una planta de ensamble mexicana gana $3 la hora y produce una unidad de producto por hora, el costo laboral promedio de una unidad es $3. Este ejercicio ficticio muestra que el costo laboral promedio podría ser más alto en una economía con salarios bajos. En general, con otras cosas constantes, cuanto más alta es la productividad del trabajador, más alta es su tasa salarial. Los trabajadores de salario alto tienen productividad alta, los trabajadores de salario bajo tienen productividad baja.

Aunque los trabajadores estadounidenses con salarios altos tienden a ser más productivos, en promedio, que los trabajadores mexicanos de salario bajo, existen diferencias entre las industrias. El trabajo en Estados Unidos es relativamente más productivo en algunas actividades que en otras. Por ejemplo, la productividad de los trabajadores de EUA en la producción de películas, servicios financieros y *chips* de computadora es relativamente más alta que en la producción de metales y de partes de maquinaria estandarizadas. Las actividades en las que los trabajadores de Estados Unidos son más productivos que sus equivalentes mexicanos son aquellas en las que Estados Unidos tiene una *ventaja comparativa.* Al participar en el libre comercio, aumentando la producción y las exportaciones de bienes y servicios en los cuales tenemos ventaja comparativa y disminuyendo la producción y aumentando las importaciones de bienes y servicios en los que nuestros socios comerciales tienen una ventaja comparativa, podemos mejorar nuestra situación y la de los ciudadanos de otros países.

*"No se qué demonios pasó, estoy en el trabajo en Flint, Michigan, y de repente hay un gigantesco sonido de aspiradora y aparezco aquí en México."*

Caricatura de M. Stevens; © 1993
*The New Yorker Magazine*

## Penaliza las normas ambientales laxas

Un argumento nuevo para la protección en los países más desarrollados es que muchos países relativamente pobres, como México, no tienen las mismas políticas ambientales que tienen los países ricos. Debido a que los países pobres están dispuestos a contaminar y los países ricos no, éstos no pueden competir con los primeros si no existen aranceles. Así que si los países relativamente pobres quieren tener un libre comercio con los países más ricos y "más verdes", primero deben de limpiar su medio ambiente al nivel de los estándares de los países desarrollados.

Este argumento a favor de las restricciones de comercio es débil. Primero, no todos los países pobres tienen estándares significativamente más bajos que los de los países ricos. Muchos países pobres, al igual que los antiguos países comunistas de Europa Oriental, tienen malos historiales ambientales. Sin embargo, muchos otros países tienen, y aplican, leyes ambientales estrictas. Segundo, un país pobre no puede permitirse estar tan preocupado por su medio ambiente como un país rico. La mejor esperanza para un mejor medio ambiente en México, y en otros países en desarrollo, es el rápido crecimiento del ingreso a través del libre comercio. Al crecer sus ingresos, los países en desarrollo tendrán los *medios* que corresponderán a sus deseos de mejorar el medio ambiente. Tercero, los países pobres tienen una ventaja comparativa para realizar trabajo "contaminante" (simplemente porque es más barato hacerlo en un país con menos regulaciones), lo cual ayuda a los países ricos a alcanzar estándares ambientales más altos de los que de otra manera tendrían.

## Protege la cultura nacional

El argumento de la cultura nacional a favor de la protección no se escucha mucho en Estados Unidos, pero es un argumento comúnmente escuchado en Canadá, Europa y América Latina.

El miedo que se expresa es que el libre comercio en libros, revistas, películas y programas de televisión significa dominación estadounidense y el fin de la cultura local. Por tanto, continúa el razonamiento, es necesario proteger a la cultura nacional del libre comercio internacional, para asegurar la supervivencia de una identidad cultural nacional.

La protección de estas industrias es común y adopta la forma de barreras no arancelarias. Por ejemplo, a menudo se requieren regulaciones de contenido local en la transmisión de radio y televisión.

El argumento de la identidad cultural a favor de la protección no tiene mucho sentido y es otro ejemplo de búsqueda de rentas. Escritores, editores y difusores quieren limitar la competencia extranjera para poder obtener mayores beneficios económicos. No hay un peligro real para la cultura nacional. De hecho, muchos de los creadores de los llamados productos culturales estadounidenses no son estadounidenses, sino talentosos ciudadanos de otros países, ¡los cuáles aseguran la supervivencia de sus identidades culturales nacionales trabajando en Hollywood! Más aún, si la cultura nacional está en peligro, no hay manera más segura de asegurar su extinción que empobreciendo al país en esa situación. Y la protección es una forma eficaz de hacerlo.

## Impide a los países ricos explotar a los países en desarrollo

Otro argumento nuevo a favor de la protección es que el comercio internacional debe restringirse para impedir que la gente del mundo industrial rico explote a la gente más pobre de los países en desarrollo, obligándolos a trabajar por salarios de esclavos.

Las tasas salariales en algunos países en desarrollo ciertamente son muy bajas. Pero al comerciar con los países en desarrollo, los países ricos en realidad están aumentando la demanda de los bienes que producen esos países y, lo que es más significativo, aumentan la demanda de trabajo de esos países. Cuando la demanda de trabajo en los países en desarrollo aumenta, también aumenta la tasa salarial. Así que, lejos de explotar a la gente en los países en desarrollo, el comercio mejora sus oportunidades y aumenta sus ingresos.

Hemos revisado los argumentos que se escuchan comúnmente a favor y en contra de la protección. Hay un argumento en contra de la protección que es general y quizá contundente. La protección invita a la represalia y puede desencadenar una guerra comercial. El mejor ejemplo de una guerra comercial ocurrió durante la Gran depresión de la década de los treinta, cuando se introdujo el Arancel Smoot-Hawley. Muchos países respondieron con su propio arancel y, en un período corto, el comercio internacional casi había desaparecido. Algo similar ocurrió en Centroamérica en la década de los ochenta cuando, como resultado de la crisis de la deuda y de la inestabilidad macroeconómica, un país centroamericano decidió aumentar sus aranceles. La respuesta de los otros países de la región no se hizo esperar y los aranceles a lo largo de toda la región aumentaron rápidamente, lo cual provocó una disminución importante en el comercio intrarregional. Los costos para todos los países en ambos casos fueron grandes y llevaron a una decisión internacional renovada de evitar esas medidas contraproducentes en el futuro. En el primer caso, la situación condujo a la creación del GATT, y ese ejemplo constituye el impulso detrás de los esfuerzos de integración como el TLCAN, la APEC, la Unión Europea, el Mercosur y el Mercomún.

## PREGUNTAS DE REPASO

- ¿Tiene sentido la opinión de que debemos restringir el comercio internacional para lograr metas de seguridad nacional, estimular el crecimiento de industrias nuevas o restringir a un monopolio extranjero?

- ¿Tiene sentido la opinión de que debemos restringir el comercio internacional para salvar empleos, compensar los bajos salarios extranjeros, proteger la cultura nacional o proteger a los países en desarrollo de ser explotados?

- ¿Tiene algún sentido la opinión de que debemos restringir el comercio internacional por cualquier razón? ¿Cuál es el principal argumento en contra de las restricciones comerciales?

# ¿Por qué se restringe el comercio internacional?

¿POR QUÉ, A PESAR DE TODOS LOS ARGUMENTOS EN contra de la protección, se restringe el comercio? Existen dos razones clave:

■ Recaudación arancelaria
■ Búsqueda de rentas

## Recaudación arancelaria

Es costoso recaudar ingresos del gobierno. En los países desarrollados, como Estados Unidos, existe un buen sistema de recaudación de impuestos que permite recaudar miles de millones de dólares por concepto de impuestos sobre el ingreso y las ventas. Este sistema de recaudación tributaria es posible por el hecho de que la mayor parte de las transacciones económicas las hacen empresas que deben mantener registros financieros debidamente auditados. Sin esos registros, las entidades recaudadoras de ingreso (IRS, *Internal Revenue Service,* Servicio de Recaudación Interna) enfrentarían serios obstáculos para su trabajo. Incluso con cuentas financieras auditadas, se pierde alguna proporción de recaudación tributaria potencial. No obstante, para los países industrializados, el impuesto sobre el ingreso y sobre las ventas son las principales fuentes de ingresos gubernamentales, y los aranceles desempeñan un papel muy pequeño en la recolección de ingresos.

Sin embargo, muchos gobiernos en países en desarrollo tienen dificultades para cobrar impuestos a sus ciudadanos. Mucha actividad económica se da en la economía informal con pocos o nulos registros financieros. Por tanto, la recaudación a través de impuestos sobre el ingreso y las ventas en esos países es relativamente pequeña. Un campo en el cual las transacciones económicas se registran y se auditan bien en esos países, es el comercio internacional. Así que esta actividad es una base atractiva para la recaudación tributaria en esas naciones y se usan mucho más extensamente que en los países desarrollados.

## Búsqueda de rentas

La principal razón por la que se restringe el comercio es la búsqueda de rentas. El comercio libre aumenta, *en promedio*, las posibilidades de consumo, pero no todo el mundo comparte las ganancias, e incluso algunas personas pierden. El libre comercio ocasiona beneficios a algunos e impone costos a otros, aunque los beneficios totales exceden a los costos totales. La desigual distribución de costos y beneficios es la causa principal del impedimento para alcanzar un comercio internacional más liberalizado.

Regresando a nuestro ejemplo de comercio de grano y automóviles entre Agrolandia y Mobilia, los beneficios para Agrolandia del libre comercio van a todos los productores de grano y a aquellos productores de automóviles que no tuvieron que asumir los costos de ajustarse a una industria automotriz más pequeña. Éstos son costos de transición, no costos permanentes. Los costos de pasar al libre comercio los asumen aquellos productores de automóviles y sus empleados que tienen que convertirse en productores de grano. La cantidad de personas que ganan será, en general, enorme comparada con el número que perderá. La ganancia por persona será en consecuencia más bien pequeña. Las pérdidas por persona para aquellos que asumen la pérdida será grande. Debido a que la pérdida es grande para aquellos que la tienen que asumir, a esas personas les convendrá incurrir en gastos considerables para cabildear en contra del libre comercio. Por otro lado, a aquellos que ganan con el libre comercio no les convendrá organizarse. La ganancia del comercio para cada individuo es demasiado pequeña como para gastar mucho tiempo o dinero en una organización política para alcanzar el libre comercio. Las pérdidas por el libre comercio para aquellos que soportan la pérdida será tan grande, que muchos de ellos *considerarán* rentable unirse a una organización política para impedir el libre comercio. Cada grupo está optimizando al sopesar beneficios con costos y eligiendo la mejor acción para ellos. El grupo en contra del libre comercio, sin embargo, emprenderá una mayor cantidad de cabildeo que el grupo a favor del libre comercio.

## Compensación a perdedores

Si las ganancias totales del libre comercio internacional exceden a las pérdidas totales, ¿por qué no los que ganan compensan a los que pierden para que todo el mundo esté en favor del libre comercio? Hasta cierto punto, esa compensación se lleva a cabo. Cuando el Congreso estadounidense aprobó el TLC con México y Canadá, estableció un fondo de 56 millones de dólares para apoyar y volver a adiestrar a trabajadores que perdieron sus empleos debido al nuevo acuerdo comercial. Durante los primeros seis meses de vigencia del TLC, sólo 5,000 trabajadores solicitaron beneficios con este esquema.

En Estados Unidos, la gente que pierde como resultado de un comercio internacional más libre, también es compensada en forma indirecta a través de los arreglos normales de compensación por desempleo. Sin embargo, en los países en los que no existe este tipo de compensación, los perdedores no gozan de esta forma de compensación. Sin embargo, en general, se puede decir que sólo se llevan a cabo intentos limitados para compensar a aquellos que pierden con el libre comercio internacional. La razón por la cual no se intenta, es que los costos de identificar a todos los perdedores y estimar el valor de sus pérdidas sería enorme. Asimismo, nunca quedaría claro si una persona que pasa por tiempos difíciles está sufriendo debido al libre comercio o por otras razones, quizá razones que están en gran medida fuera del control del individuo. Más aún, algunas personas que se ven como perdedores en un momento dado, pueden, de hecho, acabar ganando. Éste podría ser el caso de un joven trabajador de la industria automotriz que pierde su empleo en Michigan y que se vuelve un trabajador de ensamble de computadoras en Minnesota. Esta persona tal vez resienta la pérdida de trabajo y la necesidad de mudarse, pero, uno o dos años más tarde, viendo hacia atrás, quizá se considere afortunado. Ha realizado un cambio que ha aumentado su ingreso y que le ha dado una mayor seguridad en su empleo.

Debido a que en general no compensamos a los perdedores del comercio libre internacional, es por lo que el proteccionismo es una característica tan popular y permanente de nuestra vida económica y política.

## PREGUNTAS DE REPASO

- ¿Cuáles son las dos razones principales para imponer un arancel a las importaciones?
- ¿Qué tipo de país se beneficia más de la recaudación que genera el arancel?
- Si las restricciones al comercio son costosas, ¿por qué las usamos? ¿Por qué la gente que gana con el comercio no organiza una fuerza política que sea lo suficientemente fuerte para asegurar que sus intereses estén protegidos?

◆ Ya ha visto usted por qué el libre comercio internacional permite a todos los países ganar con la especialización y el comercio. Al producir bienes en los que tenemos ventaja comparativa y comerciar parte de nuestra producción con la de otros, expandimos nuestras posibilidades de consumo. Colocar impedimentos al comercio restringe el grado en el que podemos ganar con la especialización y el comercio. Abrir nuestro país al libre comercio internacional expande el mercado de las cosas que vendemos y sube su precio relativo. El mercado de todas las cosas que compramos también se expande y el precio relativo cae.

La *Lectura entre líneas* en las páginas 508-509 da una mirada a un ejemplo reciente de una resolución *antidumping* por parte del gobierno de México en contra de las importaciones de láminas de acero de Rusia y Ucrania.

# Cuotas en acción

EL ECONOMISTA, MARTES 24 DE AGOSTO DE 1999

## Aplica Secofi cuotas compensatorias contra lámina rolada

Por: Yadira Mena

Por considerar que las empresas siderúrgicas Altos Hornos de México (AHMSA) e Hylsa enfrentaban prácticas desleales de comercio, la Secretaría de Comercio determinó aplicar cuotas compensatorias provisionales a las importaciones de lámina rolada en caliente procedente de Rusia y Ucrania.

La dependencia, a través de la Unidad de Prácticas Comerciales Internacionales (UPCI), decidió continuar con la investigación e imponer cuotas compensatorias preliminares de 20.07% para los productos originarios de Rusia y de 46.66% para los provenientes de Ucrania. Las firmas siderúrgicas mexicanas que solicitaron la investigación por *dumping* manifestaron que la lámina rolada en caliente, objeto de la investigación, corresponde a los aceros al carbón o aceros comerciales, que constituyen la mayor parte de la producción siderúrgica del mundo. Los principales usuarios son la industria de la construcción, automotriz, maquinaria y metalmecánica; utilizando dicho producto en la fabricación de calderas, perfiles estructurales, recipientes a presión, cilindros de gas, buques, tuberías para agua y petróleo, rines automotrices, defensas entre otros usos.

Este tipo de acero se compone de mineral de hierro, carbón y otras ferroaleaciones.

La empresa Hylsa expresó que los proyectos de inversión de la División Aceros Planos estaban en riesgo de ser afectados, como consecuencia de las importaciones en condiciones desleales.

Por su parte, AHMSA argumentó que los precios internos mexicanos bajaron por la crisis asiática, esto se agravó por las exportaciones los países investigados en condiciones de discriminación de precios.

En contraparte, las empresas afectadas por las cuotas manifestaron que el decremento en el empleo que sufrió AHMSA en el período investigado con respecto al período anterior, se debió a las dificultades financieras y su política hacia la racionalización de costos de producción.

El período de la investigación es de enero a junio de 1998, tiempo en el cual la Secretaría de Comercio encontró que las tasas de crecimiento de las importaciones de Rusia y Ucrania fueron de 121 y 1,587%, respectivamente, de acuerdo con el mismo lapso del año previo.

## Esencia del artículo

■ Dos empresas mexicanas, Altos Hornos de México e Hylsa, interpusieron una demanda en contra de las importaciones de lámina rolada en caliente procedentes de Rusia y Ucrania.

■ Las empresas mexicanas consideran que las importaciones procedentes de estos países constituyen un ejemplo de una práctica desleal de comercio.

■ La Secretaría de Comercio y Fomento Industrial de México (SECOFI) observó que, durante el período enero-junio de 1998, las importaciones de lámina rolada procedentes de Rusia y Ucrania crecieron en 121% y 1,587%, respectivamente, con respecto al mismo período de 1997.

■ La Secretaría de Comercio aplicó cuotas compensatorias provisionales de 20.07% a las importaciones de lámina rolada en caliente provenientes de Rusia y de 46.66% a las procedentes de Ucrania.

■ Los principales usuarios de dicha lámina son las industrias de la construcción, automotriz, maquinaria y metalmecánica.

■ La figura 1 muestra el mercado de lámina rolada en México. La curva de demanda de los compradores de lámina rolada es *D*.

■ Existen dos curvas de oferta: la curva de oferta de los productores de Ucrania, $O_U$, y la curva de oferta de los productores mexicanos, $O_M$. La oferta de Ucrania se considera infinitamente elástica. La oferta de México tiene pendiente positiva.

■ Sin arancel compensatorio, la cantidad de láminas roladas compradas en México sería de $Q_4$, de las cuales $Q_1$ serían producidas en México y el resto se importaría, como se muestra con la flecha de la figura 1.

■ Ahora, la Secretaria de Comercio establece un arancel de 46.66% a las importaciones de lámina rolada procedentes de Ucrania. Esa lámina extranjera es ahora ofrecida al precio de oferta original más el arancel ($100 + $46.7). La curva de oferta de lámina de Ucrania se traslada hasta $O_U$+ arancel.

■ Con el arancel, la cantidad de láminas compradas en México es $Q_3$, de las cuales $Q_2$ son producidas en México y el resto son importadas de Ucrania, como se muestra con la flecha de la figura 1.

■ El arancel disminuyó el volumen de importaciones de la lámina rolada y aumentó el nivel de producción doméstica de dicho bien. La figura 2 muestra quiénes son los ganadores y quiénes los perdedores en México.

■ Dentro de los ganadores se incluye a:

1) Los productores mexicanos, quienes obtienen un beneficio económico adicional. Este beneficio adicional se representa gráficamente por el área amarilla. Estas rentas adicionales son las que dan lugar a un proceso de búsqueda de rentas por parte de los productores locales.

2) El gobierno, quien recauda un ingreso adicional, el cual se muestra por el área azul.

■ Los perdedores son los consumidores mexicanos, quienes pierden excedente del consumidor. Una parte de esta pérdida la obtuvieron los productores y el gobierno mexicanos. El resto se divide en dos áreas más:

1) Un incremento en el costo de oportunidad al producir el bien en México (área roja), y

2) Una pérdida irrecuperable de eficiencia (área rosa).

■ Por tanto, la suma de las áreas amarilla, roja, azul y rosa es la pérdida del excedente del consumidor como resultado de la instrumentación del arancel.

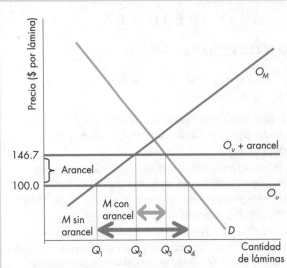

**Figura 1  Arancel e importaciones**

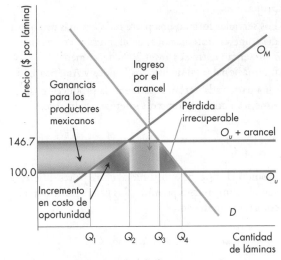

**Figura 2  Ganadores y perdedores**

1. ¿Está a favor o en contra de instrumentar un arancel a bienes que son necesarios para la producción?

2. Redacte un reporte en el que explique las razones de tal decisión.

509

# RESUMEN

## CONCEPTOS CLAVE

### Patrones y tendencias del comercio internacional (pág. 490)

- Desde 1960, el volumen del comercio de EUA, como porcentaje de la producción total, se ha más que duplicado.

- América Latina, en su conjunto, importa y exporta principalmente bienes manufacturados. Este patrón es reciente y refleja un cambio de tendencia importante con respecto al pasado reciente.

- Sin embargo, hay una gran heterogeneidad regional en los patrones de comercio internacional en América Latina. México y Brasil son exportadores importantes de bienes manufacturados, en tanto que otros países de la región siguen exportando mayoritariamente materias primas.

- Los servicios forman una parte cada vez más importante del comercio internacional en el mundo. Los servicios representan entre el 15 y el 20% del comercio internacional total de Estados Unidos y América Latina.

- Una parte cada vez más grande de la producción de América Latina se comercia internacionalmente.

### Costo de oportunidad y ventaja comparativa (págs. 491-493)

- Cuando el costo de oportunidad entre países difiere, la ventaja comparativa permite a los países ganar con el comercio internacional.

### Ganancias del comercio (págs. 493-496)

- Al aumentar la producción de los bienes en los que tiene ventaja comparativa y después comerciar parte de su mayor producción, un país puede consumir en un punto fuera de su frontera de posibilidades de producción.

- En ausencia de crédito internacional, el comercio se equilibra al ajustarse los precios, para reflejar la oferta y la demanda internacional de bienes.

- El precio mundial equilibra los planes de producción y consumo de las partes que comercian. Al precio de equilibrio, el comercio está en equilibrio.

### Ganancias del comercio en la realidad (pág. 497)

- La ventaja comparativa explica el comercio internacional que ocurre en el mundo.

- El comercio internacional de bienes similares surge por las economías de escala cuando hay gustos y preferencias diversificadas.

### Restricciones al comercio (págs. 498-502)

- Los países restringen el comercio internacional mediante la imposición de aranceles y cuotas.

- Las restricciones al comercio suben el precio interno de los bienes importados, bajan el nivel de las importaciones y reducen el valor total de las importaciones.

- Las restricciones al comercio también reducen el valor total de las exportaciones en el mismo monto en el que reducen el valor de las importaciones.

### El caso contra la protección (págs. 502-505)

- Los argumentos de que la protección es necesaria para la seguridad nacional, para dar oportunidad de crecer a las industrias nacientes y para impedir el *dumping*, son débiles.

- Los argumentos en el sentido de que la protección salva empleos, permite competir con mano de obra barata extranjera, protege la cultura nacional y es necesaria para contrarrestar los costos de las políticas ambientales, están fatalmente equivocados.

### ¿Por qué se restringe el comercio internacional? (págs. 506-507)

- Se restringe el comercio internacional porque los aranceles hacen subir la recaudación gubernamental y porque la protección ocasiona una pequeña pérdida a un gran número de personas y una gran ganancia por persona a un número pequeño de personas.

## FIGURAS CLAVE

## TÉRMINOS CLAVE

# PROBLEMAS

*1. La tabla proporciona información acerca de las posibilidades de producción en el país Realidad Virtual.

| Televisores (por día) | | Computadoras (por día) |
|:---:|:---:|:---:|
| 0 | y | 36 |
| 10 | y | 35 |
| 20 | y | 33 |
| 30 | y | 30 |
| 40 | y | 26 |
| 50 | y | 21 |
| 60 | y | 15 |
| 70 | y | 8 |
| 80 | y | 0 |

a. Calcule el costo de oportunidad de un televisor para Realidad Virtual, cuando la producción es de 10 televisores al día.

b. Calcule el costo de oportunidad de un televisor para Realidad Virtual, cuando la producción es de 40 televisores al día.

c. Calcule el costo de oportunidad de un televisor para Realidad Virtual, cuando la producción es de 70 televisores al día.

d. Con las respuestas a las partes (a), (b) y (c), trace la relación entre el costo de oportunidad de un televisor y la cantidad de televisores producidos en Realidad Virtual.

2. La tabla proporciona información acerca de las posibilidades de producción en el país Signos Vitales.

| Televisores (por día) | | Computadoras (por día) |
|:---:|:---:|:---:|
| 0 | y | 18.0 |
| 10 | y | 17.5 |
| 20 | y | 16.5 |
| 30 | y | 15.0 |
| 40 | y | 13.0 |
| 50 | y | 10.5 |
| 60 | y | 7.5 |
| 70 | y | 4.0 |
| 80 | y | 0 |

a. Calcule el costo de oportunidad de un televisor para Signos Vitales, cuando la producción es de 10 televisores al día.

b. Calcule el costo de oportunidad de un televisor para Signos Vitales, cuando la producción es de 40 televisores al día.

c. Calcule el costo de oportunidad de un televisor para Signos Vitales, cuando la producción es de 70 televisores al día.

d. Con las respuestas a las partes (a), (b) y (c), trace la relación entre el costo de oportunidad de un televisor y la cantidad de televisores producidos en Signos Vitales.

*3. Suponga que, sin comercio internacional, el país Realidad Virtual (del problema 1) produce y consume 10 televisores al día, en tanto que el país Signos Vitales (del problema 2) produce y consume 60 televisores al día. Suponga ahora que los dos países empiezan a comerciar entre sí.

a. ¿Qué país exporta televisores?

b. ¿Qué ajustes se hacen a la cantidad producida de cada bien en los dos países?

c. ¿Qué ajustes se hacen a la cantidad consumida de cada bien en los dos países?

d. ¿Qué puede usted decir acerca de los términos de intercambio (el precio de un televisor expresado como el número de computadoras por televisor) cuando hay libre comercio?

4. Suponga que sin comercio internacional, el país Realidad Virtual (del problema 1) produce y consume 50 televisores por día, en tanto que el país Signos Vitales (del problema 2) produce y consume 20 televisores al día. Suponga ahora que los dos países empiezan a comerciar entre sí.

a. ¿Qué país exporta televisores?

b. ¿Qué ajustes se hacen a la cantidades producidas de cada bien en los dos países?

c. ¿Qué ajustes se hacen a la cantidad consumida de cada bien en los dos países?

d. ¿Qué puede usted decir acerca de los términos de intercambio (el precio de un televisor expresado como el número de computadoras por televisor) cuando hay libre comercio?

*5. Compare las cantidades totales producidas de cada bien en los problemas 1 y 2, con las cantidades totales de cada bien producidas en los problemas 3 y 4.

a. ¿El libre comercio aumenta o disminuye las cantidades totales de televisores y computadoras producidos en ambos casos? ¿Por qué?

b. ¿Qué sucede al precio de un televisor en Realidad Virtual en los dos casos? ¿Por qué sube en un caso y baja en el otro?

c. ¿Qué sucede al precio de una computadora en Signos Vitales en ambos casos? ¿Por qué sube en un caso y cae en el otro?

6. Compare el comercio internacional en el problema 3 con el del problema 4.

    a. ¿Por qué Realidad Virtual exporta televisores en uno de los casos y los importa en el otro?

    b. ¿Ganan los productores de televisores o los productores de computadoras en cada caso?

    c. ¿Ganan los consumidores en cada caso?

*7. La figura describe el mercado internacional de soya

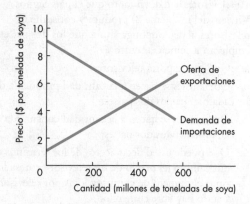

    a. Si ninguno de los dos países se dedicara al comercio internacional, ¿cuál sería el precio de la soya en los dos países?

    b. ¿Cuál es el precio mundial de soya si hay libre comercio entre estos países?

    c. ¿Qué cantidad de soya se exporta e importa?

    d. ¿Cuál es el saldo de la balanza comercial?

8. Si el país que importa soya en el problema 7(b) impone un arancel de $2 por tonelada, ¿cuál es el precio mundial de soya y cuál es la cantidad de soya que se comercia internacionalmente? ¿Cuál es el precio de la soya en el país importador? Calcule la recaudación por el arancel.

*9. Suponga que el país importador en el problema 7(b) impone una cuota de 300 millones de toneladas a la importación de soya.

    a. ¿Cuál es el precio de la soya en el país importador?

    b. ¿Cuál es el ingreso por la cuota?

    c. ¿Quién obtiene ese ingreso?

10. El país exportador en el problema 7(b) impone una RVE de 300 millones de toneladas a su exportación de soya.

    a. ¿Cuál es el precio mundial de soya ahora?

    b. ¿Cuál es el ingreso de los cultivadores de soya en el país exportador?

    c. ¿Qué país gana con la RVE?

# PENSAMIENTO CRÍTICO

1. Estudie la *Lectura entre líneas* de las páginas anteriores y después responda a las siguientes preguntas.

    a. ¿Por qué México decidió aplicar un arancel a la importación de láminas roladas proveniente de Rusia y Ucrania?

    b. ¿Cuáles son los efectos de dicho arancel? Explique su respuesta.

    c. ¿Quiénes son los ganadores y perdedores de tal política comercial?

    d. ¿Por qué cree que el gobierno mexicano decide apoyar a las empresas Hylsa y Altos Hornos de México? Argumente su respuesta.

    e. Si está en contra de la imposición de aranceles *antidumping*, plantee una solución alternativa. Argumente su respuesta exponiendo claramente sus razones y describiendo los efectos de tal medida económica.

2. Visite el sitio de Internet de este libro y utilice los enlaces para estudiar la decisión *antidumping* del gobierno de Venezuela en contra de las importaciones de acero procedentes de Rusia y Ucrania. Después conteste a las siguientes preguntas:

    a. ¿Cuál es el argumento en el artículo para limitar las importaciones de acero?

    b. Evalúe el argumento. ¿Es correcto o incorrecto en su opinión? ¿Por qué?

    c. ¿Votaría usted para limitar las importaciones de acero? ¿Por qué sí o por qué no?

    d. Use los enlaces en la página de Internet de este libro para estudiar caso similares de *dumping* en acero en otros países. Compare los argumentos que se han utilizado para justificar la protección a este producto.

3. Use los enlaces en el sitio de Internet de este libro para visitar los sitios de la Red Mexicana de Acción frente al Libre Comercio y de la Secretaría de Comercio y Fomento Industrial de México. Lea los comentarios de estas organizaciones sobre los efectos del TLCAN (NAFTA) en el sector agrícola de México y después conteste a las siguientes preguntas:

    a. ¿Cuál es el mensaje que quiere transmitir el artículo de la Red Mexicana de Acción frente al Libre Comercio?

    b. ¿Cuál es el mensaje básico de la Secretaría de Comercio y Fomento Industrial de México?

    c. ¿Qué mensaje considera usted el correcto y por qué?

    d. Si usted viviera en México, ¿votaría a favor de conservar el TLCAN? ¿Por qué sí o por qué no?

# Comprensión de la economía global

## Es un mundo pequeño

La magnitud del comercio y de las operaciones financieras internacionales se expande cada año, tanto en términos de dólares como en porcentaje de la producción mundial total. Un país, Singapur, importa y exporta bienes y servicios en un volumen que excede a su producto interno bruto. China, el país más poblado de la tierra, regresó al escenario económico internacional durante la década de los ochenta y es ahora un productor principal de bienes manufacturados. ◆ La actividad económica internacional es grande porque el mundo económico actual es pequeño y porque las comunicaciones son increíblemente rápidas. Pero el mundo actual no es nuevo. Desde los inicios de la historia escrita, la gente ha comerciado entre lugares muy distantes. Las grandes civilizaciones occidentales de Grecia y Roma comerciaban no solamente alrededor del Mediterráneo, sino también en el Golfo de Arabia. Las grandes civilizaciones orientales comerciaban alrededor del Océano Índico. En la Edad Media, Oriente y Occidente comerciaban de manera rutinaria por vía terrestre, a través de rutas abiertas por comerciantes y exploradores venecianos como Marco Polo. Cuando Vasco de Gama abrió una ruta marítima en 1497 entre los océanos Índico y Atlántico bordeando África, empezó un nuevo comercio entre Oriente y Occidente que derrumbó los precios de los bienes orientales en los mercados occidentales. ◆ El descubrimiento de América y la subsecuente apertura del comercio atlántico continuaron el proceso de globalización. Así pues, los acontecimientos de la década de 1990, pese a lo asombroso que muchos de ellos sean, representan una continuación de una expansión en curso de los horizontes humanos. ◆ El capítulo 22 estudia la interacción de las naciones en la economía global actual. ◆ El capítulo describe y explica el comercio internacional de bienes y servicios. Aquí, usted se enfrentó a uno de los temas de política más importantes de todos los tiempos: el debate entre el libre comercio y el proteccionismo, y aprendió cómo todas las naciones pueden beneficiarse del libre comercio internacional. También se vio cómo el proteccionismo beneficia a unos cuantos y ocasiona pérdidas a muchos. Las ganancias totales de la protección son pequeñas en comparación con las pérdidas, pero debido a que las pérdidas se extienden en forma amplia y a que las ganancias se concentran en pocas personas, el proteccionismo siempre tiene defensores y respaldo político. ◆ El capítulo 22 no habla ni del endeudamiento ni de los préstamos internacionales. Usted aprenderá sobre estos temas en un curso de *macroeconomía*. En él verá que un déficit comercial no depende de lo eficientes que seamos, sino de cuánto ahorramos en relación con lo que invertimos. Suponiendo que todo lo demás permanece igual, los países con bajas tasas de ahorro tienden a un mayor déficit con el resto del mundo. ◆ Actualmente, la economía global acapara las noticias, y siempre ha sido así. En las páginas siguientes podrá conocer a un economista que fue el primero en entender el concepto de ventaja comparativa: David Ricardo. Y podrá también conocer a uno de los principales economistas latinoamericanos de hoy día, Jaime Serra Puche, quien ha sido profesor en varios países y Secretario (Ministro) de Comercio de México durante la negociación del Tratado de Libre Comercio de este país con Estados Unidos y Canadá.

# Examen de las ideas

## Ganancias del comercio internacional

### El economista

**David Ricardo** *(1772–1832)*
*era un corredor de bolsa muy exitoso de 27 años de edad, cuando se tropezó con una copia de* La riqueza de las naciones *de Adam Smith (véase pág. 50) en una visita de fin de semana al campo. Inmediatamente quedó atrapado y a partir de ahí se convirtió en uno de los economistas más célebres de su época y también en uno de los más grandes de todos los tiempos. Una de sus numerosas contribuciones fue el desarrollo del principio de la ventaja comparativa, sobre el cual está edificada la teoría moderna del comercio internacional. El ejemplo que utilizó para ilustrar el principio fue el comercio entre Inglaterra y Portugal en tejidos y vino.*

*El Acuerdo General sobre Aranceles y Comercio (GATT, por sus siglas en inglés) se estableció como reacción en contra de la devastación ocasionada por los aranceles impuestos durante la década de los treinta, pero también constituye un triunfo de la lógica formulada inicialmente por Adam Smith y David Ricardo.*

> "Con un sistema de libre comercio perfecto, cada país dedica su capital y su trabajo en forma natural a los empleos que le son más benéficos."
>
> DAVID RICARDO
> *Principios de economía política y tributación, 1817*

### Los temas

Hasta mediados del siglo XVIII, se creía generalmente que el propósito del comercio internacional era lograr que las exportaciones fueran superiores a las importaciones y lograr la mayor acumulación de oro posible. Si se acumulaba oro, se pensaba que la nación podía prosperar; si se perdía oro por un déficit comercial, la nación se vaciaría de oro y empobrecería. Estas creencias se conocen como *mercantilismo,* y los *mercantilistas* eran panfletistas que abogaban con celo de misioneros por la búsqueda de un superávit comercial. Si las exportaciones no superaban a las importaciones, los mercantilistas querían que se restringieran las importaciones.

En la década de 1740, David Hume explicó que a medida que cambia la cantidad de dinero (oro) en una economía, también lo hace el nivel de precios y que, por tanto, la riqueza *real* de un país no se ve afectada. En la década de 1770, Adam Smith argumentó que las restricciones a la importación reducirían las ganancias de la especialización y empobrecerían a una nación. Treinta años después, David Ricardo probó la ley de la ventaja comparativa y demostró la superioridad del libre comercio. El mercantilismo estaba intelectualmente en bancarrota, pero se mantuvo políticamente poderoso.

La influencia mercantilista decayó en forma gradual a lo largo del siglo XIX, y América del Norte y Europa Occidental prosperaron en un ambiente de creciente libre comercio internacional. Pero a pesar de los notables progresos del conocimiento económico, el mercantilismo no murió del todo. Tuvo un breve y devastador renacimiento en las décadas de 1920 y 1930, cuando las alzas de aranceles ocasionaron un colapso del comercio internacional y acentuaron la Gran depresión. El mercantilismo menguó nuevamente después de la Segunda Guerra Mundial con la creación del GATT.

Pero el mercantilismo subsiste y a menudo se escuchan opiniones en favor de restringir las importaciones en varios países. En muchos lugares aún se ve con temor la posibilidad de tener un déficit comercial, y los acuerdos de libre comercio son vistos con recelo por parte de muchas personas. Sería interesante tener a David Hume, Adam Smith y David Ricardo comentando estas opiniones. Pero sabemos lo que dirían: las mismas cosas que dijeron a los mercantilistas del siglo dieciocho. Y seguirían teniendo la razón.

## Ahora

El barco de contenedores ha revolucionado el comercio internacional y ha contribuido a su expansión continua. En la actualidad, la mayoría de los bienes cruza los océanos en contenedores (cajas de metal) que se apilan en el interior y en la cubierta de barcos como el que se muestra en la fotografía. La tecnología del contenedor ha reducido el costo del transporte marítimo al economizar en el manejo y dificultar el robo de las cargas, lo que reduce los costos de seguro. Es improbable que hubiera mucho comercio internacional en bienes como televisores y videocaseteras sin esta tecnología. Las cargas de alto valor o de bienes perecederos (como las flores y los alimentos frescos), así como los paquetes urgentes de servicios de mensajería, viajan por aire. Todos los días, docenas de aviones repletos de carga vuelan desde las principales ciudades del continente americano a destinos al otro lado de los océanos Atlántico y Pacífico.

## Entonces

En el siglo XVIII, cuando los mercantilistas y economistas debatían las ventajas y desventajas del libre cambio internacional, la tecnología del transporte disponible limitaba las ganancias del comercio internacional. Los buques de vela con pequeñas bodegas de carga tardaban cerca de un mes en cruzar el océano Atlántico. Pero las ganancias potenciales eran grandes y también lo era el incentivo para reducir los costos del transporte marítimo. Para la década de 1850, ya se había desarrollado el clíper (velero veloz), el cual redujo el viaje de Boston a Liverpool a solamente $12\frac{1}{4}$ días. Medio siglo más tarde, buques de vapor de 10,000 toneladas navegaban entre América e Inglaterra en sólo cuatro días. Al declinar los tiempos y los costos de la navegación, las ganancias del comercio internacional aumentaron y se expandió el volumen de comercio.

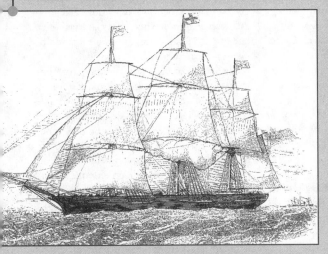

Conforme la economía mundial se ha integrado más, se han creado nuevos tratados internacionales. Como vimos en este capítulo, uno de estos tratados es el Tratado de Libre Comercio de América del Norte. Conversemos con uno de los economistas más sobresalientes durante la negociación de este tratado: Jaime Serra Puche.

## Charla con

### Jaime Serra Puche

*estudió Ciencias Políticas y Sociales en la Universidad Nacional Autónoma de México (UNAM). Posteriormente, obtuvo una maestría en Economía en El Colegio de México y su doctorado en Economía en la Universidad de Yale. Ha sido profesor en El Colegio de México y en las universidades de Stanford, Princeton y Autónoma de Barcelona. Jaime Serra se desempeñó como Secretario (Ministro) de Comercio y Fomento Industrial, y de Hacienda y Crédito Público del gobierno de México. Encabezó la negociación del Tratado de Libre Comercio de América del Norte (TLCAN) y promovió la conclusión de la Ronda Uruguay del GATT y la creación de la OMC. Jaime Serra también encabezó la negociación de los tratados de libre comercio entre México y los siguientes países: Chile, Colombia, Venezuela, Bolivia y Costa Rica. Actualmente es miembro de los Consejos de Administración de varias empresas y es socio director de una empresa consultora en asuntos de competencia económica y comercio exterior.*

**Jaime Serra Puche**

*Gerardo Esquivel habló con el doctor Serra sobre el Tratado de Libre Comercio de América del Norte y sobre las perspectivas del comercio mundial.*

#### Sus estudios universitarios iniciales fueron en Ciencias Políticas y Sociales, ¿cómo se interesó en estudiar economía?

La observación de los fenómenos sociales sin entender cómo funciona la economía es muy incompleta. Cuando yo era estudiante, me daba cuenta que muchos de los asuntos que estudiábamos en las Ciencias Políticas y Sociales tenían detrás asuntos económicos de la mayor importancia, y que si no se entendían éstos, entonces nuestra forma de ver las cosas era incompleta. Así que, por el interés en las

matemáticas y en la realidad económica decidí cambiar de área hacia el estudio de la economía.

#### Como Secretario de Comercio de México fue el encargado de negociar el Tratado de Libre Comercio de América del Norte (TLCAN). ¿Por qué cree que era importante para un país como México participar en ese tipo de negociación y qué ventajas considera que podían obtenerse de ese tipo de acuerdos?

México tenía desde antes del Tratado de Libre Comercio una relación relativamente intensa con el mercado estadounidense (y considerablemente menor con el mercado canadiense), a través de negociaciones sectoriales parciales que se daban en el contexto del Sistema Generalizado de Preferencias. Bajo este sistema, los estadounidenses otorgaban descuentos arancelarios a las exportaciones mexicanas. Sin embargo, ese sistema que nos daba preferencias de acceso a ese mercado, tenía una característica: se fijaba un máximo a las exportaciones que México podía hacer a Estados Unidos. Si bien es cierto que ese sistema ayudaba a México a iniciar las exportaciones, paradójicamente, al paso del tiempo, inhibía el crecimiento de éstas. Por otro lado, la complejidad de las negociaciones sectoriales (textiles, agrícolas, etc.) era de tal magnitud que nunca llegábamos a una solución seria a los problemas que enfrentaban los flujos comerciales. De ahí que se optase por pasar de un enfoque sectorial de negociación entre sectores, a un enfoque global en el que se incluyera a toda la economía. México tiene ventajas muy notables con respecto a Estados Unidos en todo lo que se refiere a la actividad manufacturera, como lo han mostrado los resultados del propio tratado en aquellos sectores en los que se utiliza intensivamente la mano de obra; esto es algo que México puede explotar en el tratado de libre comercio para que a lo largo del tiempo pueda generar empleos y cerrar las brechas de ingresos con respecto a Estados Unidos y Canadá.

En cuanto a las ventajas, yo diría que hay ventajas de distinta naturaleza. En primer lugar, la apertura de la economía, al eliminar las distorsiones de los precios, permite una asignación mucho más eficiente de los recursos y, por ende, una mayor competitividad en la economía mundial. En segundo lugar, además de este beneficio que la apertura *per se* trae a la economía mexicana, hay otro beneficio para México que es el de tener un acceso preferencial al mercado más grande del mundo; es decir, tener un acceso en el que no nos cobren impuestos, en tanto que al resto del mundo sí le siguen cobrando.

Estas dos cosas, cuando se cruzan, pueden traer beneficios muy importantes a la economía: hay ganancias de eficiencia por la apertura y hay ganancias de márgenes de exportación por la preferencia que tiene, digamos, el exportador mexicano con respecto a otros exportadores.

Una manera de ver esto es en un diagrama sencillo en el que tenemos bienes exportables e importables. A los precios de importación hay que agregarles la tarifa que uno cobra, y a los precios de exportación hay que restarles la tarifa de exportación que se cobra a uno. Cuando usted hace una apertura unilateral, elimina la tarifa por importaciones y, entonces, la asignación de recursos se va hacia productos exportables, y hay una ganancia de bienestar para la economía. Pero si, además de eso, también baja la tarifa que le cobran por sus exportaciones, el cambio en los precios relativos es aún mayor, la producción de exportables aumenta todavía más y la ganancia para la economía también

es mayor. Entonces, lo que hace un tratado preferencial de esta naturaleza es combinar ambos efectos.

**Cuando se negoció el TLCAN, muchos grupos, tanto en México como en Estados Unidos y Canadá, manifestaron su oposición a dicho acuerdo. ¿Cuáles eran los argumentos de esos grupos y qué respuesta daría a la gente que sostiene ese tipo de posturas en contra del libre comercio?**

Yo creo que las reacciones en México estaban fundamentalmente determinadas por el temor a la apertura con economías más desarrolladas; mientras que las reacciones en Estados Unidos y Canadá estaban motivadas por actitudes proteccionistas y porque no querían compartir su mercado con productores y trabajadores mexicanos. El extremo de las reacciones fue Ross Perot, quién habló del famoso "*Sucking sound to the south*" (sonido de aspiradora hacia el sur). Este señor hacía unas cuentas que estaban totalmente fuera de lugar y que no coincidían de ninguna manera con la realidad económica de los dos países. Entre 1994 y 2000, México pasó de representar 6% del total de las importaciones estadounidenses a 10%. Esto es lo que ha ocurrido después de seis años de tener un tratado de libre comercio. Si se considera que las importaciones representan 10% del producto interno bruto de Estados Unidos, esto indica que después de más de seis años del TLCAN, las exportaciones mexicanas representan apenas un 1% del producto interno

bruto de los Estados Unidos. De tal manera que esto no coincide con *un "Sucking sound to the south"*. Así pues, se puede decir que estas reacciones reflejaban ciertos temores dentro de México y actitudes proteccionistas irracionales en Estados Unidos.

**Es posible que en un Acuerdo de Libre Comercio no todos los miembros de una sociedad se beneficien. En su opinión, ¿cuáles son, si los hay, los costos de este tipo de acuerdos y qué podría hacerse para minimizar dichos costos?**

Yo no tengo la menor duda de que lo que dice es cierto; es decir, que no todos ganan en un tratado de esta naturaleza. Pero justamente porque había un reconocimiento claro de esa premisa, en el caso del TLCAN se hizo una apertura en la que la transición dura hasta quince años. Ha tendido a olvidarse que el tratado de libre comercio no entró en operación de un día para el otro, sino que entró en forma gradual y hubo un reconocimiento de la asimetría en las economías (y éste es un tema sobre el que ha habido un debate en torno al TLCAN). Hay que recordar que, como se mencionó al principio, México era el principal usuario del sistema generalizado de preferencias de Estados Unidos. Entonces, lo que hicimos en la negociación fue algo que llamamos "consolidación del sistema de transición de preferencias", que fue consolidar el arancel cero que México ya pagaba antes del TLCAN, pero quitándole esa cuota máxima de exportaciones que tenía, a la que hacía yo referencia.

Así pues, si uno estudia el proceso de apertura entre México y Estados Unidos, puede verse que 80% de todas las exportaciones mexicanas a Estados Unidos empezaron a pagar cero impuestos, cero tarifas, cero arancel, desde el primer día de la entrada en vigor del TLCAN. Mientras que, para entrar a México, apenas 40% de las exportaciones de los estadounidenses tenían arancel cero desde el primer día. El 20% restante de las exportaciones mexicanas se iban a ir desgravando en cinco, 10 y 15 años. Mientras que un 60% restante de las exportaciones estadounidenses hacia México se desgravan en cinco, 10 y 15 años. Entonces, ¿qué fue lo que hicimos? Aquellos sectores que eran los más vulnerables frente a la apertura por problemas de competitividad, organización, descapitalización, o por una desventaja competitiva natural, se fueron a una transición de hasta 15 años. Éste es el caso, por ejemplo, de algunos productos agrícolas mexicanos que tardan mucho para poder ser competitivos, como es el caso de granos y cereales. A este tipo de productos se les dio una transición de 15 años para ajustarse.

Yo creo que éste es un mecanismo importante de protección frente a los posibles efectos de una apertura. Por otra parte, otra cosa que se puede hacer para minimizar los costos de la apertura, es implementar programas que disminuyan los costos de transacción en la economía. En México, todavía tenemos costos de transacción muy elevados, debido a distorsiones, reglamentaciones y regulaciones excesivas. Entonces, todos aquellos programas que permitan ser más competitivos a los sectores que se van a ir enfrentando gradualmente con la competencia, pueden ayudar a planear y a minimizar los costos de la apertura. A México le hace falta mucho por trabajar en toda la sección de bienes no comerciables: la banca, telecomunicaciones, transportes. Todos esos sectores no se han abierto o no se han desregulado aún en la misma magnitud que los comerciables, y esto significa una desventaja a aquellos que producen bienes comerciables.

**A más de seis años de distancia de la entrada en vigor del TLCAN, ¿cree que los beneficios para México ya se han visto o cree que apenas están por materializarse? ¿Qué lecciones derivaría de esta experiencia para otros países en vías de desarrollo?**

Yo creo que una parte importante de los beneficios ya se ha dado y ésa es la razón de que, en la actualidad, las exportaciones sean el principal motor de crecimiento económico en México. México es hoy el octavo exportador del mundo y pienso que eso es una lección importante para el resto de los países de América Latina y, en general, para los países en vías de desarrollo. Creo que faltan, obviamente, muchos años en los que se manifiesten mayores beneficios en el sentido del crecimiento del comercio exterior. Pero también ha habido beneficios muy importantes en inversión extranjera directa. Esto es algo que requieren los países en vías de desarrollo, porque, en estas naciones la pirámide poblacional tiene una forma tal que la mayoría de la población está en las etapas de desahorro. Entonces, los países en desarrollo, casi por definición, no pueden generar suficiente ahorro nacional para financiar su crecimiento, y la manera más sana de traer ahorro del resto del mundo hacia estos países es a través de la inversión extranjera directa. En México ha resultado que, conforme la economía se ha ido abriendo, los flujos de inversión extranjera directa han ido creciendo. Así que hay una lección importante en términos de la capacidad de exportación; en primer lugar, ésta se convierte en uno de los principales motores de crecimiento en estos países y, en segundo lugar, el ahorro externo fluye en mayores cantidades conforme la apertura se va consolidando. Además, si ese proceso de apertura está acompañado, como decía al principio, por un acceso preferente a un mercado atractivo, los beneficios se multiplican, porque hay una asignación de recursos todavía más notable hacia la producción de bienes exportables y, por otro lado, hay un atractivo adicional para

que la inversión extranjera directa invierta en esos países para poder tener acceso a un mercado grande, como es el caso del mercado estadounidense en el contexto del TLCAN.

La lección interesante para México es que, en primer lugar, con el TLCAN se dispararon las exportaciones para convertir hoy al país en la octava potencia exportadora en el mundo y, en segundo lugar, que México fue capaz de atraer más inversión extranjera. Hoy, en promedio, ingresan a México alrededor de 12,000 millones de dólares de inversión extranjera directa al año. Antes de que México entrara al Acuerdo General sobre Aranceles y Comercio (GATT), Mexico recibía 1,200 millones de dólares al año; es decir, una décima parte de lo que recibe ahora. Esto indica que la inversión extranjera directa en México se ha multiplicado diez veces en los últimos años como resultado del ingreso de México al GATT, a la OCDE y, sobre todo, en mi opinión, gracias al TLCAN.

Entonces, parece que sí hay una lección para los países en vías de desarrollo, y es el hecho de que la apertura genera eficiencia, produce nuevos esquemas de crecimiento y con reciprocidad, genera más exportaciones y atrae más a la inversión extranjera directa para complementar el ahorro nacional.

> Parece que sí hay una lección para los países en vías de desarrollo, y es el hecho de que la apertura genera eficiencia, produce nuevos esquemas de crecimiento y que, con reciprocidad, genera más exportaciones y atrae más a la inversión extranjera directa para complementar el ahorro nacional.

> La mejor manera de resolver los problemas ambientales y laborales no es con sanciones comerciales, sino al contrario: abriendo las economías para que esa acción dé riqueza a los países que tienen estándares laborales y ambientales bajos, y dediquen esa riqueza a atender dichos problemas.

**¿Cómo ve en el futuro los acuerdos comerciales con el mundo? Hay quien cree que habrá una tendencia hacia la formación de bloques comerciales y hay quien supone la creación de una gran zona de libre comercio. Por ejemplo, se ha hablado de ALCA, la Asociación Latinoamericana de Libre Comercio, y también se ha hablado de incorporar a países de Sudamérica al TLC. ¿Cómo ve el futuro de estos acuerdos comerciales?**

Empiezo por hablar sobre la Organización Mundial de Comercio (OMC), que es la manera multilateral de enfrentar el libre comercio. La OMC tiene posibilidades interesantes de progresar en el futuro, pero no al ritmo que la gente espera; porque está enfrentando dos temas fundamentales de una situación que yo llamaría el "nuevo proteccionismo" y que no sabe cómo lidiar con ellos. Estos temas son los relacionados con los derechos laborales y con los estándares ambientales. Ahí hay enfoques tan encontrados que será muy difícil superarlos en el corto plazo. Es decir, en muchos de los sindicatos más proteccionistas de los países avanzados, se está empujando en la dirección de establecer sanciones comerciales a algunos países, como resultado del incumplimiento en estándares laborales y ambientales; en tanto que, en los países menos desarrollados, se está diciendo que esto es una simple forma de proteccionismo. En estas naciones se pide que los dejen exportar para generar mayores recursos y crecimiento, ya que con éstos se podrían atender los problemas ambientales y laborales que enfrentan. Además, existe una falta de liderazgo de Estados Unidos, como resultado de un debate muy similar en el interior de ese país. Por esta razón, no se ha autorizado una vía rápida ("*fast track*") al gobierno de Estados Unidos que le permita llevar adelante sus negociaciones comerciales. El "*fast track*" es un mecanismo autorizado por el Congreso, que otorga al ejecutivo estadounidense la potestad de negociar acuerdos comerciales; después el Congreso decide si acepta o no el resultado de las negociaciones, pero no entra en los detalles del acuerdo.

De esta manera, no hay ningún país en el mundo "en sus cinco sentidos" que quiera negociar con Estados Unidos, si este país no tiene autorización de "*fast track*". Esa falta de liderazgo de la principal economía del mundo es un problema.

Por lo que se refiere a América Latina, aunque sí es posible que el TLCAN se extienda, yo lo veo bastante complicado por dos razones: primero, porque el debate en Estados Unidos no ha permitido a su gobierno tener "*fast track*" y, por ende, no puede tomar el liderazgo en esta negociación, si es que los tratados deben ir acompañados de acuerdos laborales y ambientales. Segundo, porque cuando uno estudia el TLCAN, éste tiene un componente muy importante de reglas de origen. Las reglas de origen son los requerimientos regionales que necesitan cumplir los productos para que puedan transitar libremente en la región de América del Norte. Si uno estudia esas reglas de origen y las compara con los contenidos regionales de los productos que se comerciaban entre los países de América del Norte antes del TLCAN, no son tan distintos entre sí; es decir, las reglas de origen no fueron muy distintas a los contenidos que ya existían. Así que por eso no ha sido muy difícil que los países de América del Norte cumplan con la regla de origen y aprovechen las preferencias del tratado. Pero si esa misma regla de origen se aplica a Chile, por ejemplo, a sus habitantes se les podría complicar mucho más cumplir con esa regla, porque no están tan integrados a la economía de América del Norte. Lo mismo ocurriría si se aplicaran estas reglas a los países del MERCOSUR. Ahí se presentaría un dilema técnico en la negociación, ya que aun cuando se superara el problema político del "*fast track*", el problema técnico sería que las reglas de origen que hoy ya tiene incorporado el TLCAN, resultarían demasiado restrictivas y generarían un problema de desviación comercial que traería pérdidas de bienestar en el continente.

El dilema es, entonces, si esos países entran a esa regla de origen o si el TLCAN cambia sus reglas de origen para dar entrada a esos países, y eso va a crear complejidades de toda naturaleza; por tanto, yo creo que el futuro va a ser más de acuerdos bilaterales y habrá una proliferación de este tipo de acuerdos, que es lo que ha ocurrido: Canadá ya tiene un tratado de libre comercio con Chile; México, con ese mismo país, con Colombia y Venezuela, y con Centroamérica; y se está empezando a formar lo que han llamado algunos un "*spaguetti-bowl*" (un plato de espagueti), que introduce bastantes ineficiencias e incertidumbre al exportador. Por desgracia, no existe el liderazgo suficiente en Estados Unidos en la actualidad para decir: "No hagamos eso, vayámonos con '*fast track*' por un esquema mucho más simple y sencillo que realmente resulte en un comercio libre".

**En este contexto, ¿cree que exista alguna relación entre el tema de los asuntos laborales y del medio ambiente y las protestas que han venido ocurriendo en algunas parte del mundo en contra de la globalización?**

Sin duda, a ese grupo yo lo dividiría en dos: los que tienen preocupaciones legítimas y los que utilizan estos asuntos para buscar una mayor protección. Los que tienen preocupaciones legítimas requieren entender con cuidado que la mejor manera de resolver los problemas ambientales y laborales no es con sanciones comerciales, sino al contrario: abriendo las economías para que esa acción dé riqueza a los países que tienen estándares laborales y ambientales bajos, y dediquen esa riqueza a atender esos problemas.

A los que tienen intereses proteccionistas no les preocupa el tema, lo que quieren es encontrar excusas bajo nuevos paraguas proteccionistas, pero con el nombre ambiental y laboral para no permitir el libre comercio. Por tanto, yo creo que ahí debe hacerse un esfuerzo por dividir a estos grupos y decir a aquellos que tienen preocupaciones legítimas: ¿a ustedes les preocupa la calidad del aire en la Ciudad de México o en Sao Paulo? Pues al detener un producto mexicano o brasileño para que no entre al mercado estadounidense no van a resolver nada. Al contrario, van a restar riqueza a esos países y éstos no van a tener suficientes recursos para invertir en su medio ambiente. Mientras que a aquellos que están fundamentalmente influidos por los sindicatos estadounidenses, lo que les interesa es detener el producto, no la calidad del aire en la Ciudad de México o en Sao Paulo, entonces, obviamente estos temas están relacionados con la búsqueda de una mayor protección.

**Usted ha estado en la academia, en el sector público, y ahora está en el sector privado. ¿Por qué cree que a un estudiante universitario en etapa de decidir sus opciones de estudio le resultaría atractivo escoger economía?**

En primer lugar, cada día es más obvio que las fuerzas económicas determinan mucho el comportamiento de las sociedades y de los gobiernos. Entonces, alguien que tenga interés en los asuntos sociales, obviamente tiene que entender cabal y seriamente los fenómenos económicos.

Por desgracia, debido a los procesos de comunicación, de politización de los eventos, etcétera, en la economía tiende a haber malas percepciones, explicaciones muy contradictorias y superficiales. Por tanto, el estudiante tiene que profundizar y entender los fundamentos de la economía, y debe estudiar los principios microeconómicos y macroeconómicos de la economía, como los que se presentan en este libro, para no dejarse llevar por muchos de estos argumentos falaces. Así pues, yo recomiendo al estudiante que entienda muy bien los principios de la economía para empezar con una base sólida.

Sobre su uso potencial, es gigantesco; los estudios serios de economía pueden servir para aquel que se quiera dedicar a la actividad académica, para aquel que se quiera dedicar a implementar políticas en el gobierno, a dirigir grupos o a dirigir países; y puede servir obviamente para aquel que quiera hacer negocios en el sector privado y dedicarse a las actividades empresariales. La carrera de economía es una carrera muy útil con un uso potencial muy notable, pero la premisa fundamental es que, para ser un buen economista, es necesario empezar bien, entender muy bien los preceptos, porque si no es así, los estudiantes se pueden ir por caminos llenos de falacias y verdades a medias que acaban afectando su conocimiento y su entendimiento de los fenómenos económicos.

**Por último, usted estudió en el extranjero, ¿cree que eso tiene algún efecto negativo cuando regresa al país de origen y trata de poner en práctica ciertas políticas?**

Si lo que se va a estudiar es teoría económica, econometría, métodos cuantitativos, matemáticas, etcétera, lo que hacen los estudiantes es fortalecer su formación enormemente para regresar a sus países, ser economistas profesionales y tomar decisiones inteligentes, o por lo menos recomendables, en materia de política económica o negocios. Hay, por otro lado, algunos programas de posgrado que son mucho más aplicados, y mi temor es que esos posgrados tan aplicados estén lidiando con una realidad diferente, como podría ser la de un país europeo o Estados Unidos y que, cuando los estudiantes regresan a un país como México, Brasil o Argentina, hay contrastes tan notables que sus estudios acaban siendo poco útiles.

Por tanto, yo lo que recomiendo es que aquellos que tengan interés en temas aplicados, desde el principio de su carrera busquen estudiar, entender muy bien los principios, y se dediquen a la afinación de esos conocimientos en países bien operados; pero a aquellos que quieran complementar sus conocimientos básicos y fundamentales de una licenciatura, les sugiero que se concentren en estudios de posgrado de carácter analítico, para estudiar instrumentos y aprender matemáticas, teoría microeconómica, teoría macroeconómica, comercio internacional, etcétera.

# CAPÍTULO 1

1. El costo de oportunidad de asistir al curso es $9,600.

   El costo de oportunidad es la actividad de mayor valor a la que usted tiene que renunciar para poder asistir al curso de verano. Al asistir al curso, usted se privará de todos los bienes y servicios que podría haber comprado con el ingreso de su empleo de verano ($6,000) más el costo de la colegiatura ($2,000), los libros de texto ($200) y los gastos de manutención ($1,400).

3. No, el estacionamiento en este centro comercial no es gratis. Sí, usted impuso un costo a la otra persona.

   Encontrar un lugar para estacionarse toma 30 minutos, así que usted incurre en un costo cuando estaciona su auto. El costo de oportunidad es la actividad de más alto valor de la que se priva al utilizar 30 minutos para estacionar su auto. Si usted hubiera usado esos 30 minutos para estudiar, entonces el costo de oportunidad de estacionarse en este centro comercial es 30 minutos de estudio.

   El costo que le impuso a la otra persona son los 30 minutos adicionales que ésta tendrá que dedicar a buscar un lugar para estacionarse.

# CAPÍTULO 2

1a. Para elaborar una gráfica de series de tiempo, trace el año en el eje de las $x$ y la tasa de inflación en el eje de las $y$. La gráfica será una línea que una todos los puntos.

1b. (i) 1980 (ii) 1986 (iii) 1984, 1987-1990, 1995-1996 (iv) 1981-1983, 1985-1986, 1991-1992, 1994, 1997-1998 (v) 1987 (vi) 1982

1c. La inflación ha tenido una tendencia descendente. La línea tiende hacia abajo y hacia la derecha.

3. Para elaborar un diagrama de dispersión, trace la tasa de inflación en el eje de las $x$ y la tasa de interés en el eje de las $y$. La gráfica será un conjunto de puntos. El patrón mostrado por los puntos nos dice que al subir la tasa de inflación, generalmente sube la tasa de interés.

5a. Para elaborar una gráfica que muestre la relación entre $x$ y $y$, trace $x$ en el eje de las $x$ y $y$ en el eje de las $y$. La relación es positiva porque $x$ y $y$ se mueven conjuntamente: al subir $x$, sube $y$.

5b. La pendiente aumenta al aumentar $x$. La pendiente es igual al cambio de $y$ dividido entre el cambio de $x$ conforme uno se mueve a lo largo de la curva. Cuando $x$ aumenta de 1 a 2 (un cambio de 1), $y$ aumenta de 1 a 4 (un cambio de 3), así que la pendiente es 3. Pero cuando $x$ aumenta de 7 a 8 (un cambio de 1), $y$ aumenta de 49 a 64 (un cambio de 15), así que la pendiente es 15.

5c. Cuanto más alto sea el edificio, mayor será el costo de construirlo. Cuanto más alta sea la tasa de desempleo, más alta será la tasa de criminalidad. Cuanto más largo sea el vuelo, mayor será la cantidad de combustible utilizada.

   La pendiente es igual a 8.

   La pendiente de la curva en el punto en el que $x$ es igual a 4 es igual a la pendiente de la tangente a la curva en ese punto. Trace la relación y después dibuje la tangente en el punto en el que $x$ es 4 y $y$ es 16. Calcule ahora la pendiente de esta tangente. Para hacerlo, usted debe encontrar otro punto en la tangente. La tangente cortará el eje de las $x$ en 2, así que otro punto es $x$ igual a 2 y $y$ igual a cero. La pendiente es igual al aumento entre el recorrido. El alza es 16 y el recorrido es 2, así que la pendiente es 8.

   La pendiente es 7.

   La pendiente a través del arco cuando $x$ aumenta de 3 a 4 es igual a la pendiente de la línea recta que une los puntos en la curva en $x$ igual a 3 y $x$ igual a 4. En la gráfica, dibuje esta línea recta. Cuando $x$ aumenta de 3 a 4, $y$ aumenta de 9 a 16. La pendiente es igual a aumento entre recorrido. El aumento es 7 (16 menos 9) y el recorrido es 1 (4 menos 3), así que la pendiente a través del arco es 7.

   La pendiente es $-5/4$.

   La curva es una línea recta, así que su pendiente es la misma en todos los puntos de la curva. La pendiente es igual al cambio de la variable en el eje de las $y$ dividido entre el cambio de la variable en el eje de las $x$. Para calcular la pendiente, usted debe escoger dos puntos en la línea. Un punto es 10 en el eje de las $y$ y 0 en el eje de las $x$, y otro es 8 en el eje de las $x$ y 0 en el eje de las $y$. El cambio de $y$ de 10 a 0 se asocia con el cambio de $x$ de 0 a 8. Por consiguiente, la pendiente de la curva es igual a $-10/8$, que es igual a $-5/4$.

13a. La pendiente en el punto $a$ es $-2$ y la pendiente en el punto $b$ es $-0.75$.

   Para calcular la pendiente en un punto de una línea curva, dibuje la tangente a la línea en el punto. Después encuentre un segundo punto en la tangente y calcule la pendiente de la tangente.

   La tangente en el punto $a$ corta el eje de las $y$ en 10. La pendiente de la tangente es igual al cambio de $y$ dividido entre el cambio de $x$. El cambio de $y$ es igual a 4 (10 menos 6) y el cambio de $x$ es igual a $-2$ (0 menos 2). La pendiente en el punto $a$ es $4/-2$, que es igual a $-2$.

   De manera similar, la pendiente en el punto $b$ es $-0.75$. La tangente en el punto $b$ corta el eje de las $x$ en 8. El cambio de $y$ es igual a 1.5 y el cambio de $x$ es igual a $-2$. La pendiente en el punto $b$ es $-0.75$.

13b. La pendiente a través del arco $ab$ es $-1.125$.

   La pendiente a través del arco $ab$ es igual al cambio de $y$, que es 4.5 (6.0 menos 1.5) dividido entre el cambio de $x$ que es igual a $-4$ (2 menos 6). La pendiente a través del arco $ab$ es igual a $4.5/-4$, que es $-1.125$.

15a. Un conjunto de curvas, una para cada temperatura diferente.

Para dibujar una gráfica de la relación entre el precio y el número de viajes, mantenga la temperatura en 50°F y trace los datos de esa columna contra el precio. La curva que usted dibuje es la relación entre el precio y el número de viajes cuando la temperatura es 50°F. Ahora repita el ejercicio, pero mantenga la temperatura en 70°F. Repita entonces el ejercicio, pero mantenga la temperatura en 90°F.

15b. Un conjunto de curvas, una para cada precio diferente.

Para dibujar una gráfica de la relación entre la temperatura y el número de viajes, mantenga el precio en $5.00 el viaje y trace los datos de ese renglón contra la temperatura. La curva muestra la relación entre la temperatura y el número de viajes cuando el precio es $5.00 por viaje. Repita ahora el ejercicio, pero mantenga el precio en $10.00 por viaje. Repita de nuevo el ejercicio y mantenga el precio en $15.00 por viaje y después en $20.00 por viaje.

15c. Un conjunto de curvas, una para cada número diferente de viajes.

Para dibujar una gráfica de la relación entre la temperatura y el precio, mantenga el número de viajes en 32 y trace los datos que están a lo largo de la diagonal en la tabla. La curva es la relación entre temperatura y precio cuando se realizan 32 viajes. Repita ahora el ejercicio y mantenga el número de viajes en 27. Repita de nuevo el ejercicio y mantenga el número de viajes en 18 y después en 40.

# CAPÍTULO 3

1a. El costo de oportunidad de Víctor es de 5 puntos porcentuales.

Cuando Víctor aumenta el tiempo que juega tenis de 4 a 6 horas, su calificación de economía cae de 75 a 70%. Su costo de oportunidad es 5 puntos porcentuales.

1b. El costo de oportunidad de Víctor es 10 puntos porcentuales.

Cuando Víctor aumenta el tiempo que juega tenis de 6 a 8 horas, su calificación de economía cae de 70 a 60%. Su costo de oportunidad es 10 puntos porcentuales.

3. El costo de oportunidad de jugar tenis aumenta conforme dedica más tiempo al tenis.

Cuando Víctor aumenta el tiempo que juega tenis de 4 a 6 horas, su costo de oportunidad es 5 puntos porcentuales. Pero cuando aumenta el tiempo que juega tenis de 6 a 8 horas, su costo de oportunidad es 10 puntos porcentuales. El costo de oportunidad de jugar tenis para Víctor aumenta conforme dedica más tiempo al tenis.

5a. La calificación de Víctor en economía es 66%.

Cuando Víctor aumenta el tiempo que juega tenis de 4 a 6 horas, su costo de oportunidad de las dos horas adicionales de tenis es 5 puntos porcentuales. Así que su costo de oportunidad de 1 hora adicional es 2.5 puntos porcentuales. Pero cuando aumenta el tiempo que juega tenis de 6 a 8 horas, su costo de oportunidad de las 2 horas adicionales de tenis es 10 puntos porcentuales. Así que el costo de oportunidad de 1 hora adicional de tenis es 5 puntos porcentuales. El costo de oportunidad de Víctor de jugar tenis aumenta conforme dedica más tiempo al tenis. El

costo de oportunidad se traza en el punto intermedio del intervalo. Esta curva es el costo marginal de Víctor de una hora adicional de tenis.

Víctor usa su tiempo de manera eficiente si juega tenis 7 horas a la semana: el beneficio marginal del tenis es igual a su costo marginal. El beneficio marginal de Víctor es 5 puntos porcentuales y su costo marginal es 5 puntos porcentuales. Cuando Víctor juega 7 horas de tenis, su calificación de economía (de su *FPP*) es 66%.

5b. Si Víctor estudiara suficientes horas para obtener una mayor calificación, dispondría de menos horas para jugar tenis. El beneficio marginal de Víctor sería mayor que su costo marginal, así que sería más eficiente si jugara más horas de tenis y obtuviera una calificación menor.

7a. La *FPP* de Ociolandia es una línea recta.

Para elaborar una gráfica de la *FPP* de Ociolandia, mida la cantidad de un bien en el eje de las *x* y la cantidad de otro bien en el eje de las *y*. Trace entonces las cantidades de cada renglón de la tabla y una los puntos.

7b. El costo de oportunidad de 1 kilogramo de comida es 1/2 litro de crema protectora.

El costo de oportunidad de los primeros 100 kilogramos de comida es 50 litros de crema protectora. Para encontrar el costo de oportunidad de los primeros 100 kilogramos de comida, aumente la cantidad de comida de 0 a 100 kilogramos. Al hacerlo, la producción de crema protectora disminuye de 150 a 100 litros. El costo de oportunidad de los primeros 100 kilogramos de comida es 50 litros de crema protectora. De manera similar, el costo de oportunidad de producir los segundos 100 kilogramos y los terceros 100 kilogramos de comida son 50 litros de crema protectora.

El costo de oportunidad de 1 litro de crema protectora es 2 kilogramos de comida. El costo de oportunidad de producir los primeros 50 litros de crema protectora es 100 kilogramos de comida. Para calcular el costo de oportunidad, aumente la cantidad de crema protectora de 0 a 50 litros. La producción de comida de Ociolandia disminuye de 300 a 200 kilogramos. De manera similar, el costo de oportunidad de producir los segundos 50 litros y los terceros 50 litros de crema protectora son 100 kilogramos de comida.

9a. La curva de beneficio marginal tiene pendiente descendente.

Para dibujar el beneficio marginal de la crema protectora, trace la cantidad de crema protectora en el eje de las *x* y la disposición a pagar por la crema protectora (es decir, el número de kilogramos de alimentos a las que están dispuestos a renunciar para obtener un litro de crema protectora) en el eje de las *y*.

9b. La cantidad eficiente es 75 litros al mes.

La cantidad eficiente para producir es tal que el beneficio marginal del último litro es igual al costo de oportunidad de producirlo. El costo de oportunidad de un litro de crema protectora es de dos kilogramos de alimentos. El beneficio marginal del litro número 75 de crema protectora es 2 kilogramos de alimentos. Y el costo marginal del litro número 75 de crema protectora es 2 kilogramos de alimento.

El costo de oportunidad de Activolandia de un kilogramo de comida es 2 litros de crema protectora y el costo de oportunidad de un litro de crema protectora es 1/2 kilogramo de comida.

Cuando Activolandia aumenta su producción de comida en 50 kilogramos al mes, produce 100 litros menos de crema protectora. El costo de oportunidad de 1 kilogramo de comida es 2 litros de crema protectora. De manera similar, cuando Activolandia aumenta la producción de crema protectora en 100 litros mensuales, produce 50 kilogramos menos de alimentos. El costo de oportunidad de 1 litro de crema protectora es 1/2 kilogramo de comida.

13a. Ociolandia vende comida y compra crema protectora.

Ociolandia vende el bien en que tiene ventaja comparativa y compra el otro bien a Activolandia. El costo de oportunidad de Ociolandia de 1 kilogramo de comida es 1/2 litro de crema protectora, en tanto que el costo de oportunidad de Activolandia de 1 kilogramo de comida es 2 litros de crema protectora. El costo de oportunidad de comida en Ociolandia es menor que el de Activolandia, así que Ociolandia tiene una ventaja comparativa en la producción de comida.

El costo de oportunidad de Ociolandia de una crema protectora solar es 2 kilogramos de comida, en tanto que el costo de oportunidad en Activolandia de 1 litro de crema protectora es 1/2 kilogramo de comida. El costo de oportunidad de Activolandia de crema protectora es menor que el de Ociolandia, de tal modo que Activolandia tiene una ventaja comparativa en la producción de crema protectora.

13b. Las ganancias del comercio para cada país son 50 kilogramos de comida y 50 litros de crema protectora.

Con especialización y comercio pueden producir en forma conjunta 300 kilogramos de comida y 300 litros de crema protectora. Así que cada uno obtendrá 150 kilogramos de comida y 150 litros de crema protectora, es decir, 50 kilogramos de comida adicionales y 50 litros de crema protectora adicionales.

# CAPÍTULO 4

1a. El precio y la cantidad de cintas vendidas aumentará.

Los discos compactos y las cintas son sustitutos. Si sube el precio de un CD, la gente comprará más cintas y menos CD, y la demanda de cintas aumentará. El precio de una cinta subirá y se venderán más cintas.

1b. El precio de una cinta caerá y se venderán menos cintas.

Los *walkman* y las cintas son complementos. Si sube el precio de un *walkman*, se comprarán menos *walkman*. Disminuirá la demanda de cintas. El precio de una cinta caerá y la gente comprará menos cintas.

1c. El precio de una cinta caerá y se venderán menos cintas.

El aumento de la oferta de reproductores de discos compactos reducirá su precio. Con reproductores más baratos que antes, algunas personas comprarán más de este tipo de bienes. Aumentará la demanda de CD y disminuirá la demanda de cintas. El precio de una cinta bajará y la gente comprará menos cintas.

1d. Subirá el precio de una cinta y la cantidad vendida aumentará.

Un aumento del ingreso de los consumidores aumentará la demanda de cintas. Como resultado, el precio de una cinta subirá y la cantidad comprada aumentará.

1e. Subirá el precio de una cinta y la cantidad vendida disminuirá.

Si los trabajadores que hacen las cintas obtienen un aumento de sueldo, el costo de fabricar las cintas aumenta y la oferta de cintas disminuye. El precio subirá y la gente comprará menos cintas.

1f. La cantidad vendida disminuirá, pero el precio podría subir, caer o mantenerse igual.

*Walkman* y cintas son complementos. Si sube el precio de un *walkman*, se comprarán menos *walkman* y disminuirá la demanda de cintas. El precio de una cinta caerá y la gente comprará menos cintas. Si suben los salarios pagados a los trabajadores que hacen las cintas, la oferta de cintas disminuye. Disminuirá la cantidad de cintas vendidas y el precio de una cinta subirá. Si consideramos los dos acontecimientos juntos, la cantidad vendida disminuirá, pero el precio podrá subir, caer o mantenerse igual.

3a. (ii) y (iii)

Si sube el precio del petróleo crudo (el recurso usado para producir gasolina), disminuye la oferta de gasolina. La demanda de gasolina no cambia, así que el precio de la gasolina sube y hay un movimiento a lo largo de la curva de demanda. Disminuye la cantidad demandada de gasolina.

3b. (i) y (iv)

Si el precio de un automóvil sube, la cantidad comprada de automóviles disminuye. Así que disminuye la demanda de gasolina. La oferta de gasolina no cambia, de tal modo que el precio de la gasolina cae y hay un movimiento hacia abajo a lo largo de la curva de oferta de gasolina. La cantidad ofrecida de gasolina disminuye.

3c. (i) y (iv)

Si se suprimen todos los límites de velocidad en las carreteras, la gente manejará más rápido y usará más gasolina. Aumenta la demanda de gasolina. La oferta de gasolina no cambia, así que sube el precio de la gasolina y hay un movimiento hacia arriba a lo largo de la curva de oferta. La cantidad ofrecida de gasolina aumenta.

3d. (i) y (iv)

Si las plantas de producción con robots reducen el costo de producir un automóvil, aumentará la oferta de autos. Sin cambio en la demanda de automóviles, el precio de un auto caerá y se comprarán más automóviles. Aumenta la demanda de gasolina. La oferta de gasolina no cambia, de tal modo que sube el precio de la gasolina y aumenta la cantidad de gasolina ofrecida.

5a. La curva de demanda es la curva que tiene pendiente negativa (la que baja hacia la derecha). La curva de oferta es la que tiene pendiente positiva (la que sube hacia la derecha).

5b. El precio de equilibrio es $14 la pizza y la cantidad de equilibrio es 200 pizzas diarias.

El equilibrio de mercado se determina en la intersección de la curva de demanda y de la curva de oferta.

7a. El precio de equilibrio es 50 centavos el paquete de goma de mascar y la cantidad de equilibrio es de 120 millones de paquetes a la semana.

El precio de un paquete se ajusta hasta que la cantidad demandada es igual a la cantidad ofrecida. A 50 centavos el paquete, la cantidad demandada es 120 millones de paquetes a la semana y la cantidad ofrecida es 120 millones de paquetes a la semana.

7b. A 70 centavos el paquete, habrá un excedente de goma de mascar y el precio bajará.

A 70 centavos el paquete, la cantidad demandada es 80 millones de paquetes a la semana y la cantidad ofrecida es 160 millones de paquetes a la semana. Hay un excedente de 80 millones de paquetes a la semana. El precio bajará hasta que se restablezca el equilibrio del mercado: 50 centavos el paquete.

9a. La curva de oferta se ha desplazado a la izquierda.

Conforme disminuye el número de fábricas productoras de goma de mascar, disminuye la oferta de goma de mascar. Hay una nueva tabla de oferta y la curva de oferta se desplaza hacia la izquierda.

9b. Se ha dado un movimiento a lo largo de la curva de demanda.

Disminuye la oferta de goma de mascar y la curva de oferta se desplaza a la izquierda. La demanda no cambia, así que el precio sube a lo largo de la curva de demanda.

9c. El precio de equilibrio es 60 centavos y la cantidad de equilibrio es 100 millones de paquetes a la semana.

La oferta disminuye 40 millones de paquetes a la semana. Es decir, la cantidad ofrecida a cada precio disminuye en 40 millones de paquetes. La cantidad ofrecida a 50 centavos es ahora 80 millones de paquetes y hay una escasez de goma de mascar. El precio sube a 60 centavos el paquete, al cual la cantidad ofrecida es igual a la cantidad demandada (100 millones de paquetes a la semana).

11. El nuevo precio es 70 centavos el paquete y la cantidad es 120 millones de paquetes a la semana.

Aumenta la demanda de goma de mascar y la curva de demanda se desplaza a la derecha. La cantidad demandada a cada precio aumenta 40 millones de paquetes. El resultado del incendio es un precio de 60 centavos el paquete. A este precio, hay ahora una escasez de goma de mascar. El precio de la goma de mascar subirá hasta que se elimine la escasez.

# CAPÍTULO 5

1a. La elasticidad precio de la demanda es 1.25.

La elasticidad precio de la demanda es igual al cambio porcentual en la cantidad demandada dividido entre el cambio porcentual en el precio. El precio se eleva de $4 a $6 por caja, un aumento de $2 por caja. El precio promedio es $5 por caja. Por tanto, el cambio porcentual en el precio es igual a $2 dividido entre $5, lo que es igual al 40%.

La cantidad disminuye de 1,000 a 600 cajas, una disminución de 400 cajas. La cantidad promedio es de 800 cajas. Por tanto, el cambio porcentual en la cantidad es igual a 400 dividido entre 800, lo que es igual a 50%.

La elasticidad precio de la demanda de fresas es igual a 50 dividido entre 40, es decir 1.25.

1b. La elasticidad precio de la demanda excede a 1, por lo que la demanda de fresas es elástica.

3a. La elasticidad precio de la demanda es 2.

Cuando el precio del alquiler de un videocasete se eleva de $3 a $5, la cantidad demandada de videocasetes disminuye de 75 a 25 cintas. La elasticidad precio de la demanda es igual al cambio porcentual en la cantidad demandada dividido entre el cambio porcentual en el precio.

El precio aumenta de $3 a $5, un aumento de $2 por videocasete. El precio promedio es $4 por videocasete. Por tanto, el cambio porcentual en el precio es igual a $2 dividido entre $4, lo que es igual a 50%.

La cantidad disminuye de 75 a 25 videocasetes, una disminución de 50 videocasetes. La cantidad promedio es de 50 videocasetes. Por tanto, el cambio porcentual en cantidad es igual a 50 dividido entre 50, lo que es igual al 100%.

La elasticidad precio de la demanda por alquiler de videocasetes es igual a 100 entre 50, es decir 2.

3b. A $3 por videocasete, la elasticidad precio de la demanda es igual a 1. A $6 por cinta, la elasticidad precio de la demanda es infinita. A $0 por videocasete, la elasticidad precio de la demanda es igual a cero.

La elasticidad precio de la demanda es igual a 1 cuando el precio se encuentra a la mitad del camino entre el origen y el precio en el que la curva de demanda toca el eje $y$. Ese precio es $3 por videocasete.

La elasticidad precio de la demanda es infinita al precio en que la curva de demanda toca el eje $y$. Ese precio es $6 por videocasete.

La elasticidad precio de la demanda es igual a cero al precio en que la curva de demanda toca el eje $x$. Ese precio es $0 por videocasete.

5. La demanda de servicios dentales tiene elasticidad unitaria.

La elasticidad precio de la demanda de servicios dentales es igual al cambio porcentual en la cantidad demandada de servicios dentales dividido entre el cambio porcentual en el precio de los servicios dentales.

La elasticidad precio de la demanda es igual a 10 dividido entre 10, lo que es igual a 1. La demanda tiene elasticidad unitaria.

7a. El total de ingresos aumenta.

Cuando el precio de un microprocesador es $400, se venden 30 millones de ellos y el ingreso total es igual a $12,000 millones. Cuando el precio de un microprocesador baja a $350, se venden 35 millones de microprocesadores y el ingreso total es $12,250 millones. El ingreso total aumenta cuando baja el precio.

7b. El ingreso total disminuye.

Cuando el precio es $350 por microprocesador, se venden 35 millones y el ingreso total es $12,250 millones. Cuando el precio de un microprocesador es $300, se venden 40 millones de unidades y el ingreso total disminuye hasta $12,000 millones. El ingreso total disminuye cuando baja el precio.

7c. El ingreso total se maximiza a $350 por microprocesador.

Cuando el precio de un microprocesador es $300, se venden 40 millones y el ingreso total es igual a $12,000 millones. Cuando el precio es $350 por microprocesador, se venden 35 millones y el ingreso total es igual a $12,250 millones. El ingreso total aumenta cuando el precio aumenta desde $300 hasta $350 por microprocesador. Cuando el precio es de $400 por microprocesador, se venden 30 millones y el ingreso total es igual a $12,000 millones. El ingreso total disminuye cuando el precio aumenta desde $350 hasta $400 por microprocesador. El ingreso total se maximiza cuando el precio es $350 por microprocesador.

7d.   La cantidad será de 35 millones de microprocesadores al año.

La programa de demanda nos dice que cuando el precio es $350 por microprocesador, la cantidad demandada es de 35 millones de microprocesadores al año.

7e.   La demanda de microprocesadores tiene elasticidad unitaria.

La prueba del ingreso total expresa que si el precio cambia y el ingreso total permanece igual, la demanda es elástica unitaria al precio promedio. Si se reduce el precio de $400 a $300 por microprocesador, se obtiene un precio promedio de $350 por microprocesador. Cuando el precio de un microprocesador baja de $400 a $300, el ingreso total permanece en $12,000 millones. Por tanto, a un precio promedio de $350 por microprocesador, la demanda tiene elasticidad unitaria.

9.   La demanda de microprocesadores es inelástica.

La prueba del ingreso total expresa que si el precio baja y el ingreso total baja, la demanda es inelástica. Cuando el precio baja de $300 a $200 por microprocesador, el ingreso total disminuye de $12,000 millones a $10,000 millones. Por tanto, a un precio promedio de $250 por microprocesador, la demanda es inelástica.

11.   La elasticidad cruzada de la demanda entre el jugo de naranja y el jugo de manzana es 1.17.

La elasticidad cruzada de la demanda es el cambio porcentual en la cantidad demandada de un bien dividido entre el cambio porcentual en el precio de otro bien. El aumento en el precio del jugo de naranja da como resultado un aumento en la cantidad demandada de jugo de manzana. Por tanto, la elasticidad cruzada de la demanda es el cambio porcentual en la cantidad demandada de jugo de manzana dividido entre el cambio porcentual en el precio del jugo de naranja. La elasticidad cruzada es igual a 14 dividido entre 12, que es 1.17.

13.   La elasticidad ingreso de la demanda de (i) panecillos dulces, es 1.33 y (ii) la de buñuelos es −1.33.

La elasticidad ingreso de la demanda es igual al cambio porcentual de la cantidad demandada dividido entre el cambio porcentual en el ingreso. El cambio en el ingreso es de $2,000 y el ingreso promedio es $4,000, por lo que el cambio porcentual en el ingreso es igual al 50%.

(i) El cambio en la cantidad demandada es de 4 panecillos dulces y la cantidad demandada promedio es de 6 buñuelos, por lo que el cambio en porcentaje en la cantidad demandada es igual a 66.67%. La elasticidad ingreso de la demanda de panecillos dulces es igual a 66.67/50, lo que equivale a 1.33.

(ii) El cambio en la cantidad demandada es −6 buñuelos y la cantidad demandada promedio es 9 buñuelos, por lo que el cambio porcentual en la cantidad demandada es −66.67. La elasticidad ingreso de la demanda de buñuelos es igual a −66.67/50, lo que es −1.33.

15a.   La elasticidad de la oferta es 1.

La elasticidad de la oferta es el cambio porcentual en la cantidad ofrecida dividida entre el cambio porcentual en el precio. Cuando el precio baja de $0.40 a $0.30, el cambio en el precio es de $0.10 y el precio promedio es $0.35. El cambio porcentual en el precio es 28.57.

Cuando el precio baja de $0.40 a $0.30, la cantidad ofrecida disminuye de 800 a 600 llamadas. El cambio en la cantidad ofrecida es de 200 llamadas y la cantidad promedio es 700 llamadas, por lo que el cambio porcentual en la cantidad ofrecida es 28.57.

La elasticidad de la oferta es igual a 28.57/28.57, lo que es igual a 1.

15b.   La elasticidad de la oferta es 1.

La fórmula para la elasticidad de la oferta calcula la elasticidad al precio promedio. Por tanto, para encontrar la elasticidad a $0.20, se cambia el precio en forma tal que $0.20 es el precio promedio. Esto se logra, por ejemplo, con una disminución en el precio de $0.30 a $0.10.

Cuando el precio baja de $0.30 a $0.10, el cambio en el precio es de $0.20 y el precio promedio es $0.20. El cambio porcentual en el precio es 100. Cuando el precio baja de $0.30 a $0.10, la cantidad ofrecida disminuye de 600 a 200 llamadas. El cambio en la cantidad ofrecida es de 400 llamadas y la cantidad promedio es 400 llamadas, por lo que el cambio porcentual en la cantidad ofrecida es 100.

La elasticidad de la oferta es el cambio porcentual en la cantidad ofrecida dividido entre el cambio porcentual en el precio. La elasticidad de la oferta es 1.

# CAPÍTULO 6

1a.   El precio de equilibrio es $1.00 por disquete y la cantidad de equilibrio es tres disquetes al mes.

1b.   El excedente del consumidor es $2.25.

El excedente del consumidor es el área del triángulo por debajo de la curva de demanda y por encima del precio. El precio es $1.00 por disquete. El área del triángulo es igual a (2.50 − 1.00)/2 multiplicado por 3, que es $2.25.

1c.   El excedente del productor es $0.75.

El excedente del productor es el área del triángulo por encima de la curva de oferta y por debajo del precio. El precio es $1.00 por disquete. El área del triángulo es igual a (1.00 − 0.50)/2 multiplicado por 3, lo que es igual a $0.75.

1d.   La cantidad eficiente es de 3 disquetes al mes.

La cantidad eficiente es la cantidad que hace que el beneficio marginal proveniente del último disco sea igual al costo marginal de producirlo. La curva de demanda muestra el beneficio marginal y la curva de oferta muestra el costo marginal. La cantidad producida es eficiente sólo si se producen 3 disquetes.

3a.   El precio máximo que pagarán los consumidores es $3.

El programa de demanda muestra el precio máximo que pagarán los consumidores por cada hamburguesa. El precio máximo que pagarán los consumidores por la hamburguesa número 250 es $3.

3b. El precio mínimo que aceptarán los productores es $5.

El programa de oferta muestra el precio mínimo que aceptarán los productores por cada hamburguesa. El precio mínimo que aceptarán los productores por la hamburguesa número 250 es $5.

3c. Mayor que la cantidad eficiente.

La cantidad eficiente es aquella en la que el beneficio marginal proveniente de la última hamburguesa es igual al costo marginal de producirla. La cantidad eficiente es la cantidad de equilibrio: 200 hamburguesas por hora.

3d. El excedente del consumidor es de $400.

El precio de equilibrio es de $4. El excedente del consumidor es el área del triángulo que está por debajo de la curva de demanda y por encima del precio. El área del triángulo es $(8 - 4)/2$ multiplicado por 200, que es $400.

3e. El excedente del productor es de $400.

El excedente del productor es el área del triángulo que está por encima de la curva de oferta y por debajo del precio. El precio es de $4. El área del triángulo es $(4 - 0)/2$ multiplicado por 200, que es $400.

3f. La pérdida irrecuperable es de $50.

La pérdida irrecuperable es la suma del excedente del consumidor y el excedente del productor que se pierde debido a que la cantidad producida no es la cantidad eficiente. La pérdida irrecuperable es igual a la cantidad $(250 - 200)$ multiplicada por $(5 - 3)/2$, lo que es $50.

5a. El excedente del consumidor para Benjamín es de $122.50. El excedente del consumidor para Berta es de $22.50 y el excedente del consumidor para Benigno es de $4.50.

El excedente del consumidor es el área situada por debajo de la curva de demanda y por encima del precio. A $0.40, Benjamín viajará 350 kilómetros, Berta viajará 150 kilómetros y Benigno viajará 30 kilómetros. Para encontrar el excedente del consumidor para Benjamín, extienda su programa de demanda hasta encontrar el precio en el que su curva de demanda cruza el eje $y$. Este precio es de 110 centavos. Por tanto, el excedente del consumidor para Benjamín es igual a $(110 - 40)/2$ multiplicado por 350, que es igual a $122.50. El excedente del consumidor para Berta es igual a $(70 - 40)/2$ multiplicado por 150, que es igual a $22.50. Y el excedente del consumidor para Benigno es igual a $(70 - 40)/2$ multiplicado por 30, que es igual a $4.50.

5b. El excedente del consumidor para Benjamín es el mayor, porque él asigna un valor más alto a cada unidad del bien, que los otros dos individuos.

5c. El excedente del consumidor para Benjamín baja en $32.50. El excedente del consumidor para Berta baja en $12.50 y el excedente del consumidor para Benigno baja en $2.50.

A $0.50 el kilómetro, Benjamín viaja 300 kilómetros y su excedente del consumidor es de $90, una disminución de $32.50. Berta viaja 100 kilómetros y su excedente del consumidor es de $10, una disminución de $12.50. Benigno viaja 20 kilómetros y su excedente del consumidor es de $2.00, una disminución de $2.50.

## CAPÍTULO 7

1a. El precio de equilibrio es $200 por mes y la cantidad de equilibrio es de 10,000 viviendas alquiladas.

1b. La cantidad alquilada es de 5,000 viviendas.

La cantidad de viviendas alquiladas es igual a la cantidad ofrecida al precio tope del alquiler.

1c. La escasez de viviendas es de 10,000 unidades.

Con el tope a los alquileres, la cantidad de viviendas demandada es 15,000, pero la cantidad ofrecida es 5,000, por lo que existe una escasez de 10,000 viviendas.

1d. El precio máximo que alguien está dispuesto a pagar por la unidad disponible número 5,000 es $300 por mes.

La curva de demanda nos dice el precio máximo que alguien está dispuesto a pagar por la unidad número 5,000.

3a. La tasa de salario de equilibrio es $4 por hora y el empleo es de 2,000 horas al mes.

3b. El desempleo es de cero. Todo el que quiera trabajar por $4 la hora tiene empleo.

3c. Trabajan 2,000 horas al mes.

Una tasa de salario mínimo es la tasa de salario más baja que se le puede pagar a una persona por una hora de trabajo. Debido a que la tasa del salario de equilibrio excede a la tasa del salario mínimo, el salario mínimo no es eficaz. La tasa de salarios será de $4 la hora y el empleo de 2,000 horas.

3d. No hay desempleo.

La tasa de salarios se eleva hasta la tasa de equilibrio; es decir, hasta donde la cantidad demandada de trabajo es igual a la cantidad ofrecida. Por tanto, no hay desempleo.

3e. A $5 la hora se emplean 1,500 horas al mes y 1,000 horas mensuales están desempleadas.

A $5 la hora, la cantidad empleada de trabajo es igual a la cantidad demandada. El desempleo es igual a la cantidad ofrecida de trabajo a $5 la hora menos la cantidad demandada de trabajo a $5 la hora. La cantidad ofrecida es de 2,500 horas al mes y la cantidad demandada es de 1,500 horas al mes. Por tanto, 1,000 horas al mes están desempleadas.

3f. La tasa salarial es de $5 por hora y el desempleo es de 500 horas al mes.

Al salario mínimo de $5 la hora, la cantidad demandada es de 2,000 horas mensuales y la cantidad ofrecida es de 2,500 horas al mes. Por tanto, están desempleadas 500 horas al mes.

5a. Al no existir impuesto sobre los dulces de chocolate, el precio es $0.60 cada uno y se consumen 4 millones al día.

5b. El precio es $0.70 por dulce de chocolate y se consumen 3 millones al día. Los consumidores y los productores pagan cada uno $0.10 de impuesto sobre un dulce de chocolate.

El impuesto disminuye la oferta de dulces de chocolate y aumenta el precio. Al no existir impuesto, los productores están dispuestos a vender 3 millones de dulces al día a $0.50 cada uno. Pero con un impuesto de $0.20, sólo están dispuestos a vender 3 millones al día con un aumento al precio de $0.20; es decir, al precio de $0.70 por dulce de chocolate.

7a. Los dueños de los inventarios venden 500 cajas de arroz.

Ellos venden arroz de su inventario porque, de lo contrario, la tormenta ocasionará que el precio se eleve por encima de $1.40 la caja.

7b. El precio es $1.40 la caja y el ingreso de los agricultores es de $2,800 a la semana.

La tormenta reduce la cantidad cosechada en 500 cajas, hasta 2,000 cajas. La acción de los dueños de los inventarios mantiene el precio en $1.40 la caja, por lo que el ingreso de los agricultores es igual a $1.40 multiplicado por 2,000 cajas.

# CAPÍTULO 8

1a. Para dibujar una gráfica de la utilidad total que obtiene Jorge de los discos compactos de música "rock", trace el número de discos compactos sobre el eje $x$ y la utilidad que obtiene Jorge de ellos sobre el eje $y$. La curva se parecerá a la de la figura 8.2(a). Para dibujar una gráfica de la utilidad total de Jorge que proviene de las novelas de espías, repita el procedimiento anterior pero use la información sobre las novelas de espías.

1b. Jorge obtiene más utilidad de cualquier número de discos compactos de música "rock" que del mismo número de novelas de espías.

1c. Para dibujar una gráfica de la utilidad marginal que obtiene Jorge de los discos compactos de música "rock", trace el número de discos compactos sobre el eje $x$ y la utilidad marginal de Jorge que proviene de éstos sobre el eje $y$. La curva se parecerá a la de la figura 8.2(b). Para dibujar una gráfica de la utilidad marginal que obtiene Jorge de las novelas de espías, repita el procedimiento anterior pero use la información sobre novelas de espías.

La utilidad marginal que obtiene Jorge de los discos compactos de música "rock" es el aumento en la utilidad total que obtiene de un disco compacto adicional. En forma similar, la utilidad marginal de Jorge proveniente de las novelas de espías es el aumento en la utilidad total que obtiene de una novela de espías adicional.

1d. Jorge obtiene más utilidad marginal de un disco compacto de música "rock" adicional, de la que obtiene de una novela de espías adicional, cuando tiene el mismo número de cada uno de ellos.

3a. Para dibujar una gráfica de la línea de presupuesto de Máximo, trace las horas dedicadas a una actividad (por ejemplo, a velear) sobre el eje $x$ y las horas dedicadas a la otra actividad sobre el eje $y$. La línea del presupuesto es una línea recta que pasa desde 3.5 horas de velear sobre el eje $x$ hasta 7 horas de bucear sobre el eje $y$.

Si Máximo dedica la totalidad de sus $35 a navegar, puede alquilar el equipo para ello durante $35/($10 por hora), que son 3.5 horas. Si dedica la totalidad de sus $35 a bucear, puede alquilar el equipo por $35/($5 por hora), que son 7 horas.

3b. Para maximizar su utilidad, Máximo velea durante 3 horas y dedica 1 hora a bucear.

Máximo gastará sus $35 en forma tal que se gaste la totalidad de los $35 y que la utilidad marginal por unidad monetaria gastada en cada actividad sea la misma. Cuando Máximo velea durante 3 horas y dedica 1 hora a bucear, gasta $30 alquilando su equipo de veleo y $5 en alquilar el equipo para bucear, un total de $35.

La utilidad marginal de la tercera hora de velear es 80 y el alquiler del equipo es de $10 por hora, por lo que la utilidad marginal por unidad monetaria en esta actividad es 8. La utilidad marginal de la primera hora de bucear es 40 y el alquiler del equipo para bucear es de $5 por hora, por lo que la utilidad marginal por unidad monetaria gastada en bucear es 8. La utilidad marginal por unidad monetaria gastada en velear es igual a la utilidad marginal por unidad monetaria gastada en bucear.

5a. El presupuesto de Máximo es la línea recta que va desde 5.5 horas de velear sin bucear hasta 11 horas de bucear sin velear.

5b. Para maximizar su utilidad, Máximo velea durante 4 horas y dedica 3 horas a bucear.

Máximo gastará sus $55 en forma tal que se gaste la totalidad de los $55 y que la utilidad marginal por unidad monetaria gastada en cada actividad sea la misma. Cuando Máximo navega durante 4 horas y bucea 3 horas, gasta $40 alquilando el equipo de veleo y $15 alquilando el equipo para bucear, un total de $55.

La utilidad marginal de la cuarta hora de velear es 60 y el alquiler del equipos es $10 por hora, por lo que la utilidad marginal por unidad monetaria gastada en velear es 6. La utilidad marginal de la tercera hora de bucear es 30 y el alquiler del equipo es de $5 por hora, por lo que la utilidad marginal por unidad monetaria gastada en bucear es 6. Por ende, la utilidad marginal por unidad monetaria en ambas actividades es igual.

7. Para maximizar su utilidad, Máximo velea durante 6 horas y dedica 5 horas a bucear.

Máximo gastará sus $55 en forma tal que se gaste la totalidad de los $55 y que la utilidad marginal por unidad monetaria gastada en cada actividad sea la misma. Cuando Máximo velea durante 6 horas y bucea 5 horas, gasta $30 alquilando el equipo de veleo y $25 alquilando el equipo de bucear, un total de $55.

La utilidad marginal de la sexta hora de velear es 12 y el alquiler del equipo es $5 la hora, por lo que la utilidad marginal por unidad monetaria gastada en esta actividad es 2.4. La utilidad marginal de la quinta hora de bucear es 12 y el alquiler del equipo es $5 la hora, por lo que la utilidad marginal por unidad monetaria gastada en bucear es 2.4. La utilidad marginal por unidad monetaria en ambas actividades es igual.

9. Para maximizar su utilidad, Máximo velea durante 5 horas y dedica 1 hora a bucear.

Debido a que el equipo es gratis, Máximo no tiene que asignar su *ingreso* entre las dos actividades; en lugar de ello, asigna su *tiempo* entre las dos actividades. Máximo dedica 6 horas a estas actividades. Máximo asigna las 6 horas en forma tal que la utilidad marginal de cada actividad sea la misma. Cuando Máximo velea durante 5 horas y bucea 1 hora, emplea 6 horas. Su utilidad marginal de la quinta hora de velear es 40 y su utilidad marginal de la primera hora de bucear es 40, por lo que las utilidades marginales son iguales.

11. La curva de demanda del mercado pasa a través de los puntos siguientes: $0.90 y 3 paquetes, $0.70 y 6 paquetes; $0.50 y 10 paquetes; $0.30 y 14 paquetes y $0.10 y 18 paquetes.

    A cada precio, la cantidad demandada por el mercado es igual a la suma de los paquetes de dulces que demanda Silvia y los paquetes de dulces que demanda Daniel. Por ejemplo, a $0.50 el paquete, la cantidad demandada por Silvia y Daniel es 10, la suma de los 6 paquetes de Silvia y los 4 de Daniel.

# CAPÍTULO 9

1a. El ingreso real de Sara es de 4 latas de jugo de naranja.

   El ingreso real de Sara en términos de jugos de naranja es igual a su ingreso monetario dividido entre el precio de una lata de jugo de naranja. El ingreso monetario de Sara es de $12 y el precio del jugo de naranja es $3 por lata. El ingreso real de Sara es $12 dividido entre $3 por jugo de naranja, lo que es 4 latas de jugo de naranja.

1b. El ingreso real de Sara es de 4 bolsas de dulces.

   El ingreso real de Sara en términos de bolsas de dulces es igual a su ingreso monetario dividido entre el precio de una bolsa de dulces, que es $12 dividido entre $3 por bolsa, o sea, 4 bolsas de dulces.

1c. El precio relativo del jugo de naranja es de una bolsa de dulces por lata.

   El precio relativo del jugo de naranja es el precio del jugo dividido entre el precio de una bolsa de dulces. El precio del jugo de naranja es $3 por lata y el precio de las bolsas de dulces es $3 por bolsa, por lo que el precio relativo del jugo es $3 por lata dividido entre $3 por bolsa, lo que equivale a 1 bolsa por lata.

1d. El costo de oportunidad de una lata de jugo de naranja es 1 bolsa de dulces.

   El costo de oportunidad de una lata de jugo de naranja es la cantidad de bolsas de dulces a que se tiene que renunciar para obtener una lata de jugo de naranja. El precio del jugo de naranja es $3 por lata y el precio de las bolsas de dulces es $3 por bolsa, por lo que para comprar una lata de jugo de naranja, Sara tiene que renunciar a 1 bolsa de dulces.

1e. La ecuación que describe la línea de presupuesto de Sara es:
$$|Q_D| = 4 - |Q_J|.$$
Se denomina al precio de las bolsas de dulces $P_D$ y a la cantidad de bolsas de dulces $Q_D$; al precio del jugo de naranja $P_J$, a la cantidad de jugo de naranja $Q_J$ y al ingreso $y$. La ecuación del presupuesto de Sara es:
$$|P_D Q_D + P_J Q_J = y.|$$
Si se sustituye $3 por el precio de las bolsas de dulces, $3 por el precio del jugo de naranja y $12 por el ingreso, la ecuación del presupuesto se convierte en:
$$\$3 \times |Q_D| + \$3 \times |Q_J| = \$12.$$
Al dividir ambos lados entre $3, se obtiene:
$$|Q_D| + |Q_J| = 4.$$
Restar $Q_J$ de ambos lados para obtener
$$|Q_D = 4 - Q_J.|$$

1f. Para dibujar una gráfica de la línea del presupuesto, trace la cantidad de latas de jugo de naranja sobre el eje $x$ y la

cantidad de bolsas de dulces sobre el eje $y$. La línea del presupuesto es una línea recta que va de 4 latas sobre el eje $y$ hasta 4 bolsas sobre el eje $x$.

1g. La pendiente de la línea del presupuesto, cuando se traza el jugo de naranja sobre el eje $x$, es menos 1. La magnitud de la pendiente es igual al precio relativo del jugo de naranja.

   La pendiente de la línea del presupuesto es "el aumento sobre el recorrido". Si la cantidad del jugo de naranja disminuye de 4 a 0, la cantidad de bolsas de dulces aumenta de 0 a 4. El aumento es 4 y el recorrido es $-4$. Por tanto, la pendiente es igual a $4/-4$, lo que es igual a $-1$.

3a. Sara compra 2 latas de jugo de naranja y 2 bolsas de dulces.

   Sara compra las cantidades de latas de jugo de naranja y de bolsas de dulces que la hacen llegar a la curva de indiferencia más alta, dado su ingreso y los precios del jugo de naranja y de las bolsas de dulces. En la gráfica se muestran las curvas de indiferencia de Sara. Ahora dibuje la línea de presupuesto de Sara sobre la gráfica. La línea del presupuesto es tangente a la curva de indiferencia $I_0$ a 2 latas de jugo de naranja y dos bolsas de dulces. La curva de indiferencia $I_0$ es la curva de indiferencia más alta a la que puede llegar Sara.

3b. La tasa marginal de sustitución de Sara es 1.

   La tasa marginal de sustitución es la magnitud de la pendiente de la curva de indiferencia en el punto de consumo de Sara, que es igual a la magnitud de la pendiente de la línea del presupuesto. La pendiente de la línea del presupuesto de Sara es $-1$, por lo que la tasa marginal de sustitución es 1.

5a. Sara compra 6 latas de jugo de naranja y 1 bolsa de dulces.

   Dibuje la nueva línea del presupuesto sobre la gráfica que tiene las curvas de indiferencia de Sara. Ahora la línea del presupuesto va desde 8 latas de jugo de naranja sobre el eje $x$ hasta 4 bolsas de dulces sobre el eje $y$. La nueva línea del presupuesto es tangente a la curva de indiferencia $I_1$ a 6 latas de jugo de naranja y 1 bolsa de dulces. La curva de indiferencia $I_1$ es la curva de indiferencia más alta en la que puede estar ahora Sara.

5b. Dos puntos sobre la demanda de jugo de naranja de Sara son los siguientes: a $3 la lata de jugo de naranja, Sara compra 2 latas; a $1.50 la lata, Sara compra 6 latas.

5c. El efecto sustitución es de 2 latas de jugo de naranja y $-1.5$ bolsas de dulces.

   Para dividir el efecto precio en un efecto sustitución y un efecto ingreso, quite el ingreso suficiente a Sara y desplace gradualmente su nueva línea del presupuesto de regreso hacia el origen hasta que apenas toque la curva de indiferencia $I_0$. El punto en el que esta línea del presupuesto apenas toque la curva de indiferencia $I_0$ es 4 latas de jugo de naranja y 0.5 bolsas de dulces. El efecto sustitución es el aumento en la cantidad de jugo de naranja (de 2 a 4 latas) y la disminución en la cantidad de bolsas de dulces (de 2 a 0.5 bolsas) a lo largo de la curva de indiferencia $I_0$. El efecto sustitución es de 2 latas de jugo de naranja y $-1.5$ bolsas de dulces.

5d. El efecto ingreso es de 2 latas de jugo de naranja y 0.5 bolsas de dulces.

   El efecto ingreso es el cambio en la cantidad de jugo de naranja que proviene del efecto precio menos el cambio que proviene del efecto sustitución. El efecto precio es 4 latas de jugo de naranja (6 latas menos las 2 latas iniciales) y −1 bolsa de dulces (1 bolsa menos las 2 bolsas iniciales). El efecto sustitución es un aumento en la cantidad de jugo de naranja de 2 a 4 latas y una disminución en la cantidad de bolsas de dulces de 2 a 0.5 bolsas. Por tanto, el efecto ingreso es 2 latas de jugo de naranja y 0.5 bolsas de dulces.

5e. El jugo de naranja es un bien normal para Sara porque el efecto ingreso es positivo. Un aumento en el ingreso incrementa la cantidad que compra de 4 a 6 latas.

5f. La bolsa de dulces es un bien normal para Sara porque el efecto ingreso es positivo. Un aumento en el ingreso incrementa la cantidad de bolsas de dulces que compra de 0.5 a 1 bolsa.

7a. Paula aún puede comprar 30 galletas y 5 revistas de tiras cómicas.

Cuando Paula compra 30 galletas a $1 cada una y 5 revistas de tiras cómicas a $2 cada una, gasta $40 al mes. Ahora que el precio de una galleta es $0.50 y el precio de una revista de tiras cómicas es $5, el costo de 30 galletas y 5 revistas es $40. Por tanto, Paula puede comprar 30 galletas y 5 revistas de tiras cómicas.

7b. Paula no querrá comprar 30 galletas y 5 revistas de tiras cómicas, porque la tasa marginal de sustitución no es igual al precio relativo de los bienes. Paula se desplazará a un punto sobre la curva de indiferencia más alta posible en la que la tasa marginal de sustitución sea igual al precio relativo.

7c. Paula prefiere galletas a $0.50 cada una y revistas de tiras cómicas a $5 cada una porque puede pasar a una curva de indiferencia más alta que cuando las galletas valen $1 cada una y las revistas de tiras cómicas $2 cada una.

7d. Paula comprará más galletas y menos revistas de tiras cómicas.

Tanto la nueva línea del presupuesto como la antigua pasan a través del punto de 30 galletas y 5 revistas de tiras cómicas. Si las tiras cómicas se trazan sobre el eje $x$, la tasa marginal de sustitución en este punto sobre la curva de indiferencia de Paula es igual al precio relativo de una revista de tiras cómicas a los precios originales, que es 2. El nuevo precio relativo de una revista de tiras cómicas es $5/$0.50, que es 10. Es decir, la línea del presupuesto es más pronunciada que la curva de indiferencia a 30 galletas y 5 revistas de tiras cómicas. Paula comprará más galletas y menos revistas de tiras cómicas.

7e. Habrá un efecto sustitución y un efecto ingreso.

Se presenta un efecto sustitución cuando el precio relativo cambia y el consumidor se desplaza a lo largo de la *misma* curva de indiferencia hasta un nuevo punto en el que la tasa marginal de sustitución es igual al nuevo precio relativo. Se presenta un efecto ingreso cuando el consumidor se desplaza desde una curva de indiferencia hasta otra, manteniendo constante el precio relativo.

# CAPÍTULO 10

Los costos explícitos son $30,000. Los costos explícitos son todos los costos para los que hay un pago. Los costos explícitos son la suma de los salarios pagados ($20,000) y los bienes y servicios comprados a otras empresas ($10,000).

Los costos implícitos son la suma de los costos que no incluyen un pago. Son costos implícitos la suma del interés perdido sobre los $50,000 colocados en la empresa; el ingreso de $30,000 perdido por Juan por no trabajar en su empleo anterior; $15,000, que es el valor de 500 horas de descanso de Julia (10 horas a la semana durante 50 semanas) y la depreciación económica de $2,000 ($30,000 menos $28,000).

3a. Todos los métodos excepto "calculadora de bolsillo con papel y lápiz" son tecnológicamente eficientes.

Usar una calculadora de bolsillo con papel y lápiz para llenar la declaración de impuestos no es un método tecnológicamente eficiente, porque requiere el mismo número de horas que con una calculadora de bolsillo, pero utiliza más capital.

3b. El método económicamente eficiente es usar (i) una calculadora de bolsillo, (ii) una calculadora de bolsillo, con papel y lápiz (iii) una computadora personal.

El método económicamente eficiente es el método tecnológicamente eficiente que permite que la tarea se haga al menor costo.

Cuando la tasa de salarios es $5 la hora: el costo total con una computadora personal es $1,005, el costo total con una calculadora de bolsillo es $70 y el costo total con papel y lápiz es $81. El menor costo total es con una calculadora de bolsillo.

Cuando la tasa de salarios es $50 la hora: el costo total con una computadora personal es $1,050, el costo total con una calculadora de bolsillo es $610 y el costo total con papel y lápiz es $801. El menor costo total es con una calculadora de bolsillo.

Cuando la tasa de salarios es $500 por hora: el costo total con una computadora personal es $1,500, el costo total con una calculadora de bolsillo es $6,010 y el costo total con papel y lápiz es de $8,001. El menor costo total es con la computadora personal.

5a. Los métodos $a$, $b$, $c$ y $d$ son tecnológicamente eficientes. Compare la cantidad de trabajo y capital utilizado por los cuatro métodos. Comience con el método $a$. Al pasar por los cuatro métodos desde $a$ hasta $d$, la cantidad de trabajo aumenta y la cantidad de capital disminuye en cada caso.

5b. El método económicamente eficiente es (i) método $d$, (ii) métodos $c$ y $d$, y (iii) método $a$.

El método económicamente eficiente es el método tecnológicamente eficiente que permite que las 100 camisas se laven al menor costo.

(i) El costo total con el método $a$ es $1,001, el costo total con el método $b$ es $805, el costo total con el método $c$ es $420 y el costo total con el método $d$ es $150. El método $d$ tiene el costo total más bajo.

(ii) El costo total con el método $a$ es $505, el costo total con el método $b$ es $425, el costo total con el método $c$ es de $300 y el costo total con el método $d$ es $300. Los métodos $c$ y $d$ tienen el costo total más bajo.

(iii) El costo total con el método $a$ es $100, el costo total con el método $b$ es $290, el costo total con el método $c$ es $1,020 y el costo total con el método $d$ es $2,505. El método $a$ tiene el costo total más bajo.

7a. La tasa de concentración de cuatro empresas es 60.49.

La tasa de concentración de cuatro empresas es igual a la razón, en forma de porcentaje, de las ventas de las cuatro empresas más grandes en relación con las ventas totales de la industria. Las ventas totales las cuatro empresas más grandes son $450 + $325 + $250 + $200, que es igual a $1,225. El total de ventas de la industria es igual a $1,225 + $800, que es igual a $2,025. La razón de concentración de cuatro empresas es igual a ($1,225/$2,025) $\times$ 100, que es 60.49%.

7b. Esta industria está altamente concentrada, porque la razón de concentración de cuatro empresas excede 60%.

9a. El Índice Herfindahl-Hirschman es 1,700.

El Índice Herfindahl-Hirschman es igual a la suma de los cuadrados de las participaciones del mercado de las 50 mayores empresas, o de todas las empresas si son menos de 50. El Índice Herfindahl-Hirschman es igual a $15^2 + 10^2 + 20^2 + 15^2 + 25^2 + 15^2$, que es igual a 1,800.

9b. Esta industria es moderadamente competitiva porque el Índice Herfindahl-Hirschman se encuentra en el rango 1,000 − 1,800.

# CAPÍTULO 11

1a. Para dibujar la curva del producto total mida el trabajo sobre el eje $x$ y la producción sobre el eje $y$. La curva del producto total tiene pendiente ascendente.

1b. El producto promedio del trabajo es igual al producto total dividido entre la cantidad de trabajo empleado. Por ejemplo, cuando se emplean 3 trabajadores, se producen 6 botas a la semana, por lo que el producto promedio es de 2 botas por trabajador.

La curva del producto promedio tiene pendiente ascendente cuando el número de trabajadores se encuentra entre 1 y 8, pero tiene pendiente descendente cuando se emplean 9 y 10 trabajadores.

1c. El producto marginal del trabajo es igual al aumento en el producto total cuando se emplea un trabajador adicional. Por ejemplo, cuando se emplean 3 trabajadores, el producto total es de 6 botas por semana. Cuando se emplea un cuarto trabajador, el producto total aumenta a 10 botas a la semana. El producto marginal de aumentar de 3 a 4 trabajadores es de 4 botas.

La curva del producto marginal tiene pendiente ascendente cuando el número de trabajadores se encuentra entre 1 y 6, pero tiene pendiente descendente cuando se emplean 7 o más trabajadores.

1d. (i) Cuando Botas de Hule produce menos de 30 botas a la semana, emplea menos de 8 trabajadores a la semana. Al tener menos de 8 trabajadores a la semana, el producto marginal excede al producto promedio y el producto promedio está aumentando. Hasta una producción de 30 botas al día, cada trabajador adicional aumenta más la producción que el promedio. El producto promedio aumenta.

Cuando Botas de Hule produce más de 30 botas a la semana, emplea más de 8 trabajadores a la semana. Con más de 8 trabajadores a la semana, el producto promedio excede al producto marginal y el producto promedio está disminuyendo. Para producciones superiores a 30 botas a la semana, cada trabajador adicional añade menos a la producción que el promedio. El producto promedio disminuye.

3a. El costo total es la suma de los costos de todos los insumos que usa Botas de Hule en la producción. El costo variable total es el costo total de los insumos variables. El costo fijo total es el costo total de los insumos fijos.

Por ejemplo, el costo variable total de producir 10 botas a la semana es el costo total de los trabajadores empleados, que son 4 trabajadores a $400 por semana, que es igual a $1,600. El costo fijo total es $1,000, por lo que el costo total de producir 10 botas a la semana es $2,600.

Para dibujar las curvas del costo total a corto plazo, trace la producción sobre el eje $x$ y el costo total sobre el eje $y$. La curva del costo fijo total es una línea horizontal en $1,000. La curva del costo variable total y la curva del costo total tienen formas similares a las de la figura 11.4, pero la distancia vertical entre la curva del costo variable total y la curva del costo total es $1,000.

3b. El costo fijo promedio es el costo fijo total por unidad de producción. El costo variable promedio es el costo variable total por unidad de producción. El costo total promedio es el costo total por unidad de producción. Por ejemplo, cuando la empresa fabrica 10 botas a la semana: el costo fijo total es $1,000, por lo que el costo fijo promedio es $100 por bota; el costo variable total es $1,600, por lo que el costo variable promedio es $160 por bota y el costo total es $2,600, por lo que el costo promedio es $260 por bota.

El costo marginal es el aumento en el costo total dividido entre el aumento en la producción. Por ejemplo, cuando la producción aumenta de 3 a 6 botas a la semana, el costo total se incrementa de $1,800 a $2,200, un aumento de $400. Es decir, el aumento en la producción de 3 botas incrementa el costo total en $400. El costo marginal es igual a $400 dividido entre 3 botas, que es $133.33 por bota.

Las curvas del costo promedio y del costo marginal a corto plazo son similares a las de la figura 11.5.

5. El aumento en el costo fijo total incrementa el costo total, pero no cambia el costo variable total. El costo fijo promedio es el costo fijo total por unidad de producción. La curva del costo fijo promedio se desplaza en forma ascendente. El costo promedio es el costo total por unidad de producción. La curva del costo promedio se desplaza en forma ascendente. El costo marginal y el costo variable promedio no cambian.

7a. El costo total es el costo de todos los insumos. Por ejemplo, cuando se emplean 3 trabajadores, éstos producen 12 botas a la semana. Con 3 trabajadores, el costo variable total es $1,200 a la semana y el costo fijo total es $2,000 a la semana. El costo total es $3,200 a la semana. El costo promedio de producir 12 botas es $266.67.

7b. La curva del costo promedio a largo plazo está integrada por las partes inferiores de las curvas del costo promedio a corto plazo de la empresa cuando ésta opera con 1 y 2 plantas. La curva del costo promedio a largo plazo es similar a la figura 11.8.

7c. Es eficiente operar la planta que tiene el costo promedio de una bota más bajo. Es eficiente operar una planta cuando la producción es inferior a 27 botas a la semana y es eficiente operar dos plantas cuando la producción es superior a 27 botas a la semana.

En el rango de producción de 1 a 27 botas a la semana, el costo promedio es menor con una planta que con dos, pero si la producción excede a 27 botas a la semana, el costo promedio es menor con dos plantas que con una.

9a. Por ejemplo, el costo promedio de producir un paseo en globo cuando Roberta alquila 2 globos y emplea a 4 trabajadores es igual al costo total ($1,000 de alquiler de los globos más $1,000 de los trabajadores) dividido entre los 20 paseos en globo producidos. El costo promedio es igual a $2,000/20, lo que representa $100 por paseo.

La curva del costo promedio tiene forma de U, como en la figura 11.5.

9b. La curva del costo promedio a largo plazo es similar a la de la figura 11.8.

9c. La escala eficiente mínima de Roberta es 13 paseos en globo cuando alquila 1 globo.

La escala eficiente mínima es la menor producción a la cual el costo promedio a largo plazo está en su punto mínimo. Para encontrar la escala eficiente mínima, trace la curva del costo promedio para cada planta y después verifique qué planta ha tenido el costo promedio mínimo más bajo.

9d. Roberta elegirá la planta (número de globos a alquilar) que le proporcione el costo promedio mínimo para el número normal o promedio de paseos en globo que compran las personas.

# CAPÍTULO 12

1a. La cantidad que maximiza el beneficio para Copias Rápidas es 80 páginas por hora.

Copias Rápidas maximiza su beneficio produciendo la cantidad a la que el ingreso marginal es igual al costo marginal. En competencia perfecta, el ingreso marginal es igual al precio, que es $0.10 por página. El costo marginal es $0.10 cuando se producen 80 páginas por hora.

1b. El beneficio de Copias Rápidas es $2.40 por hora.

El beneficio es igual al ingreso total menos el costo total. El ingreso total es $8.00 por hora ($0.10 por página multiplicado por 80 páginas). El costo promedio de producir 80 páginas es $0.07 por página, por lo que el costo total es $5.60 por hora ($0.07 multiplicado por 80 páginas). El beneficio es igual a $8.00 menos $5.60, que es $2.40 por hora.

1c. El precio bajará a largo plazo hasta $0.06 la página.

A un precio de $0.10 la página, las empresas obtienen beneficios económicos. A largo plazo, los beneficios económicos estimularán a nuevas empresas a entrar a la industria de copiado. Al hacerlo, el precio bajará y el beneficio económico disminuirá. Las empresas entrarán hasta que el beneficio económico sea cero, lo que ocurre cuando el precio es $0.06 por copia (precio igual al costo promedio mínimo).

3a. La producción que maximiza el beneficio para Patricia es de 4 pizzas por hora. El beneficio de Patricia es de $2 por hora.

Patricia maximiza su beneficio al producir la cantidad a la cual el ingreso marginal es igual al costo marginal. En competencia perfecta, el ingreso marginal es igual al precio, que es $14 por pizza. El costo marginal es el cambio en el costo total cuando se aumenta la producción en 1 pizza por hora. El costo marginal de aumentar la producción de 3 a 4 pizzas por hora es $13 ($54 menos $41). El costo marginal de aumentar la producción de 4 a 5 pizzas por hora es $15 ($69 menos $54). Por tanto, el costo marginal de la cuarta pizza está a mitad del camino entre $13 y $15, que es $14. El costo marginal es igual al ingreso marginal cuando Patricia produce 4 pizzas por hora.

El beneficio económico equivale al ingreso total menos el costo total. El ingreso total es de $56 por hora ($14 multiplicado por 4 pizzas). El costo total de producir 4 pizzas es $54. El beneficio económico es igual a $56 menos $54, que es $2 por hora.

3b. El punto de cierre de Patricia ocurre a un precio de $10 por pizza.

El punto de cierre es el precio que iguala al costo variable promedio mínimo. Para calcular el costo variable total, reste el costo fijo total ($10, que es el costo total a una producción de cero) del costo total. El costo variable promedio es igual al costo variable total dividido entre la cantidad producida. Por ejemplo, el costo variable promedio de producir 2 pizzas es $10 por pizza. El costo variable promedio está en su mínimo cuando el costo marginal es igual al costo variable promedio. El costo marginal de producir 2 pizzas es $10. Por tanto, el punto de cierre es un precio de $10 por pizza.

3c. La curva de oferta de Patricia es la misma que la curva del costo marginal a precios iguales o superiores a $10 por pizza y es igual al eje y cuando el precio está por debajo de $10 la pizza.

3d. Patricia dejará la industria si a largo plazo el precio es inferior a $13 por pizza.

Pizzas Patricia dejará la industria si incurre en una pérdida económica a largo plazo. Para incurrir en una pérdida económica, el precio tendrá que ser inferior al costo promedio mínimo. El costo promedio es igual al costo total dividido entre la cantidad producida. Por ejemplo, el costo promedio de producir 2 pizzas es $15 por pizza. El costo promedio se encuentra al mínimo cuando es igual al costo marginal. El costo promedio de 3 pizzas es $13.67 y el de 4 pizzas es $13.50. El costo marginal cuando Patricia produce 3 pizzas es $12 y el costo marginal cuando Patricia produce 4 pizzas es $14. A 3 pizzas, el costo marginal es menor que el costo promedio; a 4 pizzas, el costo marginal excede al costo promedio. Por tanto, el costo promedio mínimo ocurre entre 3 y 4 pizzas (es decir, es de $13 a 3.5 pizzas por hora).

3e. Las empresas con costos idénticos a los de Patricia entrarán a cualquier precio por encima de $13 la pizza.

Las empresas entrarán a una industria cuando las empresas que se encuentran en la actualidad en ella estén obteniendo beneficios económicos. Las empresas con costos idénticos a los de Patricia obtendrán un beneficio económico cuando el precio exceda al costo promedio mínimo, que es $13 por pizza.

3f. A largo plazo, el precio es $13 por pizza. Éste es el precio que hace que el beneficio económico sea nulo.

5a. El precio de mercado es $8.40 por casete.

El precio de mercado es el precio al que la cantidad demandada es igual a la ofrecida. La curva de oferta de la empresa es la misma que su curva del costo marginal a precios por encima del costo variable promedio mínimo. El costo variable promedio se encuentra al mínimo cuando el costo marginal es igual al costo variable promedio. El costo marginal es igual al costo variable promedio, a la cantidad de 250 casetes por semana. Por tanto, la curva de oferta de la empresa es la misma que la curva del costo marginal para producciones de 250 casetes o más. Cuando el precio es $8.40 por casete, cada empresa produce 350 y la cantidad ofrecida por las 1,000 empresas es de 350,000 casetes a la semana. La cantidad demandada a $8.40 es de 350,000 a la semana.

5b. La producción de la industria es de 350,000 casetes a la semana.

5c. Cada empresa produce 350 casetes a la semana.

5d. Cada empresa sufre una pérdida económica de $581 a la semana. Cada empresa produce 350 casetes a un costo promedio de $10.06 por casete. La empresa puede vender los 350 casetes a $8.40 cada uno. La empresa incurre en una pérdida en cada casete de $1.66 e incurre en una pérdida económica de $581 a la semana.

5e. A largo plazo, algunas empresas abandonan la industria porque están incurriendo en pérdidas económicas.

5f. A largo plazo el número de empresas es 750.

A largo plazo, el precio se eleva a medida que algunas empresas abandonan la industria. En equilibrio a largo plazo, el precio será igual al costo promedio mínimo. Cuando la producción es de 400 casetes a la semana, el costo marginal es igual al costo promedio y éste se encuentra al mínimo en $10 por casete. A largo plazo, el precio es $10 por casete. Cada empresa que permanece en la industria produce 400 casetes a la semana. La cantidad demandada a $10 por casete es 300,000 a la semana. Por tanto, el número de empresas es 300,000 casetes dividido entre 400 casetes por empresa, lo que es 750 empresas.

7a. El precio del mercado es $7.65 por casete.

Cuando el precio es $7.65 por casete, cada empresa produce 300 casetes y la cantidad ofrecida por las 1,000 empresas es de 300,000 casetes a la semana. A $7.65, la cantidad demandada es de 300,000 a la semana.

7b. La producción de la industria es de 300,000 casetes a la semana.

7c. Cada empresa produce 300 casetes a la semana.

7d. Cada empresa sufre una pérdida económica de $834 a la semana.

Cada empresa produce 300 casetes con un costo promedio de $10.43 por casete. La empresa puede vender los 300 casetes a $7.65 cada uno. La empresa incurre en una pérdida en cada casete de $2.78 e incurre en una pérdida económica de $834 a la semana.

7e. A largo plazo, algunas empresas abandonan la industria debido a que están incurriendo en pérdidas económicas.

7f. A largo plazo, el número de empresas es 500.

A largo plazo, el precio se eleva a medida que algunas empresas abandonan la industria. Cada empresa que permanece en la industria produce 400 casetes a la semana. La cantidad demandada a $10 por casete es de 200,000 a la semana. Por tanto, el número de empresas es 200,000 casetes divididos entre 400 casetes por empresa, lo que representa 500 empresas.

# CAPÍTULO 13

1a. El programa del ingreso total de Aguas Minerales Aguirre relaciona el ingreso total para cada cantidad vendida. Por ejemplo, Aguas Minerales Aguirre puede vender 1 botella por $8, lo que le proporciona un ingreso total de $8 si la cantidad producida es de 1 botella.

1b. El programa del ingreso marginal de Aguas Minerales Aguirre relaciona el ingreso marginal que resulta de aumentar la cantidad vendida en una botella. Por ejemplo, Aguas Minerales Aguirre puede vender 1 botella para obtener un ingreso total de $8. Aguas Minerales Aguirre puede vender 2 botellas en $6 cada una, lo que le da un ingreso total de $12 cuando la cantidad es de 2 botellas. Por tanto, al aumentar la cantidad vendida de 1 a 2 botellas, el ingreso marginal es de $4 ($12 menos $8).

3a. La producción que maximiza el beneficio de Aguas Minerales Aguirre es de 1.5 botellas.

El costo marginal de aumentar la cantidad de 1 a 2 botellas es $4 ($7 menos $3). Es decir, el costo marginal de las 1.5 botellas es $4. El ingreso marginal de aumentar la cantidad vendida de 1 a 2 botellas es de $4 ($12 menos $8). Por tanto, el ingreso marginal de 1.5 botellas es de $4. El beneficio se maximiza cuando la cantidad producida hace que el costo marginal sea igual al ingreso marginal. La producción que maximiza el beneficio es de 1.5 botellas.

3b. El precio que maximiza el beneficio de Aguas Minerales Aguirre es $7 por botella.

El precio que maximiza el beneficio es el precio más alto al que puede vender Aguas Minerales Aguirre la producción que maximiza el beneficio (1.5 botellas). Aguas Minerales Aguirre puede vender l botella por $8 y 2 botellas por $6, por lo que puede vender 1.5 botellas por $7 cada una.

3c. El costo marginal de Aguas Minerales Aguirre es $4.

3d. El ingreso marginal de Aguas Minerales Aguirre es $4.

3e. El beneficio económico de Aguas Minerales Aguirre es $5.50.

El beneficio económico es igual al ingreso total menos el costo total. El ingreso total es igual al precio ($7 por botella) multiplicado por la cantidad (1.5 botellas), que es $10.50. El costo total de producir 1 botella es $3 y el costo total de producir 2 botellas es $7, por lo que el costo total de producir 1.5 botellas es $5. El beneficio es igual a $10.50 menos $5, que es $5.50.

3f. El negocio de Aguas Minerales Aguirre es ineficiente. Aguirre cobra un precio de $7 por botella, por lo que los consumidores obtienen un beneficio marginal de $7 por botella. El costo marginal de Aguas Aguirre es de $4.00 por botella. Es decir, el beneficio marginal de $7 por botella excede al costo marginal de Aguas Aguirre.

5a. La producción que maximiza el beneficio es de 150 periódicos al día. El beneficio se maximiza cuando la empresa elabora la producción a la que el costo marginal es igual al ingreso marginal. Dibuje la curva del ingreso marginal. Va desde 100 sobre el eje *y* hasta 250 en el eje *x*. La curva del ingreso marginal cruza la curva del costo marginal a la cantidad de 150 periódicos por día.

5b. El precio que se cobra es $0.70 por periódico.

En la curva de demanda se observa el precio más alto al que el editor puede vender 150 periódicos al día.

5c. El ingreso total diario es de $105 (150 periódicos a $0.70 cada uno).

5d. La demanda es elástica.

A lo largo de una curva de demanda en línea recta, la demanda es elástica a todos los precios por encima del punto medio de la curva de demanda. El precio en el punto medio es $0.50. Por tanto, a $0.70 el periódico, la demanda es elástica.

7a. La cantidad eficiente es 250 periódicos, la cantidad que hace que el beneficio marginal (precio) sea igual al costo marginal. Al disponer de 250 periódicos, las personas están dispuestas a pagar $0.50 por un periódico. Para producir 250 periódicos, el editor incurre en un costo marginal de $0.50 por periódico.

7b. El excedente del consumidor es de $22.50 por día.

El excedente del consumidor es el área situada por debajo de la curva de demanda y por encima del precio. El precio es de $0.70, por lo que el excedente del consumidor es igual a ($1.00 menos $0.70) multiplicado por 150 periódicos al día entre 2, que es de $22.50 al día.

7c. La pérdida irrecuperable es de $15 por día.

La pérdida irrecuperable ocurre porque el editor no produce la cantidad eficiente. La producción está restringida a 150 y el precio aumenta hasta $0.70. La pérdida irrecuperable es igual a ($0.70 menos $0.40) multiplicada por 100/2.

9. Lo máximo que se gastará en búsqueda de rentas es de $5.50 al día, una cantidad igual al beneficio económico de Aguas Minerales Aguirre. El costo social total es igual a la pérdida irrecuperable más la cantidad gastada en búsqueda de rentas. Para calcular la pérdida irrecuperable se calcula primero la producción eficiente, es decir, el punto de intersección de la curva de demanda (curva del beneficio marginal) y la curva del costo marginal. Se hace esto determinando las ecuaciones para las dos curvas y solucionándolas. La producción eficiente es de 2.25 botellas. La pérdida irrecuperable es igual a $1.125. La pérdida para la sociedad es de $6.625 ($5.50 más $1.125).

11a. La empresa producirá 2 pies cúbicos al día y los venderá por $0.06 el pie cúbico. La pérdida irrecuperable será de $0.04 por día.

Dibuje la curva del ingreso marginal. Va desde 10 sobre el eje *y* hasta 2.5 sobre el eje *x*. La producción que maximiza el beneficio es de 2 pies cúbicos, en donde el ingreso marginal es igual al costo marginal. El precio cobrado es el más alto que pagarán las personas por 2 pies cúbicos al día, que es de $0.06 por pie cúbico. La producción eficiente es de 4 pies cúbicos, en donde el costo marginal es igual al precio (beneficio marginal). Por tanto, la pérdida irrecuperable es

(4 menos 2 pies cúbicos) multiplicado por ($0.06 menos $0.02)/2.

11b. La empresa producirá 3 pies cúbicos al día y cobrará $0.04 por pie cúbico. La pérdida irrecuperable es de $0.01 al día.

Si la empresa está regulada para que sólo obtenga un beneficio normal, elaborará la producción a la cual el precio sea igual al costo promedio; es decir, en la intersección de la curva de demanda y la curva *CP*.

11c. La empresa producirá 4 pies cúbicos al día y cobrará $0.02 por pie cúbico. No hay pérdida irrecuperable.

Si la empresa está regulada para ser eficiente, producirá la cantidad a la cual el precio (beneficio marginal) sea igual al costo marginal; es decir, en la intersección de la curva de demanda y la curva del costo marginal.

# CAPÍTULO 14

1a. Veloz produce 100 pares a la semana.

Para maximizar el beneficio, la empresa Veloz produce la cantidad a la cual el ingreso marginal es igual al costo marginal.

1b. Veloz cobra $20 por par.

Para maximizar el beneficio, Veloz cobra el precio más alto que puede cobrar por los 100 pares de zapatos de acuerdo con la curva de demanda.

1c. Veloz obtiene un beneficio de $500 a la semana.

El beneficio económico es igual al ingreso total menos el costo total. El precio es $20 y la cantidad vendida es de 100 pares, por lo que el ingreso total es de $2,000. El costo promedio es $15, por lo que el costo total es igual a $1,500. El beneficio económico es igual a $2,000 menos $1,500, que es $500 a la semana.

3a. La empresa produce 100 pares y los vende a $60 el par.

Para maximizar el beneficio, la empresa produce la cantidad a la cual el costo marginal es igual al ingreso marginal. El costo marginal es $20 por par. La empresa puede vender 200 pares a $20 cada uno, por lo que el ingreso marginal es de $20 a 100 pares. (La curva del ingreso marginal se encuentra a mitad de camino entre el eje *y* y la curva de demanda.)

La empresa vende los 100 pares al precio más alto posible que están dispuestos a pagar los consumidores, lo que se obtiene de la curva de demanda. Este precio es de $60 el par.

3b. El beneficio económico de la empresa es cero.

La empresa produce 100 pares y los vende a $60 el par, por lo que el ingreso total es de $6,000. El costo total es la suma del costo fijo total más el costo variable total de 100 pares. El costo total es igual a $4,000 más ($20 multiplicado por 100), que es $6,000. El beneficio de la empresa es cero.

3c. La empresa produce 200 pares y los vende a $60 el par.

Para maximizar el beneficio, la empresa produce la cantidad en la que el costo marginal es igual al ingreso marginal. El costo marginal es $20 por par. A $20 el par, la empresa puede vender 400 pares (el doble del número sin publicidad), por lo que el ingreso marginal es de $20 a una cantidad de 200 pares. (La curva del ingreso marginal se encuentra a mitad de camino entre el eje *y* y la curva de demanda.)

La empresa vende los 200 pares al precio más alto posible que estén dispuestos a pagar los consumidores (según lo indica la curva de demanda). Este precio es de $60 el par.

3d. La empresa obtiene un beneficio económico de $1,000.

La empresa produce 200 pares y los vende a $60 el par, por lo que el ingreso total es de $12,000. El costo total es la suma del costo fijo total más el costo de publicidad más el costo variable total de 200 pares. El costo total es igual a $4,000 más $3,000 más ($20 multiplicado por 200), que es $11,000. La empresa obtiene un beneficio económico de $1,000.

3e. La empresa gastará $3,000 en publicidad porque obtiene un beneficio económico más alto que cuando no se anuncia.

3f. La empresa no cambiará la cantidad que produce o el precio que cobra. La empresa obtiene un menor beneficio económico.

5. La empresa no cambiará la cantidad que produce ni el precio que cobra. La empresa obtiene un menor beneficio económico.

La empresa maximiza el beneficio al elaborar la producción a la cual el costo marginal es igual al ingreso marginal. Un aumento en el costo fijo aumenta el costo total, pero no cambia el costo marginal. Por tanto, la empresa no cambia su producción ni el precio que cobra. Los costos totales de la empresa se han incrementado y su ingreso total no ha cambiado, por lo que la empresa obtiene un menor beneficio económico.

7a. El precio se eleva, la producción aumenta y el beneficio económico se incrementa.

La empresa dominante produce la cantidad y establece el precio en forma tal que maximice su beneficio. Cuando aumenta la demanda, se incrementa el ingreso marginal, por lo que la empresa elabora una producción mayor. El precio más alto al que la empresa dominante puede vender su producción aumenta. Debido a que el precio excede al costo marginal, se incrementa el beneficio económico.

7b. El precio se eleva, la producción aumenta y el beneficio económico aumenta.

Las empresas pequeñas son tomadoras de precios, por lo que el precio que cobran se eleva. Debido a que estas empresas son tomadoras de precios, el precio es también igual al ingreso marginal. Debido a que el ingreso marginal aumenta, las empresas pequeñas se desplazan a lo largo de sus curvas de costo marginal (curvas de oferta) y se incrementa la cantidad que producen. Debido a que el precio excede al costo marginal, el beneficio económico aumenta.

9a. El juego tiene dos jugadores (A y B) y cada jugador tiene dos estrategias: contestar sinceramente o mentir. Hay cuatro posibles resultados: ambos contestan con sinceridad; ambos mienten; A miente y B contesta con sinceridad, y B miente y A contesta con sinceridad.

9b. La matriz de recompensas tiene las siguientes celdas. Ambos contestan con sinceridad: A obtiene $100 y B obtiene $100; ambos mienten: A obtiene $50 y B obtiene $50; A miente y B contesta con sinceridad: A obtiene $500 y B obtiene $0; B miente y A contesta con sinceridad: A obtiene $0 y B obtiene $500.

9c. El equilibrio es que cada jugador mienta y obtenga $50.

Si B contesta con sinceridad, la mejor estrategia para A es mentir porque obtendría $500 en lugar de $100. Si B miente, la mejor estrategia para A es mentir porque obtendría $500 en lugar de $0. Por tanto, la mejor estrategia para A es mentir, sin importar lo que haga B. Repita el ejercicio para B. La mejor estrategia para B es mentir, sin importar lo que haga A.

11a. Cada empresa obtiene un beneficio económico nulo o normal.

Si ambas empresas engañan, cada una bajará el precio en un intento por apropiarse de la participación de mercado de la otra empresa. En el proceso, el precio descenderá hasta que cada empresa obtenga un beneficio normal.

11b. La matriz de recompensas tiene las siguientes celdas. Ambas cumplen el convenio: Jabonoso obtiene un beneficio de $1 millón y Espumoso obtiene un beneficio de $1 millón; Ambas engañan: Jabonoso obtiene $0 beneficio y Espumoso obtiene $0 beneficio. Jabonoso engaña y Espumoso cumple el contrato: Jabonoso obtiene un beneficio de $1.5 millones y Espumoso incurre en una pérdida de $0.5 millones. Espumoso engaña y Jabonoso cumple el contrato: Espumoso obtiene un beneficio de $1.5 millones y Jabonoso incurre en una pérdida de $0.5 millones.

11c. La mejor estrategia para cada empresa es engañar.

Si Espumoso cumple el contrato, la mejor estrategia para Jabonoso es engañar, porque obtendría un beneficio de $1.5 millones en lugar de $1 millón. Si Espumoso engaña, la mejor estrategia para Jabonoso es engañar porque obtendría un beneficio de $0 (resultado competitivo), en lugar de incurrir en una pérdida de $0.5 millones. Por tanto, la mejor estrategia para Jabonoso es engañar, sin importar lo que haga Espumoso. Repita el ejercicio para Espumoso. La mejor estrategia para Espumoso es engañar, sin importar lo que haga Jabonoso.

11d. El equilibrio es que ambas empresas engañen y que cada una obtenga un beneficio normal.

11e. Cada empresa puede adoptar una estrategia de golpe por golpe o una estrategia detonante. En las páginas 299-300 se proporcionan descripciones de estas estrategias.

## CAPÍTULO 15

1a. La tasa salarial es de $6 por hora. La tasa salarial se ajusta para hacer que la cantidad de trabajo demandada sea igual a la ofrecida.

1b. El número de recogedores contratados es de 400 diarios. A una tasa salarial de $6 por hora, se contratan a 400 recogedores cada día.

1c. El ingreso recibido es de $2,400 por hora. El ingreso es igual a la tasa salarial ($6 por hora) multiplicada por el número de recogedores (400).

3a. El producto marginal del trabajo es el aumento en el producto total como resultado de contratar a un estudiante adicional. Por ejemplo, si Amanda aumenta el número de estudiantes contratados de 2 a 3, el producto total (la cantidad de pescado empacado) aumenta de 50 a 90 kilogramos. El producto marginal de contratar al tercer estudiante es de 40 kilogramos de pescado.

3b. El ingreso del producto marginal del trabajo es el aumento en el ingreso total que resulta de contratar a un estudiante adicional. Por ejemplo, si Amanda contrata a 2 estudiantes, producen 50 kilogramos de pescado y Amanda vende el pescado a $0.50 el kilogramo. El ingreso total es de $25. Si Amanda aumenta el número de estudiantes contratados de 2 a 3, el producto total aumenta a 90 kilogramos. El ingreso total proveniente de la venta de este pescado es de $45. El ingreso del producto marginal que resulta de contratar al tercer estudiante es de $20 ($45 menos $25). En forma alternativa, el ingreso del producto marginal es igual al producto marginal multiplicado por el ingreso marginal (precio). El ingreso del producto marginal de contratar al tercer estudiante es de $20, que es igual a los 40 kilogramos de pescado que ella vende a $0.50 el kilogramo.

3c. Un punto sobre la curva de demanda de trabajo de Amanda es el siguiente: a una tasa de salarios de $20 por hora, Amanda contratará a 3 estudiantes. La curva de demanda de trabajo es la misma que la curva del ingreso del producto marginal.

3d. Amanda contrata a 7 estudiantes.

Amanda contrata el número de estudiantes que hace que el ingreso del producto marginal sea igual a la tasa salarial de $7.50 la hora. Cuando Amanda aumenta el número de estudiantes de 6 a 7, el producto marginal es de 15 kilogramos de pescado por hora, el cual vende a $0.50 el kilogramo. El ingreso del producto marginal es de $7.50, es decir, igual a la tasa salarial.

5a. El producto marginal no cambia. El producto marginal que resulta de contratar al tercer estudiante sigue siendo 40 kilogramos de pescado.

5b. El ingreso del producto marginal disminuye.

Si Amanda contrata al tercer estudiante, el producto marginal es de 40 kilogramos de pescado. Pero ahora Amanda vende el pescado a $0.3333 el kilogramo, por lo que el ingreso del producto marginal es ahora $13.33, lo que es menor a los $20 anteriores.

5c. La demanda de trabajo de Amanda disminuye y su curva de demanda de trabajo se desplaza hacia la izquierda. Amanda está dispuesta a pagar a los estudiantes el ingreso de su producto marginal y la disminución del precio del pescado ha bajado el ingreso de su producto marginal.

5d. Amanda contratará a menos estudiantes. A la tasa salarial de $7.50, el número de estudiantes que contrata Amanda disminuye a medida que se desplaza hacia la izquierda la curva de demanda de trabajo.

7a. El ingreso del producto marginal no cambia. Si Amanda contrata al tercer estudiante, el producto marginal es de 40 kilogramos de pescado y Amanda vende el pescado a $0.50 el kilogramo, por lo que el ingreso del producto marginal sigue siendo de $20.

7b. La demanda de trabajo de Amanda sigue siendo la misma porque el ingreso del producto marginal no ha cambiado.

7c. Amanda contratará a menos estudiantes. A la tasa salarial de $10 por hora, contrata al número de estudiantes que hace que el ingreso del producto marginal sea igual a $10 por hora. Ahora Amanda contrata a 6 estudiantes en lugar de 7. El producto marginal que resulta cuando Amanda contrata al sexto estudiante es de 20 kilogramos de pescado por hora y Amanda vende este pescado a $0.50 el kilogramo. El ingreso del producto marginal del sexto estudiante es de $10 por hora.

9. Amanda maximiza su beneficio cuando el ingreso del producto marginal es igual a la tasa salarial y cuando el ingreso marginal es igual al costo marginal.

Cuando la tasa salarial es $7.50 por hora, Amanda contrata a 7 estudiantes. El ingreso del producto marginal es el producto marginal (15 kilogramos de pescado por hora) multiplicado por el precio del pescado ($0.50 el kilogramo), lo que es igual a $7.50 por hora.

El ingreso marginal que resulta de vender 1 kilogramo de pescado adicional es de $0.50. El séptimo estudiante cuesta $7.50 por hora y tiene un producto marginal de 15 kilogramos de pescado. Por tanto, el costo marginal de 1 kilogramo de pescado adicional es $7.50 por hora dividido entre 15 kilogramos de pescado, que es igual a $0.50. Por tanto, cuando Amanda contrata a 7 estudiantes, el ingreso marginal es igual al costo marginal y se maximiza el beneficio.

11. Venus instala tres líneas de producción.

Con una línea de producción: el valor presente del ingreso del producto marginal en el primer año es de $590,000/1.05, que es igual a $561,904.76. El valor presente del ingreso del producto marginal en el segundo año es $590,000/(1.05)$^2$, que es $535,147.39. Por tanto, el valor presente de los flujos del ingreso del producto marginal es $1,097,052.15. El costo de una línea de producción es $1 millón. El valor presente neto es de $97,052.15, por lo que Venus compra la línea de producción.

Cálculos similares para 2 y 3 líneas de producción dan valores presentes netos positivos, por lo que Venus instala tres líneas de producción.

13. Para contestar a este problema, es necesario conocer la tasa de interés y el precio que espera Gregorio para el próximo año. Si espera que el precio se eleve en un porcentaje mayor que la tasa de interés, no extrae y se espera a que haya un precio más alto. Si espera que el precio se eleve en un porcentaje menor que la tasa de interés, extrae todo ahora. Si espera que el precio se eleve en un porcentaje igual a la tasa de interés, no le importa cuánto extraiga.

15a. El ingreso de $2,400 al día se divide entre el costo de oportunidad y la renta económica. La renta económica es el área situada por encima de la curva de oferta y por debajo de la tasa de salarios. Para mostrar la renta económica sobre la gráfica, extienda la curva de oferta hasta que toque el eje $y$. Sombree el área por encima de la curva de oferta hasta la tasa de salarios de $6 por hora.

15b. El costo de oportunidad es el área situada por debajo de la curva de oferta. Para mostrar el costo de oportunidad sobre la gráfica, sombree el área por debajo de la curva de oferta hasta 400 recogedores sobre el eje $x$.

## CAPÍTULO 16

1a. La tasa salarial para trabajadores poco calificados es de $5 por hora.

La tasa salarial se ajusta para hacer que la cantidad demandada de trabajo sea igual a la ofrecida.

1b. Las empresas emplean 5,000 horas de trabajadores poco calificados cada día. A una tasa salarial de $5 por hora, cada día se emplean 5,000 horas.

1c. La tasa salarial de trabajadores de alta calificación es de $8 por hora.

Debido a que el producto marginal de los trabajadores de alta calificación es el doble del producto marginal de los trabajadores de baja calificación, las empresas están dispuestas a pagar a los trabajadores de alta calificación el doble de la tasa salarial que están dispuestas a pagar a los de baja calificación. Por ejemplo, la curva de demanda para trabajadores poco calificados nos dice que las empresas están dispuestas a contratar 6,000 horas de trabajadores de baja calificación a una tasa salarial de $4 por hora. Por tanto, al ser los trabajadores calificados el doble de productivos que los de baja calificación, las empresas están dispuestas a contratar 6,000 horas de trabajadores de alta calificación a $8 por hora. Es decir, la curva de demanda de trabajo de alta calificación se encuentra por encima de la curva de demanda de trabajadores de baja calificación, en forma tal que, a cada cantidad de trabajadores, la tasa salarial para los trabajadores de alta calificación es el doble que la de los de baja calificación.

La oferta de trabajadores de alta calificación se encuentra por encima de la oferta de trabajadores de baja calificación, en forma tal que la distancia vertical entre las dos curvas de oferta es igual al costo de adquirir la mayor calificación ($2 por hora). Es decir, los trabajadores de alta calificación ofrecerán 6,000 horas al día si la tasa de salarios es de $8 por hora.

El equilibrio en el mercado de trabajo para los trabajadores de alta calificación ocurre a una tasa salarial de $8 por hora.

1d. Las empresas emplean 6,000 horas de trabajadores de alta calificación por día.

3a. La tasa salarial es de $10 por hora.

Con la cantidad de trabajadores de alta calificación igual a 5,000 horas por día, la curva de demanda de trabajo nos dice que las empresas están dispuestas a pagar $10 por hora para contratar a trabajadores de alta calificación.

3b. El diferencial de salarios es de $5 por hora.

Las curvas de demanda de trabajo nos dicen que las empresas están dispuestas a pagar $10 por hora para contratar a trabajadores de alta calificación y $5 por hora para contratar a trabajadores de baja calificación.

5a. La tasa salarial es de $6 por hora.

Un salario mínimo es la tasa de salarios más baja que se puede pagar a un trabajador de baja calificación.

5b. Las empresas contratan 4,000 horas de trabajadores de baja calificación al día.

Al salario mínimo de $6 por hora, la demanda de trabajo de baja calificación nos dice que las empresas sólo contratarán 4,000 horas de trabajadores de baja calificación al día.

7a. La tasa salarial es de $10 por día.

La empresa de monopsonio maximiza su beneficio contratando la cantidad de trabajo que hace que el costo marginal del trabajo sea igual al ingreso del producto marginal del trabajo (véase la figura 16.5). El producto marginal del quinto trabajador es de 10 granos por día. El oro se vende a $1.40 por grano, por lo que el ingreso del producto marginal del quinto trabajador es de $14 al día. El costo marginal del quinto trabajador al día es igual al costo total del trabajo de 5 trabajadores al día, menos el costo total del trabajo de 4 trabajadores al día. La oferta de trabajo nos dice que para contratar a 5 trabajadores al día, la compañía de oro tiene que pagar $10 al día, por lo que el costo total del trabajo es $50 por día. La oferta de trabajo también nos dice que para contratar a 4 trabajadores al día, la compañía de oro tiene que pagar $9 al día, por lo que el costo total del trabajo es $36 al día. Por tanto, el costo marginal del quinto trabajador es $14 al día ($50 menos $36).

La cantidad de trabajo que maximiza el beneficio es 5 trabajadores, porque el costo marginal del quinto trabajador es igual al ingreso del producto marginal del mismo. El monopsonio paga a los 5 trabajadores el salario más bajo posible: la tasa salarial a la cual los 4 trabajadores están dispuestos a ofrecer su trabajo. El programa de oferta de trabajo nos dice que 5 trabajadores están dispuestos a ofrecer su trabajo por $10 al día.

7b. La compañía de oro contrata a 5 trabajadores al día.

7c. El ingreso del producto marginal del quinto trabajador es de $14 al día.

9. Una tasa salarial por encima de $10 al día, impuesta por los tribunales, aumentará la tasa de salarios. La cantidad de trabajo ofrecida aumentará y el empleo aumentará. El ingreso del producto marginal del monopsonio disminuirá a medida que se contrata más trabajo.

# CAPÍTULO 17

1a. Para dibujar la curva de Lorenz, trace el porcentaje acumulado de hogares sobre el eje $x$ y el porcentaje acumulado del ingreso sobre el eje $y$. Haga que la escala sea igual sobre los dos ejes. La curva de Lorenz pasará a través de los puntos siguientes: 20% sobre el eje $x$ y 5% sobre el eje $y$; 40% sobre el eje $x$ y 16% sobre el eje $y$; 60% sobre el eje $x$ y 33% sobre el eje $y$; 80% sobre el eje $x$ y 57% sobre el eje $y$, y 100% sobre el eje $x$ y 100% sobre el eje $y$.

1b. El ingreso en Estados Unidos está distribuido en forma más desigual que en esta economía.

La línea de igualdad muestra una distribución del ingreso igualitaria. Cuanto más cerca se encuentra la curva de Lorenz de la línea de igualdad, más equitativa es la distribución del ingreso. La curva de Lorenz para esta economía se encuentra entre la curva de Lorenz para Estados Unidos y la línea de igualdad.

1c. El ingreso en Brasil está distribuido en forma mucho más desigual que en esta economía.

La línea de igualdad muestra una distribución del ingreso igualitaria. Cuanto más cerca se encuentra la curva de Lorenz de la línea de igualdad, más equitativa es la distribución del ingreso. La curva de Lorenz para esta economía se encuentra entre la curva de Lorenz para Brasil y la línea de igualdad.

3a. Las distribuciones del ingreso y la riqueza son las mismas. Cada persona de 45 años de edad tiene ingresos de $30,000 al año y una riqueza de $255,000.

Cada persona de 45 años de edad ha ganado $30,000 anuales durante 31 años, un total de $930,000. El ingreso de toda la vida será de $1,050,000 (35 multiplicado por $30,000). Debido a que el ingreso total se consume a una tasa constante durante toda la vida, el consumo es de $15,000 al año ($1,050,000 dividido entre 70). El consumo total de una persona de 45 años de edad es de $675,000 (45 multiplicado por $15,000). Por tanto, el ahorro acumulado (riqueza) a los 45 años de edad es de $255,000 ($930,000 menos $675,000).

3b. El ingreso es de $30,000 anuales para las personas con edades de 25, 35 y 45 años y de cero para las personas con edades de 55 y 65. La riqueza está distribuida en forma desigual. La riqueza es de $45,000 para los de 25 años de edad; $105,000 para los de 35 años de edad; $255,000 para los de 45 años; $225,000 para los de 55 años y $75,000 para los de 65 años de edad. (Cada cálculo es similar al de la respuesta 3a.)

El caso (a) muestra mayor igualdad que el caso (b). Las distribuciones de la riqueza y el ingreso son iguales en el caso (a), pero desiguales en el caso (b).

5a. La tasa salarial promedio es de $3 por hora.

En una hora, las 10 personas ganan un total de $30. Por tanto, la tasa salarial promedio es de $3 por hora.

5b. La razón del salario más alto al más bajo es 5/1 ($5/$1).

5c. El ingreso promedio diario es de $14.50 por hora.

Para calcular el ingreso total ganado, comience con una tasa salarial y determine el número de horas que trabajará cada uno a esa tasa salarial (primera tabla); después encuentre el número de personas que trabajan a esa tasa salarial (segunda tabla). Por ejemplo, si la tasa salarial es de $3 por hora, las personas que trabajan a esa tasa lo harán durante 4 horas al día, y el número de personas que trabajarán a $3 por hora es de 4 personas. El ingreso diario total de estas 4 personas es de $48 ($3 multiplicado por 4 multiplicado por 4). El ingreso total de las 10 personas es de $145 por día. El ingreso diario promedio es igual a $14.50.

5d. La razón del ingreso más alto al más bajo es 40/1.

El ingreso diario más alto ganado es de $40. A $5 por hora, solo trabaja 1 persona y esa persona trabaja 8 horas al día. El ingreso diario más bajo es de $1. A $1 la hora, sólo trabaja 1 persona y esa persona lo hace durante 1 hora al día. La razón del ingreso más alto al más bajo es 40 ($40/$1).

5e. La distribución de las tasas salariales por hora es simétrica alrededor de la tasa salarial de $3.00 por hora. A $1 por hora, el 10% de las personas (una persona) trabaja; a $2 por hora, el 20% de las personas (dos personas) trabaja; a $3 por hora, el 40% de las personas (cuatro personas) trabaja; a $4 por hora, el 20% de las personas (dos personas) trabaja; a $5 la hora, el 10% de las personas (una persona) trabaja.

5f. La distribución de los ingresos diarios está sesgada hacia la izquierda: el 10% de las personas (1 persona) gana $1 al día; el 20% de las personas (dos personas) gana $4 al día; el 40% de las personas (cuatro personas) gana $12 al día; el 20% de las personas (dos personas) gana $24 al día; el 10% de las personas (una persona) gana $40 al día. El ingreso más común ($12 al día) es menor que el ingreso promedio ($14.50 por día).

5g. La distribución del ingreso está sesgada a pesar de la distribución igualitaria de las capacidades (tal como lo señala la distribución de las tasas salariales). La distribución del ingreso recibe la influencia de las elecciones que hacen las personas sobre cuántas horas trabajar.

7a. Para dibujar la curva de Lorenz, trace el porcentaje acumulado de hogares sobre el eje x y el porcentaje acumulado del ingreso después de impuestos y beneficios sobre el eje y. Haga iguales las escalas sobre los dos ejes. La curva de Lorenz pasa a través de los puntos siguientes: 20% sobre el eje x y 15.0% sobre el eje y; 40% sobre el eje x y 32.0% sobre el eje y; 60% sobre el eje x y 50.3% sobre el eje y; 80% sobre el eje x y 72.7% sobre el eje y y 100% sobre el eje x y 100% sobre el eje y.

El ingreso para cada 20% de los hogares es igual al ingreso del mercado menos los impuestos más los beneficios. Por ejemplo, para el tercer 20%, el ingreso después de impuestos y beneficios es igual a $18 millones menos impuestos de $2.7 millones (15% de 18 millones) más beneficios de $3 millones, lo que equivale a $18.3 millones.

7b. El gobierno de esta economía redistribuye el ingreso menos de lo que lo hace el gobierno de Estados Unidos. Trace las curvas de Lorenz original y nueva para la economía en este problema en la figura 17.5 y compare las cantidades de redistribución en esta economía con las de la economía estadounidense.

## CAPÍTULO 18

1a. La capacidad que logra el beneficio neto máximo es 2.5 millones de litros al día.

El beneficio neto del último millón de litros de capacidad es igual al beneficio marginal menos el costo marginal. La capacidad que maximiza el beneficio neto es la capacidad a la cual el beneficio neto es de cero. Por tanto, la capacidad que maximiza el beneficio neto es aquella en la que el beneficio marginal es igual al costo marginal. Esto ocurre cuando la capacidad es de 2.5 millones de litros al día.

1b. $62.50 por persona.

La capacidad eficiente es aquella que maximiza el beneficio neto. El costo total del sistema de drenaje es la suma del costo marginal de cada litro de capacidad adicional. Es decir, el costo total es el área situada por debajo de la curva del costo marginal hasta los 2.5 millones de litros, lo que equivale a $62.5 millones. La población es de un millón, por lo que cada persona tendrá que pagar $62.50.

1c. El equilibrio político se obtiene con un sistema de drenaje que tenga una capacidad de 2.5 millones de litros.

Si los votantes están bien informados, el equilibrio político será la capacidad eficiente.

1d. Los burócratas proporcionarán una capacidad de 5 millones de litros.

Con votantes racionalmente ignorantes, los burócratas maximizarán el presupuesto. Es decir, aumentarán la capacidad hasta que el beneficio neto sea cero. El beneficio total proveniente de una capacidad de 5 millones de litros es de $250 millones. El costo total de una capacidad de 5 millones de litros es de $250 millones. Por tanto, el beneficio neto de una capacidad de 5 millones de litros es cero.

3a. Los impuestos serán progresivos: las personas de tipo $B$ pagarán una tasa impositiva más alta que las personas del tipo $A$.

El teorema del votante mediano nos dice que la estructura impositiva será aquella que minimice los impuestos del votante mediano. El votante mediano es una persona tipo $A$.

3b. La tasa salarial bruta (antes de impuestos) de las personas tipo $A$ aumentará en el monto del impuesto y se emplearán menos personas de este tipo. La tasa salarial neta (después de impuestos) seguirá siendo $10 por hora. La tasa salarial antes de impuestos de las personas tipo $B$ permanecerá en $100 y el empleo de las personas tipo $B$ no cambiará. La tasa salarial después de impuestos bajará por el importe del impuesto.

5a. La tasa salarial de equilibrio es de $12 por hora y cada semana se trabajan 30 horas.

La tasa salarial de equilibrio es aquella en que la cantidad demandada de trabajo es igual a la cantidad ofrecida. Las horas de trabajo realizado son iguales a la cantidad de equilibrio de trabajo contratado.

5b. (i) La nueva tasa salarial es de $13.60 la hora. (ii) El nuevo número de horas trabajadas es de 24 a la semana. (iii) La tasa salarial después de impuestos es de $9.60 por hora. (iv) El ingreso fiscal es de $96 a la semana. (v) La pérdida irrecuperable es de $12 a la semana.

Para resolver este problema puede trazarse una gráfica (similar a la figura 18.8b) o pueden usarse ecuaciones. La ecuación para la curva de demanda de trabajo antes de impuestos es $W = -(8/30)L + 20$, donde $W$ es la tasa salarial y $L$ son las horas de trabajo. Después de la aplicación del impuesto a los patrones para el seguro social, la ecuación para la curva de demanda de trabajo es $W = -(8/30)L + 16$. La ecuación para la curva de oferta de trabajo es $W = (12/30)L$. Por tanto, el empleo de equilibrio es 24 horas a la semana. Para encontrar el costo del trabajo, sustituya 24 por $L$ en la curva de demanda de trabajo. Para encontrar la tasa salarial después de impuestos, sustituya 24 por $L$ en la curva de demanda de trabajo después de la aplicación del impuesto.

El ingreso fiscal es de $4 por hora multiplicado por las 24 horas empleadas. La pérdida irrecuperable es igual al impuesto multiplicado por la mitad de la disminución en el empleo; es decir, $4 multiplicado por (30-24)/2.

7a. El precio de equilibrio es de $3 por kilogramo y la cantidad de equilibrio es de 14 kilogramos al mes.

Para resolver este problema, puede usarse una gráfica (similar a la figura 18.9) o ecuaciones. La ecuación para la curva de demanda es $P = -(1/2)Q + 10$. La ecuación para la curva de oferta antes de que se aplique el impuesto es $P = (1/2)Q - 4$. La solución de estas ecuaciones proporciona un precio de equilibrio de $3 por kilogramo y una cantidad de equilibrio de 14 kilogramos al mes.

7b. (i) El nuevo precio es de $4 por kilogramo. (ii) La nueva cantidad es 12 kilogramos por mes. (iii) El ingreso fiscal es de $24 por mes. (iv) La pérdida irrecuperable es de $2 por mes.

Con el impuesto de $2 por kilogramo, la curva de oferta se convierte en $P = (1/2)Q - 2$. Al resolver las nuevas ecuaciones de las curvas de oferta y demanda, se obtiene un precio de equilibrio de $4 por kilogramo y una cantidad de equilibrio de 12 kilogramos al mes. El ingreso fiscal es de $2 por kilogramo multiplicado por los 12 kilogramos comprados. La pérdida irrecuperable es igual al impuesto multiplicado por la mitad de la disminución en la cantidad comprada; es decir, $2 multiplicado por $(14 - 12)/2$.

## CAPÍTULO 19

1a. El precio es de $0.30 por botella.

Manantiales Elixir es un monopolio natural. Produce la cantidad a la que el ingreso marginal es igual al costo marginal y cobra el precio más alto posible de acuerdo con su curva de demanda. La curva del ingreso marginal es el doble de pronunciada que la curva de demanda, por lo que va desde 50 sobre el eje $y$ hasta 1.25 sobre el eje $x$. El ingreso marginal es igual al costo marginal a 1 millón de botellas al año. El precio más alto al que Manantiales Elixir puede vender 1 millón de botellas al año es $0.30 por botella, según se observa en la curva de demanda.

1b. Manantiales Elixir vende 1 millón de botellas al año.

1c. Elixir maximiza el excedente del productor.

Si Elixir tratara de maximizar el excedente total, produciría la cantidad a la que el precio es igual al costo marginal. Es decir, produciría 2 millones de botellas al año y las vendería a $0.10 la botella. Pero Elixir es un monopolio natural y maximiza su excedente del productor.

3a. El precio es $0.10 la botella.

La regulación de fijación del precio por el costo marginal establece el precio igual al costo marginal; es decir, el precio sería $0.10 por botella.

3b. Elixir vende 2 millones de botellas.

Con un precio de $0.10, Elixir maximiza el beneficio produciendo 2 millones de botellas (es decir, en la intersección de la curva de demanda y la curva del costo marginal).

3c. Elixir incurre en una pérdida económica de $150,000 al año.

El beneficio económico es igual al ingreso total menos el costo total. El ingreso total es de $200,000 (2 millones de botellas a $0.10 la botella). El costo total es de $350,000 (costo variable total de $200,000 más un costo fijo total de $150,000). Por tanto, Elixir incurre en una pérdida económica de $150,000 ($200,000 menos $350,000).

3d. El excedente del consumidor es de $400,000 al año.

El excedente del consumidor es el área situada por debajo de la curva de demanda y por encima del precio. El excedente del consumidor es igual a $0.40 la botella ($0.50 menos $0.10) multiplicado por 2 millones de botellas dividido entre dos, que es $400,000.

3e. La regulación es a favor del interés público porque se maximiza el excedente total. El resultado es eficiente.

El resultado es eficiente porque el beneficio marginal (o el precio) es igual al costo marginal. Cuando el resultado es eficiente, se maximiza el excedente total.

5a. El precio es $0.20 la botella.

La regulación de fijación del precio por el costo promedio establece el precio igual al costo promedio. El costo promedio es igual al costo fijo promedio más el costo variable promedio. Debido a que el costo marginal es constante en $0.10, el costo variable promedio es igual al costo marginal. El costo fijo promedio es el costo fijo total ($150,000) dividido entre la cantidad producida. Por ejemplo, cuando Elixir produce 1.5 millones de botellas, el costo fijo promedio es de $0.10, por lo que el costo promedio es $0.20. El precio al que Elixir puede vender 1.5 millones de botellas al año es $0.20 la botella.

5b. Elixir vende 1.5 millones de botellas.

5c. Elixir obtiene beneficios económicos nulos.

El beneficio económico es igual al ingreso total menos el costo total. El ingreso total es $300,000 (1.5 millones de botellas a $0.20 la botella). El costo total es de $300,000 (1.5 millones de botellas a un costo promedio de $0.20). Por tanto, Elixir obtiene beneficios económicos nulos.

5d. El excedente del consumidor es de $225,000 al año.

El excedente del consumidor es el área situada por debajo de la curva de demanda y por encima del precio. El excedente del consumidor es igual a $0.30 la botella ($0.50 menos $0.20) multiplicado por 1.5 millones de botellas dividido entre 2, lo que es igual a $225,000.

5e. La regulación crea una pérdida irrecuperable, por lo que el resultado es ineficiente. La regulación no corresponde al interés público.

7a. El precio es $500 por viaje y la cantidad es de 2 viajes al día.

La regulación a favor del interés público consiste en fijar el precio igual al costo marginal. Cada aerolínea cobra $500 por viaje y produce la cantidad a la que el precio es igual al costo marginal. Cada aerolínea hace 1 viaje al día.

7b. El precio es $750 por viaje y el número de viajes de equilibrio es de 1 viaje al día (uno por cada aerolínea en días alternados).

Si las aerolíneas logran cooptar al regulador, el precio que cobren será el mismo que cobraría un monopolio no regulado. El monopolio no regulado produce la cantidad y cobra el precio que maximizan sus beneficios. Esto es, produce la cantidad a la que el ingreso marginal es igual al costo marginal. Esta cantidad es de 1 viaje al día y el precio más alto que las aerolíneas pueden cobrar por ese viaje (según se observa de la curva de demanda) es $750.

7c. La pérdida irrecuperable es de $125 por día.

Se produce una pérdida irrecuperable debido a que el número de viajes disminuye de 2 a 1 al día y el precio aumenta de $500 a $750. La pérdida irrecuperable es igual a un viaje (2 menos 1) multiplicado por $250 ($750 menos $500) dividido entre 2. La pérdida irrecuperable es de $125 por día.

7d. La regulación es a favor del interés público si se maximiza el excedente total. Es decir, si el resultado es eficiente. Una regulación que es ineficiente es una regulación en interés del productor.

Las agencias de gobierno regulan la actividad económica estableciendo precios estándares y tipos de productos, y las condiciones de entrada al mercado. Las leyes antimonopolio son reglas concernientes a ciertos tipos de comportamiento del mercado.

Se usa la regulación cuando existe un monopolio natural y para hacer más eficiente el mercado en el que opera este monopolio natural. Un ejemplo de regulación es establecer precios para los sistemas de servicios locales y de tránsito. Las leyes antimonopolio se usan para prevenir que los productores intenten reducir la competencia entre ellos. Algunos ejemplos son: el acuerdo entre productores para fijar el precio y su intento por crear un monopolio.

# C A P Í T U L O   2 0

1a. La cantidad eficiente de desperdicios es de 3 toneladas a la semana.

La cantidad eficiente de desperdicios es la cantidad que hace que el costo marginal sea igual al beneficio marginal. Cuando la fábrica de insecticidas lanza 2 toneladas de desperdicios a la semana, el beneficio del criadero de truchas es de $875 por semana. Cuando la fábrica de insecticidas lanza 3 toneladas de desperdicios, el beneficio del criadero de truchas es de $775 por semana. La pérdida de beneficios proveniente de la tercera tonelada de desperdicios es de $100. El beneficio marginal de lanzar desperdicios para la fábrica de insecticidas (la disminución en costos al no tener que transportar los desperdicios en camiones) es de $100 por tonelada. Es decir, el costo marginal de la tercera tonelada para el criadero de truchas es igual al beneficio marginal de la tercera tonelada para la fábrica de insecticidas.

1b. Si el criadero de truchas es el dueño del lago, la cantidad de desperdicios óptima es de 3 toneladas a la semana.

La fábrica de insecticidas paga al criadero de truchas $100 por tonelada por el derecho a lanzar 3 toneladas de desperdicios a la semana.

1c. Si la fábrica de insecticidas es la dueña del lago, la cantidad de desperdicios óptima es de 3 toneladas a la semana.

El criadero de truchas paga a la fábrica de insecticidas $300 a la semana por el derecho de criar truchas y por un convenio de que el lanzamiento de desperdicios no excederá 3 toneladas a la semana.

3a. Un impuesto de $100 por tonelada logrará que se lance al lago una cantidad eficiente de desperdicios.

El costo de lanzar el desperdicio es de cero, por lo que la fábrica de insecticidas lanzará todos sus desperdicios. Un impuesto de $100 por tonelada aumentará el costo marginal de lanzamiento y reducirá la cantidad de desperdicios lanzados a 3 toneladas por semana.

3b. Si nadie posee el lago (es decir, si no existen derechos de propiedad), se puede alcanzar la cantidad eficiente de desperdicios aplicando el impuesto apropiado al contaminador.

5a. La cantidad que se puede lanzar es de 3 toneladas a la semana, esto es, se logra la cantidad eficiente.

5b. El precio de mercado de un permiso es $150 (o sea, $100 por tonelada). El criadero de truchas vende su permiso a la fábrica.

La fábrica y el criadero de truchas comparten por igual los permisos para lanzar 3 toneladas de desperdicios. Es decir, cada uno tiene un permiso para lanzar 1.5 toneladas de desperdicios. La cantidad eficiente de desperdicios es 3 toneladas, por lo que el criadero de truchas vende a la fábrica su permiso de contaminar a un precio de $100 la tonelada.

5c. El costo de lanzar desperdicios es cero, por lo que la fábrica de insecticidas lanzará todos sus desperdicios. Un impuesto de $100 por tonelada aumentará el costo marginal del lanzamiento y reducirá la cantidad de desperdicios lanzados a 3 toneladas por semana. En este problema, la fábrica tiene un permiso para lanzar 1.5 toneladas de desperdicios a la semana. Para estar en posibilidad de lanzar otras 1.5 toneladas a la semana, la fábrica tiene que comprar el permiso al criadero de truchas. La alternativa de lanzar las 1.5 toneladas es desplazarlas por camión con un costo de $100 por tonelada. Por tanto, el costo de oportunidad de comprar el permiso es de $150.

7a. Si las escuelas son competitivas, se inscriben 30,000 estudiantes y la colegiatura es de $4,000 por año.

En un mercado competitivo las escuelas maximizan el beneficio. Producen la cantidad a la que el beneficio marginal del último estudiante inscrito es igual al costo marginal de la educación del último estudiante inscrito. La colegiatura es de $4,000 por estudiante.

7b. El número eficiente de lugares es 50,000 y la colegiatura es de $4,000 por estudiante.

El número eficiente de lugares ocurre en donde el beneficio marginal social de la educación es igual a su costo marginal. El beneficio marginal social es igual al beneficio marginal privado más el beneficio externo. Por ejemplo, el beneficio marginal social de 50,000 lugares es igual al beneficio marginal privado de $2,000 más el beneficio externo de $2,000, que es $4,000.

## CAPÍTULO 21

1a. El ingreso esperado es de $2,000 por mes.

Elena espera obtener $4,000 con una probabilidad de 50% y nada con una probabilidad de 50%. El ingreso esperado de Elena es de $4,000 multiplicado por 0.5 más $0 multiplicado por 0.5, que es $2,000.

1b. La utilidad total esperada es 50 unidades.

Elena espera obtener $4,000 y 100 unidades de utilidad con una probabilidad de 50% y ningún ingreso y una utilidad de cero con una probabilidad de 50%. La utilidad esperada de Elena es 100 unidades multiplicado por 0.5 más 0 unidades multiplicado por 0.5, lo que es igual a 50 unidades por mes.

1c. Otra empresa tendría que ofrecer alrededor de $1,250 mensuales para que Elena no acepte el empleo riesgoso.

Elena obtendría 50 unidades de utilidad total de un ingreso seguro de aproximadamente $1,250 por mes (esto se deriva de la curva de utilidad de la riqueza cuando la utilidad total es de 50 unidades).

3. Zenaida tiene más aversión al riesgo.

Cuanto mayor sea la rapidez con que disminuye la utilidad marginal de la riqueza de una persona, más aversión al riesgo siente esa persona. Al aumentar la riqueza en 100 unidades, la utilidad marginal de Juan disminuye de 200 a 100 y de 100 a 50. Es decir, la utilidad marginal de Juan disminuye a la mitad al aumentar su riqueza en 100. A medida que aumenta la riqueza en 100 unidades, la utilidad marginal de Zenaida disminuye de 512 a 128 y de 128 a 32. Es decir, la utilidad marginal de Zenaida disminuye hasta una cuarta parte mientras su riqueza aumenta en 100.

5. Elena está dispuesta a pagar $4,500 por el seguro de su cabaña.

Al no tener seguro, la riqueza esperada de Elena es de $5,000 multiplicado por 0.25 más $0 multiplicado por 0.75. La riqueza esperada de Elena es de $1,250 y su utilidad esperada es de (aproximadamente) 25 unidades. Pero su utilidad garantizada es de 25 unidades con una riqueza de $500. Elena está dispuesta a pagar hasta $4,500 ($5,000 menos $500) por un seguro que le pague $5,000 si la casa se desploma.

7. Elena pondrá en práctica la regla de la búsqueda óptima que se explicó en las páginas 471-472.

## CAPÍTULO 22

1a. 0.10 computadora por televisor en 10 televisores.

1b. 0.40 computadora por televisor en 40 televisores.

1c. 0.70 computadora por televisor en 70 televisores.

1d. La gráfica muestra la línea con pendiente ascendente que pasa por los tres puntos descritos en las soluciones 1a, 1b y 1c.

El costo de oportunidad de un televisor se calcula como la disminución del número de computadoras producidas dividido entre el incremento del número de televisores producidos conforme nos movemos a lo largo de la *FPP*. El costo de oportunidad de un televisor aumenta conforme aumenta la cantidad producida de televisores.

3a. Realidad Virtual exporta televisores a Signos Vitales.

A los niveles de producción sin comercio, el costo de oportunidad de un televisor es 0.10 computadora en Realidad Virtual y 0.30 computadora en Signos Vitales. Debido a que cuesta menos producir un televisor en Realidad Virtual, Signos Vitales puede importar televisores a un precio menor del que podría producirlos. Y debido a que la computadora cuesta menos en Signos Vitales que en Realidad Virtual, Realidad Virtual puede importar computadoras a un costo menor del que podría producirlas.

3b. Realidad Virtual aumenta la producción de televisores y Signos Vitales disminuye la producción de televisores. Realidad Virtual reduce la producción de computadoras y Signos Vitales, aumenta la producción de computadoras.

Realidad Virtual aumenta la producción de televisores para exportar algunos a Signos Vitales, y Signos Vitales disminuye la producción de televisores, porque ahora importa algunos de Realidad Virtual.

3c. Cada país consume más de al menos un bien y posiblemente de los dos bienes.

Debido a que cada país tiene un menor costo de oportunidad que el otro en la producción de uno de los bienes, la producción total de ambos bienes puede aumentar.

3d. El precio de un televisor es superior a 0.10 computadora e inferior a 0.30 computadora.

El precio será más elevado que el costo de oportunidad sin comercio en Realidad Virtual (0.10 computadora) y menor que el costo de oportunidad sin comercio en Signos Vitales (0.30 computadora).

5a. El libre comercio aumenta la producción de al menos un bien (pero no necesariamente de los dos bienes) en ambos casos, porque cada país aumenta la producción del bien en el cual tiene ventaja comparativa.

5b. En el problema 3, el precio de un televisor en Realidad Virtual sube. En el problema 4, cae.

La razón es que en el problema 3, Realidad Virtual produce un pequeño número de televisores cuando no hay comercio y tiene el menor costo de oportunidad por televisor. Pero en el problema 4, Realidad Virtual produce un gran número de televisores cuando no hay comercio y tiene el mayor costo de oportunidad por televisor. Así que en el problema 3, Realidad Virtual se convierte en un exportador y aumenta la producción. El precio de un televisor sube. En el problema 4, Realidad Virtual se convierte en un importador, disminuye la producción y el precio de un televisor baja.

5c. En el problema 3, el precio de una computadora sube en Signos Vitales. En el problema 4 baja.

La razón es que en el problema 3, Signos Vitales produce un pequeño número de computadoras cuando no hay comercio y tiene el menor costo de oportunidad por computadora. Pero en el problema 4, Signos Vitales produce un gran número de computadoras cuando no hay comercio y tiene el mayor costo de oportunidad por computadora. Así que

en el problema 3, Signos Vitales se convierte en exportador de computadoras y aumenta la producción. El precio de una computadora sube. En el problema 4, Signos Vitales se convierte en importador de computadoras, reduce la producción y el precio de las computadoras baja.

7a. $9 por tonelada en el país importador y $1 por tonelada en el país exportador.

Éstos son los precios a los cuales ningún país desea importar o exportar.

7b. $5 por tonelada.

Éste es el precio al cual la cantidad demandada por el importador es igual a la cantidad ofrecida por el exportador.

7c. 400 millones de toneladas.

Ésta es la cantidad demandada y ofrecida al precio de equilibrio.

7d. Cero.

El saldo de la balanza comercial es cero, porque el valor importado es igual al valor exportado.

9a. $6 por tonelada.

La cantidad demandada por el importador a este precio es igual a la cantidad disponible con la cuota de 300 millones de toneladas.

9b. $600 millones.

El precio al cual los exportadores están dispuestos a vender 300 millones de toneladas es $4 por tonelada. Así que existe un beneficio de $2 por tonelada. El ingreso total de la cuota es 300 millones multiplicado por $2.

9c. Los agentes importadores a quienes se asigna la cuota.

# Glosario

**Actividad de búsqueda** El tiempo dedicado a buscar a alguien con quien se pueda hacer negocios.

**Acuerdo de colusión** Un acuerdo entre dos (o más) productores para restringir la producción con el fin de aumentar precios y beneficios.

**Acuerdo General sobre Aranceles y Comercio (GATT**, por sus siglas en inglés) Un acuerdo internacional diseñado para reducir los aranceles y otro tipo de medidas que imponen trabas al comercio internacional.

**Acumulación de capital** El crecimiento de los recursos de capital.

**Aprendizaje mediante la práctica** Las personas se vuelven más productivas en una actividad (aprendizaje) simplemente al producir repetidamente un bien o servicio en particular (práctica).

**Arancel** Un impuesto que se aplica únicamente a los bienes importados.

**Argumento de la industria naciente** Argumento tradicional para explicar por qué es conveniente proteger de la competencia a determinadas actividades productivas en sus etapas iniciales.

**Barreras a la entrada** Restricciones legales o naturales que protegen a una empresa de competidores potenciales.

**Barreras no arancelarias** Cualquier acción distinta a un arancel que restringe el comercio internacional.

**Beneficio económico** El ingreso total de una empresa menos su costo de oportunidad.

**Beneficio marginal** El beneficio que recibe una persona de consumir una

unidad adicional de un bien o servicio. Se mide como el monto máximo que una persona está dispuesta a pagar por una unidad más de un bien o servicio.

**Beneficio marginal social** El beneficio marginal recibido por el comprador de un bien (beneficio marginal privado), más el beneficio marginal recibido por otros (beneficio externo).

**Beneficio normal** El rendimiento esperado por ofrecer habilidades empresariales.

**Beneficios externos** Beneficios que recibe gente distinta al comprador del bien.

**Bien inferior** Un bien cuya demanda disminuye cuando sube el ingreso del consumidor.

**Bien normal** Un bien cuya demanda aumenta cuando aumenta el ingreso del consumidor.

**Bien público** Bien o servicio que se puede consumir en forma simultánea por todos, aun sin pagar por él.

**Bien público local** Un bien público que consume toda la gente que vive en una zona en particular.

**Bienes y servicios** Todas las cosas que son utilizadas en la producción y el consumo.

**Búsqueda de rentas** Cualquier actividad que trata de capturar un excedente del consumidor, un excedente del productor o un beneficio económico.

**Cambio de la cantidad demandada** Una alteración en la cantidad demandada de bienes y servicios, que resulta de una modificación en sus precios propios. Se ilustra con un movimiento a lo largo de la curva de demanda.

**Cambio de la cantidad ofrecida** Una alteración en la cantidad ofrecida de bienes y servicios, que resulta de una modificación en sus precios propios. Se ilustra con un movimiento a lo largo de la curva de oferta.

**Cambio de la demanda** Una alteración en la demanda planeada de bienes y servicios que no proviene de una modificación en los precios. Se

ilustra con un desplazamiento de la curva de demanda.

**Cambio de la oferta** Una alteración en la oferta planeada de bienes y servicios que no proviene de una variación en los precios. Se ilustra con un desplazamiento de la curva de oferta.

**Cambio tecnológico** El desarrollo de nuevos bienes y de mejores maneras de producir bienes y servicios.

**Cantidad de equilibrio** La cantidad comprada y vendida al precio de equilibrio.

**Cantidad demandada** La cantidad de un bien o servicio que los consumidores planean comprar en un período dado, a un precio determinado.

**Cantidad ofrecida** La cantidad de un bien o servicio que los productores planean ofrecer en un período dado, a un precio determinado.

**Capacidad de producción** La producción en la cual el costo promedio está en su punto mínimo; la producción en el fondo de la curva *CP*.

**Capital** La planta, el equipo, las construcciones, los inventarios de materias primas, y los inventarios de bienes y servicios parcialmente terminados que se utilizan para producir otros bienes y servicios.

**Capital humano** La habilidad y el conocimiento acumulados que surgen de la educación y de la experiencia y capacitación en el trabajo.

**Cártel** Un grupo de empresas que llega a un acuerdo de colusión para restringir la producción y aumentar los precios y los beneficios.

*Ceteris paribus* Todo lo demás constante.

**Coeficiente de concentración de cuatro empresas** Una medida de poder de mercado que se calcula como el porcentaje del valor de las ventas que representan las cuatro empresas más grandes de una industria.

**Competencia monopolística** Un mercado en el que un número grande de empresas compite haciendo productos similares, pero ligeramente diferentes.

**Competencia perfecta** Un mercado en el cual hay muchas empresas y cada una vende un producto idéntico; hay muchos compradores; no hay restricciones a la entrada a la industria; las empresas en la industria no tienen ninguna ventaja sobre nuevos participantes potenciales; y las empresas y los compradores están bien informados acerca del precio del producto de cada empresa.

**Complemento** Tipo de bien que se usa en forma conjunta con otro bien.

**Corto plazo** El corto plazo en microeconomía tiene dos significados. Para la empresa, es el período en el cual está fija la cantidad de, por lo menos, un factor de producción y se pueden variar las cantidades de los otros factores de producción. El factor de producción fijo generalmente es el capital; es decir, la empresa tiene un tamaño de planta determinado. Para la industria, el corto plazo es el período en el que cada empresa tiene un tamaño de planta determinado y el número de empresas en la industria está fijo.

**Costo de información** El costo de oportunidad de la información económica: el costo de adquirir información sobre precios, cantidades y calidades de bienes, servicios y recursos.

**Costo de oportunidad** El costo de oportunidad de una acción es la alternativa desaprovechada de mayor valor.

**Costo fijo promedio** El costo fijo total por unidad de producción: el costo fijo total dividido entre las unidades producidas.

**Costo fijo total** El costo de los factores fijos.

**Costo irrecuperable** Un costo en el que se incurrió en el pasado y que no puede ser revertido.

**Costo marginal** El costo de oportunidad de producir una unidad adicional de un bien o servicio. Incremento en los costos totales que surgen de un incremento marginal (usualmente una unidad) en la producción. Se calcula como el aumento de costo total dividido entre el aumento de la producción.

**Costo marginal social** El costo marginal en el que incurre el productor de un bien (costo marginal privado), más el costo marginal impuesto a otros miembros de la sociedad (costo externo).

**Costo promedio** Costo total por unidad de producción.

**Costo total** El costo de los recursos productivos que utiliza una empresa.

**Costo variable promedio** Costo variable total por unidad de producción.

**Costo variable total** El costo de todos los factores variables.

**Costos de transacción** Los costos en los que se incurre la búsqueda de alguien para realizar negocios, en alcanzar un acuerdo acerca del precio y de otros aspectos de la transacción, y en asegurarse de que los términos del acuerdo se cumplan.

**Costos externos** Costos que no asume el productor del bien, sino alguien más.

**Crecimiento económico** La expansión de las posibilidades de producción que resulta de la acumulación de capital y del cambio tecnológico.

**Cuota** Una restricción cuantitativa a la importación de un bien en particular, la cual especifica el monto máximo que puede ser importado en un período determinado.

**Curva de costo medio de largo plazo** La relación entre la producción y el costo promedio mínimo alcanzable, cuando varían tanto el capital como el trabajo.

**Curva de demanda** Una gráfica que muestra la relación entre la cantidad demandada de un bien o servicio y su precio, cuando permanecen inalteradas el resto de las variables que pudieran influir en las compras planeadas de los consumidores.

**Curva de Lorenz** Una curva que representa gráficamente el porcentaje acumulado de ingreso o riqueza contra el porcentaje acumulado de familias o población.

**Curva de oferta** Una gráfica que muestra la relación entre la cantidad ofrecida de un bien y el precio de éste, cuando todas las otras variables que influyen sobre las ventas planeadas de los productores permanecen constantes.

**Curva de oferta de corto plazo de la industria** Una curva que muestra que la cantidad ofrecida por la industria a cada precio cambia cuando el tamaño de planta de cada empresa y el número de empresas en la industria permanece constante.

**Curva de oferta de largo plazo de la industria** Una curva que muestra cómo varía la cantidad ofrecida por una industria después de que se han efectuado todos los ajustes posibles, entre los cuales se incluyen cambios del tamaño de la planta y el número de empresas en la industria.

**Demanda** La relación entre la cantidad de un bien que los consumidores planean comprar y el precio del mismo, cuando permanecen constantes todos los otros factores que influyen en los planes de los compradores. Se describe a través de una tabla y se ilustra con una curva de demanda.

**Demanda de elasticidad unitaria** Demanda con una elasticidad precio de 1: el cambio porcentual de la cantidad demandada es igual al cambio porcentual del precio.

**Demanda de mercado** La relación entre el precio de un bien o servicio y la cantidad demandada del mismo por toda la población. Se ilustra con la curva de demanda del mercado.

**Demanda derivada** Demanda de un recurso o factor productivo que se deriva de la demanda de los bienes y servicios que son producidos por el recurso.

**Demanda elástica** Demanda con una elasticidad precio mayor que 1: con otras cosas constantes, el cambio porcentual de la cantidad demandada excede al cambio porcentual del precio.

**Demanda inelástica** Una demanda con una elasticidad precio entre 0 y 1: el cambio porcentual de la cantidad demandada es menor que el cambio porcentual del precio.

**Demanda perfectamente elástica** Demanda con una elasticidad precio infinita: la cantidad demandada cambia en un porcentaje relativamente grande en respuesta a un cambio de precio relativamente pequeño.

**Demanda perfectamente inelástica** Demanda con una elasticidad precio cero: la cantidad demandada permanece constante cuando cambia el precio.

**Depreciación económica** El cambio en el precio de mercado de los recursos de capital en un período dado.

**Derecho de autor** Un derecho exclusivo sancionado por el gobierno que otorga al inventor de un bien, servicio, o proceso productivo, el derecho para producir, usar y vender el invento por un cierto número de años.

**Derechos de propiedad** Arreglos sociales que rigen la propiedad, el uso y el destino de los recursos, los bienes y los servicios.

**Derechos de propiedad intelectual** Derechos de propiedad que se otorgan a los creadores de conocimiento.

**Descuento** La conversión de una suma futura de dinero a su valor presente.

**Deseconomías de escala** Características de la tecnología de una empresa que conduce a un costo promedio de largo plazo que crece a medida que aumenta la producción.

**Deseconomías externas** Factores fuera del control de una empresa que hacen subir sus costos a medida que aumenta la producción de la industria.

**Desempleo** Recursos que están disponibles, pero que no se utilizan.

**Diagrama de dispersión** Un diagrama que traza los valores de una variable económica en relación con los valores de otra.

**Diferenciación de producto** Hacer un bien o servicio ligeramente diferente del de una empresa competidora.

**Discriminación de precios** La práctica de vender diferentes unidades de un bien o servicio a diferentes precios, o de cobrar diferentes precios a un cliente por diferentes cantidad compradas.

**Discriminación de precios perfecta** Discriminación de precios que extrae todo el excedente del consumidor.

*Dumping* La venta de un bien o servicio en un mercado del exterior a un precio inferior al de su costo de producción.

**Duopolio** Una estructura de mercado en la que compiten dos productores de un bien o servicio.

**Economía** La ciencia que explica las elecciones que hacemos en un contexto de escasez relativa de recursos.

**Economías de alcance** La disminución del costo promedio que ocurre cuando una empresa utiliza recursos especializados para producir una gama de bienes y servicios.

**Economías de escala** Características de la tecnología de una empresa que conduce a un costo promedio de largo plazo que decrece a medida que aumenta la producción.

**Economías externas** Factores fuera del control de una empresa que reducen sus costos a medida que aumenta la producción de la industria.

**Efecto ingreso** El cambio en el consumo que resulta de un cambio en el ingreso del consumidor, manteniendo otras cosas constantes.

**Efecto precio** El cambio en el consumo que resulta de un cambio en el precio de un bien o servicio, manteniendo todo lo demás constante.

**Efecto sustitución** El efecto de un cambio de precio de un bien o servicio sobre la cantidad comprada, cuando el consumidor se queda indiferente entre la situación de consumo original y la nueva; es decir, cuando el consumidor permanece en la misma curva de indiferencia.

**Eficiencia económica** La situación que ocurre cuando el costo de obtener una cierta producción es tan bajo como sea posible.

**Eficiencia en la producción** Una situación en la cual la economía no puede producir más de un bien sin producir menos de otro.

**Eficiencia tecnológica** Una situación que ocurre cuando no es posible aumentar la producción sin aumentar el uso de factores productivos.

**Eficiente** El uso de los recursos es eficiente cuando éstos se utilizan de la mejor manera posible dados los precios, las preferencias y la tecnología.

**Elasticidad cruzada de la demanda** El grado de reacción de la demanda de un bien ante un cambio en el precio de un sustituto o complemento, cuando todo lo demás se mantiene constante. Se calcula como el cambio porcentual de la cantidad demandada del bien dividido entre el cambio porcentual del precio del sustituto o complemento.

**Elasticidad de la demanda** El grado de respuesta de la cantidad demandada de un bien a un cambio de su precio, con otras cosas constantes.

**Elasticidad de la oferta** El grado de respuesta de la cantidad ofrecida de un bien a un cambio de su precio, con otras cosas constantes.

**Elasticidad ingreso de la demanda** El grado de reacción de la demanda ante un cambio del ingreso, con otras cosas constantes. Se calcula como el cambio porcentual de la cantidad demandada dividida entre el cambio porcentual del ingreso.

**Elasticidad precio de la demanda** Una medida del grado de respuesta de la cantidad demandada de un bien ante un cambio en su precio, manteniendo constantes el resto de los otros factores que influyen sobre los planes de los compradores.

**Empresa** Una institución que contrata recursos productivos y organiza esos recursos para producir y vender bienes y servicios.

**Equilibrio cooperativo** El resultado de un acuerdo de colusión entre jugadores, en el que obtienen y comparten un beneficio de monopolio.

**Equilibrio de estrategia dominante** El resultado de un juego en el que siempre hay una sola estrategia que es mejor para cada jugador (una estrategia dominante), independientemente de la estrategia de los otros jugadores.

**Equilibrio de Nash** El resultado de un juego que ocurre cuando el jugador A realiza la mejor acción posible dada la acción del jugador B, y el jugador B realiza la mejor acción posible dada la acción del jugador A.

**Equilibrio del consumidor** Una situación en la que un consumidor ha asignado su ingreso de tal manera que maximiza su utilidad.

**Equilibrio político** El resultado que se deriva de las elecciones de los votantes, políticos y burócratas.

**Escala eficiente mínima** La cantidad mínima de producción en la que la curva de costo medio de largo plazo alcanza su nivel mínimo.

**Escasez** La situación en la que los recursos disponibles son insuficientes para satisfacer las preferencias de los individuos.

**Espíritu empresarial** El recurso que organiza a los otros factores de la producción. Los empresarios aportan ideas nuevas sobre qué, cómo, cuándo y dónde producir, toman decisiones de negocios y asumen el riesgo que surge de sus decisiones.

**Esquema de regulación de incentivos** Una regulación que da a la empresa un incentivo para operar de manera eficiente y mantener controlados los costos.

**Estrategias** Todas las acciones posibles de un participante en un juego.

**Excedente del consumidor** El valor que el consumidor obtiene de cada unidad de un bien, menos el precio pagado por el mismo.

**Excedente del productor** El precio que un productor obtiene por un bien o servicio menos su costo de oportunidad.

**Exportaciones** Los bienes y servicios que se venden a los habitantes de otros países.

**Externalidad** Un costo o beneficio que surge de una transacción económica y que recae sobre gente que no participa en la transacción.

**Fallas de mercado** Una situación en la que el mercado no usa en forma eficiente los recursos.

**Fijación de precios límite** La práctica de cobrar un precio por debajo del que maximiza el beneficio del monopolio y producir una cantidad superior a aquella en la que el ingreso marginal es igual al costo marginal, con el objeto de desalentar la entrada de nuevas empresas a una industria.

**Frontera de posibilidades de producción** Describe el límite de las distintas combinaciones de producción que se pueden obtener dada la existencia de recursos escasos y una cierta tecnología.

**Gasto** El precio de un bien multiplicado por la cantidad comprada del mismo.

**Gráfica de corte transversal** Una gráfica que muestra los valores de una variable correspondientes a diferentes grupos de una población en un momento dado.

**Gráfica de series de tiempo** Una gráfica que mide el tiempo (por ejemplo, meses o años) en el eje de las $x$ y la variable o variables que nos interesan en el eje de las $y$.

**Gran dilema** El conflicto entre la eficiencia y la equidad.

**Ignorancia racional** La decisión de no adquirir información, porque el costo de hacerlo excede al beneficio esperado.

**Importaciones** Los bienes y servicios que se compran a los habitantes de otro país.

**Impuesto al consumo** Un impuesto a la venta de una mercancía en particular.

**Impuesto sobre la renta negativo** Un esquema de redistribución que da a cada familia un ingreso anual mínimo garantizado y grava todo ingreso superior al mínimo garantizado a una tasa impositiva marginal fija.

**Impuesto sobre la renta progresivo** Un impuesto sobre el ingreso con una tasa marginal que aumenta conforme sube el ingreso.

**Impuesto sobre la renta proporcional** Un impuesto sobre el ingreso que mantiene una tasa constante independientemente del nivel de ingreso.

**Impuesto sobre la renta regresivo** Un impuesto sobre el ingreso con una tasa marginal que disminuye al subir el ingreso.

**Incentivo** Un aliciente para realizar una acción en particular.

**Incertidumbre** Una situación en la puede ocurrir más de un resultado, pero no se sabe cuál.

**Índice Herfindahl-Hirschman (IHH)** Una medida de poder de mercado que se calcula como la suma de los cuadrados de la participación porcentual en el mercado de cada una de las 50 empresas más grandes en el mercado (o de todas las empresas si son menos de cincuenta).

**Inflación** Un proceso en el cual el nivel de precios aumenta a través del tiempo.

**Información económica** Datos sobre precios, cantidades y calidades de bienes y servicios y factores de producción.

**Información privada** Información disponible para una sola persona, pero cuya adquisición es demasiado costosa para cualquier otra persona.

**Ingreso** La cantidad de dinero que alguien percibe.

**Ingreso del producto marginal** El cambio del ingreso total que resulta de emplear una unidad más de un recurso, mientras se mantienen constantes todos los otros recursos. Se calcula como el aumento del ingreso total dividido entre el aumento de la cantidad del recurso.

**Ingreso marginal** Cambio en el ingreso total derivado de la venta de una unidad adicional del bien o servicio. Se calcula como el cambio en el ingreso total dividido entre el cambio en la cantidad vendida.

**Ingreso real** El ingreso de un individuo o familia que no se expresa como dinero, sino como la cantidad de bienes que pueden ser comprados.

**Ingreso total** El valor de las ventas de una empresa. Se calcula como el precio del bien multiplicado por la cantidad vendida.

**Intercambio** Una restricción que supone renunciar a algo para obtener otra cosa.

**Intercambio voluntario** Una transacción entre personas, empresas o países, que se emprende en forma voluntaria.

**Largo plazo** Un período en el que la empresa puede variar las cantidades de todos sus factores de producción.

**Ley antimonopolio** Una ley que regula y prohíbe ciertas clases de conducta de mercado, tales como el monopolio y las prácticas monopolísticas.

**Ley de los rendimientos decrecientes** Una ley que enuncia que a medida que aumenta la utilización de un insumo productivo, manteniendo constante el uso de los demás insumos, la producción del bien o servicio aumenta a tasas decrecientes.

**Ley del salario mínimo** Una regulación que vuelve ilegal la contratación de trabajo debajo de una tasa de salario especificada.

**Línea presupuestal** Los límites a las elecciones de consumo de un individuo.

**Macroeconomía** Área de la economía que se dedica a estudiar el comportamiento de los grandes agregados económicos. Toma en consideración los mercados nacionales e internacionales.

**Margen** Cuando una decisión cambia en un monto pequeño, o lo hace poco a poco, se dice que la decisión es "en el margen".

**Matriz de recompensas** Una tabla que muestra las recompensas para cada acción posible de cada jugador, para cada acción posible de cada uno de los otros jugadores.

**Mercado** Espacio en el que vendedores y compradores obtienen información sobre bienes y servicios, y en el que realizan transacciones comerciales.

**Mercado disputable** Un mercado en el que opera una empresa (o un número pequeño de empresas), pero en el que la entrada y salida son libres, de tal manera que la empresa (o empresas) en la industria se enfrenta(n) a la competencia de nuevos principiantes potenciales.

**Mercado eficiente** Un mercado en el cual el precio existente incorpora toda la información relevante que está actualmente disponible. Los recursos se asignan a su uso de mayor valor.

**Mercado negro** Un arreglo comercial ilegal en el que el precio excede al precio máximo impuesto legalmente.

**Microeconomía** Área de la economía que se dedica a estudiar las decisiones de personas y empresas, las interacciones de esas decisiones en los mercados y los efectos de la regulación y los impuestos gubernamentales sobre los precios y cantidades de bienes y servicios.

**Modelo económico** Una representación simplificada de algún aspecto de la realidad económica, que incluye sólo aquellas características que se necesitan para los fines a conseguir.

**Monopolio** Una industria que produce un bien o servicio para el que no existe un sustituto cercano y en la que hay un oferente protegido de la competencia por una barrera que impide la entrada de empresas nuevas.

**Monopolio bilateral** Una situación en la que hay un solo vendedor (un monopolio) y un solo comprador (un monopsonio).

**Monopolio de un solo precio** Un monopolio que vende cada unidad de su producción al mismo precio.

**Monopolio legal** Una estructura de mercado en la que hay una sola empresa y en la que la entrada al mercado está restringida por la concesión de una franquicia pública, licencia gubernamental, patente o derecho de autor.

**Monopolio natural** Un monopolio que se da cuando una empresa puede abastecer a todo el mercado a un precio más bajo que dos o más empresas.

**Monopsonio** Un mercado en el que hay un solo comprador.

**Negociación colectiva** Un proceso de negociación entre representantes de patrones y sindicatos.

**Oferta** La relación entre la cantidad de un bien o servicio que los productores planean vender y el precio del mismo cuando todas las otras variables que influyen sobre los planes de los vendedores permanecen constantes. La describe una tabla y la ilustra una curva de oferta.

**Oligopolio** Un mercado en el que compite un pequeño número de empresas.

**Organización Mundial de Comercio** Una organización internacional que vigila las políticas comerciales de los países con el fin de que no se entorpezca el comercio internacional más allá de lo establecido en las reglas del GATT.

**Parásito** Alguien que consume un bien sin pagar por él.

**Patente** Un derecho exclusivo sancionado por el gobierno, otorgado al inventor de un bien, servicio o proceso productivo, para producir, usar y vender el invento por un número dado de años.

**Pendiente** El cambio del valor de la variable medida en el eje $y$ dividido entre el cambio de la variable medida en el eje $x$.

**Pérdida irrecuperable** Una medida de ineficiencia. Es igual a la pérdida del excedente total (excedente del consumir más excedente del productor) cuando la producción es inferior o superior a su nivel eficiente.

**Pobreza** Una situación en la que el ingreso de una familia no es suficiente para que ésta pueda comprar las cantidades de alimentos, vivienda y vestido que se consideran necesarios.

**Poder de mercado** La capacidad de influir sobre el mercado y en particular sobre el precio del mercado, a través de cambios en la cantidad total ofrecida.

**Precio de equilibrio** El precio al que la cantidad demandada es igual a la cantidad ofrecida.

**Precio de reserva** El precio máximo que un comprador está dispuesto a pagar por un bien.

**Precio relativo** La razón del precio de un bien o servicio con respecto al precio de otro bien o servicio. Un precio relativo es un costo de oportunidad.

**Precio tope** Una regulación que vuelve ilegal cobrar un precio mayor que un nivel especificado.

**Principio de diferenciación mínima** La tendencia de los competidores a volverse idénticos cuando tratan de atraer al máximo número de clientes o votantes.

**Principio de simetría** Un principio que afirma que la gente en situaciones similares debe tratarse de manera similar.

**Problema de agente-principal** El problema de idear reglas de compensación para inducir a un subordinado (agente) a actuar de acuerdo con los mejores intereses del principal.

**Producción total** La producción total de una empresa en un período dado.

**Productividad** Producto obtenido por unidad de insumos utilizados en la producción de bienes y servicios.

**Producto marginal** La producción extra obtenida como resultado de un aumento pequeño de un factor productivo variable. Se calcula como el aumento de la producción total dividido entre el aumento del factor productivo variable, cuando las cantidades de todos los otros recursos permanecen constantes.

**Producto promedio** El producto medio de un recurso. Es igual al producto total dividido entre la cantidad empleada del recurso.

**Prueba de ingreso total** Un método para estimar la elasticidad precio de la demanda mediante la observación del cambio, en el ingreso total que resulta de un cambio en el precio, cuando todos los demás factores que influyen sobre la cantidad vendida permanecen constantes.

**Punto de cierre** La producción y el precio al cual la empresa apenas cubre su costo variable total. En el corto plazo, la empresa es indiferente entre producir para maximizar el beneficio o cerrar temporalmente.

**Recursos naturales no renovables** Recursos naturales que sólo se pueden usar una vez y que no se pueden reemplazar una vez usados.

**Recursos naturales renovables** Recursos naturales que se pueden usar repetidas veces sin agotar lo que queda disponible para uso futuro.

**Regla de fijación de precios por el costo promedio** Una regla que establece que el precio debe ser igual al costo promedio.

**Regla de fijación de precios según el costo marginal** Una regla que establece que el precio de un bien o servicio debe ser igual al costo marginal de producirlo.

**Regulación** Reglas administradas por una entidad gubernamental para influir sobre la actividad económica mediante la determinación de precios, estándares y tipos de productos, así como las condiciones en las cuales pueden entrar nuevas empresas a una industria.

**Regulación de la tasa de rendimiento** Una regulación que determina que el precio debe fijarse a un nivel que permita a la empresa regulada obtener un rendimiento porcentual especificado de antemano.

**Relación directa** Relación entre dos variables que se mueven en la misma dirección.

**Relación inversa** Relación entre dos variables que se caracterizan por moverse en sentido opuesto.

**Relación lineal** Relación entre dos variables que se representa gráficamente por medio de una línea recta.

**Relación negativa** Relación entre dos variables que se caracterizan por moverse en sentido opuesto.

**Relación positiva** Relación entre dos variables que se mueven en la misma dirección.

**Rendimientos constantes a escala** Características de la tecnología de una empresa que conduce a un costo promedio de largo plazo que no cambia a medida que aumenta la producción. Cuando hay rendimientos constantes a escala, la curva *CPLP* es horizontal.

**Renta económica** El ingreso recibido por el propietario de un recurso por encima del monto requerido para inducir al propietario a ofrecer el recurso para su uso.

**Renta tope** Una regulación que hace ilegal cobrar una renta mayor que un nivel especificado.

**Restricción voluntaria a la exportación** Un acuerdo entre dos países en el cual el gobierno del país exportador acepta reducir el volumen de sus exportaciones al otro país.

**Riesgo** Una situación en la que puede ocurrir más de un resultado y se puede estimar la probabilidad de cada resultado posible.

**Riesgo moral** Una situación en la que una de las partes de un acuerdo tiene un incentivo para actuar de una manera que le acarree beneficios adicionales a costa de la otra parte, una vez que se ha alcanzado el acuerdo.

**Saldo de la balanza comercial** El valor de las exportaciones de bienes menos el valor de las importaciones de bienes.

**Selección adversa** La tendencia de las personas a realizar acuerdos en los que pueden utilizar información privada para su beneficio y en perjuicio de una parte menos informada.

**Señal** Una acción realizada fuera del mercado que transmite información que puede usar ese mercado.

**Sindicato** Un grupo organizado de trabajadores cuyo propósito es aumentar los salarios e influir sobre otras condiciones laborales.

**Sindicato industrial** Un grupo de trabajadores que tiene una diversidad de habilidades y tipos de empleo, pero que trabajan en la misma industria.

**Sindicato profesional** Un grupo de trabajadores que tienen habilidades similares, pero que trabajan para muchas empresas diferentes en diferentes industrias y regiones.

**Sistema de órdenes** Sistema en el cual algunas personas dan órdenes y otras obedecen.

**Sistema de incentivos** Un método de organizar la producción que usa, dentro de una empresa, un mecanismo parecido al de mercado.

**Subsidio** Un pago efectuado por el gobierno a los productores de un bien o servicio y cuyo monto total depende del nivel de producción.

**Sustituto** Un bien que se puede usar en lugar de otro.

**Tasa de renta implícita** La renta que se paga una empresa a sí misma por el uso de sus propios activos.

**Tasa impositiva marginal** El porcentaje que se paga como impuesto de una unidad monetaria adicional de ingreso.

**Tasa impositiva promedio** El porcentaje del ingreso que se paga como impuesto.

**Tasa marginal de sustitución** La tasa a la que una persona renuncia al bien medido en el eje de las *y* para obtener más del bien medido en el eje de las *x*, con el fin de que su nivel de utilidad se mantenga constante; es decir, para que se mantenga indiferente y permanezca en una misma curva de indiferencia.

**Tasa marginal de sustitución decreciente** La tendencia general de la tasa marginal de sustitución a decrecer a medida que el consumidor se mueve a lo largo de una curva de indiferencia.

**Tecnología** Cualquier método para producir un bien o servicio.

**Tendencia** La dirección general (hacia arriba o hacia abajo) en la que una variable se mueve en el largo plazo.

**Teorema de Coase** La proposición de que las transacciones privadas son eficientes siempre y cuando existan derechos de propiedad y los costos de transacción sean bajos. De manera equivalente, con derechos de propiedad y con costos de transacción bajos, no existen externalidades.

**Teoría de juegos** La herramienta principal que usan los economistas para analizar la conducta estratégica; conducta que toma en cuenta el comportamiento que se espera de otros y el reconocimiento mutuo de interdependencia.

**Teoría de la cooptación** Una teoría de la regulación que afirma que las regulaciones económicas se ofrecen para satisfacer el objetivo de los productores de maximizar su excedente o beneficio económico.

**Teoría del interés público** Una teoría de la regulación que asevera que las regulaciones se ofrecen con el fin de satisfacer la demanda de consumidores y productores para maximizar el excedente total; es decir, para alcanzar la eficiencia.

**Teoría económica** Teoría que describe los principios económicos que caracterizan el comportamiento de los individuos (como consumidores y productores) y las instituciones (empresas y entidades públicas) en un contexto caracterizado por la escasez relativa de algún tipo de recurso.

**Términos de intercambio** Describe la relación que existe entre los precios de exportación y los precios de importación de una zona geográfica.

**Tierra** Uno de los insumos tradicionales necesarios para producir bienes y servicios.

**Tomadora de precio** Una empresa que no puede influir sobre el precio del bien o servicio que produce.

**Trabajo** El tiempo y esfuerzo que la gente asigna a la producción de bienes y servicios.

**Tratado de Libre Comercio de América del Norte** Un acuerdo firmado en 1994 entre Estados Unidos, Canadá y México para eliminar virtualmente todas las barreras al comercio internacional entre dichos países en el transcurso de 15 años.

**Utilidad** El beneficio o satisfacción que una persona obtiene del consumo de un bien o servicio.

**Utilidad de la riqueza** La cantidad de utilidad que una persona obtiene de una cantidad dada de riqueza.

**Utilidad esperada** La utilidad promedio que surge de todos los resultados posibles.

**Utilidad marginal** El cambio de la utilidad total, resultado de un aumento de una unidad en la cantidad consumida del bien.

**Utilidad marginal decreciente** La utilidad marginal que un consumidor obtiene de un bien disminuye a medida que consume más unidades del bien.

**Utilidad marginal por unidad monetaria gastada** La utilidad marginal obtenida de la última unidad del bien consumido dividida entre el precio del bien.

**Utilidad total** El beneficio total que una persona obtiene del consumo de bienes y servicios.

**Utilitarismo** Un principio que afirma que debemos esforzarnos en alcanzar "la mayor felicidad para el mayor número de personas".

**Valor** La suma máxima que una persona está dispuesta a pagar por un bien. El valor de una unidad adicional del bien o servicio es su beneficio marginal.

**Valor de la producción** El valor de los bienes y servicios producidos.

**Valor presente** La suma de dinero que invertida hoy, aumentará para llegar a ser tan grande como una suma futura dada cuando se toma en cuenta el interés que ganará.

**Valor presente neto** El valor presente de los flujos de ingreso del producto marginal del capital menos el costo del capital.

**Ventaja absoluta** Una persona tiene una ventaja absoluta en la producción de dos bienes si, al usar la misma cantidad de insumos que otra, puede producir más de ambos bienes; un país tiene una ventaja absoluta si su producción de todos los bienes por unidad de insumos es mayor que la de otro país.

**Ventaja comparativa** Una persona o país tiene ventaja comparativa en una actividad si puede desempeñar esa actividad a un costo de oportunidad inferior al que incurriría cualquier otra persona o país.

**Ventaja comparativa dinámica** Una ventaja comparativa que posee una persona o país como resultado de haberse especializado en una actividad en particular y en la que, gracias al aprendizaje, sus costos de producción son cada vez menores respecto a aquellos en los que incurren otros.

# Índice de materias

Los términos clave y las páginas en las que aparece su definición están en **negritas**.